JN170902

逐条 地方公務員法

〈第6次改訂版〉

橋本 勇 著

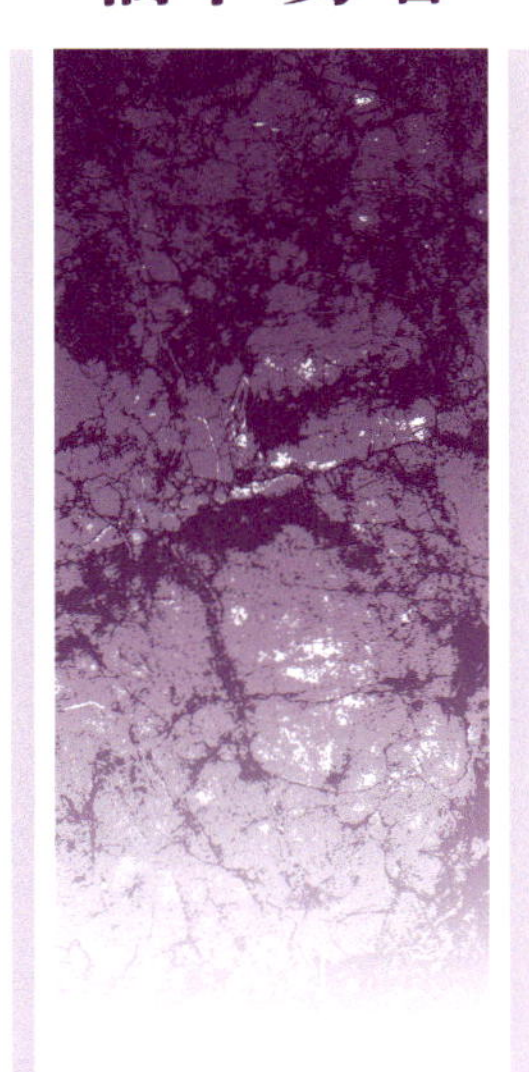

学陽書房

はしがき

最近数年間にわたる我が国経済の急速な減速は、一人経済のみならず、政治や行政のあり方についても抜本的な改革を迫っている。平成一一年七月には、いわゆる地方分権一括法が公布され、地方公務員制度に関しても長年の懸案であった地方事務官制度の廃止が実現したが、制度自体の見直しは、先送りとなっている。平成一三年一二月二五日に閣議決定された公務員制度改革大綱は、「行政の組織・運営を支える公務員をめぐっては、政策立案能力に対する信頼の低下、前例踏襲主義、コスト意識・サービス意識の欠如など、様々な厳しい指摘がなされている。真に国民本位の行政を実現するためには、公務員自身の意識・行動自体を大きく改革することが不可欠であり、公務員の意識・行動原理に大きな影響を及ぼす公務員制度を見直すことが重要である」として、「公務に求められる専門性、中立性、能率性、継続・安定性の確保に留意しつつ、政府のパフォーマンスを飛躍的に高めることを目指し、行政ニーズに即応した人材を確保し、公務員が互いに競い合う中で持てる力を国民のために最大限に発揮し得る環境を整備するとともに、その時々で最適な組織編成を機動的・弾力的に行うことができるようにすることが必要であ」り、「行政を支える公務員が、国民の信頼を確保しつつ、主体的に能力向上に取り組み、多様なキャリアパスを自ら選択することなどにより、高い使命感と働きがいを持って職務を遂行できるようにすることが重要である」とし、「国民が望む行政、国民にとって真に必要な行政は何かという観点からの制度設計が求められている」という「視点に立って、真に国民本位の行政の実現を図ることを基本理念として掲げ、国民の立場から公務員制度を抜本的に改革することにより、行政の在り方自体を改革することを目指す」としている。この大綱は、国家公務員である一般の行政職員を直接の対象とするものであるが、そこでは、「地方公務員制度においても、能力本位で適材適所の任用や能力・職責・業績が適切に反映される給与処遇を実現するとともに、地方分権に対応して政策形成能力の充実等を図るための計画的な人材育成、民間からの人材を始め多様な人材の確保等に取り組むなど、地方自治の本旨に基づき、地方公共団体の実情を十分勘案しながら、国家公務員制度の改革に準じ、所要の改革を行う」こととされ、「今後の地方公務員制度の改革スケジュールについては、国家公務員法改正と同時期に地方公務員法の所要の改正を行うこととするなど、関係法令の整備を進め、国家公務員制度の改革スケジュールに準じて速やかに改革の取組を進めることとする」ことが明らかにされている。

この公務員制度改革大綱が掲げる「新たな公務員制度の概要」がどこまで地方公務員に妥当するかは極めて疑問であり、国が、地方分権に対応して、地方自治の本旨に基づき、国家公務員制度の改革に準じて地方公務員制度の改革を進めるという意味が不分明であるが、五〇年余りの間、対症療法的な措置が積み上げられてきた制度を抜本的に見直すことが必要なことは間違いないであろう。思いつくままにあげても、地方公共団体の規模を考慮しない画一的な人事機関の設置と機能、職務の多様さに対応できない任用制度、形式的な平等主義にとらわれた身分取扱など、改革を必要とする分野は多い。しかし、その一方において、給与や分限処分など、制度というよりも運用に大きな問題があるというべき分野も多分にあるように思われる。ただ、「新しい酒は、新しい革袋に」という諺もあるように、制度（法律）をそのままにして運用を改めることは至難の技であり、新しい法律という革袋に新しい（本来の）公務員制度という酒を入れることにも大きな意味があろう。

ともあれ、新たな公務員制度の改革のための法律などの整備は平成一七年度末までに実施され、一八年度を目途に新制度に移行することになっているが、それまで手をこまねいて待っていることは許されない。現行の制度の中で正すべきものは正すとともに、運用によって改善が可能なものは最大限の改善をなさなければならない。さらに、新たな制度を作り上げるためには、現行制度が本来何を実現しようとしていたのか、その現実の運用がどのようになっているのか、現実にどのような問題が生じているのか、それにどのように対処すべきなのかを考えなければならない。

本書は、そのような観点から、地方公務員法の制定とその後の改正の経過を踏まえながら、各条文の趣旨と意味を明らかにし、その運用の実際と問題点を解明しようとするものである。そのために、できるだけ多くの行政実例および判決例を引用することに努めるとともに、その出典をも明記したので、さらに詳しい内容が必要な場合は、是非、その原典にあたることをお勧めする。

なお、本書は、基本的に鹿児島重治氏の「逐条地方公務員法」を承継するものであるが、敢えて同氏の考え方に異を立てた部分もあり、このような形でその著作を使用することを許諾下さったご遺族のご厚意に感謝する次第である。筆者は、同氏の業績を引き継ぐには力不足であることを十分に承知しながらも、同氏が自治大学校長の職にあるときに直接の部下として勤務させていただいたという縁があることや、公務員になって間もない昭和四六年に沖縄返還に伴う特別措置法の立案作業に携わって以来、弁護士になってからも地方公務員法関係の仕事と縁が切れず、訴訟だけでなく、自治大学校で地方公務員の講義を担当したり、地方公務員法に関する著作もいくつかあるということから、本書の執筆を引き受けたものであるが、本書が同氏の業績を汚すものでないことをひたすら願うのみである。

平成一四年二月

橋　本　　勇

第六次改訂にあたって

前回の改訂から三年が経過したが、今回の改訂においては、令和三年の地方公務員法の改正による定年延長および役職定年制並びに定年延長にともなう給料月額を七割とする措置を中心として、下級審の判断が統一されていなかった懲戒免職処分と退職手当の支給制限関係についての最高裁の判例を紹介し、実務上の問題点が多い病気休職の期間満了時における対処や会計年度任用職員などの任期付き職員の繰り返しての任用の考え方についての記述を充実させるとともに、前回の改定時以降の法律改正を反映させている。

職員の定年を原則として六五歳とし、定年に達する前の職員を短時間勤務の職に採用することができること、また、管理監督職の職員は原則として六〇歳に達した日の翌日から同日以後における最初の四月一日までに他の職に降任または転任されること（「役職定年制」という。）を内容とする国家公務員法等の一部を改正する法律および地方公務員法の一部を改正する法律がそれぞれ令和三年（二〇二一年）法律第六一号、同年法律第六三として公布され、両者とも、改正に伴う手続きに関する規定を除いて、令和五年四月一日から施行された。これらの法律改正と併せて一般職の給与に関する法律も改正され、六〇歳に達した職員の俸給月額は、六〇歳に達した日後における最初の四月一日以後、従前の俸給月額の七割とすることを原則とすることとされた。そして、定年および短時間勤務の職に採用することができる職員の年齢は国家公務員法が定める年齢を基準とすべきことが、役職定年の年齢については国および他の地方公共団体の職員との権衡を失しないように適当な考慮が払われなければならないことが令和三年に改正された地方公務員法自体に定められ、退職手当については、従来からの職員の給与は国および他の地方公共団体の職員ならびに民間事業者の給与その他の事情を考慮して定めなられければならないとする原則に従うべきであるとされている。この結果、条例で定めるべき内容は事実上国家公務員に関する法律の定めと同じことになるので、本書においては、地方公務員法の定めを中心としながら、その具体的な内容については国家公務員についての制度を解説することとした。

懲戒免職処分と退職手当の支給制限関係については、これまでの裁判例においては、懲戒免職に相当する非違行為をした以上退職手当が支給されなくても仕方がないという考え方と、退職手当は給料の後払いの性質も有しているのだから退職手当の支給を制限する判断は抑制的であるべきだという考え方の両方があったが、令和五年六月二七日、最高裁が懲戒免職処分を受けた職員に対して退職手当の支給制限については「公務に対する信頼に及ぼす影響の程度等、公務員に固有の事情を他の事情に比して重視すべきでないとする趣旨」を含まない（給料の後払いの性質を殊更に重視するべきではない）との判断を示した。

メンタルヘルスの重要性が指摘されるにしたがって病気休職の期間満了時における任命権者の対応が問題になることが多い。分限免職すべきか否かの判断時期、そのための医師の診断との関係、特に医師の診察を受けることを拒否している職員への対応についての考え方を整理し、具体的な措置について判示している裁判例を紹介することとした。

なお、懲役および禁錮を拘禁刑に改める刑法の一部を改正する法律（令和四年六月一七日法律第六八号）が令和七年六月一七日までの政令で定める日から施行されることとなっていることから、本書においては現行法で懲役または禁錮とされている刑を「拘禁刑」と表記しているので留意願いたい。

令和五年（二〇二三年）一〇月

橋本　勇

目次

第二章　人事機関

第四章　補　則……一〇五六

凡例

育児休業法	育児休業、介護休業等育児又は家族介護を行う労働者の福祉に関する法律
育児休業法施行則	育児休業、介護休業等育児又は家族介護を行う労働者の福祉に関する法律施行規則
外国派遣法	外国の地方公共団体の機関等に派遣される一般職の地方公務員の処遇等に関する法律
寒冷地手当法	国家公務員の寒冷地手当に関する法律
議院証人法	議院における証人の宣誓及び証言等に関する法律
義務教育職員給与等特別措置法	公立の義務教育諸学校等の教育職員の給与等に関する特別措置法
義務教育政治的中立確保法	義務教育諸学校における教育の政治的中立の確保に関する臨時措置法
給与法	一般職の職員の給与に関する法律
共済法	国家公務員共済組合法
行政機関定員法	行政機関の職員の定員に関する法律
行訴法	行政事件訴訟法
行手法	行政手続法
教特法	教育公務員特例法
教特法施行令	教育公務員特例法施行令
行服法	行政不服審査法
勤務時間法	一般職の職員の勤務時間、休暇等に関する法律
刑訴法	刑事訴訟法
憲法	日本国憲法
公益的法人等派遣法	公益的法人等への一般職の地方公務員の派遣等に関する法律
公選法	公職選挙法
公選法施行令	公職選挙法施行令
構造改革特区法	構造改革特別区域法

高齢者雇用安定法	高年齢者等の雇用の安定等に関する法律
国賠法	国家賠償法
個人情報保護法	個人情報の保護に関する法律
国公育児休業法	国家公務員の育児休業等に関する法律
国公自己啓発法	国家公務員の自己啓発等休業に関する法律
国公法	国家公務員法
個別労働紛争解決促進法	個別労働関係紛争の解決の促進に関する法律
雇用機会均等法	雇用の分野における男女の均等な機会及び待遇の確保等に関する法律
災対法	災害対策基本法
災対法施行令	災害対策基本法施行令
産業教育手当法	農業、水産、工業又は商船に係る産業教育に従事する公立の高等学校の教員及び実習助手に対する産業教育手当の支給に関する法律
自治法	地方自治法
自治法施行令	地方自治法施行令
自治法施行則	地方自治法施行規則
自治法施行規程	地方自治法施行規程
障害者雇用促進法	障害者の雇用の促進等に関する法律
障害者雇用促進法施行令	障害者の雇用の促進等に関する法律施行令
障害者雇用促進法施行規則	障害者の雇用の促進等に関する法律施行規則
消組法	消防組織法
情報公開法	行政機関の保有する情報の公開に関する法律
人材確保法	学校教育の水準の維持向上のための義務教育諸学校の教育職員の人材確保に関する特別措置法
政資法	政治資金規正法
政資法施行令	政治資金規正法施行令
退手法	国家公務員退職手当法
退手法施行令	国家公務員退職手当法施行令
短時間労働者法	短時間労働者及び有期雇用労働者の雇用管理の改善等に関する法律
地教行法	地方教育行政の組織及び運営に関する法律

地教行法施行令　地方教育行政の組織及び運営に関する法律施行令
地共済法　地方公務員等共済組合法
地共済法施行令　地方公務員等共済組合法施行令
地公育児休業法　地方公務員の育児休業等に関する法律
地公企法　地方公営企業法
地公企法施行令　地方公営企業法施行令
地公災法　地方公務員災害補償法
地公災法施行令　地方公務員災害補償法施行令
地公災法施行規則　地方公務員災害補償法施行規則
地公労法　地方公営企業等の労働関係に関する法律
地公労法施行令　地方公営企業等の労働関係に関する法律施行令
地方独法法　地方独立行政法人法
地方独法法施行令　地方独立行政法人法施行令
定時制・通信教育振興法　高等学校の定時制教育及び通信教育振興法
定時制・通信教育振興法施行令　高等学校の定時制教育及び通信教育振興法施行令
任期付研究員採用法　地方公共団体の一般職の任期付研究員の採用等に関する法律
任期付研究員特例法　一般職の任期付研究員の採用、給与及び勤務時間の特例に関する法律
任期付職員採用法　地方公共団体の一般職の任期付職員の採用に関する法律
任期付職員特例法　一般職の任期付職員の採用及び給与の特例に関する法律
年齢計算法　年齢計算ニ関スル法律
農委法　農業委員会等に関する法律
農改法　農業改良助長法
派遣法　労働者派遣事業の適正な運営の確保及び派遣労働者の保護等に関する法律
武力攻撃事態等措置法　武力攻撃事態等における国民の保護のための措置に関する法律
武力攻撃事態等措置法施行令　武力攻撃事態等における国民の保護のための措置に関する法律施行令
武力攻撃事態等における安全確保法　武力攻撃事態等における我が国の平和と独立並びに国及び国民の安全の確保に関する法律
へき地教育法　へき地教育振興法
法　地方公務員法

法科大学派遣法	法科大学院への裁判官及び検察官その他の一般職の国家公務員の派遣に関する法律
法人格付与法	職員団体等に対する法人格の付与に関する法律
法人格付与法施行則	職員団体等に対する法人格の付与に関する法律施行規則
補助教職員確保法	女子教職員の出産に際しての補助教職員の確保に関する法律
民訴法	民事訴訟法
旅費法	国家公務員等の旅費に関する法律
倫理法	国家公務員倫理法
労安法	労働安全衛生法
労安法施行令	労働安全衛生法施行令
労安則	労働安全衛生規則

労基法	労働基準法
労基法施行則	労働基準法施行規則
労組法	労働組合法
労組法施行令	労働組合法施行令
労調法	労働関係調整法
通知	自治省通知または総務省通知
行実	自治省行政実例

（自治省または総務省以外の省庁の通知、行政実例等は、たとえば、労働省通知、労働省行実というように表示した。）

最高裁	最高裁判所
高裁	高等裁判所
地裁	地方裁判所

新版　逐条　地方公務員法（第6次改訂版）

序章　地方公務員法の全体像

一　地方公務員法制定の経緯

㈠　地方公務員法制定前の状況

戦前は国家公務員についても統一的な法律は存在しなかった。わが国は明治維新後、近代国家としての諸制度を逐次整備してきたのであるが、国家公務員に関するものとして、慶応三年（一八六七年）一二月九日、「言路ヲ開キ人材ヲ登庸ス」と宣言し、翌年一月一七日、三職分課職制によって「徴士」と称される官吏を選抜する制度を定めたのをはじめとして、明治九年（一八七六年）四月一四日に官吏懲戒令、同一五年七月二七日に行政官吏服務紀律、同一七年一月四日に官吏恩給令、同二〇年七月二五日に文官試験試補及見習規則、同三二年三月二三日に文官分限令を定め、その後もしばしば改正を行い、内容を整備していった。

地方における公務員の制度については、府県の官制について明治一一年（一八七八年）七月二五日に府県官職制が、同一九年七月二〇日に地方官官制が制定される一方、同二一年四月一七日に市制及町村制、同二三年五月一七日に府県制と郡制が制定され、これらの法律中にそれぞれの職員に関する規定があった。また、その服務規律については同三五年二月一四日に府県職員服務紀律が、同四四年九月二二日に市町村職員服務紀律が制定されている。

こうした各種の法令が地方の公務員の身分取扱いを定めていた状況は、昭和二二年（一九四七年）に地方自治法が制定された後もしばらく続き、同二五年一二月に至って、ようやく統一法規としての地方公務員法が制定されることになる。同法制定直前の地方公務員制度の概要は次のとおりであった。

事項	都道府県の一般の職員	市町村の一般の職員
人事機関	任命権者たる知事のほか、地方自治法および都道府県職員委員会に関する政令に基づいて都道府県職員委員会が設けられていた。この委員会は都道府県職員の任用叙級の選考に関する事務、分限に関する事務、懲戒の審査及び議決に関する事務等を掌った。	任命権者たる市町村長のほか、地方自治法および同法施行規程に基づいて市町村吏員懲戒審査委員会が設けられていた。この委員会は市町村職員の懲戒審査を行った。
任用	地方自治法および同法施行規程によって官吏任用叙級令が準用されていた。	法令上別段の定めはなく、それぞれの市町村で適宜定めていた。
給与	地方自治法施行規程により官吏の例によることとされていた。	地方自治法施行規程により官吏の例に準じて条例で定めることとされていた。
分限および懲戒	地方自治法および同法施行規程により官吏分限令および官吏懲戒令が準用されていた。	法令上別段の定めはなく、それぞれの市町村で適宜定めていた。
服務	地方自治法および同法施行規程により東京都職員服務紀律または道府県職員服務紀律の例によることとされていた。	地方自治法および同法施行規程により市町村職員服務紀律の例によることとされていた。
共済	国家公務員共済組合法に基づいて地方職員共済組合を組織していた。ただし、東京都では健康保険組合を組織していた。	健康保険法に基づいて健康保険組合を組織するかまたは政府管掌の健康保険の適用を受けていた。
退職年金および退職一時金	恩給法の規定が準用される者（官吏）と、都道府県の退職年金条例が適用される者（吏員）とがあった。なお、雇用人には昭和二四年に制定された国家公務員共済組合法（旧法）が適用されていた。	市の職員（吏員）には退職年金条例が適用され、町村の職員（吏員）には恩給組合があり、恩給条例が適用された。なお、雇用人には制度がなかった。

公務災害補償	労働基準法の災害補償の規定が適用されていた。	同　上
職員の労働団体	昭和二三年政令第二〇一号により団体交渉権が否定され、争議行為が禁止されていたが、労働組合法に基づき労働組合を組織することができた。	一般の職員については都道府県の職員と同じであったが、警察職員（当時は市町村警察であった。）および消防職員は労働組合法で団結権が否定されていた。

このように、地方公務員法が制定される以前は、地方公務員の身分取扱いは各種の法令によって個別に規定され、必ずしも全体としての統一がとられていなかったのであるが、戦後、日本国憲法に基づいて地方自治制度を確立するためには、地方公務員に関する統一的かつ基本的な法律を制定することが欠くことのできない条件と考えられ、その整備が急がれていた。そして、昭和二一年九月二八日、地方制度調査会官制が公布され、地方制度調査会が新しい地方行政制度のあり方を調査審議することとなり、その第三部会において国、地方の公務員について官吏法、公吏法の二本建とするか、公務員法一本で行くかが論議されたが、結論を得ることができないまま、この調査会の答申に基づく政府の地方自治法草案では地方公務員の任用、給与、分限、懲戒、服務などについては地方自治法とは別に法律で定めることとされた。

㈡　地方公務員法の制定まで

地方公務員に関する法律を制定することは早くから予定されていたものの、国家公務員について昭和二二年（一九四七年）一〇月二一日に国家公務員法が制定されたにもかかわらず、地方公務員法が制定されるまでにはなお暫くの年月を要した。昭和二二年一二月の第一次地方自治法改正で第一七二条に第四項が設けられ、地方公務員の身分取扱いについては別に法律で定めることが規定され、地方公務員法を制定すべきことが明示されるとともに、同法附則第一条に第二項が設けられて、地方公務員法は翌年四月一日までに制定しなければならないとされた。この期限は二度にわたって延期され同年一二月末日が最終の期限とされたが、結局、この期日に至っても地方公務員法は制定されなかった。

地方公務員法の制定がこのように遅延した事情の概略は次のとおりである。

まず、地方公務員法の立案作業が行われていた昭和二三年（一九四八年）七月三一日に、当時の騒然たる労働情勢を背景としていわゆる政令二〇一号が公布されて、国、地方の公務員の労働基本権が制限されることとなり、これが公務員制度に大きな影響を及ぼし、すでに制定されていた国家公務員法が同年一二月に大改正されるとともに、翌年一月一二日には教育公務員特例法が公布、施行された。地方公務員法の立案においても当初の方針が変更され、政令二〇一号の内容を中心とする暫定地方公務員法を制定すべく占領軍当局との折衝が行われた。

しかし、昭和二三年一一月、占領軍当局は暫定地方公務員法ではなく恒久的な地方公務員法を制定するよう指示し、政府は再び方針を変更して立案作業を行うこととなった。同二四年一一月に至って漸く成案を得ることができ閣議決定も行われたが、労働基準法の適用と単純労務職員の身分取扱いについて占領軍当局の了解が得られなかったため国会に提出することができなかった。その後調整が行われた結果、翌年一一月一七日、地方公務員法案の閣議決定が行われ、同月二一日、第九国会に提出され、一二月九日成立し、同月一三日、昭和二五年法律第二六一号として公布された。

なお、地方公務員法の制定に際しては参議院の審議で若干の修正が行われ、その施行については、昭和二六年（一九五一年）二月一三日から同二七年一二月一三日までの間に各条文を三つのグループに分けて順次行われることになった。地方公務員法自体の構造は制定後今日まで基本的には変更されていないが、昭和三一年に地方教育行政の組織及び運営に関する法律が、同四六年に公立の義務教育諸学校等の教育職員の給与等に関する特別措置法が、同六二年に外国の地方公共団体の機関等に派遣される一般職の地方公務員の処遇等に関する法律が、平成三年（一九九一年）に地方公務員の育児休業等に関する法律が、同一二年に公益法人等への一般職の地方公務員の派遣等に関する法律および地方公共団体の一般職の任期付研究員の採用等に関する法律が、同一四年に地方公共団体の一般職の任期付職員の採用に関する法律が、同一五年に地方独立行政法人法が、それぞれ制定されるなどして、地方公務員制度全体としてはかなりの変容を遂げている。これらの改正や法律の制定、施行の順序、改正などの内容については必要に応じて各条文および附則の中で解説することとするが、全体的な構造は次に述べるとおりである。

地方公務員制度の法体系の概要

◉印はその法令の全部または大部分が地方公務員制度を形成しているものを示し，

○印はその一部分が関係しているものを示す。

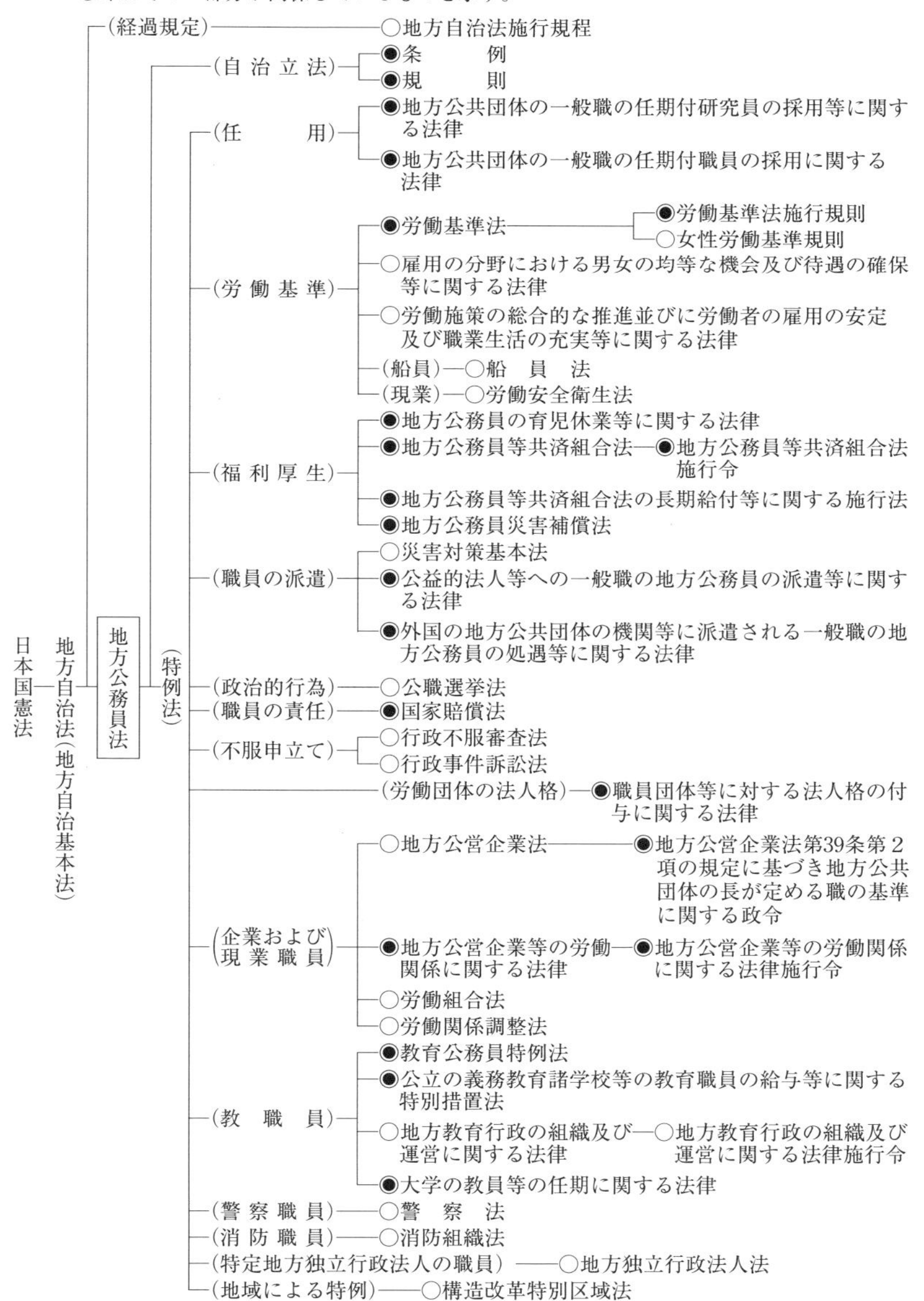

二　地方公務員法の全体像

㈠　地方公務員法の意味

地方公務員の勤務関係を規律する法規範としては、地方公務員法およびそれに基づく条例や規則だけではなく、最上位の規範としての憲法のほか、地方自治法、地方教育行政の組織及び運営に関する法律、警察法、地方公営企業法、消防組織法などの行政組織に関する法令やこれらの法律に基づく条例、規則がある。また、労働者一般に対して適用されるべき労働基準法、労働安全衛生法、労働組合法などのいわゆる労働法も、公務員制度と矛盾しない限り、地方公務員にも適用されるが、労働組合法が適用される公務員についてはその特例を定める地方公営企業等の労働関係に関する法律がある。さらに、地方公務員の福祉については、戦前の制度や国家公務員との均衡に配慮して、地方公務員等共済組合法および地方公務員災害補償法が定められている。これらの一般的な法律に加え、教育公務員特例法や外国の地方公共団体の機関等に派遣される一般職の地方公務員の処遇等に関する法律は、特定の職種または特殊な条件下で勤務する者についての特例を定めている。

このように、地方公務員の勤務関係を規律する法規範がきわめて多方面にわたり、その数も多数であることから、実定法としての地方公務員法だけのことを狭義または形式的意味の地方公務員法と、地方公務員法を含めた地方公務員の勤務関係を規律する法規範の全体を広義または実質的意味の地方公務員法と称することができる。

この実質的意味における地方公務員法を形作る法体系の概略を図示すると前頁のようになる。

㈡　地方公務員法の構造

地方公務員法に規定されている内容は、大きく分けて、地方公務員の意義と種類、人事機関、職員に適用される基準および労働基本権に関する事項の四つに分類される。それぞれの具体的な内容については、それぞれの条文に即して詳述するが、その前に、概括的に全体を見ておくこととする。

1　地方公務員の意義と種類

地方公務員法は、地方公務員について、従前の法令などに対する同法の優越性を定める第二条において「地方公共団体のすべての公務員をいう。」と同法の適用の前提となる職の区分を定める第三条において「地方公共団体及び特定地方独立行政法人（地方独立行政法人法（平成十五年法律第百十八号）第二条第二項に規定する特定地方独立行政法人をいう。以下同じ。）の全ての公務員をいう。以下同じ。」と定義したうえで、後者の地方公務員の職を一般職と特別職とに分けて、一般職に属する職員（地方公務員法はこの職員を単に「職員」と称している。）だけを対象とし、特別職に属する職員には適用しないことを原則としている（法三、四）。ただ、会計年度任用職員（法二二条の二）、臨時的任用職員（法二二条の三）および定年前の職員の短時間勤務の職への任用（法二二条の四）については、任用の要件及び期間などについて特別の定めをするとともに、臨時的任用職員及び条件付採用期間中の職員には分限処分に関する規定を適用しないこととしている（法二九の二）。

また、地方自治法は、地方公共団体の公務員を常勤職員と非常勤職員とに分けて、給与その他の給付の内容を定める（自治法二〇三の二、二〇四）ほか、条例で定める定数には臨時職員と非常勤職員を含めなくてよいことを定めている（同法一七二3）。

なお、同法は、地方公務員法が適用されない特別職について、議会の議員について議員報酬及び費用弁償についての規定（自治法二〇三）を置くとともに、都道府県知事の補助機関である職員（副知事や特別職の秘書等）に関しては、別に普通地方公共団体の職員に関して規定する法律が定められるまで従前の都庁府県の官吏又は待遇官吏に関する各相当規定を準用する（ただし、政令で特別の規定を設けることができる。）とし（自治法附則五）、同法に基づく政令である地方自治法施行規程において、副知事、専門委員、選挙管理委員、監査委員、監査専門委員の身分取り扱い等について定めている（第二条の**〔解釈〕**一3参照）。

さらに、地方公務員等共済組合法（法四三6参照）および地方公務員災害補償法（法四五4参照）は、それぞれが対象とする地方公務員の範囲について独自の規定を置いている。

2　人事機関

人事機関というのは、任命権者並びに人事委員会および公平委員会のことである。このうち、任命権者についてはそれぞれの組織法が定めており、地方公務員法は人事上の権限の一部の委任についての規定を置いている（法六）。

また、人事委員会および公平委員会は、地方公務員法で設置される機関であり、その組織、権限、委員の資格などについての詳しい規定が置かれている（法五、七〜一二）。

3　職員に適用される基準

地方公務員法は、第三章として「職員に適用される基準」と題する規定を置いている。この章に規定される事項は、この法律の中核をなすものであり、きわめて広範囲にわたるが、できるだけ条文の順序に従いつつ、その内容を理論的に整理すると、次のようになる。なお、職員に適用される基準の実施その他職員に関する事項については、条例で必要な規定を定めるものとされている（法五1）。

①　平等取扱いの原則

平等取扱いの原則は、日本国憲法第一四条第一項に規定されている法の下の平等を全ての国民を対象として地方公務員法の適用について具体化したものであり、すべての条文の解釈、運用の基本となるものである（法一三）。

②　任用

特定の者を特定の職員の職に就ける任用については、任用に際しての能力主義を明らかにした任用の根本基準（法一五）、地方公務員になることができない事由を列挙した欠格条項（法一六）、欠員となった職の補充方法を定めた任命の方法（法一七）、採用の方法等（法一七の二〜二一の二）、昇任の方法等（法二一の三、二一の四）、降任および転任の方法（法二一の五）、条件付採用（法二二）、会計年度任用職員の採用（法二二の二）、臨時的任用（法二二の三）ならびに定年前の職員の短時間勤務の職への任用（法二二の四、二二の五）に関する規定が置かれている。

③　離職

職員がその職を離れることを離職といい、それが職員の自由意思や死亡による場合については何の規定もないが、意思に反して行われる場合についての分限免職（法二八1）および懲戒免職（法二九1）に関する規定が置かれている。なお、定年退職についても特別の規定がある（法二八の六、二八の七）。

㈡　人事評価

任用、給与、分限その他の人事管理の基礎とするために職員がその職務を遂行するに当たり発揮した能力および挙げた業績を把握した上で行われる勤務成績の評価と定義される人事評価に関する規定（法六、二三～二三の四）が置かれている。

⑤　勤務条件

勤務条件については、それが社会一般の情勢に適応するように定められるべきであるとする情勢適応の原則（法一四）、勤務条件を決定するについて考慮すべき要素について定めた勤務条件の根本基準（法二四1２４）、勤務条件を条例で定めるとする勤務条件条例主義（法二四5、二五1３～5）、給与の二重支給の禁止（法二四3）、給与の支給方法（法二五2）、人事委員会による給料表に関する勧告（法二六）、修学部分休業（法二六の二）および高齢者部分休業（法二六の三）並びに休業の種類（法二六の四）、自己啓発等休業（法二六の五）および配偶者同行休業（法二六の六）に関する規定が置かれている。

⑥　身分保障

職員の身分を保障するため、分限および懲戒の基準が定められ（法二七）、分限処分の事由（法二八1～3）とその適用除外（法二九の二）、欠格条項に該当することによる失職（法二八4）、懲戒処分の事由（法二九）および職員が政治的思惑に巻き込まれることがないことを保障する政治的行為の強要などの禁止（法三六3～5）に関する定めがある。

また、定年は分限に属するという考え方から、管理監督職勤務上限年齢による降任等（法二八の二）、管理監督職への任用の制限（法二八の三）およびこれらの適用除外（法二八の四）と特例（法二八の五）ならびに定年による退職（法二八の六）および定年による退職の特例（法二八の七）が定められている。

⑦　服務

職員の義務については、総論的に、公務員としての基本的な精神を明らかにした服務の根本基準（法三〇）および地方公務員としての心構えを確認する服務の宣誓（法三一）に関する規定が置かれているほか、真摯に職務を遂行すべきことおよび公務や公務員の信用を保持すべきことについて、具体的な義務が次のように定められている。

ア　職務遂行の義務

職務遂行の義務は、法令、条例などおよび上司の命令に従うべき義務（法三二）、職務に専念すべき義務（法三五）および争議行為や怠業的行為の禁止（法三七）として定められている。

イ　信用保持の義務

信用保持の義務は、信用失墜行為の禁止（法三三）、守秘義務（法三四）および営利企業などへの従事等の制限（法三八）からなっている。

ウ　政治的行為の制限

職員の政治的中立性を維持し、政治的圧力から保護するため、一定の政治的行為について職員が行うことおよび職員に要求することの禁止などが定められている（法三六）。

⑧　利益の保護

職員の利益を保護するための特別の制度として、勤務条件に関する措置要求（法四六〜四八）と不利益処分に関する審査請求（法四九〜五一の二）に関する規定が置かれている。

⑨　退職管理

離職後営利企業等に就職した元職員が、当該離職前に在職していた地方公共団体または特定地方独立行政法人の役職員に対して、当該就職先と当該地方公共団体若しくは特定地方独立行政法人との間の売買、貸借、請負その他の契約または処分に関する事務であって離職前五年間の職務に属するものに関し、離職後二年間、職務上の行為をするように、またはしないように要求し、または依頼してはならないこと（法三八の二）とその規制を実行あらしめるための方策（法三八の三〜三八の七）を定めた規定が置かれている。

⑩　研修

職員に研修を受ける機会を与えるべきこと（法三九）を定めた規定が置かれている。

(1)　福祉

職員の福祉については、厚生制度を設けるべきこと（法四二）、法律の定めるところに従って共済制度が実施されるべきこと（法四三）および法律の定めるところに従って公務による災害に対する補償がなされるべきこと（法四五）が規定されている。

4　労働基本権

職員の労働基本権に関しては、職員団体に関する規定（法五二、五三）、交渉に関する規定（法五五）、職員団体のための職員の行為の制限（法五五の二）ならびに職員の職員団体への加入・非加入および職員団体のための正当な行為を理由とする不利益取扱の禁止（法五六）に関する規定がある。なお、交渉以外の団体行動については、職員個人の義務として争議行為などが禁止されている（法三七）。

第一章　総　則

（この法律の目的）

第一条　この法律は、地方公共団体の人事機関並びに地方公務員の任用、人事評価、給与、勤務時間その他の勤務条件、休業、分限及び懲戒、服務、退職管理、研修、福祉及び利益の保護並びに団体等人事行政に関する根本基準を確立することにより、地方公共団体の行政の民主的かつ能率的な運営並びに特定地方独立行政法人の事務及び事業の確実な実施を保障し、もつて地方自治の本旨の実現に資することを目的とする。

〔**趣　旨**〕

一　地方公務員法の目的の明示

本条は、地方公務員法を制定する目的を明らかにした規定であり、その直接の目的として二つの事項の根本基準について定めることを明らかにしている。その一は人事機関に関するものであり、その二は地方公務員の人事行政に関するものである。前者は地方公務員法第二章の、後者は第三章の各規定であり、それぞれの具体的な内容については各章における個別の条文の説明で詳述する。

地方公務員法は、直接にはこの二つの事項を定めるものであるが、これらの根本基準を確立することを通じて「地方公共団体の行政の民主的かつ能率的な運営」と「特定地方独立行政法人の事務及び事業の確実な実施」を保障することを目指し、究極的には「地方自治の本旨の実現に資すること」を目的としている。

二　自治行政の民主的かつ能率的な運営の保障

前述のように地方公務員法の直接の目的は、地方公共団体の人事機関および地方公務員の人事行政に関する根本基準を確立することである。根本基準の具体的な内容は各条文で明らかにされるが、地方公務員法はこの直接の目的を実現することによって、まず「地方公共団体の行政の民主的かつ能率的な運営」の保障を目指している。

㈠　行政の民主的運営

民主主義は戦後のわが国の統治体制におけるもっとも基本的な原則である。日本国憲法はその前文で「そもそも国政は、国民の厳粛な信託によるものであつて、その権威は国民に由来し、その権力は国民の代表者がこれを行使し、その福利は国民がこれを享受する。」と述べ、国政の存立基盤が国民にあること（民主主義）が国是であることを宣言している。地方公務員法は、地方公共団体の行政に関する基本的な法律の一つであり、地方公務員に関する人事行政を適切に実施することによって国政の一部である地方公共団体の行政の民主的な運営を保障しようとしているのである。

人事行政によって地方公共団体の行政の民主的な運営を保障するとは具体的にはどのようなことを指すのであろうか。それは基本的には地方公務員の全体の奉仕者としての地位と責任（憲法一五2、法三〇）を確立することである。民主主義に基づく行政とはもっぱら国民のために行われる行政をいうものであり、公務員が国民全体のために奉仕することがすなわち民主主義による行政を実現することになるのである。

地方公務員が全体の奉仕者としての地位と責任を全うするためには人事行政上さまざまな措置が必要である。人事機関が適切な人材の任用を行うことをはじめ、服務規律が厳正に維持されること、勤務条件の管理が適正に行われること、外部からの圧力や任命権者の恣意を排し、地方公務員としての地位の安定が図られることなどがそれであり、これらの人事行政のあらゆる措置が相まって地方公務員の全体の奉仕者としての立場が確立されることになる。すなわち、人事行政による行政の民主的な運営の保障とは、人事行政上の各般の措置が公務員の全体の奉仕者としての地位と責任を確保するためになされることを保障するという意味であるといえよう。

㈡　行政の能率的な運営

地方公共団体は、住民の福祉を増進することを目的とする組織であり（自治法一の二1）、その目的を効果的、能率的に達成することが要請されている。

地方公共団体の行政を能率的に遂行するためには、行政を遂行するための要素である資金、財産および人（地方公務員）がそれぞれ効率的に機能を発揮する必要がある。すなわち、財政運営、財産管理および人事管理が適切に行われることにより、行政の能率化が図られるのである。地方公務員法に基づく人事行政は、この人事管理であり、人事管理によって行政の能率を向上させることを「公務能率の増進」という。

地方公務員法は、公務能率を増進させるために、適切な任用によって人材を確保し、かつ、適切な人事評価を行うことなどにより人材を有効に活用すること、適正な勤務条件を保障することにより安心して職務に専念させること、服務規律を確保して秩序正しい職務を遂行させることなどを定めている。

ただ、現実には、前記㈠で述べた行政の民主的な運営とここで述べた能率的な運営とが常に一致するとは限らない。なぜならば民主的な行政を進めるためには時としてその手続に相当の時間が必要となるからである。デモクラシーとエフィシエンシーとはしばしば相対立するといわれるゆえんである。もとより理念の上では、民主的な行政は住民の利益のための行政であって、能率的に事務を処理することはすなわち住民の利益となるものであるから両者は結局一に帰するべきものであるが、民意の集約に当たって時間をかけなければならず、それが非能率なものとなることがあることはわれわれの経験が教えるところである。

三　特定地方独立行政法人の事務事業の確実な実施の保障

特定地方独立行政法人の役員および職員を地方公務員とする地方独立行政法人法が平成一六年（二〇〇四年）四月一日から施行されたことにより、地方公務員法の目的として、「地方公共団体の行政の民主的かつ能率的な運営」の保障と並んで

「特定地方独立行政法人の事務及び事業の確実な実施」の保障が掲げられることとなった。

ところで、地方独立行政法人というのは、「住民の生活、地域社会及び地域経済の安定等の公共上の見地からその地域において確実に実施されることが必要な事務及び事業であって、地方公共団体が自ら主体となって直接に実施する必要のないもののうち、民間の主体にゆだねた場合には必ずしも実施されないおそれがあるものと地方公共団体が認めるものを効率的かつ効果的に行わせることを目的として、この法律の定めるところにより地方公共団体が設立する法人をいう」ものとされ（地方独法法二1）、特定地方独立行政法人というのは、「地方独立行政法人（第二十一条第二号に掲げる業務を行うものを除く。）のうち、その業務の停滞が住民の生活、地域社会若しくは地域経済の安定に直接かつ著しい支障を及ぼすため、又はその業務運営における中立性及び公正性を特に確保する必要があるため、その役員及び職員に地方公務員の身分を与える必要があるものとして地方公共団体が当該地方独立行政法人の定款で定めるものをいう」ものとされる（地方独法法二2）。すなわち、地方独立法人が行う事務および事業には、試験研究、大学または大学および高等専門学校の設置および管理ならびに当該大学または大学および高等専門学校における技術に関する研究の成果の活用を促進する事業であって政令で定めるものを実施する者に対し出資すること、水道事業等の公営企業に相当する事業または社会福祉事業を経営すること、市町村の長その他の執行機関に対する申請等関係事務を当該市町村の長その他の執行機関の名において処理すること、公共的な施設の設置および管理など（地方独法法二一）、それが実施されなければ困るが、必ずしも地方公共団体が直接実施する必要はないものを実施する主体となる法人（地方独立行政法人）を地方公共団体が設立した場合において、その業務が停滞することを防いだり、業務運営における中立性および公正性を特に確保する必要があるために、その役員および職員に地方公務員の身分を与える必要があるもの（大学または大学および高等専門学校の設置および管理ならびに当該大学または大学および高等専門学校における技術に関する研究の成果の活用を促進する事業であって政令で定めるものを実施する者に対し出資すること（地方独法法二一②）の業務を行うものを除く。）が特定地方独立行政法人とされることになっているのである。言い換えれば、地方公務員が担当する必要がある事務または事業を実施する地方公共団体以外の法人が特定地方独立行政法人となるわけである。

ただ、この場合においても、特定地方独立行政法人の役員は特別職とされ（法三3⑥）、一般職の職員についても、給与および勤務時間等について特別の規定が置かれ、行政不服審査法の全部ならびに地方公務員法および地方公務員の育児休業等に関する法律の一部が適用除外され、適用される規定についての読み替えが規定されるほか、外国の地方公共団体の機関等に派遣される一般職の地方公務員の処遇等に関する法律、地方公務員の育児休業等に関する法律および地方公共団体の一般職の任期付職員の採用に関する法律についても必要な読み替えが規定されている（地方独法法五三）。

四　地方自治の本旨

地方公務員法は、人事行政の根本基準を定めることを直接の目的とし、この目的の実現を通じて行政の民主的かつ能率的な運営を図ることをより高次の目的としていることはこれまで述べてきたとおりであるが、さらに行政の民主化と能率化とによって「地方自治の本旨の実現に資すること」を究極の目的としている。

(一)　団体自治と住民自治

日本国憲法第九二条は「地方公共団体の組織及び運営に関する事項は、地方自治の本旨に基いて、法律でこれを定める。」と規定し、およそ地方公共団体に関する制度やその運用は「地方自治の本旨」に基づかなければならないことを明らかにしている。地方公務員法は、この憲法の規定に基づいて制定された法律であるから、地方自治の本旨に基づくものであり、その運用の最終的な目的が地方自治の本旨の実現にあることは当然である。

「地方自治の本旨」の具体的内容が何であるかということは、日本国憲法をはじめどの法律にも明記されていない。しかし、一般的に地方自治の観念は、二つの要素の結合より成り、その一つは「団体自治」であり、他の一つは「住民自治」であると理解されている（たとえば、法学協会編・註解日本国憲法　下巻一三五七頁、有斐閣、一九六九年）。したがって、地方自治の本旨の実現とは、この団体自治と住民自治を実現することであるといってよいであろう。

ここで「団体自治」というのは地方公共団体がその施策を主体的、自律的に決定する権限を持ち、自らの機関によってこれを遂行することをいい、「住民自治」というのは地方公共団体の意思決定およびその遂行が住民によって行われることをいうものである。

地方公務員法は、地方公務員の人事および職員としての権利義務などに関する根本基準について定めるものではあるが、それは地方公共団体の組織および運営に関する法律として、その内容は地方自治の本旨に基づいたものでなければならない（憲法九二）。この結果、地方公務員法では基本的な事項のみを定め、具体的な内容は各地方公共団体の判断によって定めるべきこととされている分野が多くなっている。とくに、勤務条件の中核をなす給与や勤務時間などについては、法律は基本的な考え方を示すのみで、その具体的な内容は各地方公共団体において定めることとされ、ここには枠の法律としての地方公務員法の性質がよく現れている。

一方、各地方公共団体で行われている事務、事業には共通する性質のものが多く、公務を担当するという観点からは国に勤務する者との類似性も高い。また、公務員の勤務条件を支える財政的な基盤が租税収入にあるということは、すべての公務員に共通する原則である。このことの結果として、公務員制度においては、国と地方公共団体および地方公共団体相互間で共通の内容を有することになる傾向がみられる。

このように、地方公務員制度は、地方公務員法に定められた統一的な思想の下に、地方公共団体ごとの特殊性に応じて運用されるべきことを予定しているとともに、国や他の地方公共団体におけるそれとの均衡を要求するという、ある意味では矛盾した面をも有している。ただ、最近の立法例においては、「前項の定年は、国の職員につき定められている定年を基準として条例で定める。」（法二八の六２）とし、会計年度職員制度の導入を定めた地方公務員法及び地方自治法の一部を改正する法律（平成二九年法律第二九号）の附則第二条第二項が「総務大臣は、新地方公務員法の規定による地方公務員の任用、服務その他の人事行政に関する制度及び新地方自治法の規定による給与に関する制度の適正かつ円滑な実施を確保するため、地方公共団体に対して必要な資料の提出を求めることその他の方法により前項の準備及び措置の実施状況を把握した上で、必要があると認めるときは、当該準備及び措置について技術的な助言又は勧告をするものとする。」とするほか、令和三年（二〇二一年）六月一一日法律第六三号として公布され、令和五年四月一日（この法律の実施のための準備等に関する規定は公布の日）から施行された地方公務員法の一部を改正する法律（定年を原則六五歳とし、それに伴う措置を定めるものである。）においても、これらと同旨の条文（法二八の二３）が置かれており、地方自治の本旨に基づく立法（憲法九二）という観点からはいささか疑問に思えるものもある。

(二)　地方自治と人事行政

地方公務員法と地方自治の本旨との関係は理念的には前述のとおりであるが、ここで視点を変えて地方自治と人事行政が現実の地方公共団体の行政の中でどのようにかかわるかということについて述べる。

現在、地方自治にとって人事行政がとりわけ重要な問題となっている。これにはさまざまな理由があり、たとえば、地方自治の運営の上で財政の健全な運営は欠くことのできない条件であるが、財政に占める給与費の増大が大きな問題であり、給与の適正化は人事行政の適切な運用によってもたらされることも人事行政が重視される一つの理由となっている。また、地方公共団体における労使関係の安定も人事行政の重要性を高めている。

このような問題を解決することも現実の地方自治行政の重要な課題であるが、地方自治のより根本的な問題として、これからの地方分権の推進と実現のためには地方公務員がすぐれた能力を発揮することがもっとも大切であるということがある。その理由は次のとおりである。

戦後、日本国憲法によって地方自治が保障され、地方自治法をはじめ地方自治行財政に関する各種の制度が整備された。また、今日なお解決すべき問題が残されていることも事実であるが、現行の地方自治制度発足当初と今日とを比較するならば、少なくとも相対的には地方公共団体の権限は拡充され、財政の規模も拡大され、社会、経済の発展とともに地方自治も充実発展したといってよいであろう。しかしながら現行の地方自治制度発足以来、地方公共団体は地域の基礎的な条件づくり、すなわち全国的にほぼ画一的な条件（ナショナル・ミニマム）の整備に追われてきたといっても過言ではない。また、住民自身も経済の拡大の中で地域に定着せず、特色ある地域づくりに比較的無関心であったように思われる。近来ようやく地域の生活環境改善への要請が高まり、個性的で魅力ある地域づくりの意欲が盛んになってきたといえる。これを別の角度からみると、それぞれの地域が与えられた自治ではなく、自ら主体的に創造する自治へと転換する時期が到来したように思われるのである。

このような創造的な地域づくり、魅力的で個性的な地域づくりを担うのは、国を含めて他の何者でもなく、それぞれの地方公共団体でありその住民である。住民個人こじんも、地方公共団体の長も議会の議員もそれぞれに重要な責任を負うが、なかんずく、行政のプロフェッショナルである地方公務員の責任は重大である。これからの地方自治が一層主体的かつ独創的であらねばならないことを思うとき、そのもっとも重要な担い手である地方公務員の資質、能力をとりわけ重視しなければならないのであり、ここに地方自治の本旨の実現にとって人事行政の適切な運用が極めて重要な問題であるということの基本的な理由がある。

五　地方公務員の性格

(一)　国民の信託と公務員

日本国憲法第一五条は、その一項で「公務員を選定し、及びこれを罷免することは、国民固有の権利である」とし、その第二項で「すべて公務員は、全体の奉仕者であつて、一部の奉仕者ではない」と定めている。これは、大日本帝国憲法下における天皇の使用人としての官吏という位置づけを否定するとともに、官吏とは別の存在とされていた吏員や雇員、傭人なども含めて、公務に従事する者をすべて公務員とし、国民主権の制度においては、そのすべてが国民の信託を基礎として存在し、国民に奉仕するという職責を有することを明らかにしたものである。

「公務員を選定し、及びこれを罷免することは、国民固有の権利である」という趣旨は、必ずしも、個々の公務員すべてについて、具体的な選定や罷免の権利を国民に与えるという意味ではなく、すべての公務員についての終局的な任免権が国民にあることを宣言したものである。具体的には、国会議員が選挙で選ばれ（憲法四三1）、内閣総理大臣が国会により国会議員の中から指名され（憲法六七1）、内閣総理大臣が任命する国務大臣によって構成される内閣が公務員に関する事務を行い（憲法六六、七三④）、最高裁判所長官は内閣が指名し（憲法六2）、長官以外の最高裁判所の裁判官および下級裁判所の裁判官は内閣が任命し（憲法七九1、八〇1）、最高裁判所の裁判官（長官を含む。）は、任命後およびその後一〇年毎に最初に行われる衆議院議員総選挙の際に国民審査に付される（憲法七九2）という形で、国民と公務員との関係が保障されている。

憲法は、地方公務員についても、「地方公共団体の長、その議会の議員及び法律の定めるその他の吏員は、その地方公共団体の住民が、直接これを選挙する」と定め（憲法九三2）、長および議員が住民の意思によって直接選任されるべきことを明らかにしているが、法律においても、長の補助機関たる職員の任命権は長が有し（自治法一七二2）、議会の事務局の職員等は議長が任免するものとし（自治法一三八5）、各種の行政委員会の委員（監査委員を含む。）も長の任命や議会の選挙によることとし、その補助職員の任命権を当該行政委員会（監査委員にあっては代表監査委員）に与えることによって、長や議員の選挙を通じて国民（住民）の公務員に対する終局的な選定、罷免権を保障している。

公務員が全体の奉仕者であるというのは、公務員が有すべき基本的な心構えを示すものであり、公務員という職業を選んだからには、常に国民全体の利益を念頭において職務を行わなくてはならないということと同時に、国民全体の利益のためには、国民としての権利に制限が課せられることがあることも認めなければならないことを意味している。民間における雇用関係は、法律的にはいわば労働力の売買関係であり、使用者に対する奉仕という要素がないのに対し、公務員は国民に対する奉仕者であることが法律によって要求されるということは、公務員の勤務関係は単なる労働力の提供とそれに対する報酬の支払いという関係ではなく、その基礎において国民に対する忠誠心（ロイヤルティ）が求められていることを意味する。不祥事が生ずるたびにコンプライアンスやガバナンスの必要性が叫ばれるが、その基本は職員が公務員としての自覚と誇りをもって事に当たっているかということであり、これは公務員制度の根本にかかわるものである。

このような日本国憲法第一五条第一項および第二項の規定は、全体として、国民の信託を受けて公務に携わる公務員とその福利を享受する国民との同質性を要求し、これを保障するものであり、国民主権の思想を実現するための基本を定めたものである。これに関連して、外国人を公務員に任用できるかという問題があるが、これについては法第一三条についての説明において詳述する。

㈡　公務員に対する基本的人権の制約

国家公務員法や地方公務員法が適用される公務員に対しては、原則として、団体交渉権が認められず（法五五２、国公法一〇八の五２）、争議行為や怠業的行為が禁止され（法三七、国公法九八２）、政治的行為が制限されている（法三六１２、国公法一〇二）。

これらは、一般の国民には基本的人権として保障されている権利を剝奪し、または制限するものであることから、憲法に違反するのではないかとする議論が盛んに行われてきた。地方公務員法制定後の初期の段階においては、公務員が全体の奉仕者とされていることを根拠として、これらの規定は憲法に違反しないとする見解が比較的容易に認められる傾向にあったが、次第に、公務と制限される権利との関係を具体的に検討すべきであるとする考え方が強くなり、判例における合憲という結論は変わらないものの、その理由づけが精緻なものになってきている。

団体交渉権の制限については地方公務員法第五五条の説明、争議行為などの禁止については同法第三七条の説明、政治的行為の制限については同法第三六条の説明において、それぞれ詳しく述べる。

㈢　公務員としての性質の濃淡

日本国憲法第一五条第一項および第二項の規定は公務員一般を対象としたものであるが、国民による直接の選定や罷免の対象となる公務員の範囲をどのように決めるか、また、全体の奉仕者として服すべき服務規律の具体的な内容をどうするかは、日本国憲法自体に定められているもの以外、立法政策の問題である。

国家公務員法および地方公務員法は、職業的公務員について定めることを基本とし、政治色が強く、特別の倫理観が要求される公務員や非専務職であるがために厳格な制度の枠にはめることが不適当な公務員は、その対象としないことにしている。このことは、国家公務員法や地方公務員法が適用されない公務員には、これらの法律が適用される者に比較して、全体の奉仕者としての性格がより強く、より高度の倫理観が期待されている者と、その性格が希薄であり、法律による義務づけまでは必要ないという者の二種類の者があることを意味する（法第三条についての説明参照）。

また、地方公務員法が適用される地方公務員であっても、教育公務員については教育公務員特例法が定められ、地方公営企業等の労働関係に関する法律が適用される者には団体交渉権が認められ（法五五についての説明参照）、そのうちの一定の範囲の者には政治的行為が制限されないとされる（法三六についての説明参照）ほか、特定地方独立行政法人の職員には各種の特例が定められている（地方独法法五三）など、公務員としての性質の濃淡に応じた取扱いがなされている。このような扱いは国家公務員についても同様であり、公務員の範囲の広さを示している。

（この法律の効力）

第二条 地方公務員（地方公共団体のすべての公務員をいう。）に関する従前の法令又は条例、地方公共団体の規則若しくは地方公共団体の機関の定める規程の規定がこの法律の規定に抵触する場合には、この法律の規定が、優先する。

〔趣 旨〕

一 優先条項

本条は、地方公務員法制定前に定められていた地方公務員に関する法令、条例、規則または規程の定めが、地方公務員法の規定に抵触するときは地方公務員法の規定が優先することを明記している。国家公務員法第一条第五項は同法が従前の法令に抵触する場合について定めているが、両者とも意味するところは同じである。

本条は「後法優先の原則」を定めたものであるが、異なる法令相互間でいずれが優先するかを決定する場合の法令解釈上の基本原則として、この「後法優先の原則」をはじめ、「上位法優先の原則」および「特別法優先の原則」があることは周知のとおりである。これらの原則は、明文の規定をまつまでもなく、法解釈上の当然の原則であり、地方公務員法および国家公務員法があえて明文の規定を置かなければならない法理上の理由はないし、法令相互間の優先を決定する三原則のうち、後法優先の原則のみを明記する法律上の必要性もない。それにもかかわらず、地方公務員法が後法優先の原則をあえて明記したのは、それが地方公務員に関するはじめての統一法規として制定された由来（序章一参照）を間接的に示すものであり、第一条が地方公務員に関する根本基準を定めたことを宣言していることとあわせて、地方公務員法の基本法としての性格を歴史的な立場に立って明らかにしたものと考えられる。

二　地方公共団体の公務員の意味

(一)　地方公共団体のすべての公務員

地方公務員法は、「地方公務員」という用語について二つの定義を置いている。すなわち、「地方公務員」という語について、地方公務員法第二条は「地方公共団体のすべての公務員をいう。」とし、その第三条は「地方公務員（地方公共団体及び特定地方独立行政法人（地方独立行政法人法（平成十五年法律第百十八号）第二条第二項に規定する特定地方独立行政法人をいう。以下同じ。）の全ての公務員をいう。以下同じ。）」としているのである。このような立法形式がとられているのは、平成一六年（二〇〇四年）四月一日から施行された地方独立行政法人法第四七条が「特定地方独立行政法人の役員及び職員は、地方公務員とする。」と規定していることに対応したものであり、同日よりも前には特定地方独立行政法人の役員および職員に関する規定が存在しなかったので、これらの者について後法優先の原則を定めた地方公務員法第二条を適用する必要がなく、地方公務員に関する制度を定める同法第三条以下を適用することで足りるということであろう。しかし、地方公務員法の目的を定めた第一条における「地方公務員」に、特定地方独立行政法人のすべての公務員が含まれることは、そこに「特定地方独立行政法人の事務及び事業の確実な実施」の保障が掲げられていることからも明らかであり、このような形式に拘ることに重要な意味があるとは思われない。このような規定の仕方を採用した実質的な理由として考えられるのは、本来の地方公務員（これを「理論上の地方公務員」ということもできる。）というのはやはり地方公共団体の公務員に限定されるのであり、特定地方独立行政法人の役員および職員を地方公務員とするのは、法律を適用するための技術上の扱いにすぎないことを意識しているということであろう（**第一条**の【**趣旨**】**五**(三)参照）。なお、本書においては、特定地方独立行政法人の役員を「独法役員」、その職員を「独法職員」と称することにする。

ともあれ、本条によれば、地方公務員とは「地方公共団体のすべての公務員をいう」ものとされる。これは、定義としては必ずしも明確であるとはいい難いが、「地方公共団体のすべての公務員」を地方公務員と定義することにより、地方公務員制度から身分上の区別を排除することを明らかにしたものとして、歴史的な意義を有するものである。

すなわち、地方公務員法制定前においては、都道府県および市町村に勤務する者に、公法上の関係にある官吏や吏員と私法上の関係にある雇員、傭人、嘱託などの別があり、退職後も、前者には恩給法による恩給または退職年金条例による年金が支給されていたものの、後者については、それらに相当するものの支給がないという、差別的な取扱いがなされていたことに対する反省から、戦後の新しい地方公務員制度においては、そのような区別を認めないとするのが、この定義の趣旨である。

しかし、このように地方公共団体のすべての公務員が地方公務員と定義されたことにより、差別的な取扱いがなくなったことは評価すべきであるが、その一方で、公務員概念の希薄化と画一化が進行し、職務の特殊性に応じた勤務時間や休日の設定が難しくなり、給与制度やその運用が硬直化するという問題が起きている。たとえば、福祉や社会教育などのような職務を担当する職員についても一律の休日や勤務時間が適用されるために、時間外勤務が恒常的となり、休養が十分にとれなくなったり、図書館や体育施設などの住民が直接利用する施設（公の施設）が週末や休日に閉館となるというような不都合が生じていることが少なくない。また、廃棄物の収集のように一日七時間四五分の勤務の必要がない職務や学校給食の調理のように年間を通じて勤務しなくても済む職務についても常勤の職員を充てていることによる非効率さも指摘されている。

このような問題を避けるために、臨時職員や非常勤職員を多用したり、これらの職員についての特別職制度を活用するなどの例が多く見られていた。その結果、地方公務員法の予定している制度との乖離が大きくなって、法律的な説明ができない任用が目に付くようになり、運用の是正と制度の改正の必要性がいわれてきた。地方公共団体の一般職の任期付研究員の採用等に関する法律や地方公共団体の一般職の任期付職員の採用に関する法律が制定されるなど、このような問題に対処するための立法措置もとられているが、平成二五年（二〇一三年）六月一二日には参議院総務委員会において「公務員の臨時・非常勤職員については制度の趣旨、勤務の内容に応じた任用・勤務条件が確保できるよう配慮すること」との付帯決議がなされ、同二六年（二〇一四年）七月四日には総務省自治行政局長公務員部長から各都道府県知事等にあてた「臨時・非常勤職員及び任期付職員の任用等について」と題する技術的な助言の文書が発せられるなどしていた。このような経過を経て、平成二九年（二〇一七年）法律第二九号によって改正された地方公務員法（施行は令和二年（二〇二〇年）四月一日）は、特別職の定義を明確にし、従前の特別職に含まれるとされていた臨時・非常勤職員の多くは一般職に属することを明らかにした上で、会計年度任用職員という新たな一般職のカテゴリーを法定して（法二二の二）、それまでの曖昧な運用を是正することとされたが、給与の支給根拠こそ明確になった（自治法二〇三の二、二〇四）ものの、運用は従前の臨時・非常勤職員のそれを引きずったものになっているとの批判が絶えない。

㈡　地方公務員法以外の法律による定義

前述のように地方公務員法第二条は地方公務員を極めて広く定義しているが、現実には、趣旨や目的を異にする種々の法律が公務員または地方公務員に関する規定を置いて、独自の意味を与えている場合がある。その意味で、この考え方はあくまでも地方公務員法におけるものにすぎないが、地方自治法も、従来の吏員、雇員、傭人、嘱託などを含めて「職員」と表現して（自治法一七二1）、基本的にすべての職員が同一の法律関係にあるべきことを示している。

地方公務員法以外に公務員という言葉を使用している法律としては、国家賠償法、刑法、民事訴訟法、刑事訴訟法、所得税法などがある。

国家賠償法は、「国又は公共団体の公権力の行使に当る公務員」がその職務を行うについて、故意または過失によって違法に他人に損害を加えた場合には国または公共団体が損害賠償責任を負うことを定めている（国賠法一）。ここでは、「公務員とは、単に組織法上の公務員のみならず実質的に公権力の行使たる公務の執行に携わる者を広くいう」と解釈されており（名古屋高裁昭六一・三・三一判決　判例時報一二〇四号一一二頁）、抽象的に公務員の概念を問題にするのではなく、もっぱら担当する業務が国又は公共団体の公権力の行使といえるかどうかによって公務員に該当するか否かが判断されている（最高裁平一九・一・二五判決　判例時報一九五七号六〇頁）。その意味で、ここにおける「公共団体」というのは地方公共団体に限られず、弁護士会などの公的な団体も含まれる。

刑法においては、「この法律において「公務員」とは、国又は地方公共団体の職員その他法令により公務に従事する議員、委員その他の職員をいう」と定義されている（刑法七１）。この解釈については、「人事院規則・人事院細則に違反し、人事院の承認を得ないで採用した技術補佐員であっても、任命権者がその任命権を有する以上、公務員である」とする判例（最高裁昭三二・八・三〇判決　最高裁判所裁判集刑事一二〇号七七頁）がある。

民事訴訟法や刑事訴訟法では、「公務員又は公務員であった者」については一定の条件下で証言を拒絶することが認められている（民訴法一九一1、一九七1①、刑訴法一四四）。この場合は、証言すべき内容が国の重大な利益を害するか否かが問題となるので、証人の担当していた事務の性質が主として問題となり、公務員概念自体がそれ程重要性を持つことはない。

また、所得税法においては、公務員は外国に赴任している場合においても居住者（日本国内に居住する者）とされる（所得税法三1）が、地方公務員である者が外郭団体などに出向したうえで外国に赴任し、その間の給与が地方公共団体から支給されていない場合について、その者が同法上の公務員に該当するかが問題になったこともある。

㈢　地方公共団体の公務員と地方公共団体の関係

地方公共団体の公務員には、法律によって独自の権限が付与され、自己の判断と責任においてその権限を行使するものと、上司の指揮、監督の下に自己の労働力を提供するものとの二種類がある。前者の地方公共団体との関係は民法の委任の関係に類似し、後者のそれは民法の雇用の関係に類似する。

前者は、都道府県知事、市町村長、議会の議員、監査委員や各種の行政委員会の委員、建築主事などのように、法律にその設置の根拠と権限が明記してあるのが普通であり、このカテゴリーに属する者については、地方公共団体の公務員であるか否かについての疑義が生じる余地はほとんどない。このような公務員は、自らの判断と責任において、自己に委ねられた事務を誠実に管理し、執行する義務を負うのであるが（自治法一三八の二参照）、長がこの義務に違反した場合の責任について最高裁は次のように述べている（最高裁昭六一・二・二七判決　判例時報一一八六号三頁）。

「普通地方公共団体の長は、当該地方公共団体の条例、予算その他の議会の議決に基づく事務その他公共団体の事務を自らの判断と責任において誠実に管理し及び執行する義務を負い（自治法一三八の二）、予算についてその調製権、議会提出権、付再議権、原案執行権及び執行状況調査権等広範な権限を有するものであって（自治法一七六、一七七、二一一、二一八、二二一）、その職責に鑑みると、……普通地方公共団体の長の当該地方公共団体に対する賠償責任については民法の規定によるものと解するのが相当である。」

ここで民法の規定による責任というのは、不法行為責任（民法七〇九）のことであると思われる。民法には、このほか、なすべき事務を行わなかったり、事務の処理に過失があった場合の委任（同法六四四）または準委任（同法六五六）などにおける義務違反を問題とする債務不履行責任（同法四一五）も定められているが、これらは、いずれも私法上の契約責任であり、長と当該地方公共団体との関係は、公法上の関係であるから、そこに民法が定める契約責任の概念を持ち込むことはできないであろう。

次に、後者に属する公務員というのは、一般的にいえば、地方公共団体またはその機関に対して自己の労働力を提供し、その対価として報酬を得る者のことである。この関係は、民間における雇用関係（民法六二三）と類似しているが、民間における場合は、その条件を当事者の合意により定めることができるのに対して、地方公務員の場合は、その内容が法律や条例によって定められており、当事者が自由に決定できる範囲がきわめて狭いという点に大きな違いがある。日本の法律学においては、法律関係を公法関係と私法関係に区分するのが伝統的であり、このような公務員の勤務関係は公法関係であるとされる。すなわち、国家が統治権の主体あるいは公益の代表者たる立場にあるとして、その国民に対する優越的な地位を承認し、そこでは権力性とか公益優先性などの特殊の規律または原理が妥当するのであり、このような私的自治の原則が適用されない法分野を公法と称し、それ以外の法分野を私法と称するのである。

このような伝統的な法理論に対しては、近代民主主義国家においては行政権が国民に対して当然に優位に立つような考え方は妥当しないとする批判がなされるようになっている。この立場からは、一般的に公法と私法を区別するのではなく、個々の法規が行政の権力性や優越性を承認しているかどうか、それが具体的にどこまで認めているかを個別に解釈していくことになる。明文の規定の有無に関係なく、行政の権力性や優越性を認めることに問題があるとしても、法律関係の内容について、それが当事者の自由意思に委ねられた分野とそれを法律で定めている分野があるのは事実であり、両者の法律関係が異なることは否定できない。そして、後者においては、行政の優越性を認めるための要件を法定しているのが通例であり、そこでは、行政庁と相手方の意思によって法律を離れた自由な法律関係を設定することは認められていない。その意味で、このような法分野を公法と称することを否定する必要はないであろう。

公務員関係についての判決で、公務員の勤務関係は公法関係であるということを理由として結論を出しているものが多数見受けられる（最高裁昭四九・七・一九判決（最高裁判所民事判例集二八巻五号八九七頁）など）が、そこにおける公法関係という言葉は法律関係の内容を当事者が自由に決めることができないということを意味していることが多い。

かつては、地方公共団体と地方公務員との間の法律関係が地方公共団体と一般の住民との間のそれと異なるということについて、地方公務員と地方公共団体との関係は特別権力関係であるという言葉で説明されることが多かったが、いずれの関係も法律によって規制されているという点では同じだということから、それぞれの法律関係の内容が異なるということだけに注意すればよいとして、特別権力関係という言葉は使われなくなってきている。特別権力関係というのは、国家と国民、地方公共団体と住民の間の普通の関係を一般権力関係とし、このような関係においては、権利を制限し、義務を課するためには法律の規定が必要であるが、国や地方公共団体の営造物を利用する者や公務員に対しては、特別の法律の根拠がなくても、その権利を制限したり、義務を課したりすることができるとして、後者と国や地方公共団体との関係を説明するための言葉である。これは、国や地方公共団体を一方の当事者とする法律関係に二種類のものがあることを明らかにするという意味では正当であるが、ときとして、特別権力関係という名のもとに無制限に権利を制限し、義務を課すことができるという主張を招くおそれがあるのに加え、たとえ特別権力関係といわれる関係であっても、法律関係である以上、法律を離れた規制はあり得ないとして、強く批判されるようになっている。その結果、最近は、特別権力関係という言葉で一括するのではなく、個別の法律関係ごとに権利の制限や義務についての具体的な根拠と限界を検討すべきであるという見解が通説となっている。このことは地方公務員の地方公共団体に対する関係についても同じであり、地方公務員法などの具体的な法律解釈として、どこまで地方公務員の権利を制限し、義務を課することができるかを考えることが必要となる。

〔解　釈〕

一　従前の法令の効力

１　従前の法令の経過的効力　本条は、地方公務員法公布後二カ月を経過した日から効力を生じている（法附則１）。したがって、優先条項はその時から作用しており、建前として地方公務員法の規定に抵触する従前の法令の規定はその時から効力を失うことになるが、後に地方公務員法附則第一項について述べるように、地方公務員法の各規定は公布二カ月後から二年後（後に昭和二七年（一九五二年）に二年半に延長）まで数段階に分けて施行されているため、従前の法令の規定を経過的に効力を持たせる必要が生じる。そのため、地方公務員法の各規定がそれぞれの地方公共団体に適用されるまでの間は職員の身分取扱いは従前の例によることとされている（法附則６）ほか、従前の法令に基づく懲戒処分の手続やその効力などを地方公務員法施行後も認め（法附則９10）、従前の労働組合法に基づく手続を職員団体の設立手続として認める（法附則15）などの経過規定を置いている。これらの規定については附則の説明で述べるが、現在では経過規定としての使命を終えている。

２　政令二〇一号　従前の法令の中でとくに重要な意味を持っていたものに、昭和二十三年（一九四八年）七月二十二日附内閣総理大臣宛連合国最高司令官書簡に基く臨時措置に関する政令（昭和二三年政令二〇一号）がある。この政令の詳細については第三七条で説明するが、これは当時の官公労の労働運動の実態にかんがみ、そのストライキ権をはじめとする労働基本権を制限し、その違反に対して罰則を科することとしたものである。この政令が契機となって、昭和二三年（一九四八年）一二月に国家公務員法の大改正が行われ、国家公務員法に同趣旨の規定が設けられたことに伴い、国家公務員については同法を改正する法律の施行の時から失効したのである（昭和二三年国公法改正附則八）が、地方公務員である職員については、地方公務員法が施行されるまでその効力を有しており、地方公務員法の争議行為等の禁止規定（法三七）の施行とともに失効することとなった（法附則７）。しかし、その失効前の違反行為に対する罰則の適用については、従前の例によることとされている（法附則８）。

ただし、国家公務員の場合には「国家公務員」について政令二〇一号が失効するとされているのに対し、地方公務員の場合には当初、附則第二〇項および第二一項の職員以外の「職員」について失効するとされていたので、地方公営企業労働関係法が施行される昭和二七年までは、企業職員および単純労務職員には引き続き政令二〇一号の適用があった（後記「地方公務員法附則及び同法改正経過」昭和二五年附則の項参照）。

３　特別職に対する地方自治法施行規程などの適用　本条は、「地方公共団体の公務員」すべてに関する地方公務員法の優先を定めているが、地方公務員法は原則として一般職の地方公務員についてのみ適用される（法四）。したがって、特別職に関する従前の法令は、地方公務員法に抵触することなく引き続き有効である。特別職に関する従前の法令としては、まず地方自治法があり、地方公共団体の長や議会の議員、副知事、副市町村長、各種委員会の委員、監査委員などの身分取扱いについて若干の規定が定められている（**第三条**の〔**解釈**〕**四**２３参照）。

４　従前の条例、規則などの効力　地方公務員法施行前に定められた地方公務員に関する条例や規則で、地方公務員法の規定になんら抵触しないものは引き続き効力を有する。たとえば、吏員その他の職員の定数を定めた条例（平成一八年法律第五三号による改正前の自治法一七二３）は、地方公務員法施行後も有効である。

これに対して地方公務員法と抵触して無効とされたものに、定年制を定めた規定があった。地方公務員法施行前は、相当数の地方公共団体が条例または規則で定年制を定めていた。しかし、地方公務員法は「この法律で定める事由による場合でなければ、その意に反して、……免職されず、……」と定めており（法二七２）、制定当時の同法では定年制を事由とする免職は定められなかったため、分限に関する規定が施行された後においては、従前の職員の停年（定年）に関する条例は効力を有しないものと解されたのである（行実昭二六・二・九　地自公発第二五号）。また、戦前は、職員の採用に際して身元保証を条件とすることが広く行われていた。しかし、地方公務員法は、職員の任用は同法の定めるところにより能力の実証に基づいて行うものとしており（法一五）、任用に特別の条件を付することは許されないと解されるので、任意に身元保証を求めることは格別、従前の規則、内規などで身元保証を採用などの条件としているものの効力はないことになる。

二　地方公共団体の公務員の範囲

１　地方公共団体の公務員の範囲　「地方公共団体のすべての公務員」は地方公務員であるとされる結果、その範囲はきわめて広いものとなっている。すなわち、地方公共団体の公務員には、⑴特別職と一般職のいずれをも含むものであり、⑵常勤、非常勤のいずれの職員、あるいは臨時、恒久のいずれの職員をも含むものであり、⑶従来の制度のように吏員にのみではなく、その他の職員（雇用人など）を含み（平成一八年法律第五三号（地方自治法等の一部を改正する法律）によって、吏員その他の職員の区分は廃止されている。）、⑷地方公共団体の長の補助機関である職員だけでなく、教育委員会、選挙管理委員会、監査委員、議会の議長、地方公営企業の管理者など、地方公共団体の他の任命権者の職員のすべてを含むものである（通知昭二六・一・一〇　地自乙発第三号、第一、一㈠⑴⑵）。

２　地方公共団体の公務員の職と地方公務員　地方公共団体にどのような公務員の職を置くかは、地方自治法をはじめとする地方公共団体の組織について定める法律によって定められており、これらの職を占めている者は当然に地方公務員となる（法二。なお国公法二４後段参照）。

地方公共団体の組織に関する基本法は地方自治法であるが、地方自治法以外にも地方教育行政の組織及び運営に関する法律、警察法、消防組織法など、地方公共団体の組織に関する法律は多数あり、それぞれの法律において、それぞれの事務を遂行するために必要な職の設置についての規定が置かれているが、その主なものを整理すると、次のようになる。

①　憲法および地方自治法によって設置される地方公務員

地方公共団体の長（憲法九三、自治法一三九、一八三）

議会の議員（憲法九三、自治法八九、九〇）

②　地方自治法によって設置される地方公務員

選挙管理委員（自治法一八一2）

監査委員（同法一九五）

副知事、副市町村長（同法一六一）

会計管理者（同法一六八1）

専門委員（同法一七四1）

議会の事務局長、書記長、書記その他の職員（同法一三八34）

職員（同法一七二1）

出納員その他の会計職員（同法一七一1）

選挙管理委員会の書記長、書記その他の職員（同法一九一1）

監査委員の事務局長、書記その他の職員（同法二〇〇34）

監査専門委員（同法二〇〇の二1）

③　その他の法律によって設置される主な地方公務員

人事委員、公平委員（法九の二1）

人事委員会の事務局長その他の事務職員、公平委員会の事務職員（法一二145）

教育委員（地教行法三）

教育長（同法四1）

教育委員会の事務局の指導主事、事務職員、技術職員その他の所要の職員（同法一八12）

都道府県公安委員（警察法三八12）

都道府県警察の警察官その他所要の職員（同法五五１）
農業委員（農委法四１）
農業委員会の職員（同法二六１）
消防職員（消組法一一１）、消防長（消組法一二１）、消防署長（消組法一三１）
管理者（地公企法七）、企業職員（地公企法一五）

３　地方公共団体の公務員に該当するか否かの判断基準　地方公共団体のすべての公務員が地方公務員であると定義され、職の設置の根拠が個別の組織法にあるといっても、それだけでは、地方公共団体の事務または事業に従事する特定の者が地方公務員に該当するかどうかが必ずしも明確とならない場合がある。地方公共団体の公務員に該当するか否かの判断基準として、①職務の性質、②任命行為の有無および③報酬の支払いの三項目があげられるのが通常である。

①　職務の性質　地方公共団体の公務員であるというためには、その者の従事すべき職務が当該地方公共団体またはその執行機関の事務でなければならない。このことは、当該地方公共団体またはその機関の事務以外の業務に従事している限り、たとえ、それが当該地方公共団体によって設立された法人（この法人が特定地方独立行政法人である場合については法第三条の説明において述べる。）の業務であっても、また、いかにその業務の公益性が高くても、その者は当該地方公共団体またはその機関の事務を行っていることにはならないということをも意味する（東京高裁平六・一〇・二五判決（判例時報一五一五号七二頁）参照）。また、地方公共団体またはその執行機関の事務を外部に委託した場合の委託された事務は、当該地方公共団体またはその執行機関の事務ではなくなる（自治法二八四２３後段参照）から、その委託を受けた業務を処理する者は地方公務員に該当しない（この場合にあっても、その者の不法行為について地方公共団体が国家賠償法第一条第一項の責任を負うことがあるが（本条の【趣旨】二㈡参照）、それは地方公務員法の問題ではない。）。なお、当該地方公共団体またはその機関の事務に従事している限り、その者について任命行為がなされておらず、または任命行為が無効であっても、その者の行った行為の法律効果が当該地方公共団体またはその機関に及ぶことがあり得るが、それは、その者が地方公務員であるか否かとは別の問題であり、事実上の公務員の問

題として論じられるところである。

②　任命行為の有無　地方公共団体の公務員というのは当該地方公共団体における公務員の職を占める者のことであり、その職に就ける行為が任命行為である（自治法一七二２参照）。地方公共団体の公務員の職としてどのような職があり、その職について誰が任命権者であるかは地方自治法などの組織法の定めるところである。このような正規の職に正規の任命権者によって任命された者が地方公務員に該当することは明白であるが、問題は、正規の任命行為がないにもかかわらず、委託契約などに基づき、あるいは事実上、地方公共団体の事務に従事する者について生ずるが、この問題については後記６および７で述べる。

③　報酬の支払い　報酬の支払いというのは、誰がその者に対して、報酬や給料などの勤務の対価や事務の処理に必要な経費の支払い（費用弁償）を行っているか、または行う責任を負っているかということである。ある者が地方公共団体の公務員であることの要件としては、その者が当該地方公共団体から報酬または給料あるいは費用弁償の支払いを受けていることは必ずしも必要ないが、その者が当該地方公共団体からこれらの支給を受けているときは、その者は当該地方公共団体の公務員であるということができる（神戸地裁平元・一二・二一判決　判例時報一三七五号一三五頁）。

これらの三つの基準のすべてが満たされている者が当該地方公共団体に属する公務員であることに問題はないが、地方公務員の中には、このうちの一部の要件を満たすだけのものもある。たとえば、地方公務員であることが明らかな知事、市町村長や議会の議員は、選挙の結果によって当然にその職に就くのであり、任命行為は存在しない。また、これらの者の受ける報酬も、必ずしも勤務の対価としての性質を有するものではないと解されている。

特定の者が地方公共団体の公務員であるか否かが問題とされるのは、当事者間の権利義務の関係を明らかにし、その指揮監督の権限を誰が有し、その人件費などを誰が負担すべきかを明らかにする必要があるためである。そして、それを明らかにするためには、その者の行う事務が当該地方公共団体またはその機関が処理すべきものであるかどうかが基本となり、それは、その事務処理の根拠となる具体的な法令の解釈によって定まることになる。前記の三つの判断基準は、典型的な地方公共団体の公務員のメルクマールを明らかにしたにすぎず、特定の者が地方公務員であるか否かについては、この判断基準を機械的に当てはめるのではなく、個別の法律関係ごとに、その目的と実態に即して具体的に判断することが必要となる。

これまで行政実例によって特別職の地方公務員とされたものに、学校医（昭二六・二・六　地自乙発第三七号）、蚕業技術普及員の委嘱を受けた養蚕農業協同組合の職員（昭二六・三・一三　自治公発第七二号）、国の指定統計調査事務に従事する統計調査指導員で地方公共団体の長の任命にかかるもの（昭三五・九・一九　自治丁公発第五〇号）、町村の地区駐在員（昭二六・三・一二　地自公発第六三号）、市の通知などの連絡に当たり、若干の手当を支給される町世話人（昭二六・五・一　地自公発第一七九号）、市町村末端事務連絡員（昭四一・一二・二六　自治行第一三五号）があるが、これらの者が直ちに地方公務員に該当するかは疑問である。これらの者について、地方公務員とする明確な意思をもって任命したのであればともかく、ボランティアとして、行政に対する協力を依頼し、それに対する謝礼を支給しているにすぎないような場合にまで、これを地方公務員とする必要はない。地方公共団体が委嘱状を交付しているが、当該地方公共団体の具体的な支配監督下にない害虫駆除のための衛生協力員、青少年の指導のための青少年委員、防犯協力員、交通指導員などについても同様である。これらについては、問題になっている具体的な法律関係ごとに、地方公共団体との関係における権利義務を考慮すれば足りるのであり、一般的に地方公務員であるか否かを決める必要性も妥当性もない。

4　地方公務員と国家公務員　都道府県知事の推薦によって厚生大臣（現厚生労働大臣、以下この説明について同じ）が委嘱し、無報酬である民生委員（民生委員法五1、一〇）が都道府県の地方公務員であるとする行政実例「民生委員及び統計調査員等の身分取扱について」（昭二六・八・二七　地自公発第三六〇号、岩手県総務部長あて公務員課長回答）があるが、これは、厚生省（現厚生労働省、以下この説明について同じ）の民生委員は国家公務員ではないという解釈について人事院が異存ないと回答したことを受けて、地方自治庁（現総務省）が従来の解釈を変更したものである。厚生省が民生委員は国家公務員でないとする理由は、①厚生大臣の委嘱は公法上の任命行為ではなく私法上の無名契約の一種とみなすべきものであること、②民生委員の職は名誉職であり、無報酬で共同社会に挺身奉仕すべきものであり、民生委員に関する費用は少額の実費弁償であっていわゆる人件費ではなく、国または都道府県の負担において一定の報酬の支給を受けつつ、その事務を執行するという意味ではないこと、③民生委員の本来の趣旨は、民生委員が率先民間篤志家として共同社会の世話役を引き受け、自発的かつ自主的に個々の任意保護に当たるものであり、国の機関として国と特別権力関係にたって上司の命令指揮の下に執務するものではないことである（昭二三・一二・二九　社発第二〇六五号、人事院事務局法制部長あて厚生省社会局長）。人事院は、これに対して、結論に異存がないとするのみで、その理由は明らかにしていない。厚生省のこの理由が正しいとするならば、民生委員は公務員ではないということであり、国家公務員ではないからといって地方公務員であるということにはならないと思われるが、実務上は、この行政実例に従って取り扱われている。

なお、この行政実例は、各種の統計調査員などについても次のように整理し、これらの公務員に対する報酬および費用弁償の支払義務者は、それぞれの身分の所属する都道府県または国の責任者たる都道府県知事または内閣総理大臣であるとしている。

イ　事業所統計調査指導員および調査員	都道府県の公務員
ロ　労働力調査指導員および調査員	都道府県の公務員
ハ　港湾調査員	都道府県の公務員
ニ　勤労統計調査員	都道府県の公務員
ホ　国勢調査指導員および調査員	国家公務員

5　契約による勤務関係　国家公務員法は、「国家公務員の職は、これを一般職と特別職とに分つ」（国公法二1）としたうえで、「政府は、一般職又は特別職以外の勤務者を置いてその勤務に対し俸給、給料その他の給与を支払ってはならない」（同法二6）としているが、その一方で、この規定は「政府又はその機関と外国人の間に、個人的基礎においてなされる勤務の契約には適用されない」と規定している（同法二7）。このことは、外国人を勤務させる場合は、「個人的基礎においてなされる勤務の契約」、すなわち私法上の契約（雇用契約）によることができるが、それ以外の場合は、すべて国家公務員の職

を占める者（国家公務員）として任用しなければならないということを意味している。これは、研究機関などにおいて外国人の知識、経験、技能などを必要とする場合には、外国人を国家公務員として任用するのではなく、外国人と民法上の雇用契約を締結し、これに給料を支払うことができることを認めたものであり、公務員としての職務や国家公務員法に定める服務規律、身分保障などの規定が外国人になじまないことがあることを考慮したものと考えられる。

地方公務員法が国家公務員法におけるような外国人に関する規定を置かないで、地方公共団体におけるすべての公務員を地方公務員であるとしている趣旨からすると、地方公務員法は、地方公共団体に勤務する者で、一般職にも特別職にも属さない者の存在を予定していない、すなわち、外国人であると日本人であるとを問わず、契約による勤務関係の成立を認めていないものと解される（東京高裁平四・五・一八判決（高等裁判所刑事裁判速報集平成四年一三三頁）、東京高裁平一四・七・四判決（公務員関係判決速報四一七号二頁））。これは、地方公務員法は、国家公務員法と違い、特別の知識、経験、技能などが必要な職は特別職として任用する途を認めている（法三3③）ことから、外国人を勤務させる場合においても、任命行為によらないで、私法上の契約によらなければならない必要性がないということによるものであろう。

なお、公立の大学における外国人教員の任用等に関する特別措置法は、外国人を公立の大学の教授、准教授、助教または講師に任用することができるとし、これにより任用された者は教授会その他大学の運営に関与する合議制の機関の構成員となり、その議決に加わることを妨げられないとしている。また、この任用については、評議会（評議会を置かない大学にあっては教授会）の議決に基づき学長がその任期を定めることができることになっている。

6　私法上の契約と地方公務員　　地方公共団体において雇用契約を締結することにより勤務者を採用することが認められないことは前述したとおりであるが、個人を相手方として委任（準委任）契約や請負契約を締結することは否定されていない。

委任契約は、当事者の一方が法律行為を行うことを相手方に委託し、相手方がこれを承諾することによって成立するものであり（民法六四三）、委託を受けた相手方（受任者という。）は、その委任の本旨に従って、善良な管理者の注意をもって委任事務を処理する義務を負い（同法六四四）、委任者の許諾を得たとき、又はやむを得ない事由があるときでなければ復受任者を選任することができない（同六四四の二）とされている。法律行為でない事務を委託することを準委任というが、その法的な性質は委任と同じである（同法六五六）。

また、請負契約は、当事者の一方がある仕事を完成させることを相手方に委託して、その仕事の結果に対して報酬を支払うことを約束し、相手方（請負人という。）がそれを承諾することによって成立するものであり（民法六三二）、請負人は、仕事が完成しなければ、報酬を請求できない（同法六三三）。

このように、委任（準委任）および請負は、委託を受けた事務や仕事をどのように処理して目的を達成するかについての責任を受任者あるいは請負人が負う契約であり、当事者の一方（使用者という。）が相手方（労働者という。）に対してその労働力を提供することの対価として報酬や給料を与えることを内容とする雇用契約（民法六二三）とは、相手方の裁量の幅や責任の範囲について大きな違いがある。ところが、個人との間で締結される委任契約や請負契約においては、発注者である地方公共団体の側が広範な指揮、監督の権限を有し、相手方である個人の側はこれに従わなければならないこととして、相手方の裁量権が極めて狭い範囲に限定されるということがしばしばある。このような場合においても、相手方の処理する事務は、それが当該地方公共団体のために行われるものであっても、あくまでも相手方に属する事務と観念されるものであり、地方公共団体と相手方との間では契約という形がとられ、任命行為が存在しないのであるから、この相手方が地方公務員であるとすることはできない。

ところで、正規の職員を充てた場合には勤務時間が硬直化して住民に不便をかけたり、必要なサービスが提供できない福祉関係の事業や、勤務密度の割に報酬や給料が高すぎて行政効率が問題となる水道やガス事業における検針や集金業務などについて、個人を相手方として事務・事業の委託をすることがある。このような場合においても、相手方に委託した事務・事業の具体的な実施方法などについての裁量を認めるのが不安であるとして、地方公共団体の側が詳細な指揮監督をすることとしていることが少なくない。これは、委任や請負の対象とした事務が相手方の事務となり、発注者としての地方公共団体は、相手方の事務処理や仕事の結果を受領するだけであるということを十分認識しないことによるものであるが、その指揮監督の程度によっては、後述する労働基準法や労働組合法の問題が生ずることがある。

7　労働基準法・労働組合法における労働者の意味　労働基準法は労働条件の最低の基準を定めることによって労働者の保護を図るものであるが、その保護の対象となる労働者というのは、「職業の種類を問わず、事業又は事務所（以下「事業」という。）に使用される者で、賃金を支払われる者」であり（労基法九）、賃金というのは、「賃金、給料、手当、賞与その他名称の如何を問わず、労働の対償として使用者が労働者に支払うすべてのもの」と定義されている（同法一一）。ある者がここでいう労働者に該当するかどうかについては、民法上の雇用契約に基づくことを要件とはせず、事業主の指揮監督に従って労務給付をなしているか否かと支払われている報酬が当該労務の提供に対する対価であるか否か（使用従属関係の有無）によって決すべきであるとされ、「ガス料金の集金事務に従事する者が労務の提供につき自主的に決定し得る程度、範囲よりも、事業主の指揮監督を受ける程度、範囲が大きい場合は」労働基準法第九条の労働者に該当するとされる（鹿児島地裁昭四八・八・八判決　判例時報七二二号九六頁）。また、労働組合法が適用される労働者というのは「職業の種類を問わず、賃金、給料その他これに準ずる収入によつて生活する者をいう」とされているが（労組法三）、これも労働基準法の定義と共通するものである。

したがって、労働基準法や労働組合法の適用においては、形式的には委任（準委任）契約あるいは請負契約であっても、実質的には、個人が地方公共団体の事務処理のために労働力を提供し、当該地方公共団体がその者を自らの支配下において当該労働に対して対価を支払うという関係と同視できる場合には、地方公務員法上の取り扱いはともかく、その個人は当該地方公共団体との関係で労働者に該当すると解釈されることがある。委託契約により郵便局で服装に関するアドバイスなどの業務を行う者に広範な裁量が認められていることなどを理由として、その者が国家公務員に該当しないとする判決がある（大阪高裁平三・九・一七判決　判例時報一四一七号一二八頁。この判決は最高裁平成五年一〇月一九日判決によって支持されている。）一方、市が委託した学童保育指導員について、公務員には該当しないが、当該市との間に使用従属関係があるので労働者に該当すると明言した判決がある（大阪地裁昭六二・一二・三判決　判例タイムズ六七〇号一一三頁）。

なお、労働基準法や労働組合法の運用における労働者に該当するか否かについての判断基準としては、次のような要素が考えられる。

ア　時間的拘束性

イ　作業方法に関する規制（受託者の裁量の幅の程度）

ウ　同種の契約における労働条件、作業内容などの同一性

エ　契約締結に当たっての契約内容についての裁量の有無

オ　給与や報酬の支払いの形態

カ　履行補助者としての第三者の使用可能性

キ　兼業の制限または禁止の有無

ク　受託者が就業することの保障の有無

ケ　受託者の生計における給与や報酬の占める度合

（一般職に属する地方公務員及び特別職に属する地方公務員）

第三条　地方公務員（地方公共団体及び特定地方独立行政法人（地方独立行政法人法（平成十五年法律第百十八号）第二条第二項に規定する特定地方独立行政法人をいう。以下同じ。）の全ての公務員をいう。以下同じ。）の職は、一般職と特別職とに分ける。

2　一般職は、特別職に属する職以外の一切の職とする。

3　特別職は、次に掲げる職とする。

一　就任について公選又は地方公共団体の議会の選挙、議決若しくは同意によることを必要とする職

一の二　地方公営企業の管理者及び企業団の企業長の職
二　法令又は条例、地方公共団体の規則若しくは地方公共団体の機関の定める規程により設けられた委員及び委員会（審議会その他これに準ずるものを含む。）の構成員の職で臨時又は非常勤のもの
二の二　都道府県労働委員会の委員の職で常勤のもの
三　臨時又は非常勤の顧問、参与、調査員、嘱託員及びこれらの者に準ずる者の職（専門的な知識経験又は識見を有する者が就く職であつて、当該知識経験又は識見に基づき、助言、調査、診断その他総務省令で定める事務を行うものに限る。）
三の二　投票管理者、開票管理者、選挙長、選挙分会長、審査分会長、国民投票分会長、投票立会人、開票立会人、選挙立会人、審査分会立会人、国民投票分会立会人その他総務省令で定める者の職
四　地方公共団体の長、議会の議長その他地方公共団体の機関の長の秘書の職で条例で指定するもの
五　非常勤の消防団員及び水防団員の職
六　特定地方独立行政法人の役員

〔趣　旨〕

一　地方公務員の定義

前条の説明で述べたように、地方公務員法は、その第二条と本条に地方公務員の定義規定を置いているが、本条においては、「地方公共団体及び特定地方独立行政法人（地方独立行政法人法（平成十五年法律第百十八号）第二条第二項に規定する特定地方独立行政法人をいう。以下同じ。）の全ての公務員をいう。以下同じ。」としているので、本条以降における「地方公務員」という用語には、地方公共団体の公務員（その意味については前条の説明において詳しく述べた。）だけではなく、特定地方独立行政法人の公務員も含まれることになる。これは、地方独立行政法人法第四七条が「特定地方独立行政法人の役員及び職員は、地方公務

員と定めていることに対応したものであるが、その意味については、第一条および第二条の〔趣旨〕において述べた。

二　地方公務員の種類

地方公務員法は、地方公共団体および特定地方独立行政法人のすべての公務員を地方公務員と定義する一方で、一般職と特別職（法三）、条件付採用職員（法二二）、会計年度任用職員（法二二の二）、臨時的任用職員（法二二の三）、警察職員と消防職員（法五二5）について特別の規定を置き、さらに、その特別法として、地方公共団体の一般職の任期付職員の採用に関する法律、地方公共団体の一般職の任期付研究員の採用等に関する法律、地方公務員の育児休業等に関する法律、公益的法人等への一般職の地方公務員の派遣等に関する法律および外国の地方公共団体の機関等に派遣される一般職の地方公務員の処遇等に関する法律が定められている。また、地方自治に関する基本の法律である地方自治法は、議会の議員および執行機関の職についての定めのほか、議会の議員、それ以外の非常勤の職員および常勤の職員に対する給与その他の給付（同法二〇三～二〇四の二）について一般的な規定を置いている。また、地方自治法以外にも、教育公務員特例法および地方教育行政の組織及び運営に関する法律が教職員について、警察法が警察職員について、地方公営企業法および地方公営企業等の労働関係に関する法律が企業職員について（後者は独法職員にも適用され、単純労務職員については準用される。）、消防組織法が消防職員について、地方独立行政法人法が独法職員について、それぞれ特別の規定を置くなど、本条において同じ地方公務員とされる者であっても、さらに細分化して分類されることが少なくない。

これらの分類は、公務員としての性質の濃淡や職務の性質に応じて特別な取扱いをするための必要からなされているものであり、具体的な地方公務員がどのように分類されるかは、分類しようとする趣旨、目的に応じて判断することになる。そうするときは、これらの分類には、職の設置や権限の配分などの必要からなされる組織法上のものと、身分取扱いにおいて別異の取扱いをする必要からなされる公務員法上のものとがあることが分かる。

㈠　組織法上の分類

1　給与その他の給付における常勤職員と非常勤職員　　地方自治法は、その第二〇三条の二から第二〇四条の二までにおいて、地方公共団体の公務員を常勤職員と非常勤職員（法律では「常勤の職員」、「非常勤の職員」と表現されている。）に分け、常勤職員には、給料、旅費および各種の手当を支給し、非常勤職員には報酬と費用弁償を支給するとしたうえで、これら以外の一切の給与その他の給付を認めないとしている（ただし、短時間勤務職員及び地方公務員法第二二条の二第一項第二号に掲げる職員（会計年度フルタイム職員）には同法二〇四条が適用され、地方公務員法第二二条の二第一項第一号に掲げる職員（会計年度パートタイム職員）には、地方自治法第二〇三条の二第四項により期末手当または勤勉手当が支給される。）。

これらの規定のうち、非常勤職員についての地方自治法第二〇三条の二第一項は、「普通地方公共団体は、その委員会の非常勤の委員、非常勤の監査委員、自治紛争処理委員、審査会、審議会及び調査会等の委員その他の構成員、専門委員、監査専門委員、投票管理者、開票管理者、選挙長、投票立会人、開票立会人及び選挙立会人その他普通地方公共団体の非常勤の職員（短時間勤務職員及び地方公務員法第二十二条の二第一項第二号に掲げる職員を除く。）に対し、報酬を支給しなければならない。」とし、常勤職員についての同法第二〇四条第一項は、「普通地方公共団体の長及びその補助機関たる常勤の職員、委員会の常勤の委員（教育委員会にあっては教育長）、常勤の監査委員、議会の事務局長又は書記長、書記その他の常勤の職員、委員会の事務局長若しくは書記長、委員の事務局長又は委員会若しくは委員の事務を補助する書記その他の常勤の職員その他普通地方公共団体の常勤の職員並びに短時間勤務職員及び地方公務員法第二十二条の二第一項第二号に掲げる職員に対し、給料及び旅費を支給しなければならない。」としている。

地方自治法第二〇三条の二第一項が具体的に掲げている職は、いずれも、自己の責任で職責を果たすことが期待され、それらの職務には勤務時間という概念がなく、任期が定まっているという特徴を有している。しかし、「その他普通地方公共団体の非常勤の職員」というのはこれらの職と並列してあげられているものの、その意味内容を確定するに際しては、ここに具体的にあげられている職との類似性の有無を基準にするのではなく、給与その他の給付についての規定であるという観点から、同法第二〇四条第一項の常勤の職員との対比を重視しなければならない。

そして、地方自治法第二〇四条第一項においては、「普通地方公共団体の長」のほか、「議会の事務局長又は書記長、書記」、「委員会の事務局長若しくは書記長、委員の事務局長又は委員会若しくは委員の事務を補助する書記」が常勤であるとされていることは明らかであるものの、それ以外は、その職が「常勤」であれば常勤の職員であるというにすぎず、これだけで常勤の職員の意味を明確にすることはできない。したがって、ここでも、給与その他の給付についての規定であるという観点から、同法第二〇三条の二第一項の非常勤の職員との対比でその意味内容を確定しなければならないことになる。

地方自治法第二〇三条の二と第二〇四条の基本的な違いは、適用対象となる職員に各種の手当を支給できるか否かにある。そこで、一般的に支給することが予定されている代表的な手当の種類をみると、扶養手当、住居手当、通勤手当、期末手当、勤勉手当、退職手当がある。これらのうち、扶養手当、住居手当および期末手当は生計費の補助としての性質を有し、通勤手当は通勤費用の補填として支給されるものである。また、勤勉手当は勤務成績を評価して支給され、退職手当は、勤続報償としての性格を基調として、給料の後払い的な性質も有するといわれる。そうだとすれば、純粋に勤務の対価としての意味を持つ報酬や給料のほかに、このような手当を支給するのが適当な勤務形態のものが常勤の職員であり、そこまでの必要がないのが非常勤の職員であるということができる。このような観点から考慮すると、常勤の職員というのは、勤務に要する時間が普通の労働者の労働時間と同程度であり、かつ、その者の生活における収入の相当程度をその勤務による収入に依存するものであるとするのが適当であると解される。具体的には、前者については一日または一週間の勤務時間および月間または年間の勤務日数で、後者については勤務を継続する期間で判断することになるものと思われる。このことについては、地方自治法第二〇四条第二項の手当の支給として適法であるというためには、「その勤務が通常の勤務形態の正規職員に準ずるものとして常勤と評価できる程度のものが必要であ」るとして、一週間の勤務時間が通常の勤務形態の正規職員の勤務時間の六割に満たない臨時的任用職員は同項の要件を満たさないとした判例（最高裁平二二・九・一〇判決　判例時報二〇九六号三頁）がある。なお、短時間勤務職員及び会計年度フルタイム職員にも地方自治法第二〇四条二項が適用されることになっているが、具体的に支給する手当の種類については、それぞれの手当の性質を考慮して定めなければならない。

ところで、一般職の国家公務員については、その勤務時間は一日につき七時間四五分、一週間当たり三八時間四五分が原則であるとされ（勤務時間法五、六）、人事院規則一五―一五（非常勤職員の勤務時間及び休暇）第二条は、「非常勤職員の勤務時間は、相当の期間任用される職員を就けるべき官職以外の官職である非常勤官職に任用される非常勤職員については一日につき七時間四十五分を超えず、かつ、常勤職員の一週間当たりの勤務時間を超えない範囲内において、その他の非常勤職員については当該勤務時間の四分の三を超えない範囲内において、各省各庁の長（勤務時間法第三条に規定する各省各庁の長をいう。以下同じ。）の任意に定めるところによる」と定めているが、人事院規則一五―一五の運用について（平成六年七月二七日職職―三二九）は六年六月を超えて勤務する者まで想定している（第三条関係1項）。しかし、任期の定めもなく、勤務時間が一日につき七時間四五分で、一週間当たりのそれが常勤職員と同じで、しかも六年六月を超えて勤務する者まで、非常勤職員として常勤の職員と別異に取り扱うことに合理性があるとは思われない。勤務時間が一日につき七時間四五分で、一週間当たりのそれが常勤職員と同じであるならば、それは常時勤務を要する職そのものであり（それが臨時の職に該当するか否かは別問題である。）、六年六月は相当の期間を超えた勤務と言わざるを得ず、少なくとも、その期間を超えてまで勤務する者が就く官職をもって、相当の期間任用される職員を就けるべき官職以外の官職であるということはできないであろう。

給与以外に、ある者が常勤の職員か非常勤の職員かで大きな違いが生ずるのは、公務災害補償制度について定める地方公務員災害補償法と共済制度について定める地方公務員等共済組合法の関係である。これらの法律は、その対象とする地方公務員を「常時勤務に服することを要する地方公務員」としたうえで、「常時勤務に服することを要しない地方公務員のうちその勤務形態が常時勤務に服することを要する地方公務員に準ずる者で政令で定めるものを含む」としている（地公災法二1①、地共済法二1①）。そして、「雇用関係が事実上継続していると認められる場合において、常時勤務に服することを要する地方公務員について定められている勤務時間以上勤務した日が十八日（法令（地方独立行政法人法（平成十五年法律第百十八号）第二条第二項に規定する特定地方独立行政法人の職員にあつては、同法第五十二条に規定する規程）の規定により休暇を与えられた日及びこれに準ずる日を含む。）以上ある月が引き続いて十二月を超えるに至つた者で、その超えるに至つた日以後引き続き当該勤務時間により勤務することを要するとされているもの」も公務災害補償の対象となることが定められており（地公災法施行令一１、地方公務員災害補償における常勤職員に準ずる非常勤職員の範囲等について（昭和四二年自治省告示第一五〇号）二）、共済制度においても、これと同様な考え方が採用されている（地共済法施行令二⑤参照）。なお、これらの制度においても短時間勤務職員は常勤の職員と同じ扱いがされることとなっている。

このように、これらの制度においては、もっとも一般的な勤務時間が適用される地方公務員を常勤の地方公務員と観念し、それとの比較において、一日当たりの勤務時間、一カ月当たりの勤務日数、勤務を継続することとなった期間の三つの要素を総合して判断するという方法が採用されている。この考え方には、前述の地方自治法第二〇三条の二第一項および第二〇四条第一項における非常勤職員と常勤職員の区別についての考え方と相通ずるものがあるが、公務災害補償制度や共済制度も、前述の手当と同様、地方公務員が安心して職務に専念することができるためのシステムの一環をなすものであるから、共通した考え方を基礎とするのは当然のことであろう。

ところで、平成五年（一九九三年）一二月一日から「パート労働法」と通称される短時間労働者の雇用管理の改善等に関する法律（平成一九年法律第三〇号により「短時間労働者及び有期雇用労働者の雇用管理の改善等に関する法律」と名称が変更されている。）が施行されている。この法律は、地方公務員には適用しないとされている（短時間労働者法二九）ので、特別職であると一般職であるかを問わず、地方公務員がその対象となることはないが、短時間労働者についての「この法律において「短時間労働者」とは、一週間の所定労働時間が同一の事業主に雇用される通常の労働者（当該事業主に雇用される通常の労働者と同種の業務に従事する当該事業主に雇用される労働者にあっては、厚生労働省令で定める場合を除き、当該労働者と同種の業務に従事する当該通常の労働者）の一週間の所定労働時間に比し短い労働者をいう。」という定義（同法二）は興味深い。なお、地方公務員法第二二条の四第一項にも同様の規定があるが、これについては同条の〔解釈〕を参照されたい。

この法律が制定される前は、労働省告示（平元・六・二三　労働省告示三九号）による指針で、「一日、一週間又は一箇月の所定労働時間が相当程度短い労働者」をパートタイマーとしていたが、この法律においては、通常の労働者よりも短い労働時間が定められている者であれば、その短さの程度は問題にせず（たとえ一分短くてもこれに該当することになる。）、また、比較すべき勤務時間は一週間のそれであるとされた。なお、雇用保険法においては、一週間の所定労働時間が二〇時間未満である者や同一の事業主の適用事業に継続して三一日以上雇用されることが見込まれない者については、原則として、同法が適用されないこととされている（雇用保険法六①②、三八1②）。さらに、職員にも適用される障害者の雇用の促進等に関する法律における短時間勤務職員の一週間の所定労働時間は三〇時間未満とされ（障害者雇用促進法三八2、四三3、障害者の雇用の促進等に関する法律第四十三条第三項の規定に基づく厚生労働大臣の定める時間数（平一五・九・三〇厚生労働省告示第三二五号））、年次有給休暇の付与日数の特例が認められるのも一週間の所定労働時間が三〇時間未満の者に対してである（労基法三九3、労基法施行則二四の三1）ことも注目される。

２　定数における臨時職員と非常勤職員　地方自治法をはじめとする地方公共団体の組織に関する法律は、それぞれの組織における地方公務員の定数を条例で定めるべきことを規定している。これらの定数には非常勤職員および臨時職員が含まれない（自治法一七二3、地教行法一九、三一3、消組法一一2など）のが原則であるが、明文の規定上は、臨時職員だけを条例定数から除外することとしたり（自治法一九一2、二〇〇6など）、除外される職員について何も定めていなかったり（警察法五七2など）と、統一がとれているとはいい難い状況にある。いずれにしても、この場合の非常勤職員と臨時職員の意味は、何故に定数を条例で定める必要があるのかという観点から考えられなければならない。

地方自治制度の基本原則は民主主義であり、その基礎は、税金の使途を住民の代表たる議会が決定、監視すること（財政民主主義）にある。その意味で、予算を定めることは議会の基本的な機能であり、予算においては、単なる現金の収入支出だけではなく、将来の現金支出の原因となる債務負担行為についても定めなければならないこととされている（自治法二一四）。一般に一人の労働者のために直接、間接に要する生涯の経費の総額は数億円といわれており、地方公務員を定年前に罷免することが厳しく制限されていることからすれば、一人の地方公務員を採用することはその経費相当額の債務を負担する行為に該当するとも考えられる。しかし、採用の都度債務負担行為の定めが必要であるとするのは現実的ではないし、総額としての人件費を限定できれば、その必要もないことになる。

ところで、地方公共団体の公務員に支給する報酬や給与などについては法律および法律に基づく条例に根拠が必要であるとされる（自治法二〇三〜二〇四の二）のであるから、地方公務員の総数の限度を定めることによって、大枠としての人件費の限度を画することができることになる。そして、歳入歳出予算においては、人件費を含めて当該年度に支出される一切の経費が編入される（同法二一〇）のであるから、それによってコントロールできない人件費というのは、翌年度以降に支出されるものに限られることになる。すなわち、当該年度中に採用され、かつ、退職する地方公共団体の公務員に要する経費については、歳入歳出予算を通じて議会の統制が及ぶのであるから、その数について条例で定めるまでの必要はないことになる。一方、年度を越えて勤務することが予定されている地方公共団体の公務員については、任命権者において自由に免職することができないのであるから、その経費は義務費となり、議会において削除または減額することができないこととなる（同法一七七1①、2）。したがって、このような経費の支出を伴う地方公務員については、その数を限定することによって、議会の財政に対するコントロールを確保する必要があることになる。

このように考えると、条例によって定めるべき定数というのは、当該年度を越えて任用される地方公務員の数であり、当該年度内に採用され、かつ退職する地方公務員の数をそこに含める必要はないことになる（会計年度任用職員の制度はこのことを考慮したものである。）。地方自治法第一七二条第三項などが、条例で定めるべき定数には臨時または非常勤の職は含まないとしているのは、この趣旨であると考えられる（大阪地裁平一八・九・一四判決　判例タイムズ一二三三号二一一頁）。

なお、行政機関職員定員法との関係からみて、臨時の職というのは「二月以内の期間を定めて雇用される者」とするのが適当であろうとする行政実例（昭三一・九・二六　自丁公発第一四〇号、岐阜県人事委員会事務局長あて公務員課長回答）がある。しかし、国の場合と地方公共団体の場合を同じに考えなければならない必然性はないし、二月以内の者に限って条例定数の対象外とする合理的な理由もないと思われる。なお、行政機関職員定員法に替わって制定された行政機関の職員の定員に関する法律においては、「恒常的に置く必要がある職に充てるべき常勤の職員の定員の総数の最高限度」が定められている（行政機関定員法１）。

㈡　公務員法上の分類

１　一般職と特別職

⑴　一般職と特別職の区別の基準

すべての地方公務員の職は一般職と特別職に分けられ（法三１）、一般職は特別職に属する職以外のすべての職とされ（法三２）、一般職に属するすべての地方公務員には地方公務員法が適用され、特別職に属する地方公務員に地方公務員法が適用されるのは法律に特別の規定がある場合に限られる（法四）。

このように、一般職と特別職の区分は、地方公務員法が適用される地方公務員とそれ以外の地方公務員を区別するためのものである。一般職と特別職の違いについては、「地方公務員法第三条第三項に掲げる職員の職は、恒久的でない職または常時勤務することを必要としない職であり、かつ、職業的公務員の職でない点において、一般職に属する職と異なるものと解される。」とする行政実例（昭和三五年七月二八日　自治丁公発第九号、茨城県人事委員会事務局長あて公務員課長回答）があるが、より具体的な両者を区別する基準としては次の要素が考えられる。

①　指揮命令関係の有無　一般職の地方公務員は上司の命令に従って職務を遂行するものであり（法三二、地教行法一八５６、消組法一四など参照）、特別職の地方公務員は法律や自己の学識経験等に従って自らの判断と責任で職務を遂行することが期待されている（自治法一三八の二参照）こと

②　専務職であるか否か　一般職の地方公務員はもっぱら地方公務員としての職務に従事するものであり、特別職の地方公務員は、当該地方公務員としての職務のほかに、他の職務を有することも妨げられないのが原則である（自治法九二の二、一四二など参照）こと

③　終身職であるか否か　一般職の地方公務員は、原則として、定年に達するまでの勤務が想定されており、特別職の

地方公務員には一定の任期が定められていること

④　成績主義の適用の有無　一般職の地方公務員は、受験成績、勤務成績など、客観的な能力の実証に基づいて採用、昇任などが行われ（成績主義）、特別職の地方公務員は選挙、任命権者との信頼関係、特定の知識経験などに基づいて当該職に就くものであり、転任や昇任などのいわゆる人事異動の対象となることが想定されていないこと

⑤　政治職であるか否か　一般職の地方公務員は政治活動において中立性が要求されるが、特別職の地方公務員は必ずしも政治的な中立性が要求されるわけではないこと

右の基準は、理論的なものであり、実定法上は、特別職に属する職が列記され、「一般職は、特別職に属する職以外の一切の職とする」とされている（法三2）のであるから、地方公務員の範囲が決まれば、自動的に一般職の範囲が定まることになるはずであるが、地方公務員の定義に微妙な点があることは前述したところであるし、特別職を列記した地方公務員法第三条第三項にも解釈の余地があるものがあるので、必ずしも一義的に決まるとは限らない。

なお、国家公務員については、一般職に属するか特別職に属するかが明らかでないときは人事院が決定することとされているが（国公法二4後段）、地方公務員についてはこれに相当する規定がないので、第一義的には任命権者が決定することとなり、最終的には司法判断を受けることになる（札幌高裁平七・八・九判決（労働判例六九八号七〇頁）、神戸地裁平二・六・二〇判決（判例地方自治七七号三二頁）など）。

(2)　特別職の範囲と種類

①　特別職の範囲　特別職の範囲は、本条第三項各号に列記されているが、これは例示ではなく限定列記である（本条2参照）。国家公務員についても特別職は限定列記されているが（国公法二3）、地方公務員法の限定列記との間には若干の相違がある。まず、国家公務員法の場合は、内閣総理大臣をはじめ、国務大臣、人事官および検査官、内閣法制局長官、内閣官房副長官、大臣政務官、宮内庁長官、特命全権大使、日本学士院会員、裁判官、国会職員など、具体的な職名を掲げているものが多いが、地方公務員法では、地方公営企業の管理者、企業団の企業長、非常勤の消防団員、水防団員および特定地

方独立行政法人の役員の職以外については具体的な職名を掲げることなく、概括的に特別職を規定している。これは、一つには国家公務員法では三権分立を前提として国会および裁判所の職員を全面的に一般職から除外し、かつ、防衛省の職員も原則として特別職としているのに対し、地方公務員法では議会の事務局の職員も含めて全ての地方公務員に同一の基準と適用することを原則としていることに加えて、国は単一の団体であるので具体的な職名をあげることが容易であるが、地方公共団体の数は千八百近くあってその職制も必ずしも同一ではないということから、抽象的、概括的表現をとっているものであろう。

次に、国家公務員法では前述のように国会職員が特別職であるのに対し、地方公務員法では議会の事務局の職員は一般職であり、逆に非常勤の顧問、参与などは、国家公務員法では一般職であるのに対し、地方公務員法では特別職であるといった違いがある。こうした相違は、立法政策上の違いであって、理論上の理由があるとは思われない。

特別職の範囲に関して次に問題となるのは、その範囲がかなり狭いことである。すなわち、地方公務員の範囲がきわめて広いにもかかわらず、特別職の範囲が狭いことによって、一般職に数多くの職種が含まれることになる結果、臨時職員や単純労務職員あるいは公営企業の職員など勤務の内容が民間の類似の職種と差異のない者については、労働基本権、政治的行為の制限、労働基準法の一部の規定の適用などについて、一般の行政事務に従事している者と異なる特例を設ける必要が生じている。立法論としては、こうした職種の者を地方公務員の範囲外とすること、あるいは地方公務員とするにしても特別職として地方公務員法の全部または大部分を適用しないこととすることも検討に値しよう。しかし、現実には特定地方独立行政法人の役員および職員を地方公務員とする立法がなされるなど、地方公務員の法的性質や位置づけがますます不明確になりつつある。

次に、立法論として特別職の地方公務員の範囲に含めることが疑問である者がある。その一は、特別職の秘書であり、特別の信頼関係に立つものである以上、私的な契約関係とすることが適当であろう。その二は、非常勤の消防団員および水防団員であり、「義勇消防」ともいわれるように、民間の公共的なボランティア活動として位置づけるべきであろう。その三は、地方公営企業の管理者および企業団の企業長である。これらの者については、立法論として特別職、一般職のいずれとすることについても理由を立てることができようし、現に昭和四一年の地方公営企業法の改正前は、管理者は一般職とされていたのであるが、この改正で管理者の責任体制を確立するという見地から、新たに設けられた企業長とともに特別職とされたのである。しかし、地方公営企業の現状ではその管理体制、とくに労務管理の点で、むしろ一般職として地方公共団体の長の指揮監督の下に置くことの方がより適切であるように思われる。逆に、平成一八年の地方自治法の改正によって、その任命について議会の同意を要する出納長又は収入役に代わって、長がその補助職員のうちから任命する会計管理者が置かれることとなったが、会計事務について独自の権限を有し、執行機関による支出事務の適正さを確認する権限と責任を有する機関が長の指揮監督下にある一般職とされたことは、内部統制（コーポレートガバナンス）の観点からは問題なしとしない。

②　特別職の種類　特別職に属する職は地方公務員法第三条第三項に列挙されているが、これには、住民またはその代表の信任によって就任する政治職、任命権者が自由に選任することができる自由任用職およびその職に専念することが予定されていない非専務職の三つの種類があり、恒久的な職ではないことまたは常時勤務することを要しない職であることが特徴となっている。

ア　政治職　政治職というのは、就任について公選または地方公共団体の議会の選挙、議決若しくは同意によることを必要とする職のことをいう。これらの職への就任は住民または住民の代表たる議員の意思に基づくものであり、リコール制度の対象となる職も多く、これに成績主義、厳格な服務規律、政治と行政の分離などの地方公務員法の原則を適用することは必要でも適当でもないという判断に基づくものである。具体的には、地方公共団体の長や議会の議員、副知事、副市町村長、監査委員、教育委員会の委員、選挙管理委員会の委員、人事委員会または公平委員会の委員、公安委員会の委員などがこれに該当する。

イ　自由任用職　自由任用職というのは、成績主義によることなく、任命権者との人的関係や政治的配慮に基づいて任用できる職のことをいう。具体的には、地方公営企業の管理者および企業団の企業長ならびに地方公共団体の長、議会の議長その他地方公共団体の機関の長の秘書の職で条例で指定するもの、特定地方独立行政法人の役員がこれに該当する。副知事や副市町村長は一応任期の定めがあるものの、任期途中での解任についても制限がない（自治法一六三但し書）ことからすると、政治職であるとともに自由任用職にも該当するものと考えられる。

ウ　非専務職　非専務職というのは、生活を維持するために公務に就くのではなく、特定の場合に、一定の学識、知識、経験、技能などに基づいて、随時、地方公共団体の業務に参画する者の職のことを意味する。これらの職を占める者は、その担当する職務が厳格な指揮命令系統の中で行われることが予定されておらず、当該公務の他に職務を有していたり、公務のために使用する時間が短時間であったり、その期間が短いのが通例であることから、地方公務員法を適用することが適当ではないとされるのである。その意味で、特別の学識、知識、経験、技能などに基づくことなく、上司の指揮命令の下に、補助的職務に従事するにすぎない者は、ここでいう非専務職には含まれないことになる。具体的には、審議会や審査会などの委員、臨時または非常勤の顧問、参与、調査員、嘱託員およびこれらの者に準ずる者、非常勤の消防団員および水防団員がある。

(3)　国家公務員法と地方公務員法との違い

国家公務員についても特別職と一般職の区分がなされ、一般職に属する職員だけに国家公務員法が適用されることになっている（国公法二４５）が、国家公務員法と地方公務員法とで、考え方が大きく異なる点がある。

その第一は、国家公務員法には国家公務員の定義規定がなく、その範囲は憲法第七三条の「官吏」の解釈に委ねられていることである（国公法一２）。この結果、地方公務員法第三条第三項第二号に定められているような委員や委員会の構成員はそもそも官吏に該当しないという解釈により、常勤、非常勤の別なく、国家公務員法の適用対象外となっているため、国家公安委員会の委員は国家公務員（官吏）ではないが、都道府県の公安委員会の委員は特別職の地方公務員であるという不可解な現象が起きている。

その第二は、国家公務員法には、一般職であっても、国家公務員法の規定をそのまま適用することが不適当な職については、特別の取扱いをすることができるという規定があるが、地方公務員法にはこれに相当する定めがないことである。すなわち、国家公務員法附則第四条は、「職員に関し、その職務と責任の特殊性に基づいて、この法律の特例を要する場合には、別に法律又は人事院規則（人事院の所掌する事項以外の事項については、政令）をもつて、当該特例を規定することができる。」と定め、法律とは別に、実情に沿った弾力的な取扱いができるように配慮され、現実にも、非常勤の職員や臨時の職員（地方公務員法においては一般職に属するとされる者をも含む。）の取扱いや派遣制度などについての多くの特例が人事院規則で定められている。これに対して、地方公務員については、「職員のうち、公立学校（学校教育法（昭和二十二年法律第二十六号）第一条に規定する学校及び就学前の子どもに関する教育、保育等の総合的な提供の推進に関する法律（平成十八年法律第七十七号）第二条第七項に規定する幼保連携型認定こども園であつて地方公共団体の設置するものをいう。）の教職員（学校教育法第七条（就学前の子どもに関する教育、保育等の総合的な提供の推進に関する法律第二十六条において準用する場合を含む。）に規定する校長及び教員並びに学校教育法第二十七条第二項（同法第八十二条において準用する場合を含む。）、第三十七条第一項（同法第四十九条及び第八十二条において準用する場合を含む。）、第六十条第一項（同法第八十二条において準用する場合を含む。）、第六十九条第一項、第九十二条第一項及び第百二十条第一項並びに就学前の子どもに関する教育、保育等の総合的な提供の推進に関する法律第十四条第二項に規定する事務職員をいう。）、単純な労務に雇用される者その他その職務と責任の特殊性に基づいてこの法律に対する特例を必要とするものについては、別に法律で定める。」とされ（法五七）、この規定を受ける形で、地方教育行政の組織及び運営に関する法律、地方公営企業法、警察法などに特別の条文が置かれたり、教育公務員特例法および地方公営企業等の労働関係に関する法律などの特別の法律が定められているが、各地方公共団体の条例や規則（人事委員会規則を含む。）によって法律の特例を定めることはできない（自治法一四1、一五1）。

その第三は、国家公務員法には、外国人についての特別の規定が置かれているが、地方公務員法にはそれに対応する規定が置かれていないことである。すなわち、国家公務員法は、「政府は、一般職又は特別職以外の勤務者を置いてその勤務に対し俸給、給料その他の給与を支払つてはならない。」としたうえで（国公法二6）、「前項の規定は、政府又はその機関と外国人の間に、個人的基礎においてなされる勤務の契約には適用されない。」と定めているのである（同法二7）。これに対して、地方公務員法は外国人に関する特別の規定を置いていないが、臨時または非常勤の顧問、参与、調査員、嘱託員およびこれらの者に準ずる者の職（専門的な知識経験又は識見を有する者が就く職であって、当該知識経験又は識見に基づき、助言、調査、診断その他総務省令で定める事務を行うものに限る。）を特別職としている（法三３③）ので、国家公務員法が定めるような場合については、特別職として採用することで対処できると考えられたものであろう。ちなみに、国家公務員法には、地方公務員法第三条第三項第三号に定める職に相当するものを特別職とする規定がない。

その第四は、ある職が国家公務員の職に属するかどうか、その職が一般職と特別職のいずれに属するかを決定する権限が人事院に与えられていることである（国公法二４）。地方公務員の場合は、これに相当する規定がないので、地方公務員法の解釈によって客観的に定まるのであり、最終的には裁判所の判断によることになるが、訴訟になる前には、それぞれの任命権者の判断によることとなる。したがって、人事院によって国家公務員ではないと判断された者が当然に地方公務員ということになるわけではない（民生委員について第二条の〔解釈〕二４参照）。

その第五は、一般職に属する国家公務員には労働基準法や労働安全衛生法が適用されないことである（国公法附則六）。これに対して、地方公務員には、これらの法律が適用されるのが原則なので（法五八２３）、法律上の問題として、国家公務員とは異なる勤務条件を定めざるを得ない場合がある。

２　企業職員

地方公共団体の経営する企業については、地方財政法、地方公営企業法および地方公営企業等の労働関係に関する法律に規定があり、そこに勤務する者の身分関係については、地方公営企業法および地方公営企業等の労働関係に関する法律に特別の規定がある。まず、地方公営企業法は、水道事業（簡易水道事業を除く。）、工業用水道事業、軌道事業、自動車運送事業、鉄道事業、電気事業およびガス事業を地方公営企業と（地公企法二１）、公営企業の「管理者の権限に属する事務の執行を補助する職員」を企業職員と定義したうえで（同法一五）、企業職員の労働関係については地方公営企業等の労働関係に関する法律の定めるところによるとする（同法三六）ほか、企業職員には地方公務員法の特定の規定を適用しないとし（同法三九）、給与その他の給付についての地方自治法および地方公務員法の特例（同法三八）を定めている。一方、地方公営企業等の労働関係に関する法律は、地方公営企業法の定める地方公営企業に加えて、簡易水道事業および地方公営企業法第二条第三項に基づく条例または規約で同法第四章の規定を適用するとされた企業を地方公営企業と定義している（地公労法三①）。

このように、地方公営企業法の定義する企業職員と地方公営企業等の労働関係に関する法律による地方公営企業の職員の範囲は微妙に異なるのであるが、地方公営企業等の労働関係に関する法律は、地方公営企業法第三八条並びに第三九条第一項および第三項から第六項までの規定が適用されない職員についても、これらの規定を準用するとしている（地公労法一七）ので、結果的には、労働関係に関する限り、地方公営企業法上の企業職員と地方公営企業等の労働関係に関する法律上の地方公営企業の職員は同一の法律関係になる。したがって、これらの違いを論ずる実質的な利益はほとんどないことから、本書においては、より範囲の広い地方公営企業等の労働関係に関する法律による地方公営企業の職員を企業職員と称することにする。

3　単純労務職員

地方公務員法第五七条は、職員のうち単純な労務に雇用される者についての地方公務員法の特例を別に法律で定めるとしており、この規定を受けた地方公営企業等の労働関係に関する法律附則第五項は、この単純な労務に雇用される者であって、企業職員に該当しないものに係る労働関係その他身分取扱いに関しては、地方公営企業等の労働関係に関する法律（第一七条を除く。）並びに地方公営企業法第三八条および第三九条（地方公務員法第五二条から第五六条までの規定（職員団体に関する規定）を適用しないとする部分を除く。）の規定を準用することとしている。

したがって、地方公営企業等の労働関係に関する法律附則第五項が適用される職員の範囲を確定することが必要となるわけであるが、一般に、企業職員に該当しない一般職に属する職員であって、次に掲げる者の行う労務を行うもののうち、技術者、監督者および行政事務を担当する者以外の者がこれに該当すると解されており（単純な労務に雇用される一般職に属する地方公務員の範囲を定める政令（昭和二六年政令二五号）参照。なお、法律的にはこの規定は既に失効している。）、これらの者を「単純労務職員」または「単労職員」と称するのが一般的である。ただ、時代の推移とともに、ここの掲げられている職の大部分は廃止され、現在でも存続しているのは、一部の地方公共団体における守衛、葬儀夫、自動車運転手等に限られるようになっている。

①　守衛、給仕、小使、運搬夫および雑役夫
②　土木工夫、林業夫、農夫、牧夫、園丁および動物飼育人
③　清掃夫、と殺夫および葬儀夫
④　消毒夫および防疫夫
⑤　船夫および水夫
⑥　炊事夫、洗たく夫および理髪夫
⑦　大工、左官、石工、電工、営繕工、配管工およびとび作業員
⑧　電話交換手、昇降機手、自動車運転手、機械操作手および火夫
⑨　青写真工、印刷工、製本工、模型工、紡織工、製材工、木工および鉄工
⑩　溶接工、塗装工、旋盤工、仕上組立工および修理工
⑪　前各号に掲げる者を除く外、これらの者に類する者

4　教　職　員

地方公務員法第五七条は、公立学校の教職員については別に法律で特例を定めることを予定しているが、その主なものに教育公務員特例法、公立の義務教育諸学校等の教育職員の給与等に関する特別措置法および地方教育行政の組織及び運営に関する法律がある。

まず、教育公務員特例法は、「教育を通じて国民全体に奉仕する教育公務員の職務とその責任の特殊性に基づき、教育公務員の任免、人事評価、給与、分限、懲戒、服務及び研修等について規定する。」ものであり（同法一）、「教育公務員」とい

うのは「学校教育法（昭和二十二年法律第二十六号）第一条に規定する学校及び就学前の子どもに関する教育、保育等の総合的な提供の推進に関する法律（平成十八年法律第七十七号）第二条第七項に規定する幼保連携型認定こども園（以下「幼保連携型認定こども園」という。以下同じ。）であつて地方公共団体が設置するもの（以下「公立学校」という。）の学長、校長（園長を含む。以下同じ。）、教員及び部局長並びに教育委員会の教育長及び専門的教育職員」を、「教員」というのは「公立学校の教授、准教授、助教、副校長（副園長を含む。以下同じ。）、教頭、主幹教諭（幼保連携型認定こども園の主幹養護教諭及び主幹栄養教諭を含む。以下同じ。）、指導教諭、教諭、助教諭、養護教諭、養護助教諭、栄養教諭、主幹保育教諭、指導保育教諭、保育教諭、助保育教諭及び講師」を、「部局長」というのは「大学（公立学校であるものに限る。）の副学長、学部長その他政令で指定する部局の長」を、「専門的教育職員」というのは「指導主事及び社会教育主事」を、それぞれ意味するとされている（同法二1～35）。

次に、公立の義務教育諸学校等の教育職員の給与等に関する特別措置法は、「公立の義務教育諸学校等の教育職員の職務と勤務態様の特殊性に基づき、その給与その他の勤務条件について特例を定めるもの」であり（同法一）、そこでの「教育職員」というのは「学校教育法（昭和二十二年法律第二十六号）に規定する公立の小学校、中学校、義務教育学校、高等学校、中等教育学校、特別支援学校又は幼稚園」（同法二1）の「校長（園長を含む。次条第一項において同じ。）、副校長（副園長を含む。同項において同じ。）、教頭、主幹教諭、指導教諭、教諭、養護教諭、栄養教諭、助教諭、養護助教諭、講師（常時勤務の者及び地方公務員法（昭和二十五年法律第二百六十一号）第二十二条の四第一項に規定する短時間勤務の職を占める者に限る。）、実習助手及び寄宿舎指導員をいう」（同法二2）とされている。

また、地方教育行政の組織及び運営に関する法律は、「教育委員会の設置、学校その他の教育機関の職員の身分取扱その他地方公共団体における教育行政の組織及び運営の基本を定めることを目的とする。」ものであり（地教行法一）、その中で、教育委員会の職員および学校、図書館、博物館、公民館、その他の教育機関の職員ならびに市町村立学校職員給与負担法第一条および第二条の規定により都道府県が給与を負担することとされている教職員（「県費負担教職員」と称される。）について地方公務員法の特例を定めている（地教行法二〇、三七～四〇、四七）。

なお、義務教育諸学校における教育の政治的中立の確保に関する臨時措置法は、「教育基本法（平成十八年法律第百二十号）の精神に基き、義務教育諸学校における教育を党派的勢力の不当な影響又は支配から守り、もつて義務教育の政治的中立を確保するとともに、これに従事する教育職員の自主性を擁護することを目的とする。」（同法一）ものであり、そこでの「教育職員」というのは「学校教育法（昭和二十二年法律第二十六号）に規定する小学校、中学校、義務教育学校、中等教育学校の前期課程又は特別支援学校の小学部若しくは中学部」（同法二1）の校長、副校長若しくは教頭（中等教育学校の前期課程又は特別支援学校の小学部若しくは中学部にあつては、当該課程の属する中等教育学校又は当該部の属する特別支援学校の校長、副校長又は教頭とする。）又は主幹教諭、指導教諭、教諭、助教諭若しくは講師をいう。」（同法二2）とされ、それが適用される対象を地方公務員である教職員に限っていない。

5　警察職員および消防職員

警察職員および消防職員については、地方公務員法自体においても、労働基本権を全面的に認めないこととしている（法五二5）が、それ以外にも若干の特例が警察法および消防組織法によって定められている。なお、都道府県の警察には警察官その他所要の職員が置かれることとされているが（警察法五五1）、そのうち警視正以上の階級にある警察官（「地方警務官」と称される。）は国家公務員とされるので、これらの職員のうち、地方警務官以外の者が地方公務員制度における「警察職員」ということになる。

市町村は、消防本部、消防署または消防団の全部または一部を設けなければならず、消防本部および消防署には消防職員が置かれ、消防本部の長を消防長と、消防署の長を消防署長という（消組法九、一一1、一二1、一三1）。また、消防団には消防団員が置かれ、その長は消防団長と称され、常勤の消防団員には地方公務員法が適用される（消組法一九1、二〇1、二三1）。

6　独法職員

地方独立行政法人法第四七条は、「特定地方独立行政法人の役員及び職員は、地方公務員とする。」と定めているので、地方公務員に関する法令は当然に特定地方独立行政法人の役員（「独法役員」という。）および職員（「独法職員」という。）に適用されることになる。その意味では、地方公務員法に独法役員および独法職員に関する規定を置くまでもないのであるが、地方公務員法においても特定地方独立行政法人のすべての公務員を地方公務員という旨の規定（法三１）が置かれている。しかし、この場合においても、独法役員および独法職員は日本国憲法第一五条ならびに第九二条および第九三条第二項の適用の関係において公務員とされるわけではなく、地方公共団体の公務員と必ずしも同視できない面があることに注意しなければならない。

ところで、地方独立行政法人法は、その特殊性を考慮して、独法職員について、その給与および勤務時間等を定めるに際しての考慮要素と設立団体の長への届け出および公表について定め（地方独法法五一、五二）、地方公務員法の特定の条文（企業職員の場合におけるのと同様である。）を適用除外し（同法五三１①、２）、地方公務員法、外国の地方公共団体の機関等に派遣される一般職の地方公務員の処遇等に関する法律および地方公務員の育児休業等に関する法律（地方独法法五三条一項三号により特定の条文は適用除外されている。）を職員に適用する場合の読替えに関する規定を置く（地方独法法五三３４５）ほか、行政不服審査法の規定を職員に適用しない（同法五三１②）としている。なお、人事委員会または公平委員会の権限は、これらを設置する地方公共団体の事務の範囲に限られるので、特別の規定をまつまでもなく、独法職員の身分取扱いに及ばないことは当然のことである。

独法職員が地方公務員とされたことに伴って、地方公営企業労働関係法が地方公営企業等の労働関係に関する法律と改められ、その目的も「この法律は、地方公共団体の経営する企業及び特定地方独立行政法人の正常な運営を最大限に確保し、もつて住民の福祉の増進に資するため、地方公共団体の経営する企業及び特定地方独立行政法人とこれらに従事する職員との間の平和的な労働関係の確立を図ることを目的とする。」とされ（地公労法一）、同法における「職員」は「地方公営企業又は特定地方独立行政法人に勤務する一般職に属する地方公務員」を意味するものとされた（同法三④）。この結果、独法職員の労働関係については、企業職員の場合と同様に考えればよいことになっている。

〔解　釈〕

一　地方公務員の定義

地方公務員法第三条以下における「地方公務員」というのは、地方公共団体および特定地方独立行政法人のすべての公務員を意味するのであるが、このうち、地方公共団体の公務員の意味については、前条の説明において詳しく述べた。

地方独立行政法人法によれば、地方独立行政法人には、役員として理事長一人、副理事長、理事および監事が置かれるのが原則であるが、定款で副理事長を置かないこともできることとされ、理事長および監事は設立団体の長が、副理事長および理事は理事長が、それぞれ任命し、その任期は四年以内において定款で定める期間とされ、理事長および副理事長は地方独立行政法人の代表権を有することとされている（地方独法法一二～一五）。また、同法は、役員の欠格条項および解任事由についても定める（同法一六、一七）ほか、特定地方独立行政法人の役員の服務についての規定（同法五〇）も置いている。これらの役員と特定地方独立行政法人との関係が民法の委任の関係に類似することは、第二条の説明において都道府県知事等について述べたところと同様である。

なお、地方独立行政法人法は、「地方独立行政法人の職員は、理事長が任命する。」と定める（地方独法法二〇）のみで、職員についての定義規定は置いていないので、その範囲が必ずしも明確にならない場合の生ずることが考えられるが、この問題については、第二条の説明において「地方公共団体の公務員に該当するか否かの判断基準」について述べたところに準じて考えることで足りよう。

二　一般職と特別職

地方公務員の職は一般職または特別職のいずれかの職に分類される（本条1）。このいずれにも属しない個人的契約による外国人の勤務者などが認められないことは前述のとおりである。また、国会議員は一般職、特別職のいずれにも属さないという見解があるが、地方公共団体の議会の議員は特別職である（本条3①）。

特別職は限定列記されてその範囲が確定され（本条3）、一般職は特別職を除いた一切の地方公務員の職である（本条2）。

したがって、特別職に属しない地方公務員は、正規に任用された職員はもとより、臨時職員であれ条件付採用期間中の職員であれ、任用の種類を問わず一般職であり、また、一般の行政事務に従事する職員をはじめ、教職員、警察職員、消防職員、単純労務職員、企業職員、独法職員など、職種のいかんを問わず一般職である。所属する地方公共団体が、都道府県、市町村、特別区、一部事務組合または広域連合のいずれであるかを問わないこともちろんである。

三　特別職の種類

1　就任について公選または議会の選挙、議決もしくは同意によることを必要とする職（本条3①）　公選による職としては、まず、地方公共団体の議会の議員および地方公共団体の長（自治法一七、憲法九三2）がある。いずれも公職選挙法によって住民が選挙をする。また、海区漁業調整委員会の委員（漁業法一三七）も公選による職である。

次に、地方公共団体の議会が選挙する職としては選挙管理委員会の委員（自治法一八二1）があり、議会の同意を要する職として副知事および副市町村長（自治法一六二）、監査委員（自治法一九六1）、人事委員会および公平委員会の委員（法九の二2）、都道府県公安委員会および方面公安委員会の委員（警察法三九1、四六2）、教育長（地教行法四1）、教育委員会の委員（地教行法四2）、固定資産評価員および固定資産評価審査委員会の委員（地方税法四〇四2、四二三3）ならびに収用委員会の委員（土地収用法五二3）がある。なお、議会の「同意」も「議決」の一種であるが（自治法一一六1参照）、現在のところ同意以外の議決を要する職はない。

2　地方公営企業の管理者および企業団の企業長の職（本条3①の2）　地方公共団体は地方公営企業法の定めるところにより、地方公営企業を経営することができるが、その業務を執行させるため管理者を置くことが原則である（地公企法七本文）。ただし、小規模な地方公営企業では管理者を置かず、その権限を地方公共団体の長が代わって行うこと、あるいは二以上の地方公営企業を通じて一人の管理者を置くこともできる（地公企法七但し書およびなお書、八2、地公企法施行令八の二）。また、地方公営企業を共同で行う一部事務組合を「企業団」といい、その管理者を「企業長」という（地公企法三九の二1、以下「企業長」を含め「管理者」という。）。地方公営企業の管理者は、地方公共団体の長が任命するもので（地公企法七の二1、三九の二

3)、広義の補助職員と考えられ、長や各種委員会のような執行機関ではない。しかし、予算の調製、議会への議案の提出などの特定の事項以外のものについては地方公共団体を代表して業務を執行する権限を有し、職員の任免、勤務条件の管理、労働協約の締結など広汎な権限を行使する点で執行機関と同様な地位を有する(同法八、九)ので、このような地位にかんがみ、特別職とされているのである。また、管理者は、地方公営企業の経営に関して識見を有する者であることを資格要件とし、欠格条項、兼職の禁止、任期、分限、懲戒、失職等について独自の要件が地方公営企業法で規定されている(同法七の二2~5、7~10)。ただし、管理者は、あくまでも地方公共団体の長の補助職員であるから、他の執行機関のように長と並列の関係にあるものではなく、長は住民の福祉に重大な影響がある場合等、特定の場合には管理者に対し地方公営企業の業務の執行について、上下の関係に立って、指示を行うことができ(同法一六)、また、地方自治法第一五三条第一項の規定に基づき、長の事務の一部を一方的に管理者に委任し、または臨時に代理させることができるものと解される。

3　法令などにより設けられた委員、委員会、審議会等の構成員の職で臨時または非常勤のもの(本条3②)　これらの職は、非専務職であり、また、その性質上、自由任用職であることにより特別職とされる。はじめに、法令などによって設置される委員会などであるが、まず、執行機関である委員および委員会は、行政権限の行使を付与される行政機関であるから必ず法律によって設置され(自治法一三八の四1)、政令、省令、条例、規則などの法律以外の法形式で設置されることはない。このような法律に基づく執行機関である委員または委員会として、教育委員会、選挙管理委員会、人事委員会、公平委員会、監査委員、公安委員会、労働委員会、収用委員会、海区漁業調整委員会、内水面漁場管理委員会、農業委員会および固定資産評価審査委員会がある(自治法一八〇の五1~3)。しかし、これらの構成員である委員の大多数のものは、公選または議会の選挙もしくは同意によって任命されるので、本号によるまでもなく第一号の規定によって当然に特別職となるものであり、労働委員会および内水面漁場管理委員会の委員ならびに公選、議会の選挙などによらないで任命される海区漁業調整委員会および農業委員会の一部の委員だけが本号によって特別職となる。なお、これらの委員会の構成員は、法律でとくにその旨を定めたとき以外は非常勤とされており(自治法一八〇の五5)、現行法では、次号の都道府県労働委員会の委員の職で常勤のものに該当するもの以外に常勤の委員はない。

次に、地方自治法に基づく執行機関の附属機関である審議会、委員などは法律または条例によってのみ設置することができる（同法一三八の四3）。したがって、政令のみあるいは地方公共団体の規則やその機関の定める規程によって附属機関である審議会などを設置することはできない（横浜地裁平一三・三・一三判決（判例地方自治三五八号五五頁）など）。法律または法律に基づく政令によって地方公共団体に必ず置かなければならない附属機関は、地方自治法に基づく自治紛争処理委員（同法二五二）のほか、かなり多数に上っている。附属機関の構成員は、法律によって設けられるものも、条例によって任意に設けられるものもすべて非常勤とされるので（同法二〇二の三2）本号によっていずれも特別職となる。附属機関は、執行機関が直接に住民に対して行政を執行するのに対し、その行政の執行の前提となる調停、審査、調査などを行うものであり、民生委員や児童委員は直接に行政の執行の一部を行うものであるから附属機関ではない。本号の「委員」は、本号の構成が組織上の特殊性による分類であると考えられることからみて、執行機関または附属機関の委員のみを指すものというべきであるので、執行機関または附属機関の委員に該当しない者は、たとえ法令などにより設けられた委員または委員会の構成員であっても、本号には該当せず、第三号に該当するものといえよう（行実昭二六・三・一四　地自公発第八八号および昭二六・四・二六　地自公発第一七四号は民生委員を本条三項二号に該当するとしているが賛成できないことは**第二条**の**〔解釈〕**二4で述べた。）。また、地方公共団体の試験研究機関や部内の職員のみをもって構成する法令審査会のごときものは、行政事務の執行そのものであるので、附属機関には該当しない。なお、各執行機関の規則や訓令などで研究会など（附属機関には該当しないもの）を設け、外部の者に委嘱を行った場合にあっては、当該委嘱などが非常勤または臨時の職員の任命行為であると解される場合に限って当該委嘱を受けた者は地方公務員法第三条第三項第三号の特別職となるが（常勤の任命行為であれば一般職）、委嘱といっても外部の者に対する委託ないしは依頼に過ぎないときは地方公務員にはならないものと解すべきであろう。

なお、平成三〇年（二〇一八年）一〇月一八日付けの各都道府県知事、各都道府県議会議長、各指定都市市長、各指定都市議会議長及び各人事委員会委員長宛て総務省自治行政局公務員部長発の「会計年度任用職員制度の導入等に向けた事務処理マニュアルの改訂について（通知）」は地方公務員法第三条第三項第二号に該当する職の例として、次のものを示している。

・都道府県労働委員会の委員
・内水面漁場管理委員会の委員
・海区漁業調整委員会の委員（都道府県知事に選任される者）、専門委員
・民生委員、児童委員
・男女共同参画推進委員会の委員
・農地利用適正化推進委員
・社会教育委員
・図書館協議会の委員
・博物館協議会の委員
・公民館運営審議会の委員
・学校運営協議会の委員
・教科書の採択地区協議会の委員、選定委員会の委員、採択地区の調査員
・銃砲刀剣類等所持取締法第一四条第三項の登録審査委員
・スポーツ推進委員
・少年指導委員
・猟銃安全指導委員
・地域交通安全活動推進委員
・留置施設視察委員会の委員
・警察署協議会の委員

4　都道府県労働委員会の委員の職で常勤のもの（本条3②の2）　平成一六年の労働組合法の改正により、地方労働委員会が都道府県労働委員会と改められる（労組法一九、一九の一二）とともに、条例で定めるところにより、公益委員のうち二人以内を常勤とすることができるとされた（同法一九の一二6、一九の三6）ことに伴い、常勤とされた委員の職が特別職とされたものである。前号について述べたように、従来から、地方労働委員会の委員は、非専務職であり、自由任用職としての性質から、前号に該当する特別職とされていたのであるが、都道府県労働委員会の常勤の公益委員の職に就任した者についても、欠格条項、任期、失職および罷免並びに給与等について非常勤の公益委員と同じ規定が適用され（労組法一九の一二6、一九の四1、一九の五、一九の七1前段23、一九の八）、その身分取扱いに差異はなく、また、常勤であることによる職務の性質にも異なるところがないというのが、この職が特別職とされた理由であろう。

5　臨時または非常勤の顧問、参与、調査員、嘱託員およびこれらの者に準ずる者の職（専門的な知識経験または識見を有する者が就く職であって、当該知識経験または識見に基づき、助言、調査、診断その他総務省令で定める事務を行うものに限る。）（本条3③）　非専務職として特別職となるものである。本号では、顧問、参与、調査員および嘱託員の職名が例示されているが、これらの者はいずれも特定の学識または経験に基づいて任用されるものであるが、この職に該当するか否かは、客観的な職務の内容・性質、勤務態容や勤務条件等を総合的に考慮して判断されるべきものであり（大阪高裁平二五・三・二七判決　判例集未搭載）、任命権者が本号の非常勤の職として設置し、かつ、それを前提とする人事上の取扱いをしていた職に任用された者は、当該団体における退職手当条例上、特別職の職員に該当するとした判例（最高裁平二七・一一・二七判決・判例地方自治四〇三号二三頁）がある。そして、このような特定の要件に基づかない者を臨時または非常勤の職に任用しようとするときは、地方公務員法第二二条の三の規定に基づく臨時的任用職員、同法第一七条に基づく任期付職員または同法二二条の二の会計年度任用職員として任用すべきである。また、ここで臨時または非常勤というのは、定数を条例で定めるとする地方自治法などにおけるのと異なり、特定のプロジェクトに従事する場合や特定の調査研究のために採用された場合など、会計年度を越えて存続するものも含まれると解される（法一七条の【趣旨】四参照）。

本号の括弧書きは、平成二九年（二〇一七年）五月に公布された地方公務員法及び地方自治法の一部を改正する法律（法律第二九号）によって従前の規定に追加されたものであるが、これは、従前の規定が本来の趣旨よりも拡大解釈され、いわゆる常勤的非常勤職員の問題が生じていたことから、そのような解釈の余地をなくすためのものである。そして、前記平成三〇年一〇月一八日付け総務省自治行政局公務員部長発の「会計年度任用職員制度の導入等に向けた事務処理マニュアルの改訂について（通知）」（平成三一年三月二九日付公務員課長等発「会計年度任用職員制度の導入等に向けた留意事項について」による追加されたものを含む。）は、これに該当する職として、次のものを示している。

ｉ　助言をする職

・顧問
・参与
・学校薬剤師（学校保健安全法二三）
・学校評議員（学校教育法施行規則四九）
・評価員（土地区画整理法六五）
・評価員（新都市基盤整備法二八）

ii　調査をする職

・地方自治法第一〇〇条の二第一項に規定する議会による議案調査等のための調査を行う者
・統計調査員（統計法一四）
・国民健康・栄養調査員（健康増進法一二）
・保険審査会専門調査員（介護保険法一八八）
・建築物調査員（建築基準法一二）
・障害者の日常生活及び社会生活を総合的に支援するための法律第一〇三条第一項に基づき調査を行う者

・介護保険法第一九四条第一項に基づき調査を行う者
・土地改良法第八条に基づき調査を行う者
・鳥獣被害対策実施隊員（鳥獣による農林水産業等に係る被害の防止のための特別措置に関する法律九）

iii 診断をする職

・学校医（学校保健安全法二三）
・学校歯科医（学校保健安全法二三）
・産業医（労安法一三）

iv 総務省令で定める事務

・斡旋員（労調法一二1）

6 投票管理者、開票管理者、選挙長、選挙分会長、審査分会長、国民投票分会長、投票立会人、開票立会人、選挙立会人、審査分会立会人、国民投票分会立会人その他総務省令で定める者の職（本条三③の二） 本号は、平成二九（二〇一七年）年法律第二九号によって追加されたものであり、従前は本条第三項第三号に該当すると解されていた、選挙、国民審査及び国民投票に関する事務に従事する者の職（地方自治法第二〇三条の二参照）を特記したものであり、新たに追加された「その他総務省令で定める者の職」としては、次のものがある。

・公職選挙法施行令（以下「公選令」という。）第五六条第三項（公選令第五七条第三項において準用する場合を含む。）及び日本国憲法の改正手続に関する法律施行令（以下「憲法改正手続令」という。）第七〇条第三項（憲法改正手続令第七一条第三項において準用する場合を含む。）の規定により不在者投票管理者である市区町村選挙管理委員会の委員長が立ち会わせることとした不在者投票立会人の職
・公選法第四九条第九項及び憲法改正手続法第六一条第九項に規定する市区町村選挙管理委員会が選定した者（いわゆる「外部立会人」）のうち、市区町村選挙管理委員会が任命するものの職

7　長、議長などの秘書の職で条例で指定するもの（本条3④）　特別の信任に基づいて自由に任用することを適当とする職であるので特別職とされる。長や議長のほか、地方公共団体の機関の長も特別職の秘書を置くことができるが、ここで「地方公共団体の機関」とは、広義の機関ではなく、地方公共団体を代表して業務を執行する地位を有する機関、すなわち執行機関や地方公営企業の管理者を指すものと解すべきであろう。これらの地位にあるもののみが、その職務遂行上特別の信頼を置ける秘書を必要とすると考えられるからである。次に、特別職の秘書を置くためには条例で指定する必要がある。条例では、知事、議長などの職を具体的に規定するとともに、必要に応じてそれぞれの職に置くことができる秘書の人数をも明らかにすることが適当である。知事、議長などの職には必ず特別職の秘書を置かなければならないものでないことはもちろんであり、通常は秘書課などの一般職の職員が秘書的業務を行っているものである。一般職の職員を特別職の秘書とするためには、一般職を退職する必要がある（行実昭二六・三・一三　地自治公発第七七号）。特別の信頼関係に基づいて任用される以上、身分を保障することや政治的行為の制限に服することは適当ではないからである。また、知事、議長などが離職したときに、その特別職の秘書はそれに伴って当然に退職する必要はないが（行実昭二六・三・三〇　電文回答）、地方公務員法による身分保障がないので、労働基準法の解雇制限（労基法一九、二〇）に反しない限り（なお、労働契約法一六参照）、任命権者はいつでもこれを解職することができる。特別職の秘書の任命は、「〇〇秘書を命ず」とすることで足りるとされているが（行実昭二六・三・一三　地自公発第七七号）、特別職の秘書の指定に関する条例に基づく任用であることを辞令に明記することがより適当であろう。

8　非常勤の消防団員および水防団員の職（本条3⑤）　市町村の消防団に置かれる非常勤の消防団員（消組法一九1）および市町村または水防事務組合に置かれる水防団の水防団員（水防法六）は、いずれも地方公務員であるが、いわば地域住民の生命、財産の安全を守るためのボランティアとしての性格を有し、職業的公務員ではないものとして特別職とされる。消防の事務に従事する地方公務員であっても、消防本部および消防署に置かれる消防職員（消防吏員およびその他の職員）あるいは常勤の消防団員は一般職であって、消防組織法に特別の定めがあるもの、すなわち、任命の方法や階級などの特例のほかは、その身分取扱いは地方公務員法に基づいて行われる（消組法二三1）。消防職員および常勤の消防団員は専務職であり、職業的公務員だからである。非常勤の消防団員の任用、給与、分限、懲戒、服務などの身分取扱いは条例で定めることとされており（消組法二三1）、水防団員の場合も同様である（水防法六2）。非常勤の消防団員および水防団員が公務上の災害を受けたときは、政令で定める基準に従って定められた条例で定めるところにより公務災害補償を受ける権利があり（消組法二四、水防法六の二）、また、非常勤の消防団員が退職したときは条例で定めるところにより、退職報償金を受ける権利がある（消組法二五）。

9　特定地方独立行政法人の役員（本条3⑥）　地方独立行政法人というのは、「住民の生活、地域社会及び地域経済の安定等の公共上の見地からその地域において確実に実施されることが必要な事務及び事業であって、地方公共団体が自ら主体となって直接に実施する必要のないもののうち、民間の主体にゆだねた場合には必ずしも実施されないおそれがあるものと地方公共団体が認めるものを効率的かつ効果的に行わせることを目的として、この法律の定めるところにより地方公共団体が設立する法人をいう」ものであり（地方独法法二1）、特定地方独立行政法人というのは、「地方独立行政法人（第二十一条第二号に掲げる業務を行うものを除く。）のうち、その業務の停滞が住民の生活、地域社会若しくは地域経済の安定に直接かつ著しい支障を及ぼすため、又はその業務運営における中立性及び公正性を特に確保する必要があるため、その役員及び職員に地方公務員の身分を与える必要があるものとして地方公共団体が当該地方独立行政法人の定款で定めるものをいう」ものである（地方独法法二2。第一条の〔趣旨〕三参照）。

地方独立行政法人（特定地方独立行政法人を含む。）には、役員として理事長一人、副理事長（定款で副理事長を置かないこともできる。）、理事および監事が置かれ（地方独法法一二）、理事長および監事は設立団体の長が、副理事長および理事は理事長が、それぞれ任命し（同法一四）、その任期は中期目標の期間または四年間のいずれか長い期間以内において定款で定める期間とされ（同法一五）、理事長および副理事長は地方独立行政法人の代表権を有することとされるほか、副理事長、理事および監事の職務が法定されている（同法一三）。また、地方独立行政法人法の役員の、身分取扱いについては、欠格条項（同法一六）および解任（同法一七）についてのほか、報酬（同法四八、四九）、服務（同法五〇）について特別の規定が置かれている。

独法役員および独法職員が地方公務員とされ（地方独法法四七）、独法役員が特別職とされるのは、前記のような地方独立行政法人が行う業務の性質並びに独法役員の地位および職務の特殊性に基づくものであると考えられる。

四　特別職の身分取扱い

特別職の身分取扱いについては、地方公務員法は人事委員会および公平委員会の委員に関する事項以外は一切規定していない。また、特別職の身分取扱いを統一的に規定した法令は存在しない。したがって、特別職の身分取扱いについては、個々の特別職ごとに関係する法規を検討して決定する必要がある。ここでそのすべてを述べることは不可能であり、また無用であると考えるが、次に多数の特別職に共通する法令のあらましを述べる。

1　地方公務員法の準用による身分取扱い　地方公務員法第九条の二第一二項は人事委員会の委員および公平委員会の委員について同法の一部の規定を準用することを定め、警察法第四二条第一項も都道府県公安委員会の委員について地方公務員法の一部を準用するとしている。地方公務員法第四条第二項は法律によって地方公務員法が適用されることを想定しているが、適用というのは当該法律をそのまま当てはめることであり、準用というのは、実態が異なるために当該法律をそのまま当てはめることが不適当な場合に、その法律の規定に準じて取り扱うという意味であるから、これらの法律が地方公務員法を適用するとしないで、準用するとしたのは、これらの委員は自己の責任と判断に基づいて職務を行うものであるということに、上司の指揮命令に従って勤務する一般職との違いを見出したものであろう。

人事委員会の委員および公平委員会の委員に対する地方公務員法の準用についてはそれぞれの該当条文についての説明の際に詳しく述べることとし、ここでは都道府県公安委員会の委員に対する準用関係について説明することとする。

都道府県公安委員会の委員に準用される地方公務員法の規定は、第三〇条（服務の根本基準）、第三一条（服務の宣誓）、第三二条（法令等及び上司の職務上の命令に従う義務）、第三三条（信用失墜行為の禁止）、第三四条（秘密を守る義務）および第三八条第一項（営利企業への従事等の制限）である。そして、「上司の職務上の命令に従わなければならない」という第三二条後段は、委員には上司が存在しないのであるから、準用の原則に従い、存在しないものとして解釈されることになる。また、この地方公務員法の準用を定める規定自体が、警察法第四六条第二項により、北海道の方面本部毎に置かれる方面公安委員会の委員について準用されている。

また、都道府県公安委員会の委員の任命の方法、任期、失職および罷免、営利企業等の従事の許可の基準、兼職の禁止、政治的行為の制限については、警察法が独自の規定を置いており（警察法三九～四一、四二1但し書2 3）、それらの規定が方面公安委員会の委員に準用されている（同法四六2）。

なお、特別職に属する職の設置が個別の法律によるものである場合は、地方公務員法を準用することなく、独自に欠格条項や解任事由などについて定める例も少なくないので（開発審査会の委員についての都市計画法七八4～6、建築審査会の委員についての建築基準法八〇・八〇の二など）、特別職については、それぞれの設置根拠を定めている個別の法律を確認することが必要である。

2　地方自治法に基づく身分取扱い　地方自治法では、地方公共団体の長、副知事、副市町村長のそれぞれについて任用の方法、任期、兼職禁止、兼業の禁止などの規定が設けられている（自治法一四〇～一四五、一六二～一六六）ほか、選挙管理委員についての選挙、任期、失職、罷免、退職および守秘義務（自治法一八二～一八五の二）、監査委員についての選任、兼職の禁止、任期、罷免、退職、親族の就業禁止および服務（自治法一九六～一九八の三）に関する規定が置かれている。また、給与その他の給付については、一般職であると特別職であるとを問わず、非常勤の職員については原則として勤務日数に応じて報酬を支給すべきこと（会計年度パートタイム職員には期末手当または勤勉手当も支給できる。）、費用弁償を支給しうること、並びに報酬、費用弁償、期末手当および勤勉手当の額と支給方法は条例で定めなければならないこと（自治法二〇三の二）、常勤の職員および会計年度フルタイム職員に対しては給料および旅費を支給すべきこと、各種手当を支給できること、並びにこれらの額と支給方法は条例で定めなければならないことが定められている（同法二〇四）。さらに、職員に支給する給与については小切手を振り出すことができないこととされている（同法二三二の六1、自治法施行令一六五の四3）。

３　地方自治法施行規程に基づく身分取扱い　地方自治法附則第九条第一項は「この法律に定めるものを除くほか、地方公共団体の長の補助機関である職員、選挙管理委員及び選挙管理委員会の書記並びに監査委員及び監査委員の事務を補助する書記の分限、給与、服務、懲戒等に関しては、別に普通地方公共団体の職員に関して規定する法律が定められるまでの間は、従前の規定に準じて政令でこれを定める。」としているので、ここでいう「普通地方公共団体の職員に関して規定する法律」である地方公務員法の施行以後は同法の対象とならない者（特別職に属する者）についてだけ、この政令の定めが問題となるはずである。しかし、平成二九年法律第五四号による地方自治法の一部改正によって設置が認められた監査専門委員の分限、給与、服務、懲戒等に関しては、この規定が準用され（自治法附則九２）、地方自治法施行規程に関係の規定が盛り込めれている。地方自治法附則第九条を受けて、地方自治法施行規程はいくつかの定めを置いているが、そのうち、現在も意味のある規定は次のとおりであり、その対象および内容は極めて限定されている。

まず第一は、都道府県職員委員会に関するものである（自治法施行規程九）。これは、都道府県の副知事、専門委員及び監査専門委員の懲戒の審査および議決に関する事務をつかさどるものであり、委員の数など、それに関して必要な事項は、都道府県の規則で定めることとされている。そして、専門委員については、①職務上の義務に違反しまたは職務を怠ったときおよび②職務の内外を問わず公職上の信用を失うべき行為があったときには懲戒処分を受けるものとされ、具体的には、都道府県職員委員会の議決を経て免職、五〇〇円以下の過怠金または譴責の処分を受けることが定められている（同規程一二１２３）。しかし、副知事については、懲戒事由の定めがないうえに任期中においても解職できるとされている（自治法一六三条但し書）ので、副知事に関する懲戒の規定は意味がないものとなっている。

第二は、都道府県の職員の服務についてであり、東京都にあっては従前の東京都職員服務紀律の例により、道府県にあっては従前の道府県職員服務紀律の例によることになっている（自治法施行規程一〇）。なお、一般職に属する職員には地方公務員法が適用されるので、ここで職員というのは特別職に属する職員のことである。ただし、これらの服務規律に違反した場合の処分については何の規定もないので、就業規則などに懲戒処分についての定めを置かない限り、実効性が担保されないことになる。

第三は、専門委員、選挙管理委員、監査委員および監査専門委員が刑事事件に関して起訴された場合の取扱いであり、この場合は、知事または市町村長若しくは特別区の区長はその者の職務の執行を停止することができ、報酬または給料の三分の二を減額するものとされている（自治法施行規程一三、一七～二三）。

第四は、市町村および特別区の長の補助機関たる職員の服務規律および懲戒処分についてであり、服務規律については従前の市町村職員服務紀律の例によるとされ（同規程一四）、一定の事由があった場合は、免職、五〇〇円以下の過怠金または譴責の処分を受けることとされている（同規程一五、一二2）。そして、これらの懲戒処分のうちの免職および過怠金についての議決を行うための機関として、市町村に市町村職員懲戒審査委員会が、特別区に特別区職員懲戒審査委員会が、それぞれ置かれ、市と特別区の懲戒審査委員会は五人で、町村のそれは三人で構成されることなどが定められているが、それ以外に必要な事項は規則で定めることとされている（同規程一六）。

なお、専門委員及び監査専門委員の服務のうちの営利企業の従事制限については、都道府県の場合も市町村や特別区の場合も、「営業を行い若しくは家族に営業を行わせ又は給料若しくは報酬を受ける他の事務を行うことを妨げない」とされている（同規程一〇但し書、一四但し書）。

4　労働基準法による身分取扱い　　特別職であっても従属労働者である者（本条三項三号の規定が厳格化されたことにより、従前これに該当するとされていた者の多くは、会計年度任用職員等の一般職に属することとなっている。）については、労働基準法が全面的に適用される。たとえば、特別職には地方公務員法の分限の規定による身分保障がないことは当然であるが（福井地裁昭三四・三・一一判決　行政裁判例集一〇巻三号五七一頁）、法令に特別の定めがある場合を除くほか（たとえば副知事や副市町村長は長の自由任用職であるから除外される。）、特別職の分限に関する条例を制定することはさしつかえないものと解されている（行実昭二八・三・一〇　自行公発第五一号）、このような身分保障がない場合でも従属労働者である特別職を免職しようとするときは解雇制限および解雇予告の制度（労基法一九、二〇）の適用がある。また、労働時間の限度（同法三二～三二の五）、休憩、休日の保障（同法

三四、三五）、年少者および妊産婦等（同法六章及び六章の二）などの規定も当然に適用される。

５　地方公務員等共済組合法および地方公務員災害補償法による身分取扱い　地方公務員等共済組合法に基づく給付は、社会保障制度の一環であり、常時勤務に服する地方公務員である限り、一般職、特別職の区別なく適用される（地共済法二１①）。したがって、常勤の特別職に対しては、その病気、負傷、出産、死亡、休業もしくは災害またはその被扶養者の病気、負傷、出産、死亡もしくは災害に関して所定の短期給付が行われ、その退職、廃疾または死亡に関して長期給付が支給される（同法五三、五四、七四）。また、地方公務員災害補償法に基づく給付も社会保障制度としての労働災害補償の一制度であり、常時勤務に服する地方公務員である限り、一般職、特別職の区別なく適用される（地公災法二１）。したがって、常勤の特別職が公務（通勤途上を含む。以下同じ。）により災害を受けたときは、療養補償、休業補償、傷病補償年金、障害補償、介護補償、遺族補償および葬祭補償を受けることができる（同法二五）。また、非常勤の特別職が公務により災害を受けたときは、地方公務員災害補償法に規定する給付ではないが、これと均衡をとって定められた制度による補償を受けることになる（同法六九）。

（この法律の適用を受ける地方公務員）

第四条　この法律の規定は、一般職に属するすべての地方公務員（以下「職員」という。）に適用する。

２　この法律の規定は、法律に特別の定がある場合を除く外、特別職に属する地方公務員には適用しない。

〔趣　旨〕

一　一般法としての地方公務員法

特別職に属する地方公務員は、地方公務員法第三条第三項に列記されているところであり、その列記は限定列記であるから、特別職でない地方公務員はすべて一般職である（法三１２）。特別職については、前条についての解説で述べたように、その身分取扱いに関する統一法規はないが、一般職については地方公務員法がその身分取扱いに関する統一法規であり、本条第一項はその旨を明示している。一般職の職員は、職業的公務員として共通の性格を有しているので、臨時的任用職員や会計年度任用職員、条件付採用期間中の職員など任用上特別の地位にある者、あるいは警察職員、消防職員、教職員、企業職員、単純労務職員、独法職員など職務に特殊性のある者について、それぞれ多少の特例が設けられているものの、基本的にはすべて共通の基準によって規律することとされている。一般職に属する地方公務員は、地方公務員法第四条以下において、「職員」と称することとされているので、本書においても、以下、一般職の地方公務員を単に「職員」と称することとする。

二　特別職に対する地方公務員法の不適用

特別職については、地方公務員法は原則として適用されない（本条2）。前条で説明したように、特別職は非専務職で職業的な公務員でない者、政治的な方法で就任する者などそれぞれに特別の地位を有するものであるため、その身分取扱いを統一的に規律することが困難であるばかりでなく、職業的公務員である一般職の身分取扱いには馴染まないと考えられるからである。たとえば、公選ないしは議会の議決による職には、競争試験を適用する余地がないことは明白であるし、選挙による職に政治的行為を制限することも同様である。また、使用者の立場にある者に職員団体などの規定を適用することも意味がない。このように、地方公務員法の規定の多くは特別職にそのまま適用することが不可能であるといわざるを得ない。なお、地方公務員法の一部の規定が特定の特別職に準用されていることは前条（〔解釈〕四）で述べたとおりである。

〔解　釈〕

一　一般職に属する地方公務員と本法の適用

本条第一項は、「この法律の規定」が一般職に属するすべての地方公務員（職員）に適用されることを明らかにしている。まず、「この法律」が地方公務員法を指すことはいうまでもないところであり、地方公務員法のほとんどすべての規定は一般職を対象として規定されているものの、そのすべての規定がもっぱら一般職のみを対象とするものではない。たとえば、

第三条の一般職と特別職を区別する規定、第六条の任命権者に関する規定ならびに第七条から第一二条までの人事委員会および公平委員会に関する規定は、職員の身分取扱いに関係する規定ではあっても、いずれも直接に職員に適用される規定とはいえない。また、地方公務員法の目的を定めた第一条および地方公務員法の優先を定めた第二条の規定も、実質的には職員について意義を有する規定ではあるが、形式的には特別職を含むすべての地方公務員を対象とする規定である。また、第一三条の平等取扱いの原則、第三六条第三項の職員に違法な政治的行為を求めることの禁止ならびに第三七条第一項後段の争議行為等の企画、共謀、煽動等の禁止およびその違反に対する第六一条第四号の罰則の規定は、ひろく国民のすべてを対象とする規定である（第三七条の〔解釈〕三参照）。また、第三四条の秘密を守る義務の規定は、退職者（職員ではなくなった者）にも適用される。そのほか、個々にみると、必ずしも、もっぱら、かつ、直接に職員に適用されるのではない規定ないしはそのようなものを含む規定があるが、それらについての説明はそれぞれ該当する条文についての説明に譲ることとする。

本条第一項で地方公務員法の規定を職員に適用するとしている実質的な意味は、同法中、任用、人事評価、勤務条件、休業、分限、懲戒、服務、研修、勤務条件に関する措置の要求、不利益処分に関する審査請求、職員団体などについて定めている規定が原則的に一般職の地方公務員を対象としていることを明らかにすることにあるといってよいであろう。また、本条第一項の規定は、地方公務員法が一般職の地方公務員に関する排他的独占的法規であることを意味するものではなく、他に各種の特例法や特例規定を設けうることは、地方公務員法自体が予定しているところである（法五七参照）。

次に、地方公務員法の規定は、「一般職に属するすべての地方公務員」（職員）に適用される。一般職の地方公務員であるかどうか、すなわち、同法の規定の適用があるかどうかはほとんどすべての地方公務員については自明の事実であるといえる。しかし、時として疑義の生じる場合があり、そのような場合にはまず第二条および第三条で説明したところにより、地方公務員であるか地方公務員以外の者であるかを明らかにする必要がある。次に、地方公務員であると判断された者について第三条第三項各号に該当する者であるかどうかを決定し、該当しない場合はすべて一般職の地方公務員とされる（法三2）。なお、平成二九年（二〇一七年）法律第二九号によって、地方公務員法第三条第三項第三号に（専門的な知識経験又は識見を有する者が就く職であって、当該知識経験又は識見に基づき、助言、調査、診断その他総務省令で定める事務を行うものに限る。）との文言が追加され、特別職の範囲の明確化（逆に言えば、一般職の範囲の明確化でもある。）が図られたことは同条の〔解釈〕三5で述べたところである。

二　特別職に対する本法の不適用

地方公務員法は、法律に特別の定めがある場合を除き、特別職には適用されない。特別職の任用および職務の特殊性が一般的に本法の各規定に馴染まないと考えられるからである。

本条第二項を受けて特別の定めをする法律は存在しないが、地方公務員法の特定の規定を準用するものがある。まず、その第一は、同法第九条の二第一二項による人事委員会または公平委員会の委員に対する同法の一部の規定の準用である。詳細は第一二条で説明するが、人事委員会の常勤の委員には同法第三章第六節の服務の規定全部が、人事委員会の非常勤の委員および公平委員会の委員（第九条の二第一二項の規定によりすべて非常勤とされる。）には職務専念義務および営利企業等の従事制限を定める規定を除く服務の規定が準用される。

次に地方公務員法の規定の一部を準用することを定める法律として警察法第四二条第一項があるが、このことについては前条の〔解釈〕四1で述べた。

なお、一般職の職と特別職の職とを兼務する場合があり、その際の地方公務員法の適用関係が問題になる。すなわち、特別職と一般職との兼職が禁止されている場合（たとえば、地方公共団体の長と地方公共団体の常勤の職員または定年前再任用短時間勤務職員（自治法一四一2）、地方公共団体の議会の議員と地方公共団体の常勤の職員または定年前再任用短時間勤務職員（同法九二2）、地方公営企業の管理者と地方公共団体の常勤の職員または定年前再任用短時間勤務職員（地公企法七の二3）、教育長および教育委員会の委員と地方公共団体の常勤の職員または定年前再任用短時間勤務職員（地教行法六）など）には問題はないが、たとえば一般職の職員が地方公共団体の附属機関である審議会（自治法二〇二の三）の委員を兼ねること、他の地方公共団体の委員会の委員（法三3②）などに就任すること、あるいは市町村の一般職の職員が地域の非常勤の消防団員となることなどはよく見られるところであり、このような場合には、その者が一般職としての地位を有する限り、原則として地方公務員法の全面的適用を受ける（行実昭二六・五・一〇　地自公発第一九一号）（この行政実例は一般論としては妥当なものであるが、特別職である者に一般職の事務の取扱いを行わせている場合を「兼職」であるとしていることは妥当ではない。このような場合が兼職であるとすれば、たとえば、副知事に総務部長の事務取扱いをさせることは兼職禁止規定（自治法一六六２）違反になる。「事務取扱い」は兼職ではなく、事務のみを暫定的に掌理させるものと解すべきであろう。）。したがって、地方公務員法の適用に当たっては、特別職としての職務の遂行のために一般職としての勤務時間を割くときは職務専念義務（法三五）の免除が必要であり、また、特別職として報酬を受けるときは営利企業等に従事することの許可（法三八２）が必要である。ただし、人事委員会の委員が事務局長の職を兼ねるような場合には（法一二２）、事務局長は一般職の職員であるから、地方公務員法の全面的適用を受ける（行実昭二六・二・二四　地自公発第四〇号）とはいうものの、法律がとくに兼職を認めている趣旨からすれば、委員の職務を行う都度職務専念義務の免除を受けなければならないとする理由はない。このように、特別職の職と一般職の職を兼務するときは、原則的には地方公務員法が全面的に適用されるのであるが、個々の条文の適用に当たっては、兼職に伴う調整が必要な場合が生じることや、条理上適用の余地がない場合が生じることに注意する必要がある。

（人事委員会及び公平委員会並びに職員に関する条例の制定）

第五条　地方公共団体は、法律に特別の定がある場合を除く外、この法律に定める根本基準に従い、条例で、人事委員会又は公平委員会の設置、職員に適用される基準の実施その他職員に関する事項について必要な規定を定めるものとする。但し、その条例は、この法律の精神に反するものであつてはならない。

２　第七条第一項又は第二項の規定により人事委員会を置く地方公共団体においては、前項の条例を制定し、又は改廃しようとするときは、当該地方公共団体の議会において、人事委員会の意見を聞かなければならない。

〔趣 旨〕

一 人事行政に関する団体意思の決定

地方公務員法は、人事行政に関する根本基準を確立するための法律であり（法一）、その具体的な運用はそれぞれの地方公共団体が行うものであるが、地方公共団体の内部管理の良否は人事、予算、財産などの構成要素の運用いかんにかかっている。したがって、これらの基本的な構成要素の運用の根本原則については、それぞれの地方公共団体としての意思を確定しておく必要がある。そして、地方公共団体としての意思を確定するのは、住民を代表する議員で構成される議会（憲法九三2）の議決によってであることはいうまでもない。地方公共団体の予算が議会の議決によって成立し（自治法九六1②、二一一）、その財産管理の重要事項についても条例または議会の議決を要するとされていること（同法九六1⑥～⑩、二三七2）は、いずれもこのような趣旨に基づくものであると考えられる。人事行政についても同じ趣旨から地方公務員法の根本基準を具体化するに当たっては議会の議決に基づく条例によって基本的な事項を定めることとされ、本条はその旨を明示しているのである。

また、地方公共団体における人事管理は、直接には任命権者によって行われるのであるが（法六）、任命権者は地方公共団体を代表する機関であり（自治法一四七参照）、人事管理の究極の主体は法人である地方公共団体（自治法二Ⅰ）そのものであり、同時に地方公共団体の構成員である住民（自治法一〇1）全体である。したがって、地方公共団体の機関としての任命権者が人事行政を行うについては、本来の人事管理の主体である住民の意思――具体的には住民の代表である議会の決定――に基づかなければならないことは当然であるといえよう。地方公共団体の根本原理の一つに住民自治がある以上、人事行政が住民の意思の具体化である条例に基づいて行われるということは、地方自治の本旨に根ざすものといってよい。

二 人事行政に関する条例と地方公務員法

本条第一項の但し書では、人事行政に関する各種の条例が地方公務員法の精神に反するものであってはならないことを定めている。その趣旨とするところの第一は、地方公務員法が、地方公務員法をはじめとする各種の法令に基づく人事行政に関する条例の基本法であることを明らかにしたことにある。地方公務員法が同法制定前の法令、条例、規則などに優先することはすでに第二条で明らかにされているところであるが、本条第一項但し書では、同法制定の前後を問わず、人事行政に関する各種の条例は、それが地方公務員法に基づくものであれ他の特例法に基づくものであれ地方公務員法の精神に反してはならないことを明らかにしており、同法が人事行政に関する具体的法規であるすべての条例の基本法であることを明確にしているのである。

本条第一項但し書の第二の趣旨は、地方公務員法が人事行政の根本基準を定める法規であり（法二）、人事行政の具体的内容はできる限り条例で自主的に定めることを示すことにあるといえよう。人事行政が団体意思である条例で具体化されるべきことはすでに前項で述べたが、これらの条例が本法の「精神」に反してはならないことを規定することにより、地方公務員法が地方公務員に関する全国的な基準であり、各地方公共団体においてはこの基準に準拠しながら自主的かつ弾力的に人事行政に関する自主立法を行うべきことが示されているのである。それは、地方公務員の人事行政に関する国家的統一性の確保と地方公共団体の自主性の確立との間の調和を表わしているといってよいであろう。すなわち、地方公共団体は国の統治権の一部を分担する機構であり、また、数多くの地方公共団体のそれぞれに地方公務員が分属しているにもかかわらず、地方公務員は公共の福祉のために奉仕するという点で共通の性格を有するものである以上、その身分取扱いはある程度全国的に統一する必要がある。他方、地方公共団体は、自治体として主体的に行動し、創意と工夫によって個性的な経営を行うことが望まれる。こうした二つの要請を調和させたのが、「地方公務員法の精神の尊重」と「条例による自主立法」との結びつきであると考えられる。

三　人事行政に関する条例と人事専門機関との関係

地方公共団体における人事機関としては、後述するように任命権者（法六）と人事委員会または公平委員会（法七）とがあるが、このうち後者は任命権者の人事権の行使を牽制し、適切なチェックを行うことにより適正な人事行政を確保するための機関である。とくに人事委員会は、規模の大きい、したがって職員数の多い地方公共団体に置かれるものであって（法七

１２）、とりわけ専門的な立場で人事行政に関与するものである（法八１）。

本条第二項により、人事委員会は、人事行政の専門機関として人事行政に関する条例の制定改廃に際して、その条例を審議する議会で意見を述べることとされている。これは一方で、人事行政については住民の代表である議会の議決による条例でこれを定めることとして地方公共団体の人事行政を民主的にコントロールするとともに、他方では人事行政の専門的性格にかんがみ、専門機関がこれをチェックすることとしてその専門的行政の水準を確保することとしているのである。人事行政の地方自治行政における重要性という側面と、人事管理の高度の技術性という側面との調和をはかることが本条第二項の趣旨であるといってよい。

問題となるのは人事委員会を置かない地方公共団体、すなわち、公平委員会を設置する地方公共団体においてはこのような調和規定の適用がないことである。このことは、公平委員会を設置する地方公共団体の職員には給料表に関する勧告の制度（法二六）がないことなどとともに問題とされる点であるといえよう。しかし、これは前述のように人事委員会を置く地方公共団体は、一般に大規模な団体であり、多数の職員を擁する団体であって、人事管理の専門性が相対的に高く、そのために特別な組織を設ける必要性と合理性があること、一般の市町村については特別の組織を設けるだけの必要性が乏しく、組織の合理化、効率化という点からも問題があること、規模が相対的に小さいことから人事行政に対する予算や条例による民主的コントロールが可能であることなどによって説明することができよう。とくに議会は、給与に関する予算や人事行政に関する条例についての最終的な意思決定機関であり、その議決が地方公共団体の公共的な意思を確定するものである以上、人事委員会を置く地方公共団体においても議会の議決がすべてに優先する点では、公平委員会を置く地方公共団体の場合と同じである。

〔解　釈〕

一　人事行政に関する条例

本条第一項本文は、地方公共団体は、法律で特別の定めがある場合を除き、「この法律」（地方公務員法）で定める根本基準に従って（他の法律は含まない。行実昭二七・一一・二四　自行公発第九七号）、条例で人事委員会または公平委員会の設置、職員に適用される基準の実施その他職員に関する事項について必要な規定を定めることとしている。ここで「法律に特別の定がある場合」というのは、職員に関する事項について、法律が直接定めている場合と法律が条例以外の法形式で定めるべきことを定めている場合の二つの場合を意味している。

まず、職員に関する事項について法律が直接定めている場合に該当するものとしては、地方公務員法自体における人事委員会および公平委員会の権限や組織など（法八、九～一二）、職員に適用される基準の通則、任用および人事評価（法一三～二三の四）、分限および懲戒（法二七～二九の二）、服務（法三〇～三八）、退職管理（法三八の二～三八の七）、研修、福祉および利益の保護ならびに職員団体（法三九～五六）などに関する規定があるほか、地方公務員の育児休業等に関する法律が職員の育児休業について定め、地方公共団体の一般職の任期付職員の採用に関する法律と地方公共団体の一般職の任期付研究員の採用等に関する法律がそれぞれ任期付き採用について定め、教育公務員特例法が公立学校の学長、校長、園長、教員および部局長並びに教育委員会の専門的教育職員の任免、給与、分限および懲戒などについて定め、地方教育行政の組織及び運営に関する法律が市町村立学校の教職員の任免について定め、公立の義務教育諸学校等の教育職員の給与等に関する特別措置法が公立の小学校、中学校、義務教育学校、高等学校、中等教育学校、特別支援学校および幼稚園の教育職員についての教職調整額の支給とそれに伴う時間外勤務手当および休日勤務手当の不支給について定め、警察法が地方警察職員の人事管理について定めている（警察法五六2、五六の三）ことなどがある。

なお、企業職員および単純労務職員については地方公営企業等の労働関係に関する法律で職員に関する事項が定められているが、これらの職員には本条が適用除外されており（地公企法三九1、地公労法一七1、附則5）、独法職員については地方独立行政法人法が給与や勤務時間などについて定めているが、本条は地方公共団体がなすべきことを定めるものであり、そもそも地方独立行政法人に適用される余地はない。

次に法律が条例以外の法形式で定めるべきことを定めている場合に該当するものとしては、任命の方法について人事委員会または公平委員会が定めること（法一七2）、採用試験の受験資格を人事委員会（人事委員会を置かない地方公共団体においては任命権者）が定めること（法一八の二〜一九）、臨時的任用を行うことができる場合を人事委員会規則で定めること（法二二の三）、勤務条件に関する措置の要求および不利益処分に関する審査請求に関することを人事委員会規則または公平委員会規則で定めること（法四八、五一）、公立大学の学長および学部長以外の部局長の採用のための選考の基準を評議会の議に基づき学長が定め、教員の採用および昇任のための選考の基準を評議会の議を経て学長が定めること（教特法三2 4 5）などがある。

このように法律に特別の定めがあり、条例以外の規定で定めることとされている場合は別として、人事行政に関する事項は原則として条例で定めるものであるが、それは、法律に特別の定めがある場合以外には必ず条例で定めなければならないということを意味するわけではない。すなわち、条例で定めなければならないのは「必要な規定」に限られるのであるから、法律が条例で定めるべきことを要求している場合は必ず条例で定めなければならないが、法律が任命権者の裁量に委ねている事項や法律に規定のない事柄については、条例で定める必要はないことになる。条例で定めることが必要または当該事項について定める場合は条例によることが必要なものはおおむね次の表のとおりであるが、この場合においても、当該条例において細部を人事委員会規則や任命権者の定める規則などに委任することも可能である（最高裁平二二・九・一〇判決（判例時報二〇九六号三頁）参照）。この表からも明らかなように、本条に基づいて制定されなければならない条例はなく、条例で規定しようとする事項毎に法律に個別の規定が置かれているのが通常である。その意味で、本条は、人事行政に関する基本的な事項は条例、すなわち議会の意思に基づかなければならないという基本原則を宣言したものと解すべきであろう。なお、懲戒処分を行う場合の基準や信用失墜行為の判断基準など、任命権者の固有の権限に属する事項については、任命権者が規則や訓令などの適宜の方式で定めることができることは当然であるが、法律が任命権者の固有の権限として定めているもの以外のもの（たとえば職員の表彰や喫煙の可否）にあっては、勤務条件の一つとして条例で定めることも、人事制度の運用（職務遂行）の方法として規則や訓令で定めることも可能である。ただし、ある事項について条例が制定されたときは、それが住民を代表する議会の意思であることからして、同じ事項についてそれ以外の法形式で定めることはできないし、条例制定前に定められていたものは失効するものと解される。

条例の名称	根拠規定	備考
１　人事委員会または公平委員会に関する条例		
○人事委員会（公平委員会）設置条例	法七１２３	
○人事委員会（公平委員会）の委員の服務の宣誓に関する条例	法九の二12、三一	
２　職員の任用に関する条例		
○一般職の任期付職員の採用に関する条例	任期付職員採用法三１２、四、五、六２、七１２	例平一四・六・一四　総行公第四七号
○一般職の任期付研究員の採用等に関する条例	任期付研究員採用法二③、三１、五１、六	参考平一二・七・一二　自治公第一六号
○特別職である秘書の職の指定に関する条例	法三３④	特別職の秘書を置く場合に限る。
○職員定数条例	法一二9、自治法一三八6、一七二3、一九一2、二〇〇6、警察法五七2、消組法一一2、一九2、農委法二六2、地教行法一九、三一3、四一１	
○県費負担教職員定数条例	地教行法四一１	都道府県に限る。
○欠格条項の特例に関する条例	法一六	特例を必要とする場合に限る。

条例	根拠	備考
○定年前再任用短時間勤務職員の採用に関する条例	法二二の四１２、二二の五１	
○公益的法人等への職員の派遣等に関する条例	公益的法人等派遣法二１、一〇１	例平一二・一二・二〇　自治公第二六号
○外国の地方公共団体の機関等に派遣される職員の処遇等に関する条例	外国派遣法二１、七、附則二	案昭六二・一一・二〇　自治公一第六八号
３　勤務条件に関する条例		
○職員給与条例	法二四５、二五１２、自治法二〇四、二〇四の二、警察法五六２、教特法一三	
○職員に対する給与支払いの原則の特例に関する条例	法二五２	通貨払い、直接払いまたは全額払いの特例が必要な場合に限る。
○職員の特殊勤務手当に関する条例	法二四５、二五１３、自治法二〇四２３、二〇四の二	給与条例とは別に定めることが通例である。案昭二八・七・三一　自内行発第四三号
○職員の退職手当に関する条例	法二四５、二五１２、自治法二〇四２３、二〇四の二	給与条例とは別に定めることが通例である。案昭二八・九・一〇　自内行発第四九号
○職員の旅費に関する条例	法二四５、自治法二〇四１３、二〇四の二	
○企業職員の給与の種類及び基準に関する条例	地公企法三八４、地公労法一七１	準則昭四一・八・二五　自治企一第四号
○単純労務職員の給与の種類及び基準に関する条例	地公企法三八４、地公労法附則５	
○県費負担教職員の給与、勤務時間そ	地教行法四二	都道府県に限る。

の他の勤務条件に関する条例		
○義務教育諸学校等の教育職員の給与等に関する特別措置条例	義務教育職員給与等特別措置法三、六	義務教育諸学校等の教育職員の教職調整額ならびに正規の勤務時間を超える勤務および休日勤務について定める。
○職員の勤務時間、休暇等に関する条例	法二四５	案平六・八・五　自治能第六五号
○職員の修学部分休業に関する条例	法二六の二１３４	例平一六・八・一　総行公第五五号
○職員の高齢者部分休業等に関する条例	法二六の三	例平一六・八・一　総行公第五五号
○職員の育児休業等に関する条例	地公育児休業法二、三、五、七	案平四・二・一三　自治能第二〇号
４　服務に関する条例		
○職員の服務の宣誓に関する条例	法三一	案昭二六・一・一〇　地自乙発第三号
○職務に専念する義務の特例に関する条例	法三五	案昭二六・一・一〇　地自乙発第三号
○政治的行為の制限に関する条例	法三六２⑤	実際には制定が困難である。
５　分限および懲戒に関する条例		
○職員の分限に関する手続及び効果に関する条例	法二八３	案昭二六・七・七　地自乙発第二六三号
○職員の休職の事由に関する条例	法二七２	法定事由以外の休職の事由を定める場合に限る。
○職員の降給に関する条例	法二七２	例平二六・八・一五　総行公第六七号・総行経第四一号
○職員の定年等に関する条例	法二八の二、二八の六、二八の七	案昭五七・一〇・八　自治公一第四六号

○条件附採用期間中の職員及び臨時的任用された職員の分限に関する条例	法二九の二2	条件附採用期間中の職員および臨時的任用職員の身分保障をする場合に制定する。
○県費負担教職員の分限に関する条例	地教行法四三3	都道府県に限る。
○失職の特例に関する条例	法二八4	特例を設ける必要がある場合に限る。
○職員の懲戒の手続及び効果に関する条例	法二九4	案昭二六・七・七　地自乙発第二六三号
○県費負担教職員の懲戒に関する条例	地教行法四三3	都道府県に限る。
6　職員団体に関する条例		
○職員団体の登録に関する条例	法五三1 5 6 9 10	案昭四一・六・二一　自治公第四八号
○職員団体のための職員の行為の制限の特例に関する条例	法五五の二6	案昭四一・六・二一　自治公第四八号

二　人事行政に関する条例と法律の関係

本条第一項但し書は、人事行政に関する条例は「この法律」すなわち地方公務員法の精神に反するものであってはならないと定めている。まず、地方公共団体の条例は、法令に違反しない限りにおいて制定することができるものであり（自治法一四1）、地方公務員法はもとより、すべての法令に違反してはならないことは本条の規定をまつまでもないことである。したがって、この但し書の規定は、地方公共団体の長が条例を起草し提案する場合、議会が条例を審議する場合などの指針ないしは精神的規定であると理解すべきである。「精神」に反するものであってはならないと規定されているのはその趣旨であるといえよう。したがって、本条に違反することだけを理由として地方自治法第一七六条第四項に基づく再議に付することはできないと解される。

ところで、何が「この法律の精神」かということを一義的に述べることは不可能であり、個々の条例を制定するつど、何が地方公務員法の精神であるかを判断して行わなければならない。ただ、地方公務員法は、地方公共団体の行政の民主的かつ能率的な運営ならびに特定地方独立行政法人の事務および事業の確実な実施を保障し、究極的には地方自治の本旨を実現することを目的として（法一）、近代的な公務員制度を確立することを理念とするものである。そして近代的公務員制度の内容は、歴史的、社会的背景に基づいて具体化されるものであるが、一般に現代における近代的公務員制度は公務員の全体の奉仕者としての性格を明らかにすること、公務員の勤労者としての地位を尊重すること、成績主義の原則の確立および公務員の政治的中立性の確保の四点を実現することにあるとされている。したがって、人事行政に関する条例を制定するに当たっては、それが団体自治および住民自治の確立に資するか、行政の民主化および能率化をもたらすか、公務員の全体の奉仕者としてのサービスを増進するか、公務員の勤労者としての地位を擁護するものであるか、メリット・システムを実現するものであるかおよび公務員の政治的中立性をそこなうものではないかの諸点を総合的に吟味し、それぞれの点で積極的に評価することができる場合には、「この法律の精神」に反するものではないということができよう。

三　人事行政に関する条例についての人事委員会の意見

本条第二項は、人事委員会を置く地方公共団体では、人事行政に関する条例を制定し、または改廃しようとするときは、その地方公共団体の議会で人事委員会の意見を聞かなければならないこととしている。

まず、議会で人事委員会の意見を聞かなければならない「条例」は「前項の条例」であり、人事委員会または公平委員会の設置、職員に適用される基準の実施その他職員に関する事項について定める条例のすべてであるとされる（行実昭二六・一二・二七　地自乙発第四〇九号）。しかし、はじめて人事委員会を設置する場合には、意見を聞くべき人事委員会は存在せず、また、公平委員会を設置する地方公共団体には人事委員会が存在しないのであるから、人事委員会設置条例の制定（法七１２）および公平委員会設置条例の制定（法七２３）、改廃については意見を聞く余地はない。

また、企業職員および単純労務職員には、本条の適用はないので（地公企法三九１、地公労法一七１、同附則５）、これらの職員の給与の種類及び基準に関する条例（地公企法三八4、地公労法一七1、同法附則5）については人事委員会の意見を聞く必要はない。なお、企業職員および単純労務職員に本条が適用されないことから、これらの職員については本条一項の「人事委員会又は公平委員会の設置」も適用除外になるかのようにみえるが、その設置の具体的な根拠である地方公務員法第七条は適用除外されておらず、人事委員会が退職管理に関し管理者に勧告することを定める同法第八条第一項第四号並びにこれらの委員会が職員の競争試験および選考およびこれらに関する事務を行う権限を有することを定める同法第八条第一項第六号及び第九条第一項が適用される（地公企法三九条一項はこれらの規定を適用除外せず、同条四項は地方公務員法八条一項四号の読み替えを定めている。）ことを考えると、この適用除外規定は「人事委員会又は公平委員会の設置」に影響を与えるものではないと解される。

職員の定数条例（法一二9、自治法一三八6、一七二3、一九一2、二〇〇6、警察法五七2、消組法一一2、一九2、農委法二六2、地教行法一九、三一3、四一1）については、それが組織上の事項であるという理由で人事委員会の意見を聞く必要はないとされている（行実昭二六・一〇・二〇　電文回答、同昭二八・四・七　自行公発第七二号）。

そのほか、職員に関する条例は、地方公務員法に基づく条例であれ、他の法律に基づくものであれ、人事委員会の意見を聞く必要がある。また、直接個々の法律の規定に基づかず、一般的な条例制定権（自治法一四1）に基づいて制定されるものであっても、それが職員の人事行政に関するものである限り、人事委員会の意見を聞かなければならない。

ところで、県費負担教職員（指定都市の教職員は県費負担教職員に含まれない。市町村立学校職員給与負担法一）の給与、勤務時間その他の勤務条件に関する条例（地教行法四二）およびこれらの職員の分限、懲戒に関する条例（同法四三3）の制定、改廃に当たり、都道府県の議会は、人事委員会の意見を聞く必要があるであろうか。行政実例はこれを積極に解している（行実昭三一・九・一七　自丁公発第一三二号、同昭三一・一一・一六　自丁公発第一五六号）。県費負担教職員の身分は市町村に属するので、都道府県の人事機関である人事委員会の権限が及ぶかどうかが問題となるのであるが、県費負担教職員はその身分の帰属は別として、任命権は都道府県の教育委員会にあり（地教行法三七1）、その給与等の勤務条件は都道府県の条例で定め（同法四二）、その費用も都道府県が負担する（市町村立学校職員給与負担法一）など実質的に都道府県の関与が大であり、また、本条第二項は、職員に関する条例の制定、改廃について当該地方公共団体の議会で人事委員会の意見を聞かなければならないとしており、文理上「当該地方公共団体の職員に関する条例」に限定していないことにもかんがみ、県費負担教職員に関する都道府県の条例についてもその人事委員会の意見を聞くべきものとされたのであろう。

次に、人事委員会の意見を聞くことなしに制定、改廃した職員に関する条例の効力はどうか。これを聞かずに行った議決は、手続要件を欠き瑕疵あるものであるが（行実昭二七・七・七　地自公発第二四六号）、直ちに無効とはいえないであろう。すなわち、地方公共団体の議会は、人事委員会の意見を尊重すべきではあるが、法律的にこれに拘束されるものではなく、条例については議会が最終的な意思決定機関だからである。このような場合には、運用上の措置として議会であらためて人事委員会の意見を聞き、必要に応じて当該条例の改廃を行うなど瑕疵を補正することが適当であろう。

また、人事行政に関する条例については、他の条例と同様に、地方公共団体の長が専決処分することがありうる（自治法一七九1）。この場合、議会の議決がない以上、議会で人事委員会の意見を聞く必要はないが、運用上、地方公共団体の長が専決処分に先立って人事委員会の意見を聞くことが適当であるとされている（行実昭三八・一・一八　自治丁公発第八号）。専決処分後に、次の議会で承認を求める場合（自治法一七九３）に、議会において事実上人事委員会の見解を聞くことも運用上の一つの方法であろう。

議会が人事委員会の意見を聞く方法としては、本会議に人事委員会委員長の出席を求め、委員長が議場で委員会を代表して意見を述べることが適当であろう。この場合、人事委員会が本法第八条第一項第三号の規定に基づいてあらかじめ書面で条例に関する意見を述べている場合であっても、議会においてあらためて当該条例についての意見を聞かなければならないとされている（行実昭二七・七・七　地自公発第二四六号）。しかし、本条第二項と第八条第一項第三号とは、議会に対して意見を述べることに関する限り全く同一のことを規定していると考えられ、また、本条第二項の「議会において」とは、必ずしも「会議に出席して」を意味するものとは考えられないので、同一内容の条例に関しては文書であらかじめ意見を提出したときは、あらためて議場で意見を述べる法律上の必要性はないというべきであろう。

第二章　人事機関

（任命権者）

第六条　地方公共団体の長、議会の議長、選挙管理委員会、代表監査委員、教育委員会、人事委員会及び公平委員会並びに警視総監、道府県警察本部長、市町村の消防長（特別区が連合して維持する消防の消防長を含む。）その他法令又は条例に基づく任命権者は、法律に特別の定めがある場合を除くほか、この法律並びにこれに基づく条例、地方公共団体の規則及び地方公共団体の機関の定める規程に従い、それぞれ職員の任命、人事評価（任用、給与、分限その他の人事管理の基礎とするために、職員がその職務を遂行するに当たり発揮した能力及び挙げた業績を把握した上で行われる勤務成績の評価をいう。以下同じ。）、休職、免職及び懲戒等を行う権限を有するものとする。

2　前項の任命権者は、同項に規定する権限の一部をその補助機関たる上級の地方公務員に委任することができる。

〔趣　旨〕

一　地方公共団体の人事機関

地方公務員法は、その第二章で地方公共団体の人事機関について定めているが、地方公共団体の人事機関には任命権者および人事委員会または公平委員会の二種類がある。任命権者が職員の任免、人事評価、分限、懲戒などの人事権を直接職員に対して行使するのに対し、人事委員会および公平委員会は、両者の間に権限の相違はあるが、いずれも専門的、中立的機関として任命権者の人事権の行使をチェックし、より適正な人事が行われるようにすることを使命とするものである。このように人事機関を並立させて人事行政の適正な実施を法律上厳しく確保しようとしたのは、次の理由によるものと考えられる。

その第一は、地方公共団体における人事行政の重要性である。地方公共団体が実施する各種の行政はそれぞれにその重要性をいくら強調してもし過ぎることはないが、地方公共団体の行政はすべて地方公務員によって実行されるものであり、人事行政が、民主的で公正に、かつ能率的に行われるか否かは直ちに地方公共団体の行政の良否に、さらには地方自治の消長と国民福祉の増進にもつながる問題であるといわなければならない。したがって、人事行政の行使については、厳正な執行体制を確立する必要があるといえよう。

第二は、人事行政の専門性である。地方公共団体の人事行政は、現行地方公務員制度の下においてきわめて精緻な体系を形成するに至っている。地方公務員法制定前の地方公共団体の人事行政については、これを規律する法令もわずかであり、その運用も管理者の広汎な裁量に委ねられていた。ところが、今日では各種の法律をはじめ条例、規則などのぼう大な法令の体系がこれを規律しており、これを適切に運用するためには高度の専門的知識が必要である。また、今日では、公私いずれの分野においても人事管理に関係する社会情勢は著しく複雑化し、高い水準の管理技術が必要とされている。このような専門性に対応するためには、これにふさわしい人事行政組織を法律で確立しておかなければならないといえよう。

第三は、公務員の人事行政の特殊性である。公務員の人事行政については、これまで述べた公共性と専門性という特徴のほかに民間部門の勤労者と異なる特殊性がある。その一つは、公務員の身分は民間労働者のそれと違って法律で保障されていることであり（法二七2 3）、労働基本権（憲法二八）が制限されている（法三七、五二～五五）反面、勤務条件は法律および条例によって保障されていることである。このような公務員の身分取扱いの特殊性に基づいてその権利と身分を保護するためには、専門的かつ公正な人事機関を整備する必要があるのである。

二　任命権者の分立と調整

現在の地方自治制度においては、各種の任命権者が分立していることが大きな特徴をなしている。これは、戦後の国および地方公共団体の行政体制が権限を広く分配することによって相互の牽制と均衡を図り、権限の集中がもたらす独断専行を抑制しようとしていることに対応するものである。また、この権限の水平的分配のための典型的な行政機関が行政委員会であり、委員を議会の同意を得て選任することなどの方法により、また、合議制の機関とすることなどにより、行政の民主的なコントロールを図ることとしているのである。

こうした趣旨に基づいて、権限が複数の行政機関に分配され、その結果、任命権者が分立することとなっているのであって、それはそれとして十分な根拠と理由に基づくものといいうるのであるが、反面、同じ地方公共団体の職員でありながら、その機関である任命権者を異にすることによって身分取扱いにさまざまな差異が生じるようなことは決して望ましいことではなく、複数の任命権者の権限の行使を相互に調整し均衡を図る必要がある。

このような趣旨から、地方自治法第一八〇条の四は、その第一項で、地方公共団体の長は各執行機関の事務局などの組織、職員の定数および職員の身分取扱いについて必要な勧告を行うことができることとし、その第二項で、各執行機関がその事務局などの組織、事務局などに属する職員の定数または、職員の身分取扱いなど、政令で定める事項について規則などを制定、改廃しようとするときは、あらかじめ地方公共団体の長に協議しなければならないことを定めている。そして地方自治法施行令第一三二条は、協議すべき事項として、部課などの新設、地方駐在機関別の職員定数の配置基準、職員の採用および昇任の基準、昇給の基準、手当および旅費の支給の基準、休職の基準、定年前再任用短時間勤務職員の任用、管理監督職勤務上限年齢に達している職員の任用の制限の特例および勤務延長の基準、職務専念義務の免除の基準ならびに営利企業等従事の許可の基準に関する事項を定めている。

この調整規定は、昭和三一年（一九五六年）の地方自治法の一部改正によって設けられたものであるが、この規定に基づく措置を通じて、地方公共団体を代表する長が各執行機関相互間の人事行政の調整を行い、当該地方公共団体の人事行政が全体として均衡のとれた形で執行されることを期待しているのである。なお、この規定は、執行機関の調整規定であるため、執行機関ではない任命権者については適用されないが、執行機関ではない任命権者である地方公営企業の管理者については、地方公営企業法第一六条の規定によって地方公共団体の長が人事行政の総合調整を行うことになろう。また、人事評価の基準および方法に関する事項その他の必要な事項については、全ての任命権者（議会の議長を除き、特定地方独立法人の理事長を含む。）は地方公共団体の長に協議しなければならないとされている（法二三の二3）。

三　現行人事行政機関制度の沿革

現在、任命権者と人事委員会または公平委員会とが並立し、また、任命権者が分立している趣旨は、これまで述べてきたとおりであるが、このような制度が定められるようになった最大の原因は、地方公務員法制定当時のアメリカ合衆国の地方制度の影響である。当時のアメリカ合衆国の地方公共団体の人事機関としては、行政委員会が人事行政のすべてを行う型、独任制の執行機関が人事行政のすべてを行う型および人事委員会と任命権者が並立する型の三つがあり、三番目の型が優勢であったといわれる。そのような状況から、人事委員会および公平委員会ならびに国の人事院の制度がわが国に導入されるようになったものと考えられるが、アメリカ合衆国でも最近は、任命権者に人事行政の権限を集中する傾向、あるいは行政委員会の中の特定の委員に人事権を集中する傾向が強まっているといわれ、わが国の国家公務員制度の改革においても任命権者の権限を拡大する方向で検討されている。

ところで、アメリカ合衆国の人事機関に関する制度の影響を受ける前のわが国における地方公共団体の人事機関の制度としては、都道府県においては任命権者のほかに地方自治法施行規程によって、任命に関する普通試験委員の制度および分限、懲戒の処分の事前審査を行う官吏懲戒委員会および吏員分限委員会があり、これが昭和二四年（一九四九年）に都道府県職員委員会に関する政令（昭二四政令七）によって都道府県職員委員会に統合され、同委員会が任用叙級の選考、分限、懲戒の事前審査などを行っていた。市町村および特別区では、地方自治法施行規程によって、市町村（特別区）吏員懲戒審査委員会が設けられて懲戒処分の事前審査を行っていた。

これらの地方公務員法制定前の制度と現行制度とを比較した場合、旧制度では、行政委員会制度導入前は任命権が地方公共団体の長に一元化され、長以外の人事機関は内部機関的な色彩が強く、また、懲戒処分や分限処分の審査も事前審査が行われていたこと（事前審査は、現在でも世界各国の大勢であるといえる。）などが特徴であると考えられる。

四　人事評価

本条第一項は、任命権者の権限を列記しているが、それぞれの内容は個々の法律、政令、条例その他の規定によって定まることは後記の〔解釈〕二で述べるとおりである。それにもかかわらず、人事評価について、本条第一項に括弧書きで定義されているのは、人事評価自体については地方公務員法第三章第三節（二三～二三の四）で具体的な定めをするものの、それよりも前の条文（法八1②、一五など）においてその語を使用する必要があることによるものであるが、本書においては第二三条の説明において詳しく述べることとする。

〔解　釈〕

一　任命権者の種類

地方公共団体には、数多くの任命権者が分立している。いかなる者が任命権者であるかということは、まず法律によって明らかにされる。

地方公共団体における任命権者として、本条では、地方公共団体の長、議会の議長、選挙管理委員会、代表監査委員、教育委員会、人事委員会および公平委員会、警視総監、道府県警察本部長ならびに消防長を明示しているが、これは例示であり、任命権者の主なものとそれぞれの任命権者によって任用される地方公務員の主なものは、次のとおりである。

1　都道府県知事……副知事（自治法一六二）、会計管理者（同法一六八2）、出納員その他の会計職員（同法一七一2）、職員（同法一七二2）、専門委員（同法一七四2）、監査委員（同法一九六1）、人事委員会委員（法九の二2）、地方公営企業管理者（地公企法七の二1）、公立大学の学長、教員および部局長その他の職員（学校教育法九二、教特法一〇、地教行法三二）、幼保連携型認定こども園の園長および保育教諭その他の職員（就学前の子どもに関する教育、保育等の総合的な提供の推進に関する法律一四12、教特法一

一、地教行法三二）、教育長（地教行法四1）、教育委員会の委員（地教行法四2）、都道府県公安委員会の委員（警察法三九1）、都道府県労働委員会の委員（労組法一九の一二3）、海区漁業調整委員会の委員および内水面漁場管理委員会の委員（漁業法一三八1、一七一2）

2　市町村長……副市町村長（自治法一六一）、会計管理者（同法一六八2）、出納員その他の会計職員（同法一七一2）、職員（同法一七二2）、専門委員（同法一七四2）、監査委員（同法一九六1）、公平委員会（指定都市では人事委員会）委員（法九の二2）、地方公営企業管理者（地公企法七の二1）、公立大学の学長、教員および部局長その他の職員（学校教育法九二、教特法一〇、地教行法三二）、幼保連携型認定こども園の園長および保育教諭その他の職員（就学前の子どもに関する教育、保育等の総合的な提供の推進に関する法律一四12、教特法一一、地教行法三二）、教育長（地教行法四1）、教育委員会の委員（地教行法四2）、農業委員会の委員（農委法八）、消防長および消防団長（消組法一五1、二二）

3　議会の議長……事務局長、書記長、書記その他の職員（自治法一三八5）

4　選挙管理委員会……書記長、書記その他の職員（自治法一九一1）

5　代表監査委員……事務局長、書記その他の職員（自治法二〇〇5）および監査専門委員（自治法二〇〇の二1）

6　教育委員会……教育委員会事務局の指導主事、事務職員、技術職員その他の職員（地教行法一八7）、公立学校の校長、園長、教員、事務職員、技術職員その他の職員（地教行法三四、県費負担教職員の場合は都道府県および指定都市の教育委員会に限る（同法三七1）。）

7　人事委員会および公平委員会……人事委員会の事務局長ならびに人事委員会および公平委員会の事務職員（法一二7）

8　警視総監（都）および警察本部長……警察官（警視正以上の階級にあるものを除く。）その他の職員（警察法五五3）

9　消防長および消防団長……消防職員または消防団員（消組法一五1、二二）

10　地方公営企業管理者（企業長を含む。）……管理者（企業長）の補助職員（地公企法一五1、三九の二2）

11　農業委員会……職員（農委法二六3）

以上が地方公共団体における主要な任命権者とそれによって任命される地方公務員であり、その関係がそれぞれの法律に明記されている。任命権者は、地方公共団体の機関として任命権を行使するものであるが、それは地方公共団体の「執行機関」と必ずしも一致するものではない。地方公共団体の執行機関としては、地方公共団体の長のほか法律によって置かれる委員会および委員があり（自治法一三八の四１）、その委員会および委員は教育委員会、選挙管理委員会、人事委員会、公平委員会、監査委員、公安委員会、労働委員会、収用委員会、海区漁業調整委員会、内水面漁場管理委員会、農業委員会および固定資産評価審査委員会である（同法一八〇の五１～３）。これらの執行機関は、それが同時に任命権者であるものが多いが、たとえば、公安委員会は警察を管理する執行機関ではあるが、警察職員の任命権者は警視総監または道府県警察本部長であり、また、都道府県労働委員会は執行機関であるが、その事務局の職員の任命権者は都道府県知事である（労組法一九の一二６、一九の一一１）。さらに、公営企業の管理者は、その業務の執行について地方公共団体を代表し、企業職員の任命権者であるが（地公企法八１、九②）、長の補助機関であって、執行機関ではない。このように執行機関が同時に任命権者である場合のほか、執行機関であっても任命権者ではない場合、任命権者であっても執行機関ではない場合がある。また、本条の規定は、前述のように任命権者の例示であって、この規定によってあらたに任命権者を設けるものではない（通知昭二六・一・一〇　地自乙発第三号　第二、一㈠）。したがって、誰が任命権者であるかということは、個々の法律の規定によって任命権の所在を明らかにするほかない。

次に、本条は「法令又は条例に基づく任命権者」と規定しており、政令あるいは条例で任命権者が定められることがあることを予想しているようである。現在、これに該当する任命権者は存在しないが、将来においても政令や条例で任命権者を設けることは適当であるとは思われない。任命権は、地方公共団体における重要な行政権限の一つであり、かかる権限をその機関に分配するには法律をもってすべきであると考えられるからである。また、任命権を内部の機関に分配する必要がある場合は、本条第二項の委任をもってすれば足りるのであり、運用によって対処できる。立法論としては、「法律に基づく任命権者」と規定することが適当であろう。なお、地方独法法第五三条第三項は、本条第一項の「地方公共団体の長……任命権者」を「特定地方独立行政法人の理事長」と読み替えるとしているので、地方公務員法の任命権者についての規定は特定地方独立行政法人の理事長についての規定となる。

二　任命権の内容と行使

任命権者は、法律に特別の定めがある場合は別として、地方公務員法、同法に基づく条例、規則、その他の規程に従って、職員の任命、人事評価、休職、免職、懲戒などの任命権の行使を行うものとされている。

本条では、任命権の内容として「職員の任命、人事評価、休職、免職及び懲戒等を行う権限」を規定しているが、これは任命権の内容の例示であり、この規定によって任命権者にあらたな権限を附与しようとするものでないことはもちろんである（通知昭二六・一・一〇　地自乙発第三号　第二、一㈠）。任命権者の任命権の具体的内容は、個々の法律、政令、条例その他の規程によって定まるものである。任命権とは、一般的な理解としては任命権者が職員の身分取扱い（職員の募集から始まり、職員が退職した後の退職手当の支給等に至るまでの職員の管理のすべてを指す。）に関して行使する権限の一切であるということができるが、任命権の内容とその行使の仕方は、まず職員の身分取扱いの基本法である地方公務員法によって規律される。すなわち、地方公務員法に基づいて任用、人事評価、勤務条件の決定と管理、分限処分および懲戒処分の実施、服務の監督、研修の実施、厚生福利の充実、職員の労働団体との交渉などを行うことが原則である。また、地方公務員法では、任命権の具体的な行使の仕方を条例や人事委員会規則に委ねているものがあり、その場合には、これらの条例や規則の定めに従って任命権を行使しなければならないことは当然である。たとえば、任命権者が職員の給与を決定しようとするときは、給与条例（法二四5）およびこれに基づく初任給、昇給及び昇格の基準に関する規則や級別定数に関する規則に従わなければならず、分限処分や懲戒処分を行うときには、分限処分の手続及び効果に関する条例（法二八3）または懲戒処分の手続及び効果に関する条例（法二九4）に基づいて行わなければならない。また、人事委員会を置く地方公共団体の任命権者が臨時的任用を行う場合には、人事委員会規則の定めるところによる必要がある（法二二の三1）。なお、本条で「地方公共団体の規則」とは、地方公共団体の長が定める規則（自治法一五）をいい、「地方公共団体の機関の定める規程」とは、長以外の機関が法律によって与えられた権限に基づいて定める規則など（人事委員会（公平委員会）規則（法八5）、教育委員会規則（地教行法一五1）、企業管理規程（地公企法一〇）など）をいうものである。

任命権の行使は、職員の身分取扱いの基本法である地方公務員法と、これに基づく条例、規則などに基づいて行われなければならないことは以上のとおりであるが、地方公務員法に対する諸々の特例法があり、これらの特例法に任命権の行使に関する別段の定めがあるときは、それに従うべきことも当然である。本条で「法律に特別の定めがある場合を除くほか」と規定してあるのは、この趣旨を明らかにしたものであり、ここで「法律」とは地方公務員法以外の法律を指すものである。

任命権の行使について、地方公務員法の特例を定めた法律は多いが、主な法律とその特例の主なものは次のとおりである。

1　教育公務員特例法……公立大学の学長、部局長および教員の採用および昇任の選考、転任の審査、分限免職および降任の審査、休職の期間の決定、任期および定年の決定、懲戒処分の審査、人事評価およびその結果に応じた措置などは、評議会または学長が行うこと（同法三～九）。公立大学以外の公立学校の校長および教員の採用は選考により、その選考は大学附置の学校にあっては大学の学長、それ以外の学校にあっては教育長（幼保連携型認定こども園にあっては任命権者である長）が行うこと、および県費負担教職員以外のこれらの公立学校の教員などで正式任用になっている者が同一都道府県内で教員などとして引き続き任用されたときは、条件付採用の規定は適用されないこと、さらに、これらの教員などの結核性疾患による長期の休養のための休職は満二年（とくに必要があるときは満三年）とされ、給与の全額を支給すること（同法一一、一二、一四）。小学校等の教諭等に対し一年間の初任者研修を実施しなければならないこと（同法二三）。

2　地方教育行政の組織及び運営に関する法律……県費負担教職員の任免その他の進退は、都道府県の教育委員会が市町村の教育委員会の内申をまって行い、同一都道府県内で市町村を異にして引き続き任用されるときは、それがすでに正式任用されている者であれば条件付採用の規定は適用されず、その服務の監督は市町村教育委員会が行い、その人事評価は都道府県の教育委員会の計画の下に市町村教育委員会が行い、その研修は市町村教育委員会も行うことができること（同法三七～四〇、四三1、四四、四五1）。

３　警察法……都道府県警察の警察官その他の職員を警視総監または警察本部長が任免するに当たっては、都道府県公安委員会の意見を聞いて行い、また、これらの職員の懲戒または罷免に関し都道府県公安委員会は、警視総監または警察本部長に勧告することができること（同法五五３４）。

４　消防組織法……消防長以外の消防職員は、市町村長の承認を得て消防長が任命し、消防団長以外の消防団員は、市町村長の承認を得て消防団長が任命すること（同法一五１、二二）。

５　労働基準法……職員には労働基準法の一部または全部の規定が適用されるので（法五八３、地公企法三九１）、職員の業務上の負傷等の場合には一定期間これを免職することが制限され（労基法一九）、それ以外の場合に職員を免職しようとするときは原則として少なくとも三〇日前に予告するか、三〇日分以上の平均賃金を支給しなければならないこと（同法二〇、二一但し書）。また、労働時間（同法三二、三二の二～三二の五、三三）、休憩（同法三四）、休日（同法三五）、時間外および休日の労働（同法三六、三七）、年次有給休暇（同法三九）などについて同法の最低基準を下回ってはならないこと。さらに妊産婦等の労働について最低基準が定められていること（同法六四の二～六八）。

６　行政事件訴訟法……分限処分、懲戒処分などの不利益処分を行う場合の説明書（法四九）には、当該処分または裁決に係る取消訴訟の被告とすべき者、その出訴期間および当該処分の取消しの訴えは審査請求に対する裁決を経た後でなければ提起することができない旨を教示しなければならないこと（行訴法四六１）。

７　地方独立行政法人法……独法職員に関する地方公務員法第六条第一項の適用については、同項中「地方公共団体の長、議会の議長、選挙管理委員会、代表監査委員、教育委員会、人事委員会及び公平委員会並びに警視総監、道府県警察本部長、市町村の消防長（特別区が連合して維持する消防の消防長を含む。）その他法令又は条例に基づく任命権者」とあるのを「特定地方独立行政法人の理事長」と、「条例、地方公共団体の規則及び地方公共団体の機関の定める」とあるのを「設立団体（地方独立行政法人法第六条第三項に規定する設立団体をいう。以下同じ。）の条例及び特定地方独立行政法人の」と、「それぞれ職員」とあるのを「職員」と読み替え、同条第二項の適用については、同項中「前項の任命権者は、同項」とあるのを「特定地方独立行政法人の理事長は、前項」とし、「その補助機関たる上級の地方公務員」とあるのを「副理事長若しくは理事又は上級の職員」と読み替えること（地方独法法五三３）。

三　任命権の委任

本条第二項は、任命権者が任命権の一部を補助機関である上級の地方公務員に委任できることを定めている。第一項が任命権者および任命権の内容を例示する規定で、これによってあらたに任命権者やその権限を創設する規定ではないのに対し、第二項はこれによって任命権の委任という法律関係を設定することができる実体的規定である。

まず、任命権者が権限の一部を委任することができる相手方は、「補助機関たる上級の地方公務員」である。任命権者の補助機関とは、当該任命権者の指揮監督を受ける地方公務員であり、たとえば、知事および市町村長の場合には副知事、副市町村長、会計管理者、出納員その他の会計職員、職員（自治法第二編第七章第二節第三款）などである。このように本条の規定によって委任できる補助機関は、当該任命権者の部下に限られるので、地方公共団体の長が他の執行機関またはその補助職員に任命権を委任することは、本条によってではなく、地方自治法第一八〇条の二の規定によることになる。なお、地方自治法第一五三条第一項は、地方公共団体の長の権限に属する事務の一部を補助機関である職員に委任できる旨を定めているが、任命権の委任に関する限り本条の規定が特別法であり、地方自治法第一五三条第一項を適用する余地はない。

本条の規定によって任命権を委任することができるのは、前述の補助機関のうちの「上級の地方公務員」である。上級の地方公務員と上級ではない地方公務員との区別は、相対的なものであって画一的に線を引くことはできないが、地方公共団体の規模、組織の立て方、人事に関する権限の分配（補助執行を含む。）の実態などを考慮して判断することになろう。ただし、運用の問題としては、職員の採用、退職、分限処分、懲戒処分など職員にとって重大な身分上の変更をもたらす権限は、委任すること自体慎重でなければならず、また、委任する場合も、原則としてごく上級の地方公務員に委任することが適当である。また、ここで「地方公務員」とは、一般職の地方公務員に限られるものではなく、副知事、副市町村長など特別職である地方公務員を含むものである。

次に、任命権の委任の効果であるが、この委任は公法上の委任であり、法律による権限の配分の変更である。したがって一旦、任命権の委任が行われると、授権者には委任した範囲で権限はなくなり、受任者は自らの名義でその権限を行使することになる。受任者は、限定した任命権を行使する任命権者になるといってよいであろう。たとえば、市長が副市長に病気休暇の承認権を与えたときは副市長の名においてその承認を行い、知事が出先機関の長に当該機関の臨時職員の任免の権限を委任したときは出先機関の長の名で採用および退職の発令を行うものである。したがって、任命権の委任は、その専決、代決や代理とは異なる。すなわち、専決や代決は内部における補助執行であり、手続上、決定は部下の職員が行うが、対外的には任命権者の名で表示され、行政上の最終責任も任命権者が負うものである。これに対し、委任の場合の行政上の責任は、受任者にあるというべきである。また代理（例、自治法一五三１）は、代理権を授与された者が代理者であることを表示して権限を行使するが、授権者も必要に応じて当該権限を行使することができ、委任の場合のように授任者の権限がなくなるものではない。任命権の代理については、地方公務員法に規定はないが、代決または専決によって補助執行をすることおよび任命権者に事故があるような場合に、たとえば、地方自治法第一五三条第一項の規定により、所定の部下が臨時代理としてその権限を行使することは可能である。

ところで、本条は、任命権者が、そのすべての権限を委任することは認めていない。全部を委任することによって任命権者の権限を全く空にすることは、任命権を一定の行政機関に配分した法律の趣旨に添わないと考えられるからであろう。しかし、任命権の一部であれば、法律上はその範囲と内容のいかんを問わず委任することができるものである。もっとも、運用上は専決、代決などの方法もあることであり、また、任命権の行使が整合性を保つことも必要であるので、とくに必要がある場合以外は委任を行うことが適当であるとは思われない。

任命権の委任を受けた者が、さらに他の者にその権限を委任することはできない（行実昭二七・一・二五　地自公発第一二号）。しかし、教育委員会が教育委員会規則で任命権の一部を教育長に委任し、教育長がさらにその一部を事務局の職員などに委任できる（地教行法二五１４）とされているように、法律に別段の定めがある場合はこの限りではない。

最後に、任命権の委任の事務手続は、法律に別に定めはないが、きわめて重要な権限の委任であり、委任にかかる任命権の行使の対象となった職員にとって重要な利害関係が発生する場合もあり得るので、疑義を生じることのないように命令書または決裁文書によって委任の内容を明示し、かつ、公報などによって対外的にも明らかにしておくことが適当である。

（人事委員会又は公平委員会の設置）

第七条　都道府県及び地方自治法（昭和二十二年法律第六十七号）第二百五十二条の十九第一項の指定都市は、条例で人事委員会を置くものとする。

2　前項の指定都市以外の市で人口（官報で公示された最近の国勢調査又はこれに準ずる人口調査の結果による人口をいう。以下同じ。）十五万以上のもの及び特別区は、条例で人事委員会又は公平委員会を置くものとする。

3　人口十五万未満の市、町、村及び地方公共団体の組合は、条例で公平委員会を置くものとする。

4　公平委員会を置く地方公共団体は、議会の議決を経て定める規約により、公平委員会を置く他の地方公共団体と共同して公平委員会を置き、又は他の地方公共団体の人事委員会に委託して次条第二項に規定する公平委員会の事務を処理させることができる。

〔趣　旨〕

一　地方公共団体の種類、規模と人事委員会および公平委員会

人事委員会と公平委員会は、中立的かつ専門的な人事機関として任命権者の任命権の行使をチェックする機能を有するという点で、基本的には同じ性格の行政機関であるが、第八条で述べるように両者の間には権限の相違がある。すなわち、人事委員会は大規模の、したがって職員数が多く人事管理がより複雑な地方公共団体に設置されて幅広い権限を行使するのに対し、公平委員会は原則として規模の小さい地方公共団体に設置されて限定された権限を行使するものである。

現行法では、市町村を包括する大規模な団体である都道府県と、人口が少なくとも五〇万以上で一般の市よりも多くの事務を処理することとされている政令指定都市（自治法二五二の一九）では人事委員会が必置とされ、人口一五万以上の市および東京都の特別区（自治法二八一―１）は人事委員会または公平委員会のいずれかを任意に設置することとされている。そして人事委員会を置く市以外の市および町村ならびに地方公共団体の組合（自治法二八四）は、公平委員会を必置するものとされている。このように地方公共団体のうち、普通地方公共団体のすべてと特別地方公共団体のうち特別区と地方公共団体の組合は人事委員会、公平委員会のいずれかを設けることとされているが、財産区は固有の職員を置かないので、人事委員会または公平委員会のいずれも置くことが予定されていない。

地方公務員法の制定当初は、都道府県、政令で指定する五大市（京都、大阪、横浜、神戸および名古屋の各市）および特別市（昭和三一年（一九五六年）に現在の政令指定都市制度が設けられる以前に存在した制度で、都道府県の区域の外にあり、都道府県と市の権限をあわせて行使することが予定されていたが、実際には適用されるに至らなかった。）は、人事委員会を必ず置くこととされ、五大市以外の市は単独または共同で任意に人事委員会を置くことができ、人事委員会を置かない地方公共団体は公平委員会を必ず置くものとされていた。その後、昭和二七年（一九五二年）に占領政策の見直しによる行政の合理化能率化の一環として、地方自治法などとともに地方公務員法の一部も改正され、現行の人事委員会、公平委員会設置のしくみができ上がったのである。なお、特別区については、昭和五〇年（一九七五年）に区長公選が復活して、それまで都の人事委員会制度の下にあった都の特別区に対する配属職員が特別区の固有職員に切り換えられたことにかんがみ、人事委員会または公平委員会のいずれかを任意に設置できることとする改正がなされ（昭和五二年法律七八号）、現在に至っている。

第八条で述べるように、人事委員会と公平委員会の権限に相違があることが立法論として論議の対象となるのであるが、本条におけるその設置のしくみについても立法論上若干の問題がある。その一は、基本的には地方公共団体の種類と人口規模によって人事委員会と公平委員会の設置を区別しているのであるが、そもそも人事委員会と公平委員会の設置を区別する趣旨は、人事管理の複雑さと専門的技術水準とに対応するものであるから、むしろこれらの委員会が所管する職員の多寡によって区別することも一つの方法であろう。その二は、地方公共団体の組合は、公平委員会のみを置くものとされていることである。一口に地方公共団体の組合といっても、市町村のみで組織するものもあれば都道府県が加入するものもある。都道府県が加入した場合、その組合に派遣される都道府県の職員は、人事委員会の所轄から公平委員会の所轄となるわけであり、このような組合には人事委員会の任意設置を認めることも考えてよいであろう。また、市町村が加入する一部事務組合などでも管下の人口が数十万に達するものもあり、さらに人口一五万未満の市が人事委員会を一部組合方式で設置することも考慮されてよいように思われる。

二　公平委員会の事務の共同処理と委託

地方公共団体の行政組織については、できるだけ簡素化、合理化をはかり行政の効率的運用と経費の節減をはかるべきであるという強い要請がある。規模の小さい地方公共団体に対して一定の行政組織を単独で設置することを強いることは、このような要請に反することとなるおそれがあるといえる。こうした趣旨から地方公共団体の行政組織については、さまざまな簡素合理化のための方式が用意されているところである。たとえば、地方自治法では地方公共団体相互間の協力方式として、一部事務組合および広域連合の設置（同法二八四1～3、二八五）、協議会の設置（同法二五二の二の二）、機関および職員の共同設置（同法二五二の七）、事務の委託（同法二五二の一四）などが定められている。そして公平委員会については、本条で公平委員会を水平的に共同設置する方式とその事務を垂直的に大規模あるいは包括的団体の人事委員会に委託する方式とが定められている。なお、競争試験等を行う公平委員会（その意味については本条の〔解釈〕四㈢参照）については、共同設置できるのが競争試験等を行う公平委員会に限られ、人事委員会への事務の委託を認めないとする本条の特例（法九2）が定められている。

制定当初の本条では、五大市以外の市が人事委員会を置くことおよび公平委員会の共同設置が認められており、公平委員会の事務の人事委員会への委託は規定されていなかった。その後、昭和二七年（一九五二年）の改正で、地方行政の合理化の一環としてその委託が規定されて今日に至っている。また、この改正の際に公務災害補償にかかる審査の請求は、市町村の職員についても都道府県の人事委員会に対して行うこととされ、実質的に人事委員会に対する委託が行われたが、この制度は、昭和四二年（一九六七年）の地方公務員災害補償法の制定によって廃止された。なお、昭和三一年（一九五六年）には、定年制の新設とともに公平委員会をすべて廃止してその事務は都道府県の人事委員会によって処理することとする地方公務員法の一部改正案が提案されたが、成立するに至らなかった。

公平委員会制度は、このように従来しばしば地方行政機構の簡素合理化に関連して問題とされ、また、全市町村に公平委員会が設置されたのは昭和三〇年代の後半になってからであるが、最近では、職員の労働基本権制限の代償措置の一つとして人事委員会、公平委員会制度が位置づけられるようになったことに伴い、地方公務員制度上、安定した地位を確立したように思われる。

〔解　釈〕

一　都道府県および政令指定都市の人事委員会

本条第一項は、都道府県と地方自治法第二五二条の一九第一項の規定により政令で指定された都市は必ず人事委員会を置かなければならないことを定めている。都道府県は市町村を包括する（自治法五２）大規模な団体であり、政令指定都市も少なくとも人口五〇万以上で一般の市の事務のほか都道府県およびその機関の事務の一部を併せて処理する（同法二五二の一九）大規模な団体であるから、より専門的な機関である人事委員会を置くものとされたのである。政令指定都市としては、令和五年四月一日現在、大阪市、名古屋市、京都市、横浜市、神戸市、北九州市、札幌市、川崎市、福岡市、広島市、仙台市、千葉市、さいたま市、静岡市、堺市、新潟市、浜松市、岡山市、相模原市および熊本市の二〇都市が指定されている。

人事委員会の設置は、後述の公平委員会の場合と同様に「条例」によることとされている。地方公共団体の自主立法によって、団体意思で重要な機関の設置を確定しようとするものである。

人事委員会の名称としては、都道府県または政令指定都市の名称を冠することが適当であろう（公平委員会の名称について、行実昭二六・三・一九　地自乙発第九九号）。人事委員会の委員は、常勤、非常勤のいずれにすることもできるが、個々の委員をいずれにするかは議会の同意をうる場合および知事または政令指定都市の市長が任用する（法九の二2）場合に明らかにしなければならない。法律上は、条例に委員の常勤、非常勤の別、またはそのうち何人を常勤にするかを明記しなければならないものではないが、その区別は、人事委員会の構成の重要な要素であるから、条例で規定することはさしつかえないであろう。また、条例の施行期日は、通常は公布の日からであるが、本条第二項の規定により公平委員会を置いている市または特別区が一定期日を期して人事委員会を設置しようとするときには、その期日を指定するとともに同日をもって公平委員会を廃止することおよび公平委員会に係属している公平審査、職員団体の登録および管理職員等の範囲を定める規則を引き継ぐことを附則に規定しておくべきである。

二　人口一五万人以上の市および特別区に設置される人事委員会または公平委員会

本条第二項は政令指定都市以外の市で人口一五万以上のものおよび東京都の特別区は、人事委員会、公平委員会のいずれかを設置しなければならないが、そのいずれを選ぶかは任意であることを定めている。一五万以上の市は、規模もかなり大きいといえるので、より専門的な人事委員会の設置を任意に選択する途を開いたものである。また、特別区は、前述のような沿革にかんがみ人事委員会を置くこともできることとされたものである。

現在、都道府県および指定都市以外の地方公共団体で人事委員会を設置している人口一五万以上の市は和歌山市だけであり、特別区は一の特別区人事委員会を設置している。なお、人口一五万以上の市とは、原則として、最近の国勢調査で官報で公示された人口が一五万人以上の市をいうものであり、国勢調査は通常一〇年ごとに行われる（統計法五2）。また、その中間に臨時の国勢調査が行われることがありうるが（同法五3）、それが行われたときはその結果によることになる。国勢調査以外にこれに準ずる調査が行われたときもその結果によることとされているが、「これに準ずる人口調査」とは、政府が行う人口についての全国的な調査で、統計法第二条の規定による指定統計をいうものと解されている（自治法二五四、行実昭二九・七・一五　自治行第一一四号）。したがって、住民基本台帳法による当該台帳に記録された住民の数は、「これに準ずる人口調査」には該当しない。国勢調査などの結果、一五万以上の人口があり、人事委員会を設置した市が、その後の国勢調査の結果で一五万未満となった場合はどうかということが問題になるが、人口一五万以上ということは市の人口規模によって人事行政の専門的機関の区分が行われており、それは人事委員会の設置の条件であるとともにその継続維持の条件でもあると解されるので、この場合には本条第三項に基づく公平委員会に改組すべきであろう。本条第二項の規定によって人事委員会または公平委員会を置く場合も、条例によって設置しなければならない（法七３）。

次に、東京都の特別区は、その人口のいかんにかかわらず、本項の規定によって人事委員会または公平委員会のいずれかをそれぞれ設置することができるとされ、現実に、地方自治法の規定に基づく一部事務組合を設けて全部の特別区が単一の人事委員会を設置している。二三区の今日までの沿革および大都市としての一体性にかんがみ妥当な措置であるといえよう。

三　人口一五万人未満の市、町村および地方公共団体の組合における公平委員会の設置

本条第三項は、人口一五万未満の市および町村、すなわち人事委員会を置くことのできない普通地方公共団体のすべてと地方公共団体の組合――一部事務組合であると広域連合であるとを問わない――は、次項で述べる場合を除き、必ず公平委員会を置かなければならないことを定めている。本項による公平委員会の設置も条例によらなければならない。

四　公平委員会の共同設置と公平委員会の事務の人事委員会に対する委託

本条第四項において、「公平委員会を置く地方公共団体」とは、公平委員会を置くこととされている地方公共団体の意であり、地方公共団体がはじめて共同設置をする場合も人事委員会に委託する場合も、まず単独で条例を定めて公平委員会を設置してから共同設置ないし委託の手続をとる必要はなく、直ちに共同設置あるいは委託の規約を議決してさしつかえない（委託について、行実昭二七・六・二六　地自公発第二二五号）。なお、共同設置または委託の場合にはいずれも設置条例を定める必要がないことは当然で、規約の議会の議決がそれに代わることになる。また、競争試験等を行う公平委員会を置く地方公共団体については、地方公務員法第九条第二項に本項の読み替え規定があるので、実質的には本項が適用されるのはそれ以外の公平委員会を置く地方公共団体に限られることとなる。

㈠　共同設置

本条第四項前段は、公平委員会を置く地方公共団体、すなわち人口一五万以上の市で人事委員会を置かないもの、人口一五万未満の市、町村および地方公共団体の組合は、議会の議決を経て定める規約によって、共同で公平委員会を置くことができることを定めている。公平委員会を置く地方公共団体である限り、市相互間、町村相互間、市町村相互間あるいは市町村と一部事務組合などあらゆる組合わせが可能であり、また、所属する都道府県を異にする市町村相互間で共同設置することも可能である。行政指導としては、全国の既存の公平委員会が相互に連絡協調している実績にかんがみ、「公平委員会の共同設置または事務の委託によりその機能の強化を図ること自体については、従来から当省（注、自治省）の積極的に支持してきたところであるが、共同設置にあたっては、公平委員会が市町村の行政機関として置かれている趣旨にかんがみ、また、先般の地方公務員法の改正（注、昭和四〇年（一九六五年）の改正）により公平委員会が管理職員等の範囲の決定、職員団体の登録などの行政的機能を行うこととなることをも勘案し、その事務処理に支障を来すことのないよう、当該地方公共団体の規模、態様等を考慮のうえ、たとえば、郡単位等のブロック単位の町村をもって設置するとか、場合によってはそれに市を含めるとか、あるいは特殊な事情のある場合には県下の町村をもって設置するものとするなど、その範囲を慎重に定めるよう御指導願いたい。」（通知昭四一・二・一六　自治公発第七号）とされている。人事委員会に対する委託よりも共同設置を、共同設置の場合も比較的小規模のものを推奨しているが、委託、共同設置のいずれの方法をとるにせよ、一つには地方公共団体の事務の合理化による経費の節減、一つには委員に人材を確保すること、そして職員の利益の保護に遺憾のないことを考慮して決定すべきものである。

公平委員会の共同設置は、地方自治法に規定する機関の共同設置（同法二五二の七）の一種であり、本条第四項はその特則である。したがって、本項に定める事項以外は原則として地方自治法の規定が適用される。公平委員会を共同設置する手続としては、まず、関係地方公共団体が協議して規約を定め、それぞれの地方公共団体の議会がその規約を可決しなければならず、機関を共同設置する地方公共団体の数を増減し、もしくは規約を変更し、または共同設置を廃止しようとするときも、関係する全地方公共団体の議決を得なければならない（自治法二五二の二の二3、二五二の七2、3）。共同設置の規約は、関係地方公共団体の協議、すなわち、それぞれの地方公共団体を代表する執行機関たる長の協議によって定められるものであるから、規約の制定、改廃の議案の発案権は長に専属する（同旨行実昭二七・三・一三　地自公発第七七号）。設置団体が合併を行った場合、規約の変更が必要であろうか。合併の結果、設置団体のすべてまたは一団体を残して他の団体が消滅した場合（従来共同設置していた団体のすべてが同一の団体に含まれることになった場合）には規約は当然に消滅し、二以上の団体が存続することとなる場合は公平委員会は存続するが（行実昭三一・八・二九　自丁公発第一二二号）、規約の改正は行うべきである。次に、公平委員会を共同設置した場合、規約を変更した場合（設置団体の増減を含む。）および共同設置を廃止した場合には、関係地方公共団体はその旨および規約（設置および改正の場合）を告示するとともに、都道府県が加入するもの（例、都道府県が加入する一部事務組合が市町村と公平委員会を共同設置する場合）にあっては総務大臣、その他のものにあっては都道府県知事に届け出なければならない（自治法二五二の二の二2、二五二の七3）。なお、地方自治法上は、公益上必要がある場合に総務大臣または都道府県知事は機関の共同設置を勧告できることとされているが（同法二五二の二の二4、二五二の七3）、本条第四項が公平委員会の共同設置の根拠の特例を定めていることにかんがみ、この勧告の規定は適用されないものと解する。なお、共同設置の規約には、所定の事項が定められなければならない（自治法二五二の八、二五二の九、二五二の一一）。

共同設置する場合の規約について留意すべき事項は、次のとおりである。まず、共同設置する公平委員会の名称については、関係地方公共団体が比較的少数の場合には、それぞれの名称を列記することも一つの方法である。また、町村が郡単位で公平委員会を共同設置するような場合には、郡名を冠することが適当とされている（行実昭二六・三・一九　地自乙発第九九号）。次に、委員の身分取扱いについては、法律上、選任権者の属する地方公共団体の職員とみなされている（自治法二五二の九4）ので、規約に特別の定めを置く必要はない。共同設置した公平委員会の委員は、それが属するとみなされる地方公共団体の条例に基づいて報酬、実費弁償が支給され、これを罷免するときは当該団体の長が当該団体の議会の同意を得て行う（法九の二5 6）など、規約で定めた事項以外の身分取扱いはすべて当該地方公共団体の委員である場合と同一の取扱いを受ける。共同設置した公平委員会の補助職員を選任権者の職員をもって充てることは法律で定められている（自治法二五二の一一1）。

次に、公平委員会の経費の負担であるが、関係地方公共団体の長が協議で定めるとするのが通常であろうが、より具体的には、委員の報酬、事務補助職員の一般の事務費など経常的な経費は均等割あるいは職員数割で関係地方公共団体が負担し、公平審査の経費など特定の地方公共団体のための臨時的経費は、当該団体が負担することが常識的な分担方法であり、いずれにしても、この負担金は義務費である。予算上の処理として、市町村の場合、関係団体は委員が属するとみなされる団体に対し歳出予算上、（款）総務費、（項）総務管理費、（目）公平委員会費、（節）負担金、補助金および交付金として支出し、委員が属するとみなされる団体では、歳入予算上は（款）分担金及び負担金、（項）負担金、（目）公平委員会共同設置費負担金、（節）同上として調定および収入を行い、歳出予算上は（款）総務費、（項）総務管理費、（目）公平委員会費、（節）報酬、需用費、役務費などに区分して支出することが適当であろう。なお、町村が郡単位で共同設置している場合に郡町村会からその費用を支出するようなことは、支出の権限を私人に委任することを原則として禁止している地方自治法第二四三条に違反するとされている（行実昭二六・六・二九　電文回答）。

ところで、共同設置した公平委員会は、その事務の管理、執行に関する法令、条例、規則などの適用については、関係地方公共団体の委員会とみなされるので（自治法二五二の一二）、たとえば、職員団体の登録条例（法五三1）については、それぞれの団体が条例を定め、公平委員会はこれに基づいて登録することになる。しかし、公平審理の規則など、公平委員会が自ら定めるべきものについては、共同設置した公平委員会がこれを定めることは当然である。

(二)　事務の委託

次に、本条第四項後段は、公平委員会を置く地方公共団体は、議会の議決を経て定める規約により、他の地方公共団体の人事委員会に委託して第八条第二項に規定する公平委員会の事務を処理させることができることを定めている。「公平委員会を置く地方公共団体」の意味は、共同設置に関して述べたところと同じである。

まず、委託先は、人事委員会に限られ、他の公平委員会に委託することは認められない。公平委員会相互の協力方式は、前述の共同設置によらなければならないのである。委託先の人事委員会は包括的団体である都道府県の人事委員会であることが常識的であるが、政令指定都市または人口一五万以上の市の人事委員会に委託することも可能である。当該市町村が属する都道府県以外の地域の人事委員会に委託することも制限はされていないが、都道府県と市町村との関係や職員の便宜からみて妥当とは言えないであろう。都道府県と政令指定都市の一部事務組合の公平事務を出向職員の構成などによって都道府県の人事委員会に委託することも、反対に政令指定都市の人事委員会に委託することもあり得るであろう。しかし、公平委員会の事務の委託は、そのすべてについて行わなければならないものであり、一部の事務のみを人事委員会に委託し、残余の事務を処理するために公平委員会を設置することはできない。事務処理が複雑になり、また統一性を確保することを困難にし、事務の簡素化の趣旨に反するからである。このように委託される事務は、第八条第二項に規定する事務のすべてであり、勤務条件に関する措置要求の審査（法四六～四八）、不利益処分に関する審査請求の審査（法四九～五一の二）、管理職員等の範囲を定める規則の制定（法五二４）および職員団体の登録（法五三）の各事務である。

公平委員会の事務を委託する場合に、議会の議決を経て規約を定めなければならないことは、先に述べたとおりであるが、この議決は、委託をする団体とこれを受ける団体の双方の議会でそれぞれ行わなければならず、団体意思による合意が必要である。この場合、委託する団体は複数のものが同一の規約により合同して行うことも、個々の団体ごとに別々の規約によって行うことも可能である。また、あらたに設置された地方公共団体が委託をする場合に、まず条例で公平委員会を設置した上で委託しなければならないものでなく、直ちに規約によって委託してさしつかえないことは、共同設置の場合と同じである（行実昭二七・六・二六　地自公発第二二五号）。この規約は、地方自治法に定める事務の委託の規約であり、本条に定めるもののほかは同法第二五二条の一五の規定に基づいて定めなければならない。

公平委員会の事務の委託を廃止するときも協議の上、関係団体の議会の議決を得なければならない（自治法二五二の一四２）。事務の委託の内容を変更するときも地方自治法では同様とされているが、前述のように、公平委員会の事務の委託はそのすべてについて行われるもので、両当事者による任意的な変更はあり得ない。もし法律の改正で公平委員会の事務が増減するようなときは、その増減した結果が地方公務員法第八条第二項の事務そのものであり、規約を改めるまでもなく、委託の内容は当然に変更される。規約を制定し、または廃止した場合には、関係地方公共団体はその旨および規約を告示するとともに、都道府県が関係するものにあっては、総務大臣に、その他のものにあっては都道府県知事に届け出なければならない（自治法二五二の二の二２、二五二の一四３）。事務委託について総務大臣または都道府県知事の公益上の必要による勧告の規定（自治法二五二の二の二４、二五二の一四３）が適用されないと解されることは、共同設置の場合と同じである。

公平委員会の事務を委託した市町村が合併した場合の取扱いについては、委託市町村が廃止されて消滅したときはいかなる場合も当該団体の委託関係は消滅し、ある委託市町村が他の委託市町村を吸収合併したときは人事委員会との委託関係は存続する（行実昭三二・一一・一四　自丁公発第一四九号）。委託市町村が委託していない市町村を吸収合併したときも委託関係は存続する。

次に、現在公平委員会を設置している地方公共団体が、人事委員会に事務を委託する場合、係属中の公平審査はどうなるのか。まず、公平委員会は事案係属中に事務委託を行うことができることはいうまでもない（共同設置の公平委員会の場合について、行実昭三二・一・七　自丁公発第一号）。この場合、係属中の事案はあらたな手続を要せず、当然に人事委員会に承継され継続する（行実昭四二・三・一七　自治公第七号）。継続した事案が公平審理である場合、委託前に公平委員会が行った事実審理なども承継されるのであるが、人事委員会がその心証を形成するためにあらためて事実審理などを行ってもさしつかえない（同上行実）。委託前に公平委員会が行った職員団体の登録も、人事委員会が行ったものとして当然に承継され、この場合、もしその登録職員団体が委託を受けた人事委員会を設置している団体の登録条例に適合しないことがあるときは、人事委員会は地方公務員法第五三条第六項の規定により六〇日を超えない期間、登録の効力を停止して是正を求めることが適当であるとされている（行実昭四二・七・三一　自治公第四〇号）。

㈢　競争試験等を行う公平委員会の特例

平成一六年（二〇〇四年）の地方公務員法の改正で、公平委員会は、条例で定めるところにより、職員の競争試験および選考並びにこれらに関する事務を行うことができることとされ（法九１）、これらの事務を行う公平委員会（「競争試験等を行う公平委員会」という。）の事務量が増大することなどから、その共同設置および事務の委託についての特例が定められている。すなわち、本条第四項は、地方公務員法第九条第二項によって読み替えられ、「競争試験等を行う公平委員会（第九条第二項に規定する競争試験等を行う公平委員会をいう。以下この項において同じ。）を置く地方公共団体は、議会の議決を経て定める規約により、競争試験等を行う公平委員会を置く他の地方公共団体と共同して競争試験等を行う公平委員会を置くことができる。」となるのである。このことは、競争試験等を行う公平委員会を置く地方公共団体にあっては、公平委員会の事務を他の地方公共団体の人事委員会に委託することができないことを意味する。

（人事委員会又は公平委員会の権限）

第八条　人事委員会は、次に掲げる事務を処理する。

一　人事行政に関する事項について調査し、人事記録に関することを管理し、及びその他人事に関する統計報告を作成すること。

二　人事評価、給与、勤務時間その他の勤務条件、研修、厚生福利制度その他職員に関する制度について絶えず研究を行い、その成果を地方公共団体の議会若しくは長又は任命権者に提出すること。

三　人事機関及び職員に関する条例の制定又は改廃に関し、地方公共団体の議会及び長に意見を申し出ること。

四　人事行政の運営に関し、任命権者に勧告すること。

五　給与、勤務時間その他の勤務条件に関し講ずべき措置について地方公共団体の議会及び長に勧告すること。

六　職員の競争試験及び選考並びにこれらに関する事務を行うこと。

七　削除

八　職員の給与がこの法律及びこれに基く条例に適合して行われることを確保するため必要な範囲において、職員に対する給与の支払を監理すること。

九　職員の給与、勤務時間その他の勤務条件に関する措置の要求を審査し、判定し、及び必要な措置を執ること。

十　職員に対する不利益な処分についての審査請求に対する裁決をすること。

十一　前二号に掲げるものを除くほか、職員の苦情を処理すること。

十二　前各号に掲げるものを除く外、法律又は条例に基きその権限に属せしめられた事務

２　公平委員会は、次に掲げる事務を処理する。

一　職員の給与、勤務時間その他の勤務条件に関する措置の要求を審査し、判定し、及び必要な措置を執ること。

二　職員に対する不利益な処分についての審査請求に対する裁決をすること。

三　前二号に掲げるものを除くほか、職員の苦情を処理すること。

四　前三号に掲げるものを除くほか、法律に基づきその権限に属せしめられた事務

３　人事委員会は、第一項第一号、第二号、第六号、第八号及び第十二号に掲げる事務で人事委員会規則で定めるものを当該地方公共団体の他の機関又は人事委員会の事務局長に委任することができる。

４　人事委員会又は公平委員会は、第一項第十一号又は第二項第三号に掲げる事務を委員又は事務局長に委任することができる。

５　人事委員会又は公平委員会は、法律又は条例に基づきその権限に属せしめられた事務に関し、人事委員会規則又は公平委員会規則を制定することができる。

６　人事委員会又は公平委員会は、法律又は条例に基くその権限の行使に関し必要があるときは、証人を喚問し、又は書類若しくはその写の提出を求めることができる。

７　人事委員会又は公平委員会は、人事行政に関する技術的及び専門的な知識、資料その他の便宜の授受のため、

国若しくは他の地方公共団体の機関又は特定地方独立行政法人との間に協定を結ぶことができる。

8　第一項第九号及び第十号又は第二項第一号及び第二号の規定により人事委員会又は公平委員会に属せしめられた権限に基く人事委員会又は公平委員会の決定（判定を含む。）及び処分は、人事委員会規則又は公平委員会規則で定める手続により、人事委員会又は公平委員会によつてのみ審査される。

9　前項の規定は、法律問題につき裁判所に出訴する権利に影響を及ぼすものではない。

〔趣　旨〕

一　人事委員会の権限

前条で述べたように、人事委員会は比較的規模の大きい地方公共団体に設置される行政委員会であり、より専門的事務を取り扱うことが期待されている。したがって、公平委員会との比較において、はるかに多くの、またより専門的な権限を有することとされている。人事委員会は、本条第一項各号に列記された以外にも法令の定めるところによる権限を有するのであるが、これらのすべての権限はそれぞれの性質に基づいて準司法的権限、準立法的権限および行政権限のいずれかに分類することができる。それぞれの権限の趣旨は、次のとおりである。

(一)　準司法的権限

人事委員会は、人事行政の専門的機関であると同時に任命権者と職員との関係における中立的機関である。このような立場に立って、任命権者と職員との間に紛議が生じたときにはこれを裁定するという司法機関（裁判所）に類似した機能を有する。このような機能を「準司法的権限」と呼ぶが、その具体的内容は次の三つである。

(1)　勤務条件に関する措置要求の審査（法四六、四七、本条1⑨）

(2)　不利益処分についての審査請求の審査（行服法、法四九の二1、五〇、本条1⑩）

(3)　職員団体の登録の取消しに関する口頭審理（法五三7、本条1⑫）

㈡　準立法的権限

人事委員会は、独立した行政機関として自らの法規（人事委員会規則）を定立する権限を有する（法八５）。法律や条例のように議決機関が定める立法ではないが、自らの権限の行使の基準を定め、あるいは法律、条例などの実施について定めるものであって、地方自治法第一六条第五項の地方公共団体の機関の定める規則に該当するものであり（通知昭二六・一・一〇　地自乙発第三号）、この権限を「準立法的権限」と称する。

人事委員会の準立法的権限の主なものは、次のとおりである。

⑴　人事委員会の権限の委任に関する規則（本条３４）
⑵　人事委員会の議事に関する規則（法一一５）
⑶　職員の任命の方法の基準に関する規則（法一七２）
⑷　選考によることができる職を定める規則（法一七の二１）
⑸　職制の改廃等により離職した職員の復職の要件等に関する規則（法一七の二３）
⑹　競争試験の受験者の資格要件を定める規則（法一九）
⑺　採用候補者名簿の作成等に関する規則（法二一５）
⑻　国または他の地方公共団体の競争試験または選考に合格した者を当該地方公共団体の選考に合格したものとみなすことができる職を定める規則（法二一の二３）
⑼　条件付採用期間の延長に関する規則（法二二１）
⑽　臨時的任用を行いうる場合およびその資格要件等に関する規則（法二二の三１）
⑾　初任給、昇格および昇給の基準に関する規則（給与条例）
⑿　級別定数に関する規則（給与条例）
⒀　営利企業等に従事することについての任命権者の許可の基準に関する規則（法三八２）

⒁　勤務条件に関する措置要求の審査の手続等に関する規則（法四八）
⒂　不利益処分の審査請求の審査の手続等に関する規則（法五一）
⒃　管理職員等の範囲を定める規則（法五二４）
⒄　職員団体の登録に関する規則（登録条例）

㈢　行政権限

人事委員会は、行政機関であるから、㈠および㈡で述べた準司法的権限および準立法的権限のほかに各種の行政権限を行使することができるのは当然のことであるが、それは専門的、中立的な立場で行使するものである点で㈠および㈡の権限と同一の基盤に立つものである。その主なものは次のとおりである。

⑴　職員に関する条例の制定、改廃について議会及び長に意見を申し出ること（法五２、本条１③）
⑵　人事行政の運営に関し任命権者に勧告すること（本条１④）
⑶　給与、勤務時間その他の勤務条件に関し講ずべき措置について議会及び長に勧告すること（本条１⑤）
⑷　人事行政に関する調査、研究などを行うこと（本条１①②）
⑸　勤務条件に関する措置要求の審査および不利益処分についての審査請求以外の職員の苦情を処理すること（本条１⑪）
⑹　人事委員会の事務局長その他の事務職員の任免（法一二７）
⑺　競争試験または選考の実施（法一八、本条１⑥）
⑻　採用候補者名簿の作成（法二一１）
⑼　昇任試験を受けることができる職の指定（法二一の四３）
⑽　臨時的任用の承認（法二二の三１）
⑾　人事評価の実施に関する任命権者に対する勧告（法二三の四）
⑿　給料表に関する議会および長に対する報告および勧告（法二六）

(13) 給与の支払いの監理（本条1⑧）

(14) 研修計画の立案等に関する任命権者に対する勧告（法三九4）

(15) 職員団体の登録（法五三5）

(16) 職員団体の登録の効力の停止および取消し（法五三6）

(17) 職員団体の解散の届出の受理（法五三10）

(18) 労働基準監督機関としての職権の行使（法五八5）

(19) 非登録職員団体に法人格を付与する場合の認証（法人格付与法四～一〇）

上述のように、人事委員会の権限はその性質からみて、準司法的権限、準立法的権限および行政権限に分類できるが、それらは相互に密接な関連性を有しており、全体として人事委員会の専門的性格、中立的地位を形成しているといえよう。なお、勤務条件に関する措置要求の審査および不利益処分についての審査請求の審査以外の職員の苦情を処理すること（本条1⑪）は、平成一六年（二〇〇四年）の地方公務員法および地方公共団体の一般職の任期付職員の採用に関する法律の一部を改正する法律によって追加されたものであるが、これを準司法的権限と行政的権限のいずれに分類するかは微妙な問題である。本書においては、この苦情処理は、明確な紛争に至らない段階における苦情を早期に解決するための方策であり、当事者の対立構造を前提としない苦情解決手段であるという見地（詳しくは後述の同号についての説明を参照されたい。）から、行政的権限に分類した。

二　公平委員会の権限

公平委員会は、人事委員会にくらべると相対的に規模の小さい地方公共団体に設置される簡素な行政機関であり、本条第二項に規定されているようにその権限もかなり限定されているが、その権限は人事委員会の場合と同様に準司法的権限、準立法的権限および行政権限に分類することができる。

㈠　準司法的権限

公平委員会の権限は、準司法的権限に重点が置かれているといってよく、その内容は人事委員会の場合と同じで次のとおりである。

(1) 勤務条件に関する措置要求の審査（法四六、四七、本条2①）
(2) 不利益処分についての審査請求の審査（行服法、法四九の二1、五〇、本条2②）
(3) 職員団体の登録の取消しに関する口頭審理（法五三7、本条2④）

(二) 準立法的権限

公平委員会が制定する規則（法八5）も地方自治法第一六条第五項の地方公共団体の機関が定める規則に該当するが、その内容は次のとおりである。

(1) 公平委員会の権限の委任に関する規則（本条4、法九3）
(2) 公平委員会の議事に関する規則（法一一5）
(3) 職員の任命の方法の基準に関する規則（法九1、一七2）
(4) 選考によることができる職を定める規則（法九1、一七の二1）
(5) 職制の改廃等により離職した職員の復職の要件等に関する規則（法九1、一七の二3）
(6) 国または他の地方公共団体の競争試験または選考に合格した者を当該地方公共団体の選考に合格したものとみなすことができる職を定める規則（法九1、二一の二3）
(7) 競争試験の受験者の資格要件を定める規則（法九1、一九）
(8) 採用候補者名簿の作成等に関する規則（法九1、二一5）
(9) 勤務条件に関する措置要求の審査の手続等に関する規則（法四八）
(10) 不利益処分の審査請求の審査の手続等に関する規則（法五一）
(11) 管理職員等の範囲を定める規則（法五二4）

⑿　職員団体の登録に関する規則（登録条例）

㈢　行政権限

公平委員会の行政権限は次のとおりである。

(1)　勤務条件に関する措置要求の審査および不利益処分についての審査請求以外の職員の苦情を処理すること（本条2③）

(2)　競争試験または選考の実施（法九1、一八）

(3)　昇任試験を受けることができる職の指定（法九1、二一の四3）

(4)　採用候補者名簿の作成（法九1、二一1）

(5)　臨時的任用の承認（法九1、二二の三1）

(6)　職員団体の登録（法五三5）

(7)　職員団体の登録の効力の停止および取消し（法五三6）

(8)　職員団体の解散の届出の受理（法五三10）

(9)　非登録職員団体に法人格を付与する場合の認証（法人格付与法四～一〇）

以上が公平委員会の権限であるが、昭和四〇年（一九六五年）の結社の自由及び団結権の保護に関する条約（ＩＬＯ八七号条約）批准に伴う地方公務員法の一部改正前は、職員団体の登録関係の事務は地方公共団体の長が行っており、また、管理職員等と一般職員との区別はなかったので、その権限はさらに狭いものであった。この改正ではＩＬＯ八七号条約が公の機関による労働団体に対する干渉を禁止していること（同条約三2、四）にかんがみ、長の権限を中立機関である公平委員会に移し、職員団体については人事委員会と同じ権限を付与したものである。なお、平成一六年（二〇〇四年）の地方公務員法の改正によって、勤務条件に関する措置要求の審査および不利益処分についての審査請求以外の職員の苦情を処理すること（以下「苦情処理」という。）が人事委員会および公平委員会の事務に加えられたほか、公平委員会については、条例で定めるところに従って、職員の競争試験および選考並びにこれらに関する事務を行うことができるとされ（法九1）、競争試験等を行う公平委員会は、競争試験または選考などに関して定める地方公務員法第一七条第二項および第一七条の二から第一八条まで、第一九条、第二〇条第二項、第二一条、第二一条の四第三項、第二二条および第二二条の三に定められている人事委員会の権限を行使することとなっている（法一七2）。

公平委員会の権限が人事委員会のそれに比してかなり限定されていることから、それが労働基本権制限の代償措置として不十分であるという意見がある。とくに人事委員会に認められている給料表に関する勧告権（法二六）が公平委員会には認められておらず、また、国家公務員にも人事院の給与勧告（国公法二八）が行われていることとの対比において代償措置が欠如していると主張されるのである。しかし、労働基本権の制限の代償は、法律および条例による身分および勤労条件の保障にあり（最高裁昭四八・四・二五判決　判例時報六九九号二二頁ほか）、給与勧告は補強的代償措置であるから、それが行われないとしても代償措置が欠缺しているとはいえない。

立法論としては、職員の利益を保護するために、公平委員会の権限の強化を検討する余地はあると考えられる。給与勧告権のごときは公平委員会の現在の組織および機能からみて、さらには一般市町村の規模、行政能力からみて、これを認めることは困難であろうが、人事委員会の権限とされている非現業職員に対する労働基準監督機関の権限（法五八5）を公平委員会についても認めることは検討に値するであろう。

三　権限の委任

本条第三項は人事委員会の権限の委任について、本条第四項は人事委員会または公平委員会の権限の委任について、それぞれ定めている。行政機関の権限は、法律によって所定の機関に属せしめられているものであるから、これを変更するには法律の規定をもってしなければならない。地方公共団体の長の権限の委任について定める地方自治法第一五三条はその一例である。この権限の委任は、公法上の委任であるから授任者の委任事務に係る権限がなくなり、受任者は自己の職名および名義によってその権限を行使することになる。

本条第三項の人事委員会の権限の委任は、縦の関係の委任と横の関係の委任とに分けられる。縦の関係の委任は一定の権限につき人事委員会の事務局長に対して行われるものであり、機関の内部で通常行われる形であるが、人事委員会規則で定めることが要件である。人事委員会の権限の委任は、法律に基づいて行われなければならないが、人事委員会の名において事務局長その他の職員が庶務的な事務を補助執行すること、たとえば専決、代決などを行うことは職務命令によるものとして当然に行うことができるものである。

次に、横の関係の委任は、当該地方公共団体の他の機関に対して行うものであり、やはり人事委員会規則で定めることが要件である。明文の規定はないが、横の関係の委任である以上、人事委員会が規則で定めれば一方的に委任できるものではなく、委任を受ける機関の承諾が必要である（通知昭二六・一一・一〇　地自乙発第三三号）。

人事委員会の権限は、一で述べたように広汎なものであり、とくに行政権限は多岐にわたっている。事務局長は人事委員会の補助機関であり、他の行政機関もそれぞれ人事行政に関与しているのであるから、事柄によっては縦または横の委任を行うことによって人事委員会の事務のより効率的な執行が期待されるわけである。しかし、人事委員会が合議制の第三者機関であることに着目して付与された権限を人事委員会の判断で他の機関や事務局長に移すことは、当該法律の趣旨をそこなうおそれがある。そこで、勤務条件に関する措置の要求の審査および不利益処分についての不服申立て並びに規則の制定に関する事務以外の事務についての委任を概括的に認めていた地方公務員法第八条第三項の規定が平成一六年（二〇〇四年）の同法の改正で改められ、従来とは逆に、委任することができる事務が列挙されることとなった（その具体的な内容は本条第三項の〔解釈〕で述べる。）。ただ、この改正によっても、本条第一項第一号から第一一号までに列挙されておらず、個別の法律または条例に基づいて人事委員会の権限に属せしめられた事務（法八1⑫）については、従来と同様、人事委員会の判断で他の機関や事務局長に委任することができることとされているので、その事務を委任するに際しては権限を付与した法律の趣旨を十分に考えることが必要である。

ところで、本条第四項は、人事委員会または公平委員会が苦情処理の事務（本条1⑪、2③）を委員または事務局長に委任することができるとする。これは、委員も委任の相手方となり得るが、前記の縦の関係の委任に属するものと理解することができ、勤務条件に関する措置の要求の審査および不利益処分についての審査請求の場合とは異なり、苦情処理が簡易、迅速かつ弾力的になされるべきものであることを考慮したことによるものと考えられる。

なお、地方公務員法は、本条第三項および第四項に基づく委任のほかに、人事委員会および公平委員会に共通するものとして、任命権の一部の上級の職員への委任（法六２）および不利益処分についての審査請求に対する裁決以外の審査に関する事務の一部の委員または事務局長への委任（法五〇２）について定めている。このうち、不利益処分についての審査請求に対する審査の事務の一部の委任は、かつて不服申立てが大量になされ、審査の事務が混乱することがあったことに鑑みて、これを能率的に処理するために昭和三七年（一九六二年）の改正によって認められたものである。

なお、職員の競争試験および選考並びにこれらに関する事務については、人事委員会が行う権限の委任は本条三項に規定されているが、競争試験等を行う公平委員会が行う権限の委任は地方公務員法第九条第三項に規定されている。

四　人事委員会および公平委員会の規則制定権

本条第五項は、人事委員会規則および公平委員会規則の制定権を定めている。これは、地方自治法第一三八条の四第二項が「普通地方公共団体の委員会は、法律の定めるところにより、法令又は普通地方公共団体の条例若しくは規則に違反しない限りにおいて、その権限に属する事務に関し、規則その他の規程を定めることができる。」としていることに対応したものである。人事委員会規則または公平委員会規則が法令または条例に違反することができないのは当然のことであるが、地方公共団体の規則、すなわち長の規則（自治法一五１）に違反するという事態が生ずることは考えにくい。そもそも人事委員会または公平委員会の権限は、法律によって具体的に定められているのであり、それが長の権限と重複することはないのであるから、もしも、人事委員会規則および公平委員会規則が長の規則と抵触するときは、どちらかが法律に抵触していることになり、規則相互間の問題ではないと考えられる。また、地方公務員法第八条第一項第一号の統計報告の作成や第二号の研究のような一般的な事務については、任命権者である長が行うことも可能であるが、それは排他的な関係になく、相互の抵触という問題が生ずる余地はない。

なお、普通地方公共団体の長が定める規則には、五万円以下の過料の制裁を定めることができるが（自治法一五2）、人事委員会規則および公平委員会規則においては、それに違反した者に対する制裁についての法律の根拠がないので、そのような規定を設けることはできない。また、人事委員会規則または公平委員会規則の制定または改正によって直ちに予算を必要とするものであるときは、必要な予算上の措置が適確に講ぜられることになるまでの間は、その制定または改正をすることができないこととされている（自治法二二二2）。

さらに、人事委員会規則または公平委員会規則は、当該規則に特別の定めがあるものを除くほか、公布の日から起算して一〇日を経過した日から施行され、公布の際の署名などの手続については条例で定めることとされている（自治法一六3 4 5）。

五　人事委員会および公平委員会の権限の行使の保障

本条第六項は、人事委員会および公平委員会が法律または条例に基づく権限の行使に関し必要があるときは、証人を喚問し、書類の提出を求めることができることを定めている。これまで述べてきたように、人事委員会と公平委員会は、人事行政の公正な行使を確保し、職員の利益を保障するという重要な責任を負っていることにかんがみ、その権限が円滑に行使されるよう強力な権限が認められているのである。地方公共団体の議会が立法のための調査権を認められていること（自治法一〇〇）、労働委員会が関係者の出頭、書類の提出などを求める強制権限を有すること（労組法二二）などと並んで地方公共団体の機関としてはきわめて強い権限の行使の保障がなされているといえよう。

とくに不利益処分に対する審査請求は、行政不服審査法に基づく職員の権利であり、その審理は原則として裁判所に対して司法上の救済を求める場合に前置される専門的な行政手続であると同時に、通常の当事者主義による民事事件と異なり職権によって審理を進めるものであることから、人事委員会および公平委員会は審理に際してとりわけ強力な権限をもつことが必要となる。そのため、地方公務員法第五〇条第一項に基づく不利益処分に対する審査請求の審査に際して、本条第六項の規定により人事委員会または公平委員会から証人として喚問を受けた者が、正当な理由なく応じなかった場合、あるいは書類などの提出を求められて正当な理由なくこれに応じなかったり、虚偽の書類を提出したような場合には、刑罰の適用があることとして（法六一①）、権限の行使を担保している。

六　人事委員会、公平委員会と国、他の地方公共団体の機関との協定

人事委員会および公平委員会は、国若しくは他の地方公共団体の機関または特定地方独立行政法人との間に、人事行政に関する必要な情報を得るための協定を結ぶことができるが（本条7）、これも人事委員会および公平委員会が専門的行政機関としての権限を支障なく行使するための保障措置の一つであるといえる。

人事委員会および公平委員会は、その権限を行使し、あるいはその事務を処理するに当たって当該地方公共団体の内外にわたって事実上、法律上の協力を求める必要を生じる。本条第七項はその一つの態様を定めたものであり、この規定の有無にかかわらずこの種の協定を行うことは可能であるが、本項の定めによって法律上の協力を求める根拠が定められ、相手方の同意によって協定が結ばれたときは、それは「公法上の契約」として成立するものである。

現実問題としては、一般の公平委員会の権限は限定されており、通常は公平審理と職員団体の登録関係に限られているから、本項の協定はもとより、事実上の協力、援助を求める必要性も比較的乏しい。これに対して競争試験および選考（法一八）や労働基準監督機関の職権を行使すること（法五八5）については国や他の地方公共団体の機関からの法律上、事実上の協力が必要であるので、本項はこのような権限を有する人事委員会および競争試験等を行う公平委員会にとって、より実質的な意義のある規定となっている。

七　人事委員会および公平委員会における再審

人事委員会および公平委員会が勤務条件に関する措置要求または不利益処分に対する審査請求について、なんらかの決定、処分を行った場合、その決定なり処分についてさらに審査を行うこと（再審）は、裁判所に出訴することは別として、人事委員会または公平委員会のみが行うことができるものとされている（本条8 9）。いわゆる再審についても、原決定あるいは処分と同様に人事委員会または公平委員会が専管することを明示したものである。

この規定については、三つの問題があるように思われる。それは上級の審査庁を認めないことを法文化する必要性および再審を認めることとの必要性ならびに法文の位置の問題である。一般に地方公共団体の機関は、国または他の地方公共団体の機関との間で上級行政庁――下級行政庁の関係に立つものでなく、国または他の地方公共団体の機関による審査は原則的にあり得ないのであるが、地方自治法は大きな例外を定め、都道府県の機関がした処分については総務大臣、市町村の機関がした処分については都道府県知事に対する審決の申請を認めている（自治法二五五の四）。本条第八項は、地方自治法の当該規定の特則を示したものともいえようが、元来、地方公務員法は地方自治法の特別法であり、当該規定においても他の法律に不服審査の規定があるときは除外することを明らかにしているのであるから、法理上は上級審査庁を認めないことをあえて規定する必要はない。とすれば、本項は、もっぱら再審の根拠規定であるといえようが、人事委員会および公平委員会の勤務条件の措置要求に対する判定および不利益処分に対する審査請求についての判定は、いずれもきわめて慎重な審査手続を経て行われるものである。とくに不利益処分の審査請求については、公開口頭審理まで行いうることとされているので、これを課税処分に対する審査請求などと比較すれば、いかに慎重な手続であるかが理解できるであろう。立法論としては、この上さらに再審の手続まで認める必要があるかどうか問題である。裁判上の再審の制度もあり、専門的行政機関が念には念を入れて審査することの意義を認めないわけではないが、行政不服審査には別途、裁判で争う方法もあることであり、いささか手続が煩瑣に過ぎるように思われる。いま一つ、法文上の位置も問題である。再審も人事委員会および公平委員会の権限の一つであるということから本条中に規定したものと思われるが、本条は決してその権限のすべてを明示しているものでなく、本条第八項および第九項は、かりに規定するとすれば、不利益処分の審査請求に関する規定中に定めることが適当であろう。そして勤務条件に関する措置要求の審査は、本質的に苦情処理的なもので、純粋の行政手続とは考えられないので、再審や出訴との関係の規定を置く必要はないように思われる。

本条第八項および第九項に類似する規定は国家公務員法にもあり（同法三３４）、地方公務員法はこれに倣ったものと考えられるが、国家公務員法の規定は抽象的であり、さらにその第九二条第三項に不利益処分の審査請求の再審に関する規定があるので、それは人事院の自主性を保持するため、その決定や処分に他の行政機関の介入を認めない趣旨であると解されている（鹿児島重治ほか編著・逐条国家公務員法　一一〇頁、学陽書房、一九八八年）。

八　企業職員および単純労務職員ならびに独法職員に対する適用除外

企業職員および単純労務職員については、退職管理に関する勧告（地公企法三九４による読み替え）に関する第一項第四号および競争試験および選考に関する第一項第六号、人事委員会の権限の委任に関する第三項並びに人事委員会規則および公平委員会規則に関する第五項を除く本条の規定を適用しないこととされている（地公企法三九１、地公労法一七１、同法附則５）。このような定め方がなされているのは、退職管理はすべての職員に共通するものであり、競争試験および選考の具体的な方法などについて定めた地方公務員法第一七条から第二一条の二までの規定がこれらの職員にも適用されるので、競争試験に関して権限の委任を行い、競争試験または選考に関して人事委員会規則または公平委員会規則（競争試験等を行う公平委員会に限られる。）を制定する必要があるということによるものであろう。しかし、不利益処分に関する審査請求の審査において、本条第六項の規定により、人事委員会または公平委員会から証人として喚問を受け、正当な理由がなくてこれに応じなかったり、虚偽の陳述をしたり、書類またはその写しの提出の求めに応じなかった者は三年以下の拘禁刑または一〇〇万円以下の罰金に処せられることがあり（法六一①）、企業職員または単純労務職員であることを理由にこの制裁を免れることができないのは明らかであるから、これらの職員について本条第六項を適用除外とすることに意味はない。また、本条第一項第一号から第一一号までに列挙されるもの以外に法律または条例に基づいて付与される人事委員会または公平委員会の事務（本条１⑫、２④）の処理について、その内容の如何にかかわらず、企業職員および単純労務職員に適用しないとするのは問題があろう。さらに、人事行政に関する調査や人事に関する統計報告などに関する事務（本条１①）は、職員に関する条例の制定などに関して議会に意見を申し出たり（法五２）、試験を実施したり（法一七～二一）、給料表に関する報告や勧告をしたり（法二六）する前提として、本条第一項第一号の規定をまつまでもなく、当然に行うことができるものであり、その対象としては民間の労働者に関することも含まれるのであるから、企業職員および単純労務職員についてだけ調査を行ったり、統計報告を作成することができないと解することはできない。そもそも、本条中の職員の地位や権利義務と直接の関係をもたない条項については、特定の職種の職員に適用するとかしないという問題が生じないのであるから、そのような条項について、適用除外の規定を置くこと自体の是非を考えなければならない。なお、苦情処理について定めている本条第一項第一一号および第二項第三号も企業職員および単純労務職員に適用されないが、これらの職員には、労使による苦情処理共同調整会議について定めた地方公営企業等の労働関係に関する法律第一三条のほか、個別労働関係紛争の解決の促進に関する法律が適用されることになっている（個別労働紛争解決促進法二二）。ただし、後者については、地方公務員についての適用関係を定める同法第二二条が、地方公務員には同法を適用しないとしたうえで、「地方公営企業法第十五条第一項の企業職員」と単純労務職員であって「地方公営企業等の労働関係に関する法律第三条第四号の職員以外のもの」については、この限りではないとしているので、条例等で地方公営企業法第二章の規定を適用することを定めない限り（地公企法二3参照）、簡易水道事業に勤務する職員（地公労法第三条第四号の職員である。）については、単純労務職員であるか否かに関係なく、同法が適用されないこととなっている（条例等で地方公営企業法第四章の規定だけを適用するとしている企業の職員についても同じである。）。この点について、本書においては、簡易水道事業に勤務する職員および条例等で地方公営企業法第四章の規定だけを適用するとしている企業の職員を含めて「企業職員」と称している（第三条の〔趣旨〕二(二)2参照）ので注意されたい。

なお、独法職員についても、本条は、その第一項第四号および第七項を除いて適用しないとされているが（地方独法法五三1）、人事委員会であっても公平委員会であっても、それは地方公共団体の機関であり、地方独立行政法人に対する指揮監督権を有しているわけではないのであるから、地方公務員とされたということによって、人事委員会または公平委員会の権限が独法職員に及ぶことになるわけではない（県費負担教職員についての人事委員会の権限に関する行政実例（昭三二・一一・一六　自丁公発第一五六号）参照）。また、本条第六項の証人喚問や書類等の提出を求める権限は、相手方が地方公務員に限定されるものではなく、必要がある限り何人もその対象となるのであるから、あえて独法職員にそれが適用されることを定める意味はない。行政実例（昭二八・六・二六　自行公発第一二四号）も、委員会は、検察庁その他の官公署、民間の会社、工場からも書類の提出を求めることができるとしている。したがって、地方独立行政法人法第五三条第一項が本条の適用関係について定めていることの意味は不明である。

九　用語の整理

規定の内容に関わるものではないが、本条においては、「基づき（く）」と「基き（く）」が混在して使用されているのが奇異に感じられる。すなわち、第一項第一二号においては「基き」と、第六項および第八項においては「基く」と、第二項第四号および第五項においては「基づき」とされ、送りがなの統一がなされていないのである。これと同じ現象は、地方公務員法の他の条文や同法以外の法令においても見られるのであるが、これは、法政執務における取扱いとして、漢字およびその送りがなについては当用漢字表によるものとされており、それが改められたときは、その後の直近に行われる法令の改正の際に、当該改正される条項中においてのみ新しい用語法に改めるとされていることによるものである。すなわち、本条については、第一項第一二号、第六項および第八項は地方公務員法制定時のまま一度も改正されておらず、第二項第四号は昭和四〇年（一九六五年）の改正で第三号として追加され、第五項は平成一六年（二〇〇四年）の改正で「事項」を「事務」とする改正がなされたものであるところ、それぞれの改正時における用語法に従って「基き」が「基づき」と改められたものである。

〔解　釈〕

一　人事委員会の事務の例示

本条第一項は、人事委員会は「次に掲げる事務を処理する。」と規定し、人事委員会の事務、権限のすべてを各号で網羅しているようにも見えるが、〔趣旨〕で述べたように、これはその権限の例示にすぎず、現実には、各号に列記されているもの以外にも本法に基づく各種の権限がある。

本条第一項各号の規定の意義は次のとおりである。

(一)　人事行政に関する記録と統計

人事委員会は、人事行政に関する事項について調査を行い、人事記録を管理し、人事に関する統計報告を作成する権限を有することが第一号で定められている。人事委員会は、人事行政について広汎な権限を有する以上、その前提として広く情報と資料を収集し、保管することは当然の職務で、あえて本号の規定をまつまでもない。ここで「人事行政」とは、地方公務員法第一条の「人事行政」と同義であり（行実昭二六・一一・三〇　地自公発第五三二号）、人事委員会が所掌する地方公務員の身分取扱いのすべてである。「調査」、「人事記録」および「統計報告」については、とくに定義する必要はないであろうが、それぞれ人事委員会の事務の範囲内、権限の範囲内でこれらの権限の行使が行われるものであって、任命権者の固有の権限に立ち入ることはできない。たとえば、人事委員会は、法律または条例により個別的に「人事委員会規則で定める」と規定されている場合だけでなく、法律または条例で定めるその権限に属する事項、すなわち本号の事務についても人事委員会規則を定めることができるが（行実昭二七・四・二八　地自公発第一二三号、反対行実昭二六・八・一五　地自公発第三三二号）、それは人事記録の様式、記載要領および保管方法などの統一的取扱いをはかるようなことについてであり、任命について辞令書を交付すべきことを定めるなど任命手続について規定することはできない（行実昭二九・九・九　自丁公発第一六一号）。なお、統計報告の「報告」とは、特別の対象を想定したものではなく、一般的に公開する報告書を作成すること、任命権者や議会に報告すること、報告することを予想して統計書を準備、保管することなど適宜の措置をとればよいものである。

(二)　勤務条件などの研究とその成果の提出

人事委員会は、人事評価、給与、勤務時間その他の勤務条件、研修、厚生福利制度その他職員に関する制度について常時研究を行い、その成果を地方公共団体の議会、長または任命権者に提出することが第二号に定められている。人事委員会は、人事行政に関する専門機関であるから、第一号に基づき常に専門的な調査を行い、高度の知識、情報の蓄積、研究を行い、その結果得られた成果を地方公共団体の意思決定機関である議会、地方公共団体を統轄し代表し、かつ、条例の提案権者である長（自治法一四七、一四九①）および職員の管理責任者である任命権者に対して提出することにより、それぞれの人事行政に関する権限の行使の適正化と水準の向上に資することとしているのである。本号は、各機関に対し人事委員会が専門的意見を表示する一般的権限を定めたものであり、第一号による報告、条例の制定改廃に関する意見の申出（本項③、法五2）、給料表に関する報告および勧告（法二六）、研修に関する勧告（法三九4）、人事評価の実施に関する勧告（法二三の四）および勤務条件に関する措置要求に基づく勧告（法四七）はいずれも本号の特則である（給与勧告について、行実昭二六・一一・三〇地自公発第五三二号、ただし、給料以外の給与については本号または第三号による。行実昭二六・一二・一九　地自公発第五五六号）。また、本号は、「制度」について行われるもので、その運営に関する勧告は本項第四号に基づいて行われる。本号中、「人事評価」は地方公務員法第六条が定義するそれであり、「給与、勤務時間その他の勤務条件」の範囲は、地方公務員法第二四条第五項に規定するそれと同じであり、具体的には同項に基づいて制定される条例およびこれに基づく規則その他の規程について人事委員会は研究および成果の提出を行うことになる。また、本号中の「研修」は、地方公務員法第三九条第一項に規定するものと同じであり、それぞれを企画立案し、実施するのは任命権者であり、人事委員会が従前有していたこれらに関する総合的企画の権限は平成一六年（二〇〇四年）の改正で廃止された。

次に、「厚生福利制度」とは、地方公務員法第四二条に規定するそれであって、職員の保健やレクリエーション、互助組織などをいい、共済制度を含むものであるが、これについては地方公務員等共済組合法が定めているので本号の対象とはならない。また、公務災害補償も地方公務員災害補償法に定めがあるので対象とはならない。「その他職員に関する制度」とは、勤務条件および厚生福利に関する制度以外の一切の職員に関する制度を指すが、人事委員会の所管に属しない職員に関するもの、たとえば、単純労務職員および企業職員に関する給与制度などは対象とならない。また、公平審理に関する制度や営利企業等に従事することの許可の基準など、人事委員会が自ら措置する事項については、研究の対象ではあるが議会などにその成果を提出する必要はないといえよう。

研究成果の提出先は、議会、長または任命権者であり、内容によってその全部または一部に対して行われる。県費負担教職員については、任命権者として都道府県教育委員会が対象となる。また、公営企業の管理者は任命権者であっても対象ではない。しかし、参考となる点も少なくないので、事実上送付することが適当であろう。

㈢　条例に関する意見の申出

本項第三号は、人事委員会が人事機関または職員に関する条例の制定、改廃に関して地方公共団体の議会および長に意見を申し出る権限を有することを定めている。これは、地方公務員法第五条第二項がこれらの条例の制定、改廃に際して、議会において人事委員会の意見を聞かなければならないとして、議会手続上の義務の形で規定しているのを、人事委員会の権限の側から規定したものである。したがって、本号については、第五条第二項に関する記述を参照されたい。ただ、ここで二点だけ明らかにしておかなければならないことがある。その一は、本号では「議会及び長」に申し出るとされているのに対し、第五条第二項では「議会において」とされていることである。議会においてとは、議会の審議の過程でということであり、議会のみならず条例の提案権者である長をも含めてと解されるので、両者は同義と考えてよいであろう。その二は、第五条第二項は、条例を制定、改廃「しようとするときは」と規定しているのに対し、本号では条例の制定、改廃「に関し」と規定していることである。前者は、条例案が具体的に立案され、議会に提出された後に意見を述べることが明らかであるが、後者は、具体的な条例案が立案されていなくとも、また、条例の制定後においても意見を述べることができるとも読むことができる（行実昭二六・一二・一九　地自公発第五五六号は、給料以外の給与の調査研究の結果を議会および長に報告または勧告するときは本項第二号または第三号の規定によることが相当であるとしており、条例案の議会審議とはかかわりのない意見の申出を認めているようである。）。しかし、そのようなことは、本項第二号の制度に関する研究成果の提出で足り、本号は、条例のみに関するものであるから、第五条第二項と同趣旨の規定であると理解すべきであろう。なお、県費負担教職員に関する都道府県の条例その他の規程は、地方教育行政の組織及び運営に関する法律に本条の読み替え規定はないが、条理上、本号の対象となる（行実昭三一・一一・一六　自丁公発第一五六号）。

㈣　人事行政の運営に関する勧告

人事委員会は、本項第四号の規定により、人事行政の運営についても専門機関としての立場に立って勧告することができる。制度についての意見の表明を第二号で行うことと対置されるものである。「人事行政」の意味は、第一号の説明で述べたとおりであり、人事行政の運営の範囲はきわめて広いが、たとえば、職員の任用について個々の問題をとり上げて勧告することは法の趣旨とするところではなく、一般的な事項について行うべきである（行実昭二七・三・三　地自公発第六四号）。なお、この勧告は、運営の責任者である任命権者に対してのみなされるものであるが、地方公共団体の長が他の執行機関に対して行う運営の合理化のための職員の身分取扱いに関する勧告（自治法一八〇の四１）と競合することがあり得るので、そのような場合には、人事委員会は事実上の措置として事前に長と十分な連絡・協議を行うべきであろう。

㈤　勤務条件に関し講ずべき措置についての勧告

本項第五号は、人事委員会が給与、勤務時間その他の勤務条件に関し講ずべき措置について地方公共団体の議会および長に勧告する権限を有することを定めている。これは、平成一六年（二〇〇四年）の地方公務員法の改正によって、給与、勤務時間その他の勤務条件が社会一般の情勢に適応するように、随時、適当な措置を講じなければならないことを定めた従前の地方公務員法第一四条に、第二項として、「人事委員会は、随時、前項の規定により講ずべき措置について地方公共団体の議会及び長に勧告することができる。」という規定が加えられたことに対応するものである。この改正前も、本項第四号を根拠として、人事委員会は人事行政全般について任命権者に勧告することができると解されていたのであるが、情勢適応の原則の重要性と急激な社会経済情勢の変化に対応した弾力的な人事行政の実行のためには、中立的な専門機関である人事委員会がより積極的な役割を果たす必要があると考えられたことから本号が追加されたものと考えられる。なお、本号の具体的な意味内容については、第一四条の説明を参照されたい。

㈥　競争試験および選考

本項第六号は、競争試験および選考並びにこれらに関する事務を行うことは人事委員会の権限であることを定めている。人事委員会を置く地方公共団体では職員の採用および昇任は、競争試験または選考によらなければならないものであり（法一七の二１）、その競争試験および選考は、原則として人事委員会が行うものである（法一八）。競争試験および選考については、地方公務員法第一五条から第二一条の二までに具体的な定めがあり、具体的な手続などについては、各条で説明することとする。なお、人事委員会が競争試験または選考を実施する権限は、他の地方公共団体の機関、たとえば、他の人事委員会などと協定して共同で、または他の地方公共団体の機関と協定してこれらに委託して、たとえば、警察官の採用を他の地方公共団体の警察本部に委託して、それぞれ行うこともできる（法一八但し書）。

㈦　給与の支払いの監理

人事委員会は、本項第八号の規定により、職員の給与が地方公務員法およびこれに基づく条例に適合して行われることを確保するため必要な範囲で、職員に対する給与の支払いを監理する権限を有する。職員の給与は、職員にとって勤務条件の中心であると同時に、地方公共団体にとっても財政支出の大きな部分を占めており、勤務条件条例主義（法二四5）に基づいて厳格に支出が執行される必要がある。人事委員会は、人事行政の専門機関としてその執行を監理するものである。ここで、「監理」とは、調査、監督、助言などの行為を総称するものである。監査委員も地方公共団体の財務会計制度の運用を監査する権限を有し（自治法一九九）、給与の支給についても監査を行うので、その限りで両者の権限は重複して行われることになる。ただ、監査委員の監査は、財務全般に及び、その一部分として給与の支払いについて行われるものであり、また、監査の結果を長、議会等に報告し、公表することを義務づけられているのに対し、人事委員会の本号の権限はもっぱら給与の支払いについて行われ、その意味ではより専門的に行われることが期待されているといえる。また、監理の結果を議会や長に報告したり、公表することを義務づけられていないので、いわば内部管理的な権限であるともいえる。もっとも、人事委員会が給与の支払いの監理の結果を必要に応じて関係機関に通知し、意見を述べ、あるいは報告することを妨げるものではない。ここで、「給与」とは、給料および各種手当の一切（自治法二〇四1 2）をいい、旅費、共済組合の給付および公務災害補償制度における給付は含まれない。また、特別職に対する給与は含まれないが、一般職であれば、非常勤の職員に対する報酬（自治法二〇三の二1）は含まれる。なお、企業職員および単純労務職員の給与は含まれず、市町村の職員であっても都道府県が給与を支給する県費負担教職員の給与の支払いについては、都道府県の人事委員会が監理するものである

（行実昭三一・一一・一六　自丁公発第一五六号）。

次に、人事委員会の権限は、給与の支払いに関するものであり、任命権者の給与の決定にまで立ち入ることはできないこととされている（行実昭二七・九・三〇　自行公発第六〇号）が、給与の支払いが地方公務員法またはこれに基づく条例に適合していることを確保するため必要な範囲内である限り、給与支払いの原因である給与決定についても、法律、条例との関係における適否を調査し、意見を述べることができるというべきであろう。また、本号に基づいて給与簿の取扱いに関する人事委員会規則（人事院規則九―五（給与簿）に準ずるもの）を定めることも可能である（行実昭三一・二・三　自丁公発第一九号。この実例は、「この規則は本号および本項第一号の「人事記録」として制定することができる」としている。）。

本号の「この法律及び……条例に適合して行われる」とは、具体的には、本法第二四条および第二五条ならびにこれらの規定に基づく条例に基づいて支給されていることを意味し、「給与が……行われる」という表現とは思われないが、「給与が決定され、支給されている」という意に解すべきであろう。その決定が、形式的、手続的に正当に行われているだけでなく、実質的にも妥当な決定であることを監理するものと解する。したがって、個々の職員の給与が職務給の原則（法二四1）あるいは均衡の原則（同条2）に従って決定されているかどうかについても監理することができると考える。そのほか、重複給与の支給が行われていないか（同条3）、給与の通貨払い、直接払いおよび全額払いが適正に行われているかどうかなどについて監理できることは当然である。ところで、本号では、「この法律及びこれに基く条例」と規定しており、地方公務員法以外の法律や給与条例の委任に基づく規則に基づいて給与が支給されているかどうかは、人事委員会の監理権限が及ばないと解する余地がある。しかし、たとえば、職員の時間外勤務手当が労働基準法第三七条等に適合して支給されているか否か、職員の初任給が給与条例に基づく初任給、昇格及び昇給の基準に関する規則に従って正しく決定されているか等について権限が及ばないとすれば、給与の支給の監理に万全を期することはできない。人事委員会は、実質的にこれらの規定に基づく給与の支給についても監理すべきであり、その場合、給与条例に基づく規則に関するものについては「条例に適合」しているかどうかという観点に立って本号に基づいて行い、他の法律に関するものは、本項第一号の「調査」または第四号の「人事行政の運営に関し、……勧告」によって行うことが適当であろう。

なお、本号の権限は、給与の支払いの法令適合性を確保するのに「必要な範囲」で行われるものであり、その必要性の有無の判断は人事委員会が行うものであるが、法令に適合しているかどうか、すなわち制度の適正な運用に関するものを主眼とすべきもので、個々の職員に対する特別昇給の妥当性であるとか、勤勉手当の成績率の決定などは任命権者の判断を尊重し、人事委員会が判断することは不適切であると考える。

(八)　勤務条件に関する措置要求の審査

職員（企業職員および単純労務職員を除く。）は、一般の労働者のように団体協約（労働協約）を締結することができないが（法五五２）、勤務条件を保障するための措置として、勤務条件を条例で定め（法二四５）、人事委員会が給料表について勧告を行い（法二六）、職員の勤務条件に関する不満を人事委員会が審査することとされている（法四六～四八）。本号は、この勤務条件に関する職員の措置要求を審査し、判定し、および必要な措置をとることが中立機関である人事委員会の権限であることを明らかにしたものである。

勤務条件に関する措置要求の方法、人事委員会の審査および判定の手続等については、第四六条、第四七条および第四八条の解釈を参照されたい。

(九)　不利益処分の審査請求の審査

職員の身分は、それが公共の福祉の増進のために勤務するという特殊性を有し、また、政治的理由によって左右されることなく安定した行政を執行する必要があることにより、民間の労働者と異なり強い保障を受けている。その一つは、法律に基づくことなく不利益な処分を受けることがないという分限および懲戒の制度による保障（法二七２３）であり、いま一つは、不利益処分を受けた職員（企業職員および単純労務職員ならびに条件附採用期間中の職員および臨時職員を除く。）が人事委員会に対して審査請求を行う権利を有することによる保障である。本号は、この不利益処分の審査請求の審査を行うことが、中立機関である人事委員会の権限であることを明らかにしたものである。

不利益処分の審査請求の方法、手続等については、第四九条、第四九条の二、第四九条の三、第五〇条、第五一条および第五一条の二の〔解釈〕を参照されたい。

㈡　苦情処理

本項第一一号は、平成一六年（二〇〇四年）の地方公務員法の改正によって追加されたものであり、人事委員会が苦情処理の事務を処理することを定めている。これは、自覚的にであるか否かは別として、従来から事実上行われていたと思われる任命権者などによる職員からの苦情の処理について、人事委員会の事務として明記することによって、円滑かつ効果的な運用を確保しようとするものである。その意味で、この規定が定められたことによって、任命権者（職員の上司や人事担当部局を含む。）による苦情の処理が禁止されたり、その必要がなくなるものではない。職員の任用や配置換などの個々の問題であって、その性質が一般的でないものについては、不利益処分の審査請求または措置要求がなされていない限り、人事委員会または公平委員会が勧告を行うのは地方公務員法の趣旨ではないというのが従来の行政解釈（行実昭二七・三・三　地自公発六四号）であるが、本項第一一号は、このような場合であっても、それを苦情として処理することを可能にしたものと解される。ただ、人事委員会または公平委員会は、あくまでも仲介者であり、当該苦情を解決する強制的な権限を与えられているわけではないから、当事者の納得が得られるように努めなければならないが、それでもどうしても納得が得られなければ、手続を打ち切らざるを得ないという限界がある。

従来から、訴訟などの法律上の紛争になる前の苦情の処理については、個別労働関係紛争の解決の促進に関する法律や雇用の分野における男女の均等な機会及び待遇の確保等に関する法律に特別の規定があるものの、後者の第一一条から第一三条までに定めるいわゆるセクハラ及びマタハラに関する場合を除き、いずれも地方公務員には適用されないこととされており（前者について個別労働紛争解決促進法二二（ただし、企業職員、単純労務職員および独法職員には適用されることについて本条の〔趣旨〕八参照。）、後者について雇用機会均等法三二）、国家公務員については、人事院が苦情の処理に関する事務をつかさどるものとされていたが（国公法三2）、地方公務員については明文の規定がなく、各地方公共団体における事実上の措置に委ねられていた。

このような制度上の問題に加えて、社会経済状況の変化に応じて、地方公務員の処遇に関しても、任用が弾力化され、職員個人の能力や実績がより重視されるようになることは必至であり、個々の職員が疑問や不満を抱くことが多くなることが予測されることから、それに制度的に対処することとされたわけである。なお、企業職員、単純労務職員および独法職員に苦情処理に関する規定が適用されないことは、本条の**〔趣旨〕八**で述べたところである。

苦情処理に関する具体的な手続きなどについては、人事委員会または公平委員会が定めることになる（法四八参照）が、その性質からして、当事者の理解と協力を得て行うべきものである（個別労働紛争解決促進法四、一二1、一三1、一四、一五参照）から、勤務条件に関する措置要求や不利益処分についての審査請求の審査におけるような強制的な手段はとるべきではなく、証人喚問や書類などの提出に関する本条第六項は適用されないものと解される。

(二)　その他の権限

本項第一二号は、第一号から第一一号までに列記したもののほか、人事委員会が法律または条例に基づきその権限に属せしめられた事務を処理することを定めている。人事委員会が大規模な地方公共団体における専門的、中立的人事機関として、準司法的、準立法的および行政上の諸権限を有することは、本条の**〔趣旨〕一**で述べたところを参照されたいが、第一号から第一一号までの権限は、その一部を例示したものである。なお、本号で「法律……に基づき」とされている法律は、地方公務員法はもとより、他の一切の法律を含むものであるが、現在のところ、人事委員会の権限はほとんどすべて地方公務員法に基づくものであり（法一一5、五二4、五三、五八5）、他の法律に基づくものとしては、非登録職員団体に法人格を付与する場合の認証の権限があるのみである（法人格付与法九③④⑦）。また、条例に基づく権限としては、初任給、昇格及び昇給の基準に関する規則ならびに級別定数に関する規則の制定権（いずれも給与条例による。）、職員団体の登録に関する規則の制定権（登録条例による。）、職務専念義務の免除を与える場合の決定（職務専念義務特例条例による。）などがある。

二　公平委員会の事務の例示

本条第二項は、公平委員会の事務と権限を例示している。公平委員会は、比較的規模の小さい地方公共団体に設置されるものであり、人事委員会にくらべてかなり限定された権限しか有しないことは本条の〔趣旨〕二で述べたとおりである。

公平委員会の権限は、本項第一号および第二号の公平審理による職員の利益の保護と第三号の苦情処理および中立機関としての職員団体の登録その他の事務である。

本項各号の意義は、次のとおりである。

(一)　勤務条件に関する措置要求の審査

本項第一号は、公平委員会が職員（企業職員および単純労務職員を除く。）の勤務条件に関する措置の要求を審査し、判定し、必要な措置をとる権限を有することを定めているが、この権限は、人事委員会に関する前項第九号の権限（前記一(八)）と法律の文言も、実質的内容も全く同じである。勤務条件に関する措置要求の方法、公平委員会の審査および判定の手続等については、第四六条、第四七条および第四八条の〔解釈〕を参照されたい。

(二)　不利益処分の審査請求の審査

本項第二号は、公平委員会が職員（企業職員および単純労務職員ならびに条件付採用期間中の職員および臨時職員を除く。）の不利益処分に関する審査請求を審査する権限を有することを定めているが、この権限は、人事委員会に関する前項第一〇号の権限（前記一(九)）と同じである。不利益処分の審査請求の方法、手続等については、第四九条、第四九条の二、第四九条の三、第五〇条、第五一条および第五一条の二の〔解釈〕を参照されたい。

(三)　苦情処理

本項第三号は、平成一六年（二〇〇四年）の地方公務員法の改正によって追加されたものであり、公平委員会が職員（企業職員および単純労務職員を除く。）の苦情処理の事務を処理する権限を有することを定めているが、この権限は、人事委員会に関する前項第一一号の権限（前記一(一〇)）と同じである。

(四)　競争試験および選考

本項には掲げられていないが、地方公務員法第九条第一項は、公平委員会を置く地方公共団体も、条例で定めることによって、公平委員会が職員の競争試験および選考並びにこれらに関する事務を行うこととすることができること、この権限を有する公平委員会（「競争試験等を行う公平委員会」と称される。）は、職員の競争試験および選考に関しては人事委員会と同じ権限を有するものとしている（法一七2参照）。

㈤　その他の権限

公平委員会は、前記の権限のほか、法律によってその権限に属せしめられた事務を処理する（本項④）。ここで「法律」とは、地方公務員法のほか、他の法律も含まれるが、現在のところ、他の法律で公平委員会の権限とされているのは、非登録職員団体に法人格を付与する場合の認証機関としての権限があるのみである（法人格付与法九③④⑦）。

地方公務員法によって公平委員会に属せしめられた前記以外の権限は、公平委員会議事規則の制定（法一一5）、管理職員等の範囲を定める規則の制定（法五二4）並びに職員団体の登録関係事務の処理および同登録規則の制定（法五三、登録条例）の各権限である。それぞれの権限の意義と内容については、各条文の説明で述べることとする。なお、公平委員会については、人事委員会と異なって、条例で権限を付与することは予定されていない。

三　人事委員会の権限の委任

人事委員会は、広汎な権限を有するものであり、その権限を能率的に行使するため、その権限の一部を委任することが本条第三項により認められている。この権限の委任の法律上の性質は、法律に基づく行政権限の再配分であり、私法上の委任とは異なり、また、専決、代決など事務の補助執行とも異なる。

人事委員会が本項によって委任することができる事務は、人事行政に関する事項について調査し、人事記録に関することを管理し、およびその他人事に関する統計報告を作成すること（本条1①）、給与、勤務時間その他の勤務条件、職員の研修および勤務成績の評定、厚生福利制度その他職員に関する制度について絶えず研究を行い、その成果を地方公共団体の議会若しくは長または任命権者に提出すること（本条1②）、職員の競争試験および選考並びにこれらに関する事務を行うこと（本条1⑥）および職員の給与がこの法律およびこれに基づく条例に適合して行われることを確保するため必要な範囲において、職員に対する給与の支払を監理すること（本条１⑧）並びにこれら以外のものであって本条第一項各号に掲げるものを除く外、法律または条例に基づきその権限に属せしめられた事務（本条１⑫）で、人事委員会規則で定めるものであるが、ここに掲げられている個別の事務の内容については、それぞれ該当する条項の説明を参照されたい。なお、委任は法律によって定められた権限の移動を意味するものであるから、ここに掲げられている事務の委任を受けた者は、法律に特別の規定がない限り、その権限を他の者に再委任することはできないが、事務執行の方法として専決または代決によって意思決定を下位の職にある者に委ねることができる。

本項による委任の相手方は、「当該地方公共団体の他の機関」および「人事委員会の事務局長」である。前者については、当該地方公共団体であれば、執行機関および任命権者はもとより、それら以外の機関であってもさしつかえない。たとえば、専門的な採用試験の実施を工業試験場や農業試験場の場長、技師などに委任すること、あるいは警察官の採用試験の実施を当該地方公共団体の公安委員会、警察本部長はもちろん、警務部長などに委任することも本項により可能である。他の地方公共団体の機関への権限の委託については、競争試験または選考については地方公務員法第一八条第一項に規定があるが、その他の事務については、地方自治法第二五二条の一四以下の事務の委託の規定によって行うことも可能であろう。なお、本項の規定により、他の機関に委任する場合、当該機関の承諾が必要であるとされている（通知昭二六・一・一〇　地自乙発第三号　第二　二⑺）のは、委任される側のことを考えれば、当然のことである。

人事委員会の事務局長に対する委任は、事務局長が人事委員会の補助機関である以上、広義の補助執行の一つである。ただ、専決や代決と異なるのは、委任を行ったときはすべて事務局長の名と責任において権限を行使することである。たとえば、人事委員会事務局職員の出張命令や休暇の承認を委任したときは、事務局長名でこれらの事項を処理するが、事務局長の専決や代決の場合には人事委員会の名によって行うものである。本項による委任は、事務局長に対してのみ行うことができるもので、委員に対して行うことはできない（行実昭二六・八・一五　地自公発第三三七号）。一般に、委員は、合議体としての執行機関の一員であり、個々の委員が独立して権限を行使するものではないからである。ただ、人事委員会の委員は、事務局長の職を兼ねることができるので（法一二2）、この場合には事務局長としての職に基づき、委任を受けることができることになる。

本項によって他の機関または事務局長に委任を行うときは、必ず人事委員会規則の形式によらなければならない。人事委員会規則は、すべての委任事項について一個の規則を定めても、個々の委任事項ごとに制定してもさしつかえない。いずれの場合にも、委任の内容が明確で具体的でなければならないことはいうまでもない。人事委員会規則は、所定の手続によって公布、公表されるべきものであるので（自治法一六3～5）、委任の内容もこれによって公示されることになる。

なお、法律上の権限の行使に該当しない事務、たとえば試験会場の設営、試験の監督または訴訟における代理人の事務などのように行政権限の移転を伴わないものは、私法上の契約によって委託することができる。

四　苦情処理の権限の委任

本条第四項は、人事委員会または公平委員会が、勤務条件に関する措置要求および不利益処分についての審査請求以外の職員の苦情を処理することを委員または事務局長に委任することができることを定めている。勤務条件に関する措置要求および不利益処分についての審査請求については、裁決または決定を除いて、その事務の一部を委員または事務局長に委任することができるとされているが（法五〇2）、職員の苦情については、この規定によって、その処理そのものを委員または事務局長に委任することができることになる。これは、苦情の処理は、非定型的なものであり、必ずしも合議体として処理することを必要としない場合があることを考慮したものである。

五　人事委員会および公平委員会の規則制定権

本条第五項は、人事委員会および公平委員会が規則を制定することができること、すなわち、準立法的権限を有することを定めている。この権限が準司法的権限および行政権限と並んで、人事委員会および公平委員会の基本的権限の一つであることは、本条の**〔趣旨〕**で述べたとおりである。また、具体的な規則の種類は、人事委員会については**〔趣旨〕**の**一**㈡を、公平委員会については**二**㈡を参照されたい。そして、それぞれの規則の内容は、そこで引用してある各条文の解釈の中で述べることとする。

本項は、人事委員会および公平委員会は、「法律又は条例に基づきその権限に属せしめられた事務」に関して規則を制定することができるとしている。このことは、まず、人事委員会規則および公平委員会規則を制定するには、当該事務を所掌することについて法律または条例の根拠が必要であることを意味する。ここで「法律」とは、地方公務員法はもとより、それ以外の法律も含まれるが、現在のところ地方公務員法に基づくもののみが制定されていることは、本条の〔**趣旨**〕一(二)に列記したとおりである。しかし、たとえば、人事委員会が労働基準監督機関としての職権を行使するについて（法五八5）、労働基準法第一〇一条の臨検、書類の提出等に関し、また、同法第一〇四条の労働基準法違反に関する申告に関し、それぞれ人事委員会規則を定めることは可能である。さらに、法律上、人事委員会規則または公平委員会規則によることが明示されている場合（例、法八3８、二二、二二の三、三八、四八、五一、五一4）はもちろんであるが、「人事委員会または公平委員会が定める」と規定されている場合（例、法二一5、二一8、一七2、一九）も人事委員会規則または公平委員会規則を制定することができる。また、このような規定がなくても、法律上、人事委員会または公平委員会の権限とされている事務（例、法八1①について、行実昭二七・四・二八　地自公発第一二三号）についても、それぞれの規則を制定することができる。次に、「条例」に基づく人事委員会規則および公平委員会規則については、たとえば、給与条例に基づく初任給、昇格及び昇給に関する人事委員会規則あるいは級別定数に関する規則、あるいは職務専念義務の免除に関する条例（法三五）に基づく職務専念義務を免除することができる場合を定める人事委員会規則などのように、個々具体的に条例による授権が必要である。この場合、注意を要するのは、任命権者の権限を侵すような、あるいはこれらの委員会の権限をこえるような授権をしてはならないことである。たとえば、分限または懲戒についての手続及び効果に関する条例で、その具体的内容を人事委員会規則または公平委員会規則に委ねるようなことは、分限処分および懲戒処分の権限が任命権者に本来属する以上許されないものであり、また、職務専念義務の免除の細目を人事委員会規則に委ねることはできるが、公平委員会には本条第一項第二号から第四号に定めるような勤務条件や人事行政に関する権限がないので、その規則に委ねることはできないものと解される。

六　人事委員会および公平委員会による証人の喚問、書類の提出など

人事委員会および公平委員会は、人事行政の公平を確保し、職員の利益を保護するために、勤務条件について必要な措置を行い、不利益処分の審査請求を審査するなど、厳正かつ重要な任務を負うものである。これらの権限を適切に行使するためには、公正な判断の前提となる資料を確実に入手する必要があり、本条第六項は、人事委員会および公平委員会が証人を喚問し、書類などの提出を求める権限を有することを定めている。

まず、人事委員会または公平委員会がこの権限を行使することができるのは、「法律又は条例に基くその権限の行使に関し必要があるとき」である。「法律又は条例に基く権限」の意義と内容は、前記**五**で述べたところと全く同じである。「必要があるとき」の判断は、第一次的には人事委員会および公平委員会自身が行うものであるが、その判断には、客観性がなければならない。次に、人事委員会および公平委員会が要求することができるのは「証人の喚問」と「書類若しくはその写の提出」である。「証人」とは、一定の事実を陳述する自然人であり、当該地方公共団体の職員であるとそれ以外の者であるとを問わず、たとえば、服役中の元職員を証人として喚問することや刑務所に出張して証人調べを行うことも可能である（行実昭二九・一二・一四　自丁公発第二七八号）。本項に基づく証人に対しては、後述する不利益処分の審査請求の審査における証人と異なり、宣誓を求めることはできず、また、かりに偽りの陳述を行っても偽証罪は成立しない（行実昭二六・一一・二七　地自公発第五二二号）。人事委員会および公平委員会は、宣誓とか刑罰の適用を前提とすることなく、証人の陳述の中から真実を発見するよう努めなければならないものであり、心証の形成には慎重な配慮をもって臨む必要がある。

「書類」とは、文字、図画などを記載した文書の一切をいうものであり、写真、フィルムなども含まれる。テープ（録音テープ、ビデオ・テープ、コンピュータ用磁気媒体等）、録音盤などは、前述の「証人」にも、ここでいう「書類」にも直ちに該当しないと考えられるが、近時における有力な情報伝達手段であることにかんがみ、適宜、そのいずれかに該当するものとしてその提出を求めることができると解される。書類の「写」とは、正本に対する副本をはじめ、複写、マイクロ・フィルムなども含まれる。書類およびその写は、「提出」を求めることが普通であるが、出張して閲覧することもあり得る。この書

類およびその写の提出の求めに対しては、関係者は協力すべきことは当然であるが、本項に基づく要求を拒否しても、後述の不利益処分に関する審査請求に関する場合とは異なり、罰則の適用はない。

以上が、本項に基づく人事委員会および公平委員会の証人喚問および書類などの提出要求に関する権限の一般的な解釈であるが、本項については、不利益処分の審査請求の審査に関する重大な特例がある。すなわち、人事委員会または公平委員会が不利益処分に関する審査請求を審査するに当たり（法五〇1）、本項に基づいて証人として喚問され、あるいは書類またはその写の提出を求められた者が、正当な理由なしにこれに応じなかった者または虚偽の陳述をした者若しくは虚偽の事項を記載した書類若しくはその写しを提出した者は、三年以下の拘禁刑または一〇〇万円以下の罰金に処せられることとされている（法六一①）。これは、不利益処分に関する審査請求が行政不服審査法に基づく権利であり（法四九の二1）、訴訟の前審である（法五一の二）と同時に、不利益処分は、職員の身分保障（分限）を破る重大な処分であることにかんがみ、その審査に当たってはとくに強力な権限を付与したものである。不利益処分に関する審査請求の審査については、地方公務員法第五一条に基づく人事委員会規則または公平委員会規則で定められるが、その中には本項に基づく強制力を伴う証人喚問および書類などの提出の権限についても規定されることになる。詳細は、同条の説明で述べる。なお、不利益処分に関する審査請求の審査に係るもの以外の証人喚問および書類などの提出について、人事委員会規則または公平委員会規則を制定することも可能であるが、通常は、直接本項に基づき権限を行使すれば足りるであろう。

七　他の機関との間の協力協定

人事委員会および公平委員会は、その専門的機関としての責務を遂行するに当たり、必要な技術や知見を保有しなければならないが、自らそれらを蓄積するとともに、他の専門的機関からも援助を求めることがあり得る。本条第七項は、人事委員会および公平委員会は人事行政に関する技術的、専門的な知識、資料その他の便宜の授受のため、国若しくは他の地方公共団体の機関または特定地方独立行政法人との間に協定を結ぶことができることを定めている。

まず、人事委員会および公平委員会が授受するのは、「人事行政に関する技術的及び専門的な知識、資料その他の便宜」

である。人事行政の範囲はきわめて広汎であるが、本項の目的が人事委員会および公平委員会の任務の遂行に資することにある以上、それに必要な範囲に限定される。たとえば、任命権者の専権に属する個々具体的な任命、分限、懲戒そのものに関する知識や資料、あるいは職員団体との交渉に関するもの、これらの委員会の権限の範囲外である共済組合の給付、公務災害補償に関するもの、職員の労働組合に関する事項などは、いずれもそれ自体は本項の対象とはならない。また、人事委員会は、その権限が広いので授受の対象は当然に広いが、公平委員会は、権限が狭いのでその対象は限定される。たとえば、人事委員会の場合は、労働基準についての監督の方法は対象となるが、公平委員会の場合には対象とはならない（法五八５参照）。「技術的」とは、通常これらの委員会の職員に期待される能力によっては確保できない客観的、科学的水準のものをいい、「専門的」とは、通常これらの職員に期待しえない高度の水準のものをいう。次に、「知識」とは、一定の事実に関する知見、見解、意見などであり、「資料」とは、文書、統計、図表、写真などである。「その他の便宜」とは、知識および資料以外のもので、これらの委員会にとって有用なもの一切であり、たとえば、国や他の地方公共団体の職員が、その技術あるいは専門的知識に基づいて事務の遂行に参画することなどがこれに当たる。あるいは、高度の水準の機械、器具の貸与なども含まれる。本項は、「授受」について定めているものであり、人事委員会または公平委員会が他の機関から便宜を受ける場合だけでなく、便宜を提供する場合もありうる。たとえば、試験についていえば、人事委員会や競争試験などを行う公平委員会が国の人事院から問題の作成や面接の心理学的技法について援助を受ける場合があるとともに、逆に畜産の技術など、地方公共団体が保有する高度の知見を国の側に提供することもあり得よう。この「授受」については、「協定」を結ぶとされており、本項に基づく協定は、公法上の契約であると観念されるが、本項とは別に私法上の契約によって同じ目的を達成することも可能である。協定の相手方は、「国若しくは他の地方公共団体の機関又は特定地方行政法人」であり、国については、国家行政組織法に基づくすべての行政機関はもとより、必要に応じて司法機関なども含まれる。地方公共団体の場合は、普通地方公共団体であると特別地方公共団体であるとを問わず、一部事務組合によって設置された病院なども含まれる。「機関」とは、執行機関なり任命権者に限るものではなく、労働基準監督署であるとか試験場長など部局、出先機関またはその長、特定の職員であってもさしつかえない。協定を結ぶ相手方として本項は、国、他の地方公共団体の機関および特定地方行政法人のみを定めているが、これ以外のもの、たとえば、同一の地方公共団体の機関や民間の専門家などと私法上の協約を結ぶことを禁ずるものでないことはもちろんである。すなわち、本項は、人事委員会または公平委員会が行う協力方式のすべてではなく、地方公共団体の長が地方自治法第一八〇条の三の規定により、部下の専門的知識または技術を有する職員を人事委員会または公平委員会の職員と兼ねさせ、その職に充て、あるいはその事務に従事させることにより、あるいは同法第二五二条の一四以下に規定する事務の委託を受けること、若しくは同法第二五二条の一七に規定する職員の派遣によって他の地方公共団体の人事委員会または公平委員会に便宜を供与し、協力することも可能である。

八　公平審査の決定に対する再審と出訴

人事委員会および公平委員会の準司法的権限は、これらの委員会が職員の利益を具体的に保護する上でのもっとも重要な権限であり、専属的権限である。この見地から、本条第八項は、人事委員会および公平委員会が勤務条件に関する措置要求の審査または不利益処分の審査請求の審査について行った決定（判定を含む。）および処分を審査するのは、当該人事委員会または公平委員会自身のみであることを定め、いわゆる再審を行うのは、これらの委員会の専権であるとしている。しかし、司法権は、最終的には最高裁判所以下の裁判所に属するものであり、行政機関が終審として裁判を行うことはできず（憲法七六１２）、また、何人も裁判を受ける権利を奪われることはない（憲法三二）。そこで、本条第九項は、第八項の再審の権限が人事委員会または公平委員会に専属する規定が裁判所に出訴する権限を奪うことをなんら意味するものでないことを念のために定めている。国家公務員についても、人事院が唯一の再審機関であること、それが出訴の権利を奪うものではないことが定められている（国公法三３４）。

地方公務員法においても、再審および出訴の権限は、人事委員会若しくは公平委員会または人事院の権限を定めた条文の中で規定されている。たしかに、再審を行うこともこれらの機関の権限の一つであるが、これは、公平審査の手続の一環であり、また、本条は、人事委員会および公平委員会の権限のすべてを規定しているものでもないので、むしろ公平審査の手続に関する条文中に、必要に応じて再審および出訴の規定を設けることが適切であると考えられる。

ところで、第八項中、「第一項第九号及び第十号」の権限とは、人事委員会の勤務条件に関する措置要求の審査権および不利益処分の審査請求に関する審査権であるが、前者は、法律的には広義の苦情処理の一種でその判定に強制力はなく、しかも、同一条件について重ねて措置要求をしてもさしつかえないのであるから（行実昭三四・三・五　自丁公発第三二号）、再審の必要はなく、再審が行われるのはもっぱら後者についてである。また、同項中「第二項第一号及び第二号」の権限とは、公平委員会についてのそれぞれ措置要求および審査請求の審査の権限であるが、これについても人事委員会の場合と同様に、前者については再審の必要性はない。次に、同項中、「人事委員会又は公平委員会の決定（判定を含む。）及び処分」とは、前記のように勤務条件に関する措置要求の審査には関係がないので、もっぱら不利益処分の審査請求に関する審査における裁決を指すことになる（案昭二六・七・二六　地自乙発第二七八号別紙二　一〇1、一四）。再審の手続は、「人事委員会規則又は公平委員会規則」で定められるが、この規則は、第五一条に基づく「不利益処分についての審査請求に関する規則」の中にあわせて規定されるので（前記案）、再審の具体的手続については、同条の説明を参照されたい。なお、再審は、人事委員会または公平委員会によって「のみ」審査されるということは、これらの機関が自らの判定を再審査する権限を有することを示すとともに、他に行政不服審査法に基づく上級庁その他の審査庁がないことを意味する。

本条第九項は、前述した第八項の趣旨により、もっぱら不利益処分の審査請求にのみ関する規定であるが、本項中、「法律問題につき」とは、職員に対する不利益処分の違法性を争うことを意味する。「法律問題」という字句は抽象的かつ漠然としているが、裁判は適法、違法の判断のみを行うものであり、人事委員会や公平委員会のように、価値評価としての判断の当、不当の問題の判断まで含むものではない。次に、「出訴する権利」は、潜在的には何人に対しても保障されているが（憲法三二）、実際に訴えを提起できる者、すなわち、当事者適格を有する者は不利益処分により違法に権利を侵害された職員本人（職員であった者を含む。）に限られる。当事者適格のない者についてまで本項によって出訴を認める趣旨ではないことは、もちろんである。本項では、再審を人事委員会または公平委員会のみが行うことを定めた第八項の規定が、不利益処分を受けた者の出訴の権利になんら影響を与えるものでないとしているが、行政不服審査を行うことによって裁判所に出訴する権利が失われるものでないことは、不利益処分の場合を含め、すべての行政処分について当然のことであり、その意味では本項は、明文をまつまでもない当然の法理を確認したに過ぎないといえよう。実際の行政不服審査と出訴との関係は、基本原則は行政事件訴訟法第八条に定められているところであるが、不利益処分については地方公務員法第五一条の二に特則があり、不利益処分の審査請求に対する裁決を経た後でなければ提起することができないものとされている。そして、この審査請求に関する裁決に対する再審の請求は、審査請求そのものではないので、再審を請求する場合には、同時に出訴することもできることになる。

（抗告訴訟の取扱い）

第八条の二　人事委員会又は公平委員会は、人事委員会又は公平委員会の行政事件訴訟法（昭和三十七年法律第百三十九号）第三条第二項に規定する処分又は同条第三項に規定する裁決に係る同法第十一条第一項（同法第三十八条第一項において準用する場合を含む。）の規定による地方公共団体を被告とする訴訟について、当該地方公共団体を代表する。

〔趣　旨〕

平成一六年（二〇〇四年）法律第八四号による行政事件訴訟法の改正によって、処分の取消しの訴えおよび裁決の取消しの訴えは、当該処分または裁決をした行政庁が所属する国または公共団体を被告として提起されるべきものとされた（行訴法一一-1）結果、人事委員会または公平委員会が行った処分または裁決の取消しの訴えを求める訴訟において被告とされるのは、当該人事委員会または公平委員会が所属する地方公共団体であることになった。そして、地方公共団体を代表するのは当該団体の長である（自治法一四七）から、この規定のみによるときは、人事委員会または公平委員会が行った処分または裁決であっても、長がその取消訴訟を遂行することになる。しかし、長は、当該処分または裁決に責任を有しないのであるから、そのような形で訴訟が適切に遂行されることが期待できるかは疑問である。そこで、本条は、地方自治法第一四七条の特例として、人事委員会または公平委員会の処分または裁決に係る地方公共団体を被告とする訴訟について、人事委員会または公平委員会が当該地方公共団体を代表することを定めたものである。ただ、行政事件訴訟法は、このような訴訟について、当該処分または裁決をした行政庁が裁判上の一切の行為をすることができるとしている（行訴法一一６）ので、訴訟手続に関する限り、本条がなくても事実上同じような結果が得られるのであるが、下級審で敗訴した場合の対応の決定を長が行うか人事委員会または公平委員会が行うのかということについては、本条の存在意義があることになろう。なお、地方公共団体を被告として取消訴訟を提起する場合には、訴状に当該処分または裁決をした行政庁を記載しなければならず（行訴法一一４）、取消訴訟を提起することができる処分または裁決をする行政庁は、相手方に対して、当該処分または裁決に係る取消訴訟の被告とすべき者と出訴期間、法律に当該処分についての審査請求に対する裁決を経た後でなければ処分の取消しの訴えを提起することができない旨の定めがあるときはその旨を教示しなければならないこととされている（行訴法四六１）。

また、従来、地方公共団体が当事者である訴えの提起には議会の議決が必要であるとされ（自治法九六１⑫）、この地方公共団体が当事者である訴えには当該地方公共団体に所属する行政庁が当事者である訴えは含まれないが、地方公共団体が訴えを提起し、または下級審で敗訴した場合に上級審に不服申立てをするときには議会の議決が必要であると解されていた。したがって、このままであれば、処分の取消しの訴えおよび裁決の取消しの訴えについても、地方公共団体が下級審で敗訴し、上級審に不服申立てをする場合には議会の議決が必要であることになるのであるが、行政庁すなわち執行機関の権限の行使の適否についての司法判断について、上訴するかしないかの意思決定が議会に委ねられるというのは不都合であることから、行政事件訴訟法の一部を改正する法律（平成一六年法律第八四号）の附則によって、地方自治法第九六条第一項第一二号が改正され、行政庁の処分または裁決に係る地方公共団体を被告とする訴訟は、同号の規定の対象としないこととされている。

〔解　釈〕

行政事件訴訟法第三条第二項に規定する処分というのは、事務局長および事務職員の任免（法一二7）並びにそれらに対する不利益処分（法二八1 2、二九など）、勤務条件に関する措置の要求に対する判定（法四七）、職員団体の登録、その効力の停止および取消し（法五三5 6）、非登録職員団体に法人格を付与する場合の認証、その拒否および取消し（法人格付与法五、六、八）などであり、行政事件訴訟法第三条第三項に規定する裁決というのは、不利益処分に関する審査請求についての裁決（法五〇2）およびその裁決に対する再審査請求についての決定（法八8）のことであり、苦情処理は、それ自体が法律上の効力を有するものではないので、いずれにも該当しない。

訴訟というのは、法律上の争いについて裁判所の判断を求める行為であり、その判断を求める者を原告といい、その相手方を被告という。ちなみに、刑事事件においては、裁判所の判断を求める者が検察官であり、その相手方が被告人と称される。

地方公共団体を代表するというのは、その者の行為がそのまま当該地方公共団体の行為とみなされることを意味し、法律効果だけが本人に帰属する代理（民法九九）とは異なる。行政事件訴訟法第一一条第六項が当該処分または裁決をした行政庁が裁判上の一切の行為をすることができるとしているのは、代理の法理によるものであり、本条とは意味が異なるものである。なお、人事委員会および公平委員会は合議機関であるから、これらの委員会が地方公共団体を代表するとしても、これらの委員会を代表する自然人がいなければ対外的に意思表示をし、現実の行動をすることはできないところ、これらの委員会には委員長が置かれ、委員長が当該委員会を代表することとされている（法一〇1 2）。したがって、この場合における訴訟上の代表者の表示としては、次のようになろう。

被告　○○県（○○市）
右代表者　○○県人事委員会（○○市公平委員会）
右代表者委員長　甲山乙男

（公平委員会の権限の特例等）

第九条　公平委員会を置く地方公共団体は、条例で定めるところにより、公平委員会が、第八条第二項各号に掲げる事務のほか、職員の競争試験及び選考並びにこれらに関する事務を行うこととすることができる。

２　前項の規定により同項に規定する事務を行うこととされた公平委員会（以下「競争試験等を行う公平委員会」という。）を置く地方公共団体に対する第七条第四項の規定の適用については、同項中「公平委員会を置く地方公共団体」とあるのは「競争試験等を行う公平委員会（第九条第二項に規定する競争試験等を行う公平委員会をいう。以下この項において同じ。）を置く地方公共団体」と、「公平委員会」とあるのは「、競争試験等を行う公平委員会」と、「公平委員会を置き、又は他の地方公共団体の人事委員会に委託して次条第二項に規定する公平委員会の事務を処理させる」とあるのは「競争試験等を行う公平委員会を置く」とする。

３　競争試験等を行う公平委員会は、第一項に規定する事務で公平委員会規則で定めるものを当該地方公共団体の他の機関又は競争試験等を行う公平委員会の事務局長に委任することができる。

〔趣　旨〕

本条は、平成一六年（二〇〇四年）の改正によって追加されたものであり、これによって、公平委員会においても、条例で定めた場合には、職員の競争試験および選考ならびにこれらに関する事務を行うことができることになった。都道府県、政令指定都市は人事委員会を置くこととされ、人口一五万以上の市および特別区は人事委員会または公平委員会を置くものとされているが、人口一五万以上の市で人事委員会を置いているのは和歌山市および東京都の特別区（すべての区を構成員として人事委員会の事務を処理するための一部事務組合を組織している。）だけというのが実情である。その結果、比較的規模が大きな市にあっても、人事行政の権限が長に集中することとなり、中立性の確保や専門性の向上および客観性や透明性の確保という面から、その是非が検討課題となっていた。しかし、一方においては、行政の効率化、組織の簡素化という要請もあることから、公平委員会を置く地方公共団体においては、その規模や行政能力などの実情に応じて、条例で定めることによって、競争試験および選考並びにこれらに関する事務を公平委員会に行わせることができるものとされ、このような公平委員会を「競争試験等を行う公平委員会」と称することとされたのである。すなわち、本条は、人事委員会を置くまでの必要性がないという地方公共団体においても、その自主的な判断で、公平委員会をして職員の任用の基礎をなす競争試験および選考を行わせることを可能にしたものである。

競争試験等を行う公平委員会は、本条第三項により、競争試験および選考ならびにこれらに関する事務で公平委員会規則で定めるものを当該地方公共団体の他の機関または競争試験等を行う公平委員会の事務局長に委任することができるとされるほか、競争試験および選考に関して人事委員会と同等の権限を有することとされ（法一七２参照）、事務局を置くことができることとされている（法一二６）。

また、本条第二項は、競争試験等を行う公平委員会を置く地方公共団体に地方公務員法第七条第四項の規定を適用する場合の読み替えを定めることによって、競争試験等を行う公平委員会を置く地方公共団体は、競争試験等を行う公平委員会を置く他の地方公共団体と共同して競争試験等を行う公平委員会を置くことはできるものの、他の地方公共団体の人事委員会に事務の委任をすることはできないこととしている。

なお、競争試験等を行う公平委員会は、地方公共団体の一般職の任期付職員の採用に関する法律および地方公共団体の一般職の任期付研究員の採用等に関する法律の適用においても、人事委員会と同等の権限を有することとされている（任期付職員採用法三３括弧書、任期付研究員採用法三２括弧書）。

〔解　釈〕

一　競争試験等を行う公平委員会

本条第一項の公平委員会を置く地方公共団体というのは、政令指定都市以外の市で人口一五万以上のものおよび特別区で公平委員会を設置している地方公共団体ならびに人口一五万未満の市町村および地方公共団体の組合のことである（法七2・3）。条例で定めるところによりというのは、公平委員会に競争試験および選考ならびにこれらに関する事務を行わせるか否かの決定を議会の意思に委ねるということであり、各地方公共団体の自主性を尊重するとともに、その意思決定を執行機関限りで行うことはできないとする意味でもある。また、公平委員会に行わせるのは、競争試験および選考ならびにこれらに関する事務のすべてであり、そのうちの一部、たとえば競争試験だけを行わせるということはできないのは、本条第一項の表現および立法趣旨からして当然のことであろう。競争試験等を行う公平委員会が委任することによって、事実上選考を任命権者に行わせることはできるが、それは本条第三項の問題であり、本項の問題ではない。なお、地方公務員法第八条第二項各号に掲げる事務の解釈については、同条の解釈を参照されたい。

二　競争試験等を行う公平委員会の共同設置

本条第二項による競争試験等を行う公平委員会を置く地方公共団体に対する地方公務員法第七条第四項の規定の適用についての読み替えの結果、同項の規定は次のようになる。

「競争試験等を行う公平委員会（第九条第二項に規定する競争試験等を行う公平委員会をいう。以下この項において同じ。）を置く地方公共団体は、議会の議決を経て定める規約により、競争試験等を行う公平委員会を置く他の地方公共団体と共同して競争試験等を行う公平委員会を置くことができる。」

このことは、競争試験等を行う公平委員会を置く地方公共団体は、競争試験および選考ならびにこれらに関する事務を行わない地方公共団体と共同して公平委員会を置くことができず、人事委員会に事務を委託することもできないことを意味する。すなわち、自らは競争試験および選考並びにこれらに関する事務だけを行い、その他の事務を他の地方公共団体と共同して設置した公平委員会に行わせたり、人事委員会に委託したりする公平委員会というものは存在の余地がないということである。

三　競争試験等を行う公平委員会の事務の委任

本条第三項は、競争試験等を行う公平委員会が競争試験および選考並びにこれらに関する事務で公平委員会規則で定めるものを当該地方公共団体の他の機関または競争試験等を行う公平委員会の事務局長に委任することができるとするが、その趣旨は人事委員会の事務の委任についての地方公務員法第八条第三項と同じである。

（人事委員会又は公平委員会の委員）

第九条の二　人事委員会又は公平委員会は、三人の委員をもつて組織する。

2　委員は、人格が高潔で、地方自治の本旨及び民主的で能率的な事務の処理に理解があり、かつ、人事行政に関し識見を有する者のうちから、議会の同意を得て、地方公共団体の長が選任する。

3　第十六条第一号、第二号若しくは第四号のいずれかに該当する者又は第六十条から第六十三条までに規定する罪を犯し、刑に処せられた者は、委員となることができない。

4　委員の選任については、そのうちの二人が、同一の政党に属する者となることとなつてはならない。

5　委員のうち二人以上が同一の政党に属することとなつた場合には、これらの者のうち一人を除く他の者は、地方公共団体の長が議会の同意を得て罷免するものとする。ただし、政党所属関係について異動のなかつた者を罷免することはできない。

6　地方公共団体の長は、委員が心身の故障のため職務の遂行に堪えないと認めるとき、又は委員に職務上の義務違反その他委員たるに適しない非行があると認めるときは、議会の同意を得て、これを罷免することができる。この場合においては、議会の常任委員会又は特別委員会において公聴会を開かなければならない。

7　委員は、前二項の規定による場合を除くほか、その意に反して罷免されることがない。

8　委員は、第十六条第一号、第三号又は第四号のいずれかに該当するに至つたときは、その職を失う。

9　委員は、地方公共団体の議会の議員及び当該地方公共団体の地方公務員（第七条第四項の規定により公平委員会の事務の処理の委託を受けた地方公共団体の人事委員会の委員については、他の地方公共団体に公平委員会の事務の処理を委託した地方公共団体の地方公務員を含む。）の職（執行機関の附属機関の委員その他の構成員の職を除く。）を兼ねることができない。

10　委員の任期は、四年とする。ただし、補欠委員の任期は、前任者の残任期間とする。

11　人事委員会の委員は、常勤又は非常勤とし、公平委員会の委員は、非常勤とする。

12　第三十条から第三十八条までの規定は常勤の人事委員会の委員の服務について、第三十条から第三十四条まで、第三十六条及び第三十七条の規定は非常勤の人事委員会の委員及び公平委員会の委員の服務について、それぞれ準用する。

〔趣　旨〕

一　合議体としての組織

人事委員会および公平委員会は、合議体の執行機関である。いわゆる行政委員会であり、戦後、アメリカ合衆国における行政制度の影響を受けて導入されたものの一つである。地方公共団体の行政委員会としては、これらの外に、教育委員会、選挙管理委員会、公安委員会、労働委員会、農業委員会などがあるが（自治法一八〇の五）、その組織は必ずしも同一ではない。

人事委員会および公平委員会は、すべて三人の委員で組織され（本条1）、教育委員会、公安委員会あるいは労働委員会のように、地方公共団体の規模によって委員の数を増減することはできず、また、選挙管理委員会のように補充員の制度もない。さらに、三人の委員ということは、実際問題として合議体としての最小の員数である。人事委員会および公平委員会の委員の数が、このように最少限かつ画一的な制度とされたのは、一つには国の人事院の人事官が三人であることにならったものであり、いま一つには人事行政を所掌する専門機関であるため、必要最少限の員数に絞ったためと考えられる。しかし、このような組織であるため、たとえば、委員の一部が欠けてその選任に時日を要するときには、合議体としての構成上問題を生じることになり、また、委員の一部が特定の案件に個人的な利害関係を有する場合であっても忌避の制度を定めることができず、さらに案件がきわめて多数係属していても部会の制度を定めることができないなどの不自由さがある。現行制度は、このように非弾力的な制度であることを十分理解した上、実際上の支障が生じないように運用をはかる必要があるといえよう。また、立法論としては、委員会の運用の便宜のためにも、除斥制度を検討する上からも、予備委員あるいは補充委員の制度を検討する余地があるように思われる。

次に、人事委員会および公平委員会は、合議体であり、個々の委員としてではなく、合議体として行動し、意思決定を行う。合議体の行政機関が設けられている趣旨は、合議によって、より専門的で客観的な判断が行われることおよび中立的に任務が遂行されることの期待にあるといえる。委員は、その識見と専門的な知識に基づいて論議を尽くし、この要請に応えるべきである。反面、合議体の運用においては、その性格上、常時会議を開くことは容易でなく、また、複数の委員によって論議が行われるので、結論を出すまで相当の時間を要することが多い。人事委員会および公平委員会は、合議体としてのこのような傾向をできる限り克服して、その長所を生かしながら、能率的な運営を行うことに心がけるべきである。

二　委員の積極的資格要件とその選任

人事委員会および公平委員会の委員は、専門的かつ中立的立場で、しかもますます複雑さの度を加える人事行政の公正、妥当性を確保することを任務とするものであるから、その人選に当たっては厳格な要件に適合することが必要である。その資格要件としては、積極的に具備していなければならないもの（積極的資格要件）と、該当してはならないもの（消極的資格要件）とがある。本条第二項は、これらの委員の積極的資格要件と、その選任の手続を定めている。

人事委員会および公平委員会の委員の積極的要件は、それが執行機関の構成員であり、高度かつ総合的な判断が必要であることにかんがみ、一般の職員の場合のように試験や選考に合格したことであるとか、年齢、学歴、免許その他の特定の資格などによって定められるべきものでなく、高潔な人格や高い見識に求められるべきである。本項においても、委員の積極的資格要件としては、人格が高潔であること、地方自治の本旨に理解があること、民主的、能率的な事務の処理に理解があること、および人事行政に識見を有することとされており、その限りで抽象的かつ訓示的要件であるといえる。これらの要件に合致することは、選任しようとする個々の候補について、地方公共団体の長および議会が、人事行政の重要性およびそれによってもたらされる行政の良否を念頭に置きつつ、良識に基づいて判断するほかない。なお、国の人事院の人事官については、人格が高潔であること、民主的な統治組織に理解があること、成績主義による能率的な事務処理に理解があること、人事行政に識見を有すること、および年齢三五年以上のものであることが積極的資格要件とされており（国公法五１）、「地方自治の本旨及び民主的で能率的な事務の処理に対する理解」の点は別として、抽象的な要件は、人事委員会および公平委員会の委員のそれと同じ趣旨であるといってよい。ただ、年齢要件は、人事委員会および公平委員会の委員にはないものであり、また、三五年以上という要件は、衆議院議員または市町村長の被選挙権（満二五年以上）あるいは参議院議員または都道府県知事の被選挙権（満三〇年以上）（公選法一〇１）より上である。おそらく、人事官にとくに成熟した人格と識見を期待したものであろう。

次に、人事委員会および公平委員会の委員の選任については、任命権者は地方公共団体を代表する長であるが、地方公共団体の意思決定機関である議会の同意が必要である。地方公務員の選任については、公選によるもの、任命権者の任命に当たり議会の議決を要するもの、任命権者の任命のみによるものなどさまざまであるが、議会の同意を得る選任の方法は、公選に次いで民主的かつ慎重な手続である（人事委員会および公平委員会の委員以外に議会の同意を要するものには、教育長および教育委員会の委員（地教行法四１２）、公安委員会の委員（警察法三九１、四六２）、監査委員（自治法一九六１）など重要な執行機関が多い。）。

三　委員の消極的資格要件

人事委員会および公平委員会の委員となることができない要件、すなわち、消極的資格要件としては、大別して公務員一般におおむね共通のものと、人事委員会および公平委員会の委員に独特のものとがあり、前者はさらに欠格条項該当、心身の故障または非行および兼職禁止に区別され、後者は一定の政党への所属と本法違反による受刑とに分けられる。なお、委員は、欠格条項に該当する場合は当然に失職するが、この場合および兼職禁止該当の場合（この場合の法律効果については本条の【解釈】六で述べる。）以外は、任命権者が罷免の手続をとることが必要である。そして、委員は、ここに定めた場合以外に罷免されることはない（本条7）として、身分保障がなされている。

㈠　欠格条項該当

地方公務員法第一六条は、一般職の職員となることができない要件を定めており、これを「欠格条項」と呼ぶが、欠格条項は一般職のすべてに共通する消極的資格要件であり、人事行政に携わる人事委員会または公平委員会の委員もこれに該当してはならないこととするのが至当である。欠格条項に該当しないことは、委員に任命するに際しての要件であるだけでなく、委員としての身分を保持、継続するための要件でもある。本条第三項は、委員に任用するに際しての欠格条項を規定するとともに、第八項では、一たび委員となった者がその後欠格条項に該当することとなったときは、その職を失うことを定めている。また、本条第三項は、職員についての欠格条項を定める地方公務員法一六条第三号を掲げていないが、これは、地方公務員法第一六条第三号は「人事委員会又は公平委員会の委員の職にあって」同法六〇条から六三条までに規定する罪を犯し刑に処せられた者を定めるものであるところ、人事委員会又は公平委員会の委員の職にない時にこれらの罪を犯し刑に処せられた者をも排除することが適当であることによるものである。なお、令和元年（二〇一九年）六月一四日に法律第三七号として公布された成年被後見人等の権利の制限に係る措置の適正化等を図るための関係法律の整備に関する法律によって、成年被後見人又は被保佐人に該当することを欠格条項とする地方公務員法一六条第一号が削除されたことに伴い、従前の本条第三項及び第八項から同号が削られたほか、本条第二項、第三項、第五項、第七項、第八項、第一〇項および第一二項について、字句の整理がなされている。

㈡　心身の故障または非行

一般職の職員の場合も、心身に故障がある場合または非行があった場合には、免職することができるとされている（法二八1②、二九1③）。人事委員会および公平委員会の委員の場合も、これと異なる取扱いをする理由はない。本条第六項は、この免職事由を明示しているが、これらの委員がその任命権者である地方公共団体の長の人事権の行使についてもこれを牽制する立場にあり、いわば相対立する関係に立つこともありうることから、地方公共団体の長が恣意に委員を免職することを防止するため慎重な手続をとることとされている。すなわち、心身の故障または非行を理由として罷免しようとするときは、任命の場合と同様に、議会の同意が必要である。そして、任命の場合は、本会議における同意議決だけで足りるが、この罷免の場合は、議会の委員会であらかじめ公聴会を開くことが要件となっている。国の人事官も心身の故障または非行を理由として罷免され得るが、その場合には、国会が訴追し、最高裁判所において弾劾の裁判を行って罷免を可とする決定をした上で、罷免されることとなっており、きわめて厳重な手続を経ることが必要とされている。人事委員会および公平委員会の委員も、国の人事官も、いずれもその職務が重要であるために、このような手続が必要とされているのであるが、公安委員会の委員や教育長および教育委員会の委員の場合は、同じ理由による罷免であっても本会議の同意のみが要件とされている（警察法四一2、地教行法七1）。なお、人事委員会および公平委員会の委員については、選挙管理委員、監査委員、公安委員会の委員並びに教育長および教育委員会の委員のようにリコール（主要公務員の解職請求）の制度（自治法八六〜八八、教育長および教育委員会の委員については地教行法八）の適用はない。人事委員会および公平委員会の委員が、とくに専門的な職務を行い、かつ、中立的な立場にあるので、政治的理由による解職には必ずしも馴染まないこと、および人事委員会及び公平委員会の制度が行政庁内部における権限の行使などの適切さを担保するものであり、同じ性質の国の人事官について、このような制度がないこととの均衡を理由とするものであろう。

㈢　兼職禁止

人事委員会および公平委員会の委員は、すべての地方公共団体の議会の議員および附属機関（自治法二〇二の三1）の委員その他の構成員以外の当該地方公共団体のすべての地方公務員（公平委員会の事務の委託を受けた人事委員会の委員については、委託した地方公共団体の地方公務員を含む。）と兼職することはできない。制定当初の本条第九項では、すべての地方公共団体のすべての地方公務員との兼職が禁止されていたが、昭和二七年（一九五二年）の改正で、議会の議員以外の兼職禁止は、当該地方公共団体の地方公務員に限るものとされ、平成一六年（二〇〇四年）の改正で附属機関の委員その他の構成員との兼職が認められることとなった。

兼職禁止の趣旨は、委員の職務執行の公正を確保するためであると考えられるが、若干問題がないわけではない。まず、委員は、すべての地方公共団体の議会の議員との兼職ができないとされていることである。当該地方公共団体の議会の議員との兼職は、立法機関の一員として意思決定を行う立場と、専門的行政機関の一員として意思決定を行う立場とを分立させることが、委員として公正な職務執行を行う上で望ましいと考えられるので、禁止することが妥当であると考えられる。しかし、他の地方公共団体の議会の議員との間には、職務上の直接の関係はない。委員が、政治的な職を兼ねることが望ましくないとする趣旨であれば、国会議員との兼職も望ましいとはいえない。地方公共団体の議会の議員の側からの兼職禁止については、国会議員、他のすべての地方公共団体の議会の議員およびすべての地方公共団体の常勤の職員及び短時間勤務職員との兼職が禁止されているが（自治法九二）、これは、職務を完全に果たすことの妨げとなることを避けるためである。また、地方公共団体の議会の議員に、常勤の委員のまま立候補することはできないこととされており（公選法八九１③）、もし立候補すると常勤の委員を辞職したものとみなされるので（公選法九〇）、常勤の委員と地方公共団体の議会の議員との兼職禁止の問題は、委員が立候補する場合には自動的に調整されることになる。

次の問題は、附属機関の委員その他の構成員以外の当該地方公共団体の地方公務員のすべてについて兼職が禁止されていることである。たとえば、教育長および教育委員会の委員は、すべての地方公共団体の長、議会の議員、執行機関の委員および常勤の職員ならびに短時間勤務職員との兼職が禁止され（地教行法六）、選挙管理委員は、すべての地方公共団体の議会の議員および長と（自治法一八二７）、監査委員は、すべての地方公共団体の常勤の職員および短時間勤務職員と（自治法一九六３）、公安委員会の委員は、すべての地方公共団体の議会の議員および常勤の職員並びに短時間勤務職員とそれぞれ兼職することができない（警察法四二２、四六２）。このように、同じ行政委員会の委員であっても、兼職禁止の範囲はまちまちであり、その違いを合理的に説明することは難しい。ともあれ、当該地方公共団体の地方公務員との兼職を禁止する趣旨なら、職務の公正を確保するためであるとすれば、一般職の職員または常勤の職員および人事委員会または公平委員会との間で直接の利害関係を生じる執行機関の委員との兼職のみを禁止すれば足りるであろう。

㈣　委員と政党との関係

人事委員会および公平委員会の委員は、その職務の中立性、すなわち、不偏不党性を維持するために、市民的自由の一つである政治活動について、かなり厳しい制約を受ける。その第一は、一般職と同じように地方公務員法の政治的行為の制限の規定（法三六）の適用を受けることである。これは、他の多くの特別職には見られない特色である。その第二は、委員の政党所属関係いかんが罷免事由となることである（本条４５）。すなわち、委員の選任については、三人のうち二人が同一の政党に属することとなってはならず、もし、委員がある政党に加入した結果、二人以上の委員が同一の政党に所属することとなったときは、任命権者である地方公共団体の長が、あらたに政党に加入した委員を議会の同意を得て罷免することとされている。

人事委員会または公平委員会の委員の職務の遂行は、政治、政党の所属と必ずしも直接の関係はない。それ故に、委員の一部または全部がそれぞれが異なる政党に所属することは、なんらさしつかえないのであるが、二人以上の委員が同一の政党に属することとなると、委員会が特定の政党に強く影響され、支配されるおそれもあるので、委員会が労使関係においてだけでなく、政治的にも中立であることを明らかにするため、このような規定が設けられたのであろう。

国の人事官についても同様の規定が設けられているが（国公法五５、八３４）、人事官の場合には、政党所属関係だけでなく、同一の大学学部を卒業した者が二人以上任命されてはならないこととされている。これは、いわゆる「学閥」の弊害を防止するためであるが、人事委員会および公平委員会の委員については、このような規定はない。

㈤　地方公務員法違反の犯罪の受刑による欠格

人事委員会および公平委員会の委員は、人事行政の専門家であり、また、高い人格、識見を有する者でなければならないことは二で述べたとおりである。そして地方公務員法は、人事行政の基本法であり、また、地方公務員として遵守すべき最低限の道徳律を規定しているものといえる。したがって、地方公務員法に違反して刑（罰金を含み、過料を含まない。）に処せられた者は、それが委員としての行為であれ、職員としての行為であれ、私人としての行為であれ、委員となる資格はないものとされる（本条３後段）。また、いかなる法律違反であるかを問わず、拘禁刑以上の刑に処せられ、その執行中または執行猶予中の者は、委員となることができないことは(一)で述べたとおりである。したがって、職員の場合は、拘禁刑以上の刑に処せられ、その執行を終わるまでまたはその執行を受けることがなくなるまでの者もしくは人事委員会または公平委員会の委員として地方公務員法違反の罪により刑（罰金を含む。）に処せられた者は、職員となることはできないこととされている（法一六①③）のに対して、委員の場合は、これらに加えて、委員としての立場以外で犯した地方公務員法違反の罪により刑に処せられた場合も含まれることになる。委員と職員の間では、形の上では相互乗入れとなっていながら、職員の場合には地方公務員法違反の罪により刑に処せられた場合のすべてを欠格条項とせず、委員については刑に処せられた場合のすべてを欠格条項としている趣旨は明らかではない。

四　委員の任期その他の身分取扱い

人事委員会および公平委員会の委員の身分取扱いについては、これまで述べた積極的および消極的要件のほかは、本条第一〇項から第一二項までに規定されている。その内容は、任期、勤務形態および服務である。それぞれの趣旨は、次のとおりである。

(一)　任　期

委員の任期は、原則として四年である（本条10本文）。地方公共団体の長、議会の議員をはじめ、副知事、副市町村長（自治法九三1、一四〇本文、一六三）、教育委員会の委員（地教行法五1）、監査委員（自治法一九七）など、主要地方公務員の任期は、四年であるものが多い。もっとも公安委員会の委員（三年、警察法四〇1）、教育長（三年、地教行法五1）、労働委員会の委員（二年、労組法一九の五1）のような別の定めもないわけではない。なお、国の人事官の任期も四年である（国公法七1）。

この任期については、二つの特例がある。その一は、委員が死亡、辞職、罷免などによって任期の途中で離退職した場合に、その補欠として選任された委員の任期は前任者の残任期間とされることである（本条10但し書）。教育委員会の委員、公安委員会の委員など、この種の立法例は多い。その二は、地方公共団体が新たに人事委員会または公平委員会を設置した場合にはじめて選任される三人の委員の任期は、くじによってそれぞれ四年、三年、二年とされることである（法附則5）。地方公務員法附則第五項は、本来、地方公務員法の制定、施行に伴い、各地方公共団体で委員を選任したときの規定であり、同法の制定、施行のための経過規定であるが、今日でも地方公共団体の廃置分合によって新しく地方公共団体が設置された場合や、一部事務組合が新設された場合などには、人事委員会または公平委員会が新設されるので、その際には適用されるものである。

(二)　勤務形態

委員の勤務形態については、人事委員会の委員は個々の委員ごとに常勤、非常勤のいずれかであり、公平委員会の委員はすべて非常勤である（本条11）。事務量の相違によって勤務形態を区別したものである。人事委員会の委員の一部を常勤とした場合であっても、常勤の委員が他の委員に代わって委員会の事務を専決ないし代理できるものではなく、第八条第一項に列記されているような委員会としての意思決定は、法に別段の定めがある場合は別として、すべて非常勤の委員を加えた合議によって決定しなければならない。一部の委員または委員長を常勤とすることは、事実上の事務処理の便宜のためであるといってよい。また、委員を常勤とする方法以外に、事務処理を円滑に行うため委員が事務局長を兼ねる方法（法一二2）がある。

常勤、非常勤の区別は、必ずしも明らかでなく（第三条の【趣旨】参照）、また、地方自治法、地方公務員法上の一般職員の場合、地方公務員等共済組合法などそれぞれの法律によって異なるが、人事委員会の委員の場合には、事務局職員と同様の勤務形態にある者を常勤とし、主として合議にのみ参与する者を非常勤と観念すべきであろう。そして、常勤、非常勤の区別は、任命に際して辞令の上で明示しておくことが適当である。

㈢　服　務

委員の服務については、地方公務員法の制定時には、常勤、非常勤をとわず一般職の服務の規定がすべて適用することとされていた。しかし、常勤の委員と非常勤の委員とを一律に常勤の職員と同じ取扱いとすることは適当ではないので、昭和二七年（一九五二年）の改正で、現行法のように改められた（通知昭二七・六・一〇　地自乙発第一九九号）。すなわち、人事委員会の常勤の委員については、第三〇条から第三八条までの一般の職員に対する服務の規定（第三章第六節）のすべてが準用されるが、非常勤の人事委員会の委員と公平委員会の委員には、これらの服務規定のうち第三〇条から第三四条まで、第三六条および第三七条の規定が準用され、職務専念義務を定めた第三五条および営利企業への従事等の制限を定めた第三八条は準用されないこととされている（本条12）。常勤、非常勤の別によってこのように取扱いを異にすることは一般的には妥当な措置であるが、具体的な条文の準用については、立法論上、次のような問題がある。

その一は、第三二条の準用であり、委員が法令に従うことは当然として、委員には上司が存在しないので、上司の職務上の命令に従う義務を定めた後段の部分を準用する必要はない。その二は、第三四条の準用であり、委員に秘密を守る義務を課することは適切であり、その違反に刑罰の適用があることは第六〇条第二号の括弧書で明らかにされているが、むしろ本項中に第六〇条第二号の適用があることを規定しておくことがより適当であるように思われる。その三は、非常勤の委員に職務専念義務を定めた第三五条を準用しないものとしたことである。これは、第三五条の趣旨をどのように理解するかという問題であるが、同条が与えられた勤務時間中は職務に専心すべきことを定めたものであるとすれば、委員は、常勤、非常勤を問わず、長短はあるにしても職務に従事すべき時間が課せられるのであるから、その間は職務専念義務を負うというべきである。第三五条を準用しないことにより、逆に非常勤の委員は、職務遂行に当たり専念義務を負わないと解されるおそれがあろう。たとえば、委員が正当な理由なく正規の議事に出席しないようなことがあった場合に、本条第六項の「職務上の義務違反」に該当しないとするのは合理的ではないであろう。その四は、第三七条の準用であり、委員は被使用者ではないので、それが労使関係における被使用者の行為である争議行為等を行うと考えることは論理的におかしい。委員が共同して職務を怠ったときは、争議行為等ではなく委員としての一般の非行と観念すべきであろう。

㈣　給与その他の給付

常勤の委員については、地方自治法第二〇四条から第二〇六条までの規定が適用される。同法第二〇四条は、常勤の委員等に対し、給料および旅費を支給すること（同条1）、各種手当を支給すること（同条2）およびこれらの額および支給方法は、条例で定めなければならないこと（同条3）を定めている。委員の給料は、他の特別職、とくに他の常勤の委員会の委員との均衡を考慮し、月額で定められることが通例であり、旅費は、一般職のもっとも高い級の職員との均衡をはかって決定されることになろう。同法第二〇四条第二項には各種の手当が羅列されているが、委員の職務の性質および他の特別職との均衡を考慮して、委員に支給される手当は、地域手当、期末手当および退職手当に限定されるべきであろう。委員の給料、手当および旅費の額とその支給方法を定める条例は、他の特別職のそれと一括し、一般の職員のそれとは別個に定められることが通例である。同法第二〇四条の二は、委員に対し、法律および条例に基づかない限り、いかなる給与その他の給付も支給してはならないことを明らかにしている。同法第二〇五条は、退職年金または退職一時金の支給規定であるが、常勤の委員には、社会福祉制度としての退職年金または一時金について地方公務員等共済組合法の適用がある。なお、退職手当は、前述のように同法第二〇四条第三項に基づく条例によって支給される。

常勤の委員に対する給与その他の給付に関する処分に不服があるときは、一般の職員の不利益処分に関する審査請求の制度（法四九の二）のような特別の定めがないので、行政不服審査法第二条（常勤の委員に対する給付に係る処分は長によるものであるから地方自治法二〇六条一項は適用されない。）による審査請求を行うことができる。

次に、非常勤の委員については、地方自治法第二〇三条の二、第二〇四条の二および第二〇六条が適用される。同法第二〇三条の二は、委員などに対し報酬を支給すること（同条1）、報酬は原則として勤務日数に応じて支給すること（同条2）、費用弁償（旅費に相当する。）を支給すること（同条3）、報酬および費用弁償の額ならびに支給方法は条例で定めること（同条5）などを定めている。また、同法第二〇四条の二により、これらの委員に対して報酬と費用弁償以外のものを支給することはできないことになる。たとえば、期末手当や退職一時金を支給することは、違法である。報酬は他の特別職との均衡を考慮して日額で、費用弁償は常勤の委員と同様の考え方に基づき、一般の職員とは別個の条例で、他の特別職に関するものと共に規定されることが通例である。なお、公平委員会の委員の報酬額は、現実の勤務態様、他の特別職の給与との均衡その他当該地方公共団体の一切の事情を考慮して定めるべきであるとされている（行実昭二六・八・二三　地自公発第三五九号）。

非常勤の委員の報酬または費用弁償に関し不服がある場合に、行政不服審査法第二条の適用があることは常勤の委員について述べたところと同じである。

〔解　釈〕

一　委員の数

人事委員会および公平委員会は、いずれも三人の委員によって構成される（本条1）。三人の委員がすべて在職している場合には、合議体として正常な状態にあり、本法第一一条に規定するところに従って全く合法的に意思決定が行われる。

問題となるのは、議会の同意が得られないためなどのなんらかの理由で、一部の委員が欠員となっている場合である。合議体の構成人員の数は、常識的には三人が最少であると考えられるが（二人では意見が対立した場合、可否のいずれにも決定できない。）、例外的、かつ、臨時的に委員が一人欠けているときは、合議体としての成立を認めることもやむを得ないであろう。委員が一人欠員となったときは、他の二人の委員が出席すれば会議を開くことができることとされ（行実昭二六・二・二四　地自公発第四〇号）、勤務条件の措置要求の審査もなしうるとされている（行実昭三三・九・一五　自丁公発第一二二号）。なお、地方公務員法第一〇条第三項が、委員長が欠けたときに、他の委員がその職務を代理することを定めているのも例外的に委員二人による運営を認めている趣旨と解される。しかし、これはあくまでも臨時の特例であり、すみやかに欠員を補充すべきことはいうまでもない（前記行実昭三三・九・一五、行実昭二七・一〇・二四　自行公発第七六号）。委員が二人欠けたときは、一人の委員しか存在しないことになり、もはや合議体としての執行機関とはいえず委員会は成立しないというべきである。なお、委員を欠員のまま放置することは、任命権者である地方公共団体の長（共同設置の場合は、当該任命権者）の責任である。

二　委員の選任および積極的資格要件

人事委員会および公平委員会の委員の任命権者は、地方公共団体の長であり、当該地方公共団体の議会の同意が必要である（本条２）。議会に対する同意案の提案権は、長に専属するものであり、過半数の賛成によって同意が成立する（自治法一一六１）。同意の議決は任命の前提条件であり、有効な同意の議決のない任命は無効であるが、議決によって直ちに選任の効果が生じるものでなく、議決後に長は改めて任命行為を行う必要がある。任命行為は、前任者の任期終了後に（または任期終了後の日付によって）行わなければならないが、議会の同意の議決は、準備のために必要とされる期間内であれば、前任者の任期中に行うことができる。なお、同意案も議決すべき事件の一つであるから、法定の要件を満たすときには、法律上は専決処分を行うことも可能であり、この専決処分が後に議会の承認を得られなかったとしても、任命行為の効力に影響はない（自治法一七九１３）。委員の任命行為の方式についての定めはないが、文書（辞令）によって行うべきであり、○○人事委員会（公平委員会）の委員（人事委員会の委員の場合は、常勤または非常勤の別を明らかにすることが適当である。）に任命する旨、給料または報酬の額、任命の日付、任命権者名を記載することになる。そのほか、はじめて設置された委員会の場合には、任期が四年、三年または二年のいずれであるかを明記しなければならず、また、前任者が任期途中で離職したことによる補欠の委員の場合は残任期間の終期を明示しておくことが適当である。

共同設置された人事委員会または公平委員会の委員の選任は、共同設置の規約の定めるところによる。すなわち、関係地方公共団体の長が、それぞれの議会の同意を得て規約で定める普通地方公共団体の長が選任する方法（自治法二五二の九２②）および規約で定める地方公共団体の長がその議会の同意を得て選任する方法（同項①）がある。一般的には後者によることが普通であろう。なお、一部事務組合による共同処理の場合には、管理者が組合議会の同意を得て任命する。

委員の選任に当たって、任命権者は、本条第三項、第四項および第九項に該当しない者を選任しなければならないとともに、一定の積極的資格要件を有する者を選任しなければならない（本条２）。その要件の第一は、「人格が高潔」であることであり、個々具体的な認定をまたなければならないが、過去に破廉恥な行為があったような者は該当しない。第二は、「地方自治の本旨」（憲法九二、自治法一、法二）に理解があることである。地方自治の本旨は団体自治（分権）と住民自治の実現にあり、地方公務員法の究極の目的もそれにあるので（法一）、委員の職責を通じて地方自治の発展に貢献することができる知識と能力を有するものであることを認定する必要がある。第三は、「民主的で能率的な事務の処理」に理解を有することである。このことも地方公務員法の目的であり（法一）、主権在民と効率的な行政サービスの提供の必要性を認識し、人事行政を通じてその実現を図る知識、能力を有していることを認定しなければならない。第四は、「人事行政に関し識見を有する」ことである。委員は、専門的な人事行政を所掌するものである以上、当然のことであり、人事行政に関する法令とその運用に十分な知識と見解を有する者を認定しなければならない。以上、四つの要件は、委員がその職責を通じて実現しうるであろうことを抽象的、一般的に推測しうれば足り、要件の具備を具体的に実証する必要はない。その意味で、これらの要件に関する規定は訓示的規定であって、その認定はあげて任命権者に委ねられているものと解される。

三　委員の欠格条項

地方公務員法第一六条第一号、第二号若しくは第四号のいずれかに該当する者および同法第五章に規定する罪を犯し刑に処せられた者は、委員となる資格を有せず（本条3）、また、すでに委員となった後に同法第一六条第一号、第三号又は第四号のいずれかに該当するに至ったときは、委員は失職する（本条8）。

第一六条各号の解釈は、同条を参照されたいが、その内容は、(1)拘禁刑以上の刑に処せられ、その執行を終わるまでまたはその執行を受けることがなくなるまでの者　(2)当該地方公共団体において懲戒免職の処分を受け、当該処分の日から二年を経過しない者　(3)人事委員会または公平委員会の委員の職にあって、第五章に規定する罪を犯し刑に処せられた者　および(4)日本国憲法施行の日以後において、日本国憲法またはその下に成立した政府を暴力で破壊することを主張する政党その他の団体を結成し、またはこれに加入した者、の四つである。このうち、委員に任命される場合の欠格条項は、(1)、(2)および(4)である。(3)については、本条第三項の後段で、委員であるとその他の者であるとを問わず、地方公務員法第五章の罪により刑に処せられた者を排除しているので、重ねて規定する必要がないため除外されているものである。第一六条各号のうち、すでに委員である者に対する欠格条項は⑴、⑶および⑷である。⑵の懲戒免職を受けた者は、委員には本条の規定による罷免が行われるのみで、懲戒処分はあり得ず、また、委員として罷免された者はすでにその職を失っているので適用除外されている。

次に、第三項後段は、地方公務員法第六〇条から第六三条までに規定する罪を犯し刑に処せられた者は委員となる資格を有しないことを定めている。これらの罪は、⑴平等取扱い義務違反（法一三）、⑵守秘義務違反（法三四１２）、⑶不利益処分是正指示不服従（法五〇３）、⑷不利益処分審査における証人等の義務違反（法八６、五〇１）、⑸能力実証主義違反の任用（法一五）、⑹競争試験における受験阻害、情報提供（法一八の三）、⑺争議行為等の共謀、教唆、煽動、企画（法三七１前段）、⑻勤務条件の措置要求の妨害（法四六）、⑼退職後の就職に関する不正な約束など（法六〇④から⑧、六三）および⑼前記⑵から⑹までまたは⑺の違法行為の企画、指示、故意の容認、教唆、ほう助である。これらの行為を委員としてであれ、その他の地方公共団体の公務員としてであれ、さらには一般の私人としてであれ行ったために刑に処せられたときは、委員となる資格を有しない。これら以外の罪を犯したときは、禁錮以上の刑に処せられ、その執行が終わるまで、またはその刑の執行を受けることがなくなるまでの間に限って委員となり得ないものであり、たとえば、公職選挙法違反で罰金刑に処せられ、かつ、公民権停止の判決を受けた者でも、委員である資格を失わない（行実昭三八・九・九　自治丁公発第二八三号）のに対し（本条３項で引用する法一六②）、これらの罪の場合は、刑罰の種類を問わず、罰金であっても資格を失い、また、原則として資格を回復することがなく、一旦、刑に処せられたときはほぼ永久に失格とされる点で、はるかに厳格な取扱いとなっている。「刑に処せられ」とは、刑の言渡しおよび刑の免除の言渡しを受けたことをいうものと解され、現実に刑の執行を受けたことを意味しない（刑の執行猶予も含まれる。）。刑の執行猶予の言渡しを取り消されることなく猶予期間を経過した場合および拘禁刑以上の刑の執行を終わりまたはその執行の免除を得た後、所定の条件の下に一定期間を経過した場合には、刑の言渡しは効力を失い（刑法二七、三四の二１）、また、刑の全部の免除の言渡しを受けた後、所定の条件の下に一定期間を経過した場合には、その言渡しの効力は失われるので（刑法三四の二２）、その後は刑に処せられた者でなくなり、委員となる資格を回復する。

これらの欠格条項に該当するかどうかを判断する者は、地方公務員法では明示されていないが、いずれも客観的に明らかな事実であり、任命に当たって任命権者が調査し判断を行う。すでに委員である者については、当該事実が生じたときに、自動的に失職し、法律上は何らの措置を要しないが、念の為、文書（辞令）により失職した旨の通知を行うことが適当であろう。

欠格条項に該当する者を誤って任命したときは、当該任命は法律違反で無効である。無効の任命による者が委員として、あるいは欠格条項該当により失職した委員が、それぞれ参加した委員会の議事の効力については、議論のあり得るところであるが、結果に異同を及ぼさない場合には、瑕疵のある議事ではあるが、一応有効として扱われることになろう。また、結果に異同を及ぼす場合であっても、すみやかにこれを是正する時機を失したときは、無効行為が有効な行為に転換されたといわざるを得ない場合もありえよう。

四　委員と政党との関係

委員会の政治的中立性を確保するため、三人の委員のうち、二人以上の者が同一の政党に属することとなるような選任を行ってはならず、選任後に二人以上の者が同一の政党に属することとなったときは、一人を残して他を罷免しなければならない（本条45）。

第四項で「二人」が同一の政党に属することとなってはならないとされているが、三人ならばよいとする趣旨ではないことはもちろんであり、「二人以上」の意味であると解される。「政党」とは、政治資金規正法（昭二三法一九四）第三条第二項の政党をいうものと解される。すなわち、地方公務員法第三六条のように「政党その他の政治的団体」のすべてではなく、もっぱら政党に限られるものである。政党に「属する」とは、なんらかの構成員となることであり、役員であると一般党員であるとを問わず、本部に属すると支部に属するとを問わない。政党の顧問、参与など名誉職的なものであっても広義の構成員の一員と考えられるので含まれるというべきである。本項は、委員が政党の構成員となること自体を禁止するものではなく、複数の委員がそうなることにより政治的支配が行われることを避けようとするものであるが、後述するように委員の服務として地方公務員法第三六条の適用があり（本条12）、委員が政党その他の政治的団体の役員になることなどが禁止され、これに違反するときは本条第六項の罷免事由となることに注意を要する。

第四項は、選任に当たって、任命権者および議会に注意義務を課する規定でもある。委員予定者の政党所属関係は、必ずしも客観的に明らかでないことがあり得るので、任命権者は、あらかじめ委員予定者から政党所属を明らかにする申告書の提出を求め、議会に同意案件を提出する場合も参考資料として提示することが望ましい。

任命権者が誤って同一の政党に属する者二人以上を選任した場合の効果いかんであるが、その選任が当然に無効となるのか（同時に選任した場合にはいずれも無効となるのか）、選任は一応有効であり、第五項の規定によって罷免の手続をとるのかが問題である。第四項は、欠格条項を定めたものでなく、また、第五項は、罷免の手続が完了するまでは暫時ではあるが二人以上の者が同一の政党に属したまま委員として存在していることも論理上あり得ることを予定しており、さらに、第四項を遵守することは任命権者の責任でもあるので、このような場合には、第五項の手続を任免権者がとることにより罷免すべきものと解する。

次に、第五項は、在任中の委員の一部または全部があらたに特定の政党に所属することとなったなどの理由で、二人以上の者が同一の政党に属するようになった場合に、一人を除く他の者を罷免すべきことを定めている。任命権者の任命権（罷免権）の行使を羈束する規定であり、その行使の前提として選任の場合と同様に議会の議決が必要であるが、議会が正当な理由なしに同意を与えない場合は、場合によって地方自治法第一七六条第四項の再議または同法第一七九条の専決処分を行うべきである。

罷免の順序は、一部の委員があらたに特定の政党に加入したことにより、すでに当該政党に加入している委員に加え二人以上が同一政党に所属することとなったときは、特定委員の作為的な罷免を防ぐ趣旨から、その事実発生のときに政党所属関係に異動のなかった者を罷免することはできないことが規定されているので（本項但し書）、あらたに加入した委員を罷免しなければならない。これは、判断が羈束され、裁量の余地はない。同時に複数の委員が同一政党に加入したために本項の措置をとる必要が生じた場合は、どの委員一人を引き続き在任させ、他のどの委員を罷免するかは任命権者の裁量と議会の判断によって決定される。

本項の手続は、できるだけすみやかにとる必要があるが、議会の招集などの都合により罷免されるまでの間は当該委員は合法的に在任するものであり、所定の給与その他の給付を受けることをはじめ、委員の職務を行うこともできる。

五　心身の故障または非行等による委員の罷免と委員の身分保障

委員が心身の故障のため職務の遂行に堪えない場合および委員に職務上の義務違反その他委員たるに適しない非行がある場合には、地方公共団体の長は議会の同意を得て罷免することができる（本条６）。前者は一般の職員の分限免職に相当し、後者はその懲戒免職に相当する。まず、「心身の故障」とは、病気その他の精神的、身体的な事故であるが、その程度が「職務の遂行に堪えない」程度に長期的あるいは重大な故障でない限り罷免の理由とはならない。罷免は、自発的退職と違って任命権者が一方的に判断して行う強行的な処分であるから、一般の職員について心身の故障により分限免職を行う場合に、医師の診断に基づいて行われるのが通例であるように、委員の場合も医師の診断に基づいて行うことが適当である。次に、「職務上の義務違反」とは、委員には、常勤、非常勤の別に応じ、本法の一般の職員の服務規定が適用されているので（本条12）、これらの服務規定に違反したことをいうものである。一般の職員の場合の懲戒処分には、免職のほか、停職、減給および戒告という軽重に差がある処分があるが、委員の場合の義務違反には罷免しかなく、その他の処分を行うことはできないので、義務違反の程度が罷免に相当する程度のものであることが必要であろう。なお、軽度の義務違反に対し、任命権者限りで、始末書の提出など、事実上の注意を促し、将来を戒めることは可能であるが、それ自体には法律の効果はない。「その他委員たるに適しない非行」とは、服務義務違反に類するそれ以外の社会的非難に値する行為であり、破廉恥罪を犯したことなど公私の別なく道義的にその責任を追及される場合がこれに該当するが、具体的に何が委員たるに適しない非行であるかどうかは、健全な社会通念によって判断するほかない。

第六項に基づく罷免は、前項の政治的所属関係による罷免と同様に、議会の過半数による同意を得なければならない。そして、この議決については、前項の場合と異なり、議会の常任委員会または特別委員会（自治法一〇九1）に同意案件を付託し、委員会で必ず公聴会（自治法一〇九5、一一五の二1）を開催してその意見を聴かなければならない。政党所属関係による罷免は、客観的な事実に基づき、議会の同意はおおむね確認的な性質のものであるのに対し、本項の罷免は、任命権者に裁量の余地のある場合が多いので、より慎重に判断することとされているのである。特別委員会を設置して付託するか、既設の常任委員会に付託するかは、全く議会の自主的運営に委ねられている問題であり、公聴会の開催手続は議会が定める会議規則に基づいて行われる。議会の同意および特別委員会または常任委員会の公聴会のいずれかまたは両方の手続を経ないで行った罷免は、法定の手続を欠き、無効である。

ところで、委員の身分は、強く保障されており、政党所属関係による第五項の罷免または心身の故障もしくは非行等による第六項の罷免による以外は、その意に反して免職されることはない（本条7）。「その意に反して」であるから、その意思に基づく退職、すなわち、依願退職は、法律に規定はないが当然にあり得る。依願退職の手続は、委員が任命権者に辞表を提出し、任命権者が受理することによって効果を生じ、議会の同意は不要である。辞表提出後においても、信義則に反しない限り、その撤回をなしうることは一般の職員の場合と同じである（**第二七条**の**〔趣旨〕**三参照）。

六　委員の兼職禁止

委員は、すべての地方公共団体の議会の議員および当該地方公共団体の地方公務員の職（執行機関の附属機関の委員その他の構成員の職を除く。）を兼ねることができず、公平委員会の事務の委託を受けた人事委員会の委員にあっては、その委託を行った地方公共団体の地方公務員の職（執行機関の附属機関の委員その他の構成員の職を除く。）を兼ねることもできない（本条9）。

まず、「地方公共団体の議会の議員」には、都道府県および市町村の議会（自治法八九）の議員が含まれることはもとより、特別地方公共団体である特別区の議会（同法二八三1、八九）の議員、地方公共団体の組合の議会（同法二九二、八九）の議員および財産区の議会（同法二九五）の議員も含まれるが、町村総会の有権者（同法九四）および財産区管理委員（同法二九六の二）は含まれない。次に、当該「地方公共団体の地方公務員」とは、地方公務員法第二条の「地方公務員」と同じであり、一般職であると特別職であるとを問わない。したがって、会計年度任用職員（法二二の二）、臨時的に任用された職員（法二二の三）や期限付任用職員（任期付職員採用法、任期付研究員採用法）はもちろん、臨時または非常勤の顧問、参与、調査員、嘱託員など（法三３③）もこれに含まれる。なお、平成一六年（二〇〇四年）の改正によって、執行機関の附属機関の委員その他の構成員の職に限って、人事委員会または公平委員会の委員との兼職が認められることとなったが、それ以外の委員、委員会、審議会などの構成員の職については、依然として兼職が禁止されている。このような取扱いの違いの理由は判然としないが、執行機関の附属機関の委員その他の構成員の職の意味などについては、地方公務員法第三条第三項第二号の説明を参照されたい。なお、本項では、人事委員会の委員につき、当該人事委員会に公平委員会の事務を委託した地方公共団体の地方公務員が含まれる旨明記しているが、共同設置による公平委員会の委員の場合は、共同設置にかかる全地方公共団体が「当該地方公共団体」であり、一部事務組合による人事委員会または公平委員会の場合も同様である。

次に、委員が兼職した場合の法律効果であるが、まず、兼職禁止は、服務規定ではないので、義務違反による罷免の対象にはならないものと解される。兼職禁止に違反して行われた任命の効力については、前職を失うとする説（長野士郎・逐条地方自治法第一一次改訂版　二六四頁、学陽書房、一九九三年）と、後の発令が無効であるとする説（行実昭三一・二・四　自丁公発第二一号）とがある。前説は、任用された者の直近の意思を尊重しようとするものであり、後者は、法律違反の任命には重大かつ明白な瑕疵があるとするものである。いずれの説にも一長一短があり、立候補制限に反して立候補した公職の候補者の場合のように立法的に解決することが望ましいが（公選法九〇）、解釈としては、兼職禁止に違反して行われた任命に重大な瑕疵があることは間違いないとしても、それが明白であるか否かは必ずしも明らかではない（明白であれば、そのような発令をすることはあり得ない。）ことから、後者の発令を取消し得べき行政行為と観念するのが妥当であろう。そして、このように解するときは、本人に対していずれかの職を辞することを促し、速やかに違法状態が解消された場合は当該発令を取り消す必要はないこととなるが、そうすることができないときは、当該発令を取り消すことによって、違法状態を解消することになる。

七　委員の任期

委員の任期は、四年であるが、任期途中で退任した委員の補欠委員のそれは前任者の残任期間とされる（本条10）。まず、委員の任期の起算日は、議会の同意を得た日ではなく、また、前委員の任期満了の日の翌日でもなく、任命権者が発令して委員となる者がこれを了知した日からである（行実昭三〇・一〇・一　自丁公発第一六四号）。したがって、委員の発令は、前委員の任期満了の日の翌日以降の日または事前に辞令を交付するときは翌日以降の日付でなければならない。また、委員の任期の終期は、任期を年をもって計算するものであるから、暦に従い起算日に応当する日の前日をもって満了することになる（民法一四三）。

四年の任期については、二つの特例がある。その一つは、任期途中で退任した委員の補欠委員であり、前任者の残任期間である。前任者の任期は、固定されたものであるから、補欠委員の発令の時期が遅れた場合であっても、それによって残任期間の終期に変動はないものである。委員の全員が辞任した場合には、あらためて三人の委員が任命されることになるが、この場合でも新任の委員はすべて補欠の委員であり、それぞれ前任者の任期を引き継ぐものである（行実昭三八・五・一一　決定）。前任の委員の残任期間は、それぞれ異なることが通例であるから、補欠の委員の選任に当たっては、それぞれどの委員の後任であるかを明らかにして議会の同意を求める必要がある。特例の二は、あらたに人事委員会または公平委員会を設置した場合の任期である。地方公務員法制定時の附則第五項の規定により、委員三人のうち一人は四年、一人は三年、他の一人は二年という任期を地方公共団体の長がくじによって定めなければならない。一度に委員が交替することを避ける趣旨であり、町村合併や一部事務組合の設立等によってあらたに地方公共団体が設けられた場合や、公平委員会を設置していた人口一五万人以上の市がそれを廃して人事委員会を設ける場合には、現在でもこの附則第五項の適用がある。

次に、任期満了した委員を再任することは、明文の規定はないがなんらさしつかえない。国の人事院の人事官のように引き続き一二年を超えて在任することはできない旨の規定（国公法七2）はないので、本人が適任である限り、何度再任することも法律上は可能である。

八　委員の勤務形態、服務および給与その他の給付

(一)　勤務形態

人事委員会の委員は、常勤、非常勤のいずれとすることもできる。一方、公平委員会の委員は、常に非常勤とされる（本条11）。人事委員会の委員については、そのすべてを常勤とすること、あるいは非常勤とすること、さらには一部を常勤とすることのいずれも可能である。委員の一部を常勤とするときには、その旨を明らかにして議会の同意を求め、かつ、発令すべきである。また、委員の一部を常勤とした場合、人事委員会は一般的に広汎かつ恒常的な権限を有しているので（法八1）、当該委員が通常の事務処理を事実上指揮監督することになろう。ただし、執行機関としての意思は、法律に別段の定めがある場合（法五〇2）以外は、必ず委員会の合議によって決定しなければならず、一部の常勤の委員に委任することはできない。運用上は、事実上の事務処理の責任を特定の委員に負わせる場合および委員に事務局長の職を兼ねさせた場合に、当該委員を常勤とすることが適切であろう。

人事委員会の常勤、非常勤の区別は、形式的には選任の際に明らかにされることになろうが、実質的には一般職の職員の常勤のものとおおむね同じ勤務形態をとっているか否かによって判断されることになろう。

委員がすべて非常勤の場合には、通常の事務処理は事務局長または事務職員が調整、準備を行い、委員は随時会議を行って最終的な決定を行うことになる。

(二)　服務

常勤の委員の服務については、一般職の服務規定である地方公務員法第三〇条から第三八条までの規定のすべてが準用され、非常勤の委員の服務については、上記のうち第三五条および第三八条を除く他のすべての服務規定が準用される（本条12）。法律の規定が準用される結果、それぞれの規定に基づく条例、規則なども含めて準用されることになる。個々の規定の準用について留意すべき事項は、次のとおりであるほか、それぞれの条文についての解説を参照されたい。

1　服務の根本基準（法三〇）　委員が全体の奉仕者（憲法一五2）としての公共の利益のために勤務し、かつ、その職務

の遂行に当たり全力をあげて専念すべきことは、委員の服務についての当然の基準であるといわなければならない。

２　服務の宣誓（法三一）　委員も一般の職員と同様に、条例の定めるところにより服務の宣誓を行わなければならない（行実昭二六・八・四　地自公発第三三二号）。委員の服務の宣誓条例は、別個に定めることが適当であるが、一般の職員のそれと共に定めること、あるいは準用することもさしつかえないであろう。なお、国の人事官は、最高裁判所長官の面前で服務の宣誓書に署名し、その後でなければ職務を行ってはならないものとされ（国公法六）、宣誓が執務を行う前提条件とされているが、委員の宣誓については、服務義務の一つではあるが、職務執行の条件とはされていない。

３　法令等および上司の職務上の命令に従う義務（法三二）　委員が職務を行うに当たり、地方公務員法をはじめとする法律、政令、人事行政に関する条例、長の規則、人事委員会規則等を遵守しなければならないことはいうまでもない。しかし、人事委員会および公平委員会は、独立の執行機関であって「上司」は存在しないので、上司の職務上の命令に従う義務は生じない。ただ、地方公共団体の長は、各執行機関に対して組織、運営の合理化を図るための一定の勧告権を有し、また、各執行機関も所定の事項について長に協議する義務を負っているので（自治法一八〇の四、自治法施行令一三二）、個々の委員としてではないが、機関全体としてこの統制に服する義務がある。

４　信用失墜行為の禁止（法三三）　委員は人事行政の中心的な機関の一員として、公務員倫理の維持について責任を負うものであるから、その職の信用を傷つけ、またはその不名誉となるような行為を公私にわたって行ってはならないことは当然である。具体的にどのような行為がこれに該当するかは、一般の職員の場合と同様に、健全な社会通念によって判断するほかない。なお、委員の服務は本条に特別の定めがあるので、他の特別職のように東京都職員服務紀律、道府県職員服務紀律または市町村職員服務紀律の例（自治法施行規程一〇、一三、一五、一六）によって非行が判断されることはない。

５　秘密を守る義務（法三四）　委員は、その職務に関連してさまざまな秘密を知りうる立場にあるので、これを守ることが強く要請される。「秘密」の意義については、第三四条の【解釈】を参照されたいが、法令による証人等となったため、職務上の秘密を発表するに当たってその許可を与える者は、地方公共団体の長等、委員の任命権者である。A、Bの地方公共団体が公平委員会を共同設置しAの長が任命権者である場合に、Bの地方公共団体に関する職務上の秘密を発表するについての許可権者もAの長である（行実昭二六・八・四　地自公発第三二二号）。人事委員会に対し公平委員会の事務を委託した場合も同様に解すべきである。なお、これらの場合に、当該委員会の議決を経る必要はなく、委員個人が任命権者の許可を得れば足りる（前記行実）。

本条の規定に違反して秘密を洩らした委員には、その在職中であると退職後であるとを問わず、刑罰の適用があることに注意が必要である（法六〇②括弧書）。

6　職務に専念する義務（法三五）　常勤の委員は、法律または条例に特別の定めがある場合を除く外、職務に専念する義務を負う。ただ、この特別の定めをする法律または条例は、職員を対象としたものがほとんどであり（**第三五条**の**〔解釈〕二**参照）、勤務時間が定められておらず、独立して職務を遂行する立場にある常勤の委員に実際に準用される規定は極めて限定されている。

非常勤の委員については、この第三五条は準用されていない（このことの妥当性に疑問があることは本条の**〔趣旨〕**で述べた。）が、もし、みだりに会議を欠席するなど職務の遂行を怠るときは、「委員たるに適しない非行」（本条6）または服務の根本基準（法三〇）違反ないしは信用失墜行為禁止（法三三）違反による「職務上の義務違反」（本条6）として罷免の事由に該当する場合もあり得よう。

7　政治的行為の制限（法三六）　委員は、政党その他の政治的団体の結成などに関与してはならず、また、特定の政治目的を持つ一定の政治活動をしてはならない。さらに、二人以上の委員が同一の政党に所属することとなったときに、一人を除いて罷免されることは**四**で述べたとおりである。

第三六条の解釈は、かなり複雑であるので、同条の**〔解釈〕**を十分に参考とされたいが、ここで留意する必要があるのは、第一に、委員にはすべての政治活動が禁止されているわけではないことである。たとえば、委員が政党の役員となることは服務義務に違反するが、一党員となることは禁止されておらず（行実昭二七・三・一三　地自公発第七六号）、たまたま二人以上の委員が同一政党に所属することとなった場合に限り、一人を除く他の者が罷免されるに過ぎない。第二は、共司設置された公平委員会の委員の場合、地域的に制限される政治活動（法三六２①②③⑤）の禁止は、共同設置にかかる地方公共団体の全区域に及ぶことである（行実昭二六・八・四　地自公発第三二二号）。

８　争議行為などの禁止（法三七）　争議行為などの概念を、地方公共団体に対する労務不提供という事実のみによって構成するならば、委員の争議行為もあり得ようが、争議行為などは労使関係における労働者側の行為であると考えられ、委員は労使関係において常に使用者の側にのみ立つものである以上、本条の〔**趣旨**〕で述べたように、委員の争議行為などというものはあり得ず、委員がもし故なく労務不提供を行った場合には、６で述べたところにより措置されることになろう。

９　営利企業への従事等の制限（法三八）　常勤の委員は、任命権者の許可を受けない限り、営利会社の役員に就職したり、営利を目的とする私企業を営んだり、報酬を得て事務、事業に従事することはできない。任命権者の許可については、５で述べたところと同様である。営利企業等への従事が制限される趣旨は、基本的には一般の職員の場合と同じく、職務専念義務に支障がないようにすること、および地方公共団体との間で利害が相反し職務の公正を妨げることがないようにし、また、品位をそこねることのないようにすることにあるが、委員については、広く人材を民間からも求める必要があり、また、委員の良識にも十分期待しうると考えられるので、任命権者はこれらの点にも配慮して許可を与える必要があろう。

非常勤の委員には、この制限の適用はないが、任命に当たって前記の諸点に十分配慮すべきことは当然であり、これらの要請に著しく反するようなことがあるときは、「委員たるに適しない非行」となることもあり得る。

（人事委員会又は公平委員会の委員長）

第十条　人事委員会又は公平委員会は、委員のうちから委員長を選挙しなければならない。

２　委員長は、委員会に関する事務を処理し、委員会を代表する。

３　委員長に事故があるとき、又は委員長が欠けたときは、委員長の指定する委員が、その職務を代理する。

〔趣　旨〕

一　委員長の選任およびその権限

人事委員会および公平委員会は、合議体の執行機関であるから、機関としての意思決定は三人の委員の合議によって行われなければならない。しかし、合議体が意思決定を行うに当たり、会議を円滑に進行させるためには、これを主宰する者が便宜であり、また、対外的に機関を代表する者を置くことが必要である（代表の意味については第八条の二の〔趣旨〕参照）。人事委員会および公平委員会には、この主宰者および代表者として委員長を置くこととされている。これは他の合議体にもそれぞれ設置されているところであって、議会の議長、教育委員会や公安委員会の委員長などがそうである。地方公共団体で複数の構成員を置く執行機関のうち、監査委員はこの例外であり、監査委員は複数が設置される場合であっても、それぞれが独立して権限を行使することとされている。しかし、監査委員にあっても実際の運用上の便宜を考慮して、代表監査委員を設けて監査委員に対する庶務及び訴訟に関する事務を処理することとされている（自治法一九九の三）。

人事委員会および公平委員会の委員長は、合議体の通例により、委員の中から選ばれるものであり、合議体における意思決定に関与する権限は委員長といえども一委員としてのそれに限定される。委員長の権限は、会議の主宰者として、および対外的に委員会を代表する者としての範囲に限られるといわなければならない。すなわち、もっぱら委員長としての資格に基づいて委員会の権限を専決することは認められないものである。もっとも、委員会の事務の実際の運用の上で、些細な事務処理の一々までそのつど会議を開催して決定することは煩瑣に堪えないところであるから、委員会の事前の承認の下に、委員長が委員会の名において事務処理を行うことはありえよう。ただし、委員会が法律に基づいて対外的に行使する権限、とくに準司法的権限および準立法的権限についてはこのような取扱いをすることは許されない。なお、委員会の権限の委任については、地方公務員法第八条第三項および第四項に定めがあるので、それぞれの説明を参照されたい。

二　委員長の代理

合議体の会議の主宰者が事故によって会議に出席できず、あるいは離職した場合、これらの事情をすみやかに補正するようにすることが第一義であるが、諸般の事情によって会議の開催を猶予すべきではない場合があり得る。このような場合のために、議会の議長の場合には副議長を設けるなどの措置が講じられているところであるが、人事委員会および公平委員会の場合は、あらかじめ委員長が指定した委員が職務代理をすることを法定している。国の人事院の場合は、総裁が職務をとり得ないときは、先任の人事官が自動的に代行するものとされているが（国公法一一3）、人事委員会および公平委員会の場合には、指定という行為が必要である。

委員長を代理する委員は、代理の事由が発生し、それがやむまでの間は、委員長と全く同一の権限を行使するものであって、委員会に関する事務を一で述べた趣旨に基づいて処理し、かつ、委員会を代表することになる。

〔解　釈〕

一　委員長の選任

人事委員会または公平委員会の委員長は、委員のうちから選任される（本条1）。すなわち、委員の職にあることが委員長に在任する前提条件であるから、罷免、失職または退職によって委員でなくなったときは、同時に委員長の職を失うものである。委員長の選任の方法は、三人の委員の会議によって行われるが、選挙の方法によることも、指名推せんの方法によることもいずれでもさしつかえない。しかし、いずれの場合も本人の承諾が必要である。実際には三人の委員が相談して、二人の委員が他の一人に就任方を依頼し、本人が承諾する形で選任がなされることが普通であろう。委員が二人欠けた場合には、前条第一項の〔解釈〕で述べたように合議体の執行機関としての実質が失われていると考えられるので、委員長を選任する機構と機能を有しないというべきである。委員一人が欠員またはそれに事故がある場合に他の二人の委員で委員長を選任することは、次条第二項の要件が満たされている場合に限り、当該合議において行うことができると解される。

委員長の任期については、法律上なんら規定されていないが、一旦、選任された後は委員としての在任期間中在職する。しかし、委員長が委員長の職のみを辞任することは可能であり、その手続は法定されていないので、委員長が委員会に対して辞表を提出することにより辞職の効力が発生し、委員会としての決議あるいは他の委員の承認は不要と解される。委員長が任期途中で退任するのは、委員の職を失ったときと、自ら辞任したときのみであり、他の二人の委員が委員長の不信任を表明し、あるいは決議したとしても、それは事実上の意思表示にとどまり、法律上の効果はない。

なお、委員長選任の時期であるが、前委員長が罷免、失職、死亡、辞任などによって退任した後、すなわち、委員長を選任すべき事由が発生した後に行うべきもので、現に委員長が在任している間にあらかじめ行った委員長選任の手続は、選任を行うべき要件を欠き無効であると解される。しかし、現在の委員長が辞意を表明しているときに、当該委員長が主宰する会議で後任の委員長の選任を行うことまで不適法だと解する必要はないであろう。

二　委員長の権限

〔趣旨〕で述べたように、委員長は会議の進行を主宰し、委員会を対外的に代表する限りにおいて権限を有するものである。したがって、委員会の議長役として会議規則の定めるところに従って議事を進め（法一一5参照）、最終的な意思決定は委員会の決議によって行われる。本条第二項で「委員会に関する事務を処理」すると規定されている意味は、このような会議の進行役としての役割であり、それ以外に委員長が事務職員に庶務的な事項を命じたりするのは、会議規則その他の委員会規則に基づいて（委員会としての意思決定に基づいて）行われる事務の処理、あるいは事実上の事務の整理である。

次に、「委員会を代表する」とは、委員会の意思、行為等を外部に表示するには、委員長の名義をもって行うということである（委員会がした処分または裁決についての抗告訴訟においては、委員会が当該地方公共団体を代表し、委員会を委員長が代表することになる。第八条の二の**〔解釈〕**参照）。事務職員の任用その他の人事をはじめ、人事委員会規則の告示、他の執行機関などに対する通知などはみな委員長の名をもって行う（通知昭二六・五・二九　地自乙発第一五六号は、事務職員の任命は委員会名をもって行うとしているが、委員長が代表して行うべきであると考える。）。そのほか、議会や長に意見を述べること（法五2、八1③）や会合に出席して挨拶、祝辞を述べることなども委員長の名において行われる。この場合の委員長の名義の表示の仕方としては、「〇〇人事（公平）委員会　代表者　委員長何某」とすることが正確であるが、「〇〇人事委員会委員長　何某」としてもさしつかえないであろう。このように、委員会の意思表示は、原則として委員長名義でなされるが、競争試験の公告の文書などでは「〇〇人事（公平）委員会」と機関名のみによることもあり得よう。

なお、委員長が委員会の決議に基づかないで外部に表示した行為の効力については、それは執行機関としての意思決定の基礎を欠いているので違法である（行実昭三八・九・九　自治丁公発第一八三号）が、公法上の関係についても民法第一一〇条（権限外の行為の表見代理）の規定が類推適用されるというのが判例であり（最高裁昭三四・七・一四　民集一三巻七号九六〇頁）、相手方の知・不知と過失の有無によって有効性が判断される（同法一〇九）とともに、同法一一六条の類推適用による追認も可能である（最高裁平一六・七・一三判決（民集五八巻五号一三六八号）参照）。

三　委員長の代理

委員長が職務を行い得ない場合においても、委員会の機能を遂行させるため、委員長の代理を置くこととされている（本条3）。まず、委員長の代理が職務を行う場合の一は、委員長に「事故があるとき」である。事故があるときとは、委員長は在職しているが、なんらかの理由によって現在その職務を行い得ない状態にあることを指す。たとえば、委員長が病気や旅行のため会議に出席できず、あるいは出張などの用務を行うことができない場合であるとか、さらに会議に出席していて、所用のため中座した場合も含まれ、時間の長短を問わない。代理が職務を行ういま一つの場合は、「委員長が欠けたとき」である。委員長が欠員となるのは、委員長である委員が罷免（法九の二56）、失職（法九の二8）、死亡または任期満了によって離職した場合若しくは委員長がその職を辞任した場合である。

委員長の職務を代理すべき委員については、あらかじめ委員長が指定しておかなければならないものであり、あらたに委員長が選任されたときは直ちに行うことが適当である。委員長の代理となることについても、委員長就任の場合と同様に、本人の承諾が必要である。指定の方式については別段の定めはないので、口頭で指定することも可能であるが、辞令を交付すること、あるいは会議の席上で指定し、議事として記録しておくことが適切であろう。なお、指定について必ず会議にはからなければならないものではない。職務を代理すべき委員の代理としての在任期間は、その委員の任期中に限られることは当然であるが、同時に、次の委員長が選任されるまでと解することが妥当であろう。したがって、あらたに委員長が選任されたときは、それが再任の場合であっても、あらためて代理の指定を行う必要があると解する。以上の場合を除き、委員長の代理がその意思によってこれを辞することはできると解するが、委員長が一方的に指名を取り消すことはできないものと考える。相手方の承認を得て指定した（就任させた）地位を一方的に奪うことを認める理由はないと思われるからである。

委員長の「職務を代理する」とは、二で述べたところを参照されたい。ただし、職務を代理する委員は、委員長の名義によって権限を行使するのではなく、「委員長代理何某」という名義によって表示すべきものである。

なお、もし委員長があらかじめ代理者を指定することなく欠員となった場合には、他の二人の委員のうちから臨時の代理者を選ぶことはできない。このような場合には、すみやかに委員を補充した上、委員長の選任を行うべきである（補充の委員が選任できないやむを得ない事情があるときは、一で述べたように、二人の委員により委員長を選任することもあり得よう。）。

（人事委員会又は公平委員会の議事）

第十一条　人事委員会又は公平委員会は、三人の委員が出席しなければ会議を開くことができない。

２　人事委員会又は公平委員会は、会議を開かなければ公務の運営又は職員の福祉若しくは利益の保護に著しい支障が生ずると認められる十分な理由があるときは、前項の規定にかかわらず、二人の委員が出席すれば会議を開くことができる。

３　人事委員会又は公平委員会の議事は、出席委員の過半数で決する。

４　人事委員会又は公平委員会の議事は、議事録として記録して置かなければならない。

５　前各項に定めるものを除くほか、人事委員会又は公平委員会の議事に関し必要な事項は、人事委員会又は公平委員会が定める。

〔趣　旨〕

一　委員会の議事の基本原則

人事委員会および公平委員会は、それぞれに独立の執行機関であるから、その会議を自主的に行うことになる。したがって、地方公務員法では、会議に関して必要な事項を定める場合には多くの部分を人事委員会または公平委員会が自ら定めるところに委ね、法律自体ではきわめて基本的な原則のみを定めている。それは、三人の委員全員が出席しなければ会議を開くことができないこと（本条1）、会議を開かなければ公務の運営または職員の福祉もしくは利益の保護に著しい支障が生ずると認められる十分な理由があるときは二人の委員の出席で会議を開くことができること（本条2）、議事は、出席委員の過半数で決すること（本条3）および議事録を作成すべきこと（本条4）の四つである。後の二点は合議体の議事における通例であり、会議の基本原則としてなんら問題はないものであるが、最初の二点は、他の合議体における会議開会の要件に比べてかなり厳格なものとなっている。たとえば、地方公共団体の議会の開会の要件（定足数）は、原則として半数以上の議員の出席であり（自治法一一三）、同じ執行機関である教育委員会の場合における会議開会の要件は、原則として過半数の委員の出席である（地教行法一四3）。また、国の人事院の場合、あるいは都道府県公安委員会の場合には、法律上はこのような要件の定めはなく、それぞれ自主的に規則などで定めることとされている（国公法一二4、警察法四五参照）。

人事委員会および公平委員会の会議開会の要件が原則として「全員の出席」という厳しいものとなったのは、立法過程における国会の修正によってである。地方公務員法制定時の政府原案においては、「委員二人以上の出席」によって会議を開きうるとされていたのであるが、参議院において、人事委員会および公平委員会は人事に関する重要事項を審議するものであり、三人の委員であるならば全員が会合に出席して取り運ぶことがもっとも適正妥当であるとして「全員の出席」に改められたものである（第九国会参議院地方行政委員会昭和二五年一二月九日第一四号。国会会議録検索システム参照）。その結果、委員の一人でも病気、旅行等の事故があるときは委員会を開会できないことになり、実務上、かなり不便なものとなった。そこで、平成一六年（二〇〇四年）の改正で本条に第二項が挿入され、「会議を開かなければ公務の運営又は職員の福祉若しくは利益の保護に著しい支障が生ずると認められる十分な理由があるときは」二人の委員の出席で会議を開くことができるようになったのである。この改正によっても、通常の合議制の機関と比較すると、全員が出席しないで会議を開くことの要件はかなり厳しいが、前記のような経過に照らすときは、やむを得ないものであろうか。

次に、本条の規定では、具体的に何も規定されていないが、実際にしばしば問題とされるのが委員の除斥または忌避の問題である。たとえば、不利益処分の審査請求の審査に当たって、かつて当該処分に直接関与した人事当局の一員が、その後委員に選任されて審査を行うようなことが稀にではあるがあり得る。また、行政実例では、委員の配偶者その他の親族と関係ある事案について、当該委員を除斥する等の定めを委員会規則で定めることは、法第九条（現行第九条の二）および第一一条の趣旨に鑑み許されないことは明らかであるとされている（行実昭二六・六・二〇　地自公発第二五七号）。要するに、現行法の下では、いかなる場合においても委員の除斥または忌避はあり得ないとされているようである。行政実例は、委員の人格識見が高いこと、および委員全員が出席しなければ会議を開けないことがそれぞれ規定されていることを根拠としてこのように理解したのであろうが、基本的には、委員が三人で、一人でも除斥または忌避されると合議体としての存立が危くなることが最大の理由であろう。本条第二項によって二人の委員でも会議を開くことができることとされ、後者の理由はなくなったわけであるが、その要件としては除斥または忌避が想定されていないことは、当該条文の表現上明らかである。忌避については、これが労使が対立する事案などで濫用されるおそれがあること、また、行政不服審査には裁判と違って一般に忌避の制度が用いられていないこと、さらに行政不服審査は裁判によって十分に是正されうるものであることからして、これを認める必要は必ずしもないと思われるが、除斥については、自らが処分の直接関係者であった場合など、これを認めることが適切と思われる場合がないわけではない。しかし、わずか三人の委員のうちから除斥を行うことにも問題があり、立法論上として検討すべき課題であろう。

二　委員会の議事規則

委員会の議事の細部については、委員会が定めることとされている（本条５）。すなわち、委員会の自治に委ねられているわけである。委員会は規則でこれを定めて運用することになるが、人事委員会および公平委員会はいずれも三人という最少限の委員数をもって構成される組織であり、また、議事の運営は基本原則以外はそれぞれの委員会の自治に委ねられていることでもあり、できる限り簡素な規定によって必要最少限の事項のみを定めておくことが適当であろう。委員会は行政機関として弾力的に柔軟な活動をする必要があると考えられるからである。委員会の所掌事務のうち、勤務条件に関する措置要求の審査と不利益処分に関する審査請求は、準司法的権限の行使として比較的厳格な手続が必要とされるが（これも審査請求について後述するように、できるだけ弾力的な取扱いが望ましいと考える。）、これらについては、それぞれ法律の規定（法四八、五一）によって別途、委員会規則を定めることとされているので、本条に基づく議事規則は、それ以外の一般的な議事を進める上でのごく基本的な事項を定めておけば足りるものである。

〔解　釈〕

一　会議の開会の要件

本条第一項は、委員会の会議を開会するには、三人の委員が出席しなければならないと定める。「三人の委員」とは、委員の定数が三人であるから、その委員のすべてということであり、委員一人が欠員の場合には、本条第二項の問題となる。なお、委員二人が欠員となったときは、第九条の二で述べたように、合議体としての実質を失っているので会議を開くことはできない。

三人の委員が「出席」する必要があるので、あらかじめ明示または黙示によって指定された会議場所に全員が参集しなければならない。特定の事項についてあらかじめ了解を得た上、全員が一堂に会することなく、いわゆる持ち回りによって議事を決することはできないし（行実昭三四・三・二七　自丁公発第四〇号）、委員が病気や旅行などの事故で会議に出席できないときには、会議を開くことはできない。このような場合には、本条第二項によることができるときを除き、事故がやむのを待って改めて会議を招集する必要がある。

三人の委員（委員全員）の出席は会議の開会の要件であり、会議を続行するための要件ではないとする見解がある（鹿児島

重治　逐条地方公務員法（第六次改訂版）一四一頁、学陽書房、一九九六年）が、〔趣旨〕一で述べたように、全員が会合に出席して取り運ぶことが最も適正妥当であるということが本法制定時における全員出席が要件とされた理由であるならば、開会した後であれば、その要件が満たされなくなってもよいとする理由はない。したがって、三人の委員（委員全員）の出席は会議の開会の要件であると同時に、会議継続の要件でもあると解される。

ところで、本条第二項は、「会議を開かなければ公務の運営又は職員の福祉若しくは利益の保護に著しい支障が生ずると認められる十分な理由があるときは」二人の委員の出席で会議を開くことができるとしている。この規定は、三人の委員で会議を開いた後、何らかの事情で一人が退席した場合にも適用されるが、ここで「公務の運営…に著しい支障が生ずると認められる十分な理由があるとき」というのは、条例の制定または改廃に関する意見の申出（法五２）、事務局の職員または事務職員の任免（法一二７）、給料表の勧告（法二六）、競争試験や選考の実施（法一八）などが必要な時にできないような事態を意味し、「職員の福祉若しくは利益の保護に著しい支障が生ずると認められる十分な理由があるとき」というのは、早急に判断することが必要な勤務条件に関する措置の要求がなされていたり、不利益処分に関する審査請求がなされていて、委員会として決定すべきことが生じているような事態を意味するものと解される。なお、二人の委員の出席で会議を開くことができるかどうかの最終判断は委員会に委ねられており、二人の委員が出席した会議で、本条第二項の要件が満たされていると判断された場合は、その判断の適否を争う方法はない。

二　議決の要件

委員会が意思決定を行うときは、出席委員の過半数によって決する。議決はすべて多数決の原則によるわけであり、全員の一致は必要ではない。ここで「議事」とは、委員会としての決定を要する事案の意であり、事務当局からの単なる報告事項のようなものは議事ではない。また、「出席委員」とは、会議場にいる委員の全員であり、委員一人が欠員のため出席している委員が二人のときや本条第二項の規定により二人の委員で会議が開かれているときは、その二人が「出席委員」である。

次に、「過半数」とは、委員会に出席しなかった者、あるいは退席した者を除き、現に議事に参加している委員の半数を超えることであり、委員一人のときには議事は成立しないから、委員三人のときには二人以上、委員二人のときにはその二人の一致が必要である。委員長も他の委員と同様に一の議決権を有し、また、可否同数の場合の裁決権は有しない。委員は、議決に当たり、棄権、白票、態度保留など賛否を明らかにしないことができるであろうか。判断を放棄することは委員の職責上望ましいことではないが、いずれかの意思表示をすることを強制することもできないと考えられるので、実際問題としてはそのような態度をとることもあり得よう。この場合、賛否の明らかではない委員は、少なくとも議案に対して賛成をしたものとは認められないので、否の意思表示と同様に取り扱わざるを得ないであろう。すなわち、委員会が議事を過半数で決するためには、反対または態度保留の委員を除き、賛成者が過半数でなければならない。

議決の方法は、議事規則で別段の定めをしない限り、適宜、各委員の意思が明確になれば足りる。すなわち、投票によること、挙手によること、あるいは委員長が異議のない旨を確かめて満場一致とすることなど、委員長において事案に応じて適宜判断すればよいものである。

三　議　事　録

委員会の議事は、議事録として記録しておかなければならない（本条４）。議事は、人事行政に関する重要事項を審議するものであり、後日の証拠として記録しておくことが必要だからである。したがって、「議事」とは、委員会における関係者の発言のすべてではなく、委員会が議決すべき事項に関するものと解してよいであろう。単なる報告事項のようなものは、記録してもさしつかえないが、議事録に記録しておかなければならない法律上の要請はないと考えられる。

議事録の記録の方法は、議事規則でとくに定めない限り、適宜行えばよいが、速記録または要点筆記の方法で各委員の発言と議決の結果を文書としておくことを本体とし、議事が行われた年月日、出席者（委員、関係者、事務職員など）の職氏名をあわせて記載し、かつ、委員長もしくは出席委員の全員または事務職員が記名押印して議事録の信憑性を認証しておくことが適当であろう。次項で述べる議事規則（案）では、議事録は、委員会の承認を経て確定するとされており、この場合には承認を経た旨と日付を記載しておくことになろう。

録音テープやＩＣレコーダーなどにより議事録を作成し、文書とすることなく保管しておくことは、後で加工する余地があるので望ましくない。

なお、議事録の作成は、事務手続上の要件であり、もし、これが調製されなかった場合でも、議決の効力にはなんら影響を及ぼすものではない。また、関係者は議事録について閲覧請求権が当然に与えられているものではない（最高裁昭三九・一〇・一三判決　判例時報三九四号六四頁）。

四　議事規則

本条第一項から第四項までに規定している事項を除くほか、委員会は自主的運営の原則に則って、議事に関して必要な事項を定めることができる（本条５）。議事の弾力的運営をはかる見地から、簡素な定めで足りるものと考えるが、議事の基本原則を定めるものである以上、人事委員会または公平委員会規則（法八５）で定めるべきである。なお、この規則に関しては、人事委員会議事規則（案）が出されている（通知昭二六・五・二九　地自乙発第一六五号別紙）。

（人事委員会及び公平委員会の事務局又は事務職員）

第十二条　人事委員会に事務局を置き、事務局に事務局長その他の事務職員を置く。

２　人事委員会は、第九条の二第九項の規定にかかわらず、委員に事務局長の職を兼ねさせることができる。

３　事務局長は、人事委員会の指揮監督を受け、事務局の局務を掌理する。

４　第七条第二項の規定により人事委員会を置く地方公共団体は、第一項の規定にかかわらず、事務局を置かないで事務職員を置くことができる。

５　公平委員会に、事務職員を置く。

６　競争試験等を行う公平委員会を置く地方公共団体は、前項の規定にかかわらず、事務局を置き、事務局に事務局長その他の事務職員を置くことができる。

7　第一項及び第四項又は前二項の事務職員は、人事委員会又は公平委員会がそれぞれ任免する。

8　第一項の事務局の組織は、人事委員会が定める。

9　第一項及び第四項から第六項までの事務職員の定数は、条例で定める。

10　第二項及び第三項の規定は第六項の事務局長について、第八項の規定は第六項の事務局について準用する。この場合において、第二項及び第三項中「人事委員会」とあるのは「競争試験等を行う公平委員会」と、第八項中「第一項の事務局」とあるのは「第六項の事務局」と、「人事委員会」とあるのは「競争試験等を行う公平委員会」と読み替えるものとする。

〔趣　旨〕

一　人事委員会および公平委員会の事務機構

執行機関としての人事委員会および公平委員会の権限の行使を補助させるために、それぞれ事務機構を設けることとされているが、第八条で述べたように、両者の権限には相当の違いがあり、したがって、事務量にもかなりの相違があること、人事委員会を設置する地方公共団体と、公平委員会を設置する地方公共団体とではその規模、職員数に差があることが実態であることから（法七）、人事委員会には事務局を原則として置くこととし、公平委員会には原則として事務職員のみを配置することとしている（本条１４５６）。

およそ地方公共団体は、いかなる事務の処理に当たっても、最少の経費で最大の効果を挙げるようにしなければならず、また、常にその組織および運営の合理化に努めなければならないものであるから（自治法二1415）、人事委員会および公平委員会は、事務処理機構を定めるについてもこれらの基本原則に基づいて行わなければならないことはいうまでもない。人事委員会および公平委員会が、それぞれの事務処理機構を設ける場合も、できるだけ簡素で機能的な組織とするように心がけることが第一に必要である。とくにこれらの委員会が所掌する人事行政は、財務管理などとともに内部管理事務の一つであり、この種の行政が重要であることはもちろんであるが、これを取り扱う機構はできるだけ最少限のものとすることが、住民に対するサービスの提供を使命とする地方公共団体のあり方であるといわなければならない。

ところで、組織、機構を設けるに当たって留意すべき原則として、次の三原則があるとされている。

(1)　目的の原則
(2)　調整の原則
(3)　指揮命令系統の明確化の原則

第一の原則は、行政組織が特定の目的を達成するために、それぞれの組織に明確な目的が与えられなければならないということである。人事委員会や公平委員会の事務局に課や係が設けられるときには、事務の分掌を明確に定めなければならない。

第二の原則は、組織内に配分された事務が個々ばらばらにではなく、全体として調整され統一されて遂行されなければならないということである。分課や係など、また、それぞれの職員に割り当てられた職務が総合的に調整されるよう、委員会、各管理者および職員のそれぞれが配慮をしなければならないものである。

第三の原則は、階層的な組織が迅速、的確に目的を達成するためには、指揮命令が速やかに伝達され、責任をもって遂行されなければならないということである。そのためには、分課や職員の上下の構成が体系的に組み立てられ、また、権限と責任の所在が明確にされなければならない。

以上の諸点に配慮しながら、人事委員会および公平委員会は、それぞれの事務処理機構を設ける必要があり、また、行政組織は時とともに膨張したり硬直化する傾向があるので、適宜、組織や人員の点検を行って合理化に努める必要がある。

次に、具体的な事務組織であるが、人事委員会の場合、とりわけ主要な事務は、採用試験の実施、給与に関する勧告、公平審理および登録等職員団体関係の事務の四つである。前二者は、恒常的な事務であるが、時期的には採用試験は秋に事務が集中し、給与勧告は春から夏にかけてが繁忙である。公平審理は、随時の事務であるが、膨大な事務量となることがある。職員団体関係の事務も随時のものといってよい。これらのほか、労働基準の監督、給与の支払いの監理、人事行政の研究など恒常的な事務があり、これらの事務を適宜組み合わせ、分課、係などを編成することになるが、一般的には給与勧告と採用試験、また、必要に応じて公平審理または職員団体関係の事務をそれぞれの柱として、二ないし三の分課を設けることが常識的であるように思われる。

通常の公平委員会の場合は、公平審理と職員団体関係の事務が中心であり、いずれも随時の事務であるから、分課、係などを設ける必要性はないといえよう。また、競争試験等を行う公平委員会の場合には、これらの事務に採用試験の事務などが加わるわけであるが、この場合にあっても、通年の事務量を勘案して事務局を設置する必要性を考える必要がある。

二　人事委員会および公平委員会の事務職員

人事委員会および公平委員会に、どの程度の職員を配置するか、また、どのように配置するかは、任命権者であるそれぞれの委員会が自主的に判断すべき事柄である。しかし、機構について述べたところと同じ趣旨で、できるだけ最少限の人員をもって賄うことを第一義とすることは当然であり、人事に関する専門機関だけに、他の執行機関の範となるよう少数精鋭主義を徹底しなければならない。

人事委員会の場合には、一で述べたように相当量の恒常的な事務があるので、それに応じた専任の職員を置く必要がある。ただ、臨時的または随時の事務も少なくないので、内部の組織間の協力、長の事務部局からの応援、臨時または非常勤の職員（一般職の職員である。）の任用などによって弾力的に対処するように配慮すべきである。

公平委員会の場合には、運用上、さらに工夫する必要があろう。その事務は随時のものであり、著しく膨大になることもあれば、処理すべき事務がほとんどない場合もある。公平委員会の設置そのものを共同処理によって合理化する方法として、共同設置および事務の委託の方法があることは第七条第四項の関係で述べたところであるが、職員の配置の仕方についても、たとえば、長の事務部局の職員の兼職、充て職、事務従事などの方法（自治法一八〇の三）を活用すべきであろう。この場合、長の事務部局の人事担当職員に兼職などを命じることが便宜であることが多いが、公平審理の場合には問題となっている処分に関与した者、職員団体関係の事務については交渉担当者をそれぞれ避けるよう配慮すべきことは当然のことといえよう。

〔解　釈〕

一　事務局の設置

人事委員会には、事務局を設けることが原則である（本条１）。ただし、法第七条第二項の規定により、任意に人事委員会を設置した人口一五万人以上の市および特別区の人事委員会は、事務局を置くこともできるし、置かなくてもさしつかえない（本条４）。このような弾力的な取扱いは、昭和二七年の改正によって認められたものであるが、これらの地方公共団体は、そのいずれによるかを法第七条第二項の人事委員会設置条例で規定しなければならない（通知昭二七・六・一〇　地自乙発第一九九号）。

人事委員会の設置そのものは条例で定められるが（法七１２）、事務局の組織は人事委員会が定める（本条８）。人事委員会の組織は、その規則（法八５）で定めることが適当であり、そこでは次に述べる長との協議の関係もあり、分課の設置とそれぞれの主要な所掌事務を明らかにすれば足り、係などの設置については他の執行機関と同様に別途細則で定めればよいであろう。事務局長の下に次長を置く場合には、規則で定めておくことが適当である。

人事委員会が事務局の組織を定めるに当たって注意しなければならないのは、課の新設については、同一の地方公共団体内における各執行機関の組織の権衡を図る見地から（自治法一八〇の五４）、あらかじめ地方公共団体の長と協議をしなければならないことである（自治法一八〇の四２、自治法施行令一三二①）。

平成一六年（二〇〇四年）の改正によって、競争試験等を行う公平委員会に事務局を設置することができることとなったが（本条６）、事務局を設置する場合は、その設置条例にその旨を規定しなければならない。そして、競争試験等を行う公平委員会に事務局を設置したときは、本条第一〇項によって人事委員会の事務局の組織について定める本条第八項が準用され、その組織は当該公平委員会が定めることとされるほか、長との関係についても人事委員会の事務局の場合と同じ扱いになる。

二　事務局長

事務局を置く人事委員会には、事務局長が置かれる（本条１）が、事務局を置かない人事委員会の場合には、事務職員だけが置かれる（本条４）。事務局長は、専任であることが普通であるが、人事委員会の委員が事務局長の職を兼ねることができることとされており、この場合に限り法第九条の二第九項の委員の兼職禁止の規定は適用されない（本条２）。昭和二七年（一九五二年）の改正前は、委員長に限って事務局長を兼ねることが認められていたものであるが、より弾力的な運営を行うことができるよう改められたものである。これは兼職であって、事務取扱い（第一七条の【解釈】一(四)３参照）ではないから、当該委員には、委員（特別職）としての身分取扱いと事務局長（一般職）としての身分取扱いが併せて適用されることになる（行実昭二六・二・二四　地自公発第四〇号、同昭四三・一〇・二　自治公二第二三号）。たとえば、事務局長の職について条件付採用（法二二）の適用があり、また、一般職として政治的行為の制限（法三六）を受け、その違反について懲戒処分（法二九）の対象となるほか、委員としては政党所属関係に基づいて罷免（法九の二５）される場合がありうる。また、この兼職は、委員が本務であると解されるので、委員の身分を失うときは事務局長の職も失うものであり（行実昭三六・七・六　自治丁公発第五六号）、また、常勤の委員が事務局長を兼ねたときは常勤委員としての給与を支給すべきである。しかし、非常勤の委員が事務局長を兼ねることも法律上は可能であり、この場合には、勤務の実情からみて事務局長としての給与を支給することもさしつかえないものであり、なお、特別職としての報酬との調整を条例で行うことが適当であるとされている（行実昭三〇・九・一四　自丁公発第一五三号）。次に、この兼職は、委員を事務局長の職に兼ねさせるものであるから、事務局長が委員に就任するときは、まず事務局長の職を辞した後委員として任命されなければならない（行実昭三六・七・六　自治丁公発第五六号。なお、この実例では事務局長をそのまま委員に任命する場合が想定されているが、このような方法は法第九条の二第九項の兼職禁止規定に違反するものであり、同項の解釈で述べたように、兼職禁止規定に違反する任用の効力いかんという困難な問題を生ぜしめる。）。そして、さらに当該委員を事務局長と兼ねさせようとするときには、委員就任後あらためて兼職発令をすることになる。

事務局長の職務は、上司である人事委員会の指揮監督の下に、補助執行の総括責任者として事務局の「局務を掌理」、すなわち、部下を指揮監督し、事務を整理するものである（本条３）。また、法律および人事委員会規則の定めるところにより、人事委員会の権限の委任を受けたときは（法八３、五〇２）、自らの名において人事委員会の権限を行使することができるものである。

競争試験等を行う公平委員会に事務局を置いた場合は、そこに事務局長が置かれるが（本条６）、その事務局長については、人事委員会の事務局長に関する規定（本条２３）が準用される（本条10）ので、前記のことがそのまま当てはまる。

三　人事委員会および公平委員会の事務職員

人事委員会および公平委員会には、それぞれ事務を補助執行するための事務職員が置かれる（本条１４５６）。「事務職員」とは、委員会の事務を補助する地方公務員のすべてを指すものであり、事務局長も事務職員の一人である（本条１６）。それはまた、一般職であると特別職であるとを問わず（行実昭三七・八・六　自治丁公発第七七号）、勤務形態が臨時または非常勤であっても事務職員であるが、後述するように、これらの者は条例定数（本条９）に含ましめる必要はない。

事務職員は、専任、兼任のいずれとすることも法律的には可能であり、事務量を勘案して任用すればよいが、規模の小さい市町村の公平委員会の場合には、**〔趣旨〕**で述べたように、兼職、充て職、事務従事などの方法を活用すべきである。事務職員の任命発令の形式について指導がなされているが（通知昭二六・五・二九　地自乙発第一六五号）、要は、⑴職員に任用すること、⑵所定の給料表の級と号給に格付けすること、および⑶特定の職に補する（充てる）ことを明示すればよい。なお、この通知で任用に当たっての発令名義は、「委員会名」で行うこととされているが、委員長は委員会を代表して行動するもので（法一〇２）、いわば機関そのものに代わって具体的に行為する者であるから、「〇〇委員会委員長　何某」という形で発令することもさしつかえないと考えられる。

事務職員の定数は、条例で定めなければならない（本条９）。この定数条例は、とくに別個の条例を制定する必要はなく、現行の定数条例（注、自治法一七二３に基づく定数条例）中に規定すればよい（通知昭二六・一・一〇　地自乙発第三号）。公平委員会を共同設置した場合（法七４）には、事務職員の数は規約によって定められることが普通であるから（地方自治法第二百五十二条の八の規定による機関の共同設置に関する規約準則（昭二七・一〇・二三　自内行発第二八号別紙）五および何市人事委員会規約案（昭二六・一二・一四　地自乙発第五四号）第一案および第二案のいずれも四３参照）、共同設置をした各地方公共団体または委員が属するとみなされる地方公共団体（自治法二五二の九２４）の条例で定める必要はないとされている（行実昭二六・八・二三　地自公発第三五九号）。しかし、これは昭和二七年の地方自治法の一部改正前の実例であり、現行の地方自治法第二五二条の一一第一項の規定によれば、共同設置した委員会の事務補助職員は委員が属するものとみなされる地方公共団体の職員をもって「充てる」こととされているので、当該地方公共団体の定数条例中に規定しておくべきであり、共同設置した委員会のために別に職員定数条例を定める必要はないものと解される。

　本条第一項、第四項から第六項の「事務職員」には常勤、非常勤を問わず、また、一般職、特別職を問わずすべての補助職員が含まれることは先述したところであるが、定数条例に定めなければならない第九項の「事務職員」は、臨時または非常勤の職員を除く恒常的な職員であると解されている（行実昭三七・八・六　自治丁公発第七七号）。定数条例の対象となる職員は、一般にそのように取り扱われているところであり（自治法一七二３但し書、地教行法三一３但し書、消組法一一２但し書）、臨時、非常勤の職員の数をあえて条例で定める必要もないと考えられたからであろう（第三条の【趣旨】二㈠２参照）。また、委員会の事務を補助するために長の事務部局の職員が兼職、充て職、事務従事などによって派遣されている場合（自治法一八〇の三）には、長の事務部局において定数条例に規定すれば足り、重ねて規定する必要はない。人事委員会の委員が事務局長を兼ねる場合には当該事務局長の職は恒常的な職である以上、定数条例中に算定しておくべきである。その他、休職者、専従職員など長期にわたり職務に従事しないものについては、定数条例に含ましめない取扱いとすることも可能であろうが、条例に明記することが適当である。

四　人事委員会に関する規定の公平委員会への準用

　本条第一〇項は、第二項および第三項の規定を競争試験等を行う公平委員会の事務局長について、第八項の規定を競争試験等を行う公平委員会の事務局について準用することとして、読み替えの規定を置いている。この規定による読み替えの結果は、次のとおりになるが、その意味については、事務局長および事務局について述べたところと同じである。

第二項　競争試験等を行う公平委員会は、第九条の二第九項の規定にかかわらず、委員に事務局長の職を兼ねさせることができる。

第三項　事務局長は、競争試験等を行う公平委員会の指揮監督を受け、事務局の局務を掌理する。

第八項　第六項の事務局の組織は、競争試験等を行う公平委員会が定める。

第三章　職員に適用される基準

第一節　通　則

（平等取扱の原則）

第十三条　全て国民は、この法律の適用について、平等に取り扱われなければならず、人種、信条、性別、社会的身分若しくは門地によつて、又は第十六条第四号に規定する場合を除くほか、政治的意見若しくは政治的所属関係によつて、差別されてはならない。

〔**趣　旨**〕

一　職員に適用される基準

地方公務員法の大部分を占めているのが第三章「職員に適用される基準」であり、そこでは、職員または職員となろうとする者、さらには職員であった者にとって、もっとも利害と関心の深い個々の職員の身分取り扱いについて、第一三条から第五六条まで、その性質によって第一節から第九節までに区分して詳細に定められている。

職員に適用される基準を定めた第三章の各規定を通じる基本的な考え方は次の二つである。

㈠　すべての職員に共通する規範

第三章の規定は、すべての職員に共通して適用される規範である。各規定のそれぞれの箇所で述べるように、職種による特例や条例などにより地方公共団体ごとに自主的に定めるべき事項もあるが、ここで定められている事項は、職員すべてに共通する基本的な権利であり、義務であり、身分取扱いである。

なお、職員という言葉に独法職員が含まれることは地方公務員法第三条第一項および第四条第一項から明らかであるが、地方公共団体と特定地方独立行政法人とは、その存立意義が異なるのであり（地方独法法二2参照）、第二条の〔趣旨〕二で述べたとおり、このような取扱いがあくまでも独法職員に地方公務員法を適用するための立法技術上のものであることに留意する必要がある。以下、本書においては、あくまでも地方公共団体の公務員に着眼して述べることとし、独法職員については、必要に応じて言及するに止める。

このように、所属する地方公共団体のいかんを問わず、全職員共通の規範が定められているのは、職員はその勤務場所がどこであれ、ひとしく地域社会の公共の福祉のために勤務し、全体の奉仕者（憲法一五2、法三〇）として全力を尽くすという共通の性格を有しているためである。このことは国家公務員との関係においても同じであり、国家公務員法と地方公務員法という実定法の相違はあっても、両者の身分取扱いの基準は、技術的あるいは立法政策上の若干の相違を除いて、ほぼ共通のものとなっている。

立法論的な比較をすれば、アメリカ合衆国のように全国的な統一規範をもたない国もいくつか見受けられる。この場合は、各州や各地方公共団体の立法に全面的に職員の身分取扱いを委ねている結果、それぞれの州や地方公共団体ごとに異なる身分取扱いがなされることとなる。職員の身分取扱いは、地方公共団体の内部管理に属する事項であるから、それぞれの地方公共団体の自主的な判断にすべてを委ねることも一つの考え方であろうし、わが国のように全体としての共通の性格に着目して国法による統一的な規範を策定することも一つの考え方であろう。いずれによるかは、それぞれの国の国情、歴史、法規全体を通じる考え方などによって定まるものと考えるが、わが国の場合には、国民の同一性意識が強く、他の地域との均衡に強い関心をもつ国民性からみて、基本原則は、国法によって共通のものとして定めることが適っているように思われる。

㈡　身分取扱いの基準の自主的な運用

職員に適用される基準が全職員共通の規範であることはこれまで述べたとおりであるが、それは各地方公共団体における自主的、自律的な人事行政を否定するものではない。第三章の題名にもあるように、それは職員に適用される「基準」であり、また、目的（法一）に明示されているように、地方公務員法は人事行政に関する「根本基準」を確立することを目的としている。基準そのものは、普遍的であり共通の準則であるが、それは人事行政全体からみればごく基礎的な部分に過ぎない。この基礎に立ってそれぞれの地方公共団体が運用に工夫を凝らし、自主的で特色ある人事行政が展開されることを期待しているのが法の趣旨である。

地方自治の本旨は、各地方公共団体が自らの発意と責任において、自主的、自律的な運営を実現することにある。人事行政もそれぞれの地方公共団体が地域の実情と管理者の方針に基づいて、地域における公共の福祉を増進するために独自の工夫と運営の仕方があって然るべきである。地方公務員法が定める職員に適用される基準は、全国共通に遵守されなければならないが、それはいわば人事行政における最低限の規範であり、そのことによって画一的な人事行政が行われるようなことがあるとすれば、人事行政の発展、ひいては地方自治の進歩はないといっても過言ではない。なお、最近の立法において、国の関与が強まっている傾向にあることについては、第一条の**〔趣旨〕四（二）**で述べた。

二　通　則

第三章第一節は、職員に適用される基準の通則として平等取扱いの原則および情勢適応の原則を定めている。これは、形の上では第三章の通則、すなわち、第二節以下の任用、人事評価、給与・勤務時間その他の勤務条件、休業、分限および懲戒、服務、退職管理、研修、福祉および利益の保護ならびに職員団体の各規定に通じる基本原則とされているが、実質的には、平等取扱いの原則は地方公務員法のすべての規定の適用についての原則であり、第一章総則で規定されることがむしろとがより適切であろう。

適切である。また、情勢適応の原則は、給与、勤務時間その他の勤務条件に関する原則であり、本章第四節に規定されることがより適切であろう。

三　平等取扱いの原則

すべての国民は平等であるとする原則は、近代国家の大原則であり、近代法の基本理念の一つである。世界各国の憲法においても多くのものがこれについて明文の規定を置いており、日本国憲法も第一四条第一項で「すべて国民は、法の下に平等であつて、人種、信条、性別、社会的身分又は門地により、政治的、経済的又は社会的関係において、差別されない。」と規定している。また、旧憲法が第一九条で「公務に就く機会の均等」を規定したにとどまるのに比してはるかに拡大された規定となっている。また、この国民平等の原則は、憲法によって初めて与えられるものでなく、たとえ憲法の明文の規定がなくても当然の事理として承認されなければならないものである（法学協会編・註解日本国憲法　上巻三四二頁、有斐閣、一九六二年）。

平等の思想が近代社会の基本理念とされるようになった歴史的、社会的背景はさまざまであり、封建的身分制度の打破、神の前の平等という宗教的要請、人間は本来平等であるとする民主主義的政治価値観など、多様な理由によって平等主義が主張されてきたのであるが、わが国の憲法においては、民主主義社会建設の欠くべからざる基盤として、法の下における平等が規定されているものである。

本条の平等取扱いの原則が日本国憲法第一四条第一項の規定を受けたものであることは明らかであり、すべての国民に対し地方公務員法を平等に適用することは、憲法に基づく要請であるといわなければならない。競争試験の平等公開（法一八の二1）もこれを具体化した規定である。また、職員には原則として労働基準法の適用があるが（同法一一二、法五八3）、同法においても労働条件（勤務条件）についての平等取扱いの原則が定められており（労基法三）、これらの規定によっても憲法の保障が具体化されている。なお、ここで注意を要するのは、本条と労働基準法第三条の関係である。すなわち、本条は、採用から退職に至るまでの過程を規律する地方公務員法の適用における平等取扱いを要請するものである一方、そこには国籍による差別の禁止という明文がないのに対して、労働基準法第三条は、国籍による差別の禁止を明記しているものの、それが適用されるのは、採用後に限られ、採用そのものについては適用されないと解されている。その結果、外国人を管理職へ昇任させることの是非については、本条または競争試験の受験資格について定めた地方公務員法第一八条の二の問題としてではなく、労働基準法第三条の問題として処理されている（「東京都教育委員会昇格試験事件」最高裁大法廷判決平一七・一・二六　判例時報一八八五号三頁）。

平等取扱いの原則は、このように地方公務員法の適用に当たってのもっとも重要な原則の一つであり、また、それは単なる宣言規定ではなく、実体的規定である。本条に違反して差別をした者、および労働基準法第三条に違反した者に対してはそれぞれ罰則が定められていること（法六〇①、労基法一一九①）は、これが実体的規定であることを端的に示すものである。しかし、社会の実態がますます高度化し複雑化する今日、具体的に何が平等であるか、あるいは平等に反するかということを明らかにすることは必ずしも容易ではない。個々具体的に憲法の理念と地方公務員法の精神に基づいて判断するほかないのであるが、今後、判例や実例などが集積されることによって、次第に個々の問題についての判断が明らかになっていくものと思われる。

また、本条には明記されていないが、年齢による雇用制限は不当であるとする考え方および年金受給開始年齢との関係を考慮して、高年齢者等の雇用の安定等に関する法律第八条は、定年を定める場合にはその年齢が六〇歳を下回ることができないとし、同法第九条は六五歳未満の定年の定めをしている事業主は六五歳までの安定した雇用を確保するために定年の引上げ、継続雇用制度の導入または定年の定めの廃止をしなければならないとし、同法第一〇条の二は、六五歳以上七〇歳未満の定年の定めをしている事業主または継続雇用制度（高年齢者を七〇歳以上まで引き続いて雇用する制度を除く。）を導入している事業主は、原則として、その雇用する高年齢者について、六五歳未満の定年の定めをしている事業主が六五歳までの雇用を確保する場合と同様の措置をとることによって、六五歳から七〇歳までの安定した雇用を確保するよう努めなければならないとしている。また、労働施策の総合的な推進並びに労働者の雇用の安定及び職業生活の充実等に関する法律第九条が「事業主は、労働者がその有する能力を有効に発揮するために必要であると認められるときとして厚生労働省令で定めるときは、労働者の募集及び採用について、厚生労働省令で定めるところにより、その年齢にかかわりなく均等な機会を与えなければならない。」とするなど、少なくとも六五歳までの雇用を確保し、年齢を理由とする雇用の制限をなくすための法整備がなされている。これらの規定は、いずれも地方公務員には適用されないが（高齢者雇用安定法七２、労働施策の総合的な推進並びに労働者の雇用の安定及び職業生活の充実等に関する法律三八条の二）、そのことは、公務員について年齢制限が是認されることを意味するものではない。なお、我が国における伝統的ないわゆる終身雇用型の人事システム（第一七条の【趣旨】一参照）においては、採用時にはそれまでに得た知識・技能・経験が考慮されるものの、採用後の研修や実務を通じての能力の開発や向上、さらには勤務成績（人事評価については、法六１括弧書、二三〜二三の四参照）をより重視するものであり、採用において年齢制限がなされる理由ともなっている。そして、民間においてもこのような人事システムが採用されていることが多いことから、「長期間の継続勤務による職務に必要な能力の開発及び向上を図ることを目的として、青少年その他特定の年齢を下回る労働者の募集及び採用を行うとき」は、採用における年齢制限が認められている（労働施策の総合的な推進並びに労働者の雇用の安定及び職業生活の充実等に関する法律施行規則一の三１③イ）。

ただ、ここで留意しておかなければならないことは、憲法あるいは法律における平等取扱いの原則は「絶対的平等」ないしは画一的平等を意味するものではないということである。法は具体的な人間の規範であり、具体的な人間が事実上多くの差異をもっている以上、絶対的平等ということは現実に妥当しないのである（法学協会編・註解日本国憲法　上巻三五二頁、有斐閣、一九六二年）。「法が基本的平等の原則の範囲内において、各人の年齢、自然的素養、職業、人と人との間の特別の関係等の各事情を考慮して、道徳、正義、合目的性等の要請により適当な具体的規定をすることを妨げるものではない。」（最高裁昭二五・一〇・一一判決　判例タイムズ六号五四頁）とされているのは、この趣旨によるものといえよう。したがって、職員の身分取扱いについても、たとえば、特定の場合において、警察官の採用を男性に限ったり、労働時間や休暇について女性を優遇したりすることは、そうすることについて合理的な理由がある限りは、それは不合理な差別的取扱いではなく、平等取扱い原則の違反とはならない。また、同じ処分事由のある者の一部の者のみを懲戒処分に付することは懲戒権者の自由であり、違法ではないとされている（大阪高裁昭二八・八・六判決　行政事件裁判例集四巻八号一八五八頁）。

ところで、障害者の雇用の促進等に関する法律は、地方公共団体の任命権者は、当該機関に勤務する身体障害者または知的障害者の数が、常勤の職員（警察官、消防吏員、消防団員などの他厚生労働大臣が指定するものを除く。）の総数に二・六％（都道府県の教育委員会および厚生労働大臣が指定する教育委員会は二・五％）を乗じて得た数未満である場合には、それらの者の数がその率以上となるようにするため、身体障害者または知的障害者の採用に関する計画を作成しなければならない（障害者雇用促進法三八、同法施行令一、二、別表第一）とする一方で、当分の間は、教育職員、医師、鉄道車両や自動車などの運転に従事する者などの上記の総数に対する割合（基準割合）が一〇〇分の二五以上であるもの（除外率設定機関）について、基準割合に応じて一〇〇分の五から一〇〇分の七五までの除外率を乗じて得た数を上記の総数から控除した数をもって職員の総数とする（障害者雇用促進法附則三1、同法施行令附則2、別表第三、附則5、別表第四）としている。これは、憲法や地方公務員法における能力主義、平等主義、効率主義の原則などと相容れない面もあるものの、憲法が掲げる福祉国家の理念による実質的平等を実現するという政策判断によるものとして是認されるべきものであろう。

〔解　釈〕

平等取扱いの原則は、すべての国民について適用される。「国民」というのは日本国籍を有する者を意味するものであり、それ以外の者（「外国人」という。）は含まれない（行実昭二六・八・一五　地自公発第三三二号）。外国人の公務への参加については、国の場合には、一般職にも特別職にも属しない外国人の雇用が明文の規定によって認められているが（国公法二7）、それ以外については、行政解釈によって、日本の国籍を有しない者を公権力の行使または地方公共団体の意思決定に参画する職に任用することはできず、将来このような職に就くことが予想される職の採用試験に外国人の受験資格を認めることは適当でない（これを「当然の法理」という。）とされ（法制意見昭二八・三・二五　法制局一発第二九号、行実昭四八・五・二八　自治公一第二八号）、社会教育委員に外国人を委嘱することも不適当であるとされており（行実昭四四・六・一六　公務員一課決定）、外国人を公立大学の教授、准教授、助教または講師に任用することを認めた公立の大学における外国人教員の任用等に関する特別措置法は、この行政解釈による「当然の法理」の特例を法律によって明らかにしたものとされている。地方公務員については、公立大学の場合を除き、特例法は定められていないので、現在の法秩序の下では、公権力の行使やその企画、決定に当たる職員および将来そのような職務を担当することが予想される職員として外国人を任用することはできないというのが一般的な解釈である。国際化社会にあって、外国人も含めてすべての人類の平等を実現することが望ましいことはいうまでもないが、地方公務員は、国家によって存立目的を与えられた地方公共団体という公法人の事務を担当するものであり、その処理する職務の内容はきわめて大きく、多数の国家がそれぞれその独立性を主張し合っている国際社会の現実からみるときは、このような取扱いもやむを得ないであろう。なお、外国人が地方公共団体において就くことができる職について、平成一七年一月二六日の最高裁判所大法廷判決は次のように判示している（判例時報一八八五号三頁）。

「地方公務員のうち、住民の権利義務を直接形成し、その範囲を確定するなどの公権力の行使に当たる行為を行い、若しくは普通地方公共団体の重要な施策に関する決定を行い、又はこれらに参画することを職務とするもの（以下「公権力行使等地方公務員」という。）については、次のように解するのが相当である。すなわち、公権力行使等地方公務員の職務の遂行は、住民の権利義務や法的地位の内容を定め、あるいはこれらに事実上大きな影響を及ぼすなど、住民の生活に直接間接に重大なかかわりを有するものである。それゆえ、国民主権の原理に基づき、国及び普通地方公共団体による統治の在り方については日本国の統治者としての国民が最終的な責任を負うべきものであること（憲法一、一五1参照）に照らし、原則として日本の国籍を有する者が公権力行使等地方公務員に就任することが想定されているとみるべきであり、我が国以外の国家に帰属し、その国家との間でその国民としての権利義務を有する外国人が公権力行使等地方公務員に就任することは、本来我が国の法体系の想定するところではないものというべきである。

そして、普通地方公共団体が、公務員制度を構築するに当たって、公権力行使等地方公務員の職とこれに昇任するのに必要な職務経験を積むために経るべき職とを包含する一体的な管理職の任用制度を構築して人事の適正な運用を図ることも、その判断により行うことができるものというべきである。そうすると、普通地方公共団体が上記のような管理職の任用制度を構築した上で、日本国民である職員に限って管理職に昇任することができることとする措置を執ることは、合理的な理由に基づいて日本国民である職員と在留外国人である職員とを区別するものであり、上記の措置は、労働基準法三条にも、憲法一四条一項にも違反するものではないと解するのが相当である。そして、この理は、前記の特別永住者についても異なるものではない。」

次に、本条は「この法律の適用について」差別してはならないことを定めており、具体的には、任用をはじめ、勤務条件の決定、分限および懲戒処分などについての本法の適用が問題となる。地方公務員法は、職員の身分取扱いの基本法であり、同法の特例を定めた各法規および同法に基づく条例などによる身分取扱いに際しても、本条の趣旨に従ってそれぞれ法令が適用されなければならない。また、職員の労働条件（勤務条件）について差別的取扱いをしてはならないことは労働基準法第三条で定められているところであるが、同条は、本条の適用を排除するものでなく、同条と本条は重複して適用される。したがって、労働基準法第三条では、文理上、性別による差別を禁止していないが、女性職員の勤務条件について差別を行ったときは、本条に違反することになり、本条は国籍による差別を禁止していないが、採用後に合理的な理由なく国籍による差別を行ったときは、労働基準法第三条に違反することになる。また、信条によって差別することはいずれの規定においても禁止されているが、これに違反したときは、双方の規定に同時に違反するものとして、罰則についても観念的競合となるものと解される。

次に、本条の「人種」とは、人類学上の区別であり、国籍や民族とは異なる概念である。わが国に帰化して日本国籍を取得した者は人種が異なることが多いが、その数は少なく、また、わが国には海外領土がないために、人種が問題になることは比較的少ないといえよう。人種が異なっても、日本国籍にある以上はなんらの差別を受けないことは当然である。「信条」は、本来は宗教上の信仰をいうものと解されるが、ここでは政治上、道徳上の主義、信念あるいは世界観に基づく信念も含まれる。公立学校の卒業式などの式典における国旗掲揚の下での国歌斉唱の際に国旗に向かって起立し国家を斉唱することを命ずることが憲法第一九条に違反しないとする判例（最高裁平二三・五・三〇判決、二三・六・六判決、二三・六・一四判決、二三・六・二一判決　いずれも判例時報二一二三号三頁）があるが、公立小学校の教職員に対する転任処分が思想、信条を理由とした違法なものであるとされた例もある（札幌地裁昭四六・一一・一九判決　判例時報六五一号二二頁）。信教の自由は、憲法によっても強く保障されているところである（憲法二〇1）。政治上の信念については、後述の「政治的意見」とほとんど同じ概念であるが、強いていうならば、「意見」は理論的な主張であるのに対し、「信条」は人格的な確信であるといえよう。同じく後述の「政治的所属関係」も政治的な信条や政治的意見と深いかかわり合いをもつが、信条や意見が個人の思考、思想の問題であるのに対し、所属関係は事実上の帰属状態をいうものである。政治的信条については、後述の政治的所属関係の場合と異なり、いかなる信条、意見を有していても、それが具体的な行動に結びついて欠格条項や分限処分、懲戒処分の事由とならない限り、それによって差別的な不利益な取扱いを受けることはない（憲法一九、二一1）。また、道徳上の信念にしてもそれによって差別してはならないことは当然であるが、たとえば、公序良俗に明らかに反する道徳上の信条を有している者を職員として採用しないことは、平等取扱いの原則には反しない（法一六④参照）。公共の福祉の見地から職員たるべきものの妥当な限界を定め、合理的な区別を行うことは可能と考えられるからである。なお、県の職員労働組合の反主流派に属して組合活動をしてきたことを理由にして昇任させないことが違法であるとされた例がある（秋田地裁平八・二・二三判決　判例タイムズ九一六号一二七頁）。

次に、「性別」は男女の別であるが、この点については問題が多い。以前は、勧奨退職に当たって、男女に年齢差を設けることが差別になるかどうかがしばしば問題とされたが、一般に勧奨退職は、任意退職であって強制的退職ではないので、退職を実質的に強制するものでない限り、本条には違反しないと解されていた。しかし、独身の女子職員の採用に当たり、結婚した時には退職する旨の誓約書を提出させることは本条違反となり、職場内結婚をしたときは夫婦のいずれかが退職する旨の誓約書を提出させることは、性別による差別ではないが、配偶者の選択、結婚の時期などの自由（婚姻の自由　憲法二四）を制約することになり、誓約書に従う義務はないとされている（千葉地裁昭四三・五・二〇判決　判例時報五一八号二四頁）。また、勧奨退職における男女の年齢差については、女性であることを理由として男性よりも三歳ないし七歳低い基準年齢を定めて、勧奨を繰り返し、応じなかった者に優遇措置を講じなかったことを違法とした判決（鳥取地裁昭六一・一二・四判決　判例時報一二一六号三二頁）がある。今日、しばしば問題とされるのは、男女の昇任（昇格）の差別である。この問題は、個々の職員の勤務実績や能力を公正に判定することによって解決すべき問題であり、民間企業の例ではあるが、勤務成績や能力に基づく選考をせず、勤続年数を唯一の基準として一律に昇格させる措置をとりながら、男子職員だけを一律に昇格させ、女子職員を昇格させなかったことを違法とする判決（東京地裁平二・七・四　判例時報一三五三号二八頁）がある。次に、職員の採用について、警察官を男性に限り、看護師を女性に限るようなことは、〔趣旨〕でも述べたように、合理的な理由がある場合には本条違反にはならない。しかし、一般の事務職員の採用を男性に限るようなことは、よほど特別な理由がない限り本条違反となる。さらに、女性に生理休暇、出産休暇などを与えて優遇することなどは、女性の身体的、社会的な相違に基づくものであるので、平等取扱いの原則に反するものではない。

男女の区別を問題にする場合に、男女間の能率や能力が問題とされることが多い。しかし、身体的、生理的な差異を別とすれば、それは性別による違いというよりも個人的な能力の差に帰することが多く、さらに、管理者の管理の不手際に帰せられるべき場合も少なくないように思われる。個人差による区別には合理性があり、また、真に能力主義的な人事管理が行われるならば、男女の不当な差別は解消するものと考えられる。なお、地方公務員には本条の規定が適用されることから、雇用の分野における男女の均等な機会及び待遇の確保等に関する法律が定める性別を理由とする差別の禁止の規定（同法五～一〇）は適用されないが、職場における性的な言動に起因する問題に関する雇用管理上の措置等、職場における性的な言動に起因する問題に関する国、事業主及び労働者の責務、職場における妊娠、出産等に関する言動に起因する問題に関する雇用管理上の措置等、職場における妊娠、出産等に関する言動に起因する問題に関する国、事業主及び労働者の責務、妊娠中及び出産後の健康管理に関する措置の規定（同法一一～一三）は適用される（同法三二）。

次に、「社会的身分」という言葉の意味は、必ずしも明らかではないが、永続的に固定した社会的地位を指すものと考えられる。「身分」という言葉は、身分制度を想像させるが、そのように狭く解釈する必要はない。これを社会的地位と考える場合には職業なども含まれ、それによって差別すること、あるいは、いわゆる被差別部落の出身であることによって差別するようなことは、本条の違反となる。「門地」とは、家柄を意味するものとされており、華族制度や士族と平民の区別などがこれに該当する。このような区別も現在では存在しないし、華族の制度は今後も認められない（憲法一四２）。

「政治的意見」とは、政治についての具体的な見解であり、前述の政治上の「信条」に基づく場合が多いであろう。また、「政治的所属関係」とは、政治団体などに所属しまたは所属していないことをいう。ここで政治団体というのは、政治資金規正法第三条第一項の「政治団体」とほぼ同じと解してよいが、「政治的所属関係」というときはそれよりも広く、団体には属さないで個人的に政治活動を支持するような場合も含まれるものと解する。政治上の見解を有していること、または政治的な所属によって差別することは本条違反となるが、「第十六条第四号に該当する場合」は例外であるとされている。同条同号は、日本国憲法施行の日以後（昭和二二年五月三日以後）において日本国憲法またはその下に成立した政府を暴力で破壊することを主張する政党その他の団体を結成し、またはこれに加入した者の欠格条項を定めており、これは具体的には、破壊活動防止法によって規制される団体にかかるものと解されているが、このような団体は国家そのものを否定するものである以上、平等取扱いの原則による保護の対象にはならないとされているのである。地方公務員法第一六条第四号に該当する場合は、政治的意見および政治的所属関係の両方についての平等取扱い原則の例外として規定されているが、同号はもっぱら政治的な所属を規制したものであって、政治的意見についての例外ではない。したがって、政治的意見のみによる差別的取扱いは一切禁止されているというべきである。また、ここには明示されていないが、政治的活動についていえば一定の行為が職員に禁止されており（法三六）、これに違反したときは「この法律」に違反したことになり、懲戒処分の対象となる（法二九１①）。このような取扱いも、公務に携わる者の職務および身分の特殊性に基づく政治的中立性を確保するための合理的な措置であって、平等取扱いの原則に反するものではない。そのほか、服務に関する各規定などについても、本条の「社会的身分」などとの関係で同様のことをいうことができるのであり（例、営利企業などの従事制限、昇任試験の受験資格の制限）、ここで第一六条第四号が例外であることを明示したのは念のためであるといってよい。

本条の規定に違反して差別をした者は、一年以下の拘禁刑または五〇万円以下の罰金に処せられる（法六〇①）。また、労働基準法第三条の規定に違反した者は、六カ月以下の拘禁刑または三〇万円以下の罰金に処せられる（同法一一九①）。差別的取扱いをする者は、一般に任用にかかわる上級の地方公務員であるが、職員団体の結成、加入について差別的取扱いをしたときは、職員以外の者であっても本条違反となる場合があり得よう。

本条に違反して差別された職員は、法第四九条の二第一項の規定に基づき審査請求をすることができる。本条に反して分限処分、懲戒処分を受けた場合はもちろんであるが、転任の場合、昇格、昇給させられなかった場合も処分ではないが審査請求を認めるべきであるとする見解がある（鹿児島重治・逐条地方公務員法（第六次改訂版）一七〇頁、学陽書房、一九九六年）。しかし、少なくとも昇格や昇給がなされないという不作為については、それを取り消すことは不可能であり、修正するということは全く新しい処分をすることを意味し、それは任命権者ではない人事委員会または公平委員会の権限を超えるものといわざるを得ないので、措置要求（法四六）に限って認められるものと解する。これは政治的に違法な行為に応じなかった場合の不利益取扱い（法三六４）、および労働運動に関する不利益取扱い（法五六）の場合も同じである。なお、本条に違反する行為については、国家賠償法第一条第一項に基づく損害賠償請求ができる場合もある。

（情勢適応の原則）

第十四条　地方公共団体は、この法律に基いて定められた給与、勤務時間その他の勤務条件が社会一般の情勢に適応するように、随時、適当な措置を講じなければならない。

２　人事委員会は、随時、前項の規定により講ずべき措置について地方公共団体の議会及び長に勧告することができる。

〔趣　旨〕

一　**勤務条件の弾力的管理**

職員の給与、勤務時間、休日、休暇などの勤務条件は、法律および条例によって決定される（法二四、二五、自治法二〇三の二、二〇四、二〇四の二）。この制度は、「勤務条件法定主義」または「勤務条件条例主義」といわれることがある。これに対し、民間企業の労働者の労働条件は、労使が対等の立場で（労基法二1、労働契約法三1）「契約自由の原則」に基づいて決定される。このため、民間企業の労働者の労働条件は、社会情勢の変化や経済の変動に即応して弾力的、機動的に変更することが比較的容易であるが、公務員の勤務条件の場合は、議会の議決を経て、法律または条例を改正しなければならない場合が多く、社会、経済の動きに応じて弾力的に対応することが比較的困難となっている。

このような事情を考慮して、本条第一項は、地方公共団体のそれぞれの機関が社会情勢の変化に対応して適時適切な措置をとるように努力する義務を課し、その仕組み上ややもすれば硬直的になりがちな職員の勤務条件を、関係機関の努力によってできる限り弾力化するように求めているのである。いうまでもなく勤務条件は、職員の経済的な権利であり、職員の労働者としての権利の基本をなすと同時に実質的な使用者である住民にとっても重大な意味を有するものであるから、それが社会情勢に常に適応したものであることが職員および住民の利益を守る上でとりわけ重要である。と同時にそうすることが優秀な人材を職員として確保する上でも、また、公務能率を維持する上でも欠くことのできない条件であり、当局としても重大な関心をもつべき事柄であるといえよう。この意味で、情勢適応の原則は、人事管理を行う上で配慮すべきもっとも重要な事項の一つとなっている。

二　**勤務条件の保障**

本条は、職員の勤務条件の保障の一環として重要な意義を有している。民間企業の労働者は、労働基準法、労働安全衛生法あるいは最低賃金法などによって基礎的な最低基準の保障を受けるほかは、労働基本権に基づき、労働組合を結成し、団結の力を背景として使用者と交渉を行い、団体協約（労働協約）を締結して労働条件を確保することができる。そして交渉を有利にとりはこぶために、争議行為を行うことが認められている（労組法八など）。公務員の場合には、国民または住民が最終的にその勤務条件を決定するものであるため、職種によってこれらの労働基本権の一部または全部が制限されている。このことは第三七条および第五二条から第五五条の二までで述べるが、このような労働基本権の制限に見合うものが、法律による各種の勤務条件に関する保障措置である。それらは、勤務条件法定主義（法二四5）と勤務条件に関する措置要求の制度（法四六～四八）とが中心であり、人事委員会を置く地方公共団体では、そのほかに給料表に関する勧告（法二六）があるが、本条第一項の情勢適応の原則は、これらと並んであげられるべきものである。

勤務条件の保障については、労働基本権の制限との関係でさまざまな議論があるが、要は職員の勤務条件が実体的にどのように維持改善されているかということが基本であり、そうした実体を確保する上で本条のもつ意義はきわめて大きいのである。

三　人事委員会の勧告

本条第一項は、地方公共団体は、職員の勤務条件が社会一般の情勢に適応するように、随時、適当な措置を講じなければならないとして、議会や長が、自主的自発的に行動することを期待しているが、平成一六年（二〇〇四年）の改正によって、本条第二項が追加され、人事委員会は、この講ずべき措置について、議会および長に勧告することができることとされた。人事委員会は、給与、勤務時間その他の勤務条件、厚生福利制度その他職員に関する制度について絶えず研究を行い、その成果を地方公共団体の議会もしくは長または任命権者に提出することとされ（法八1②）、議会や長は、この研究成果などに基づいて随時、適当な措置をとることになるのであるが、平成一六年の改正前は、人事委員会は、研究の成果を提出するだけで、給料表について（法二六）以外に勧告をする権限を有していなかった（行実昭二六・一二・一九　地自公発第五五六号）。

本条第二項は、人事行政の運営に関する任命権者に対する勧告（法八1④）に加えて、職員の勤務条件に関する制度について、それを決定する権限を有する議会および長に対する勧告権を認めるものであり、勤務条件法定主義による弾力的な対応の困難さを克服しようとしたものであろうが、勧告を行うか否か、勧告を行う場合の内容をどのようにするかは、人事委員会の裁量に委ねられている。

なお、企業職員および単純労務職員ならびに独法職員については本条第二項の規定は適用しないこととされている（地公企法三九1、地公労法一七、同法附則5、地方独法法五三1）が、人事委員会は地方独立行政法人の機関ではないから、特別の規定をまつまでもなく、本条第二項が独法職員について適用されないのは当然のことである。

〔解　釈〕

一　情勢適応の原則

本条第一項は、「地方公共団体」に職員の勤務条件について適当な措置を講ずる義務を課したものである。義務の主体は、地方公共団体とされているが、現実にこの義務を実行するのは、地方公共団体の各機関である。地方公共団体の長をはじめとする各任命権者ならびに第三者機関としての人事委員会および公平委員会が、それぞれこの原則に則って職員の身分取扱いを行わなければならないものであり、さらに意思決定機関である地方公共団体の議会もこの原則に基づいて職員の勤務条件を決定しなければならない。また、企業職員および単純労務職員についても本項は適用除外されていないので（地公企法三九1、地公労法附則5）、地方公営企業の管理者および単純労務職員の任命権者も情勢適応の原則を尊重する義務があり、職員やその労働組合からの要求をまつまでもなく、積極的に対応すべきものと解される。

本条第一項は、「この法律に基いて定められた給与、勤務時間その他の勤務条件」について随時適当な措置を講じなければならないとするが、これは、地方公務員法が枠の法律として（第一条の〔**趣旨**〕**四**参照）、人事行政に関する根本基準のみを定め、具体的な内容を各地方公共団体が自主的に定めるところに任せていることを踏まえたものである。すなわち、職員の給与、勤務時間その他の勤務条件は条例で定めるのが原則であり、地方公務員法第二四条第五項が適用されない単純労務職員および企業職員（地公企法三九1、地公労法附則5）については、長や教育委員会の規則もしくは企業管理規程（これらは就業規則（労基法九章）としての性質をも有する。）または労働協約（労組法三章）で定められるのであるが、この場合においても、給与の種類および基準は条例で定めなければならず（地公企法三八4、地公労法附則5）、労働協約の場合においても条例、規程（規則）

および予算の拘束は免れない（地公労法八〜一〇）のであり、いずれにしてもその主導権は地方公共団体が有することに変わりはない。本条第一項は、このような仕組みを前提として、勤務条件を定める条例およびそれに基づく規則などの制定、改廃はもちろん、その運用についても、随時、適当な措置を講ずべきことを関係各機関に義務づけるものである。本条における勤務条件というのは「この法律」に基づいて定められたものであるから、その文言上は地方公務員法に基づくものに限られるようにみえるが、地方公営企業法第四章や地方公営企業等の労働関係に関する法律は地方公務員法の特例を定めるものであり、地方公務員法と一体となって初めて意味をもつものであるから、その場合でも「この法律に基づいて定められた」ということを妨げないであろう。なお、労働基準法などの勤務条件の基準を定める法律も数多くあるが、これらの法律は、あくまでも勤務条件を定める場合にその基準に違反してはならないとするにすぎず、勤務条件を定める根拠となるものではないので、本条第一項にいう「この法律」には含まれないものである（反対、鹿児島重治・逐条地方公務員法（第六次改訂版）一七三頁、学陽書房、一九九六年）。

一般的に勤務条件というのは「職員が地方公共団体に対し勤務を提供するについて存する諸条件で、職員が自己の勤務を提供し、又はその提供を継続するかどうかの決心をするにあたり一般的に当然考慮の対象となるべき利害関係事項を指す」（法制意見昭二六・四・一八　法務府法意一発第二〇号）と定義されている。この勤務条件を性質別にみると、経済的給付に関するもの、提供すべき勤務の量に関するもの、執務環境や職場秩序に関するもの、勤務の提供に付帯する便益に関するものの四つに分類することができる。

1　経済的給付に関する勤務条件　これには、非常勤職員に対する報酬と常勤職員に対する給料のほか、常勤職員（短時間勤務職員及び会計年度フルタイム職員を含む。）に対する扶養手当や地域手当などの手当、実費弁償として非常勤職員に対する費用弁償と常勤職員に対する旅費がある（自治法二〇三の二、二〇四）。また、業務の遂行に必要な事務用品や作業服などもこれに含めることができよう。なお、令和五年一月に召集された第二一一回国会において会計年度パートタイム職員についても勤勉手当の支給を可能にするための地方自治法第二〇三条の二第四項および五項の改正案が成立し、令和六年四月一日から施行されることとなっている。

２　提供すべき勤務の量に関する勤務条件　　これには、正規の勤務時間のほか、時間外勤務、休日勤務、宿直・日直勤務に関するものがある。また、本来は勤務すべき時間であるが、政策的配慮により勤務を免れることができる時間としての、休日、休暇、職務専念義務の免除があるほか、勤務すべき時間には含まれないものとして、勤務時間の中途におかれる休憩時間、正規の勤務のための待機の時間などもこれに関するものとして考えることができる。さらに特殊なものであるが、定年および定年退職後の再任用も、勤務の年限に関するものという意味で、これに含めることができよう。

３　執務環境や職場秩序に関する勤務条件　　これには、職場の安全衛生に関するもの、職員が守るべき服務に関するもの、分限処分および懲戒処分の基準があり、さらに給料とも密接な関係があるものとして、昇任、転任、昇給などの基準がある。

４　勤務の提供に付帯する便益に関する勤務条件　　これには、公務上または通勤途上の災害による損害の補償、職員およびその被扶養者の病気や負傷に対する相互救済制度、職員の保険、元気回復などのための共済制度などがある。

このように、勤務条件というのはきわめて広い概念であるが、その中には、給与その他の給付の種類と内容（自治法二〇三の二、二〇四）、分限処分（法二八）または懲戒処分（法二九）の事由、社会保険に対応する短期・長期の給付（地共済法）、公務災害などに対する保障（地公災法）のように法律で定められているものも多く、地方公共団体は、これらについての権限を有せず、「随時、適当な措置」を講ずることができないのであるから、これらは本条でいう勤務条件に該当しないものである。

ところで、地方公務員法は、「給与、勤務時間その他の勤務条件」という言葉を本条第一項のほか、第二四条第五項、第四六条および第五五条第一項で使用しており、現実的には、これらの条文における内容がより重要な意味を有するのであるが、その意味は必ずしも同一であるとは限らず、それぞれの該当条文の解釈で個別具体的に明らかにされるべきものであるので、本書においても該当箇所で述べることとする。

地方公共団体の各機関は、職員の勤務条件が「社会一般の情勢」に適応するよう措置をしなければならないが、社会一般の情勢とは、わが国の社会、労働、経済などの全体の状況をはじめ、それぞれの地方公共団体の地域的事情も含まれるものである。より具体的には、給与その他の勤務条件について均衡の原則（法二四２４）が定められており、これに従うことが社会一般の情勢に適合することになろう。情勢適応の原則に基づく措置は、「随時」講じられなければならないとされているが、個々の措置の内容に応じて適時、適切に、社会情勢の変化に立ち遅れないようにすることが各機関の責任である。「適当な措置」の内容は、それぞれの事案と機関によって異なることは当然で、地方公共団体の長の場合には勤務条件に関する予算や条例案を提出すること、議会の場合はその議決、人事委員会の場合は条例案に対する意見の申出（法五２）や給料表に関する勧告（法二六）、人事委員会および公平委員会の勤務条件に関する措置要求（法四六）についての適切な審査、各機関における勤務条件についての規則などの制定改廃および運用上の取扱いの改善などが内容となろう。

本条第一項は、地方公共団体の義務を定めた規定であるが、その違反についての別段の定めはなされていない。国や地方公共団体は、法律に従うことは当然のことと期待されているからであり、それだけに地方公共団体の各機関は、本条第一項の遵守に一層の意を用いなければならないものである。

二　講ずべき措置の勧告

本条第二項は、人事委員会の勧告権について定めている。〔趣旨〕で述べたように、本項は平成一六年（二〇〇四年）の改正で追加されたものであるが、これによって、給料表に定める給料額を増減することが適当であると認めるときの勧告（法二六）のほかに、給与、勤務時間その他の勤務条件について、随時、適当な勧告を行うことができることとなった。従来も、給料表に関する勧告の中で、事実上各種の手当や休暇などについての意見が述べられていたが、本項によって、単なる意見の表明ではなく、勧告として行うことができることとなったわけである。意見の表明と勧告の違いは、前者にあっては、それを受け取った議会や長などは、自ら行うべき措置の参考にすれば足りるのに対して、後者の場合は、勧告を受けた議会および長は、その勧告された内容に対してどのように対処するのかを説明する責任があるということにある。

本条第二項の勧告と給料表に関する勧告の違いは、後者が毎年少なくとも一回行われる給料表が適当であるか否かについての報告と一緒になされなければならないのに対して、前者は、随時、独立した勧告としてなすことができることにある。すなわち、本条第二項の勧告は、調査や研究の結果の報告（法八1①②）と連動させる必要はなく、社会一般の情勢の変化に応じて随時行えばよいのであるが、現実には、当該勧告が適正であることを説明するための資料を同時に提出しなければ、議会および長や住民の納得を得ることができないし、人事行政の運営に関する勧告（法八1④）ではなく、制度に関する勧告であるから、ある程度の長期的視野に立って行うべきものであろう。

また、従来の人事委員会の勧告は人事院の行う勧告の焼き直しと見られても仕方のないものが多かったように思われるが、本条第二項の人事委員会勧告は情勢適応の原則を実行あらしめるためのものとして位置づけられているのであるから、人事委員会は、当該地方公共団体を取り巻く社会一般の情勢を的確に把握し、それを職員の勤務条件に反映させるための措置を自ら積極的に考えなければならないであろう。

三　特定地方独立法人と情勢適応の原則

本条第一項は特定地方独立行政法人にも適用される（地方独法法五三3による読みかえ）が、人事委員会の権限は特定地方独立行政法人に及ばないので、本条第二項が特定地方独立行政法人に適用される余地はない。

第二節　任　　用

（任用の根本基準）

第十五条　職員の任用は、この法律の定めるところにより、受験成績、人事評価その他の能力の実証に基づいて行わなければならない。

〔**趣　旨**〕

一　任用の性質

第三章第二節「任用」では、職員の採用、昇任、降任、転任について定める。職員の任用は、人事行政のもっとも重要な事柄の一つであり、これによって適材を確保し、適所を与えて公務能率を増進することになるものであるから、ここでかなり具体的な基準が定められている。

職員の任用については、二つの重要な問題がある。その一は任用行為の性質に関する論議であり、その二は成績主義の原則の確立である。まず、任用行為の性質についての問題点を述べると次のとおりである。

㈠　行政行為説と契約説

任用のうち、職員の採用について、それが行政法学上の行政行為であるという説と、公法上の契約であるという説（例、鵜飼信成・公務員法　七七頁、有斐閣、一九八〇年）との対立がある。両説の違いは、直接には行政庁、任命権者の優越的な立場を認めるか、あるいは当局と職員との対等な立場を認めるかにある。

学説上の論議は別として、実定法からみた場合には、公務員の身分は分限および懲戒に関する規定によって保障され、自由な合意、契約としての取扱いがなされていないこと（定年制は法律事項とされ、勤務条件は法律および条令で定められることなど）、労使対等の原則の適用がないこと（労基法第二条の適用除外（法五八３）。同条は企業職員および単純労務職員ならびに独法職員には適用がある。）、服務上の義務が法定されていること、任用の根拠となる法律（自治法一七二２、地教行法一八７、地方独法法二〇など）が任命または任免という用語を使用していること、不利益処分について行政不服審査および行政訴訟が認められていることなどから判断して、公務員の採用は、行政行為であると解するのが妥当と思われる。しかし、個人の意思に反して強制的に公務員として勤務させることは許されない（憲法一八１参照）ので、採用は「相手方の同意を要する行政行為」と考えるべきである（同旨、田中二郎・行政行為論　二七八頁、有斐閣、一九五四年）。また、企業職員および単純労務職員ならびに独法職員には、労使対等の原則に基づく団体協約の締結が認められており（地公労法七１）、行政不服審査法が適用されず（地公企法三九３、地公労法一七１、同法附則５、地方独法法五三１②）その採用は契約的色彩が強いが、同時に任用の手続が法定され、分限および懲戒に関する規定による身分保障も行われており、その意味では公法上のものであると言わざるを得ない。ちなみに、平成一九年（二〇〇九年）に法律第一二八号として成立した労働契約法は、地方公務員（一般職と特別職の双方を含む。）については適用されないこととされている（労働契約法二二１）。なお、地方公務員の勤務関係が特別権力関係という言葉で説明されることがあるが、最近は、単に公法上の関係として説明されるのが普通となっている（第二条【趣旨】二㈢参照）。

㈡　身分と職

任用については、職員の採用が職員という身分を付与する行為か、職に充てる行為かという問題がある。地方公務員法制定前の発令では身分の付与（任官）を基礎として、職に就けること（補職）が行われていたが、地方公務員法では、特定の職に就けることが任用であると理解され、身分と職は一体のものとして観念されている。したがって、身分のみを有して職を有しない任用は考えられず、以前は休職中の職員は、身分は保有するが職は有しないと解されていたが（行実昭二六・八・二八　地自公発第三七六号）、その後、休職者も職を保有するものと改められている（行実昭三六・一二・二一　自治丁公発第一一八号）。また、自己啓発等休業をしている職員は「職を保有するが、職務に従事しない」とされ（法二六の五２）、一人の育児短時間勤務職員が占める職に他の一人の育児短時間勤務職員を任用することを妨げない（地公育児休業法一三）とされるなど、実定法においても身分と職を一体とする規定が置かれている。

なお、身分の付与と職に就くことが一体であると解する限り、「任用」（Employment　法一五、二二の三など）と「任命」（Appointment　法六1、一七1など）とを区別する実益はなく、両者は同義の概念と理解してよい。なお、地方公務員法は、条文によって、さらには一つの条文の中でも任用と任命、さらには採用、昇任、降任および転任という語を使用していることがあるが、これらの語の関係を整理すると、任用というのは一般的にある者を特定の職に就けることを、任命というのは任用のために行う個々の発令行為を、採用、昇任、降任および転任というのは任命の種類（法的性質）を、それぞれ示すものであると理解される。

二　成績主義の原則

本条は、任用の根本基準として、職員の任用は本法の定めるところにより、受験成績、人事評価その他の能力の実証に基づいて行わなければならないことを明らかにしている。これが成績主義（メリット・システム）または能力実証主義と呼ばれる基本原則である。

成績主義の原則は、公務能率の増進のために欠くことのできないものであると同時に、処遇の公正、すなわち均分的正義を実現するためにも欠くことのできない条件であるから、それは単に任用についての根本基準にとどまるものではなく、それ以外の給与の決定などの処遇についても、当然に妥当し、かつ、実現させなければならない原則である。成績主義を実現させるためのもっとも重要なものは、競争試験（法一七の二、二一の四）および選考（法二一の二、二一の四）であり、人事評価（法二三1、二四）であるが、任命権者が人事評価の結果に応じた措置を講じなければならないとされているのは（法二三2、二三の三）、任命はもとより、職員の処遇全般について成績主義の原則が適合するものについては全てこの原則を貫徹させる趣旨である。

任用について、とくにその根本基準として成績主義の原則がうたわれているのは、次の二点によるものと考えられる。

㈠　人材の確保と育成

地方公共団体の行財政の運営が効率的に行われるためには、いくつかの条件があるが、もっとも重要なものの一つは、少数精鋭によって公務能率を最大限に発揮することである。そして少数精鋭による公務能率の増進を図る上で欠くことができないのは、優秀な人材を確保し、それをすぐれた職員として育成していくことである（このような人事システムについて、第一三条の【趣旨】三参照）。優秀な人材を得るための具体的な方法は職員の採用に当たってひろく人材を選抜すること、すなわち、職員採用のための競争試験または選考に際して能力主義に徹することであり、優秀な人材を育成する具体的な方法の一つは、能力主義によって登用を行い、よりすぐれた人材に行財政運営の責任と権限を与えることである。

このように、任用における成績主義の原則は、地方公共団体の能率を向上させ、ひいては住民福祉を増進するための絶対的な要件であり、この原則が任用についてとくに重視されている理由の一つである。

㈡　人事の公正の確保

人事行政にとってきわめて重要なことに、人事は公正でなければならないことがある。そして人事の公正を妨げるものとしては情実人事の弊害が大きい。成績主義（メリット・システム）に対立する概念として猟官主義（スポイルズ・システム）があるが、これは任命権者などの縁故や個人的なつながり、信頼関係等に基づいて任用する制度であり、選挙に伴う論功行賞などにつながる。今日の地方公務員制度においても、副知事や副市町村長の選任などは特別の信頼関係に基づいて行われており、その職の性質上合理性があると考えられるが、一般の職員についてスポイルズ・システムをとることは、諸外国における官僚制度の歴史やわが国の戦前における政党政治下における運用の実際からみて、その長所よりも弊害の方が多いといわれており、このような過去の経験にかんがみ、スポイルズ・システムによる情実人事の弊を排除するために任用上の成績主義の原則が強調されている。

わが国では、明治維新以降、近代的公務員制度の確立のために、いくたびか成績主義による人材の登用がうたわれ、同時に分限、懲戒制度の明定による身分保障の確保が行われてきたのであるが、本法および国家公務員法においても任用について成績主義の原則を定め、これが公務の能率の向上という公益にかかわるものであり、人事の不公正による弊害を除く必要性が強いということから、これに反して任用を行った者には罰則を適用することとされている（法六一②、国公法一一〇1⑦）。

今日、地方公共団体の人事行政においては、職員の採用に関しては全体として成績主義の原則に基づく任用が確立していると考えられるが、それでもなお情実主義による任用が根絶したとはいいがたく、いわゆる側近人事や議員その他の有力者の強力な推せんによる人事などが見受けられることがある。このような人事が行われると、優秀な人材を確保することが阻害されて公務の遂行に支障を与えることがあるだけでなく、他の職員の志気の低下にもつながることになる。このような弊害を防止するためには、能力主義の基礎である試験の厳格な実施が必要であり、人事委員会を置かない地方公共団体においては試験の公正を確保するため、その共同実施、公平委員会に競争試験や選考を行わせること（法九）や人事委員会への委託（自治法二五二の一四）などの方法を考慮する必要があろう。また、昇任、昇給などについては、いぜんとして年功序列によるものが多く見受けられる。年功序列による昇任、昇給は、長幼の序を重んじてきた社会的慣習や個別の成績の評価を難しくする集団的な事務処理体制の下ではそれなりに説得力があり、組織の秩序維持にも有用であったことは事実であるが、新たに生じる困難な行政課題に対処するための適材適所の人事配置を阻害するおそれが大きい。地方公共団体がその事務事業を的確に実施するためには、人事評価（法二三1）などの能力の実証に基づいて、よりすぐれた人材の登用を行う必要があろう。

〔解　釈〕

本条は、職員の任用について成績主義の原則を定めたものであるが、ここでいう「職員」とは、一般職の職員のすべてであり、一般の行政事務に従事する職員をはじめ教職員、警察職員、企業職員および単純労務職員ならびに独法職員のすべてが含まれる。また、ここで「任用」というのは「任命」と同義であり、採用（臨時的任用（法二二の三）は含まない（法一五の二1①）。）のほか、昇任、降任および転任の四つの行為を指すものである（法一七参照）。任用の形式としては、そのほか出向、事務取扱いなどの発令形式が実際に用いられているが、充て職のように自動的に任用される場合以外は、本条により成績主義に基づく運用を行うべきものである。離職は、本条の「任用」ではないと解されるので、分限処分による免職や懲戒処分による免職も事由によっては成績主義に基づいて行われるべきものであるが、それは本条に基づくものではない。

成績主義による任用は、「この法律の定めるところにより」行わなければならないのであるが、その趣旨は必ずしも明らかではない。すなわち、「この法律で定め」ているとされるものが、能力の実証の方法であるのか、任用の方法であるのか必ずしも明確ではないのである。前者であるとした場合、本法では競争試験および選考（法一八）や人事評価（法二三1）が定められているので、それによって任用をすることを意味することになるが、能力の実証の方法には、これ以外に教員の免許や医師の免許、運転免許などがあり、地方公務員法で定めている方法に限定しなければならないとする理由はない。後者であるとすると任命の方法には正式任用（法一七）、会計年度任用職員の採用（法二二の二）及び臨時的任用（法二二の三14）の三種類しかないので任用の方法を限定する趣旨としては理解できるが、本条の趣旨が成績主義の確立にあることからしていささか見当外れの規制であるように思われる。したがって、「この法律の定めるところにより」とは厳格な意味をもつものではなく、「この法律の趣旨に基づいて」という程度の意味であると理解してよいであろう。そして、本条の違反について罰則が課せられるのは、任用の方法を誤った場合でなく、成績主義の原則に違反した場合であると解すべきであろう。

次に、成績主義の実現は、「受験成績、人事評価その他の能力の実証」に基づいて行われる。「受験成績」というのは、競争試験および選考の成績のことであるが、両者とも、それに係る職の属する職制上の段階の標準的な職に係る標準職務遂行能力及びそれに係る職についての適性を有するかどうかを正確に判定する目的で行われるものである（法一七の二12、二〇1、二一の二1、二一の四45）。ちなみに、競争試験において不合格となった者を採用したことが違法であり、その採用を取り消したことが適法であるとする判決（熊本地裁昭六〇・三・二八判決　判例時報一一六三号五八頁）がある。

「人事評価」というのは、すでに職員である者の勤務の実績の評価であって、職員の執務について定期的に評価を行った結果（法二三の二）であり、「任用、給与、分限その他の人事管理の基礎とするために、職員がその職務を遂行するに当たり発揮した能力及び挙げた業績を把握した上で行われる勤務成績の評価をいう。」と定義されている（法六1）。「人事評価」という語は、平成二六年（二〇一四年）の法律第三四号による地方公務員法の一部改正によって従来の「勤務成績の評定」という語に代わって使用されることとなったものであるが、従前は、「勤務成績」と「勤務成績の評定」とを使い分けていたこと（改正前の法一五と四〇１）を勘案し、任命権者は「人事評価の結果に応じた措置を講じなければならない。」（法二三の三）とされていることを考慮すると、本条における「人事評価」というのは「人事評価の結果」を意味するものと解すべきであろう。そして、人事評価には、その職務を遂行するに当たり発揮した能力を把握したうえで行われる勤務成績の評価（「能力評価」と称される。）と挙げた業績を把握したうえで行われる勤務成績の評価（「業績評価」と称される。）があるが、いずれも既に完了した事実を振り返って評価するものであり、将来の可能性や潜在的な能力の評価とは関係しない（詳しくは第二三条の二の〔解釈〕参照）。ところで、「職員の昇任は、任命権者が、職員の受験成績、人事評価その他の能力の実証に基づき、任命しようとする職の属する職制上の段階の標準的な職に係る標準職務遂行能力及び当該任命しようとする職についての適性を有すると認められる者の中から行うものとする。」（法二一の三）とされており、人事評価の結果が昇任後の職の遂行能力および適性を判断する材料の一つとしてあげられているが、これは、当該職員が経験した職務における人事評価の結果が将来の可能性や潜在的な能力を判断する材料の一つとなるということであり、人事評価自体に昇任の是非の判断が含まれるわけではない。その意味で、国家公務員法第五八条第一項が「職員の昇任は……職員の人事評価に基づき、任命しようとする官職の属する職制上の段階の標準的な職に係る標準職務遂行能力及び当該任命しようとする官職についての適性を有すると認められる者の中から行うものとする。」としているのとは、若干意味が異なる。

「その他の能力の実証」とは、医師の採用の場合には医師の免許（医師法二）、教員の場合には教育職員の免許（教育職員免許法三）、自動車運転手の場合には運転免許（道路交通法八四）というように職種に応じた各種の免許を得ていることをはじめ、それぞれ専門的な学校を卒業し、あるいはその一定の課程を履修したことなどがあげられる。地方公務員法第二一条の二第三項は、国または他の地方公共団体の競争試験または選考に合格した者を一定の場合に人事委員会等の判断によって当該地方公共団体の選考に合格した者とみなすことができる旨を定めているが、これは法定の「その他の能力の実証」である。そのほか、民間企業等における専門的な業務に係る実績に基づいて採用する場合のように、民間における経歴もその他の能力の実証として用いることができる。

要するに、能力の実証のためには各種の資料を用いることができるのであるが、その資料は客観的な事実でなければならず、また、特定の技術ポストへの昇任のための選考を行うような場合には、従前の業務における実績と専門的な学歴というように、各種の資料を併せ用いることが可能であり、その資料には、任用しようとする職との関係における合理的な結びつきが必要である。

本条に違反して任用を行った者に対しては、三年以下の拘禁刑または一〇〇万円以下の罰金が科せられる（法六一②）。前述のように、本条は、すべての一般職の職員の任用について適用されるものであり、したがって、この罰則もすべての任命権者（法六）の本条違反の任用について科せられることになる。さらに、当該地方公共団体または当該特定地方独立行政法人の地方公務員であるとそれ以外の者であるとを問わず、本条違反の任用を企てたり、命じたり、故意にそのような企画や指示を容認したり、そそのかしたり、あるいはほう助をした者も同じ刑罰に処せられる（法六二）。通常、教唆、ほう助などは主たる犯罪の実行があって処罰されるが（刑法六一、六二）、本条の企画、命令、容認、教唆およびほう助は、それぞれ独立して犯罪構成要件となるものと解され、本条違反の任用が実際に行われたことは要件ではないと解される。具体的には、ある任命権者が有力者の依頼で能力の乏しい者を情実採用したような場合には、当該任命権者と有力者の双方が刑罰に処せられるが、任命権者が拒否したときは、その有力者のみが刑罰の対象となる。なお、いうまでもないが、処罰は検察官の公訴の提起（刑訴法二四七）により、あるいは第三者の告発（刑訴法二三九）に基づく司法当局の公訴の提起により裁判所が判断することになる。

（定義）

第十五条の二　この法律において、次の各号に掲げる用語の意義は、当該各号に定めるところによる。

一　採用　職員以外の者を職員の職に任命すること（臨時的任用を除く。）をいう。
二　昇任　職員をその職員が現に任命されている職より上位の職制上の段階に属する職員の職に任命することをいう。
三　降任　職員をその職員が現に任命されている職より下位の職制上の段階に属する職員の職に任命することをいう。
四　転任　職員をその職員が現に任命されている職以外の職員の職に任命することであつて前二号に定めるものに該当しないものをいう。
五　標準職務遂行能力　職制上の段階の標準的な職（職員の職に限る。以下同じ。）の職務を遂行する上で発揮することが求められる能力として任命権者が定めるものをいう。
２　前項第五号の標準的な職は、職制上の段階及び職務の種類に応じ、任命権者が定める。
３　地方公共団体の長及び議会の議長以外の任命権者は、標準職務遂行能力及び第一項第五号の標準的な職を定めようとするときは、あらかじめ、地方公共団体の長に協議しなければならない。

〔趣　旨〕

地方公務員法第三章第二節は任用について定めるが、そこで使用される用語の意義を明らかにするのが本条第一項一号から第五号であり、従来解釈に委ねられていたものを、国家公務員法第三四条第一項の規定にならって、平成二六年（二〇一四年）の改正で明文の定めを置いたものである。ただ、昇任および降任については既に確立していた解釈と異なる定義がされた結果、分限処分における降任および降給（法二八Ⅰ３）の取扱いが従前と異なることになる。このことに対処するため、この改正を定めた平成二六年法律第三四号は、その附則三条に次の経過規定を置いている。

「任命権者が、職員をその職員が現に任命されている職の置かれる機関（地方自治法（昭和二十二年法律第六十七号）

第百五十五条第一項に規定する支庁、地方事務所、支所及び出張所、同法第百五十六条第一項に規定する行政機関、同法第二百二条の四第三項に規定する地域自治区の事務所、同法第二百四十四条第一項に規定する公の施設、同法第二百五十二条の二十第一項に規定する区の事務所及びその出張所並びに同法第二百五十二条の二十の二第一項に規定する総合区の事務所及びその出張所をいう。以下この項において同じ。）と規模の異なる他の機関であって所管区域の単位及び種類を同じくするものに置かれる職であって当該任命されている職より一段階上位又は一段階下位の職制上の段階に属するものに任命する場合において、当該任命が従前の例によれば昇任又は降任に該当しないときは、当分の間、新法第十五条の二第一項の規定にかかわらず、これを同項第四号に規定する転任とみなす。」

本条第一項第五号及び第二項は、職制上の段階における標準的な職の職務を遂行するうえで発揮することが求められる能力（「標準職務遂行能力」という。）を、職制上の段階及び職務の種類に応じて各任命権者が定めるものとし、第三項は、長および議会の議長以外の任命権者が標準職務遂行能力および標準的な職を定めようとするときに、長に協議すべきことを義務づけ、組織等に関する長の総合調整権について定める地方自治法第一八〇条の四と相まって、当該地方公共団体における人事行政の統一性を確保しようとしている。なお、地方公務員法において標準職務遂行能力という用語は本条以外の条文には使用されていないが、その性質からすると、それが人事評価の基準となるのはもちろん、任用における基本として重要な意味を有するものである。

本条第一項第二号および第三号は、昇任および降任の定義において従来使用されていなかった職制上の段階という用語を使用している。地方公共団体の執行機関の内部組織（部、課、係など）は、条例または当該執行機関の規則などで定められ（自治法一五八1、地教行法一七2）、長の直近下位の内部組織として部が、その下に課が、課の下に係が置かれ、部に部長を、課に課長を、係に係長を置くとされているのが通例である。職制上の段階というのは、この場合における部、課、係のように、上下の関係（上の段階が下の段階を包括する関係）にある組織の段階を意味し、職制上の段階に属する職の典型的なものは、部における部長、課における課長、係における係長であり、これらの職にある者が当該組織における責任者となるわけである（国公法三四2は、標準職務遂行能力を定めるに際しての標準的な官職として、係員、係長、課長補佐、課長その他の官職を明示している。）。すなわち、職相互の関係としては、部長―課長―係長というラインにおいて、上位の職にある者（上司）が下位の職にある者（部下）に対する指揮監督の権限と責任を有し（法三二参照）、統一的に業務を遂行していくこととされているのである。しかし、組織のあり方は多様であり、全ての職員がこのようなライン職を形成しているわけではなく、現実には、部下を有しないスタッフ職や独自の判断が尊重される研究職などが置かれることも少なくないので、標準職務遂行能力については、職制上の段階における標準的な職について定めることとされたものと思われる。

ところで、「職員の給与は、その職務と責任に応ずるものでなければならない。」（法二四1）ことからすると、給与は職制上の段階における職と対応関係になければならないことになる。そして、給与の中核をなす給料については、「職員の職務の複雑、困難及び責任の度に基づく等級ごとに明確な給料額の幅」を定めた給料表および職員の職務を給料表の等級ごとに分類する際に基準となるべき職務の内容を定めた等級別基準職務表を条例で定めなければならないとされている（法二五345）。しかし、等級別基準職務表は条例で定め、標準職務遂行能力は任命権者が定めるとされているものの、両者の関係について定めた規定はない。

〔解　釈〕

一　採用

採用は、「職員以外の者を職員の職に任命すること（臨時的任用を除く。）をいう。」と定義される（本条1①）。地方公務員と地方公共団体の関係が公法上の関係であることは、第二条の〔趣旨〕二㈢および第一五条の〔趣旨〕一㈠で述べたところであるが、この特徴は採用を始めとする任命についてもっとも顕著に表れる。すなわち、民間企業においては、雇用者と雇用されようとする者との間の合意によって雇用契約が成立し、雇用関係に入った後（雇用継続中）の人事異動も、当該雇用契約若しくはその内容となっている就業規則またはその都度の個別合意に基づいて行われるのに対し、職員の場合は、当事者の合意ではなく、地方公務員法第一七条その他の法律の規定に基づいて任命権者による行政処分としてなされるのである。ただ、憲法第一八条は奴隷的拘束および苦役からの自由を保障しており、任命権者について具体的に定める組織法（自治法一七二2、地教行法一八7など）においても、相手方の意に反して採用（任命）する権限を付与したものではなく、公務員の採用は行政処分であるが相手方の同意を要するもの（相手方の同意を要する行政処分）と解されている。したがって、採用に応募した者に対して、職員として採用する予定であることの通知（採用内定通知）は、採用内定に関する法律の規定がない以上、単に、本条に基づく採用を円滑に行うための準備行為にすぎず、法的効力は認められないので、そのような通知を出したとしても、期限の到来によって当然に職員としての地位に就くわけではないし、任命権者が採用する義務を負うこともない（「東京都建設局職員採用内定取消事件」最高裁昭五七・五・二七判決　判例時報一〇四六号二三頁）。これに対して、民間企業における採用内定については、それが解約権留保付労働契約を成立させるものであり、その取消し（解約権の行使）を自由に行うことができるわけではないと解されている（「大日本印刷事件」最高裁昭五四・七・二〇判決　判例時報九三八号三頁など）。なお、採用は、地方公務員法第一七条第一項に定める正式任用の方法の一つであるから、それに臨時的任用が含まれないのは当然のことである（法二二条の三参照）。

このように、採用は相手方（職員となろうとする者）の同意を要する行政処分だとされるのであるが、昇任、降任および転任については事情が異なる。すなわち、これらの場合は、自ら同意をして職員となった後に行われるものであり、職と職務の関係があいまいな現行地方公務員制度においては、職員になるということは当該地方公共団体の事務一般の処理を担当するということと同義であるから、具体的にいかなる職務を担当するかということについての個別の同意は必要なく、昇任、降任および転任は従前と異なる職務を命ずる職務上の命令（法三二）であり、特段の事情がない限り、その発令は任命権者の裁量に委ねられている。なお、その裁量が無限定のものではなく、地方公務員法およびそれに基づく条例などの解釈による制限があるものであることは、職員の勤務関係が公法上のものであるとされる当然の帰結である。

二　昇任

昇任は、「職員をその職員が現に任命されている職より上位の職制上の段階に属する職員の職に任命することをいう。」と定義される（本条１②）。「職員が現に任命されている職」というのは直近の人事発令において「○○を命ず。」、「○○に任命する。」などとされた場合の○○の職を意味し、その職名は組織に関する規則などで定められているのが通例である。そして、係―課―部という組織の場合であれば、係員の段階にある職より係長の段階にある職が、係長の段階にある職より課長の段階にある職が、課長の段階にある職より部長の段階にある職が、それぞれ、その「職より上位の職制上の段階に属する職員の職」ということになる。なお、昇任の場合は、給与制度における昇格を伴うのが通常であるが、等級別基準職務表において同一の職制上の段階にある職に対して複数の等級が定められている場合は、昇任を伴わない昇格もある（人事院規則九―八（初任給、昇格、昇給等の基準）二〇２参照）。従来は、このような昇格も地方公務員法第一七条第一項の昇任に該当すると解されていたが、平成二六年法律第三四号による同法の改正で昇任の定義が明定されたことによって、このような昇格は昇任に含まれないこととなった（昇任を伴わない昇格が「わたり」として問題となることがあることについては第二四条の〔解釈〕一参照）。ただ、昇任は、能力の実証及び適性に基づいて行われなければならないとされる（法一五、二一の三）だけで、具体的な基準がないのに対し、昇格は、給与条例およびそれに基づく人事委員会または長の規則で詳細な基準が定められているので、昇格を伴う昇任をさせる場合は、その基準に従わなければならないのは当然のことである。

なお、昇任発令は、地方公務員法第三二条の職務命令としてなされるものであり、その要件を満たしている限り、発令を受けた職員はそれを拒むことはできない。

三　降任

降任は、「職員をその職員が現に任命されている職より下位の職制上の段階に属する職員の職に任命することをいう。」と定義される（本条１③）。これは、降任が昇任の逆であり、下位の職制上の段階に属する職に発令されることなく、給料表の適用における降格（下位の級への位置づけ）がなされただけの場合は、降任に該当しない（法二八３の降給に該当することはあり得る。）ことを意味する。

降任は、分限処分（法二八１）としてなされるものであるから、そのための手続に従ってなされなければならないのは当然のことである。

四　転任

転任は、「職員をその職員が現に任命されている職以外の職員の職に任命することであつて前二号に定めるものに該当しないものをいう。」と定義される（本条１④）。すなわち、転任は、昇任および降任以外の方法による異動であるから、現に有する職よりも上位でもなく下位でもない職への異動、いわゆる横滑りの異動を意味し、昇任と同じく地方公務員法第三二条の職務命令としてなされるものであり、職員はこれを拒むことはできない。また、転任は横滑りであるから、不利益処分には該当しないのであるが、個別の事案においては、転任が不利益処分に該当するか否か、本人の同意が必要か否かについて争われることが少なくない。たとえば、同一市内の中学校への配置換えが身分、俸給などに異動を生ぜしめず、勤務場所、勤務内容などに不利益がない場合には、その配置換えによって名誉・信用が毀損されたとしても、損害賠償請求の可否は別として、不利益処分に該当しないとされ（最高裁昭六一・一〇・二三判決　判例時報一二一九号一二七頁）、幼稚園長（教育職）の地位にあった者を郷土資料館主幹補（事務職）に転任させる場合には本人の同意が不要とされ（高松高裁平五・九・一六判決（判例タイムズ八五九号一八八頁）、最高裁平六・九・三〇で確定）ている。ただ、衛生研究所の衛生検査職に従事していた職員にコンピューター操作法の習得を命じたり、マイコン室に配置換えしてパソコンなどの保守管理の職務を命じたことが異なる職種への配置換えに当たらず、裁量権を逸脱したものともいえないとした原判決を支持した判例（最高裁平三・一〇・二四判決　判例地方自治九五号四七頁）があり、この判例の読み方によっては採用時の職種と異なる職種への転任については、本人の同意が必要であると解する余地もあるように思われる。この問題は、職制もしくは定数の改廃または予算の減少により廃職または過員を生じた場合における分限処分（法二八１④）の問題と密接に関連するものでもあり、もしも、職種を異にする転任については本人の同意が必要であるとすれば、民間委託などによって当該地方公共団体が直接処理することがなくなった事務事業に従事していた職員については、異なる職種への転任の同意を求め、拒否された場合は直ちに免職することができることになる。一方、職種を異にする転任についても本人の同意は不要であるとすれば、採用時において職種を明示し、採用にあたって相手方の同意を得たことの意味がないことになる。結局のところ、この問題は、採用時における同意の範囲をどのように理解するかということであり、法律がどの範囲における同意を要求しているかということに帰着するように思われる。この観点からみると、裁判例の大勢は、採用時における同意は職員になることに対するものであり、たとえ募集において職種が明示されていても、その職種に限定しての同意であるとは理解していないように思われる。したがって、特段の事情がない限り、個別に職員の同意を得ることなしに職種を異にする転任をさせることができるものと解されるが、この場合にあっても、その転任は能力の実証に基づいて行われなければならない（法一五）のは当然のことであるから、場合によっては競争試験や選考が必要なことがあることに注意しなければならない。なお、民間企業における人事異動については、労働者が被る事実上の不利益と使用者における業務上の必要性などを比較して、使用者の権利濫用の有無を判断するという手法がとられ（「従業員地位確認等請求事件」最高裁昭六一・七・一四判決　判例時報一一九八号一四九頁）、転任は原則として不利益処分に該当しないとされる職員の場合とは基本的に異なることにも注意が必要である。

五　標準職務遂行能力

　標準職務遂行能力というのは、職員の職について、職制上の段階および職務の種類に応じ、任命権者が定める職制上の段階の標準的な職の職務を遂行する上で発揮することが求められる能力を意味する。

　地方公共団体の執行機関の内部組織（部、課、係など）は、条例（自治法一五八1）または当該執行機関の規則（地教行法一七2）などで定められ、それぞれの組織における責任者の職を最上位の職とし、それを頂点として順次下位の職が設置されるのが通例である。職制上の段階というのは、このような組織における段階をいうものであるが（国公法三四2は、「標準的な官職は、係員、係長、課長補佐、課長その他の官職とし、職制上の段階及び職務の種類に応じ、政令で定める。」としている。）、地方公共団体には一般の行政に従事する者のほか、教育、警察、消防、医療、福祉、企業などの業務に従事する者、単純な労務に従事する者がおり、標準職務遂行能力を定めるに際しては、このような職務の種類に応じることも必要である。そして、上位の職制上の段階に位置づけることを意味する昇任においては、当該上位の職制上の段階における標準職務遂行能力を有することがその要件とされ、それは受験成績、人事評価その他の能力の実証に基づいて判断される（法二一の三）。

ところで、平成二六年法律第三四号による改正後の地方公務員法第二五条第三項第二号は、条例で等級別基準職務表を定めなければならないとし、同条第四項および第五項において、等級別基準職務表には、職員の職務をその複雑、困難および責任の度に基づく等級ごとに分類する際に基準となるべき職務の内容を定めていなければならないとしている。これは、従来から各地方公共団体が独自の判断で条例または規則などで定めていたものを必ず条例で定めるべきこととしたものであるが、職務の種類に応じて定められた給料表毎に、それぞれの職務の級に該当すべき標準的な職務を定めるものであり、標準職務遂行能力と密接な関係を有するものである。すなわち、標準職務遂行能力は、等級別基準職務表が定める標準的な職務を遂行する上で発揮することが求められる能力を意味し、その能力が発揮された程度および業績を評価したうえで、昇給または昇格がなされることになるのである。

なお、一般行政職に属する職員についての標準職務遂行能力の例として次のものが示されている（平成二六年八月一五日付け総行公第六七号・総行経第四一号総務省自治行政局長通知別紙１）。

（別紙１）

標準職務遂行能力について

（一般行政職）

部　長	
一　倫理	全体の奉仕者として、高い倫理感を有し、部の重要課題に責任を持って取り組むとともに、服務規律を遵守し、公正に職務を遂行することができる。
二　構想	所管行政を取り巻く状況を的確に把握し、先々を見通しつつ、住民の視点に立って、部の重要課題について基本的な方針を示すことができる。
三　判断	部の責任者として、その重要課題について、豊富な知識・経験及び情報に基づき、冷静かつ迅速な判断を行うことができる。

職	能力	標準的な職務遂行能力
	四　説明・調整	所管行政について、適切な説明を行うとともに、組織方針の実現に向け、上司を助け、困難な調整を行い、合意を形成することができる。
	五　業務運営	住民の視点に立ち、不断の業務見直しに率先して取り組むことができる。
	六　組織統率	指導力を発揮し、部下の統率を行い、成果を挙げることができる。
課　　長	一　倫理	全体の奉仕者として、高い倫理感を有し、課の課題に責任を持って取り組むとともに、服務規律を遵守し、公正に職務を遂行することができる。
	二　構想	所管行政を取り巻く状況を的確に把握し、住民の視点に立って、行政課題に対応するための方針を示すことができる。
	三　判断	課の責任者として、適切な判断を行うことができる。
	四　説明・調整	所管行政について適切な説明を行うとともに、組織方針の実現に向け、関係者と調整を行い、合意を形成することができる。
	五　業務運営	コスト意識を持って効率的に業務を進めることができる。
	六　組織統率・人材育成	適切に業務を配分した上、進捗管理及び的確な指示を行い、成果を挙げるとともに、部下の指導・育成を行うことができる。
室　　長	一　倫理	全体の奉仕者として、担当業務の課題に責任を持って取り組むとともに、服務規律を遵守し、公正に職務を遂行することができる。
	二　企画・立案	組織方針に基づき、行政ニーズを踏まえ、課題を的確に把握し、施策の企画・立案を行うことができる。
	三　判断	担当業務の責任者として、適切な判断を行うことができる。

	四　説明・調整	担当する事案について適切な説明を行うとともに、関係者と調整を行い、合意を形成することができる。
	五　業務運営	コスト意識を持って効率的に業務を進めることができる。
	六　組織統率・人材育成	適切に業務を配分した上、進捗管理及び的確な指示を行い、成果を挙げるとともに、部下の指導・育成を行うことができる。
課長補佐	一　倫理	全体の奉仕者として、担当業務の第一線において責任を持って課題に取り組むとともに、服務規律を遵守し、公正に職務を遂行することができる。
	二　企画・立案、事務事業の実施	組織や上司の方針に基づいて、施策の企画・立案や事務事業の実施の実務の中核を担うことができる。
	三　判断	自ら処理すべき事案について、適切な判断を行うことができる。
	四　説明・調整	担当する事案について論理的な説明を行うとともに、関係者と粘り強く調整を行うことができる。
	五　業務遂行	段取りや手順を整え、効率的に業務を進めることができる。
	六　部下の育成・活用	部下の指導、育成及び活用を行うことができる。
係　　長	一　倫理	全体の奉仕者として、責任を持って業務に取り組むとともに、服務規律を遵守し、公正に職務を遂行することができる。
	二　課題対応	担当業務に必要な専門的知識・技術を習得し、問題点を的確に把握し、課題に対応することができる。
	三　協調性	上司・部下等と協力的な関係を構築することができる。
	四　説明	担当する事案について分かりやすい説明を行うことができる。

	五　業務遂行	計画的に業務を進め、担当業務全体のチェックを行い、確実に業務を遂行することができる。
係　員	一　倫理	全体の奉仕者として、責任を持って業務に取り組むとともに、服務規律を遵守し、公正に職務を遂行することができる。
	二　知識・技術	業務に必要な知識・技術を習得することができる。
	三　コミュニケーション	上司・同僚等と円滑かつ適切なコミュニケーションをとることができる。
	四　業務遂行	意欲的に業務に取り組むことができる。

六　地方公共団体の長との協議

本条第三項は、地方公共団体の長及び議会の議長以外の任命権者は、標準職務遂行能力および標準職務遂行能力を定めるべき標準的な職を定めようとするときは、あらかじめ、地方公共団体の長に協議しなければならないとする。これは、同一の地方公共団体における人事行政の統一を図るためのものであり、任命権者を異にする異動や職員の処遇の均衡を考慮したものであろう。「協議」というのは集まって相談するということであるが、相談すること自体に意味があるわけではなく、その結果一定の結論を得ることに意味がある。ただ、議会は執行機関とは別個独立の機関であるから、執行機関におけるものと統一を図らなければならない必然性はないことから、長との協議は不要とされているが、特定地方独立行政法人の理事長は、この任命権者に含まれる。

七　教育公務員特例法における採用等の定義

本条で採用等の用語の定義がなされたことに応じて、教育公務員特例法はそこにおける用語の定義を次のように定めている。

教育公務員特例法第三条第一項から第四項までの「部局長の採用」には「現に当該学長の職以外の職に任命されている者

を当該学長の職に任命する場合及び現に当該部局長の職以外の職に任命されている者を当該部局長の職に任命する場合」を含み、同法第三条第一項および第五項の「教員の採用」には「現に当該教員の職が置かれる部局に置かれる教員の職以外の職に任命されている者を当該部局に置かれる教員の職に任命する場合」を含み、「昇任」には「採用に該当するも」のは含まない。

同法第四条第一項の「転任」は「現に学長の職に任命されている者を当該学長の職以外の職に任命する場合、現に教員の職に任命されている者を当該教員の職が置かれる部局に置かれる教員の職以外の職に任命する場合及び現に部局長の職に任命されている者を当該部局長の職以外の職に任命する場合」をいうものとし、同法第五条第一項中の「降任」には「転任に該当するもの」は含まない。

同法第一一条の「校長の採用」には「現に校長の職以外の職に任命されている者を校長の職に任命する場合」を含み、「教員の採用」には「現に教員の職以外の職に任命されている者を教員の職に任命する場合」を含むとともに、「昇任」には「採用に該当するもの」は含まない。

同法第一五条の専門的教育職員の「採用」には「現に指導主事の職以外の職に任命されている者を指導主事の職に任命する場合及び現に社会教育主事の職以外の職に任命されている者を社会教育主事の職に任命する場合」を含み、「昇任」には「採用に該当するもの」は含まない。

注…点線の左側は、令和四年六月一七日から起算して三年を超えない範囲内において政令で定める日（新刑法の施行日）から施行となる。

（欠格条項）

第十六条　次の各号のいずれかに該当する者は、条例で定める場合を除くほか、職員となり、又は競争試験若しくは選考を受けることができない。

一　禁　錮〔拘禁刑〕以上の刑に処せられ、その執行を終わるまで又はその執行を受けることがなくなるまでの者
二　当該地方公共団体において懲戒免職の処分を受け、当該処分の日から二年を経過しない者
三　人事委員会又は公平委員会の委員の職にあつて、第六十条から第六十三条までに規定する罪を犯し、刑に処せられた者
四　日本国憲法施行の日以後において、日本国憲法又はその下に成立した政府を暴力で破壊することを主張する政党その他の団体を結成し、又はこれに加入した者

〔趣　旨〕

一　職員としての資格要件

すべて国民は、本法の適用について平等に取り扱われるものであり（法一三）、採用試験は、人事委員会の定める受験の資格を有するすべての国民に対して平等の条件で公開される（法一八の二）ことが基本原則である。しかし、この原則は、誰でも無条件に職員として任用されることを意味するものではない。職員となり、あるいは職員としての地位を存続するためには、それにふさわしい一定の資格を有する必要がある。なお、従前の本条一号には成年被後見人又は被保佐人が定められていたが、令和元年（二〇一九年）六月一四日に法律第三七号として公布された成年被後見人等の権利の制限に係る措置の適正化等を図るための関係法律の整備に関する法律によって、同号は削られている。

このような資格要件は、もとより合理的なものでなければならないが、その性質からみて次に述べる二通りに分けることができよう。

㈠　積極的資格要件と消極的資格要件

職員としての積極的資格要件とは、職員となるために保有していなければならない一定の資格である。たとえば、公立学校の教員となるために必要とされる教員免許や公立病院の看護師となるための看護師の資格などは、典型的な積極的資格要

件である。競争試験や選考に合格したこと、すなわち所定の手続によって能力を実証することも積極的資格要件の一つと考えてよいであろう。したがって、競争試験に際して人事委員会が定める受験の資格（年齢、知識の程度など）も積極的資格要件の内容を構成するものである。

これに対して、職員としての消極的資格要件とは、職員となることができない条件であり、所定の条件に該当する者は、職員として任用することができず、また、職員である者がこの条件に該当することとなった場合には、職を失うことになる（法二八４）。本条が定める要件は、消極的資格要件の典型であるが、分限処分（法二八）の降任、免職または休職の事由に該当することや、懲戒処分（法二九）の停職または免職の事由に該当することも、消極的資格要件の一つといってよいであろう。

要するに、職員は、積極的資格要件に該当する者であることが必要とされる反面、消極的資格要件には該当してはならないものであって、それぞれの要件に反するときは、職を失うことを含めて身分上の変動を生じることがあり得るものである。

㈡　絶対的資格要件と相対的資格要件

職員となり、あるいは職員としての地位を維持するために絶対に必要とされ、あるいは該当してはならない資格要件が絶対的資格要件であるのに対し、その程度に応じて職員の資格を判断しなければならないものが相対的資格要件である。前者の例として一定の職に必要とされる免許や本条の欠格条項があり、後者の例として分限免職または降任の事由である勤務実績の不良あるいは心身の故障および適格性の欠如（法二八１）をあげることができる。絶対的資格要件については、客観的事実が備わっている以上、裁量の余地はないが、相対的資格要件は、状況などによって裁量をすることができる。このような区別が法律上明確になっている例として医師の免許があるが、そこでは絶対的欠格事由として未成年者が、相対的欠格事由として心身の障害により医師の業務を適正に行うことができない者として厚生労働省令で定めるもの、罰金以上の刑に処せられた者などがあげられている（医師法三、四）。

二　欠格条項の意義

本条は、欠格条項に該当する者は、条例で特例を定めた場合を除いては、職員となることができず、競争試験または選考を受けることもできないことを定める。すなわち、職員となることができないというのは、競争試験または選考に合格してもその後本条各号に該当することとなったときは、その者を採用することができないことを意味し、競争試験または選考を受けることができないというのは、採用時には当該要件が消滅することが見込まれていても（一号および二号についてはあり得る。）、これらを受けることができないことを意味する。また、本条では、単に競争試験または選考として規定しているが、競争試験または選考は採用のみならず、昇任の場合にも行われるものであり（法二一の四1）、欠格条項該当の職員は、条例で定める特例（これを定めることの是非については後記三で述べる。）に該当しない限り、当然失職するので、本条が昇任の場合に適用される余地はない。

ところで、欠格条項に該当しないことは採用に当たっての条件であるだけでなく、職員としての身分を継続して保持するための条件でもあり、職員となった後にこれらの条項にあらたに該当することとなったときは、当然にその職を失うこととされている（法二八4）。これは、欠格条項が資格要件の中でも絶対的な消極的要件であり、これらに該当する者をおよそ公務から排除することを趣旨とするものである以上、当然の措置であり、本条と失職条項とを併せ規定することによってその目的を完全に達成することができるものである。

三　欠格条項の特例

本条は、条例（独法職員については設立団体の条例（地方独法法五三3）。以下本条についての解説において同じ。）で欠格条項の特例を定めることができることとしている。しかし、欠格条項は、本条の**〔解釈〕**で述べるように合理的かつ客観的に公務にふさわしくないものを限定列記しており、その特例を条例で定める余地はほとんどないように思われる。

地方公務員法が条例で特例を定めることを認めているものに、欠格条項の特例と対をなす失職の特例（法二八4）、条件付採用職員および臨時的任用職員の分限（法二九の二2）および職務専念義務の免除（法三五）、政治的行為の制限（法三六）がある。これらは、いずれも地方自治を尊重する趣旨に基づいて、地域の特色に応じて自主的に独自の判断をすることを認めたものと解されるが、これらのうち、特に欠格条項の特例、失職の特例および政治的行為の制限の特例については、立法論として問題があるように思われる。周知のように地方公務員法は、制定当時の経緯からしてアメリカ合衆国の立法例の強い影響を受けており（序章一(二)参照）、これらの特例規定も個々の地方公共団体ごとに身分取扱いが著しく相違する同国のやり方に倣ったものと思われるところ、地方自治の立場からすると、地方公共団体毎に独自の内部管理を行うことも一つの考え方であるが、わが国の場合には、地方公務員法という統一法規が制定されていることからも明らかであるように、職員の身分取扱いについては、同一の取扱いを求める国民意識が強いと考えられる。したがって、欠格条項や失職といったきわめて限定的、客観的な身分取扱いについて特例を認めること、あるいは政治的行為の制限といった政策的問題に特例を認めることの必要性はきわめて乏しいように思われる。

ただ、現実には、交通事故のために拘禁刑以上の刑に処せられた者（本条①、二八４）について、その情状によっては失職しないとすることが適切であると主張されることがあり（第二八条〔**解釈**〕六参照）、このような特例を設けた場合には、当該特例に該当する者の昇任に際しての競争試験または選考の受験資格をどうするかが問題となる。

〔解　釈〕

一　欠格条項該当の効果

本条第一号から第四号までは、任用を制約する基本的条件であるから、当然に限定列挙であるが、これらに該当する者は原則として採用することができない（本条本文）。例外として、地方公共団体が条例で特例を定めたときは、法律上はその者を採用することは可能であるが、〔**趣旨**〕で述べたように、そのような特例を定めることが不適当なことは前述したところである。地方公務員法第二八条第四項による失職については、条例で特例を定めることも全く否定することはできないが、それはすでに職員である者についての情状が考慮される為であって、採用や昇任の場合にはより厳格に考えるべきであろう。また、この特例は、第一号から第四号の欠格条項の特例（欠格条項の排除）に限定され、条例であらたに欠格条項を加え、あるいは加重するようなことは、許されない。なお、特別の事情が生じた時に行われる大赦、特赦または復権によって、職員となる資格を回復することがある（恩赦法三、五、一〇）。

ところで、欠格条項該当者は、「職員」となることができないのであるが、ここで「職員」とは、一切の一般職の地方公務員をいうものであるから（法四1）、臨時職員（法二二の三）としてであっても欠格条項に該当する者を採用することはできない。特別職については、本条が関知するところではないが、理論上、特別職が一般職を兼ねる場合（人事委員会の委員と事務局長（法一二2）など）には、一般職の職に関する限り、欠格条項該当者を任命することはできない。

二　欠格条項の内容

本条は、欠格条項として第一号から第四号までの四つの場合を定めているが、それぞれの内容は次のとおりである。

㈠　拘禁刑以上の刑に処せられ、その執行を終わるまでの者またはその執行を受けることがなくなるまでの者（本条①）

刑の種類には、主刑として死刑、拘禁刑、罰金、拘留および科料があり、付加刑として没収がある（刑法九）。主刑の重さの順序は、この列記の順であり（刑法一〇1）、したがって、本号で「拘禁刑以上の刑」とは、死刑および拘禁刑をいうものである。しかし、死刑の言渡しを受けた者は、その執行に至るまで刑事施設に拘置され（刑法一一2）、拘禁刑の刑の言渡しを受けて「その執行を終わるまでの者」は、刑事施設内で執行を受けているので（刑法一二2、一三2）、いずれも職員として採用されることはあり得ず、現実にはまず問題とはならない。次に、「その執行を受けることがなくなるまでの者」とは、刑の言渡しを受けたにもかかわらず、その執行を受けず時効が完成しない者、仮釈放中の者および刑の執行猶予中の者であり、刑の執行猶予中の者を誤って採用することが実際問題としてあり得る。刑の執行猶予中の者は、一定の場合にそれが取り消され、その執行を受けることがあるので（刑法二六、二六の二）、執行猶予期間を無事経過するまでは本号に該当することになる。本号該当者の任用を避けるためには、その者の本籍地の市町村に照会し、または本人から資格証明書を提出させて、当該市町村に備えつけてある犯罪人名簿に刑に処せられた事実が記載されているかどうかを確認することも必要な場合がある。犯罪人名簿は、公開してはならないものであるが、官公庁からの法律上の要件に該当するか否かの照会に対しては回答してさしつかえないものとされている（行実昭二九・八・二八　自丁公発第一五三号、同昭三四・三・一九　自丁行発第三八号）。

禁錮以上の刑に処せられた者が公務に従事する場合には、その者の公務に対する住民の信頼が損なわれるのみならず、当該地方公共団体の公務一般に対する住民の信頼も損なわれるおそれがあることを理由として本号は憲法第一四条第一項、第一三条に違反しないとするのが判例である（最高裁平元・一・一七判決　判例時報一三〇三号一三九頁）。

なお、刑法において懲役および禁錮が拘禁刑に改められることに伴い、刑法以外の法律（地方公務員法を含む。）中の懲役および禁錮を拘禁刑と改める刑法等の一部を改正する法律の施行に伴う関係法律の整理等に関する法律（令和四年六月一七日法律第六八号）が制定され、令和四年六月一七日から三年を超えない範囲内において政令で定める日（改正後の刑法の施行日）から施行されることとなっているので、本書においては現行法で懲役または禁錮とされている刑を「拘禁刑」と表記している（判例の引用または援用の場合を除く。）。

㈡　当該地方公共団体において懲戒免職の処分を受け、当該処分の日から二年を経過しない者（本条②）

懲戒免職処分を受けた者は、職員として遵守すべき規範に違反したために、職員として留めて置くことができないとされた者であり、このような者を職員として採用することは適当でないとされたのである。しかし、懲戒免職処分の基礎となった事実には様々なものがあるし、本人の反省も期待しうるので、欠格条項に該当する期間は二年間に限定されている。また、本号は、「当該地方公共団体において」懲戒免職を受けた者に限定されているので、法律上は、ある地方公共団体が他の地方公共団体で免職処分を受けた者をその処分の日から二年以内の間であっても採用することは可能であるとされている（行実昭二六・二・一　地自公発第二二号）。この場合においては、その者の職員としての適格性を慎重に検討すべきことは当然である。

なお、県費負担教職員については特例があり、懲戒免職を受けた者は、二年間は懲戒免職をした都道府県教育委員会または市町村教育委員会が任命する職員およびその身分が属していた地方公共団体の職員となることができない（地教行法四七による法一六②の読み替え）。具体的には、一般の県費負担教職員は、都道府県教育委員会が任命権者であり（同法三七1）、身分は特定の市町村に属するので、その県下すべての教職員及びその属する特定の市町村の職員となることができないことになる。また、地方教育行政の組織及び運営に関する法律第五五条第一項の規定に基づいて県費負担教職員の任免に関する都道府県教育委員会の権限を処理することとなった市町村の県費負担教職員は、当該市町村の教育委員会が任命権者であり、身分も当該市町村に属するので、都道府県教育委員会が任命する職員または当該市町村の職員（県費負担教職員を含む。）となることはできない。さらに、市（政令指定都市を除く。）町村が設置する中等教育学校（後期課程に定時制の課程のみを置くものを除く。）の県費負担教職員については、その任免に関する事務は当該市町村の教育委員会が行うこととされており（地教行法六一１）、身分は当該市町村に属するので、そこで懲戒免職の処分を受けた者は、都道府県教育委員会が任命する職員および当該市町村の職員（県費負担教職員を含む。）となることができないことになる。なお、市町村立学校職員給与負担法一条は、地域の自主性及び自立性を高めるための改革の推進を図るための関係法律の整備に関する法律（平成二六年法律第五一号）五条によって改正され、政令指定都市の教職員は県費負担教職員に含まれないこととされたので、そこで懲戒免職の処分をうけた者は都道府県教育委員会が任命する職員になることはできることになる。

ところで、独法職員にも本条は適用されるが、その第二号を適用する場合については、「地方公共団体」とあるのを「特定地方独立行政法人又は設立団体」と読み替えるものとされている（地方独法法五三３）。

次に、本号に該当するのは、懲戒免職（法二九）の処分を受けた者に限られ、分限免職（法二八１）の処分を受けた者や失職した者（法二八４）については、本号の関知するところではない。分限処分の事由あるいは失職の事由が止んだときは、離職後二年以内であっても再採用することはさしつかえない。懲戒免職の処分を取り消すことにより、本号の欠格事由を消滅させることができるであろうか。これは懲戒処分の取消しの問題であり、第二七条の〔**趣旨**〕二(二)を参照されたいが、懲戒処分を人事委員会、公平委員会または裁判所が取り消してそれが確定したときは、本号の欠格事由は消滅する。しかし、当然無効の確認の場合は別として、懲戒処分を任命権者が取り消すことはできないと解される（大阪高裁昭四六・一一・二五判決（訟務月報一八巻四号五二八頁）、最高裁昭五〇・五・二三決定（訟務月報二一巻七号一四三〇頁）で確定）ので、任命権者の取消しによる本号の欠格事由の消滅はあり得ない。

次に、本号の欠格事由に該当する期間は、懲戒免職処分のあった日から「二年間」であり、これは法定の期間であり、延長、短縮または中断はない。期間の計算は「処分の日」から起算されるが、それは処分の効力が有効に発生した日の意味であり、処分辞令の日付にかかわりなく、当該辞令が本人に到達した日または本人が了知しうべき状態になったと認められる日である。また、この期間は、年をもって計算するので、処分のあった日は算入せず、その翌日から暦によって計算をすることになる（民法一四〇、一四三）。

㈢　人事委員会または公平委員会の委員の職にあって、地方公務員法第六〇条から第六三条までに規定する罪を犯し、刑に処せられた者（本条③）

人事委員会および公平委員会の委員は、任命権者と並ぶ人事機関の一員として、地方公務員法の施行について重大な責任を負うものであり、これらの委員が地方公務員法違反によって刑に処せられたときは、著しい義務違反があったものと断ぜざるを得ない。これらの委員は、委員として職務上の義務違反その他委員たるに適しない非行があったときは、行政上の措置として罷免の対象となるが（法九の二⑥）、地方公務員法違反によって刑に処せられたときは、職員としての適格性を否定することとされているのである。ところで、「刑」というのは刑事司法手続によって科される制裁であり、刑法第九条は、「刑」の種類として死刑、拘禁刑、罰金、拘留及び科料を定めている。これに対して、行政手続によって課される制裁として過料があるが（自治法一四九③参照）、これは「刑」ではないと解されている。地方公務員法第五章は、同法に違反した場合などについての罰則を定めるが、そのうち第六四条および第六五条は過料の制裁を定めているだけなので、それらに該当した場合が除かれることを明らかにするという意味で、本条第三号は「第六〇条から第六三条までに規定する罪」としているものと解される。ただ、あえて過料の制裁を受けた者を除く必然性があるかどうかは疑問である。

地方公務員法第六〇条から第六三条までの罪については、それぞれの条文の説明を参照されたいが、これらの罪は、原則として委員としての在職中に犯すものであるが、守秘義務違反の場合は退職後も適用されるので（法三四１後段）、本号で「委員の職にあつて」とは、守秘義務に関する限り「委員の職にあった者が」という意味で理解すべきである。

「刑に処せられた」とは、刑の言渡し（刑訴法三三三1）または刑の免除の言渡し（司法三三四）を受けたことをいい、現実に刑の執行を受けることを意味しない。刑の執行猶予の場合も当然に含まれる。また、たとえ罰金刑であっても欠格条項に該当することになるものであり、第一号のように拘禁刑以上の刑の場合に限定されるものではない。また、第二号の場合は、刑の執行を終わり、または執行を受けることがなくなることによって欠格性が消滅するが、本号の場合は、刑の言渡しまたは刑の免除の言渡しを受けた以上、原則として永久に欠格条項に該当する。しかし、刑が執行猶予となった場合にそれを取り消されることなくその期間を経過したとき、あるいは刑の執行を終わり、またはその執行の免除を得た後に所定の条件の下に一定期間を経過したときには、刑の言渡しはその効力を失うものであり（刑法二七、三四の二1）、さらに、刑の免除の言渡しを受けた後、所定の条件の下に一定期間を経過したときはその言渡しは効力を失うので（刑法三四の二2）、これらの場合には、刑に処せられた者ではなくなり職員となる資格を回復する。

㈣　日本国憲法施行の日以後において、日本国憲法またはその下に成立した政府を暴力で破壊することを主張する政党その他の団体を結成し、またはこれに加入した者（本条④）

公務員は、日本国憲法を尊重し擁護する義務を負うものであり（憲法九九）、日本国憲法またはその下に正当に成立した政府を暴力で破壊しようとする団体を結成したり、その一員となることが職員の本分にもとることは明白で、このような者は絶対的に欠格者とされるものである。

「日本国憲法施行の日」は、昭和二二年五月三日であり（憲法一〇〇1）、「その下に成立した政府」とは国の行政権を行使するもの（内閣）を直接には指しているが、ここでは一切のクーデターをいうものと解されるので、およそ国権をつかさどる国の立法、司法、行政の各機関を含むものと解してよいであろう。しかし、地方公共団体の機関は含まれない。「暴力で破壊」とは、およそ非合法な手段の一切であり、「政党その他の団体」とは、政治上の主義主張をもつ継続的な結合体（連合体を含む。）をいうものと考えられる。このような団体としては、具体的には破壊活動防止法により、団体活動の制限あるいは解散の指定を受けるような団体が考えられる。団体を「結成」するとは、あらたにこのような団体を組織することであり、「加入」とは、既存のこれらの団体に参加することである。

以上が欠格条項の内容であるが、地方公務員のうち、校長および教員については、学校教育法第九条により、①拘禁刑以上の刑に処せられた者、②教育職員免許法第一〇条第一項第二号または第三号に該当することにより免許状がその効力を失い、当該失効の日から三年を経過しない者、③教育職員免許法第一一条第一項から第三項までの規定により免許状取上げの処分を受け、三年を経過しない者、および④日本国憲法施行の日以後において、日本国憲法またはその下に成立した政府を暴力で破壊することを主張する政党その他の団体を結成し、またはこれに加入した者を欠格とする特例がある。これらのうち、④は本条と重複するが、②および③は本条に追加される欠格条項であり、①は本条第一号を加重するものである。すなわち、「刑に処せられた」とは、刑の言渡しまたは刑の免除の言渡しを受けたことをいい、一旦、刑に処せられた者は、刑の言渡しなどが効力を失わない限り、絶対的に欠格とされるものである。

三　欠格条項違反の採用

欠格条項に該当する者は、条例で特例を定めない限り、これを採用することができないものであるが、欠格条項に該当することが明らかでなかったり、事前の調査が不十分なために、誤ってこれを採用する場合があり得る。たとえば、拘禁刑以上の刑に処せられ執行猶予期間中の者がそれを隠して競争試験や選考に応募して合格し、採用されるような場合がこれに当たる。

このような採用は、明らかに法規に違反し、しかもその違反がきわめて重大なものであるので、当然に無効であるといわなければならない（行実昭二六・八・一五　地自公発第三三二号）。しかし、発見までの日時が長期に及んだようなときには、困難な問題が生じる（禁錮以上の刑に処せられてから二六年一一ケ月にわたり勤務を継続した後に遡及して失職したとして取扱うことを是認した判例（最高裁平一九・一二・一三判決　判例時報一九九五号一五七頁）がある。）。これらの問題について、行政実例は次のように解している（行実昭四一・三・三一　公務員課長決定）。

(1)　欠格者の採用は当然無効である。

(2)　この間のその者の行った行為は、事実上の公務員の理論により有効である。（瑕疵ある行政行為の解釈）

(3)　この間の給料は、その間労務の提供があるので返還の必要はない。

(4)　退職手当は支給しない。

(5)　退職一時金も支給しない。ただし、組合に対する本人の掛金中、長期の分については、組合から本人に返還する（相当の利子をつける。）。短期の分については、医療給付があったものとして相殺し、返還しない。

(6)　異動通知の方法としては、「無効宣言」に類する「採用自体が無効であるので登庁の要なし」とするような通知書で足りる。

以上の結論は、ほぼ妥当であると考えられるが、若干説明すると、まず、(1)の採用が当然無効であるというのは、採用の時に遡及してそれがなされなかったのと同じ状態になることを意味する。当然無効であるから、法律上は何らの措置も要しないが、念の為、(6)のように無効確認の通知を行うことが適当である。その者が形式上職員として行った行為も理論上は無権限の者が行ったものである以上無効であり、最近の行為であらためて処分しうるものはあらたな処分を行うことが望ましいが、原則として(2)のように有効な行為として取り扱うことができる（最高裁昭三五・一二・七判決（民集一四巻一三号二九七二頁）参照）。その者に支払った給与およびそれまでの勤務に対して支払うべき給与については、(3)および(4)の結論がほぼ妥当である。本来はその者に無権限の給与を受けとったことによる不当利得が、地方公共団体に法律上の理由なく労務の提供を受けたことによる不当利得があり、それぞれにその価額の返還を請求すべきものであるが、結果的には両者を等価のものとみなして相殺することが実際的である（法制意見昭二八　法制局一発第六一号）。ただ、退職手当のうち、解雇予告手当に相当する退職手当（労基法二〇、二一、船員法四六、退手法九）および雇用保険給付に相当する退職手当（退手法一〇）は、それが事実上、勤労者を保護する措置であり、通常の給与とは性格を異にするものであることにかんがみ、支給すべきものと考える。(5)の共済組合の掛金については問題は複雑である。ここでは旧法の退職一時金だけを問題としているが、現行法の年金についていうと、職域年金部分だけを無効として事後処理をすることが実際的であろう。

（任命の方法）

第十七条　職員の職に欠員を生じた場合においては、任命権者は、採用、昇任、降任又は転任のいずれかの方法により、職員を任命することができる。

２　人事委員会（競争試験等を行う公平委員会を含む。以下この節において同じ。）を置く地方公共団体においては、人事委員会は、前項の任命の方法のうちのいずれによるべきかについての一般的基準を定めることができる。

〔趣　旨〕

一　任命の種類と任命をめぐる問題

本条および次条は、従前、「任命の方法」という見出しで一つの条文（第一七条）に規定されていたものであるが、平成二六年（二〇一四年）の法律第三四号によって、国家公務員法第三五条（欠員補充の方法）および第三六条（採用の方法）に倣って本条および次条の二つの条文に分けて規定されることとなり、従前の第一七条第一項および第二項に形式的な修正がなされ、本条第一項は国家公務員法第三五条本文に、第二項は同条但し書に、それぞれ相当する規定とされた。なお、平成二六年の法律第三四号による改正前は、職員の採用の方法についても本条に定められていたが、当該改正によって従前の第一七条第三項から第五項が第一七条の二第一項から第三項に改められた。

第一五条で述べたように、地方公務員法は、職員の任命（任用）を「職」に人を就けることと観念している。すなわち、まず地方公務員という身分を有する人がおり、その人に職務（仕事）を割り当てるという戦前の考え方（任官中心の考え方）をとらず、地方公共団体には一定の業務があり、その業務が職の単位に分割され、その職に具体的な人を充てることが任命であるとされている。しかし、この考え方は、戦前の任官制度の影響が強く残されており、また、国、地方公共団体の業務分析も不十分であり、かつ、職務記述書に従って割り当てられた仕事だけを遂行するという労働慣行がなく、全組織が集団として互いに労力を融通し合いながら目的達成に努めるというわが国の風土にあっては、十分に貫徹されているとはいいがたい。

　地方公務員法は、「職」中心の考えに基づいて、職に欠員を生じたときに任命を行うものとし、その方法として採用、昇任、降任および転任の四つの種類を定めている。そして基本的にはこの四つのうちいずれかの方法によって任命が行われるのであるが、実際には、採用が身分取扱いの出発点であること、具体的な人に対する身分付与という実質を伴っており、きわめて人間的な問題であること、労働市場の中の需給関係に基づいて行われ、社会の実態の変化に応じて流動的であることなどにより、本条その他の解釈で述べるようにこれをめぐる問題はきわめて多い。すなわち、次条以下で述べる試験の実施に伴う問題をはじめ、町村合併などの場合の身分引継ぎの問題、採用に条件や期限を付する問題、条例定数との関係、各種の法律による特例など、非常に多くの問題が存在している。とくに我が国では一般に終身雇用の慣行がある（職員の任用を無期限のものとするのが地方公務員法の建前であるとするのが判例（最高裁昭三八・四・二判決　民集一七巻三号四三五頁）である。）ため、個々の採用が長期にわたって身分取扱いに影響を及ぼすことが多いので、これに対する関心の度合いが高く、したがって、これをめぐる法律問題もそれだけ多くなる傾向がある。

　我が国における伝統的な公務員の人事システムの基本は、人事当局が学卒者（新規学卒者に限らないが、その例外は限定的である。）を一括採用し、合同の初任研修を行い、その後、各所属に配属し、そこで当該所属における業務及び全所属に共通する業務を習得させたうえで（「オンザジョブトレーニング」の一種である。）、順次、各種の業務を経験させ（これを「人事ローテーション」という。）、昇進させるというものである。職員の採用は、原則として、人事委員会等が定める受験資格を有する者の全てに公開された採用試験に合格した者の中から行い（法一八の二、一九、二一）、職員の昇任は、標準職務遂行能力及び適性を有すると認められる者の中から行い（法二一の三）、一旦採用されると、定年による退職（法二八の六１）の場合を除いて、分限免職（法二八１）若しくは懲戒免職（法二九１）又は条件付採用期間中の免職（法二二の〔**解釈**〕一参照）の場合以外に、退職させられることはない（法二七２・３）という地方公務員法の規定は、このことを前提としたものである。また、地方公務員法第二二条の二第一項、第二二の三第一項および第四項ならびに第二二条の四第一項においては「常時勤務を要する職」という概念が使用され、それに該当するための要件の一つとして、「相当の期間任用される職員を就けるべき業務に従事する職であること」があげられている（第二二条の二〔解釈〕一参照）が、これも上記の人事システム（いわゆる「終身雇用制度」である。）を念頭に置いたものと理解される。なお、常時勤務を要する職に対するものとして短時間勤務の職という概念があるが、これについては第二二条の四〔解釈〕二で述べる。

ところで、令和二年（二〇二〇年）春の新型コロナウイルスによる感染症対策として、密閉、密集および密接（これらを総称して「三密」と称される。）を避けることと、そのための外出の自粛の必要性が強調され、リモートワーク、テレワーク、在宅勤務などと称される勤務形態が推奨された。この勤務形態は、勤務時間や場所を労働者が選ぶことができるのが特徴であり、通勤の廃止又はその頻度の減少という効果もある。これは、職務範囲を明確にしたうえで採用および配置をするという、いわゆるジョブ型雇用と親和的な勤務形態であるとされる一方、職務経験や実績を必ずしも重視せず、採用してからの研修および実務を通じての能力開発（第三九条の〔解釈〕三参照）をし、組織としての一体感を重視する終身型雇用（メンバーシップ型雇用または日本型雇用ということもでき、前記の人事システムの前提ともなっている。）における有効性は疑問とされる。この勤務形態によるときは、勤務時間管理や通信環境の整備などの職務を行うための経費（自治法二〇三２参照）の負担をどうするかなどという法律上の制度との関係の問題もあるが、より重要なのは、職務範囲を明確にした採用すなわち当該職務の遂行能力を有する人材（完成した人材）の採用という方式をとるのか、採用してから職務遂行に必要な知識や経験を身につけさせるのかという人事システムの根幹をどうするかということであろう。

二　任命の手続

職員の任命について、地方公務員法は各種の規定を置いているが、その要点は次のとおりである。

１　職員の任命は、任命権者が行う（法一七１）のであるが、それは平等取扱いの原則（法一三）、任用の根本基準（法一五）

および不利益取扱いの禁止（法五六）の規定に従って行われなければならない（通知昭二八・五・二九　自乙発第三七七号　第一三）。

２　欠格条項（法一六）に該当する者を採用することはできない（前記通知　第一　四）。

３　任命は任命権者（法六）が行うのであるが、人事委員会または競争試験等を行う公平委員会を置く地方公共団体においては、任命の方法の一般的基準の制定、採用および昇任のための競争試験の実施、競争試験による採用のための採用候補者名簿および昇任のための昇任候補者名簿の作成ならびに臨時的任用の承認（法一七２、一七の二１、一八、二一、二一の四、二二の三１～３）は、専門的人事機関である人事委員会または競争試験等を行う公平委員会が行う（法一七の二２、一八、二一の二２）。

４　職員の任用の方法は、正式任用のための手続（法一七～二一の五）と臨時的任用のための手続（法二二の三）の二つに限定され、これ以外の方法による任用は認められない（前記通知第二参照）。

５　採用は、条件付採用期間を良好な成績で勤務しない限り正式なものにならない（法二二）。

６　正式採用された職員は、法律に基づく事由によらない限り、その意に反して不利益な任用をされることはない（法二七、二九、四九の二）。

これらの規定を通じて、地方公務員法が任用において実現しようとしている目的は、次の二点である。

㈠　任用の公正の実現

職員の任用は、職員自身あるいはその取り扱う職務に関係する者にとってさまざまな利害関係があるため、現実問題として人事が情実や圧力によって、または任命権者の恣意によって左右されるおそれがある。そのことが任用の公正を阻害し、ひいては地方公共団体の業務の適正な執行を妨げ、さらには職員全体の利益に反することにもなりかねない。このような弊害を防止するために、地方公務員法は前述の１および２のような任用の基本原則を定め、また、一定の場合に３で述べた専門的な機関に関与させ、あるいは競争試験や選考の手続の基本を定め、さらには４で述べたように任用の方法を限定することとし、また、６で述べたところにより職員の任用上の権利を保障して、任用が公正に行われることを保障することとしているのである。地方公務員法がかなり詳細に任用に関する一連の手続を定めているのは、任用における公正の実現をとくに重視しているあらわれであるということができる。

㈡　能力主義の実現

地方公務員法が任命について詳細な規定を設けている第二の目的は、その手続を忠実に守ることによって、任用の根本基準である能力主義（法一五）を実現することにある。第一五条について述べたように、能力主義を貫徹することによって公務能率の増進が図られ、そのことが住民福祉の向上という公共の目的に合致することになるものである。

能力主義をすべての地方公共団体を通じ、すべての職員に対して実現するためには、任命の基本的な手続を定めておく必要があるとの認識に基づいて、法律で職員たる資格をはじめ、任命の方法、試験の実施などの基準が定められているものと解される。そしてまた、能力主義が実現され、職員の適材適所の配置とそれにふさわしい処遇がなされることにより、人事における公正、すなわち、均分的正義が実現されることにもなり、職員の志気の昂揚と一層の能率の向上が図られることになるものである。

三　任命と人事委員会または競争試験等を行う公平委員会

人事委員会または競争試験等を行う公平委員会（任用についての規定においては、両者を併せて「人事委員会」と称される。本条２）を置く地方公共団体については、地方公務員法は、前項の３で述べたように、これらの委員会がかなり広い範囲で、しかも実質的に重要な手続に関与すべきことを定めている。これはいうまでもなく、専門的かつ中立的な人事機関であるこれらの委員会をして任命権の行使をチェックさせることにより、前項で述べた人事の公正と能力主義の実現とを図ろうとするものであり、これらの委員会に与えられたきわめて重要な権限の一つであるといえる。

問題は、人事委員会または競争試験等を行う公平委員会を置かない地方公共団体（特定地方独立法人を含む。）の場合である。これらの委員会を置かない地方公共団体においては、職員の採用および昇任は、競争試験または選考のいずれによることもさしつかえなく（法一七の２）、あるいは臨時的任用についてこれをチェックする機関がないなど、任命の手続自体においてこれらの委員会を置く地方公共団体よりもゆるやかな点があり、かつ、これらの委員会を置く地方公共団体ではこれらの委員会の権限とされている競争試験または選考の実施（法一八）、受験の資格要件（法一九）、条件付採用期間の延長（法二二）などは、任命権者（特定地方独立法人においては理事長、地方独法法五三3による読み替え。）が行うことになる（法一七の二3括弧書）。

人事委員会または競争試験等を行う公平委員会を置かない地方公共団体における任命について、比較的その手続がゆるやかであり、また、任命手続のチェックが行われていないのは、このような地方公共団体の任命がルーズに行われてよいことを意味するものではない。この違いは、もっぱら地方公共団体の規模、すなわち、組織や職員数の違いに基づくものであり、それを前提として手続を簡素化したにすぎない。立法論としては、人事委員会または競争試験等を行う公平委員会を置かない地方公共団体の任命の手続をより厳格なものとすること、あるいは競争試験等を行う公平委員会以外の公平委員会にも任命の手続に関与させることも考えられるが、地方公共団体の実態には様々なものがあるので、一律にそうすることは現実的ではないであろう。要するに、人事委員会または競争試験等を行う公平委員会が任命に関与する制度とそうでない制度との違いは、技術的な理由にのみ基づくものであって、任用を通じて人事行政の公正を確保し、また、能力主義を実現するという目的自体は全く同一である。人事委員会または競争試験等を行う公平委員会を置かない地方公共団体の任命権者は、他の機関の関与を受けず、裁量の余地も大きいだけに、任用に当たって自ら厳正な運用に心がける必要があるといわなければならず、かりそめにもルーズな運用をするようなことがあってはならない。

四　任期付採用（任用）

任期付採用というのは、採用の際にその期間を明示して行われる任用（厳密には任命）のことであり、任期付任用とも称されるが、その意味は同じである。期間を限定した任用については、従来「期限付任用」という言葉が使われることが多かったのに対して、近時の立法においては「任期付採用」と表現されることが多い。期限といい、任期というも、任用の期間を限定するという意味は同じであり、「任用」といっても、それが一定の期間を経過した後に職員としての地位を失うものであるから、地方公務員法第一七条第一項の「採用」を意味することになる。したがって、両者を使い分ける必然性はないのであるが、本書においては、従前の経過や理論を説明するために必要な場合に「期限付任用」の語を用い、それ以外は「任期付採用」の語を用いることとする。したがって、いずれの表現によるも、法律的な意味が異なるわけではないことに注意されたい。

ところで、前記一で述べたように、地方公共団体における人事システムは期限の定めのない任用（終身雇用）を基本としているのであり、本条はそのことを前提として任命の方法を定めている。しかし、オリンピックや国際博覧会などの国際的なイベントの招致、地域振興のための大規模な催しものの企画立案・実行など一定の期間に事務が集中し、その期間の経過によって終了する事務のために、一定の期間を限って職員を任用することが必要な場合がある。このように、採用の時に一定期間の経過後に廃止されることが見込まれている職や一定の計画期間内に終了する事務のための職については、職員の身分保障および職員の退職の自由を損なわない範囲で、任期を限った職員を採用することを禁止する理由はないし、かえって、それを認めることの方が合理的である。また、地方公務員にも適用される労働基準法は、「労働契約は、期間の定めのないものを除き、一定の事業の完了に必要な期間を定めるもののほかは、三年（次の各号のいずれかに該当する労働契約にあっては、五年）を超える期間について締結してはならない。」と定めており（労基法一四１）、終期の確定している仕事のためには三年または五年を超える雇用もあり得ることを示している。この規定と、地方公務員法が期限の定めのない任用を基本としつつ、一年以内の臨時の必要に対しては臨時的任用をもって対処することとしていること（法二二の三）を合わせ考えると、ある職が臨時的任用によってまかなうには存続期間が長すぎるが、数年以内には廃止されることが予定されているというような場合には、事前に任期付任用の対象となる者の十分な理解を得た上で、一定の期限を限って、本条第一項に基づいて任用することができると考えられる。そして、このような任期付任用であっても、その任用行為が行政処分であるという性質は期限の定めのない任用の場合と同じであるから、当該職員は期限の到来（任期の満了）とともにその職を失うことになる（最高裁平六・七・一四判決（判例時報一五一九号一一八頁）参照）。ちなみに、職員には適用されないが、労働契約法第一八条は、期間の定めがある労働契約が繰り返し更新されて通算五年を超えた場合、労働者の申込みにより、期間の定めのない労働契約に転換できるとし、その例外を定める専門的知識等を有する有期雇用労働者等に関する特別措置法第八条第一項は、期間の定めのない労働契約に転換できる期間を一定の要件に該当する場合に限って通算一〇年に延長している。

なお、人事院規則八―一二（職員の任免）の第四二条は、その第一項で、恒常的に置く必要がある官職に充てるべき常勤の職員を任期を定めて任用してはならないとしながら、その第二項で、「三年以内に廃止される予定の官職」、「特別の計画に基づき実施される研究事業に係る五年以内に終了する予定の科学技術に関する高度の専門的知識、技術等を必要とする研究業務であって、当該研究事業の能率的運営に特に必要であると認められるものに従事することを職務内容とする官職のうち、昇任、降任、転任及び配置換（以下「昇任等」という。）の方法により補充することが困難である官職」ならびに「六週間（多胎妊娠の場合にあっては、一四週間）以内に出産する予定である女子職員が申し出た場合および女子職員が出産した場合の休暇を取得する職員の業務を処理することを職務内容とする官職のうち、昇任等の方法により補充することが困難である官職」について任期を定めて採用することができることとしている。地方公務員法自体にはこのような制度はないが、平成一二年に「地方公共団体の一般職の任期付研究員の採用等に関する法律」が、同一四年に「地方公共団体の一般職の任期付職員の採用に関する法律」が、それぞれ制定されているほか、より一般的な制度として、会計年度任用職員の制度が令和二年（二〇二〇年）四月一日から導入されている（第二二条の二の〔**趣旨**〕参照）。さらに、特別な政策目的から制度化されたものとして、地方公務員の育児休業等に関する法律第六条による任期付採用及び臨時的任用の制度が、女子教職員の出産に際しての補助教職員の確保に関する法律第三条による臨時的任用の制度がある（後記〔**解釈**〕二参照）。

五　派遣労働者の受け入れ

近時、労働者派遣事業の適正な運営の確保及び派遣労働者の保護等に関する法律第二六条の規定に基づく労働者派遣契約に基づいて派遣労働者を受け入れる地方公共団体が増えているようである。労働者派遣というのは、「自己の雇用する労働者を、当該雇用関係の下に、かつ、他人の指揮命令を受けて、当該他人のために労働に従事させることをいい、当該他人に対し当該労働者を当該他人に雇用させることを約してするものを含まないものとする。」と定義されており（同法二①）、ここで「自己」というのは派遣会社を、「他人」というのは地方公共団体を、それぞれ意味する。そして、この法律を地方公共団体に適用するに際しての特例は何もないので、地方公共団体は、同法に違反しない限り、自由に、派遣会社との契約（派遣契約）によって、派遣会社に雇われた労働者（派遣労働者）を、自己の指揮命令によって、自己のために労働させることができるようにも思われる。しかし、派遣労働者が職員に該当しないことは、その定義から明らかであり、派遣労働者には成績主義、欠格条項、服務など地方公務員法が定める全ての規定が適用されないのであるから、その受け入れには自ずから条理上の制限がある。

〔解　釈〕

一　任命を行うことができる場合と任命の方法

(一)　職　員　の　職

任命権者が職員を任命することができるのは、「職員の職に欠員を生じた場合」である（本条１）。ここで、「職員の職」というのは個々の職員に割り当てられる仕事のまとまりをいうものであり、〔**趣旨**〕で述べたように、本来、地方公務員法は「職」を前提としてこれに具体的な人を充てることを基本的な考え方としている。しかし、身分付与的な任命の考え方が今日でも根強く残っており、職制上の段階の標準的な職（法一五の二１⑤、２）および等級別基準職務表（法二五３②）だけを定めることとしている現行制度においては、「職に任命する」とは、常識的な意味での一定の地位、たとえば、課長、係長、特定の組織の係員などに任命することと理解され、かつ運用されている。

このように現実の運用が厳格な意味の「職」を基礎として行われていないので、「職」と任命との関係を完全に明確にすることは困難であるが、ここでは一応、当該地方公共団体の業務を遂行するための職務上の地位が「職」であり、これに具体的な人を充てることが「任命」であると観念することとしたい。この職務上の地位をどのように決定し、あるいは分類するかは、原則としてそれぞれの地方公共団体の自律に委ねられており、都道府県の職の設置は、法令に特別の定めがあるもののほかは規則で定めることとされているが（自治法施行規程五（なお、昭和三一年の同条改正前は、そこに部長、課長、主事、技師等が具体的に定められていた。））、市町村においても、規則で定めることが適当であろう。また、企業職員の職の設置は、企業管理規程（地公企法一〇）で定めることが適当であるとされている（行実昭三三・一・六　自丁公発第一号）。職を定めるには、当該地方公共団体における効率的な組織および定員管理のあり方を前提とし、かつ、予算との関係（級別定数との関係）を考慮すべきであり、処遇のための職の設置は、厳に慎むべきである。

なお、法令によって職が定められている例として、都道府県の小作主事（自治法施行規程四1）のほか、警察法第六二条が規定する警視、警部、警部補、巡査部長および巡査があり、消防長、消防署長、校長、教頭、教諭、養護教諭なども本条の職であると解されている（行実昭二九・九・四　自丁公発第一五七号）。また、職員の職制上の名称である部長、課長、課長補佐、係長、主事、技師、参事、主幹なども職であると観念されるが、地方公共団体によっては、下級の地方公務員についてとくに「職名」を付さず、特定部署への「勤務命令」のみを行っているものもあり、「職名」のない「職」もあり得ることになる。

(二)　欠員と定数条例および任命の重複状態

任命権者が職員を任命することができるのは、職員の職に「欠員が生じた場合」に限られるが（本条1）、前述のように現実に職が必ずしも明確に分類整理されていないため、この「欠員が生じた場合」とは、職員の任命を予定しうる地位に現に具体的な人が充てられていない状態であると理解される。したがって、欠員があるかどうかは、任命の重要な前提であるが、それは、ある課長の職が欠員となっているような明白な場合はともかく、係員の補充や任期付職員の採用などの場合には、個々の事案について具体的に判断するほかない。

欠員の有無に関連して問題となるのは、条例定数と任命との関係である。条例で職員の定数を定めること（この条例を「定数条例」という。）は、地方公務員法上の制度ではなく、個々の組織法の定めるところであるが（主なものとして、法一二9、自治法一三八6、一七二3、一九一2、二〇〇6、警察法五七2、消組法一一2、一九2、農委法二六2、地教行法一九、三一3、四一1）、任命の前提となる制度であり、また、定数の改廃は分限処分の事由でもあるため（法二八1④）、任用と密接な関係を有するものである。

条例定数が実員より多く、その余裕の中で職員を任命する場合には、定数条例との関係では当該任命に問題は生じない。しかし、定数条例の枠を超えて職員を任命したときには、その効力が問題となる。行政実例は、当該任用行為は、当然に無効ではないが、直ちに取り消すべきであるとしており（行実昭四二・一〇・九　公務員第一課決定）、前町長が任期切れ間際にした条例定数を上回る採用を現町長が就任直後に取り消したことを適法とした判決がある（熊本地裁昭六〇・三・二八判決　判例時報一一六三号五八頁）。条例定数は、客観的に法定された任命の前提条件であり、これに反する任命は無効というべきであろうが、そのような違法な任用を行ったことについては、もっぱら任命権者に責任があるので、事後に条例定数が増加された場合および欠員が生じて定数内として措置しうることとなった場合には、当該任命をならしめた瑕疵が治癒され、有効な任命となるものと解すべきであろう。

ところで、条例で定めるべき定数の意義は、必ずしも明白ではない。これについては、⑴臨時、非常勤以外の恒常的な常勤職員の数をあらわすもの、⑵恒常的な常勤職員を任命しうる限度を示すもの、および⑶地方公共団体に置かれる「職」の数を示すもの、という三つの考え方があり得る。実際の運用からみて、条例定数が現実に置かれている恒常的な職員の実数を示すと考えることには無理があり、沿革的には、恒常的な常勤職員数の枠を住民の意思によって決定するという⑵の考え方によるものであり、実際にもそのように理解され、運用されているといえる（第三条の【趣旨】二㈠2参照）。しかし「職」中心主義をとる地方公務員法との関係、組織管理や定数管理をより精緻に行うことが望ましいことなどを考慮するときは、定数条例のあり方をできる限り⑶の考え方に近づけるべきである。その際、給与条例に基づく等級別の定数との関連性を可能な限り明確にし、また、定数条例の定め方自体も現在の大勢である大枠方式から、組織別、機関別、職制別に明らかにするよう改善を進めることが望ましいと思われる。なお、地方公務員の育児休業等に関する法律第一三条は、通常の勤務時間の半分である育児短時間勤務職員が占める職に他の一人の育児短時間勤務職員を任用することができるとしている。これは、育児休業者が有している一つの職を二つに分割し、その一を当該育児休業をしている職員に保有させ、他の一を育児短時間勤務職員に保有させることができるとするものであり、実際には、二人が交代で一人分の通常の勤務時間を勤務することになるわけであるから、そのことの妥当性を十分考慮したうえで任命することが必要となろう。そして、条例で定める定数との関係については、それが職の数を定めるものである場合は当然に一とカウントされることになるが、それが恒常的な常勤職員の数の限度を示すものである場合は、その取扱いを明示したうえで一とすることができるものと解される。

次に、任命が重複した場合が問題となる。本来、任命は欠員がある場合に行われるものであるから、任命が重複することはあり得ないのであるが、休職中の課長のポストに他の職員を任命する場合、あるいは分限免職が行われ、そのポストに他の職員が任命された後に当該免職の取消しが行われたような場合には重複任用の問題が生じる。前者については、国家公務員の場合は、休職者はその職を保有するものとしながら他の職員をその職に充てることはさしつかえないものとされており（人事院規則一一—四（職員の身分保障）四１２）、制度的に重複任用が認められている。後者の場合は、やはり重複任用となるが、すみやかにいずれかの職員を配置換えすることにより、運用上解決すべきものである。このようにやむを得ない場合以外の重複任用は、後の任命行為が無効となるものと解するほかないであろう。

(三)　任命の種類

これまで述べてきたように、職員の「職」に「欠員」があるときにはじめて「任命」が可能になり、任命の種類は、採用、昇任、降任および転任に限定されているが（本条１）、国家公務員について人事院規則八—一二（職員の任免）第四条に規定されている「配置換」または「併任」の方法は、前述の昇任、降任または転任のいずれかに含まれることとなるので、地方公務員について制度として創設する必要はないとされている（行実昭二七・九・三〇　自行公発第六一号）。また、本条第一項中の「職員の職に欠員を生じた場合」には臨時の職も含まれるが、この補充については地方公務員法第二二条の三に特則があるので本条第一項の採用、昇任、降任および転任は正式任用職員についてのみ行われるものである。しかし、正式任用である限り、非常勤職員（会計年度任用職員が含まれることに注意が必要である。）についても、採用、昇任、降任または転任のいずれかの方法によって任命をしなければならないことになる。なお、個々の任命の方法については、同法第一五条の二が定義しているので、同条の解説を参照されたい。

㈣　兼職、充て職、事務従事、出向など

職員の任命の方法は、理論的には前述の四つの種類に限られるのであるが、実際には法律により、あるいは運用上、この四つ以外の任命上の用語を用いた任命がなされることがある。その主なものは次のとおりである。

１　兼　職　兼職とは、ある職員がその職を保有したまま他の職に任命されることをいう。併任、兼務などとも呼ばれる。国家公務員法には兼職禁止の原則が規定されているが（同法一〇一１）、地方公務員法では、人材の活用および人事の弾力的運用を図る見地からこのような禁止規定は定められていない（行実昭二六・八・二七　地自公発第三六六号）。

兼職は、狭義には同一地方公共団体内で行われるものをいうが、広義には異なる地方公共団体の職を兼ねる場合および国と地方公共団体の職を兼ねることも含まれ、後記５および６で述べる派遣制度による派遣も兼職の一種である。兼職の場合の身分取扱いは、派遣制度のように法令によって規定されているものはそれによるが、一般的には解釈によるほかない。

まず、兼職を命ずることについては、同一地方公共団体内である場合には同じ勤務関係に基づくものであるので、本人の同意を得る必要はない。ただ、運用上、任命権者が異なる場合は両者間での協議が必要とされよう。異なる地方公共団体間、または国と地方公共団体間の兼職は、一方的に命令を発しうる派遣制度（自治法二五二の一七）の場合を除き、あらたに任命を行う任命権者（採用を行う任命権者）において本人の同意を得る必要がある。次に、職務専念義務（法三五）については、同一地方公共団体内の場合は、当該地方公共団体の職務に専念することに変わりないので、その免除を受ける必要はないが、異なる地方公共団体間、および国と地方公共団体間の場合は、派遣制度による場合を除き、勤務時間を割くこととなる任命権者（双方の場合もありうる。）から職務専念義務の免除を得る必要がある。また、給与については、勤務時間に応じて調整するか（調整して双方で支給することは、重複給与支給禁止規定（法二四３）に違反しないとされる（行実昭三六・六・九　自治丁公発第四九号）。）、一方を無給とする措置が必要である。営利企業等の従事制限（法三八）については、異なる地方公共団体間の兼職の場合には他団体で報酬を得ることにつき一方（片方が無給の場合）または双方（双方で給与を受ける場合）の任命権者の許可を要し、国家公務員の職を兼ねて報酬を得る場合にも、地方公共団体の任命権者の許可が必要である。ただ、いずれの場合も、法律に基づく派遣の場合は、許可を要しないと解される。同一地方公共団体の兼職については、当該地方公共団体の業務に変わりないので許可を要しない。また、他の地方公共団体または国から旅費または実費弁償のみを受けるときは、報酬を受けることに該当しないので許可は不要である。次に、服務については、いずれの任命権者も職務命令を発し、分限、懲戒などの権限を行使しうることが原則である。しかし、分限免職、懲戒免職のように身分取扱いの基本に関する事項については、任命権者相互で協議して行うべきである。とくに同一地方公共団体内の兼職の場合には、一方の任命権者による免職処分が直ちに他方の任命権者の任命権に影響することになるので注意を要する。兼職の場合、いわゆる「本務」と「兼務」が明らかな時は、本務の任命権者の措置をまつことが適切である。なお、災害のための派遣職員の場合は、派遣を受けた団体の任命権者は、分限処分および懲戒処分を行うことができないことが明文で定められている（災対法施行令一七45）。

兼職の場合の条例定数との関係については、職員の条例定数に欠員がない場合は併任することができない（行実昭三一・七・一八　自丁公発第一〇一号）、あるいは行政委員会などの補助職員として長部局の職員を兼任させている場合でも、行政委員会などの職員定数は条例で定めるべきであり、恒常的に併任職員をもって充てる場合はその旨条例に規定することが適当であるとされている（行実昭四三・九・二五　自治公一第三二号）。また、派遣職員の場合、派遣した団体の定数から除外する必要はなく（除外したときは復帰後、定数内となるよう措置する必要がある。）、派遣を受けた地方公共団体は、定数内とするか定数外とするかいずれでもさしつかえないとされている（松本英昭・新版逐条地方自治法（第三次改訂版）一一四三頁、学陽書房、二〇〇五年）。これらの解釈には、必ずしも一貫した考え方があるように思われないが、それは定数条例の意義が明確ではないためであると考えられる（前記(二)参照）。定数条例を恒常的な常勤職員の任用限度を定めるものと解するとき（第三条の【趣旨】二(一)2参照）は、当該兼職にかかるそれぞれの職が恒常的かつ常勤の職であるか否かによって定数内か定数外かを判断すべきであろう。また、より常識的には、本務は定数内、兼務は定数外とすることも一つの考え方である。休職中の職員や長期病気休暇中の職員などを定数外とする条例では、暫定的な兼職も同様に取り扱うことが普通であると考えられる。

次に、職員は、法律によって一定の兼職が禁止される（例、人事委員会および公平委員会の委員について法九の二9、地方公共団体の議員について自治法九二2、地方公共団体の長について自治法一四一2、教育長および教育委員会の委員について地教行法六)。これらの規定に違反して行われた任命が、理論上は無効と解すべきことは、第九条の二の〔解釈〕六で述べたところであり、また、解釈として前の職を失うとする見解(長野士郎・逐条地方自治法(第一一次改訂版)二六四頁、学陽書房、一九九三年)と後の発令が無効であるとするもの(行実昭三一・二・四　自丁公発第二一号)とがあることもそこで述べたとおりである。実際上の措置としては、本人がいずれかの職をすみやかに辞任すべきであり、無効、違法の状態を治癒せしめる必要がある。なお、職員は、原則として公職の候補者となることができないが(公選法八九1)、このような者が立候補したときは自動的に退職するものとされており(公選法九〇)、公職の候補者が立候補制限を受ける公務員となったときには候補者を自動的に辞することとなる(公選法九二)ので、公選の職との兼職禁止については、事前に解決されることになる。

２　充て職　充て職とは、法令の規定により、一定の職にある職員が当然に他の一定の職を占めるとする制度である。たとえば、選挙管理委員会の組織規程で市町村課長を選挙管理委員会の書記長に充てると定めることなどである。これは兼職の一種であるが、一般の兼職のように兼ねる職についての発令行為を行う必要はなく、本来の職に発令されることにより、自動的に他の職を兼職することになる(行実昭二九・五・一一　自治丁行発第五三号)。地方公共団体の長の事務部局の職員を他の執行機関の職員に充てることは、組織、人事の合理化のために適当な場合があるとされているが(自治法一八〇の三参照)、それ以外の充て職、たとえば、他の執行機関の職員を長の事務部局の職員に充てることや、公営企業と執行機関の間の充て職も、法律に規定はないが可能である。なお、充て職は、同一地方公共団体の中においてのみ可能である。

３　事務従事、事務取扱いおよび事務心得　事務従事とは、職員に対して他の職の職務を行うことを命ずることをいい、実質は兼職に近いが、当該職務を行うことを命ずる職務命令に基づくものである(自治法一八〇の三参照)。兼職ではないから、発令行為は不要で、職務命令を発すれば足りる。本来、「職」中心の考え方からすると事務従事は変則であるといわざるを得ないが、簡便な組織間の相互応援の方法として用いられるものといえよう。観念的には、従事を命じられた事務が暫定的に本来の職の職務に付加されると考えてよいであろう。事務従事は、同一地方公共団体内に限られるものであり、他の地方公共団体や地方公社などに対するものにも事務従事と呼ばれているものがあるが、これはそれぞれ兼職の一種である派遣であって、ここでいう事務従事ではない。なお、地方自治法第一八〇条の三は、長部局から他の執行機関に対する事務従事のみを規定しているが、他の組織相互間の事務従事も可能であることは充て職の場合と同じである。事務従事は兼職ではないので、重複給与支給の問題など、身分上特段の問題は生じない。もっぱら本来の職に関する法令によって身分取扱いが行われるものである。なお、職員をして地方公務員共済組合または地方公務員災害補償基金の業務に従事させることがあるが（地共済法一八1、地公災法一三1）、そのための発令は職務命令として行われるものであり、当該職員の同意は必要ないが、この場合においても、職員は当該地方公共団体の職員としての地位を失うことはないし、当該事務が当該地方公共団体の事務になるわけでもない。

ある職の職員が欠員となったとき、あるいは海外出張や多少時日を要する病気の場合に、暫定的にその職の上司、同僚に命じられる「事務取扱い」も事務従事の一種であり、兼職ではない。したがって、副市町村長が常勤の職員を兼ねることは禁じられているので（自治法一六六2、一四一2）、副市町村長が総務課長の職を兼ねることはできないが、副市町村長が総務課長の事務取扱いをすることはさしつかえないものと解される。事務取扱いは、一般的には上司または同僚が行うことが普通である。

事務取扱いと同様に、ある職員の職が欠員となったときに暫定的に行われるものに「事務心得」がある。これは、課長の職務を行うが、課長となるのに必要な資格を満たさない者を課長心得にするというように、下位の職にある者が上位の職の職務を行うための形式であり、それ自体、暫定的な一つの職であると解される。

４　出　向　出向は、実際にしばしば用いられる発令形式であり、このような発令を行うことはさしつかえないものとされているが（行実昭二六・八・二　地自公発第三一八号、同昭二九・五・二七　自丁公発第八四号）、その法律的性格は必ずしも一様ではない。通常、出向を行う場合には、当該職員の任命権者が他の任命権者の機関への出向を命じ、出向先の任命権者があらたな任命の発令を行う。すなわち、先の任命権者が当該職員に他の任命権者の任命を受けることの承認を与える意思表示が出向発令であると解される。出向発令だけで新たな任命が自動的に行われるものでなく、必ず新しい任命権者の任命行為が必要である。同一地方公共団体内の出向は、同じ勤務関係の中にあるので、本人の同意は不要である（行実昭四二・一一・九自治公一第五七号）。また、元の任命権者が出向を命じ、他の任命権者が任命することにより、当該職員は元の任命権者の任命権の範囲外のものとなるので、「出向を解く。」という発令をすることにより自動的に職員を復帰させることはできず、その場合には、現在の任命権者が出向を命じ、元の任命権者があらためて任命を行うことが適当であるとされている（行実昭三〇・三・一八　自丁公発第五五号）。

以上のような出向のほかに、前記３で述べた事務従事の意味をもつ出向が行われることもあり、この場合には出向発令のみが行われ、あらたな任命は行われない。また、他の地方公共団体や公社などへ職員を派遣する場合にも出向と呼ばれることもある。このように、一口に出向といってもその実態はまちまちであり、その法律的性格も必ずしも明確ではないので、通常の出向については、転任命令と任命を行い、事務従事の場合は事務従事命令を、他の地方公共団体に対する場合は派遣命令を行うことにより、任命行為の正確を期すことが望ましい。いずれの場合も、任命権者間の協議に基づく必要があることは当然である。公社などに対する出向については、後記㈤２で述べるところを参照されたい。

㈤　派遣

１　地方公共団体相互間または国との間における派遣

地方自治法第二五二条の一七は、地方公共団体相互間における一般的な派遣制度について定める。ここで定められている派遣は、普通地方公共団体の長または委員会若しくは委員が他の普通地方公共団体の長または委員会若しくは委員に対し、当該普通地方公共団体の職員の派遣を求めることによってなされるものであり、この求めを受けた長などは、自己の職員に対して派遣をする旨の職務命令を発することによって、派遣をすることになるものであって、その職員は、派遣をした普通地方公共団体と派遣を受けた普通地方公共団体の双方の職員の身分を有することとなる。したがって、定数条例上は、派遣を受けた普通地方公共団体における職が臨時（期限付き）または非常勤のものでない限り、双方の普通地方公共団体の定数に含まれるべきものであるが、それ以外であっても、条例に定めることによって、派遣をした普通地方公共団体の定数に含めないこともできると解されている（行実昭三一・一〇・二二　自丁行発第一一四号参照）。そして、その職員の給料、手当（退職手当を除く。）および旅費は、当該職員の派遣を受けた普通地方公共団体が負担し、退職手当および退職年金または退職一時金は、当該職員の派遣をした普通地方公共団体が負担するのが原則であるが、当該派遣が長期間にわたることその他の特別の事情があるときは、当該職員の派遣を求める普通地方公共団体およびその求めに応じて当該職員の派遣をしようとする普通地方公共団体の長または委員会もしくは委員の協議により、当該派遣の趣旨に照らして必要な範囲内において、当該職員の派遣を求める普通地方公共団体が当該職員の退職手当の全部または一部を負担することとすることができることになっている（自治法二五二の一七2）。また、普通地方公共団体の委員会または委員が、職員の派遣を求め、もしくは求めに応じて職員を派遣しようとするとき、または退職手当の負担について協議しようとするときは、あらかじめ、当該普通地方公共団体の長に協議しなければならない（自治法二五二の一七13）。そして、派遣された職員の身分取扱いに関しては、当該職員の派遣をした普通地方公共団体の職員に関する法令の規定の適用があるのが原則であるが、協議によって、派遣を受けた普通地方公共団体の職員に関する法令の規定を適用することができるとされている（自治法施行令一七四の二五3）。このように、この派遣は、基本的な事項を法定するものの、結果的には、退職手当の負担についてだけでなく、法令の適用についても、当事者団体の協議によって、弾力的な対応をすることが可能になっている。特に退職手当の特例は、平成一八年の改正によって認められることになったものであるが、このような例外的な扱いが必要になるのは、派遣の期間が相当程度長期間にわたることが想定される高齢者の医療の確保に関する法律に基づいて後期高齢者医療の事務を処理するために設けられた全市町村が加入する広域連合（「後期高齢者広域連合」という。）（同法四八、自治法二九一の二）などの場合に限られることになろう。

また、国と地方公共団体または地方公共団体相互間における特殊な場合の派遣について定める災害対策基本法、武力攻撃事態等における国民の保護のための措置に関する法律および新型インフルエンザ等対策特別措置法においては、派遣の手続を法定する（災対法二九～三二、武力攻撃事態等措置法一五一～一五四　新型インフルエンザ等対策特別措置法四二～四四）とともに、それぞれの施行令で、派遣を受けた普通地方公共団体は派遣された職員を定数に含めないことや懲戒処分の権限を有しないことなど、その身分取扱いについて詳細な規定を置いている（災対法施行令一七～一九、武力攻撃事態等措置法施行令三八、新型インフルエンザ等対策特別措置法施行令一〇）。

なお、公立の小学校等の教諭等に対して行われる初任者研修（教特法二三1）に際して、政令指定都市以外の市町村の教育委員会は、都道府県の教育委員会に対して、その事務局の非常勤の職員を非常勤の講師として派遣するよう求めることができるが、これによって派遣された職員は、派遣を受けた市町村の職員の身分を併せ有し、その報酬および費用は当該職員の派遣をした都道府県が負担することとされ、市町村の教育委員会は派遣された当該非常勤の講師に対する服務を監督するものの、それ以外の身分取扱いに関しては派遣をした都道府県の非常勤の講師に関する定めが適用されることになっている（地教行法四七の三）。

２　公社などへの職員の派遣　　国や他の地方公共団体に対する派遣制度については、前記１で述べたところであるが、これ以外にも地方道路公社、地方住宅供給公社、土地開発公社など、地方公共団体の分身ともいうべき公共的団体への職員の派遣があり、これに類するものとして第三セクター、福祉団体、産業団体などの公益的団体への職員の派遣もある。これらの身分取扱いにはかなり問題が多い。まず、これらの職員派遣に用いられる方法には、おおむね次の四つのものがある。

⑴　職員は、退職して公社などの業務に従事し、復職させるときは改めて地方公共団体が採用する。

⑵　地方公務員法第二七条第二項に基づく条例を定めて派遣し、派遣期間中、休職とする。

⑶　地方公務員法第三五条に基づく条例により、派遣期間中職務専念義務を免除する。

⑷　職務命令により、当該公社などの事務に従事するよう命ずる。

これらの方法のそれぞれの問題点を検討する前に明らかにしておかなければならないのは、職員には地方公共団体の本来の業務に専念する義務がある以上（法三五）、地方公共団体以外の業務に職員が従事することについては、きわめて慎重でなければならないということである。基本的には、これらの団体などを支援することが公益のために特別に必要であることが客観的に明らかでない限り、職員の派遣を行うべきではない。また、派遣される職員自身の利益を損ねることのないようできるだけ配慮する必要がある。これらのことを前提として、それぞれについて留意すべき事項は、次のとおりである。

まず、(1)の方法は、地方公共団体の人事管理上はもっとも明快な方法である。派遣期間中は職員ではなくなるので、服務などに関する一切の問題は生じない。国家公務員の退職手当について、「公庫等」への派遣の期間を通算したり（退手法七の二）、同じく共済組合の勤続期間にその通算方式を規定している（地共済法一四〇）のは、派遣はこの方式によることが建前であることを示しているものといえよう。しかし、職員にとっては当該期間が共済年金の勤続期間から除算され、また、法律的には復職を保障されるものではない（「地共済法第一四〇条の復帰希望職員について」、行実昭四四・六・二六　公務員第一課決定）など、重大な影響がある。したがって、この方法をとるときは、職員の利益の保護に運用上十分な配慮をすることが必要である。

次に(2)の方法は、休職にすることによって、職務専念義務を免除して公社などの業務に従事させるもので、公務とそれ以外の業務との区別も明確になるし、また、身分を保有するから復職の保障もされ、職員の利益もかなり保護される。公社などの業務による災害が公務災害とはならないなど、若干の問題は残る（共済組合の組合員期間としての計算はなされ、また、一般に退職手当の勤続期間とされる。）が、休職の事由が不当に拡大されないよう明確に限定されるならば、公務とそれ以外の業務を区別するという公務秩序を維持するための観点および派遣される職員の利益の保護という点の双方からみて、もっとも実際的な方法であるといえよう。(3)の方法は、職務専念義務（法三五）は、みだりに免除すべきではないので、法律的に全く不可能ではないが、濫用のおそれがあり、問題がある方法といえよう。職務専念義務が免除されている以上、公務災害補償の対象とならないことは(2)の場合と同じである。(4)の方法は、(3)の方法をさらに進めたもので、職員にとっては全く不利益は生じないが、公務の秩序を明らかにするという観点からは、かなり問題となる措置である。当該公社などの業務を地方公共団体の事務と同一視してさしつかえないものであること（このことが認められて土地区画整理組合に対する職務命令による職員の派遣が違法とは言えないとされた事例（東京高裁平一九・三・二八判決（判例タイムズ一二六四号二〇六頁）およびその上告審である最高裁平一九・一二・二五決定がある。）が明らかにされない限り、違法あるいは少なくとも不当な行政運営あるいは公費（給与）の支出となるおそれがある。とくに民間団体に対するこの方式による派遣については、そのおそれが強い。法律または条例に基づかず森林組合の事務に従事させた職員に対し地方公共団体が給与を支払うことは違法な公金の支出であるとされた例（最高裁昭五八・七・一五判決　判例時報一〇八九号三六頁）もあり、この方法は、法定されている場合（地共済法一八1、地公災法一三1）に限ることが望ましい。なお、(1)以外の場合で、公社などから報酬の支給を受けるときは、短時間勤務職員および会計年度フルタイム職員以外の非常勤職員を除いて、営利企業等の従事の許可（法三八1）を受けなければならないことに注意を要する。

以上のような問題を考慮して、平成一二年四月二六日法律第五〇号として「公益法人等への一般職の地方公務員の派遣等に関する法律」が公布され、平成一四年（二〇〇二年）四月一日（退職派遣に関する規定は同年三月三一日）から施行されている（なお、法人制度の全面的な見直しがなされ、平成二〇年一二月一日に一般社団法人及び一般財団法人に関する法律及び公益社団法人及び公益財団法人の認定等に関する法律の施行に伴う関係法律の整備等に関する法律が施行され、上記の法律の題名中「公益法人等」が「公益的法人等」に改められている。）。この法律制定の直接の契機となったのは、職務専念義務の免除をしたうえで、給与を負担して、職員を商工会議所に派遣したという事案について、職務専念義務の免除は「処分権者がこれを全く自由に行うことができるというものではなく、職務専念義務の免除が服務の根本基準を定める地方公務員法三〇条や職務に専念すべき義務を定める同法三五条の趣旨に違反したり、勤務しないことについての承認が給与の根本基準を定める同法二四条一項の趣旨に違反する場合には、これらは違法になると解すべきである」とした最高裁判決（「茅ヶ崎市職員派遣損害賠償請求事件」平一〇・四・二四　判例時報一六四〇号一一五頁）である。この法律は、必ずしも従前の方法による派遣を否定するものではないとされているが、前記判例などを踏まえて職員の派遣についての統一的なルールを設定することを意図したものであり、いずれは、すべての派遣がこの法律によるものに収斂していくことが期待されているものであろう。

ともあれ、この法律は、公益的法人などへの職員派遣制度と特定法人への退職派遣制度の二つの制度について定めている。まず、公益的法人などへの職員派遣制度は、任命権者が、一般社団法人または一般財団法人、一般地方独立行政法人、特別の法律により設立された法人で政令（公益的法人等への一般職の地方公務員の派遣等に関する法律第二条第一項第三号の法人を定める政令。平一二・一二・二〇政令第五二三号）で定めるものおよび地方六団体（全国知事会、全国都道府県議会議長会、全国市長会、全国市議会議長会、全国町村会および全国町村議会議長会）のうち、その業務が地方公共団体の事務または事業と密接な関連を有するものであり、かつ、地方公共団体の施策の推進を図るため人的援助が必要であるものとして条例で定めるものとの間の取決めに基づき、その業務にもっぱら従事させるため、職員の同意を得て、当該職員を派遣するものである（公益的法人等派遣法二Ⅰ２）。この場合における派遣期間は原則として三年を超えないものとし、とくに必要があるときは五年まで延長することができ（同法三。なお、派遣自体の更新も可能である。）、その期間中の給与については、地方公共団体は原則として支給しないものとするが、地方公共団体の委託を受けて行う業務、地方公共団体と共同して行う業務に従事する場合などには条例で定めるところにより支給することができるものとされている（同法六）。なお、これによる給与の支給に替えて、相手方の法人に対して、派遣された職員の給与相当額を委託料や補助金として交付することはできないとするのが判例（最高裁平二四・四・二〇判決判例時報二一六八号三五頁）である。

次に、特定法人への退職派遣制度は、任命権者が、当該地方公共団体が出資している株式会社のうちその業務が公益の増進に寄与するとともに地方公共団体の事務または事業と密接な関連を有するものであり、かつ、地方公共団体の施策の推進を図るため人的援助が必要であるとして条例で定めるものとの間の取決めに従って、その業務にもっぱら従事させるため、職員に退職を要請し、これに応じて退職した職員を当該業務に従事させるものであり、当該業務に従事すべき期間（三年以内に限る。）が満了した場合などには、欠格条項に該当する場合その他条例で定める場合を除き、任命権者はその者を職員として採用するものとされている（公益的法人等派遣法一〇）。そして、この二つの制度を通じて、共済制度における長期給付に関する規定については派遣先の業務に従事する期間中においても適用することとされ、復帰後の職員の処遇などについては、部内の職員との均衡を失することのないよう、条例で定めるところにより必要な措置を講じ、または適切な配慮をしなければならないこととされている（同法七、八、九、一一、一二）。

その三は、特殊な問題であるが、国際協力のための職員の海外派遣である。わが国の国際的地位の向上と国際化時代の展開に伴い、職員による発展途上国への農業その他の技術援助や海外の日本人学校への教員の派遣などが増加しつつある。国家公務員については、国際機関等に派遣される一般職の国家公務員の処遇等に関する法律により措置されてきたが、地方公務員の場合は昭和六二年に外国の地方公共団体の機関等に派遣される一般職の地方公務員の処遇等に関する法律が制定され、本人の同意を得て派遣される地方公務員は、その身分を保有し、一定の給与を受けることができ、共済、公務災害補償および退職手当の各制度は派遣先の業務を公務とみなしてそれぞれを適用することとされている。この職員の派遣については、派遣の相手方、その給与などについて条例で定めることとされている（外国派遣法二、三、五、六、七　条例規則（案）昭六二・一一・二〇　自治公一第六八号別紙一、二）。

二　任期付採用

㈠　地方公務員法における任期付採用

職員の任用のうち、会計年度任用職員の採用（法二二の二）、臨時的任用（法二二の三）および定年前再任用短時間勤務職員の任用（法二二の四、二二の五）ならびに配偶者同行休業に伴う任期付採用（法二六の六7①、8、9）の場合に一定の期限を定めなければならないことは法律上明らかにされているが、その他の任用について任命権者が任意に期限を付けることができるかどうかの定めはない。行政解釈としては、任期を限って任用することは労働基準法の契約期間の定め（同法一四1）に反しない限りさしつかえないものとされており（通知昭二八・六・一二　自乙発第四〇六号　第一二㈢、行実昭二七・一一・二四　自行公発第九七号）、一定の事業の完了に必要な期間を定める場合はその期間、それ以外は三年以内（専門的な職などにあっては五年以内）の期限を定めることができることになる。また、期限が満了した職員の期限を更新することも可能であるとされている（行実昭二八・八・一五　自行公発第一七三号）。さらに、人事委員会は、期限付任用について統一的な基準を定めることができるものとされている（行実昭四五・一二・一四　自治公二第三二号）。

なお、地方公務員法第二二条の三以外にも、同法第二六条の六第七項第二号、地方公務員の育児休業等に関する法律第六条第一項および女子教職員の出産に際しての補助教職員の確保に関する法律第三条第一項および第三項に臨時的任用に関する規定があり、これらも期間を定めた採用という意味では一種の任期付採用ということができるのであるが、いずれも最長で一年を超えないことが予定されていることから、任期付採用または期限付任用とは別に臨時的任用として論じられるのが通常である（詳しくは第二二条の三〔**趣旨**〕一参照）。

判例は、職員の任用は無期限のものとすることが法の建前であるとしながら、それを必要とする特段の事由が存し、かつ、職員の身分保障に反しない場合には、法律上明文がなくても期限付任用が許されるものと解することが相当である（最高裁昭三八・四・二判決　判例タイムズ一四六号六二頁）としつつ、任用当時の事務量が正規職員のみによって処理することができる範囲を超えていたが、直ちに定員を増加することは実際上困難であり、日々雇用職員でも処理できる代替的事務に従事させるために行った国立大学における日々雇用は適法であり、その任用予定期間の満了により当然退職するとしている（最高裁平六・七・一四判決　判例時報一五一九号一一八頁。なお、国家公務については、この場合に「任期の満了により○年○月○日限り退職した」との人事異動通知書を交付することとされている。）。

このように、もっぱらダムの建設のために任用される職員であるとか、特定の調査研究の完成のために任用される職員、あるいは勧奨によって退職した職員を期間を限って任用する場合または予算や条例上の措置がなされるまでの期間についての任用など、任用の当初から明白に任用の期間が予定されている場合（人事院規則八－一二（職員の任免）一八①、②参照）には、期限付任用を行うことができるのは当然であろうが、職員の身分保障との関係、終身雇用が一般的に行われていることとの関係、期限の到来により当然に離職すると解されていること（最高裁平四・一〇・六判決（労働判例六一六号六頁）、前記最高裁平六・七・一四判決）、法定外の失職事由を設けることになること、退職手当や共済年金の取扱いなどの点で問題があり、さらに期限付任用が安易に行われることにより、第二二条の三の〔**趣旨**〕三で述べる常勤的非常勤職員を発生させるおそれもあることなどを考慮すると、本条に基づく期限付任用はできるだけ避けるべきであって、万一やむを得ない場合も、任用期間が客観的に明白で、かつ、短期間の場合に限るべきであろう。なお、前記最高裁平成六年七月一四日判決は任期満了により退職となった者が損害賠償請求をすることができる場合があることを認めており、昭和六三年（一九八八年）四月から毎年、期間を一年とする委嘱状の交付を受けて、レセプト点検業務を行っていた職員に対する委嘱を平成二一年（二〇〇九年）三月三一日をもって打ち切ったことについて、同職員は、地方公務員法第三条第三項第三号の非常勤嘱託員として期間を定めて任用されていたものであり、公法上の任用については解雇権濫用の法理を類推適用する余地はないとしたものの、任用期間が通算二一年以上に及んでいたことなどの事情に照らすと、次年度も再任用されるものと期待することも無理からぬものとであるとして損害賠償（額は一五〇万円）を命じた判決（東京高裁平二四・七・四　公務員関係判例速報四一七号二頁）がある。

(二)　特別法による任期付採用

１　地方公共団体の一般職の任期付職員の採用に関する法律による任期付採用

任期付採用の特例の第一は地方公共団体の一般職の任期付職員採用法が定める任期付採用であり、それには、専門的な知識経験に着目してのもの（任期付職員採用法三）、時限的な業務に対応してのもの（同法四）および短時間勤務職員にかかるもの（同法五）の三種類がある。

まず、専門的な知識経験に着目しての任期付採用であるが、それは、次の場合に該当するときにできることとされ、いずれの場合も条例で定めるところにより、任命権者が選考によって採用することとされている（任期付職員採用法三）。

①　高度の専門的な知識経験または優れた識見を有する者をその者が有する当該高度の専門的な知識経験または優れた識見を一定の期間活用して遂行することが特に必要とされる業務に従事させる場合（これに該当して採用された職員を「特定任期付職員」という。）

②　専門的な知識経験を有する者をその者が有する当該専門的な知識経験が必要とされる業務に従事させる場合で、次のいずれかに該当し、かつ、その者を当該業務に期間を限って従事させることが公務の能率的運営を確保するために必要であるとき（これに該当して採用された職員を「一般任期付職員」という。）

ア　当該専門的な知識経験を有する職員の育成に相当の期間を要するため、当該専門的な知識経験が必要とされる業務に

従事させることが適任と認められる職員を部内で確保することが一定の期間困難である場合

イ　当該専門的な知識経験が急速に進歩する技術に係るものであることその他当該専門的な知識経験の性質上、当該専門的な知識経験が必要とされる業務に当該者が有する当該専門的な知識経験を有効に活用できる期間が一定の期間に限られる場合

ウ　前記二つの場合に準ずる場合として条例で定める場合

これらの場合における採用は、いずれの場合にあっても「条例で定めるところにより」行われるものとされているが、これは、これらの任期付採用を行うためには任期付職員採用法第三条第一項および第二項と同旨の条例を制定することが必要であることを意味するに止まり、条例で同法が定める要件に更に何らかの要件を付加することを予定しているものではない。また、一般任期付職員を採用できる場合として条例で定める場合には、国（人事院規則二三―〇（任期付職員の採用及び給与の特例）三二）における と同様、「当該専門的な知識経験を有する職員を一定の期間他の業務に従事させる必要があるため、当該専門的な知識経験が必要な業務に従事させることが適任と認められる職員を部内で確保することが一定の期間困難である場合」や「当該業務が公務外における実務の経験を通じて得られる最新の専門的な知識経験を必要とするものであることにより、当該業務に当該者が有する当該専門的な知識経験を有効に活用できる期間が一定の期間に限られる場合」があるとされている（通知平一四・六・一四　総行公第四七号、通知平一六・八・一　総行公第五五号）。上記のことを総合的にみると、特定任期付職員と一般任期付職員の違いは、前者が公務を遂行するために高度の専門的な知識経験または優れた識見が必要であり、かつ、その必要とされる期間が限定されている場合に採用される職員であり、後者は、一定の期間があれば職員が当該専門的な知識経験を取得することが可能な場合または当該専門的な知識経験が一定期間の経過によって陳腐化する場合（それを職員に取得させるまでの価値や必要がない場合）に採用される職員であることにあるということができよう。このような違いがあることから、とくに顕著な業績を上げたと認められる特定任期付職員には特定任期付職員業績手当を支給することができるとされている（自治法二〇四２）が、一般任期付職員には特別の手当はない。

任期付職員の採用は選考によることとされているのは、この採用が専門的な知識経験または優れた識見に着目したものであることから、当然に候補者が限定されていると考えられたからであろう。逆にいえば、競争試験による採用ができるような職であれば、ここでいう任期付採用の対象とはならないということである。また、この選考は任命権者が行うものであるが、人事委員会または競争試験等を行う公平委員会の承認を得なければならないとされている（任期付職員採用法三３）。人事委員会または競争試験等を行う公平委員会を置く地方公共団体においてこれらの職員の採用を行う場合には、人事委員会または競争試験等を行う公平委員会は、この承認に際して、採用予定者が当該業務にふさわしい専門的な知識経験または優れた識見を有しているか、採用予定者をその専門的な知識経験または優れた識見を活用する業務に従事させようとしているか、従事させようとする業務との関係において任期が適当であるか、選考の方法が適当であるかなどという観点から、審査を行うことになるものと思われるが（人事院は、この承認に際して、採用の公正を確保するためとくに必要があるときは、行政運営に関し優れた識見を有する者の意見を聴くものとされている（人事院規則二三―〇（任期付職員の採用及び給与の特例）二２。））、これらの委員会が自ら選考を行うのと実質的な違いはなく、任命権者に選考を行わせることとした立法者の意図は必ずしも明らかではない。なお、任命権者は、この採用の場合に「性別その他選考される者の属性を基準とすることなく、及び情実人事を求める圧力又は働きかけその他の不当な影響を受けることなく、選考される者について従事させようとする業務に必要とされる専門的な知識経験又は優れた識見の有無をその者の資格、経歴、実務の経験等に基づき経歴評定その他客観的な判定方法により公正に検証しなければならない」（人事院規則二三―〇（任期付職員の採用及び給与の特例）二１）のは当然のことである。なお、令和四年四月一日現在における総務省の調査によると、特定任期付職員として採用されている職員としては医療関係、法務・訴訟関係、ＩＴ関係、危機管理の分野におけるものが、一般任期付職員として採用されている職員には福祉関係、教育研究関係、医療関係、一般事務関係の分野におけるものが多くなっている。

任期付職員採用法が定める任期付採用の第二は、時限的な業務に対応するものである（同法四）。すなわち、「一定の期間内に終了することが見込まれる業務」または「一定の期間内に限り業務量の増加が見込まれる業務」のいずれかに、期間を限って従事させることが公務の能率的運営を確保するために必要である場合には、条例で定めるところにより、職員を任期を定めて採用することができる（任期付職員採用法四1）。また、これらの業務のいずれかに係る職に法律により任期を定めて任用される職員以外の職員を任用する場合において、職員を当該業務以外の業務に期間を限って従事させることが公務の能率的運営を確保するために必要であるときにも、条例で定めるところにより、職員を任期を定めて採用することができるとされている（任期付職員採用法四2）。ここで「条例で定めるところにより」ということの意味は、前記の第一の任期付採用の場合と同じであるが、この類型における任期付採用の場合については、「選考により」とされていないので、地方公務員法の本則（一七の二1 2）どおり、人事委員会または競争試験等を行う公平委員会を置く地方公共団体においては競争試験によることが原則であり、それ以外の地方公共団体にあっては任命権者の判断によって競争試験または選考のいずれかによることとなる。なお、行政解釈（令和三年一一月一二日　総行公第一二八号総務省公務員課長通知）は、産前産後の休暇（第二四条の**【解釈】五**4(3)カ参照）を取得する職員の業務を処理する業務も「一定の期間内に終了することが見込まれる業務」に該当するとし、その場合の採用を選考によることができる旨を選考に関する規則に定めることが適当であるとし、これによって採用した職員を、当該業務が終了した後に地方公務員の育児休業等に関する法律第六条第一項による任期付職員（これについては後記3参照）として採用することが可能であるとしている。ところで、「法律により任期を定めて任用される職員」というのは、任期付職員採用法に基づいて採用された者のほか、地方公務員法第二二条の二の規定により会計年度任用職員として採用された者、同法第二二条の三の規定により臨時的任用された者、同法第二二条の四または第二二条の五の規定により任用された定年前再任用短時間勤務職員、地方公務員の育児休業等に関する法律第六条第一項の規定により任期付採用または臨時的任用された者および女子教職員の出産に際しての補助教職員の確保に関する法律第三条第一項または第三項の規定により臨時的任用された者ならびに大学の学長および部局長（教特法七）を意味するが、そもそも任期付職員採用法第四条第二項の「職員」には「法律により任期を定めて任用することとされている職を占める職員」は含まれない（同法二1）のであるから、この規定の仕方はミスリーディングである。ともあれ、この定め（任期付職員採用法四2）は、任期の定めのない職員（通常の職員）を「一定の期間内に終了することが見込まれる業務」または「一定の期間内に限り業務量の増加が見込まれる業務」に就かせることによって、通常の業務の方に任期付採用の職員を充てることが「公務の能率的運営を確保するために必要であるとき」にも、当該通常の業務を行わせるために任期付採用をすることができる（いわば、通常の職員と任期付採用職員の振り替えができる。）というのがその趣旨であろう。なお、本条の〔解釈〕でも述べたように、このような場合であれば、本条の解釈によっても任期付の採用を行うことができることが多いと考えられるところであるが、任期付職員採用法に基づいて採用するときは、任期、任期の更新および他の職への任用替えについて紛らわしいことがなくなるという長所がある。ともあれ、令和四年四月一日現在における総務省の調査によると、このカテゴリーに属する職員として採用されているのは、窓口や庶務等の一般事務、保育士やケースワーカー等の福祉関係、幼稚園教諭や小中学校講師等の教育関係におけるもののほか、被災地方公共団体における土木・建築関係における者も多くなっている。

任期付職員採用法が定める任期付採用の第三は、一週間当たりの通常の勤務時間が同種の業務を行う常時勤務を要する職員（その意味について〔趣旨〕一参照）の一週間当たりの通常の勤務時間に比べて短い勤務を行う短時間勤務の職（法二二の四１）についてのものである（同法五）。この職を占める職員を「短時間勤務職員」と称し（任期付職員採用法二２）、条例で定めるところにより、短時間勤務職員を任期を定めて採用することができる（任期付職員採用法五）のであるが、地方公務員法第二二条の四第四項前段は、短時間勤務の職については定年前再任用短時間勤務職員に限って任用することができるとしているので、任期付職員採用法に基づく短時間勤務職員の任用はその特例ということになる（任期付職員採用法九）。同法の規定によって、短時間勤務職員について任期付採用が認められるのは次に掲げる場合である。

① 短時間勤務職員を「一定の期間内に終了することが見込まれる業務」または「一定の期間内に限り業務量の増加が見込まれる業務」のいずれかに従事させることが公務の能率的運営を確保するために必要である場合（任期付職員採用法五１）

② 住民に対して職員により直接提供されるサービスについて、その提供時間を延長し、もしくは繁忙時における提供体制を充実し、またはその延長した提供時間もしくは充実した提供体制を維持する必要がある場合において、短時間勤務職員

を当該サービスに係る業務に従事させることが公務の能率的運営を確保するために必要であるとき（任期付職員採用法五２）

③　職員が修学部分休業（法二六の二１）、高齢者部分休業（法二六の三１）、介護休業（育児休業法六一３～６）または育児のための部分休業（地公育児休業法一九１）の承認その他の処分を受けて勤務しない時間について、短時間勤務職員を当該職員（修学部分休業等の承認等を受けた職員を指す。）の業務に従事させることが当該業務を処理するため適当であると認められる場合（任期付職員採用法五３、地公企法三九６）

この短時間勤務職員の任期付採用の制度が創設されたのは、従来、要員不足ではあるがフルタイムの勤務者を充てる程ではないという場合に、法的根拠が必ずしも明確でないままに、非常勤職員で対処するということが少なくなく、その一方で、フルタイムではない就労を希望する者も少なくないという社会情勢を踏まえたものであろう。ただ、安定した公務の遂行、職員の質の確保などの観点からすると、このような職員が無限定に採用されることには問題があることから、その要件は若干厳しくなっている。まず、前記①は、時限的な業務について、フルタイムの任期付採用だけでなく、短時間勤務職員の任期付採用でも対処できるようにしたものであり、前記②は現状維持のために短時間勤務職員を任期付採用することを認めるものではなく、それが直接住民に対するサービスを改善し、向上させるために必要な場合に限るものとしている。ただ、この場合における採用を必ず任期付にしなければならないとしたことの合理性については議論の余地があろうが、期限の定めのないものとした場合に生ずるであろう勤務条件などについての複雑な問題を考慮したものであろうか（地方公務員には短時間労働者法が適用されない。）。令和四年四月一日現在における総務省の調査によると、任期付短時間勤務職員として採用されているのは、一般事務関係、福祉関係、教育研究機関関係におけるものが多く、これらだけで七割以上を占めている。

ところで、前記③は、これらの場合とは若干性質を異にしており、職員がこれらの部分休業を取得し易くするという政策意図によるものである。すなわち、すでに、育児休業の請求があった場合や女子教職員などが出産のための休暇を取得する場合において、必要がある場合は、当該職員が担当している業務を処理するために任期付採用（地公育児休業法六１①）または臨時的任用（地公育児休業法六１②、補助教職員確保法三１３）をすることができることとされていたのであり、この制度はこのような仕組みを補完するものとなっている。

いずれにせよ、短時間勤務職員の勤務時間は一週間当たりの通常の勤務時間が同種の業務を行う常時勤務を要する職員の一週間当たりの通常の勤務時間に比べて短くなければならないのであるが、どの程度短い必要があるのかについての明文の定めはない（第三条の【趣旨】二(一)1参照）。実務的には、国における定年前再任用短時間勤務職員（法二二の四1参照）の勤務時間が休憩時間を除き、一週間当り一五時間三〇分から三一時間までの範囲内とされていること（勤務時間法五2）との均衡から、上限を三一時間として、短時間勤務職員を採用する事情に応じて具体的な勤務時間を定めるのが適当であろうが、障害者の雇用の促進等に関する法律における短時間勤務職員の一週間の所定労働時間は三〇時間未満とされ（障害者雇用促進法三八2、四三3、障害者の雇用の促進等に関する法律第四十三条第三項の規定に基づく厚生労働大臣の定める時間数（平成六年労働省告示第一一二号））、年次有給休暇の付与日数の特例が認められるのも一週間の所定労働時間が三〇時間未満の者に対してであり（労基法三九3、労基法施行則二四の三1）、雇用保険法においては一週間の所定労働時間が二〇時間未満の者には同法を適用しないとしている（雇用保険法六①）ことも考慮すべき要素である。なお、この制度を導入するためには条例の定めが必要であり、人事委員会または競争試験等を行う公平委員会を置く地方公共団体においては競争試験によることが原則とされ、それ以外の地方公共団体にあっては任命権者の判断によって競争試験または選考のいずれかによることとなるのは、第二の類型の場合と同じである。

任期付職員採用法に基づく採用は、任期を明示して行わなければならない（同法六3、七4）が、その任期は、特定任期付職員および一般任期付職員については最長五年であり、それよりも短い期間を定めて任用したときは、採用したときから五年を超えない範囲で任期を更新することができ（同法六1、七1）、それ以外の職員については最長が三年（とくに三年を超える必要がある場合として条例で定める場合は五年）で、それよりも短い期間を定めて任用したときは、採用したときから三年または五年を超えない範囲で任期を更新することができる（同法六2、七2）こととされている（任期満了により退職した者を再度採用することもできる。）。そして、この任期中であれば、それぞれの職員を採用した趣旨に反しない場合に限り、採用時とは異なる職に任用することもできることとされている（同法八１２）。なお、人事委員会または競争試験等を行う公平委員会を置く地方公共団体においては、任期を更新し、または他の職に任用する場合には、その承認を得なければならない（同法七３、八３）。

特定任期付職員も一般任期付職員も一般職に属する地方公務員であるから、いずれにも地方公務員法が適用されることは当然のことであるが、短時間勤務職員は非常勤職員であるにもかかわらず地方公務員法第二二条の規定による条件付採用の適用があることに注意が必要である。また、特定任期付職員に対しては特定任期付職員業績手当が支給できることとされ、任期付短時間勤務職員には旅費が支給されるほか、常勤の職員に対するのと同じ手当を支給することができることとなっている（自治法二〇四１２）が、後者における手当の支給については、その必要性と妥当性を吟味することが必要である。

ところで、地方公務員法第二二条の二は会計年度パートタイムの職員と会計年度フルタイムの職員（両者を併せて「会計年度任用職員」という。）の採用について定めており（このことについては同条の〔解釈〕で詳しく述べる。）、これらの職員と前記の一般任期付職員との異同が問題となる。会計年度任用職員の職も一般職に属し、会計年度を超える任期の更新はできないものの再度の任用（採用）は可能であるとされているので、同種の職への任用が繰り返される場合には、勤務が継続する期間だけで両者を区別することは難しい。なお、再度の任用について、「会計年度任用職員制度の導入等に向けた事務処理マニュアルの改訂について」（平成三〇年一〇月一八日付総務省自治行政局公務員部長通知）は、「繰り返し任用されても、再度任用の保障のような既得権が発生するものではないことから、会計年度任用の職についても他の職と同様に、任期ごとに客観的な能力実証に基づき当該職に従事する十分な能力を持った者を任用することが求められます。」とし、任用の回数や年数に制限を設けることは避けるべきであるが、公募によらず従前の勤務実績に基づく能力の実証により再度の任用を行うことができるのは原則二回までとする国の期間業務職員の例を示したうえで、地域の実情等に応じつつ、任期ごとに客観的な能力実証を行うよう、適切に対応することを求めている。また、会計年度任用職員は、「常時勤務を要する職員」と同種の職務に従事することができないことになっている（法二二の四１が適用除外されていない。）が、それがどこまで厳格に運用されるかは疑問である（特に保育士などの資格を要する職について）。また、任期付職員採用法第四条第一項による期限付の業務又は業務の繁忙期への対応のための任期付職員と会計年度任用職員との区別も問題である。

２　地方公共団体の一般職の任期付研究員の採用等に関する法律による任期付採用

任期付採用の特例の第二は、地方公共団体の一般職の任期付研究員の採用等に関する法律に基づくものである。この法律は、公設試験研究機関において専門的な知識経験などを有する人材を積極的に受け入れ、研究者の相互の交流を推進するためのものであり、招へい研究員型と若手研究員型の二種類が定められている。招へい研究員型というのは、研究業績などにより当該研究分野においてとくに優れた研究者と認められている者を招へいして、当該研究分野に係る高度の専門的な知識経験を必要とする研究職務に従事させるものであり、任期は原則として五年（特に必要があるときは七年、特別の計画に基づく研究業務に従事するときは一〇年）で、条例で定めるところにより労働基準法第三八条の三の規定による裁量勤務制を採用できるとされている（任期付研究員採用法三１①、四１、六）。また、若手研究員型というのは、独立して研究する能力があり、研究者として高い資質を有する者を、当該研究分野における先導的役割を担う有為な研究者となるために必要な能力のかん養に資する研究業務に従事させるものであり、任期は原則として三年（とくに必要があるときは五年）とされている（同法三１②、四３）。なお、任期の明示、任期の更新についての人事委員会または競争試験等を行う公平委員会の承認等は一般の任期付職員の場合と同様であるが、いずれの型の場合も、採用当初に期待された以上の、とくに顕著な研究業績を上げたと認められるときは、任期付研究員業績手当を支給することができることとされている（自治法二〇四２）。

３　地方公務員の育児休業等に関する法律による任期付採用

任期付採用の特例の第三は、地方公務員の育児休業等に関する法律に基づくものである。この法律に基づく任期付採用の一は、平成一四年四月一日から育児休業の対象となる子の年齢が従来の一年未満から三年未満に引き上げられたことに伴って設けられたものであり、これは、育児休業をする職員の代替要員として、任期付採用による職員を充てることができることとするものである。この任期付採用は、育児休業の承認またはその期間の延長の請求に係る期間を任期の限度とするものであり、その採用または任期の更新に際しては任期を明示しなければならないが、任期がその請求にかかる期間に満たない場合には、その期間内において任期を更新することができる（地公育児休業法六１～４）。そして、その任期中であれば、任期を定めて採用した趣旨に反しない場合に限って、他の職に任用することができるとされている（同法六５）のは、地方公共団体の一般職の任期付職員の採用に関する法律に基づく採用の場合と同じである。

地方公務員の育児休業等に関する法律による任期付採用の二は、「育児短時間勤務に伴う短時間勤務職員の任用」の制度である（同法一八）。これは、平成一九年八月一日から施行された同法の一部を改正する法律によって、職員の子が小学校就学の始期に達するまでの勤務について通常の勤務日や勤務時間と異なる勤務（育児短時間勤務と称される。）をすることができるという制度が創設されたこと（改正後の同法一〇）に伴うものであり、当該職員から育児短時間勤務の請求（同法一〇２）またはその期間の延長の請求（同法一一１）があった場合において、当該請求をした職員の業務を処理するため必要があるときは、当該請求に係る期間を任期の限度として、短時間勤務職員を採用することができるとするものである（同法一八１）。採用または任期の更新に際して任期を明示しなければならないこと、任期がその請求に係る期間に満たない場合に、その期間内において任期を更新できること、任期中であれば、任期を定めて採用した趣旨に反しない場合に限って、他の職に任用できることは、通常の育児休業をする職員の代替要員の場合と同じである。また、この短時間勤務職員について、条件付採用の制度が適用されること（法二二）、給料だけでなく、旅費および手当が支給されること（自治法二〇四）、定年前再任用短時間勤務職員について定める地方公務員法第二二条の四第四項が適用されないこと（地公育児休業法一八６）は地方公共団体の一般職の任期付職員の採用に関する法律に基づく短時間勤務職員の場合と同じである。

なお、育児休業による代替要員の確保のためには、任期付任用のほかに臨時的任用の制度もあるが、これについては、地方公務員法第二二条の三について述べる。

４　大学の教員の任期付き採用

大学の教員等の任期に関する法律は、公立の大学の学長は、常時勤務を要する教授、准教授、助教、講師及び助手（これらを併せて「教員」という。）について任期を定めた任用を行う必要があると認めるときは、教員の任期に関する規則を定めなければならず（同法三）、任命権者は、その規則が定められている大学において教員を任用する場合において、次のいずれかに該当するときは、任期を定めた任用をすることができるとしたうえで（同法四）、教員には任期付職員採用法を適用しないとしている（同法八）。

①　先端的、学際的又は総合的な教育研究であることその他の当該教育研究組織で行われる教育研究の分野又は方法の特性に鑑み、多様な人材の確保が特に求められる教育研究組織の職に就けるとき。

②　助教の職に就けるとき。

③　大学が定め又は参画する特定の計画に基づき期間を定めて教育研究を行う職に就けるとき。

三　任命の方式

職員の任命をどのような方式で行うかについては、法律の定めはない。国家公務員の場合は、人事院規則八―一二（職員の任免）第五三条から第五五条の規定によって、特定の場合を除き、人事異動通知書を交付することとされている。地方公共団体における任命も、充て職あるいは組織機構の改廃による自動的な任命換えなどの場合以外は、文書（辞令）を交付して行うこととすべきである。分限処分や懲戒処分の場合には、その手続を定める条例（法二八３、二九４）に基づき、必ず文書（辞令）を交付して行うこととされており、これは処分を客観的に明らかにするとともに、そのことによって職員の利益保護にも資することを目的としているものである。任命の場合には、一般的に分限処分や懲戒処分の場合ほど文書によることを絶対的な要件としなければならないものではなく、意思表示だけでも効力を生じることがあることから、経済性、効率性という観点に立って辞令の交付を省略する地方公共団体があるが、辞令交付のための儀礼的な式典をなくすことはともかく、人事行政の運用上は、辞令を交付して任命行為を客観的に明らかにしておくことが妥当であることはいうまでもない。また、任命行為が行われるつど、任命権者はその内容を人事記録に記載しておかなければならず、人事委員会を置く地方公共団体では、人事委員会は、人事記録における任命行為の記載の仕方の総合調整を行うものである（法八１①）。

次に、任命の方式と関連して、任命行為の効力の発生の時期が問題となる。行政行為の効力発生の一般原則は、到達主義によっており、任命行為も法律に特別の定めがない限り、相手方に意思表示が現に到達し、または相手方が了知しうべき状態におかれたときにその効力を発生するものとされている（法制意見昭二五・一一・一八（法意一発第八九号）、最高裁昭二九・八・二四判決（判例時報三四号二二頁））。したがって、一般的には、辞令が交付されたときに任命行為の効力が発生することになる。しかし、降任のように不利益処分に該当するものについては、常に到達主義によって効力を生ずるものと考えなければならないが、その他の任命は、むしろ発令の日付の午前零時（離職の場合は発令の日付の午後一二時）から効力を生ずると解することが任命権者の意思に合致し、職員の利益にも反しないものと考えられる。赴任に要する旅行などのため、辞令の交付が若干遅延する場合もあるが、そのような場合にあっても任命の意思表示そのものは辞令の交付以外の方法で職員に到達しているのであり、また、共済年金や退職手当の期間の通算という観点からも、前の発令と後の発令が連続的に効力を生ずるものとすることが適切である。

四　任命の方式の特例

本条第一項の任命の方式に対し、法律上の条件が付されていたり、または解釈上若干の特例があるが、その主なものは次のとおりである。なお、同意、承認などの法定条件を欠く任命は、原則として無効である（任命ではないが、内申を欠く県費負担教職員の懲戒処分が有効となる場合があるとする文部省の見解および判例（最高裁昭六一・三・一三判決　判例時報一一八七号二四頁）がある。）。

㈠　教育職員の特例

教育職員については、地方教育行政の組織及び運営に関する法律がいくつかの特例を定めている。その一は、学校その他の教育機関の長は、所属職員の任免その他の進退に関して任命権者に意見を申し出ることができる（同法三六）ことである。その二は、県費負担教職員の任免その他の進退を都道府県教育委員会が行うときは、市町村の教育委員会の教育長の助言に基づく当該市町村教育委員会の内申が必要であり、この場合、県費負担教職員が所属する学校長は、これらの職員の任免その他の進退に関し市町村の教育委員会に意見を申し出ることができる（同法三八、三九）ことである。

㈡　警察職員の特例

警察職員の任命権者である警視総監または道府県警察本部長が警察職員の任免を行う場合には、都道府県公安委員会の意見を聞かなければならない（警察法五五３）。

㈢　消防職員の特例

市町村の消防長が消防職員を任命するときは市町村長の承認を要し（消組法一五１）、消防団長を市町村長が任命するときは消防団の推せんが、消防団長が消防団員を任命するときは市町村長の承認がそれぞれ必要である（同法二二）。

㈣　企業職員の特例

地方公営企業に勤務する企業職員のうち、地方公共団体の規則で定める主要職員を企業管理者が任免するときは、あらかじめ、地方公共団体の長の同意を得なければならない（地公企法一五１但し書）。

また、企業職員および単純労務職員の昇職、降職、転職等の基準については、団体交渉を行い、労働協約を締結することができることに留意しなければならない（地公労法七②、附則５）。

五　人事委員会を置く地方公共団体における任命の方法の一般的基準

本条第二項の規定により、人事委員会または競争試験等を行う公平委員会（法第三章第二節（「任用」）においては、両者を併せて「人事委員会」というものとされている。）を置く地方公共団体では、職員の任命について採用、昇任、降任または転任のいずれによるかの一般的基準をこれらの委員会が定めることができることとされている。具体的には、係員への任命は採用によること、係長、課長への任命は昇任によることなどを定めることができる。任命のうち、転任については、通常任命権者限りで行うもので、一般的基準を定める実益は乏しい。また、職員の意に反する降任は分限処分（法二八１）としてのみ可能であり、職員の意に反しない降任についての一般的基準を定める実益はないので、降任に関する限り、本項は意味のないものとなっている。人事委員会または競争試験等を行う公平委員会が定めることができるのは、「一般的基準」であるから、第一にそれは一般的な原則であり、若干の例外を認める弾力的な規定の仕方が必要であろう。第二に一般的な基準を超えて、任命権者の個々の任命権の行使の仕方を規制するようなことはできない。第三に基準を明示するために規則（法八５）を定めることが適当である。

人事委員会または競争試験等を行う公平委員会に任命の方法の一般的な基準を定める権限を与えている趣旨は、大規模な地方公共団体におけるそれぞれの任命権者の任命の方法を専門的な観点から調整しようとするものであるが、任命のうち、採用および昇任については、地方公共団体の事務の総合調整を図る立場から、地方公共団体の長にも総合調整権があるので（自治法一八〇の四2、自治法施行令一三二③）、両者の調整に齟齬を来さないよう連絡調整を行う必要がある。

人事委員会または競争試験等を行う公平委員会を置かない地方公共団体における各任命権者間の任命の方法の調整は、もっぱら前記の地方自治法の規定に基づいて行われることになるが、地方公共団体の長の規則（自治法一五1）で定めることが適当であろう。

（採用の方法）

第十七条の二　人事委員会を置く地方公共団体においては、職員の採用は、競争試験によるものとする。ただし、人事委員会規則（競争試験等を行う公平委員会を置く地方公共団体においては、公平委員会規則。以下この節において同じ。）で定める場合には、選考（競争試験以外の能力の実証に基づく試験をいう。以下同じ。）によることを妨げない。

２　人事委員会を置かない地方公共団体においては、職員の採用は、競争試験又は選考によるものとする。

３　人事委員会（人事委員会を置かない地方公共団体においては、任命権者とする。以下この節において「人事委員会等」という。）は、正式任用になつてある職に就いていた職員が、職制若しくは定数の改廃又は予算の減少に基づく廃職又は過員によりその職を離れた後において、再びその職に復する場合における資格要件、採用手続及び採用の際における身分に関し必要な事項を定めることができる。

〔趣　旨〕

本条および前条は、従前、「任命の方法」という見出しで一つの条文（第一七条）に規定されていたものであるが、平成二六年（二〇一四年）の法律第三四号によって、国家公務員法第三五条（欠員補充の方法）および第三六条（採用の方法）に倣って前条と本条の二つの条文に分けて規定されることとなり、従前の第一七条第三項から第五項が本条第一項から第三項とされた。なお、従前の第一七条第三項および第四項は、採用および昇任について一緒に規定していたが、この改正によって、本条は採用についてだけのものとなり、昇任については第二一条の三以下で定められることとなった。

採用は、職員としての地位を与えるものであり、職員に権利を与え、義務を課する基本となるものであるから、最も厳格な能力の実証の方法である競争試験によることが原則であるが、それによることが適当でない場合あるいはより簡便な方法があるときにまで、原則に拘る必要はない。そこで、人事委員会規則または競争試験等を行う公平委員会の規則で例外を定めることができるとし、それらを置かない比較的小規模な地方公共団体においては適宜どちらかの方法によることができるとしている。なお、本条第三項は、職制若しくは定数の改廃又は予算の減少に基づく廃職又は過員によりその職を離れた者（法二八1④参照）について、そのような事情が消滅した後における新たな採用に際して優先的な地位を与えることが適当である場合を想定したものである。

〔解　釈〕

一　採用の方法の原則

本条の「人事委員会」には競争試験等を行う公平委員会が含まれる（法一七2括弧書き）。したがって、本条第一項本文によって、人事委員会または競争試験等を行う公平委員会を置く地方公共団体においては、職員の採用は、競争試験によるものとなる。採用は、職員以外の者を職員の職に任命すること（臨時的任用を除く。）であり（法一五の二1①）、任命のなかで最も重要な意味を有する行為であるから、最も厳格な能力の実証の方法である競争試験によるものとされたのである。ただ、採用のための競争試験（「採用試験」という。）は、受験資格を有する全ての国民に平等の条件で公開されるものであり（法一八の二）、相当程度の数の応募者について、専門的、画一的に実施されることが予定されているものであるから、相当の根拠のある事実によって一応の能力の実証がなされている少数の者の中から採用すべき者を選択することができるような場合にまで、競争試験によるとすることは、経済性、効率性、能率性の観点から問題がある。そこで、本条一項ただし書は、人事委員会規則または競争試験等を行う公平委員会の規則で定める場合には、選考（競争試験以外の能力の実証に基づく試験）によることができるとしている。どのような場合がこの場合に該当するかについて、職員の選考に関する規則（案）が発出されていた（昭二七・一二・四（自治行発第五二号）別紙二）が、その後の任用制度の改正や平成二六年法律第三四号による改正によって職制上の段階の標準的な職という概念（法一五の二２）が導入されたことなどを考慮すると、この規則（案）をそのまま参考にすることは必ずしも適当とは言えなくなっている。なお、国の場合は、係員以外の官職に採用しようとする場合または人事院規則で定める場合には選考の方法による採用ができるとされており（国公法三六ただし書）、この規定を受けた人事院規則八―一二（職員の任免）第一八条は、選考の方法によることを防げない場合として、次の官職に採用しようとする場合を定めている。

①　特別職に属する職、地方公務員の職、行政執行法人以外の独立行政法人（国立大学法人法（平成一五年法律第一一二号）第二条第一項に規定する国立大学法人および同条第三項に規定する大学共同利用機関法人を含む。第七号および第三二条第一号において同じ。）に属する職、沖縄振興開発金融公庫に属する職その他これらに準ずる職に現に正式に就いている者をもって補充しようとする官職でその者が現に就いている職と同等以下と認められるもの

②　かつて職員であった者をもって補充しようとする官職でその者がかつて正式に任命されていた官職と職務の複雑と責任の度が同等以下と認められるもの

③　採用試験を行っても十分な競争者が得られないことが予想される官職または職務と責任の特殊性により職務の遂行能力について職員の順位の判定が困難な官職で、選考による採用について人事院が定める基準を満たすもの（次号に規定する人事院が定める官職を除く。）

④　特別の知識、技術またはその他の能力を必要とする官職で、当該特別の知識、技術またはその他の能力に照らして採用

試験によることが不適当であると認められるものとして人事院が定めるもの

⑤　庁舎の監視その他の庁務などを職務の内容とする官職で、当該職務の内容に照らして採用試験によることが不適当であると認められるものとして人事院が定めるもの

⑥　補充しようとする官職に係る名簿がない官職または補充しようとする官職に係る名簿において、当該官職を志望すると認められる採用候補者が五人に満たない官職で選考による採用について人事院の承認を得たもの

⑦　次に掲げる者をもって補充しようとする官職（①および②に掲げる官職を除く。）

イ　かつて職員であった者で、任命権者の要請に応じ、引き続き特別職に属する職、地方公務員の職、行政執行法人以外の独立行政法人に属する職、沖縄振興開発金融公庫に属する職その他これらに準ずる職に就き、引き続いてこれらの職に就いているもの（これらの職のうち一の職から他の職に一回以上引き続いて異動した者を含む。）

ロ　特別職に属する職、地方公務員の職、行政執行法人以外の独立行政法人に属する職、沖縄振興開発金融公庫に属する職その他これらに準ずる職に就いている者で、採用後一定期間を経過した後に退職し、これらの職に復帰することが前提とされているもの

⑧　育児休業法第七条第一項または第二三条第一項の規定により任期を定めて採用された者をもって補充しようとする官職

⑨　配偶者同行休業法第七条第一項の規定により任期を定めて採用された者をもって補充しようとする官職

⑩　産前休暇又は産後休暇を取得する職員の業務を処理することを職務内容とする官職のうち、昇任等の方法により補充することが困難である官職

⑪　その他採用試験によることが不適当であると認められる官職で選考による採用について人事院の承認を得たもの

また、これら以外の場合であっても、採用候補者が現に常勤官職に任命されているときは、その者について面接を行い、その結果を考慮して、昇任させ、転任させ、配置換し、またはその者の同意を得て降任させることができるとされている（人事院規則八―一二（職員の任命）九６）。

なお、人事委員会または競争試験等を行う公平委員会を置かない地方公共団体は比較的小規模のものであることから、そこでの職員の採用は、競争試験または選考によるものとされ（本条２）、いずれによるかは任命権者（特定地方独立行政法人にあっては理事長。地方独法法五三３による読みかえ）の裁量に委ねられている。

二　教育公務員の特例

教育公務員については、本条第一項および第二項の特例が定められている。すなわち、大学の学長および部局長の採用ならびに教員の採用および昇任（教特法三１）、大学以外の公立学校の校長の採用ならびに教員の採用および昇任（同法一一）ならびに専門的教育職員の採用および昇任（同法一五）はいずれも競争試験は行わず、もっぱら選考によることとされている。教育公務員（大学の教育公務員を除く。）は、教育職員免許法に基づく免許状が授与されており、その授与については資格要件が定められているので、あえて競争試験を行う必要はないと考えられるからであり、大学の学長、学部長、部局長および教員の場合は競争試験を行うよりも評議会や学長の判断に委ねる（教特法三２～５）ことが実情に適していると考えられるからである。

なお、県費負担教職員の任用が広域的に行われるものであることなどから、任命の方法ならびに競争試験および選考の実施については、その権限は人事委員会に限られ、競争試験等を行う公平委員会はこれらの事項についての権限を有しないことになっている。すなわち、地方公務員法第一七条第二項が定める任命の方法についての一般的基準を定めるのは都道府県の人事委員会であり、競争試験および選考に関する権限については、任命権者の属する地方公共団体に人事委員会が置かれている場合は当該人事委員会が、それ以外の場合は任命権者が、それぞれ有することとされているのである（地教行法施行令七）。

三　地方公共団体の都合による退職者の特例

正式任用されていた職員が職制や定数の改廃、予算の減少または過員によって離職した後、再び当該地方公共団体に採用されるときは、人事委員会もしくは競争試験等を行う公平委員会またはこれらの委員会を置かない地方公共団体の任命権者は、再採用の際の資格要件、任用手続およびその際の身分について必要な事項を定めることができ（本条３）、特定地方独立行政法人においても同様とされている（地方独法法五三３による読みかえ）。これは、地方公共団体の都合によって離職した者であるので、再採用に際しては優先的に取り扱うことが信義に適っており、また、従前の勤務によって能力の実証も得られているので、再採用の手続を簡素化するとともに従前の身分取扱いを考慮して、職制上の地位や給与を決定しようとするものである。しかし、現実の運用の上では、地方公共団体が事業の縮小や財政の緊縮によって職員数を弾力的に減少させたり、また、事業の拡大などによって多数の職員を一時に採用したりすることは行われておらず、地方財政再建のために人員減を行うような場合でも、老齢職員や比較的勤務成績が良好でないものを退職させており、再採用をほとんど念頭に置いていないため、この制度は実際に機能していないといってよい。地方公共団体の人事管理が現在よりももっと弾力的に行われるようになり、本法の母法であるアメリカ合衆国における労働慣行が実現されるようなときに、この制度あるいは先任権（地公労法七②）が活用されることになろう。

この優先措置は、人事委員会または競争試験等を行う公平委員会を置く地方公共団体ではこれらの委員会が統一的にその規則で定めるのが適当である。これらの委員会を置かない地方公共団体ではそれぞれの任命権者が定めることになるが、採用に関する問題であり、各任命権者間の統一を図る必要もあるので、これを定めるときは地方公共団体の長が地方自治法第一八〇条の四第二項の規定に基づき総合調整を図ることが望ましい。この優先措置を受ける資格の第一は、「正式任用」されていた職員であり、条件付採用期間中の職員を含むが、臨時的任用職員は含まれない（法二二の三５参照）。第二は、職制もしくは定数の改廃または予算の減少に基づく廃職または過員によってその職を離れたことである。「職」という言葉は、地方公務員法第一五条の二第一項各号に表れるが、職階制が一度も実施されないまま制度としても廃止された現在、その意味は不明確であって（第一五条の二の**【趣旨】**参照）、「職制の改廃」、「廃職」または「過員」を明確に定義することは困難であり、それぞれの実態によって判断するほかないが、職の設置の制度の改正や機構の改正のすべてが含まれると解される。「定数」および「過員」とは、条例定数およびこれを超える職員だけでなく、予算定数や内規による組織別の配当定数およよびその剰員も含まれ、「予算の減少」に基づくものは「過員」であるが、この過員が生じたかどうかは、予算の議決科目である款項や説明科目である目節のみでは明らかではないので、給与条例と予算とを結びつける級別定数や予算の付属資料としての給与の積算資料によって判断することになろう（詳しくは第二八条の〔解釈〕一4参照）。離職は、ここに掲げられているすべての事由が同時に実施されることによって発生する場合もあるが、職制の改廃、定数の改廃または予算の減少のいずれか一つが行われ、それによって廃職または過員のいずれか一方のみが実施されることにより発生する場合もありうるものである。

「職を離れ」るとは、前記の事由と同じ事由によって分限免職された場合（法二八１④）はもとより、これらの事由に基づいて事実上退職を慫慂（しょうよう）されて離職した場合も含まれる。「再びその職に復する」とは、全く同一の職に就くというように厳格に解する必要はなく、元の職に類似ないしはほぼ同等の職に就くことを意味するものと解される。

人事委員会若しくは競争試験等を行う公平委員会または任命権者が定めるのは、「資格要件」、「任用手続」および「任用の際における身分」の三点に関する事項であるが、資格については離職中に懲戒処分の対象となる事由が生じていないこと、任用手続については選考で採用すること、身分については従前とほぼ同等の処遇を職制上の地位および給与の決定において与えることなどが考えられる。

なお、公益的法人等への一般職の地方公務員の派遣等に関する法律第一〇条第一項は、任命権者と特定法人との間で締結された取決めに従って、任命権者の要請に応じて職員が退職し、引き続き当該特定法人の役職員として在職した後、当該特定法人において業務に従事すべき期間が満了した場合または当該特定法人の役職員の地位を失った場合などは、原則として、その者が退職したとき就いていた職またはこれに相当する職に係る任命権者は、当該特定法人の役職員としての在職に引き続き、その者を職員として採用するものとし、同法第一二条第一項は、このようにして採用された職員の任用、給与などに関する処遇および当該職員が退職した場合の退職手当の取扱いについては、部内の職員との均衡を失することのないよう、条例で定めるところにより必要な措置を講じ、または適切な配慮をしなければならないとしている。

（試験機関）

第十八条　採用のための競争試験（以下「採用試験」という。）又は選考は、人事委員会等が行うものとする。ただし、人事委員会等は、他の地方公共団体の機関との協定によりこれと共同して、又は国若しくは他の地方公共団体の機関との協定によりこれらの機関に委託して、採用試験又は選考を行うことができる。

〔趣　旨〕

本条における「人事委員会」には、競争試験等を行う公平委員会が含まれ（法一七２）、その「人事委員会」を置かない地方公共団体においては任命権者を意味し、「人事委員会等」というのはこの両者を意味する（法一七の二３括弧書）ので、本条によって、採用のための競争試験（「採用試験」という。）および選考は、人事委員会または競争試験等を行う公平委員会を置く地方公共団体においてはこれらの委員会が、それ以外の地方公共団体においては任命権者が行うことになる。なお、本条は、採用試験および採用のための選考の実施権者を定めるものであり、それぞれの具体的な方法などについては、第一八条の二から第二一条までが採用試験について、第二一条の二が選考について定めている。

職員の採用を行うのは任命権者であり、人事委員会または競争試験等を行う公平委員会は自らの補助機関としての職員以外の者に対する任命権を有するわけではないにもかかわらず、採用の前提となる競争試験および選考をこれらの委員会が行うものとされているのは、これらの委員会が人事行政に特化した専門機関であって（法八１２、九１）、それを組織する委員の独立性が保障されている（法九の二参照）ことから、高度な内容の競争試験および選考を中立的な立場において行うことが期待できることによるものである。また、人事委員会もしくは競争試験等を行う公平委員会またはこれらの委員会を置かない地方公共団体の任命権者は、他の地方公共団体の機関と共同して、または国もしくは他の地方公共団体の機関に委託して、採用試験または選考を行うことができるとされている（本条ただし書）が、これは、組織の合理化および効率的な事務処理ならびにより高度の専門性の発揮という観点から定められたものである。ただ、採用試験または選考のための試験問題の作成、試験会場の準備、試験の監督、採点などの事実行為については、特別の法令上の根拠なしに外部に委託することができるのであるから、本条ただし書は、合否の決定までを共同して行い、または委託することができるとすることに意味があるものと考えられる。ただし、公平委員会の事務の委託について定める地方公務員法第七条第四項の競争試験等を行う公平委員会を置く地方公共団体への適用について、同法第九条第二項がその読み替えを定める結果、競争試験等を行う公平委員会を置く地方公共団体は、公平委員会が行うべき事務を人事委員会に委託することができないこととなるので、競争試験等を行う公平委員会は、採用試験または選考を他の地方公共団体の機関と共同して行うことはできるが、国または他の地方公共団体の機関に委託することはできないものと解される。これを逆に言えば、公平委員会が採用試験または選考を国や他の地方公共団体の機関に委託するのであれば、公平委員会に競争試験または選考を行わせることとする（法九）までもなく、最初から任命権者が委託すれば足りるということであろう。

〔解　釈〕

一　採用試験および選考の実施機関

採用試験および採用のための選考を実施する機関は、人事委員会もしくは競争試験等を行う公平委員会を置く地方公共団体ではこれらの委員会、それ以外の地方公共団体では任命権者である（本条本文）。採用試験および選考の実施とは、受験資格の決定や志願者の公募をはじめ、各種の試験の実行、その判定、競争試験の場合にあっては任用候補者名簿の作成と提示など、具体的な発令行為に至るまでの一切の手続を含むものである。人事委員会または競争試験等を行う公平委員会が実施する場合、採用するのは任命権者であり（法二一の二2参照）、これらの委員会は、この任命権者の必要に応じて採用試験または選考を実施するものであるから、欠員の現状あるいはその見込み、任命権者が必要とする職員の能力や資格などについて、これらの委員会と任命権者が事前に十分連絡し、必要な調整を行うべきである。任命権者が実施する場合には、自らの必要に基づいて自らが実施するのであるから前述のような調整は不要であるが、それとは別に同一地方公共団体内の複数の任命権者間において、任用する職員の資質に不均衡が生じることがないよう、事前に十分に調整するか、長が総合調整を行うか（自治法一八〇の四２）、あるいは長が一括して採用を行い、他の任命権者の下に配置換えするなどの方法をとることが適切である。

採用試験または選考の実施機関は、採用の対象になる職および種類に従い、係員の職の採用試験、○○課長職への選考というように、個別または同一のグループ別に、また競争試験と選考とを分けて実施するものであるが（国公法四五の二２参照）、たとえば、ある課長の職が欠員となった場合に、職員の中からの昇任と、職員以外の者からの採用とをあわせて一の競争試験によって実施し、その成績優秀者をもって充てることは可能である（通知昭二七・一二・四　自内行発第五二号　第四２）。すなわち、競争試験に限り、採用と昇任を同時に実施することが可能である。なお、国家公務員については、国家公務員法第四五条の二第三項およびそれを受けた採用試験の対象官職及び種類並びに採用試験により確保すべき人材に関する政令が採用試験の対象となる官職および種類ならびに採用試験により確保すべき人材について具体的な定めを置いている。次に、選考については、第二一条の二でも述べるように能力の実証という点で競争試験と全く同じ目的のものであり、それは単に候補者の選定方法の相違に過ぎず、安易に行ってよいものではないので、それを実施する者が恣意的な裁量によって合否を決定するようなことは許されない（行実昭二八・九・七　自行公発第一九八号）。

二　共同または委託による採用試験または選考の実施

人事委員会もしくは競争試験等を行う公平委員会または人事委員会を置かない地方公共団体の任命権者は、他の地方公共団体の機関との協定によって共同して、または国もしくは他の地方公共団体の機関との協定によってこれらの機関に委託して、採用試験または選考を行うことができる（本条ただし書）。まず、本条の共同実施は、「他の地方公共団体の機関」との間で行われるものであり、同一地方公共団体内の他の機関と共同して行うものは関知するところではない。また、「機関」とは、人事行政の専門機関である人事委員会や競争試験等を行う公平委員会はもとより、任命権者、任命権者ではない行政機関、たとえば、行政委員会の事務局長、試験研究機関の長など、執行機関はもとより、執行機関ではないが行政機関、たとえば、公営企業の管理者なども含まれるものと解する。「協定」の意味は後述するが、協定によって行われるものである以上、双方の完全な合意が必要であることはいうまでもない。また、「共同」で実施するものであるから、その名義は連名をもって行うことになる。共同実施の例としては、複数の市町村長が共同で採用試験を行うことがあげられる。

次に、委託実施の相手方は、「国若しくは他の地方公共団体の機関」であり、共同実施の場合と同様に同一地方公共団体の機関は含まれない。他の地方公共団体の「機関」の意味も同じである。「国の機関」としては、観念的には人事院や高度の専門職員を採用する場合における国の試験研究機関などが考えられる。委託の場合も相手方の完全な同意が必要なことはいうまでもない。また、試験を実施する名義は、委託を受けた機関の名によるものと解される。ただし、委託をした機関のために行うものであることをなんらかの形で表示する必要があろう。具体的な委託の例としては、市町村長が職員の採用を単独または共同で県の人事委員会に委託することがあげられる。

地方自治法の規定により、機関の共同設置（同法二五二の七）、事務の委託（同法二五二の一四）または一部事務組合の設置（同法二八四②）を行って競争試験または選考を実施するときは、それぞれの規定に基づき議会の議決が必要であるが、地方自治法第九六条第一項が定める議会の議決は、制限列記であるから、本条ただし書の協定による場合は不要である。また、採用試験および選考を、本条ただし書の規定に基づいて共同処理または委託をするときは、協定の中で費用の負担を定めることが適当である。

ところで、採用試験または選考は、対象者の募集、会場の設営、試験問題の作成、試験の実施、採点などの事実行為と応募資格や合格者の決定という行政上の判断とからなる一連の手続であり、このうちの行政上の判断は、法律によって人事委員会および競争試験等を行う公平委員会ならびにこれらの委員会を置かない地方公共団体の任命権者に与えられた公法上の権限の行使としてなされるものであるのに対して、事実行為は、それ自体によって法律上の効果が生ずるものではないから、それを行うことについて法律による特別の授権を必要とせず、本条に基づくことなく、民法上の契約によって委託することも可能である。したがって、これらの事実行為は、一括してまたは個別に第三者に委託することができることとなるが、この場合には、契約に関する一般原則を定めた地方自治法第二三四条の規定に従わなければならないのは当然のことである。

三　教育公務員などに関する実施機関および任用の方法に関する特例

前条で述べたように、教育公務員の特殊性に基づき、大学の学長および部局長の採用ならびに教員の採用および昇任ならびに大学以外の公立学校の校長の採用ならびに教員の採用および昇任ならびに専門的教育職員の採用および昇任は、いずれも選考のみによって行うこととされている（教特法三1、一一、一五）。そしてこの選考の実施機関は、学校教育の主体性を確保する見地から、大学の学長については評議会（評議会を置かない大学にあっては教授会。以下この項において同じ。）が、学部長にあっては当該学部の教授会の議に基づき学長が、学部長以外の部局長にあっては評議会の議に基づき学長が、教員にあっては、評議会の議に基づき学長が定める基準により、教授会の議に基づき学長（教特法三2～5）が、大学以外の公立学校の校長および教員については、大学附置の学校の場合には学長が、その他の学校の場合には任命権者である教育委員会の教育長（幼保連携型認定こども園にあっては任命権者である地方公共団体の長。同法一一）が、専門的教育職員については教育長（同法一五）が、それぞれ当たることとされている。

なお、企業職員および単純労務職員は、一般的には人事委員会や公平委員会の管轄下にないが、本条はこれらの職員についても適用されるので、これらの職員の採用試験および選考も人事委員会または競争試験等を行う公平委員会が行うことになる。

（採用試験の公開平等）

第十八条の二　採用試験は、人事委員会等の定める受験の資格を有する全ての国民に対して平等の条件で公開されなければならない。

〔趣　旨〕

採用試験の平等公開と受験資格

採用試験は、不特定多数の者の中から適格者を選抜する方法であり、もっぱら能力の実証に基づいて合否を決定することが基本であるから、それに対する応募は広く公平に公開されるべきものである。そして、このことは法の下の平等の大原則（憲法一四、法一三）を採用試験において具体化することでもある。

このように、採用試験の平等公開の原則は、きわめて重要な意義をもっており、その原則は最大限尊重されなければならないものであることから、地方公務員法は、さまざまな平等取扱いの中でもとくに採用試験の平等公開を明文で規定し、また、これに違反する者には刑罰を科すこととしている（法六一③）。

ところで、本条による採用試験の平等公開は、各職種の初級職、中級職、上級職などの採用試験で、完全ではないまでも相当程度有効に実現されているといえる。国家公務員の類似の採用試験と並んで、わが国の新規学卒者の就職に関しては、もっとも公平、公正に門戸が開放されている分野であるといっても過言ではない。しかし、採用試験の平等公開は、ただちに公務全体の平等公開を意味するものではなく、公務全体についてみれば、そこにおける人事はむしろ非常に閉鎖的である（第一七条の〔**趣旨**〕一参照）。これは公務であると民間であるとを問わず、わが国の雇用慣行が終身雇用的であり、年功序列的であることによるものであるが、人事行政をより弾力的に実施し、適材適所を徹底するためには、初任者の採用についてだけでなく、より上級の職についても公務の平等公開が図られる必要があるように思われる。終身雇用制のもつ忠誠心の昂揚や熟練者の確保といった長所は否定することができないが、変化し複雑化する行政に的確に対応し、また職場の微温湯的な雰囲気に刺戟や競争心を与えるためには、公務を公開して横の人事交流も加味する必要があるように思われる。そして、そのためには、部内者の選考に偏りがちな現在の任用方法を部外者の選考や部外者をまじえた競争試験（採用試験と昇任試験の同時実施。第一八条の〔**解釈**〕一参照）に若干でも切り換える試みが行われてもよいように思われる。このような方法がとられるならば、競争試験の平等公開が、公務全体の平等公開にもつながることになり、公務能率の増進に寄与することになると考えられる。

〔解　釈〕

競争試験は、人事委員会もしくは競争試験等を行う公平委員会またはこれらの委員会を置かない地方公共団体の任命権者（法一七2、一七の二3）が定める受験資格を有するすべての国民に対し、平等の条件で公開されなければならない。まず、競争試験の平等公開は「全ての国民」を対象としており、これは国民の法の下の平等を定めた憲法第一四条および地方公務員法第一三条を受けたものである。外国人には本条の適用はないが、外国人の受験資格についてどのように考えるべきかは、第一三条の〔解釈〕を参照されたい。次に、受験資格（第一九条の〔解釈〕参照）を有する以上、「平等の条件」、すなわちなんらの差別をすることなく「公開」、すなわちすべての志願者を受験させなければならない。たとえば、同じ競争試験において、試験問題その他の内容を異なるものとすることはもとより、時間、時期を異にすることも平等の条件に反するものであり、試験の日時等の告知を一部の者、学校などにだけ行うようなことは、公開の原則に反することになる。なお、この原則に必ずしも直接の関係はないが、競争試験の時期および場所は、受験者が無理なく受験しうるよう定めるべきである（通知昭二七・一二・四　自丙行発第五二号　第六4、国公法四九）。採用のための競争試験の告知には、その試験の対象となる職員の職についての職務と責任の概要および給与、受験の資格要件、試験の時期および場所、受験申込書の入手および提出の場所、時期および手続その他の必要な受験手続、任用候補者名簿の作成方法その他必要と認める注意事項を記載するものとし、昇任のための競争試験の場合もこれに準ずるものとされている（通知昭二七・一二・四　自丙行発第五二号　第五2）。人事委員会もしくは競争試験等を行う公平委員会またはこれらの委員を置かない地方公共団体の任命権者は、これらの事項を公告式条例（自治法一六4）の手続に準じて公表し、また、あわせて地方公共団体の広報紙、一般の新聞やインターネットなどに掲載し、テレビやラジオで放送するなど広く周知徹底を図ることが適切である。必要に応じ学校や職業安定機関等にも連絡することにより、広い範囲から人材を募集するように努力する必要があり、連絡や通知が欠落し、あるいは片寄って平等公開の原則に反することのないようにしなければならない。

（受験の阻害及び情報提供の禁止）

第十八条の三　試験機関に属する者その他職員は、受験を阻害し、又は受験に不当な影響を与える目的をもつて特別若しくは秘密の情報を提供してはならない。

〔**趣　旨**〕

本条は、従前地方公務員法第一九条第一項後段に規定されていたものであるが、平成二六年（二〇一四年）法律第三四号によって、同項前段が国家公務員法第四六条に倣って独立の条文（第一八条の二）とされたことに伴って、独立の条文とされたものであり、前条が定める採用試験の公開平等原則を侵害する行為を禁止するものである。ただ、本条と類似する国家公務員法第四一条が採用試験および任用の通則として「受験若しくは任用を阻害し、又は受験若しくは任用に不当な影響を与える目的を以て特別若しくは秘密の情報を提供してはならない。」としているのと比較すると、その適用範囲は若干狭くなっている。

〔**解　釈**〕

受験の平等公開の原則を守るため、試験機関に属する者その他職員が受験を阻害し、または受験に不当な影響を与える目的をもって特別もしくは秘密の情報を提供してはならないことが明文をもって規定されており、この規定に違反して受験を阻害し、または情報を提供した者は三年以下の拘禁刑または一〇〇万円以下の罰金に処せられる（法六一③）。まず、このような行為が禁止されているのは「試験機関に属する者その他職員」であり、試験機関とは、人事委員会若しくは競争試験等を行う公平委員会または試験を行う任命権者である。これに属する者とは、その所轄の下にある者をいい、合法、非合法を問わず、試験に関する情報を得ているものである。文理上「属する者」は、職員に限られていないので、たとえば、人事委員会または競争試験等を行う公平委員会の委員をはじめ試験問題の作成を命じられた非常勤の職員などの特別職も含まれる。しかし、委託契約によって試験問題を作成した者は、試験機関に属する者、すなわちその所轄あるいは指揮命令の下にはなく、私法上の義務を負う者に過ぎないので、これには含まれないといわざるを得ないので、委託契約で秘密の保持を確約させるべきである。「その他職員」とは、試験機関に属する職員以外の一切の職員であり、実際に試験に関する情報を得ることは稀であると考えられるが、地方公務員法上の職員である以上、他の地方公共団体の職員も含まれるものと解される。

次に、禁止される行為は、「受験の阻害」または「受験に不当な影響を与える」ことを目的とするものである。両者を明確に区別することは困難であり、たとえば、特定の受験者に試験問題の内容を洩らした場合、当該受験者の受験成績に不当な影響を与えることになるが、それとともに、そのことが試験全体を阻害することにもなる。具体的には、この試験問題の内容の漏洩が典型であるが、わざと誤った情報を与えることも含まれよう。また、受験の阻害などの目的はいずれも情報の提供にかかるものであり試験場にピケを張るようなことは、受験を阻害するものであっても本項には関係がない。さらに、この受験の阻害などは、そのような目的を意識して行われるもの、すなわち、故意に行われたものであることを要し、未必の故意は該当するが、過失によるものは該当しない。したがって、過失により試験問題を紛失したような場合は本条には該当しない。

次に、禁止されている行為自体は、「特別若しくは秘密の情報の提供」である。「特別」と「秘密」の限界は、必ずしも明確ではないが、特別とは秘密に至らない程度のものであるが、その情報を与えることにより、他の受験者に比して明らかに有利または不利なハンディキャップを生じ、平等の条件に反することになるものである。たとえば、口頭試問の担当者の性格や傾向について的確な情報を与えることなどがこれに該当する場合があり得よう。

ところで、ここで禁止されている行為は「受験の阻害」と「受験に不当な影響を与える……情報の提供」の二つであるとする解釈もありうる。文理上はそのような解釈も十分成り立つであろう。しかし、「受験の阻害」自体を犯罪構成要件とするならば立法論としてはその対象は職員だけでなく一般人も含めるべきであろう。また、本条違反の罰則は三年以下の拘禁刑または一〇〇万円以下の罰金であるが、「受験の阻害」に類する犯罪である公務執行妨害等（刑法九五）は三年以下の拘禁刑または五〇万円以下の罰金、威力業務妨害（刑法二三四）は三年以下の拘禁刑または五〇万円以下の罰金であるから地方公務員法に特別の罰則規定を設ける意味が乏しい。これに対して、「受験の阻害」はあくまでも目的であり、「特別若しくは秘密の情報の提供」という行為を罰するものと解するならば、地方公務員法第三四条第一項の「守秘義務」違反の罰則は一年以下の拘禁刑または五〇万円以下の罰金であるので（法六〇②）、本条はその特則としての意義がある。

次に、「秘密」の意義は、守秘義務の対象となる秘密（法三四）と同じであり、形式的秘密ではなく実質的秘密であると解される。すなわち、一般に公知されていない事実で、それを洩らすことにより、当該受験者または他の受験者の利益もしくは地方公共団体の利益を害することが客観的に明らかなものであり、試験問題はその典型である。秘密の情報を洩らした者が職員であるときは、本条および第三四条第一項違反で罰則の適用を受けるとともに、それが職務上または職務に関して知り得たものであるときは、本条および第三四条第一項に違反して、地方公務員法第二九条第一項第一号に該当するとして懲戒処分の対象にもなる。また、情報の提供には、直接受験者に対して行われた場合はもちろんであるが、受験者以外の者に対して行われた場合も含まれる。そして、受験阻害などの目的をもち、このような情報を提供した事実がある限り、本項に違反し刑罰の適用があるのであって、その情報が利用されたかどうか、提供を受けた者が合格したかどうか、あるいは試験が阻害される事実が結果としてあったかどうかは問うところではない。

なお、このようにして不当な情報の提供を受けた受験者が合格とされた後に、不正の事実が発見されたときは、瑕疵がある行政処分として、その合格は取り消すべきであり、当該合格者と他の合格者または不合格者との関係を考慮し、次点の不合格者の繰り上げ合格が行われる場合もあり得ようし、受験阻害の影響が大きいときは、再試験が行われることもあり得よう。不正受験による合格者がすでに職員として採用されているときは、その職に必要な適格性を欠くものとして（法二八1③）、分限免職の対象となることがある。

（受験の資格要件）

第十九条　人事委員会等は、受験者に必要な資格として職務の遂行上必要であつて最少かつ適当な限度の客観的かつ画一的な要件を定めるものとする。

〔**趣　旨**〕

本条は、従前地方公務員法第一九条第二項に規定されていたものであるが、平成二六年（二〇一四年）法律第三四号によって、同項前段が国家公務員法第四六条に倣って独立の条文（法一八条の二）とされたことに伴って、独立の条文とされたものであり、同法第四四条に類似の規定がある。

〔**解　釈**〕

採用試験の受験資格は、人事委員会もしくは競争試験等を行う公平委員会またはこれらの委員会を置かない地方公共団体の任命権者（法一七2、一七の二3）が定めるものであり、その資格としては、「職務の遂行上必要であつて最少かつ適当な限度の客観的かつ画一的な要件」を定めなければならないものである。競争試験の平等公開の原則に照らして、受験資格を制限することは、必要最少限のものでなければならないことはもとより、健全な社会通念に基づいて納得のいくものでなければならない。

この場合、まずきわめて明白なことは、欠格条項該当者は競争試験を受けることができないので（法一六）、人事委員会または任命権者が定めるまでもなく受験資格はなく、また、運転手を採用する場合の運転免許、ボイラー技師の場合の設備士の資格など、資格を必要とする職種における当該資格を受験資格として定めることができることは当然のことである。

次に、平等取扱いの原則（法一三）に反する受験資格を定めることができないことも当然のことである。すなわち、人種、信条、性別、社会的身分もしくは門地によって、または政治的意見もしくは政治的所属関係によって受験資格の差別を行ってはならない（第一三条の〔解釈〕参照）。

ところで、地方公務員法一八条の二は採用試験を「全ての国民」に対して平等の条件で公開すべきことを定めるものであって、外国人に対する公開を定めるものではなく、判例（最高裁大法廷平一七・一・二六判決　判例時報一八八五号三頁）が採用後の国籍による差別的取扱いを禁止する労働基準法第三条の規定が職員にも適用されるとしていることは第一三条の〔解釈〕で述べたところである。すなわち、労働基準法第三条により、本邦に在留する外国人（在留外国人）について、国籍を理由として、給与、勤務時間その他の勤務条件につき差別的取扱いをすることは禁止されるが、合理的な理由に基づいて日本国民と異なる取扱いをすることまで許されないものではなく、住民の権利義務を直接形成し、その範囲を確定するなどの公権力の行使に当たる行為を行い、もしくは普通地方公共団体の重要な施策に関する決定を行い、またはこれらに参画することを職務とするもの（「公権力行使等地方公務員」という。）については、原則として日本の国籍を有する者に就任することが想定されているとみるべきであり、わが国以外の国家に帰属し、その国家との間でその国民としての権利義務を有する外国人が公権力行使等地方公務員に就任することは、本来わが国の法体系の想定するところではないから、普通地方公共団体が、公務員制度を構築するに当たって、公権力行使等地方公務員の職とこれに昇任するのに必要な職務経験を積むために経るべき職とを包含する一体的な管理職の任用制度を構築して人事の適正な運用を図ること（採用試験や昇進試験の受験資格を定めること）も、その判断により行うことができ、それは、労働基準法第三条にも、憲法第一四条第一項にも違反するものではないとされるのである。

さらに、本条および地方公務員法第一三条ならびに労働基準法第三条にも明記されていないものに年齢の問題がある。これについても第一三条の〔趣旨〕三で述べたが、たとえば、長期勤務によるキャリア形成を図るという観点から、任期を定めずに、職務経験を問わないで採用する場合に上限年齢を定めるのは合理的であると考えられるが（労働施策の総合的な推進並びに労働者の雇用の安定及び職業生活の充実等に関する法律施行規則一の三―１③イ参照）、一定の職務経験を有することを要件とする場合や任期の定めのある職の場合の年齢制限に合理性を認めることは困難であろう（第一三条の〔趣旨〕三で詳しく述べた）。

また、上記以外にも、本籍や出生地、家族構成、収入や資産の状況、住宅の状況、生活環境や家庭環境を把握するようなことは、不当な差別を意図しているのではないかとの疑いを招くものであり、厳に慎まなければならない。

なお、国家公務員については、へき地勤務の職について、当該地域の近辺に居住する者に限り受験資格を与えることも可能であるとされていたが、このような取扱いは、本来、任地は任命権者の裁量によるものであり、将来の人事異動に当たり任地を制約することとなるおそれもあり、現在は廃止されている。もっとも、たとえば消防職員のように非常の際の緊急の出勤が要請されるなど合理的な理由があるときには、受験資格を当該地方公共団体内の住民または居住者に限ることもやむを得ない場合があるであろう。

上記以外にもさまざまな問題があろうが、それらについては、本条に定めるところにしたがって個々に判断するほかない。すなわち、競争試験の受験資格として定めることができるのは、第一に、「職務の遂行上必要な」ものであることであり、競争試験によって補充することが予定されている職について通常必要とされる知識、技術、経験などを客観的に表示する資格でなければならない。第二には、それは「最少かつ適当な限度」でなければならないが、何が最少かということは、その職に必要とされる知識度によって客観的に定まる。いずれにしても採用試験や条件付採用期間の制度（法二二）によってさらに能力が実証されるのであるから、受験資格が最少限度のものであるべきことは当然の要請であるといえよう。極言すれば、欠格条項に該当しないこと、職種によって免許などの積極的資格を具備すべきことなどが最少の限度というべく、学歴や経験などは、一般に基準として示されていても厳密な意味での受験資格ではないのが普通であろう。「適当な限度」ということの意味は、必ずしも明白ではないが、これはいわゆる適当、不適当を問題としているのではなく、社会通念からみて妥当な範囲のものという意味に理解すべきであろう。第三は、受験資格は、「客観的かつ画一的な要件」でなければならない。客観的とは、主観的、恣意的判断を加える余地のないことを意味し、画一的とは、同一条件のものにつき差別をしないことを意味する。「その他人事委員会（任命権者）が適当と認めるもの」というような資格の定め方は、客観性を欠くものであり、特定の学校の卒業者のみに受験資格を認めるようなことは画一的とはいえない。

（採用試験の目的及び方法）

第二十条　採用試験は、受験者が、当該採用試験に係る職の属する職制上の段階の標準的な職に係る標準職務遂行能力及び当該採用試験に係る職についての適性を有するかどうかを正確に判定することをもつてその目的とする。

２　採用試験は、筆記試験その他の人事委員会等が定める方法により行うものとする。

〔趣　旨〕

平成二六年（二〇一四年）法律第三四号による改正前は、採用試験と昇任試験を区別せずに、競争試験の目的および方法が地方公務員法第二〇条に定められていたが、この改正によって採用試験については本条で、昇任試験については第二一条の四で定められることとなった。

採用試験は、職員以外の者を職員の職（臨時的任用の職員の職を除く。）に任命するために行われるものであり（法一五の二1①参照）、一旦職員として採用されると地方公務員法が定める身分保障の制度が適用され、職種間の異動はもちろん、配置換えであっても、法律上、事実上の困難を伴うことが少なくないことなどを考慮すると、その意義は極めて大きいといわなければならない。このことから、国家公務員の採用については、「国民全体の奉仕者として、国民の立場に立ち、高い気概、使命感及び倫理感を持って、多様な知識及び経験に基づくとともに幅広い視野に立って行政課題に的確かつ柔軟に対応し、国民の信頼に足る民主的かつ能率的な行政の総合的な推進を担う職員となることができる知識及び技能、能力並びに資質を有する者を確保するものとし」て、それぞれの採用試験において確保されるべき人材が有すべき知識及び技能、能力並びに資質が具体的に定められている（採用試験の対象官職及び種類並びに採用試験により確保すべき人材に関する政令三）。

採用試験は、採用に際しての最も有力な能力の実証の方法であり（法一五参照）、その方法を決定するに当たってとくに留意すべきことは、第一に、その結果の信頼性が高いものであることである。いかなる試験も絶対的な尺度となりうるものはないといってよいが、とかく人に対する評価、判断は主観的なものに陥り易い傾向があることにかんがみ、できるだけ客観的に判断できる方法を主体とし、主観的な判断はこれに附加することにとどめることが適当である。そうすることによって採用試験の結果も客観性をもつものになり、また、公務の平等公開の原則に合致するとともに、スポイルズ・システムを防止することもできる。

第二は、試験の方法は、実用性のある選択ができるものでなければならないということである。職員に対して求められている能力は、実務を適切に処理することができる能力であり、公務員としてその職務を全うすることができる知識、判断力および実行力である。それは単なる知識や技術の高さを判定することをもって足りるのではなく、それが実際に役に立つものであるかどうか、実行する能力があるかどうかをも判定するものでなければならない。

〔解　釈〕

一　採用試験の目的

「採用試験は、受験者が、当該採用試験に係る職の属する職制上の段階の標準的な職に係る標準職務遂行能力及び当該採用試験に係る職についての適性を有するかどうかを正確に判定することをもつてその目的とする」（本条1）。受験者というのは、当該採用試験を受験する者のことであり、受験の資格要件（法一九）を備え、定められた手続に従って受験の申込みをし、当該試験のために定められた場所に来所し、所定の手続を完了した者を意味する。「当該採用試験に係る職の属する職制上の段階の標準的な職に係る標準職務遂行能力」というのは、職員の職について、職制上の段階及び職務の種類に応じ、任命権者が定める職制上の段階の標準的な職の職務を遂行する上で発揮することが求められる能力を意味する（法一五の二1⑤、2）。「当該採用試験に係る職についての適性」というのは、当該職に適している素質、能力、性格などを意味し、地方公務員法第二八条第一項第三号の「その職に必要な適格性」と同じ意味であろう。

また、「正確に判定する」とは、採用試験の目的に照らして正当かつ確実な判断を下すことであり、その結果は、できる限り客観的に表示されることが望ましい。採用試験は、職務遂行能力および適格性を相対的に判断するものであるが、それは職務遂行能力および適性ありと認められた者の範囲内における相対的評価であり、職務遂行能力および適格性の有無自体は絶対的判断であるといわなければならない。

なお、国家公務員については、採用試験の対象とする官職およびそれに応じた採用試験の種類ならびにその種類毎に学歴に応じて確保すべき人材が定められている。すなわち、①係員の官職のうち、政策の企画および立案または調査および研究に関する事務をその職務とする官職その他これに類する官職（専門的な知識または技能に基づいて行う工業所有権に関する審査の事務をその職務の主たる内容とする官職など）への採用試験を総合職試験とし、②定型的な事務をその職務とする係員の官職その他の係員の官職（①および③に掲げるものを除く。）への採用試験を一般職試験とし、③係員の官職のうち、特定の行政分野に係る専門的な知識を必要とする事務をその職務とする官職（皇宮警察の分野に係る専門的な知識を必要とする事務をその職務の主たる内容とする官職など）への採用試験を専門職試験とし、④係員の官職より上位の職制上の段階に属する官職のうち、民間企業における実務の経験その他これに類する経験を有する者を採用することが適当なもの（標準的な官職が係長もしくは課長補佐である職制上の段階に属する官職またはこれらに準ずるものとして内閣官房令で定める官職のうち、民間企業における実務の経験その他これに類する経験を通じて効率的かつ機動的な業務遂行の手法その他の知識または技能を体得している者を採用してその職務に従事させることにより行政運営の活性化その他公務の能率的運営に資することが期待されるものとして内閣官房令で定める官職）への採用試験を経験者採用試験とされ（国公法四五の二）、総合職試験は国家公務員採用総合職試験（院卒者試験）と国家公務員採用総合職試験（大卒程度試験）に、一般職試験は国家公務員採用一般職試験（大卒程度試験）と国家公務員採用一般職試験（高卒程度試験）に分けられるなどして（人事院規則八—一八（採用試験）三）、それぞれの採用試験において確保されるべき人材が有すべき知識及び技能、能力並びに資質が具体的に定められている（採用試験の対象官職及び種類並びに採用試験により確保すべき人材に関する政令三）。

二　採用試験の方法

本条第二項は「採用試験は、筆記試験その他の人事委員会等が定める方法により行うものとする。」として、採用試験の方法は、人事委員会、競争試験等を行う公平委員会およびこれらの委員会を置かない地方公共団体における任命権者の裁量に全面的に委ねている。平成二八年（二〇一六年）四月一日施行の地方公務員法及び地方独立行政法人法の一部を改正する法律（平成二六年法律第三四号）による改正前の地方公務員法第二〇条は、「競争試験は、職務遂行の能力を有するかどうかを正確に判定することをもつてその目的とする。競争試験は、筆記試験により、若しくは口頭試問及び身体検査並びに人物性行、教育程度、経歴、適性、知能、技能、一般的知識、専門的知識及び適応性の判定の方法により、又はこれらの方法をあわせ用いることにより行うものとする。」としていたが、現実の採用のための競争試験においては、試験の実施機関が試験の日時、方法、内容など必要な事項を公報紙、新聞、インターネットなど適宜の方法を利用して広報、周知し、応募者の履歴書、学業成績証明書、身上調書などによって書類選考を行ったうえで、一般教養または専門知識について択一式または記述式による筆記試験を行い、その合格者について口頭試問または集団討議による人物、性行、知識などの判定と健康診断による健康条件の判定を行って、最終的な合格者を決定するのが普通であった。この改正は、このような実態を考慮し、地域の自主性及び自立性を高めるという観点からなされたものと考えられるが、一方で、必要な人材を確保するための方策が多様化していることをも意識したものと思わる。ちなみに、国家公務員の採用試験については、人事院規則で定めるものとされ（国公法四五の三）、そこでは、採用試験の種類ごとに試験種目が定められ（人事院規則八―一八（採用試験）六、別表二）、その試験は「第一次試験及び第二次試験又は第一次試験、第二次試験及び第三次試験に分けて実施するものとする。」とされている（人事院規則八―一八（採用試験）七）。

（採用候補者名簿の作成及びこれによる採用）

第二十一条　人事委員会を置く地方公共団体における採用試験による職員の採用については、人事委員会は、試験ごとに採用候補者名簿を作成するものとする。

２　採用候補者名簿には、採用試験において合格点以上を得た者の氏名及び得点を記載するものとする。

３　採用候補者名簿による職員の採用は、任命権者が、人事委員会の提示する当該名簿に記載された者の中から行うものとする。

４　採用候補者名簿に記載された者の数が採用すべき者の数よりも少ない場合その他の人事委員会規則で定める場合には、人事委員会は、他の最も適当な採用候補者名簿に記載された者を加えて提示することを妨げない。

５　前各項に定めるものを除くほか、採用候補者名簿の作成及びこれによる採用の方法に関し必要な事項は、人事委員会規則で定めなければならない。

〔趣　旨〕

本条は、人事委員会または競争試験等を行う公平委員会（法一七2）が採用試験を行った場合に採用候補者名簿を作成しなければならず、これに基づいて採用が行われなければならないことを定めている。すなわち、採用試験の結果を所定の名簿に整理し、これを任命権者に提示して任命権者が採用を行うという手続を定めた規定である。しかし、それは単なる手続規定ではなく、このような規定が定められている背景には、任命権と採用試験の結果とをどのように調整するか、または任命権者と試験実施機関のそれぞれの権限をどのように調整するかという問題がある。試験実施機関と任命権者を区別するのは、試験の公正な実施を図ることと、それをより専門的に実施することの二つの目的があるのであるが、これを区別して行うこととした場合には、試験結果と任命権者――職員の直接の使用者――の判断とのいずれを相対的に重視するかという問題が生じる。試験実施機関の判定を完全に受け入れるべきものとする場合には、試験の合格者をすなわち採用者とする制度をとることも可能であり、反対に任命権者の判断に大きなウエイトを置くときは、試験実施機関は一定水準以上の能力を実証した者の合格だけを決定し、任命権者は合格者全員の中から任意に採用するという制度をとることも可能である。

平成二六年（二〇一四年）法律第三四号による改正前の地方公務員法第二一条は、その第二項で採用候補者名簿は採用試験における得点順に作成すべきこと、その第三項で採用すべき者一人につき人事委員会の提示する採用試験における高得点順の志望者五人のうちから採用すべきことを定めていたが、この改正によって得点順という考え方はなくなり、人事委員会または競争試験等を行う公平委員会は、採用試験に合格した者の氏名および得点が記載された採用候補者名簿を作成し、それをそのまま任命権者に提示し、任命権者は、その中から採用する者を決定することとされた。これは、国における制度の見直しに倣ったものであるが、人事委員会または競争試験等を行う公平委員会を置く地方公共団体における従来の制度に比較すると、任命権の行使の自由度を増すものであり、運用上の問題として、スポイルズ・システムに陥ることのないよう留意することが必要であろう。なお、国家公務員については、採用候補者名簿による職員の採用は、名簿に記載された者の中から面接を行い、その結果を考慮して行うべきことが法定され、面接を行うに当たっては、平等取扱の原則その他の任免の基本原則などに留意して、公正に行わなければならないとされている（国公法五六、人事院規則八―一二（職員の任免）八２）。

実際の解釈や運用においては、人事委員会または競争試験等を行う公平委員会が採用試験を行う場合も、任命権者の裁量権が若干拡大し、採用試験が採用に直結する試験から資格試験の性格を強める傾向にあり、試験実施機関の権限と任命権者の権限の調整の問題は、制度の問題だけでなく運用上の問題にもなっている。運用上の問題として留意しなければならないことの一つは、任命権者の裁量の幅を拡げることがスポイルズ・システムの傾向を強め、各方面からの圧力が増大するおそれがあることであり、いま一つは、人事委員会または競争試験等を行う公平委員会の行う採用試験の結果が任命権者の需要を十分に満足させるよう試験の内容の充実を図ることである。人事委員会または競争試験等を行う公平委員会によって提示された採用候補者が任命権者が希望する人材の条件に合致することが、採用試験の実施機関を任命権者から分離した制度が現実に有効に機能するための条件であり、そのためには、人事委員会または競争試験等を行う公平委員会と任命権者との間の協力体制を確立し、必要とする人材についての認識が一致するよう意思疎通を図らなければならない。

〔解　釈〕

人事委員会または採用試験等を行う公平委員会が採用試験を実施したときは、試験ごとに採用候補者名簿を作成しなければならず（本条１、一七２）、採用候補者名簿には、試験で合格点を得た者の氏名と得点を記載しなければならない（本条２）。任命権者が採用試験を実施したときは、本条によって採用候補者名簿を作成することは義務づけられていないが、本条に準じてこれを作成することが、試験の結果を明確にしておくためにも、採用を適切に行うためにも必要である。まず、採用候補者名簿は、「試験ごとに」作成される。たとえば、上級職採用試験についても、行政、経済、農学、土木などの試験区分ごとに作成することになる。なお、採用候補者名簿を性別に作成することは、平等取扱いの原則に反し、認められない（行実昭二八・六・三　自行公発第一〇四号）。

採用候補者名簿に記載されるのは、採用試験で合格点以上を得た者の氏名と得点である。「合格点」とは、職員としての能力があるものと判断される最低の得点であるが、採用者数とのかね合いや試験問題の難易などによって相対的に決定されることになろう。試験実施機関の判断によって試験ごとに定められるものであって、画一的な一定の点数ではない。

採用を必ず採用候補者名簿に記載された者からしなければならないとすると、「採用候補者名簿に記載された者の数が採用すべき者の数よりも少ない場合」はもちろん、採用すべき者に比して名簿に記載された者の数が少なすぎるような場合には、任命権者には選択の余地がないという不都合が生ずる。そこで、本条第四項は、「採用候補者名簿に記載された者の数が採用すべき者の数よりも少ない場合その他の人事委員会規則で定める場合には、人事委員会は、他の最も適当な採用候補者名簿に記載された者を加えて提示することを妨げない。」として、その場合の対応を人事委員会または競争試験等を行う公平委員会に委ねている。「採用候補者名簿に記載された者の数が採用すべき者の数よりも少ない」かどうかは自ずから明らかであるが、採用すべき者に比して名簿に記載された者の数が少なすぎるかどうかについては、採用すべき者一人について五人に満たない場合が一つの基準となり（平成二六年法律第三四号による改正前の法二一３および人事院規則八―一二（職員の任免）九２参照）、他の最も適当な採用候補者名簿というのは、採用しようとする職と職務の内容が十分類似し、かつ、職務の複雑と責任の度が同等以上の職を対象とする当該名簿以外の名簿ということになるように思われる（人事院規則八―一二（職員の任免）九１３参照）。

なお、採用候補者名簿に記載されている者が採用された結果、すべての記載者がいないこととなったときは、採用候補者名簿もないこととなるので、さらに採用が必要なときは、あらたに採用試験を行うか、国または他の地方公共団体の競争試験または選考に合格した者を当該地方公共団体の選考に合格したものとみなすか（法二一の二3）、人事委員会または競争試験等を行う公平委員会の規則で定めるところによって選考を行うか（法一七の二1ただし書）のいずれかの方法によることになる。

次に、任命権者は、提示された候補者の中から選択を行うのであるが（法二一3）、この選択は内定であり任用そのものではない。選択に基づき、本人の同意を得て改めて発令行為を行う必要がある。選択の結果、本人に内定通知がなされることが通例であるが、この内定は事実上のものであり、取消訴訟の対象となる行政処分ではないとされている（最高裁昭五七・五・二七判決　判例時報一〇四六号二三頁）。提示後、発令までの間に当該提示にかかる候補者が合格者でなかったことが判明した場合には、提示の撤回を行う必要がある。欠格条項（法一六）該当者とともに提示され、任用された者は、欠格条項該当者の任用は当然無効であるが、その他の者の任用は有効であるとされている（行実昭二六・八・一五　地自公発第三三二号）。

さらに、採用候補者名簿の閲覧の問題があるが、人事委員会または競争試験等を行う公平委員会は、それを閲覧させる義務はなく、ただ関係任命権者などの請求がある場合には適宜閲覧させることが適当であるとされている（通知昭二七・一二・四　自内行発第五二号）。一方、国家公務員法第五二条は、名簿は受験者、任命権者その他関係者の請求に応じて、常に閲覧に供されなければならないとしている。名簿に関する限り、合格者の氏名は秘密（法三四）ではないというべきであり、閲覧させることが適当であろう（なお人事院規則八―一二（職員の任免）一五参照）。閲覧しうるのは、受験者、任命権者およびこれを補佐するもののほか、学校関係者なども含まれよう。なお、これらの者に対してであっても、受験者全員の成績を閲覧させることは、不合格者の利益を害するもので地方公務員法第三四条に違反することになろう。

本条第五項は、「前各項に定めるものを除くほか、採用候補者名簿の作成及びこれによる採用の方法に関し必要な事項は、人事委員会規則で定めなければならない。」（この人事委員会規則には公平委員会規則が含まれる（法一七の二1）。）としている。ここで定めるべき事項は、名簿の作成、名簿の管理、採用候補者の削除、採用候補者の復活、名簿の有効期間、名簿の提示の方法などであり、平成二六年（二〇一四年）法律第三四号による改正前の地方公務員法第二一条第五項についての規則案

（昭二七・一二・四　自内行発第五二号　別紙一）および人事院規則八―一二（職員の任免）第一〇条から第一七条が参考になろう。

（選考による採用）

第二十一条の二　選考は、当該選考に係る職の属する職制上の段階の標準的な職に係る標準職務遂行能力及び当該選考に係る職についての適性を有するかどうかを正確に判定することをもつてその目的とする。

2　選考による職員の採用は、任命権者が、人事委員会等の行う選考に合格した者の中から行うものとする。

3　人事委員会等は、その定める職員の職について前条第一項に規定する採用候補者名簿がなく、かつ、人事行政の運営上必要であると認める場合においては、その職の採用試験又は選考に相当する国又は他の地方公共団体の採用試験又は選考に合格した者を、その職の選考に合格した者とみなすことができる。

〔趣　旨〕

本条は、採用のための選考（法一八参照）について定める。平成二六年（二〇一四年）法律第三四号による改正前の地方公務員法は、その第二〇条で競争試験の目的および方法を定めていたが、選考については特別の規定を置いていなかった。本条は、その第一項で選考の目的を、第二項で選考による採用の方法を、第三項で採用試験と選考の関係を、それぞれ定めている。

〔解　釈〕

選考は、競争試験とともに、能力の実証（法一五）のための最も基本的な方法であり、「当該選考に係る職の属する職制上の段階の標準的な職に係る標準職務遂行能力及び当該選考に係る職についての適性を有するかどうかを正確に判定すること」というその目的は、採用試験におけるそれ（法二〇1）と同じである。「採用試験は、筆記試験その他の人事委員会等が定める方法により行うものとする。」（法二〇2）とされているが、選考の方法については選考を実施する機関に委ねられており、競争試験と同じような方法によることも、書類選考と面接だけによることも可能である。なお、本条第一項の表現をみると、ここで定める選考は採用のためのものに限られないように見えるが、本条は採用のためのものに限られることを前提として、昇任のための選考については本条第一項及び第二項が準用されており（法二一の四5）、降任および転任については別の規定（法二一の五）が置かれている。

人事委員会または競争試験等を行う公平委員会を置く地方公共団体における競争試験による採用は、これらの委員会が作成する採用候補者名簿に記載された者の中から行うものとされる（法二一3）。その結果、これらの地方公共団体においては、任命権者が独自に競争試験を行うことはできないことになる。これに対して、そのような名簿を作成することは必要とされていない採用のための選考については、人事委員会または競争試験等を行う公平委員会のほか、任命権者も選考を行うことができる。どのような場合がこの場合（法一七の二①ただし書）に該当するかについては、かつて職員の選考に関する規則（案）が発出されていた（昭二七・一二・四（自治行発第五二号）別紙二）が、その後の任用制度の改正や平成二六年（二〇一四年）法律第三四号による改正によって職制上の段階の標準的な職という概念（法一五の二2）が導入されたことなどを考慮すると、この規則（案）をそのまま参考にすることは必ずしも適当とは言えなくなっていることについては前述した（法一七の二の〔解釈〕参照）。

ところで、職員の採用については、競争試験または選考によって能力の実証を行わなければならないのであるが（法一七の二）、すでに他の機関により能力の実証がなされている者については、重ねて競争試験または選考を行うことなく、選考に合格した者とみなすことができるとされている（本条3）。まず、それは人事委員会若しくは競争試験等を行う公平委員会またはこれらの委員会を置かない地方公共団体の任命権者が「定める職」についてであり、どのような職を定めるかは、他の機関によって能力の実証が行われていると客観的に判定しうる職を一般的または個別に指定することになろう。この指定は、とくに規則で定める必要はなく、通常の決裁で足りよう。次に、それは当該定められた職について地方公務員法第二一条第一項に規定する「採用候補者名簿がない」場合に行うことができるのであるが、採用候補者名簿がない場合とは、当該職について競争試験が行われず、したがって採用候補者名簿が作成されなかった場合のほか、競争試験が行われて採用候補者名簿も作成されたが、候補者がすべて採用されたり辞退したり、あるいは規定どおり提示されたが採用されなかった場合など、提示すべき候補者が存在しなくなった場合も含まれる。なお、人事委員会または競争試験等を行う公平委員会を置かない地方公共団体では、地方公務員法第二一条の適用がないので、同条の任用候補者名簿は常に存在しないことになる。いま一つの要件は、「人事行政の運営上必要であると認める場合」であるが、その認定は、人事委員会もしくは競争試験等を行う公平委員会またはこれらの委員会を置かない地方公共団体の任命権者が行うものであり、採用に急を要する場合、すぐれた人材を確保しうる場合など客観的に明らかな理由があり、かつ、十分に能力の実証が得られる場合でなければならない。また、他の機関が行う競争試験または選考は、採用しようとする職について本来行われるべき競争試験または選考に「相当する」ものでなければならず、受験資格、試験の内容などがおおむね本来行うべき試験に匹敵するものでなければならない。

本項の規定により、選考に合格したとみなすためには、他の機関が行う競争試験または選考に最終的に合格していなければならないことは当然で、他の機関が行った試験の一部、たとえば、筆記試験だけに合格した者を、それに相当する筆記試験を免除して身体検査のみを行うようなことは認められない。また「選考に合格した者とみなす」のは、人事委員会もしくは競争試験等を行う公平委員会またはこれらの委員会を置かない地方公共団体の任命権者であり、みなすこと自体が即、採用または昇任となるものではなく、あらためて任命権者において、そのみなす決定を前提とした任命行為を行うことになるが、任命権者の任命は、このみなす決定に拘束されるものではない。

なお、特定地方独立行政法人においては、理事長が選考による職員の採用を行い、国、地方公共団体または他の特定地方独立行政法人の採用試験または選考に合格した者を当該職の選考に合格した者とみなすことができることになっている（地方独法法五三３による読み替え）。

（昇任の方法）

第二十一条の三　職員の昇任は、任命権者が、職員の受験成績、人事評価その他の能力の実証に基づき、任命しようとする職の属する職制上の段階の標準的な職に係る標準職務遂行能力及び当該任命しようとする職についての適性を有すると認められる者の中から行うものとする。

〔趣　旨〕

平成二六年（二〇一四年）法律第三四号による改正によって昇任および職務遂行能力が定義されたこと（法一五の二）に伴い、昇任の方法も法定されることとなった。本条は、昇任が任用の根本基準（法一五）に従ってなされなければならないこと、任命しようとする職における職務を全うできる能力と適性を有する者を選ぶべきことを定める。

〔解　釈〕

昇任というのは、職員をその職員が現に任命されている職より上位の職制上の段階に属する職員の職に任命することであり（法一五の二1②）、標準職務遂行能力というのは、職制上の段階の標準的な職の職務を遂行する上で発揮することが求められる能力として任命権者が定めるものであり（法一五の二1⑤）、それぞれの具体的な意味については前述した（第一五条の二の〔解釈〕）。本条は、第一五条が定める任用の根本基準が昇任について適用されることを確認するものであり、「受験成績、人事評価その他の能力の実証」の意味については同条の〔解釈〕で詳しく述べた。なお、昇任のための競争試験および選考の実施については次条に、人事評価の実施などについては第二三条から第二三条の四までに規定されているので、それぞれの〔解釈〕を参照されたい。当該任命しようとする職についての適性というのは、当該職に適している素質、能力、性格などを意味し、地方公務員法第二八条第一項第三号の「その職に必要な適格性」と同じ意味であろう。

（昇任試験又は選考の実施）

第二十一条の四　任命権者が職員を人事委員会規則で定める職（人事委員会を置かない地方公共団体においては、任命権者が定める職）に昇任させる場合には、当該職について昇任のための競争試験（以下「昇任試験」という。）又は選考が行われなければならない。

２　人事委員会は、前項の人事委員会規則を定めようとするときは、あらかじめ、任命権者の意見を聴くものとする。

３　昇任試験は、人事委員会等の指定する職に正式に任用された職員に限り、受験することができる。

４　第十八条から第二十一条までの規定は、第一項の規定による職員の昇任試験を実施する場合について準用する。この場合において、第十八条の二中「定める受験の資格を有する全ての国民」とあるのは「指定する職に正式に任用された全ての職員」と、第二十一条中「職員の採用」とあるのは「職員の昇任」と、「採用候補者名簿」とあるのは「昇任候補者名簿」と、同条第四項中「採用すべき」とあるのは「昇任させるべき」と、同条第五項中「採用の方法」とあるのは「昇任の方法」と読み替えるものとする。

５　第十八条並びに第二十一条の二第一項及び第二項の規定は、第一項の規定による職員の昇任のための選考を実施する場合について準用する。この場合において、同条第二項中「職員の採用」とあるのは、「職員の昇任」と読み替えるものとする。

〔**趣　旨**〕

昇任は任命権者が行うのであるが（前条参照）、本条は、その際に競争試験（「昇任試験」という。）または選考を行わなければならない職を人事委員会または競争試験等を行う公平委員会が任命権者の意見を聴いて規則で定め、これらの委員会が置かれていない地方公共団体においては任命権者が定めることとし、それに伴って必要となる手続き的な事項について定めている。平成二六年（二〇一四年）法律第三四号による改正前は、人事委員会または競争試験等を行う公平委員会を置く地方公共団体における昇任は競争試験によることとされ、人事委員会または競争試験等を行う公平委員会の定める職についてこれらの委員会の承認があった場合は選考によることができるとして（改正前の法一七３）、昇任は競争試験によることを原則とし、選考による昇任を例外としていた（人事委員会または競争試験等を行う公平委員会を置かない地方公共団体にあっては任命権者が競争試験によるか選考によるかを選択できるが、いずれにもよらない昇任は想定されていなかった）。これに対し、本条は、競争試験と選考によるべき職を予め定めることとするとともに、競争試験と選考を同列においたものであり、改正前に比較して、人事委員会または競争試験等を行う公平委員会を置く地方公共団体における任命権者の権限の行使に対する制約を縮小するものとなっている。これは、国における任命権者の権限の行使の自由度を拡大する動きに倣ったものである（国公法は、昇任について競争試験も選考も必要としていない。）。

〔解　釈〕

昇任試験または選考が行われなければならないのは、人事委員会もしくは競争試験等を行う公平委員会が規則で定める職またはこれらの委員会を置かない地方公共団体の任命権者（特定地方独立行政法人にあっては理事長（地方独法法五三３による読み替え）。以下この解釈において同じ。）が定める職であるから、これら以外の職については、前条に基づいて、人事評価その他の能力の実証に基づき、任命しようとする職の属する職制上の段階の標準的な職に係る標準職務遂行能力及び当該任命しようとする職についての適性を有すると認められる者の中から行うことになる（法一五参照）。なお、前条は、能力の実証の方法として受験成績を掲げているが、昇任試験も選考も行わないときは、受験成績はないので、人事評価その他の能力の実証によることになる。ちなみに、国家公務員法における昇任は「職員の人事評価に基づき」行われるものとされ（同法五八１）、競争試験および選考の制度は導入されていない。

昇任試験については、地方公務員法第一八条から第二一条までの規定が準用されるので、それは人事委員会もしくは競争試験等を行う公平委員会またはこれらの委員会を置かない地方公共団体の任命権者（以下この解釈において「試験実施機関」という。）が実施することとなり（法一八の準用）、それは試験実施機関の指定する職に正式に任用された全ての職員に対して平等の条件で公開されなければならず（法一八の二の準用）、試験実施機関に属する者その他職員は、受験を阻害し、または受験に不当な影響を与える目的をもって特別もしくは秘密の情報を提供してはならないし（法一八条の三の準用）、試験実施機関は、受験者に必要な資格として職務の遂行上必要であって最少かつ適当な限度の客観的かつ画一的な要件を定め（法一九の準用）、受験者が、当該昇任試験に係る職の属する職制上の段階の標準的な職に係る標準職務遂行能力および当該昇任試験に係る職についての適性を有するかどうかを正確に判定することを目的として、筆記試験その他の試験実施機関が定める方法により行い（法二〇の準用）、人事委員会もしくは競争試験等を行う公平委員会が試験実施機関である場合は、試験ごとに昇任候補者名簿を作成し、任命権者は、当該名簿に記載された者の中から昇任させる者を決定することになる（法二一の準用）。

昇任のための選考については、地方公務員法第一八条ならびに第二一条の二第一項および第二項の規定が準用される。その結果、選考は、人事委員会もしくは競争試験等を行う公平委員会またはこれらの委員会を置かない地方公共団体の任命権者が行い（法一八の準用）、その目的は当該選考に係る職の属する職制上の段階の標準的な職に係る標準職務遂行能力および当該選考に係る職についての適性を有するかどうかを正確に判定することであり（法二一の二1の準用）、昇任は、任命権者が、人事委員会もしくは競争試験等を行う公平委員会またはこれらの委員会を置かない地方公共団体の任命権者が行う選考に合格した者の中から行うことになる（法二一の二2の準用）。なお、昇任は現に職員である者について行うものであることから、「国又は他の地方公共団体の採用試験又は選考に合格した者を、その職の選考に合格した者とみなす」（法二一の二3）必要はない。

昇任試験および選考のいずれについても、その共同実施または委託実施についての地方公務員法第一八条ただし書が準用されているので、人事委員会または競争試験等を行う公平委員会は、他の地方公共団体の機関との協定によりこれと共同して、または国若しくは他の地方公共団体の機関との協定によりこれらの機関に委託して、競争試験または選考を行うことができる（詳しくは法一八の〔解釈〕参照）。

（降任及び転任の方法）

第二十一条の五　任命権者は、職員を降任させる場合には、当該職員の人事評価その他の能力の実証に基づき、任命しようとする職の属する職制上の段階の標準的な職に係る標準職務遂行能力及び当該任命しようとする職についての適性を有すると認められる職に任命するものとする。

２　職員の転任は、任命権者が、職員の人事評価その他の能力の実証に基づき、任命しようとする職の属する職制上の段階の標準的な職に係る標準職務遂行能力及び当該任命しようとする職についての適性を有すると認められる者の中から行うものとする。

〔**趣　旨**〕

本条は、降任および転任の方法について定める。平成二六年（二〇一四年）法律第三四号による改正前は本条に相当する規定はなかったが、この改正で、国家公務員法に倣って、標準職務遂行能力に関する規定（法一五の二１⑤）とともに設けられたものである。国家公務員法との違いは、同法においては昇任および転任が同一の条項（同法五八１）で規定されているのに対して、地方公務員法は、昇任については第二一条の三で、転任については本条第二項で規定しているのと、国家公務員法においては、昇任、降任および転任のいずれも「人事評価に基づき」行うとしている（同法においては昇任のための競争試験および選考の制度は設けられていない。）のに対して、地方公務員法においては、降任および転任は「職員の人事評価その他の能力の実証に基づき」行うとしていることである。

〔**解　釈**〕

本条第一項は、「職員を降任させる場合」に任命すべき職について定めるが、その意に反して「職員を降任させる場合」（降任の意味については法一五の二の〔**解釈**〕参照。）に該当するのは、分限処分の事由に該当する場合だけである（法二九１）。その意に反しない降任（本人の同意を得た降任）についての定めはないが、辞職が認められるのであるから（法二七の〔**趣旨**〕参照）、これを認められないとする理由はない（辞職と同様、この降任も分限処分または懲戒処分のいずれにも該当しない。）。そして、いずれの降任の場合であっても、特定の職員について行われるものであるから、「当該職員の人事評価その他の能力の実証に基づき」（その意味については法一五の〔解釈〕参照）、「任命しようとする職の属する職制上の段階の標準的な職に係る標準職務遂行能力及び当該任命しようとする職についての適性を有すると認められる職に任命する」ことになるのであり、任命しようとする職員の職に欠員がなければ発令できないが（法一七1参照）、職員の職の欠員を補充するために降任させることは想定されていない。

本条第二項は、「職員の転任」（転任の意味については法一五の二の〔解釈〕参照）について定めるが、転任の発令は職務命令としてなされるものであり、対象となった職員はそれを拒否できない（法三二）。転任は、職員の職に欠員を生じた場合に行われるものであるから（法一七1）、「任命しようとする職の属する職制上の段階の標準的な職に係る標準職務遂行能力及び当該任命しようとする職についての適性を有すると認められる者の中から行う」ことになる。

なお、「職の属する職制上の段階の標準的な職に係る標準職務遂行能力及び当該任命しようとする職についての適性」という考え方は、採用試験の目的（法二〇1）、選考の目的（法二一の二1）および昇任の方法（法二一の三）についても採用されており、その意味については、前述したところである（法二〇の〔解釈〕一参照）。

ところで、降任および転任については、「職の属する職制上の段階の標準的な職に係る標準職務遂行能力及び当該任命しようとする職についての適性」を判断するための資料として「受験成績」は挙げられていない。これは、降任させるための試験を考える余地はないし、転任は現に任命されている職における同程度の職務遂行能力が必要とされる職への任命であるから（法一五の二1④）、その能力を確認するための試験を行うことに意味はないからである。

また、本条は、「職の属する職制上の段階の標準的な職に係る標準職務遂行能力及び当該任命しようとする職についての適性」は「職員の人事評価その他の能力の実証に基づき」判断するとしており、国家公務員法が「職員の人事評価」に基づいて判断するとしている（同法五八12）のと異なっている。この違いの理由は明確ではないが、「その他の能力の実証」に基づくことができるとされたことによって、国家公務員の場合よりも幅広い判断資料に基づくことができることになっている。

（条件付採用）

第二十二条　職員の採用は、全て条件付のものとし、当該職員がその職において六月の期間を勤務し、その間その職務を良好な成績で遂行したときに、正式のものとなるものとする。この場合において、人事委員会等は、人事委員会規則（人事委員会を置かない地方公共団体においては、地方公共団体の規則。第二十二条の四第一項及び第二十二条の五第一項において同じ。）で定めるところにより、条件付採用の期間を一年を超えない範囲内で延長することができる。

〔趣　旨〕

一　条件付採用の意義

本条が定める条件付採用は、競争試験または選考において示された職務遂行の能力を実務を通じて確認するための制度であり、この期間中の職員に、分限の規定および不利益処分に対する審査請求の規定（行政不服審査法を含む。）が適用されず、分限について条例で必要な事項を定めることができるとされている（法二九の二参照）。

職員の採用は、競争試験または選考の方法による能力の実証を経て行われるものであるが、これらの方法は、実際の勤務環境とは異なる環境の中で、書面により、あるいは限定された時間内で行われるものであり、そこでの実証の程度には限界がある。そこで、現実の職場における勤務の中で、職務遂行の能力を観察し、それが確認されたときに正式採用とするというのが条件付採用の制度であり、その趣旨、目的は、「いつたん採用された職員の中に適格性を欠く者があるときは、その排除を容易にし、もつて、職員の採用を能力の実証に基づいて行うとの成績主義の原則（法三三1参照）を貫徹しようとするにあると解される」（最高裁昭四九・一二・一七判決　判例時報七六八号一〇三頁）のである。

二　実地の勤務による能力の実証

競争試験または選考によって採用された職員は、これらの手続を経て、学力、知識、人物性行、体力、適性などについての一応の能力の実証を得ているのであるが、職務の遂行能力を真に有するかどうかは実務に携わってはじめて明らかになる場合も少なくない。そこで実地の勤務について能力の実証を行うために設けられたのが条件付採用制度であり、民間企業でも同じ趣旨に基づき試用期間を設けるものが少なくない。条件付採用期間は、正式採用のための能力の実証がなされている期間であるから、もし能力が十分に実証されないときは正式に採用されないこととなることは当然であり、その際は職員の身分を失うことにならざるを得ないため、正式採用職員のような身分保障はなく、一定期間は解雇予告の制度も適用されない（労基法二一④）が、〔解釈〕一で述べるように、その他の点では正式採用された職員と同じ取扱いを受ける。

このように任用を条件付とすることについては、採用以外の任用、たとえば、昇任や転任についても条件付とすべきではないかという問題がある。国家公務員法においては、採用だけでなく昇任についても条件付任用期間が設けられているが（国公法五九1）、採用の場合だけに身分保障の適用除外がなされており（国公法八一1②）、昇任については、条件付とはいいながら身分保障がなされていて首尾一貫していない。地方公務員法も制定当初は国家公務員法と同じ制度をとっていたが、昭和二九年（一九五四年）の改正によって現在のように採用についてのみ条件付とすることとされた。立法論としては、採用とともに昇任についてもより上位の職における能力を実証させるため条件付期間を設けることが適当であると思われるが、すべての身分保障を除外することは採用の場合と違っていささか行き過ぎであるから、昇任は、一定期間条件付とし、その間についてのみ昇任後の職についての身分保障を行わないものとすることが妥当であろう。

〔解　釈〕

一　条件付採用期間の意義

職員の任用のうち、採用については、実地に能力を実証する必要があるため、条件付のものとされる（本条前段）。「条件付」の意味は正式採用ではないこと、すなわち、条件付採用期間中は身分保障について定める地方公務員法第二七条第二項、第二八条第一項から第三項まで、第四九条第一項および第二項ならびに行政不服審査法の規定が適用されず（法二九の二1①）、条件付採用期間が満了するまでは労働基準法が定める解雇に関する一般原則に従って免職することができること、およびその職務を良好な成績で遂行できなかったときは、正式のものとならない（失職する）ことである（法二九の二1①）。この条件は、採用についての法定の付款であり、その期間を勤務し、その間その職務を良好な成績で遂行するという条件が成就したときに正式の採用となるものであり、当然には任用を継続しないことを前提とするものであるはずである。しかし、実際には、採用された職員は、継続的に任用されることが原則であるとの運用が行われており、十分能力の実証がなされなかった場合にのみ免職され（法二九条の二〔解釈〕一参照）、正式の採用となるための別段の通知または発令行為を要しない（高知地裁昭三六・二・二四判決　行裁集一二巻二号三三三頁）という形で理解されている（人事院規則八－一二（職員の任免）三二条二項は、「条件付任用期間の終了前に任命権者が別段の措置をしない限り、その期間が終了した日の翌日において、職員の採用又は昇任は、正式のものとなる。」としている。）。このため、条件付採用期間満了時までその職務を良好な成績で遂行できなかった者に対して「免職」の発令がなされるのが通例となっているが、この場合の「免職」は正式採用とならないこと、すなわち、採用の効力を将来に向かって失わせることを意味するものであり、地方公務員法第二八条第一項における「免職」とは意味が異なる。ただ、ここで注意しなければならないのは、条件付採用期間は、正式に任用された職員として勤務を継続できるように教育や訓練をする期間でもあり、任命権者（上司）がそれを怠っていた場合には、良好な成績で遂行できなかったことを理由とする「免職」が認められない場合があることである。なお、条件付採用期間中は、地方公務員法が定める分限の規定が適用されないだけであり、懲戒について定める同法二九条の規定は適用される。

地方公務員法による条件付採用の期間は、それが延長される場合を除き、採用の日から六カ月（会計年度任用職員については一月）である。採用は、発令の日の午前零時から始まると解されるので、採用の日はその期間に算入され（民法一四〇但し書）、暦に従って計算した六カ月後の発令応当日の前日を以て満了する（民法一四三）。この期間は、人事委員会または競争試験等を行う公平委員会（これらの委員会を置かない地方公共団体では任命権者（法一七の二3）、特定地方独立行政法人にあっては理事長（地方独法五三3による読み替え））が一年に至るまで延長することができるが（本項後段）、これを漠然と延長することはそれだけ職員の身分関係を不安定なものにすることになるので、能力の実証を実地に得るために必要な合理的な理由がある場合に限って延長することができるものと解される。延長した場合の最長期間を一年に限ったのも職員の身分の不安定を避ける趣旨である。条件付採用期間を延長する場合については人事委員会規則の案が示されており（通知昭二七・一二・四　自丙行発第五二号別紙三）、そこでは、「職員が条件付採用の期間の開始後六月間において実際に勤務した日数が九〇日に満たない場合においては、その日数が九〇日に達するまでその条件付採用の期間を延長するものとする。ただし、条件付採用の期間の開始後一年を超えることとなる場合においては、この限りでない。」とされている。

条件付採用の制度は、能力を実地に実証するものであるから、この制度の原則である六カ月の約半分の九〇日に満たない勤務日数しかないときは、九〇日に至るまで能力の実証を行うこととしたものであり、この勤務日数不足の場合以外に条件付採用期間を延長しなければならない事由はとくにないといってよいであろう。また、勤務実績の評価は任命権者の責任で行うべきものであるから、その評価ができないことを理由としてこの期間を延長することは、職員の身分の不安定な期間を任命権者の都合で延長することになり、許されない。なお、この規則案は、人事委員会または競争試験等を行う公平委員会が定める場合のものであり、任命権者が延長を行う場合もその事由を客観的に明示するため、これに準じて規程を定めておくことが適当である。

二　条件付採用期間中の職員の身分取扱い

これまで述べてきたように、条件付採用期間中の職員は、正式採用された職員と異なり、分限による身分保障を与えられないが、それ以外の身分取扱いは、正式採用職員とおおむね同じである。その主な点は、次のとおりである。

1　分限および不利益処分に関する審査請求　　条件付採用期間中の職員には、地方公務員法第二七条第二項、第二八条第一項から第三項まで、第四九条第一項および第二項ならびに行政不服審査法の規定は適用されないが、その意味については第二九条の二の〔解釈〕で詳述する。

２　服務および懲戒　　条件付採用期間中の職員に対する服務規律に関する規定の適用は、正式採用の職員と全く同じであり、その違反に対して地方公務員法第二九条の規定に基づいて懲戒処分を行うことができる。

３　勤務条件に関する措置要求　　条件付採用期間中の職員の勤務条件は正式採用職員と同一であり、その勤務条件について不満があるときは、人事委員会または公平委員会に対し勤務条件に関する措置要求（法四六～四八）をすることができる。

４　職名、任用、給与など　　条件付採用期間中の職員であっても、主事、教諭などの職名は正式採用の職員と変わるところはない（文部省実例昭二六・五・二一　文調地第一七二号）。また、条件付採用の職員が正式採用となるためには、「その職において」六カ月を勤務することとされているが、これは条件付採用期間中の職員の転任、昇任および降任を禁ずる趣旨ではないと解される。ただ、このような異動があった場合も、採用の日から六カ月間で条件付採用期間は終了する。次に、給料の級および号給の決定については、労働基準法では正規の雇用者と異なる取扱いをすることも予想しているようであるが（労基法一二３⑤）、職員については正式採用の場合と同様に扱われるべきである。能力の実証中の者であっても、勤務の内容は正式採用職員と同様であるからである。また、条件付採用期間中の職員の昇任や昇給も法律上は可能であると解されるが、現実には、昇任は給与制度における昇格を伴うものであり、昇格は現在の級に一定年限以上在任していたことが必要とされ、昇給は前一年間におけるその者の勤務成績に応じて行われるものであり（第二五条の〔解釈〕三㈠オカ参照）、条件付採用の期間は最長で一年間とされるのであるから、この期間中に昇任や昇給の対象となる余地はない。

５　給料以外の勤務条件　　条件付採用期間中の職員の給料以外の勤務条件、各種手当、勤務時間、休日、休暇等についても正式採用職員と同一の取扱いとすることが適当である。その期間は退職手当の算定の基礎となる期間に算入されるものであり、また、地方職員の共済組合の組合員としての完全な資格を有するものである（地共済法三九１）。

６　労働基本権　　条件付採用期間中の職員は、同種の職員と同一の労働基本権を有する。すなわち、その職種に応じて職員団体または労働組合を結成し、または加入することができ、その加入は職員団体の登録要件（法五三４本文）や労働組合の要件（労組法二、五）になんら影響を及ぼすものではない。

三　条件付採用期間の特例

本条の条件付採用期間については、法律上または解釈上次のような特例がある。

1　教育公務員の特例　まず、公立の小学校、中学校、高等学校などの教諭などとして採用されたものは、一年間の初任者研修を受けなければならないが（教特法二三）、これに対応して本条の「六月」の条件付採用期間は、これらの職員については一年とされている（教特法一二1）。研修は能率増進のための制度であり、条件付採用制度は能力の実証のための制度であってそれぞれ目的を異にするものであるから、研修のために安易に条件付採用期間を延長することは立法論として問題であろう。なお、本条の期間の延長の限度である「一年」については読替規定がないので、これらの職員については条件付採用期間の延長制度は適用されない。次に、県費負担教職員については、都道府県教育委員会（免職及び採用に関する事務を行う市町村教育委員会を含む。）は、地方公務員法第二七条第二項および第二八条第一項の分限の規定にかかわらず、管下の市町村のこれらの職員を免職し、引き続き管下の他の市町村の県費負担教職員として採用することができるが、その場合の採用については、すでに前の市町村で正式採用になっている者については本条の条件付採用の制度は適用にならない（地教行法四〇）。また、県費負担教職員のほか、公立の小学校等の校長または教員ですでに正式任用になっている者が、引き続き同一都道府県内の前記公立学校の校長または教員に採用された場合も本条の条件付採用の制度は適用にならない（教特法一二2）。これらの教職員は、当該都道府県内ではすでに実地に能力の実証が得られていると考えられるからである。

2　市町村合併の場合など　市町村の合併が行われ、消滅する市町村の職員が合併後の市町村に引き継がれた場合の採用について、最高裁判所の判例は、旧町村合併促進法（昭二八法二五八）による町村合併により旧町村の正式採用職員であった者が新町の職員として任命された場合には、本法第二二条の規定は適用にならないとしている（最高裁昭三五・七・二一判決判例時報二三〇号一三頁）。その後の市町村の合併の特例に関する法律（昭四〇法六）および市町村の合併の特例に関する法律（平一六法五九）による合併の場合も同様に解することになろう。また、あらたに政令指定都市の指定があった場合には、都道府県から政令指定都市への事務の移管に伴って、それに従事している職員の引継ぎが行われるので、その場合には、都道府県で正式任用されていた職員は指定都市の職員にそのまま正式任用され、条件付採用期間中の職員は指定都市に条件付採用となり、前後の期間が通算されることが法令上明記されている（自治法二五二の二一、指定都市又は中核市の指定があった場合における必要な事項を定める政令一）。

（会計年度任用職員の採用の方法等）

第二十二条の二　次に掲げる職員（以下この条において「会計年度任用職員」という。）の採用は、第十七条の二第一項及び第二項の規定にかかわらず、競争試験又は選考によるものとする。

一　一会計年度を超えない範囲内で置かれる非常勤の職（第二十二条の四第一項に規定する短時間勤務の職を除く。）（次号において「会計年度任用の職」という。）を占める職員であつて、その一週間当たりの通常の勤務時間が常時勤務を要する職を占める職員の一週間当たりの通常の勤務時間に比し短い時間であるもの

二　会計年度任用の職を占める職員であつて、その一週間当たりの通常の勤務時間が常時勤務を要する職を占める職員の一週間当たりの通常の勤務時間と同一の時間であるもの

2　会計年度任用職員の任期は、その採用の日から同日の属する会計年度の末日までの期間の範囲内で任命権者が定める。

3　任命権者は、前二項の規定により会計年度任用職員を採用する場合には、当該会計年度任用職員にその任期を明示しなければならない。

4　任命権者は、会計年度任用職員の任期が第二項に規定する期間に満たない場合には、当該会計年度任用職員の勤務実績を考慮した上で、当該期間の範囲内において、その任期を更新することができる。

5　第三項の規定は、前項の規定により任期を更新する場合について準用する。

6　任命権者は、会計年度任用職員の採用又は任期の更新に当たつては、職務の遂行に必要かつ十分な任期を定めるものと

し、必要以上に短い任期を定めることにより、採用又は任期の更新を反復して行うことのないよう配慮しなければならない。

7　会計年度任用職員に対する前条の規定の適用については、同条中「六月」とあるのは、「一月」とする。

〔趣　旨〕

本条は、従前から本書においても繰り返し指摘してきたいわゆる常勤的非常勤職員の問題を解決するために、平成二九年（二〇一七年）の地方公務員法及び地方自治法の一部を改正する法律（法律第二九号）によって新設されたものであり、約三年の準備期間を置いて、令和二年（二〇二〇年）四月一日から施行されている。すなわち、多くの地方公共団体においては、繁閑の差の大きい事務事業に対処し、または増大する行政需要に応じつつ、定数や給与の抑制を図るために地方公務員法第三条第三項第三号の臨時もしくは非常勤の職または同法第二二条第二項の臨時の職への採用を拡大し、その総数は、総務省の調査においても、平成一七年（二〇〇五年）四月の四五・六万人から同二八年（二〇一六年）四月には六四・五万人へと増加し、これらの者の約五五％の者の勤務時間は、非常勤職員を常勤職員と区別するメルクマールとされる常勤職員の通常の勤務時間の四分の三を超えており、制度的な対策が急務となっていたものである。

本条は、地方公務員法第三条第三項第三号に該当する特別職の定義を明確にすることによって、従来の解釈による特別職非常勤職員の拡大を厳しく制限し（第三条の〔解釈〕三5参照）、従前の同法第二二条の三第二項および第五項を改正し（改正後は第二二条の三第一項および第四項となる。）、臨時的任用を行うことができる要件を常時勤務を要する職員に欠員を生じた場合に限定したこと（法二二の三の〔趣旨〕一参照）とセットになるものであり、従前のいわゆる常勤的非常勤職員の法的位置づけを明確にすることを意図したものである。この結果、従前のいわゆる常勤的非常勤職員は、地方公務員法が定める臨時的任用職員及び会計年度任用職員、任期付職員採用法による任期付職員のいずれかに位置づけられることになり、特別職として取り扱うことはできないこととなった。ただ、いわゆる常勤的非常勤が常態化したのは、人件費抑制と職員数削減を目標とした行政運営がなされた結果であることを考えると、会計年度任用職員制度の導入によってこれらの問題が抜本的に解決されるわけではなく、最悪の場合は常勤的会計年度任用職員という問題が発生することもあり得ることを認識しておくことが必要であろう。

職員は、定年による退職（法二八の六1）の場合を除いて、分限免職（法二八1）もしくは懲戒免職（法二九1）または条件付採用期間期間中の免職もしくは当該期間満了時の免職（法二七2、二九の二1①）によらなければ、退職させられることはない（法二七2 3）こと等からすると、職員の任用を無期限（期限の定めがないことを意味する）とするのが地方公務員法の建前である（最高裁昭八・四・二判決　判例タイムズ一四六号六二頁）。また、任命権者は、職員となった者に対して、初任研修を行ったうえで、各所属に配属し、そこで当該所属における業務及び全所属に共通する業務を習得させ（「職場研修（オンザジョブトレーニング）」の一種である。）、一定期間経過後には別の所属に異動させ（これを「人事ローテーション」という。）、順次昇任させるのが通例である（この全体を「人事システム」という。）。すなわち、職員は、いわゆる終身雇用を前提として採用され、組織内部において職務に必要な知識を習得し、経験を積むことによって、より上位の職制上の段階の職の職務を遂行する能力を身につけることが期待されているのが通常であり、このような職員の任用は、必然的に、相当な期間の勤務を前提とすることになる。そうであるならば、人事ローテーションや昇任を予定しない職員（特別の習熟、知識、技術又は経験を必要としない代替的事務を担当する職員が代表的なものであるが、それに限られないであろう。）については、勤務期間の制限があることを明示して採用することも、地方公務員法の建前に反することにはならない（最高裁平六・七・一四判決（判例時報一五一九号）参照）という理論を前提として、現場における必要性を考慮したうえで設けられたのが本条の会計年度任用職員の制度だということができよう。

〔解　釈〕

一　会計年度任用職員

㈠　非常勤の職

本条一項は、「会計年度任用職員」を定義するにあたり、「会計年度任用の職」を「一会計年度を超えない範囲内で置かれる非常勤の職（第二十二条の四第一項に規定する短時間勤務の職を除く。）」と定義している。このことに関して、行政解釈

（平成二九年八月二三日付け、各都道府県知事等宛て総務省自治行政局公務員部長通知）は、常時勤務を要する職と非常勤の職の関係を次のように整理している。

ア　常時勤務を要する職

以下の(ア)及び(イ)のいずれの要件も満たす職。

(ア)　相当の期間任用される職員を就けるべき業務に従事する職であること（従事する業務の性質に関する要件）

(イ)　フルタイム勤務とすべき標準的な業務の量がある職であること（勤務時間に関する要件）

【当該職に就くべき職員】

・任期の定めのない常勤職員

（地方公務員の育児休業等に関する法律（以下「地方公務員育児休業法」という。）に基づく育児短時間勤務職員を含む。）

・任期付職員

・再任用職員（令和三年法律第六三号による地方公務員法の改正によってこの職は廃止されている。なお、同法の施行に伴う経過措置については、第二二条の四の【経過措置】で述べる。）

・臨時的任用職員

イ　非常勤の職

上記ア以外の職。

当該職は「短時間勤務の職」と「会計年度任用の職」がある。

このうち、「会計年度任用の職」は、標準的な業務の量によって、「フルタイムの職」と「パートタイムの職」に分けられる。

【当該職に就くべき職員】

〈短時間勤務の職〉

(ア)の要件を満たし(イ)の要件を満たさないもの

・任期付短時間勤務職員

・再任用短時間勤務職員

(イ)の要件を満たし(ア)の要件を満たさないもの

・フルタイムの会計年度任用職員

(ア)及び(イ)のいずれの要件も満たさないもの

・パートタイムの会計年度任用職員

〈会計年度任用の職〉

ここで常時勤務を要する職（常勤職員の職）として、相当の期間任用される職員を就けるべき業務に従事する職であることを掲げているのは、**〔趣旨〕**で述べた人事システムを意識したものと思われ、任期の定めのない常勤職員がそれに該当するのは当然のことである。また、育児短時間勤務職員、任期付任用職員および臨時的任用職員は、それぞれ、特別の法律上の根拠に基づいて、常時勤務を要する職と同等の職に任用されるものであり（任期付職員採用法九等による法二八の五３の適用除外）、上記の区分とは関係がない。なお、本条がいう非常勤の職には、地方公務員法第二二条の四第一項に規定する短時間勤務の職が含まれないとされるが、これは、同条が規定する短時間勤務の職には会計年度任用職員を採用できないことを意味する。

ところで、上記の行政解釈は、非常勤の職として「上記ア以外の職。当該職は「短時間勤務の職」と「会計年度任用の職」がある。」とするが、定数や給与における常勤と非常勤の区別は、一日または一月の勤務時間または年間の勤務日数という形式的な基準（上記行政解釈におけるア(イ)の「勤務時間に関する要件」）によってなされるのが通常である（第三条の**〔趣旨〕**二(一)１参照）。これに対して、本条における「非常勤」というのは、従事する業務の性質（上記行政解釈におけるア(ア)の要件）を判断の基準としており、これは、常勤と非常勤の区別に**〔趣旨〕**で述べた人事システムが適用されない職員という実質的な要件を持ち込んだものであり、定数や給与における場合と異なるものであると理解される。なお、会計年度任用職員の任期の最長は一年であるから、それを条例定数に含める必要はない（法三条の〔趣旨〕二(一)2参照）のは当然のことであるが、上記ア以外の職には、オリンピックや万国博覧会のようなプロジェクトのために、一定の期間に限って必要な業務に従事する職もあり、そのための会計年度を超える任期付採用を否定する必要はないであろう（第一七条の〔趣旨〕四参照）。

二　会計年度パートタイム職員と会計年度フルタイム職員

会計年度任用職員というのは、「一会計年度を超えない範囲内で置かれる非常勤の職（第二二条の四第一項に規定する短時間勤務の職を除く。）を占める職員」のことであり、その一週間当たりの通常の勤務時間を常時勤務を要する職を占める職員の一週間当たりの通常の勤務時間と比較して、短い時間のものと同一の時間のものがある（本条1）。そして、前者を「会計年度パートタイム職員」と、後者を「会計年度フルタイム職員」と称するのが一般的である。

一週間当たりの通常の勤務時間を常時勤務を要する職を占める職員の一週間当たりの通常の勤務時間と比較し、それよりも短い勤務時間の職であって、常時勤務を要する職の職務と同種のもの（「短時間勤務の職」と称される。）への採用は、定年退職者の再任用の場合に限られるのが原則である（法二二の四4）。この例外としては、地方公共団体の一般職の任期付職員の採用に関する法律及び地方公務員の育児休業等に関する法律に基づく短時間勤務の職への採用があるが（任期付職員採用法九、地公育児休業法一八6）、会計年度任用職員については、そのような例外は認められていない。したがって、会計年度任用職員を短時間勤務の職に充てることはできないこととなる結果、地方公共団体の一般職の任期付職員の採用に関する法律第五条第二項が定める「住民に対して職員により直接提供されるサービスについて、その提供時間を延長し、若しくは繁忙時における提供体制を充実し、又はその延長した提供時間若しくは充実した提供体制を維持する必要がある場合」には、会計年度任用職員を採用することはできないこととなる（第一七条の〔解釈〕二1参照）。しかし、延長保育の必要に応じるための保育士などについてまで、この考え方を貫くことができるかは極めて疑問であり、任期付職員の制度との調整が必要となる。

なお、勤務時間が「常時勤務を要する職を占める職員の一週間当たりの通常の勤務時間に比し短い」の意味については第一七条の〔解釈〕二㈡で詳しく述べた。

ところで、会計年度任用職員の制度の導入と併せて給与について定める地方自治法が改正され、会計年度パートタイム職員に対し報酬を支給しなければならず、期末手当を支給することができ（同法二〇三の二１４）、会計年度フルタイム職員に給料および旅費を支給しなければならならず、各種の手当てを支給することができる（同法二〇四）とされている（詳しくは第二五条の〔解釈〕三及び四参照）。なお、会計年度パートタイム職員に勤勉手当を支給することができ、その額および支給方法は条例で定めることとする地方自治法二〇三条の二第四項および第五項の改正が令和五年法律第一九号によってなされ、令和六年四月一日から施行されることとなっている。

三　会計年度任用職員の採用および任期

一般に、職員の採用は、人事委員会または競争試験等を行う公平委員会がそれぞれの規則で定める場合に限って選考によることができるのであるが（法一七の二１）、会計年度任用職員の採用については、任命権者が競争試験または選考のいずれによるかを決定する（本条１柱書）。また、会計年度任用職員の任期についても、人事委員会または競争試験等を行う公平委員会が置かれているか否かに関係なく、その採用の日から同日の属する会計年度の末日までの期間の範囲内で任命権者が定めるとされている（本条２）。

そして、任命権者は、会計年度任用職員を採用する場合には、当該会計年度任用職員にその任期を明示しなければならない（本条３）が、その任期が当該会計年度の末日よりも前に設定されている場合には、任命権者は、当該会計年度任用職員の勤務実績を考慮したうえで、当該会計年度の末日までの範囲内において、更新後の任期を明示したうえで、その任期を更新することができる（本条４、５）。

ところで、「任命権者は、会計年度任用職員の採用又は任期の更新に当たつては、職務の遂行に必要かつ十分な任期を定めるものとし、必要以上に短い任期を定めることにより、採用又は任期の更新を反復して行うことのないよう配慮しなければならない」（本条６）とされるが、会計年度末の到来によって任期満了となった者について、再度同一職務内容の職に任用されることがあり得るというのが行政解釈である（会計年度任用職員制度の導入等に向けた事務処理マニュアル（平成二九年八月　総務省自治行政局公務員部））。この行政解釈においては、この再度の任用は、「同じ職の任用が延長された」あるいは「同一の職に再度任用された」という意味ではなく、「あくまで新たな職に改めて任用されたと整理されるべきもの」であり、繰り返し任用されても再度任用の保障既得権が発生するものではなく、任期ごとに客観的な能力実証に基づき当該職に従事する十分な能力を持った者を任用することが求められているとされているが、再度の任用の際の選考においては、公募は法律上必須ではないが、できる限り広く募集を行うことが望ましいとしたうえで、公募によらず従前の勤務実績に基づく能力の実証により再度の任用を行うのは原則二回までとすべきことを示唆していたが、会計年度任用職員の制度が導入されてから三回目の再任用の時期を翌年に控えた令和四年一二月二三日には、次のような公務員部長通知（各都道府県知事、各指定都市市長及び各人事委員会委員長宛　会計年度任用職員制度の適正な運用等について）が発せられている。

「再度の任用を想定する場合の能力実証及び募集については、各地方公共団体において、平等取扱いの原則及び成績主義を踏まえ、地域の実情等に応じつつ、適切に対応いただきたいこと。

なお、前年度に同一の職務内容の職に任用されていた者について、客観的な能力の実証の一要素として、前の任期における勤務実績を考慮して選考を行うことは可能であること。

また、結果として複数回の任用が繰り返された後に、再度の任用を行わないこととする場合には、事前に十分な説明を行う、他に応募可能な求人を紹介する等配慮をすることが望ましいこと」

さらに、再度の任用における給与決定は経験年数を考慮して行うとされていること（前記事務処理マニュアルＱ13－4）からすると、「あくまで新たな職に改めて任用されたと整理されるべきもの」というのは建前にすぎず、常勤的会計年度任用職員というべき新たな問題が発生しかねないことが懸念される。

なお、会計年度任用職員についても条件付採用の制度が適用になり、その期間は「一月」とされる（本条7）。しかし、解雇に際しては三〇日前に予告をしなければならない（労基法二〇）ことを別としても、勤務実績を見極め、職員の言い分を聞くという通常の手続きを考えるときは、一月という期間は余りに短い。

（臨時的任用）

第二十二条の三　人事委員会を置く地方公共団体においては、任命権者は、人事委員会規則で定めるところにより、常時勤務を要する職に欠員を生じた場合において、緊急のとき、臨時の職に関するとき、又は採用候補者名簿（第二十一条の四第四項において読み替えて準用する第二十一条第一項に規定する昇任候補者名簿を含む。）がないときは、人事委員会の承認を得て、六月を超えない期間で臨時的任用を行うことができる。この場合において、任命権者は、人事委員会の承認を得て、当該臨時的任用を六月を超えない期間で更新することができるが、再度更新することはできない。

2　前項の場合において、人事委員会は、臨時的に任用される者の資格要件を定めることができる。

3　人事委員会は、前二項の規定に違反する臨時的任用を取り消すことができる。

4　人事委員会を置かない地方公共団体においては、任命権者は、地方公共団体の規則で定めるところにより、常時勤務を要する職に欠員を生じた場合において、緊急のとき、又は臨時の職に関するときは、六月を超えない期間で臨時的任用を行うことができる。この場合において、任命権者は、当該臨時的任用を六月を超えない期間で更新することができるが、再度更新することはできない。

5　臨時的任用は、正式任用に際して、いかなる優先権をも与えるものではない。

6　前各項に定めるもののほか、臨時的に任用された職員に対しては、この法律を適用する。

〔**趣　旨**〕

臨時的任用の意義

本条が定める臨時的任用は、常時勤務を要する職に欠員を生じた場合において、臨時的な事務若しくは一時的な事務の増加に対処し（臨時の職に関する場合）、または正式な任用手続をとるいとまがないとき（緊急の場合および任用候補者名簿がない場合）の便宜的な制度であり、臨時的任用職員については、分限の規定および不利益処分に対する審査請求の規定（行政不服審査法を含む。）が適用されず、分限について条例で必要な事項を定めることができるとされている（法二九の二参照）。

地方公共団体は、時期により、また職務の性質によって事務事業に繁閑の差がある。これらの事務事業を円滑に処理するに当たっては、その計画的処理、合理化、機械化による能率の向上、外部委託の活用などにより、できる限り地方公共団体の人員増をもたらすことのないよう努力しなければならない。しかし、それにもかかわらず、人員増によって対処せざるを得ない場合もあり、その場合においても、正式任用の職員を増員することは身分保障による人事行政の硬直化と行政経費の継続的な肥大化を招来しがちであるので、できるだけ避けなければならない。そこで人事行政を弾力的に行う便法として臨時的任用の制度が設けられ、厳格な条件の下に、一時的な人員増に対処できるようになっている。

しかしながら、こうした便法をさらに安易に用い、またその運用をルーズに行った結果、いわゆる「常勤的非常勤職員」と呼ばれる身分取扱いの不明確な、当局にとっても本人にとっても問題がきわめて多い職員が生じるようになった。これは「定数外職員」とも称されるが、地方公共団体の事務量が急激に増加したにもかかわらず、条例定数を増加することなく、臨時職員の名の下に事実上恒久的な職への採用が行われたり、財政的な理由で条例定数（常勤の職員数）を減少させ、不足分を非常勤職員で補ったり、事務の便宜のために一時的な採用であった者が任用の更新を重ねて結果的に長期在職することとなったことなどによって発生したものである。なお、健康保険法の適用を免れるため県がその外部団体との間で同一人を交互に雇用していたとして県労働局の指導を受けたという例もある（平成一七年一月一五日付日本経済新聞朝刊）。

これらの常勤的非常勤職員（常勤職員と非常勤職員の意味については法第三条の【趣旨】二㈠参照）または定数外職員は、地方公務員法第一七条第一項の規定により期限付で正式任用されたものとも、本条第二項または第五項によって臨時的に任用された者が事実上法の範囲を超えて継続的に任用されてきたともいわれるが、実際はこのような明確な意識の下に任用されたのではなく、両条の埒外で安易に任用された「第三の地方公務員」とでもいうべきものであるように思われる。このような職員は、昭和三〇年代のはじめには地方公共団体だけでなく、国にも存在し、その取扱いが問題となった結果、国では昭和三二年以降逐次その解消が図られ、地方公共団体においてもこれにならって、その是正が行われるようになった。さらに昭和三六年二月二八日、国家公務員の定員外職員の常勤化の防止について閣議決定が行われ、これに対応して地方公共団体の定数外職員については、昭和三六年度地方財政計画で一定の範囲内で定数化のための財政措置を講ずることとし、また、同年七月一一日に自治事務次官名の通知（自治乙公発第二五号）により、これらの職員を定数化する場合の選考基準が示された。その選考基準を要約すると次の三点である。

(1)　相当長期間勤務していること。

(2)　勤務実績が良好であること。

(3)　任用しようとする職の職務遂行能力を有することが適正な方法により実証されること。

この方針に従って各地方公共団体で定数外職員（常勤的非常勤職員）の定数化が計画的に進められ、多くの地方公共団体ではこの問題は解決されたが、その後もなお常勤的非常勤職員がそのままにされている地方公共団体があり、また、前記通知で今後定数外職員が発生することのないよう厳しく指導されているにもかかわらず、あらたに常勤的非常勤職員が発生した地方公共団体もある。このような状況を改めるため、平成二九年（二〇一七年）法律第二九号によって、特別職の要件を明確にすること（第三条の〔解釈〕三５参照）とあわせて、本条による臨時的任用ができる場合を「常時勤務を要する職に欠員を生じた場合」に限ることとされた。

〔解釈〕

一　臨時的任用を行うことができる場合

本条による臨時的任用は地方公務員法第一七条の正式任用の特例であり（行実昭三一・九・一七　自丁公発第一三一号）、それを行うことができるのは一定の場合に限定されている。すなわち、常時勤務を要する職に欠員が生じた場合において人事委員会または競争試験等を行う公平委員会を置く地方公共団体にあっては、(1)緊急のとき、(2)臨時の職に関するときおよび(3)採用候補者名簿または昇任候補者名簿がないときに限られ（本条1）、これらの委員会を置かない地方公共団体にあっては、⑴緊急の場合および⑵臨時の職に関する場合に限られる（本条4）。なお、地方公務員法は、その第二六条の六第七項から第一〇項に配偶者同行休業に伴う臨時的任用についての定めを置いているが、それについては同条の説明で述べる。

ところで、臨時的任用が可能なのは「常時勤務を要する職に欠員を生じた場合」に限られることになった結果、本条第一項による臨時的任用職員の勤務時間は、当該欠員となった職に就くべき職員の勤務時間と同じでなければならず、それよりも短い勤務時間とすることはできないこととなっている（なお、「常時勤務を要する職」の意味については、第一七条の〔解釈〕一、第二二条の〔解釈〕二、第二二条の二の〔解釈〕一参照）。そして、本条第一項は、臨時的任用ができる「とき」として、次の三つを定めている。

1　緊急のとき　地方公務員法第一七条の任用の手続をとるいとまがなく、緊急に職員を採用する必要がある場合である。具体的にはさまざまな事例が想定されようが、たとえば、災害が発生し、その復旧に緊急の人手を要する場合、年度中途に施設が完成して供用され、正規の職員を補充するまでとりあえず要員を充足する必要がある場合などが該当する。緊急を要する場合であれば、２の臨時の職に限られるものでなく、恒久的な職に臨時的任用職員を充ててもさしつかえない。実際には、災害時のように、緊急かつ臨時の職に関する場合が少なくないと思われる。

2　臨時の職に関するとき　職自体の存続期間が暫定的である場合には、臨時的任用職員をその職に充てることが実際的である。「臨時の職」とは恒久的な職に対立する概念であり、非常勤の職とともに条例定数外の職である（自治法一七二3但し書参照）が、いかなる存続期間の職が臨時の職であるかは必ずしも明らかではない。本条の臨時的任用が一年を限度とすることにかんがみ、一年以内の期間存続することが予定されているものが該当するといってよいであろう（行実昭二八・七・三　自行公発第一三二号）。具体的には、地方公共団体の業務が一時的に多忙となる時期に雇用されるいわゆるアルバイトやパート・タイマー、災害その他の緊急時に一時的に雇用される労務者などが該当する。人事上の運用としては、このような一時的に増大した事務を処理するためには、臨時の職について臨時的任用を行うか、民間その他外部に発注するか、他の執行機関や地方公共団体からの派遣その他の協力を求めるか、時宜に応じ、また、利害得失を考慮して決定すべきものである。なお、一年を超える業務の拡大に対処する必要がある場合は、臨時的任用によるのではなく、期限付きの正規採用によるべきであり（任期付職員採用法四参照）、安易にこの制度によるときは、第二二条の二の〔解釈〕三で述べた「常勤的非常勤職員」の問題を拡大させることになる。

３　採用候補者名簿などがないとき　人事委員会または競争試験等を行う公平委員会を置く地方公共団体においてその職に関する採用候補者名簿または昇任候補者名簿がない場合であり、地方公務員法第二一条の二第三項の場合と同様に、競争試験が行われなかった場合、名簿は作成されたが名簿登載者がすべて任用された場合、残りの候補者がすべて採用を辞退した場合（昇任を拒むことができないことについては、法一五条の二の〔解釈〕二参照）などを指す。運用としては、人事委員会または競争試験等を行う公平委員会は名簿登載者が不足するときなどは他のもっとも適当な採用候補者名簿に記載された者を加えて提示すること（法二一4）、あるいは国または他の地方公共団体の採用試験または選考に合格した者をその職の選考に合格したものとみなすこと（法二一の二3）も可能であるので、これらの方法により正式任用を行うか、本条により臨時的任用を行うかを適切に判断する必要があろう。

臨時的任用は、以上の場合に限って行うことができるものであるが、これはいずれも通常の事務事業に要する職に充てる場合であり、高度の知識や技術を必要とする臨時的な職に充てる場合は、本条の臨時的任用ではなく、地方公務員法第三条第三項第三号に基づく特別職または地方公共団体の一般職の任期付職員の採用に関する法律第三条第一項および第二項に基づく任期付職員としての任用を行うべきである。また、試験に合格した職員を臨時的任用職員として採用し、一定期間後に正式任用するようなことも時に行われているようであるが、正式任用と臨時的任用を混同することはきわめて不適当な運用である。

二　臨時的任用の手続

人事委員会または競争試験等を行う公平委員会を置く地方公共団体においては、任命権者が臨時的任用を行うには、㈠で述べた要件に該当する場合でなければならないほか、これらの委員会の規則で定めるところにより、これらの委員会の承認を得なければならない（本条１）。また、人事委員会または競争試験等を行う公平委員会は、臨時的任用される者の資格要件を定めることができる（本条２）。

人事委員会または競争試験等を行う公平委員会は臨時的任用の承認を行うのであるが、その承認は、個々の職員の任用についての承認ではなく、職についての承認、たとえば、臨時の災害復旧のための職員の職、決算事務のための職員の職という工合に承認すべきものとされており（行実昭三一・九・一七　自丁公発第一三一号）、そのつどの承認に代え、事前に包括的承認を与えることも可能であるとされている（行実昭二八・三・一一　自行公発第五四号）。

次に、人事委員会または競争試験等を行う公平委員会が、臨時的に任用される者の資格要件を定めることができるとされているのは、臨時的任用が地方公務員法第一七条の特例であって競争試験または選考による能力の実証を行う必要はないことを前提としたうえで、その職の適格者を得るため必要な経験、経歴などの資格要件を定めうることとするものである。たとえば、臨時の出納事務の処理のため、一定の簿記の検定に合格していることを資格要件とすることなどである。

さらに、人事委員会または競争試験等を行う公平委員会は、本条第一項および第二項に違反して行われた臨時的任用を取り消すことができるとされている（本条３）。すなわち、手続として人事委員会または競争試験等を行う公平委員会の承認を得ることなく行われた臨時的任用および人事委員会または競争試験等を行う公平委員会が定める資格要件に合致しない臨時的任用を取り消すことができるほか、実質的要件に反する任用、たとえば、緊急の場合に該当しないにもかかわらず行われたもの、あるいは臨時の職に該当しないにもかかわらず行われたもの、人事委員会または公平委員会の規則に反して行われたもの、一年をこえるものなどを取り消すことができるのである。取消しは、別段の手続が定められていないので人事委員会または競争試験等を行う公平委員会の意思表示で足りると解されるが、任命権者および当該職員に文書を交付することが適当であり、取消しの効果は既往に遡ることとしても実質的に無意味である（第一六条の〔解釈〕三参照）ので、当該職員が了知した時に将来に向かって効果が生ずると考えてよいであろう。ただ、臨時的任用職員には分限の規定が適用されない（法二九の二1）ものの、その違法は当該地方公共団体内部の問題であり、職員の側には何らの落ち度もないというような場合には、採用をした任命権者の責任は別として、取消しが許されないこともあり得るであろう（競争試験に合格しなかったことを承知している者を定数を超えて採用した場合に、当該採用の日から四日後になされた採用の取消しを適法であるとした判決（熊本地裁昭六〇・三・二八判例時報一一六三号五八頁）がある。）。

以上みてきたように、人事委員会または競争試験等を行う公平委員会を置く地方公共団体の臨時的任用については、人事委員会または競争試験等を行う公平委員会による規則の制定、任用についての承認、更新についての承認、資格要件の決定、さらには違法の場合におけるその取消権と、地方公務員法はきわめて厳重な規定を設けている。

なお、県費負担教職員については、任命権者の属する地方公共団体の人事委員会が本条第一項から第三項に規定する人事委員会の権限を行うこととされている（地教行法施行令七）。

三　臨時的任用の期間およびその更新

任命権者が臨時的任用を行うことができるのは、それぞれの職員について六カ月以内の期間であるが（本条1前段、4前段）、任命権者は一回に限り、人事委員会または競争試験等を行う公平委員会を置く地方公共団体ではその承認を得て、それ以外の地方公共団体では任命権者の判断で、六カ月を超えない期間の更新を行うことができる（本条1後段、4後段）。そして、臨時的任用の期間は「六月を超えない」ものであるから六カ月以内の期間であれば、その必要に応じて適宜の期間とすることができるものであり、更新する場合は六カ月を超えてはならないので、同一人については引き続き一年を超えて臨時的任用を行うことができない。このように期間の長さについて制約があるほか、同一人について臨時的任用を更新することは一回に限られる。たとえば、三カ月の期限で臨時的任用した者をさらに三カ月臨時的任用したときは、引き続く任用期間は六カ月であるが、さらに引き続いて任用することはできない。臨時的任用の任期が満了したときは、法律に従って任期が更新されない限り当然に失職する（最高裁平四・一〇・六判決　労働判例六一六号六頁）。任期の更新とは、引き続く任用をいうものと解され、任期が満了した後、あらためて任用することは更新ではない。しかし、きわめて短期間の任期で同一人を繰り返して任用することは本条の趣旨に反する脱法行為となる場合があり、その際は本条第三項の規定により、人事委員会または競争試験等を行う公平委員会を置く地方公共団体では、これらの委員会はその任用を取り消すことができるものと解する。また、人事委員会または競争試験等を行う公平委員会を置く地方公共団体では、更新についてその承認が必要であるが、この承認も臨時的任用の承認と同じく更新しようとする職についての承認であり、個々具体の人物の承認でない。

四　臨時的任用職員の身分取扱い

１　分限および不利益処分に関する不服申立て　臨時的任用職員については、地方公務員法第二七条第二項、第二八条第一項から第三項まで、第四九条第一項および第二項ならびに行政不服審査法の規定は適用されない（法二九の二）が、その意味については、第二九条の二の解説で詳述する。

２　正式任用との関係　臨時的任用は、正式任用に際していかなる優先権をも与えるものではない（本条５）。臨時的任用は、厳格な能力の実証を経たものではないから、正式任用されるためにはあらためて所定の能力の実証を競争試験または選考によって行わなければならないとする趣旨であろう。本来、臨時的任用は、正式任用の特例であるから両者は全く無関係であることが基本であり、条理上、前者は後者にとって優先権を与えるものでもなければ、その逆でもない筈であるから、本項は、当然のことを定めたものであるということになる。本項は、ルーズな臨時的採用を行うことによって、常勤的非常勤職員のような形態の職員を生み出し、正式任用が不適正に行われるようになることを防止しようとする政策的な意図で規定されたものであり、臨時的任用は第一七条第一項による正式の採用についてなんらの優先権をも与えるものではないことを確認するための規定であると理解すべきであろう。

なお、任用というのは採用、昇任、降任または転任のいずれかの方法によって特定の職に就けることであるから、臨時的任用を行うというのは、臨時的な採用、昇任、降任または転任の発令（任命）を行うことを意味することになるが、昇任、降任または転任については、その定義（第一五条の二の【解釈】参照）からして、臨時的にこれらの発令を行うことは考えられず、一時的に必要が生じたときは、兼職、事務取扱いまたは事務心得によって対処されているのが現実であり（第一七条の

〔解釈〕一㈣参照）、ここで実際に問題となるのは採用に限られる。

３　その他の身分取扱い　臨時的任用職員の身分取扱いについては、本条第一項から第五項までに定めるもののほかは、地方公務員法が適用される（本条６）。具体的には、その任用の手続に関する本条第一項から第四項までの規定、正式任用との関係を定めた本条第五項の規定ならびに分限および審査請求の不適用を定めた第二九条の二の規定が臨時的任用職員の身分取扱いの特例を定めたものであり、それ以外の身分取扱いについては地方公務員法が適用される（法四１）。条件付採用職員についてこのような規定がないのにもかかわらず、臨時的任用職員についてだけ明文が置かれた意味は明らかではない。臨時的任用職員には、服務、懲戒に関する規定が適用されることをはじめ、勤務条件の措置要求を行うことができ、職員団体を結成し、加入することもできる。正式任用された職員と同じ職務を行うときは、同様の職名を与えることもさしつかえないであろう。給与は、条例で決定しなければならないが（法二四５）、臨時的任用職員の多くはいわゆる「賃金支弁」であり、給料表を作成する必要はないであろう。

五　特例法による臨時的任用

㈠　女子教職員の出産休暇に伴う臨時的任用

女子教職員の出産に際しての補助教職員の確保に関する法律第三条第一項は、「公立の学校に勤務する女子教職員が出産することとなる場合においては、任命権者は、出産予定日の六週間（多胎妊娠の場合にあつては、十四週間とし、条例でこれらの期間より長い産前の休業の期間を定めたときは、当該期間とする。）前の日から産後八週間（条例でこれより長い産後の休業の期間を定めたときは、当該期間）を経過する日までの期間又は当該女子教職員が産前の休業を始める日から、当該日から起算して十四週間（多胎妊娠の場合にあつては、二十二週間とし、条例でこれらの期間より長い産前産後の休業の期間を定めたときは、当該期間とする。）を経過する日までの期間のいずれかの期間を任用の期間として、当該学校の教職員の職務を補助させるため、校長以外の教職員を臨時的に任用するものとする。」とし、この臨時的任用については、本条第一項から第四項までの規定は適用されないことになっている（同法四）。これは、女子教職員の産前産後の休暇（労基法六五

1 2）の取得を確実にするための措置であることから、同法第三条第二項は「女子教職員の出産に際しその勤務する学校の教職員の職務を補助させることができるような特別の教職員がある場合において、任命権者が、当該教職員に、前項に規定する期間、同項の学校の教職員の職務を補助させることとするときは、同項の臨時的任用は、行なうことを要しない。」とする。また、これらの規定は、義務教育諸学校の学校給食を実施するための施設として設けられた二以上の義務教育諸学校の学校給食の実施に必要な施設（共同調理場）に勤務する学校栄養職員について準用することとされている（補助教職員確保法三3）。

㈡　育児休業に伴う臨時的任用

職員から育児休業の承認（地公育児休業法二2）またはその期間の延長の請求（同法三1）があった場合において、任命権者は、当該請求に係る期間について職員の配置換えその他の方法によって当該請求をした職員の業務を処理することが困難であると認めるときは、当該業務を処理するため、当該請求に係る期間について一年を限度として、臨時的任用を行うことができる（同法六1）。これは職員が確実に育児休業の取得を行うことができるようにするためのものであり、この任用については本条第一項から第四項までの規定は適用されず（地公育児休業法六6）、この規定によって臨時的任用された職員の任期が育児休業の承認またはその期間の延長の請求に係る期間に満たない場合にあっては、当該期間の範囲内において、その任期を更新することができる（同法六3）とともに、当該職員を任期を定めて採用した趣旨に反しない場合に限り、その任期中、他の職に任用することができる（同法六5）こととされている。なお、この臨時的任用を行う場合に当該職員にその任期を明示しなければならないとされている（同法六2）が、これは明文の規定をまつまでもなく当然のことである。

㈢　構造改革特別区域における特例

平成一四年（二〇〇二年）に制定された構造改革特別区域法は、「地方公共団体の自発性を最大限に尊重した構造改革特別区域を設定し、当該地域の特性に応じた規制の特例措置の適用を受けて地方公共団体が特定の事業を実施し又はその実施を促進することにより、教育、物流、研究開発、農業、社会福祉その他の分野における経済社会の構造改革を推進するとともに地域の活性化を図り、もって国民生活の向上及び国民経済の発展に寄与することを目的とする」ものであるが（構造改革特区法一）、地方公共団体が当該地域の活性化を図るために自発的に設定した「構造改革特別区域」における「構造改革特別区域計画」について内閣総理大臣の認定を受けることによって、実施主体が実施する特定事業について、規制の特例措置を定めているが、その一つとして臨時的任用について地方公務員法第二二条の三第一項から第四項までの規定を適用しないとする特例がある（構造改革特区法二四）。

この特例の適用を受けるための要件は、次に掲げる場合のいずれかに該当し、または該当すると見込まれるため臨時的任用を行うことが必要であると認めて内閣総理大臣の認定を申請し、その認定を受けることである（構造改革特区法二四１）。

①　当該地方公共団体がその職務の遂行について資格要件を必要とする職について地方公務員法第二二条の三第一項または第四項の規定に基づく臨時的任用を行っている場合において、当該構造改革特別区域における人材の需給状況等にかんがみ、同条第一項後段または第四項後段の規定により更新された任用の期間の満了の際現に任用している職員以外の者をその職に任用することが困難であるとき。

②　当該地方公共団体が特定の分野に関する職務に職員を従事させることにより、当該職員の資質の向上が図られ、ひいては当該構造改革特別区域における当該特定の分野に係る人材の育成が図られると認められる場合において、当該職務に係る職について一年を超えて臨時的任用を行うことが必要であるとき。

③　当該構造改革特別区域における住民の生活の向上、行政の効率化等を図るために行う当該構造改革特別区域における当該地方公共団体の事務および事業の見直しに応じた業務量の一時的な変化により生ずる職制または定数の改廃などに効率的かつ機動的に対処する必要がある場合において、その職について一年を超えて臨時的任用を行うことが特に必要であるとき。

そして、この認定を申請する地方公共団体においては、任命権者は、臨時的任用の適正な実施を確保するため、当該臨時的任用の状況の公表その他の必要な措置を講ずるものとされている（構造改革特区法二四６）。

この認定を受けた地方公共団体であって人事委員会を置くものにおいては、前掲の三つの場合のいずれかに該当する場合に、任命権者は、人事委員会規則で定めるところにより、当該認定に係る職について、人事委員会の承認を得て、六カ月を超えない期間で臨時的任用を行うことができ、この任用は、採用した日（その職に地方公務員法第二二条の三第一項の規定に基づき臨時的任用をされている職員をこの特例に基づき引き続き任用する場合にあっては、同項の規定に基づき採用した日）から三年を超えない範囲内に限り、六カ月を超えない期間で更新することができるものとされ（構造改革特区法二四２）、人事委員会は、必要に応じ、臨時的任用につき、任用される者の資格要件を定め、要件を満たさない臨時的任用を取り消すことができることとされている（構造改革特区法二四３４）。

また、この認定を受けた地方公共団体であって人事委員会を置かないものにおいては、前掲の三つの場合のいずれかに該当する場合に、任命権者は、当該認定に係る職について、六カ月を超えない期間で臨時的任用を行うことができる。この場合において、その任用は、採用した日（その職に地方公務員法第二二条の三第四項の規定に基づき臨時的任用をされている職員をこの特例に基づき引き続き任用する場合にあっては、同項の規定に基づき採用した日）から三年を超えない範囲内に限り、六カ月を超えない期間で更新することができるものとされている（構造改革特区法二四５）。本条関係の構造改革特別区域のほとんどが保育士の確保の必要を理由とするものであり、特殊なものとして、手話通訳者の確保、退職者不補充によって不足する職員の補充、医師卒後研修医の誘致、民間からの有能な人材確保を目的とするものもある。ただ、これらは、いずれも、臨時的任用期間を三年とする特別区制度によらなければ目的を達成できないのか、また、そうすることによって目的を達成できるのかは疑問である。

（定年前再任用短時間勤務職員の任用）

第二十二条の四　任命権者は、当該任命権者の属する地方公共団体の条例年齢以上退職者（条例で定める年齢に達した日以後に退職（臨時的に任用される職員その他の法律により任期を定めて任用される職員及び非常勤職員が退職する場合を除く。）をした者をいう。以下同じ。）を、条例で定めるところにより、従前の勤務実績その他の人事委員会規則で定める情報に基づく選考により、短時間勤務の職（当該職を占める職員の一週間当たりの通常の勤務時間が、常時勤務を要する職でその職務が当該短時間勤務の職と同種の職を占める職員の一週間当たりの通常の勤務時間に比し短い時間である職をいう。以下同じ。）に採用することができる。ただし、条例年齢以上退職者がその者を採用しようとする短時間勤務の職に係る定年退職日相当日（短時間勤務の職を占める職員が、常時勤務を要する職でその職務が当該短時間勤務の職と同種の職を占めているものとした場合における第二十八条の六第一項に規定する定年退職日をいう。第三項及び第四項において同じ。）を経過した者であるときは、この限りでない。

2　前項の条例で定める年齢は、国の職員につき定められている国家公務員法（昭和二十二年法律第百二十号）第六十条の二第一項に規定する年齢を基準として定めるものとする。

3　第一項の規定により採用された職員（以下この条及び第二十九条第三項において「定年前再任用短時間勤務職員」という。）の任期は、採用の日から定年退職日相当日までとする。

4　任命権者は、条例年齢以上退職者のうちその者を採用しようとする短時間勤務の職に係る定年退職日相当日を経過していない者以外の者を当該短時間勤務の職に採用することができず、定年前再任用短時間勤務職員のうち当該定年前再任用短時間勤務職員を昇任し、降任し、又は転任しようとする短時間勤務の職に係る定年退職日相当日を経過していない定年前再任用短時間勤務職員以外の職員を当該短時間勤務の職に昇任し、降任し、又は転任することができない。

5　任命権者は、定年前再任用短時間勤務職員を、常時勤務を要する職に昇任し、降任し、又は転任することができない。

6　第一項の規定による採用については、第二十二条の規定は、適用しない。

〔趣　旨〕

令和三年六月一一日に法律第六一号として国家公務員法等の一部を改正する法律（以下、「令和三年国公法改正法」という。）が、法律第六三号として地方公務員法の一部を改正する法律（以下、「令和三年地公法改正法」という。）が公布され、原則として令和五年四月一日から施行された。この改正によって、国家公務員および地方公務員の定年が令和五年四月一日に六一歳とされ、その後二年ごとに一年ずつ引き上げられ、令和一三年四月一日に六五歳とすることとなった（第二八条の六〔解釈〕三参照）。ただ、この定年の引き上げとともに、管理監督職等勤務上限年齢制（「役職定年制」とも称される。）が導入され、管理監督職の職員は原則として六〇歳に達した日（六〇歳の誕生日の前日を意味する。年齢計算ニ関スル法律参照）の翌日から同日以後における最初の四月一日までに他の職に降任または転任されることとなり（法二八の二）、六〇歳に達した職員の俸給月額は、六〇歳に達した日後における最初の四月一日以後、従前の七割とすることとされた（第二五条の〔趣旨〕四参照）。

このようなことを踏まえ、定年に達する前であっても、職員の多様な働き方のニーズに対応するため（ちなみに、平成二年簡易生命表によると、六五歳の平均余命は男が二〇・〇五年、女が二四・九一年である。）、条例で定める年齢（国家公務員に倣って六〇歳とすることが想定されている。）に達した日以後に退職した職員（「条例年齢以上退職者」と称される。）を、短時間勤務の職に採用することができるとされたものである。なお、この制度によって採用された職員は、非常勤職員であることから条例で定める定数には含まれない（自治法第一七二条第三項、第三条の〔趣旨〕二㈠2参照）。

本条の定年前再任用短時間勤務の制度は、令和三年地公法改正法による改正前の地方公務員法第二八条の四から第二八条の六までに定められていた定年退職者等の再任用の制度に代わるものであるが、定年が六五歳に引き上げられるまでの経過措置として暫定再任用制度が設けられており、条例で定める年齢に達した日以後定年前に退職した者について、本人の希望により、短時間勤務の職に採用すること（任期は、当該職員が常時勤務を要する職員であるとした場合の定年退職日に相当する日まで）ができることとされている（後記〔解釈〕一参照）。

〔解　釈〕

一　短時間勤務の職に採用できる者

本条は、定年前に退職した職員を短時間勤務の職に採用することを可能にするものであり、この制度を定年前再任用短時間勤務職員制度と称している。この制度の対象となるのは、条例で定める年齢に達した日以後に退職した者（「条例年齢以上退職者」と称され、臨時的に任用される職員その他の法律により任期を定めて任用される職員および非常勤職員が退職する場合を除く。）であって、地方公務員法第二八条の六第一項に基づいて条例で定められる定年退職日を経過しない者である。そして、同条第二項は、条例で定める年齢は、国の職員につき定められている国家公務員法第六〇条の二第一項に規定する年齢を基準として定めるものとするとしているところ、同項は、この年齢を六〇年としているので、条例年齢以上退職者というのは六〇歳に達した日以後に退職した者を意味することになる。

条例年齢以上退職者であっても、定年退職日（第二八条の二の〔解釈〕一参照）を経過した者はこの制度の対象とならないが、これを逆に言えば、条例年齢以上退職者である限り、定年退職日を経過するまでは、この制度の対象となるということである。また、この制度の対象となるのは、条例年齢以上退職者で、かつ定年退職日を経過しない者に限られ、これ以外の者を短時間勤務職員として採用することはできない（本条４）。この制限による不都合を回避するために、地方公共団体の一般職の任期付職員の採用に関する法律および地方公務員の育児休業等に関する法律に基づく短時間勤務職員の任用については、本条第四項は適用されないこととされている（任期付職員採用法９、地公育児休業法一八６）が、パートタイムの会計年度任用職員には適用がある（法二二の二１①）ので注意が必要である。

定年前再任用短時間勤務職員の採用は条例で定めるところにより行われるのであるが、この条例では、応募資格や採用の手続き等について定めることになる。なお、国家公務員については、任命権者は定年前再任用を行うに当たっては、あらかじめ希望者に、任用しようとする官職の職務内容、再任用を行う日、勤務地、給与、一週間当たりの勤務時間等を明示し、その同意を得なければならないとされている（人事院規則八－二一（年齢六十年以上退職者等の定年前再任用）３）。

二　短時間勤務の職の意味

定年前再任用短時間勤務職員が就く職は、「当該職を占める職員の一週間当たりの通常の勤務時間が、常時勤務を要する職でその職務が当該短時間勤務の職と同種の職を占める職員の一週間当たりの通常の勤務時間に比し短い時間である職」である（本条１）。

この定義は、極めて回りくどく、分かりにくいが、言い換えると、短時間勤務の職というのは、担当する職務の複雑さ、困難さおよび責任の程度が常時勤務を要する職員と同等程度の職であるが、一週間当たりの勤務時間が常時勤務を要する職員のそれよりも短い職であると理解される。すなわち、従前から臨時または非常勤の職員に従事させていた特別の知識、経験、技能、技術を必要としない代替的業務（最高裁平六・七・一四判決（判例時報一五一九号一一八頁）参照）を行う職ではないことに特徴がある。

勤務時間については、職員の勤務時間が国および他の地方公共団体の職員との間に権衡を失しないように適当な考慮が払われなければならない（法二四4）とされ、勤務時間法第五条第一項が、「職員の勤務時間は、休憩時間を除き、一週間当たり三八時間四五分とする。」（これが常時勤務を要する職を占める職員の一週間当たりの通常の勤務時間である。）とし、第二項で「定年前再任用短時間勤務職員の勤務時間は、前項の規定にかかわらず、休憩時間を除き、一週間当たり一五時間三〇分から三一時間までの範囲内で、各省各庁の長が定める。」としているので、本条第一項の定年前短時間勤務の職についても一週間当たりの一五時間三〇分から三一時間（一日七時間四五分で四日の勤務に相当する。）までの間で任命権者が定めることを条例で定めることになる（第二四条の【解釈】五(二)1(3)参照）。このように、勤務時間の上限と下限とに大きな差があり、具体的な勤務時間を定めることを任命権者に委ねるのは、再任用しようとする短時間勤務の職に種々のものがあることを考慮したものである。

定年前再任用短時間勤務職員の任期は、採用の日から常時勤務を要する職員の定年退職日に相当する日までであり、その間に、常時勤務を要する職に昇任、降任または転任をさせることはできない（本条5）。これは、当該職員は、定年前再任用短時間勤務職員として採用されたのであるから、常時勤務を要する職に就くためには、公募等を通じて常時勤務を要する職への採用が必要であり、それができるという意味でもある。

なお、定年前再任用短時間勤務職員は、従前の勤務実績その他の人事委員会規則で定める情報に基づく選考により採用されるものであり、既に職務遂行能力が実証されているので条件付採用について定める地方公務員法第二二条の規定は適用されないこととなっている（本条1、6）。

【経過措置】

一　定年前再任用短時間勤務職員についての経過措置

令和三年地公法改正法は、令和五年四月一日から施行されたので、本条および次条の規定は、同日以後に退職した条例年齢以上退職者について適用され（同法附則三１）、同日から令和一四年三月三一日までの間における本条および次条の規定の適用に関し必要な経過措置は、令和三年国公法改正法附則第三条第二項の規定を基準として、条例で定めるものとされている（令和三年地公法改正法附則三２）。

そして、令和三年国公法改正法附則第三条第二項は、任命権者は、基準日（令和七年四月一日、令和九年四月一日、令和一一年四月一日および令和一三年四月一日をいう。）から基準日の翌年の三月三一日までの間、基準日の前日までに条例で定める退職年齢に達した日以後に退職をした者のうち基準日の前日において同日における定年に達している者を、基準日における定年が基準日の前日における定年を超える短時間勤務の職（これに相当する基準日以後に設置された短時間勤務の職その他の人事院規則で定める短時間勤務の職を含む。）に採用することができず、基準日における定年が引き上げられた短時間勤務の職に昇任し、降任し、または転任することができないことを定めている。これは、定年前再任用短時間勤務の職への採用が定年を延長する効果を有しないことを確認するものである。

二　暫定再任用制度

令和三年地公法改正法によって定年前再任用短時間勤務制度が導入されたことから、従前の定年退職者等の再任用制度は廃止されたのであるが、定年の引き上げが段階的になされることから、それが完全に実施されるまでの経過措置として、次のような暫定再任用制度が設けられている（令和三年地公法改正法附則第四条から第九条。その概要は次のとおりであるが、具体的な条文は本書末尾の地方公務員法附則および改正経緯の該当箇所参照）。

㈠　常勤の職への再任用

任命権者は、六五歳に達する日以後における最初の三月三一日（この年齢を「特定年齢」と、この日を「特定年齢到達年度の末日」

という。）までの間にある者であって、令和五年三月三一日までに令和三年地公法改正法による改正前の地方公務員法（以下「改正前地公法」という。）第二八条の二の規定によって定年退職した者、同法第二八条の三の規定により勤務が延長された後に退職した者およびこれらの者以外で勤続期間その他の事情を考慮してこれらの者に準ずる者として条例で定める者を、条例で定めるところにより、従前の勤務実績その他の人事委員会規則（地方公務員法第九条第二項に規定する競争試験等を行う公平委員会を置く地方公共団体においては公平委員会規則、人事委員会および競争試験等を行う公平委員会を置かない地方公共団体においては地方公共団体の規則。）で定める情報に基づく選考により、一年を超えない範囲内で任期を定め、常時勤務を要する職に採用することができ、この任期は、特定年齢到達年度の末日に至るまで、条例で定めるところにより、一年を超えない範囲内で更新することができる（令和三年地公法改正法附則四条1、3）。

また、令和一四年三月三一日までの間、任命権者は、次に掲げる者のうち、特定年齢到達年度の末日までの間にある者であって、定年に達している者を、条例で定めるところにより、従前の勤務実績その他の人事委員会規則（地方公務員法第九条第二項に規定する競争試験等を行う公平委員会を置く地方公共団体においては公平委員会規則、人事委員会および競争試験等を行う公平委員会を置かない地方公共団体においては地方公共団体の規則。）で定める情報に基づく選考により、一年を超えない範囲内で任期を定め、常時勤務を要する職に採用することができ、この任期は、特定年齢到達年度の末日に至るまで、条例で定めるところにより、一年を超えない範囲内で更新することができる（令和三年地公法改正法附則四条2、3）。

①　令和五年四月一日以後に定年により退職した者（法二八条の六1）

②　令和五年四月一日以後に勤務が延長された後退職した者（法二八条の七1、2）

③　令和五年四月一日以後に定年前再任用短時間勤務職員として採用された者のうち、任期が満了したことにより退職した者（法二二条の四1、3）

④　令和五年四月一日以後に地方公共団体の組合とその構成団体との間で定年前再任用短時間勤務職員として採用された者のうち、任期が満了したことにより退職した者（法二二条の五、二二条の四3）

⑤　令和五年四月一日以後に退職した者（①から④に掲げる者を除く。）のうち、勤続期間その他の事情を考慮して①から④に掲げる者に準ずる者として条例で定める者

さらに、令和五年四月一日前に改正前地公法第二八条の三第一項または第二項の規定により勤務することとされ、かつ、同条の規定による勤務延長の期限が同日以後に到来する職員（「旧地方公務員法勤務延長職員」という。）の当該期限までの間における勤務については、地方公務員法第二八条の七の規定にかかわらず、なお従前の例によるとされるが、当該勤務延長の期限が到来する場合において、同条第一項各号に掲げる事由があると認めるときは、定年退職日の翌日から起算して三年を超えない範囲で、条例で定めるところにより、これらの期限の翌日から起算して一年を超えない範囲内で期限を延長することができるとされている（令和三年地公法改正法附則三5、6）。

なお、地方公共団体の組合を組織する地方公共団体の任命権者は当該組合の職員について、地方公共団体の組合の任命権者は当該組合の構成団体の職員について、それぞれの職員を自己が任命権を有する職員と同様の要件で常勤の職に再任用できるとされている（令和三年地公法改正法附則五）。

㈡　短時間勤務の職への再任用

任命権者は、特定年齢到達年度の末日までの間にある者であって、令和五年三月三一日までに改正前地公法第二八条の二の規定によって定年退職した者、同法第二八条の三の規定による勤務延長後退職した者およびこれらの者以外で勤続期間その他の事情を考慮してこれらの者に準ずる者として条例で定める者を従前の勤務実績その他の人事委員会規則（地方公務員法第九条第二項に規定する競争試験等を行う公平委員会を置く地方公共団体においては公平委員会規則、人事委員会及び競争試験等を行う公平委員会を置かない地方公共団体においては地方公共団体の規則。）で定める情報に基づく選考により、一年を超えない範囲内で任期を定め、短時間勤務の職に採用することができ、この任期は、特定年齢到達年度の末日に至るまで、条例で定めるところにより、一年を超えない範囲内で更新することができる（令和三年地公法改正法附則六1、3）。

また、令和一四年三月三一日までの間、任命権者は、前記㈠中の①から⑤に掲げる者のうち、特定年齢到達年度の末日ま

での間にある者であって、定年に達している者（地方公務員法第二二条の四第一項の規定により短時間勤務の職に採用することができる者を除く。）を、条例で定めるところにより、従前の勤務実績その他の人事委員会規則で定める情報に基づく選考により、一年を超えない範囲内で任期を定め、当該短時間勤務の職に採用することができ、条例で定めるところにより、一年を超えない範囲内で更新することができる（令和三年地公法改正法附則六2、3）。

さらに、地方公共団体の組合を組織する地方公共団体の任命権者は当該組合の職員について、地方公共団体の組合の任命権者は当該組合の構成団体の職員について、それぞれの職員を自己が任命権を有する職員と同様の要件で短時間勤務の職に再任用できるとされている（令和三年地公法改正法附則七）。

(三)　令和五年三月三一日までに再任用されている者の任用継続

令和五年三月三一日までに、改正前地公法第二八条の四第一項、第二八条の五第一項または第二八条の六第一項若しくは第二項の規定により採用された職員（「旧地方公務員法再任用職員」という。）のうち、令和五年四月一日現在に常時勤務を要する職を占める職員は、同日に、令和三年地公法改正法附則第四条第一項、第五条第一項または第五条第二項の規定により採用されたものとみなされ、その任期は、令和三年地公法改正法附則第四条第一項ならびに第五条第一項および第二項の規定にかかわらず、令和五年四月一日における改正前地公法による再任用職員としての任期の残任期間と同一の期間とされる（同法附則八1）。

また、令和五年四月一日現在に改正前地公法第二八条の五第一項に規定する短時間勤務の職を占める職員は、同日に、令和三年地公法改正法附則第六条第一項（改正前地公法第二八条の六第一項または第二項の規定により採用された職員のうち地方公共団体の組合を組織する地方公共団体の任命権者により採用された職員にあっては令和三年地公法改正法附則第七条第一項の規定、改正前地公法第二八条の六第一項または第二項の規定により採用された職員のうち地方公共団体の組合の任命権者により採用された職員にあっては令和三年地公法改正法附則第七条第二項の規定）により採用されたものとみなされ、その職員の任期は、改正法附則第六条第一項ならびに第七条第一項および第二項の規定にかかわらず、令和五年四月一日における改正前地公法による再任用職員としての任期の残任期間と同一の期間とされる（令和三年地公法改正法附則八２）。

㈣　再任用職員の昇任、降任または転任

任命権者は、特定年齢到達年度の末日までの間にある者であって、令和五年三月三一日までに改正前地公法第二八条の二の規定によって定年退職した者、同法第二八条の三の規定による勤務延長後退職した者およびこれらの者以外で勤続期間その他の事情を考慮してこれらの者に準ずる者として条例で定める者が常時勤務を要する職または短時間勤務の職に採用されている場合において、改正前地公法第二八条の二第一項または第三項に基づく定年に達した職員以外の職員を当該常時勤務を要する職に昇任し、降任し、または転任することができず、令和三年地公法改正法附則第四条第二項に掲げられる者（前記㈠参照）が常時勤務を要する職または短時間勤務の職に採用されている場合においては、地方公務員法第二八条の六第一項または第三項の規定に基づく定年に達した職員以外の職員を当該常時勤務を要する職に昇任し、降任し、または転任することができないとされる（令和三年地公法改正法附則八３）。

第二十二条の五　地方公共団体の組合を組織する地方公共団体の任命権者は、前条第一項本文の規定によるほか、当該地方公共団体の組合の条例年齢以上退職者を、条例で定めるところにより、従前の勤務実績その他の人事委員会規則で定める情報に基づく選考により、短時間勤務の職に採用することができる。

２　地方公共団体の組合の任命権者は、前条第一項本文の規定によるほか、当該地方公共団体の組合を組織する地方公共団体の条例年齢以上退職者を、条例で定めるところにより、従前の勤務実績その他の地方公共団体の組合の規則（競争試験等を行う公平委員会を置く地方公共団体の組合においては、公平委員会規則）で定める情報に基づく選考により、短時間勤務の職に採用することができる。

３　前二項の場合においては、前条第一項ただし書及び第三項から第六項までの規定を準用する。

〔趣　旨〕

本条は、定年前再任用短時間勤務の対象となる者の範囲を一の地方公共団体の範囲内だけでなく、当該地方公共団体が構成員となっている地方公共団体の組合との間まで拡大するものであり、第一項で構成団体が組合において定年前に退職した者を採用することについて、第二項で組合が構成団体において定年前に退職した者を採用することについて定めている。

これは、組合が事務の効率化または広域的な行政需要への対応という観点から複数の地方公共団体が共同して、または広域的に事務を処理するものであり、事務処理の面だけでなく、人的交流という面からも組合とそれぞれの構成団体との関係が密接であることから、現実的な必要性をも考慮して、特別に認めることとされたものである。

〔解　釈〕

地方公共団体の組合というのは、地方自治法第二八四条第二項が定める一部事務組合および同条第三項が定める広域連合のことであり（同条1）、地方公共団体の相互協力のための組織であって、独自の職員を有しない協議会（自治法二五二の二の三2）や共同設置された機関（自治法二五二の一一1）は含まれない。本条によって、一部事務組合または広域連合を組織する地方公共団体は、当該一部事務組合または当該広域連合の条例年齢以上退職者であって定年に達する前の職員を、一部事務組合または当該広域連合は、その構成員である地方公共団体の条例年齢以上退職者であって定年に達する前の職員を、それぞれ短時間勤務の職に再任用できるのであり、任期ならびに昇任、降任および転任については、前条で述べたところと同じである。

第三節　人事評価

（人事評価の根本基準）

第二十三条　職員の人事評価は、公正に行われなければならない。

２　任命権者は、人事評価を任用、給与、分限その他の人事管理の基礎として活用するものとする。

〔**趣　旨**〕

一　人事評価の根本基準

地方公務員法は、その第一五条で「職員の任用は、この法律の定めるところにより、受験成績、人事評価その他の能力の実証に基づいて行われなければならない。」という任用の基本原則を定めたうえで、第二一条の三で「職員の昇任は、任命権者が、職員の受験成績、人事評価その他の能力の実証に基づき、任命しようとする職の属する職制上の段階の標準的な職に係る標準職務遂行能力及び当該任命しようとする職についての適性を有すると認められる者の中から行うものとする。」と、第二一条の五第一項で「任命権者は、職員を降任させる場合には、当該職員の人事評価その他の能力の実証に基づき、任命しようとする職の属する職制上の段階の標準的な職に係る標準職務遂行能力及び当該任命しようとする職についての適性を有すると認められる職に任命するものとする。」と、第二一条の五第二項で「職員の転任は、任命権者が、職員の人事評価その他の能力の実証に基づき、任命しようとする職の属する職制上の段階の標準的な職に係る標準職務遂行能力及び当該任命しようとする職についての適性を有すると認められる者の中から行うものとする。」とし、さらに、第二八条第一項第一号で「人事評価又は勤務の状況を示す事実に照らして、勤務実績がよくない場合」には降任し、または免職することができるとしている。これらの規定は、平成二八年（二〇一六年）四月一日施行の地方公務員法及び地方独立行政法人法の一部を改正する法律（平成二六年法律第三四号）によって従来の条文が改正され（法一五、二八1①）、又は新しく追加された（法二三条の三、二三条の五）ものであり、本条は、そこに共通する人事評価についての根本基準を定めるものであり、人事評価に関する通則である。

なお、多くの民間企業においては、バブルが崩壊した平成一〇年（一九九八年）ころから、従来の年功序列型に代わるものとして成果主義と称される人事管理の手法が取り入れられていたが、個人に焦点を当てた評価は組織としての活動を重視する我が国の企業風土には馴染み難いなどとして、その見直しが活発に行われている。国家公務員について法律に基づく人事評価が実施されたのが平成二一年（二〇〇九年）からであり、職員については平成二八年（二〇一六年）からということになる。これは、民間の後追いという公務員制度の性質や法律の改正に必然的に伴う政治状況が影響してのものであるが、民間における見直しの状況も見ながら、随時、適切に具体的な手法を考えていくことが必要であろう。

二　人事評価の目的

人事評価というのは「任用、給与、分限その他の人事管理の基礎とするために、職員がその職務を遂行するに当たり発揮した能力及び挙げた業績を把握した上で行われる勤務成績の評価をいう。」と定義されており（法六1括弧書）、本条は、それが公正に行われなければならないことを明記するとともに、任用、給与、分限その他の人事管理の基礎として活用すべきことを定めるものである。従前も「任命権者は、職員の執務について定期的に勤務成績の評定を行い、その評定の結果に応じた措置を講じなければならない。」（改正前の法四〇条）とされていたが、平成二六年（二〇一四年）法律第三四号による改正によって、「勤務成績の評定」が「人事評価」とされ、それを任用、給与、分限その他の人事管理の基礎とすべきことが明らかにされたことにより、抽象的な評定から具体的な目的をもった評価に変容したということができるであろう。しかし、人事評価は、その職務を遂行するに当たり発揮した能力を把握したうえで行われる能力評価と挙げた業績を把握した上で行われる業績評価からなるものであるから、将来の可能性や潜在的な能力の評価とは関係せず、評価期間を超える長期的視野からの業績や能力の評価は含まれないのであり、過去の勤務の実績に応じて行う個人を対象とした人事管理には有用であるが、その他の人事管理については必ずしも万全なものとはいい難い（第一五条の〔解釈〕参照）。

なお、国家公務員法は、人事評価についての定義規定を置いていないが、その第五八条で「職員の昇任及び転任（職員の幹部職への任命に該当するものを除く。）は、任命権者が、職員の人事評価に基づき、任命しようとする官職の属する職制上の段階の標準的な官職に係る標準職務遂行能力及び当該任命しようとする官職についての適性を有すると認められる者の中から行うものとする。」とし、この規定を受けた人事院規則八―一二（職員の任免）第二五条は「人事評価の結果に基づき官職に係る能力及び適性を有すると認められる者（第三号に掲げる官職に昇任させようとする場合にあっては、国の行政及び所管行政の全般について、高度な知識及び優れた識見を有し、指導力を有すると認められる者に限る。）の中から、人事の計画その他の事情を考慮した上で、最も適任と認められる者を昇任させることができる。」と定めている。すなわち、国家公務員においては、任命しようとする職に係る標準職務遂行能力および適正の有無も人事評価に基づいて判断されるのであり、多様な判断材料を認める職員の場合とは異なるものとなっている。

〔解　釈〕

一　人事評価

人事評価は、「任用、給与、分限その他の人事管理の基礎とするために、職員がその職務を遂行するに当たり発揮した能力及び挙げた業績を把握した上で行われる勤務成績の評価をいう。」と定義されている（法六1括弧書）。そして、職員がその職務を遂行するに当たり発揮した能力を把握した上で行われる勤務成績の評価（能力評価）というのは、「潜在的能力や業務に関係のない能力、人格等を評価するものではなく、当該能力評価に係る評価期間において職員が職務を遂行する中で、標準職務遂行能力の類型として、各任命権者が定める項目ごとに、当該職員が発揮した能力の程度を評価するものであ」り、「能力評価の評価項目等を定めるに当たっては、評価対象となる職員について、任命権者が定める標準職務遂行能力を有するかどうかを判断できる評価項目等とするとともに、その評価に資するよう、具体的な行動類型を着眼点として設けるなどの取組が適当であること。」とされているが（「地方公務員法及び地方独立行政法人法の一部を改正する法律の運用について（通知）」平二六・八・一五総行公六七号・総行経四一号総務省自治行政局長通知）、成果主義を取り入れた民間企業においては評価項目の固定化による弊害も多く指摘されているので、それぞれの地方公共団体または個別の職務を取り巻く状況に応じ、かつ、その変化に対応していくことが重要である。なお、採用試験および昇任試験は、採用または昇任させようとする職に係る標準職務遂行能力を有するかどうかを判定することが目的であるが（法二〇1、二一の四1・3）、能力評価は、当該職員の職について定められている標準職務遂行能力が発揮されたかどうかを評価するものであり、前者が将来を見通してのものであるのに対し、後者は過去の実績を評価するものである。

職員がその職務を遂行するに当たり挙げた業績を把握した上で行われる勤務成績の評価（業績評価）については、「公務能率の向上や評価結果の客観性、納得性を確保するとともに、評価結果を人材育成に活用する観点から、評価者と被評価者とであらかじめ目標を設定した上でその達成度を評価する目標管理に基づくことが適当であること。その上で、必要に応じて設定目標以外のその他の業務実績も併せて評価できることとすることが望ましいこと。なお、目標設定においては、業務の実態に応じ、必ずしも数値目標のみならず、定性的な目標や効率化、業務改善などに着目した目標を設定するなどの必要な工夫を行うこと。」とされている（平成二六年八月一五日付け総行公六七号・総行経四一号総務省自治行政局長通知）。

二　公正の原則

地方公務員法の適用については、全ての国民が平等に取り扱われなければならないとする原則（法一三）があるが、職員の人事評価については、「公正に行われなければならない。」とされる。「公正」という語は、「公平で邪曲のないこと」、「明白で正しいこと」を意味し、「かたよりや差別がなく、すべてのものが一様で等しいこと」を意味する「平等」（いずれも広辞苑）とは異なる。人事評価には、評価の分布制限を設けず、評価基準の達成度を客観的に評価する絶対評価と、あらかじめ評価の分布率を定め、分布率に沿って相対的に評価する相対評価があるが、絶対評価の手法で評価を実施する場合であっても、評価結果の任用や給与への反映に当たっては、職や昇給・勤勉手当の成績率の制約上、評価結果を基にした部局相互間の調整や優先度の判断は必要となる（平成二六年八月一五日付け総行公六七号・総行経四一号総務省自治行政局長通知）ので、「公正に行われなければならない。」とされたものであろう。

また、人事評価が人が人を評価するものである以上、そこに評価する者の主観が入ることは避けられないが、主観が入るということと恣意的であるということとは全く別の問題である。あらかじめ人事評価の基準及び方法に関する事項その他人事評価に関し必要な事項を定めること（法二三の二2）は、人事評価の透明性を高め（恣意性の排除）、人事評価のシステムに対する理解を深める（信頼性を増す）ために有用であり、人事評価を公正に行うために欠くことができないものであろう。従来の勤務成績の評定が必ずしも機能しなかったのは、それが職員の人格や人間としての評価を含むという誤解があったのに加えて、組織としての成果と個人としての成果の切り分けが困難であったり、成果が目に見える形で現れる職場と具体的な成果を認識するのが困難な職場があったり、評価者（上司）に対する信頼感が十分ではなかったりなど、職員の間にそれが公正になされるかどうかという不安や危惧が存したことが原因であったように思われる。すなわち、「職員の人事評価は、公正に行われなければならない。」というのは、人事管理の基礎とされることの正当性に疑いがもたれない人事評価をすることが必要であるという意味でもある。

三　人事管理の基礎

人事評価は、任用、給与、分限その他の人事管理の基礎として活用されるものである。任用については地方公務員法第一五条が「職員の任用は、この法律の定めるところにより、受験成績、人事評価その他の能力の実証に基づいて行われなければならない。」と、分限については同法第二八条第一項第一号が「人事評価又は勤務の状況を示す事実に照らして、勤務実績がよくない場合」には、当該職員の意に反して、降任または免職することができるとしており、本条第二項の規定をまつまでもない。給与については、同法第二四条第五項が職員の給与は条例で定めるとするのみで、法律自体に特別の規定はないが、条例で定める昇給および昇格の基準として人事評価を取り入れることは極めて自然なことであろう。また、任用、給与、分限以外の人事管理としては、人材の育成、組織編成、具体的な業務の割当、服務規律の維持、勤務条件の管理など様々なものがあるが、これらにあっても、当該職員がその職務を遂行するに当たり発揮した能力および挙げた業績を把握したうえで実施することが望ましいことはいうまでもないであろう。

人事管理の基礎として活用するというのは、人事管理を行ううえでの基本的な情報として有効に利用することである（人事評価に基づいて昇任、降任または転任を行うとする国家公務員の場合（国公法五八１２）とは異なる。）。すなわち、人事管理において考慮すべき要素は多岐にわたり（昇任や職員配置に際して、人格や人柄、将来発揮されるであろう能力が考慮されるなど）、昇給や勤勉手当のような場合を除いて、人事評価の結果だけでできることは比較的少ないように思われるが、職務を遂行するに当たり発揮した能力および挙げた業績を離れた人事管理もあり得ない。また、人事評価を基礎とした人事管理が実効あるものとなるためには、任命権者（その委任を受けた上司）が職員を評価し、その評価によって人事管理がなされることを受容する組織風土が重要であることを忘れてはならない。

（人事評価の実施）

第二十三条の二　職員の執務については、その任命権者は、定期的に人事評価を行わなければならない。

２　人事評価の基準及び方法に関する事項その他人事評価に関し必要な事項は、任命権者が定める。

３　前項の場合において、任命権者が地方公共団体の長及び議会の議長以外の者であるときは、同項に規定する事項について、あらかじめ、地方公共団体の長に協議しなければならない。

〔趣　旨〕

平成二六年（二〇一四年）法律第三四号による改正（前条の**〔趣旨〕**二参照）前の地方公務員法第四〇条第一項前段は「任命権者は、職員の執務について定期的に勤務成績の評定を行」わなければならないとしており、本条一項はこの規定を承継したものである。職員の勤務成績が正しく評価され、その結果に基づいて身分取扱いがなされることが職員だけでなく職場の士気を高め、公務能率を増進するうえで最も大切なことである。いわゆる信賞必罰が人事管理の基本方針の一つであり、懲戒、分限、表彰などの適切な実施が必要であるといわれることが多いが、より重要なことは、昇格、昇給などの給与上の取扱い並びに昇任及び転任に際して、勤務の実績が十分に考慮されることである。一回の人事評価がそのまま人事管理に活用されることもあるが、複数回の人事評価を基礎として活用すべきこともあり、人事管理上の必要が生じたときに活用できるように、人事評価はそれ自体として定期的に行わなければならない。

本条第二項は、「人事評価の基準及び方法に関する事項その他人事評価に関し必要な事項は、任命権者が定める。」とする。これは、枠の法律（第一条の〔趣旨〕四参照）としての地方公務員法の性質によるものであり、法律では、任命権者は人事評価を行わなければならないという基本原則のみを定め、その基準や方法などは各地方公共団体の自主性に委ねたものである。

本条第三項は、長以外の任命権者（議会の議長を除く。）は、人事評価に関し必要な事項を定めるに際して、あらかじめ長に協議しなければならないとする。これは、長の総合調整権について定めた地方自治法第一八〇条の四第二項の特例を定めるものであり、人事管理の基本である人事評価についても、任命者間の調整を図ろうとするものである。

〔解　釈〕

一　人事評価における評価者、評価の対象および評価の時期

人事評価を行うのは任命権者であり、任命権の委任に基づき（法六2）評価権限を委任された上級の地方公務員があるときはその者の名において評価を行う。実際の評価においては、分課の長、出先機関の長などが第一次の評価を行い、その上司が二次以降の評価調整を行い、さらに任命権者がその結果の認証を行うことが多いであろう。この場合の分課の長などは、任命権者の評価の補助執行を行っているものである。また、分課等の組織が相当に大きい規模のときは、係、班などの長に一般の職員の第一次の評価を行わせることもあり得る。人事評価は、職員の日常の勤務ぶりを中心に評定するものであるから、職員を直接に指揮監督する者が第一次評価者となることが望ましい。この場合、当該係長などが人事管理の権限を行使する者として、労使関係における管理職員等（法五二３但し書、４）に該当することもあり得よう。

第一次の評価者の評価の主観的要素を是正し、各評価者間の緩厳の差を正して部門間の不均衡を解消し、評価全体の客観性を高めるとともに部門間に昇給や昇格の不当な差別が生じないようにするため、第二次、さらには必要に応じて第三次の評価調整者が設けられる。この調整の副次的な効果として、二次以降の評価者は、前段階の評価者の評価能力、管理能力の良否を把握することができ、また、各部門間に能力のある職員がバランスよく配置されているかどうかを点検することができる。

評価者が評価を行うに当たって留意しなければならないのは、各評価者が客観的な評価を行うよう自覚し、主観的評価を行わないよう留意することである。そのためには、すべての評価者が評価目的、部下の観察方法、評価項目の意味などを理解しなければならないが、人事当局は各評価者の講習を行ったり、マニュアル（手引書）を作成するなどして事前に訓練を行うことが望ましい。評価者がとりわけ陥りやすい主観的傾向として、次の三点があるといわれており、これらをあらかじめ自覚させておくことも効果的である。

⑴　ハロー効果　　後光効果または光暈効果ともいい、評価者が被評評価の特定の評価項目の長所または短所を過大に評価する結果、他の評価項目の判断に当たってもその影響を受けて全体として良好または不良の判断をする傾向をいうものである。たとえば、非常に勤勉な職員がいる場合に、評価者がその勤勉さを高く評価するあまり、かりに理解力は人並み以下であってもそれにもよい評点を与えるようなこと、あるいは協調性が欠けている職員に対し、それに好い感情を抱いてない評価者がその職員の積極的性質についても悪い評点を与えるようなことがその例である。ハロー効果を避けるためには、評価者がこのような傾向に陥りがちであることを自覚して職員を冷静、客観的かつ公正に観察することおよび二次以降の評価者が前の評価者の傾向に注意して必要な是正を行うことが大切である。

⑵　集中化傾向　　評価者が被評価者のほとんどすべての者に対して平均的な評点を与えがちな傾向をいうものである。

評価者が新任早々で部下の観察が行き届かない場合や管理監督者としての自信がない場合などによく見られる傾向である。一種の責任のがれといってよいであろう。集中化傾向を是正するためには、二次以降の評価者が適切な調整を行うべきであることはもちろん、たとえば、優は二〇パーセント以内、良は六〇パーセント以内、他は可というように、制度的に評点の分布を義務づける強制分布の制度をとることも一つの方法であろう。

(3)　寛大化傾向　　評価者が被評価者に甘い評定をつけやすい傾向をいうものである。長期にわたって同一ポストにある評価者に見られやすい傾向である。すなわち、上司が部下と長い間接触を続けることにより、次第に人間関係が濃くなり、いわゆる情に溺れやすくなるためである。この傾向の是正についても前記の強制分布の方法があるが、二次以降の評価者が各部門間の能率を比較して調整することが重要である。

人事評価は、職員の執務について行われる。ここで「職員」というのは、地方公務員法第四条第一項が定義する職員のことであり、正規任用職員だけでなく、会計年度任用職員、短時間勤務の職員、臨時的任用職員、非常勤職員、任期付採用職員、任期付研究員など、特別職に属する職員以外の全ての職員が含まれる（国家公務員法に基づく人事評価の基準、方法等に関する政令第三条は、非常勤職員（法二二の四の短時間勤務職員に相当する職員を除く。）および臨時的任用職員については人事評価を行わないことができるとしている。）。人事評価の対象は職員の執務であるから、業績評価においてはもちろん、能力評価にあっても、潜在的能力や業務に関係のない能力、人格などは、人事評価の対象とはならない（前条の【解釈】一参照）。昇任や条件付採用職員の正式任用、期限を定めて任用している職員の再度の任用に際しては、潜在的能力などについても考慮する必要があるが、その評価は地方公務員法が定める人事評価においてなされるべきものではない。

また、人事評価が職員の執務について行われるということは、職員が評定日までに実際に従事した一定の期間における職務の実績について行われるということであり、一定の期間を設定する以上、それは定期的に行われなければならないのは当然であろう。そして、人事評価が人事管理の基礎となることからすると、その活用目的に応じた期間と時期を設定することが必要である。すなわち、勤勉手当への活用を考えるときは、期間を六月から一一月までおよび一二月から翌年五月までとして、業績評価を年二回行い、配置転換・任用・昇給などへの活用を考えるときは、期間を四月から翌年三月までとして、能力評価を年一回行うというようなことが考えられる。

なお、本条第一項は「定期的に人事評価を行わなければならない」とするが、これは、全ての職員を対象として定期的に行う以外の人事評価を否定するものではなく、条件付採用職員の条件付期間の満了または任期付職員の任期の更新に際しての人事評価、通常の人事異動の時期以外に特定の職への昇任や転任が必要となった際の人事評価など、適時適切に人事評価を行うことができるし、行うべきものである。

二　人事評価の基準および方法など

「人事評価の基準及び方法に関する事項その他人事評価に関し必要な事項は、任命権者が定める。」とされるが、その際には、次のことを確認する必要がある。

(1)　職員の業績または能力を適切な評価要素に基づいて総合的に評価することができるものであること。

(2)　評価の主観的評価を是正するための手続が具備されていること。

(3)　同種の職員の間で、複数の評価者による評価の不均衡が生じることを防止する手続が具備されていること。

ちなみに、国家公務員制度改革基本法第九条第一号は、「人事評価について、次に定めるところにより行うものとすること。」として次のことを定めている。

イ　国民の立場に立ち職務を遂行する態度その他の職業倫理を評価の基準として定めること。

ロ　業績評価に係る目標の設定は、所属する組織の目標を踏まえて行わなければならないものとすること。

ハ　職員に対する評価結果の開示その他の職員の職務に対する主体的な取組を促すための措置を講ずること。

人事評価は、所定の範囲の職員に共通する項目に評点を与えることによって行われるものであり、このような評価を行う項目が「評価項目」と称される。評価項目を設けずに総合的な評価のみを行うやり方もないわけではないが、それでは主観的になるおそれがあり、客観性を確保するとともに職員相互間の比較をするためにも評価項目を定めることが望ましい。なお、総合評価にも全体的把握を行う上での信頼性が求められるので、評価項目による評価を行った上で総合評価を付記することが適当であろう。

評価項目は、職務の遂行に関して必要な条件をもれなく、しかも簡潔な項目として定めなければならない。職務上の地位や職種によって職務上要請される条件は異なるから、これらの違いに応じて評価項目も異なることになる。たとえば、一般の行政職について職位に応じた評価項目の一例を参考までに示すと次のとおりである。

(1)　一般職員―勤勉さ　正確さ　理解力　規律　研究心　協調性　積極性

(2)　係長―勤勉さ　企画力　統率力　研究心　正確さ　協調性　渉外力

(3)　課長―勤勉さ　知識　企画力　統率力　判断力　渉外力　協調性　責任感

これらはあくまでも一つの例に過ぎないが、それぞれの職位、職種に応じてもっとも望ましいと思われる職員の職務上のあり方を想定し、不可欠でかつウエイトの高い項目を評価項目として選択することになろう。この場合、評価項目があまりに少ないと抽象的、主観的な評価となるおそれがあり、逆に評価項目が多すぎると評価項目のウエイトがあいまいになり、評価の手続も煩雑になる。

なお、人事評価を行うに際しては、次のことに留意して行うべきであるとする総務省自治行政局長通知（平成二六年八月一五日付け総行公六七号・総行経四一号）がある。

①　能力評価は、潜在的能力や業務に関係のない能力、人格などを評価するものではなく、当該能力評価に係る評価期間において職員が職務を遂行する中で、標準職務遂行能力の類型として、各任命権者が定める項目ごとに、当該職員が発揮した能力の程度を評価するものであること。

②　能力評価の評価項目などを定めるに当たっては、評価対象となる職員について、任命権者が定める標準職務遂行能力を有するかどうかを判断できる評価項目などとするとともに、その評価に資するよう、具体的な行動類型を着眼点として設けるなどの取組が適当であること。

③　業績評価は、公務能率の向上や評価結果の客観性、納得性を確保するとともに、評価結果を人材育成に活用する観点から、評価者と被評価者とであらかじめ目標を設定した上でその達成度を評価する目標管理に基づくことが適当であること。その上で、必要に応じて設定目標以外のその他の業務実績も併せて評価できることとすることが望ましいこと。なお、目標設定においては、業務の実態に応じ、必ずしも数値目標のみならず、定性的な目標や効率化、業務改善などに着目した目標を設定するなどの必要な工夫を行うこと。

ちなみに、総務省における課長補佐の職についての標準職務遂行能力と人事評価の関係は次のようになっている（平成二六年（二〇一四年）八月現在）。

標準職務遂行能力

[倫理] 国民全体の奉仕者として、担当業務の第一線において責任を持って課題に取り組むとともに、服務規律を遵守し、公正に職務を遂行することができる。
[企画・立案、事務事業の実施] 組織や上司の方針に基づいて、施策の企画・立案や事務事業の実施の実務の中核を担うことができる。
[判断] 自ら処理すべき事案について、適切な判断を行うことができる。
[説明・調整] 担当する事案について論理的な説明を行うとともに、関係者と粘り強く調整を行うことができる。
[業務遂行] 段取りや手順を整え、効率的に事務を進めることができる。
[部下の育成・活用] 部下の指導、育成及び活用を行うことができる。

評価項目及び行動／着眼点

＜倫理＞ **1　国民全体の奉仕者として、担当業務の第一線において責任をもって課題に取り組むとともに、服務規律を順守し、公正に職務を遂行する。**	
①責任感	国民全体の奉仕者として、担当業務の第一線において責任を持って課題に取り組む。
②公正性	服務規律を遵守し、公正に職務を遂行する。
＜企画・立案、事務事業の実施＞ **2　組織や上司の方針に基づいて、施策の企画・立案や事務事業の実施の実務の中核を担う。**	
①知識・情報収集	業務に関連する知識の習得・情報収集を幅広く行う。
②事務事業の実施	事案における課題を的確に把握し、実務担当者の中核となって、施策の企画・立案や事務事業を行う。
③成果認識	成果のイメージを明確に持ち、複数の選択肢を吟味して最適な企画や方策を立案する。
＜判断＞ **3　自ら処理すべき事案について、適切な判断を行う。**	
①役割認識	自ら処理すべきこと、上司の判断にゆだねることの仕分けなど、自分の果たすべき役割を的確に押さえながら業務に取り組む。
②適切な判断	担当する事案について適切な判断を行う。
＜説明・調整＞ **4　担当する事業について論理的な説明を行うとともに、関係者と粘り強く調整を行う。**	
①信頼関係の構築	他部局や他省庁のカウンターパートと信頼関係を構築する。
②説明	論点やポイントを明確にすることにより、論理的で簡潔な説明をする。
③交渉	相手の意見を理解・尊重する一方、主張すべき点はぶれずに主張し、粘り強く対応する。
＜業務進行＞ **5　段取りや手順を整え、効率的に業務を進める。**	
①　段取り	業務の展開を見通し、前もって段取りや手順を整えて仕事を進める。
②柔軟性	緊急時、見通しが変化した時などの状況に応じて、打つ手を柔軟に変える。
③業務改善	作業の取捨選択や担当業務のやり方の見直しなど業務の改善に取り組む。
＜部下の育成・活用＞ **6　部下の指導、育成及び活用を行う。**	
①作業の割り振り	部下の一人ずつの仕事の状況や負荷を的確に把握し、適切に作業を割り振る。
②部下の育成	部下の育成のため、的確な指示やアドバイスを与え、問題があるときは適切に指導する。

次に、各評価項目についての評価の仕方であるが、各評価項目ごとに優、良、可やA、B、Cなどの評語を記載する方法、評価の項目ごとの尺度を設け、その目盛に数値や評語をチェックする方法などが代表的であり、これに勤怠の記録を併記するなどの各種の組合わせが行われている。

なお、このことについて、総務省自治行政局長通知（平成二六年八月一五日付け総行公六七号・総行経四一号）は、「評価手法には、評価の分布制限を設けず、評価基準の達成度を客観的に評価する絶対評価と、あらかじめ評価の分布率を定め、分布率に沿って相対的に評価する相対評価があるが、国においては、「能力評価」「業績評価」とも、他の職員との比較ではなく、評価項目や設定された目標に照らして、職員一人ひとりの職務遂行能力や勤務実績をできる限り客観的に把握し、適切に評価する趣旨から、絶対評価による評価を行っているところ。各地方公共団体においては、それぞれの地方公共団体の実情に応じた評価手法により評価を実施すること。なお、絶対評価の手法で評価を実施する場合であっても、評価結果の任用や給与への反映に当たっては、職や昇給・勤勉手当の成績率の制約上、評価結果を基にした部局相互間の調整や優先度の判断は必要となるものであること。」としている。

ところで、人事評価を客観的なものとするために、評価を複数の段階で行うことが多いことは前記（「一　**人事評価における評価者、評価の対象および評価の時期**」）のとおりであるが、このことも人事評価の方法として定められるべきものである。

さらに、「人事評価に当たっては、人事評価制度の納得性を確保するため、被評価者自らの認識その他評価者による評価の参考となるべき事項について自己申告を行わせ、また、業績評価の目標内容の明確化や認識の共有を行うための期首面談や、原則として評価結果を開示して、被評価者に対して指導・助言を行うための期末面談などを行うことが適当であること。特に、評価結果が下位区分に該当する場合には、人材育成の観点からも、面談により改善に向けた助言・指導をすることが重要であることに留意すること」とされている（平成二六年八月一五日付け総行公六七号・総行経四一号総務省自治行政局長通知）。

自己申告は、民間企業でも多く採用されており、全職員から統一的にその意向を提出させるという点で、個々の職員が随時不平不満を申し立てる苦情処理とは違った長所を有している。他方、そのとりまとめに手数がかかり、それぞれの希望を具体化することが容易ではないという問題があるが、人間関係管理（ヒューマン・リレーションズ）の上で有力な一つの方法であるといえよう。なお、自己申告制度として、被評価者の自己観察申告を義務づけることは、個人の内心の自由を侵すものではないとされている（最高裁昭四七・一一・三〇判決・判例時報六八九号一四頁）。

人事評価の評価制度に自己申告制度を併用することの意義は、人事評価は評価者が一方的、あるいは独断的に実施しているような印象を与えやすく、また、評価者に被評価者の考え方や気持がよく伝わっておらず、評価者の認識が不十分であることもあるので、評価者の一方的決定という印象を緩和し、評価者に被評価者を一層よく観察する機会を与えることにある。要するに、自己申告制度は、活用の仕方により、人事評価をより完璧なものとし、人間関係管理を改善し、さらに部下の教育訓練の資料となるなど多目的に利用できるものである。

人事評価は、直接職員の処遇に結びつくものであるから、被評価者から苦情がでることは避けられない。制度的な問題となるのは、それが勤務条件の措置要求（法四六）の対象となるかどうかということである。これについて行政実例は、勤務評定（平成二六年改正前の法四〇。以下同じ）の結果が任用、給与などに結びつくことにより、職員の勤務条件に影響を及ぼすことはあり得るが、制度自体は勤務条件そのものとはいえないので、勤務条件に関する措置要求の対象とはならないとしている（行実昭三三・五・八　自丁公発第六二号）。また、教育公務員に対する勤務評定の実施が、行政権が教育内容に介入しないことを定めた教育基本法第一六条および学問、良心の自由を保障する憲法の原理に反するという主張があるが、勤務評定はこれに反するものでなく、勤務評定の提出を拒否した管理職を懲戒処分に付したことは相当であるとする判例（最高裁昭五三・一一・一四判決・判例タイムズ三七五号七三頁）がある。さらに、特殊な事例であるが、勤務評定の一部として自己評定を求められた者が、これに従わないときは懲戒処分を受けるおそれがあるとして、勤務評定義務の不存在を訴えたのに対し、単におそれがあるというだけでは訴えの利益を欠くとした判例（最高裁昭四七・一一・三〇判決・判例時報六八九号一四頁）もある。

このような制度的な問題は別として、「ア　人事評価制度の公正性・透明性の確保と制度の信頼性を高めるため、国においては、人事評価に関する苦情を幅広く受け付ける「苦情相談」と、苦情相談で解決されなかった苦情等を受け付ける

「苦情処理」の仕組みが設けられ、苦情相談に当たっては、簡便な手続きとなるよう配慮するとともに、苦情処理に当たっては、本人の書面による申出に基づき、あらためて評価結果の当否等を点検、調査、審査することとされているところ。各地方公共団体においても、これを参考に、各団体の規模等に応じて必要な仕組みを設けること。なお、苦情相談、苦情処理を申し出たこと等に起因して、申出者が不利益な取扱いを被ることのないよう人事評価制度に関する規程等において明確にしておくことが適当であること。イ　苦情相談及び苦情処理は任命権者の立場から行うものであり、第三者機関である人事委員会又は公平委員会における苦情処理（地公法第八条第一項第一一号、同条第二項第三号）とは別途のものであること。」との総務省自治行政局長通知（平成二六年八月一五日付け総行公六七号・総行経四一号）がある。

三　長の総合調整

　人事評価に関し必要な事項を定める場合において、「任命権者が地方公共団体の長及び議会の議長以外の者であるときは、同項に規定する事項について、あらかじめ、地方公共団体の長に協議しなければならない。」とされる。これは、任命権者を異にした異動が一般的となっている地方公共団体における人事管理の基礎となる人事評価（前条参照）を一体的に設計する必要があることによるものであり、自治法第一八〇条の四が定める長の総合調整権と考え方を共通にするものである。長の総合調整権の場合と異なるのは、執行機関に該当しない任命権者（地方公営企業の管理者並びに警視総監および警察本部長）および特定地方独立行政法人の理事長が対象となる点、協議が必要な事項が人事評価に関し必要な事項と明示されている点（自治法施行令一三二参照）、任命権者による定めの形式が規則その他の規定に限られない点である。この規定による長への協議は、各任命権者における人事管理の均衡を図る観点から行われるものであり、協議事項としては、人事評価の項目や評価基準、評価期間、評価の手続き、記録の作成・保管などが想定されている（平成二六年八月一五日付け総行公六七号・総行経四一号総務省自治行政局長通知）。なお、特定地方独立行政法人の理事長が任命権者である場合の協議の相手方についての読み替え規定はないが、本項が人事評価を一体的に設計する必要があることによるものであることを考えると、特定地方独立行政法人の理事長が協議を行うべき相手方は設立団体の長ということになる。

四　教育公務員の特例

教育公務員のうち、大学の学長、教員および部局長の人事評価およびその結果に応じた措置は学長にあっては評議会、教員および学部長にあっては教授会の議に基づき学長、学部長以外の部局長にあっては学長が行うものであり、また、人事評価の基準および方法に関する事項その他人事評価に関し必要な事項は評議会の議に基づき学長が定めるとされている（教特法五の二）。大学の教員の勤務成績の評定を任命権者（地方公共団体の長）が行うことは実際問題として困難であり、また、大学の自治を尊重する趣旨で大学におけるそれぞれの機関が勤務成績の評定を行うこととされているのである。

次に、県費負担教職員の人事評価は、地方公務員法第二三条の二第一項の規定にかかわらず、都道府県の教育委員会が樹立した計画の下に、市町村の教育委員会が行うこととされている（地教行法四四）。県費負担教職員の任命権者は、都道府県教育委員会であるが、その服務の監督は市町村の教育委員会が行うこととされている（地教行法四三1）ことによるものである。ただし、評定の結果、昇給、昇格、分限処分などの措置を具体的に行うのは都道府県の教育委員会である。

（人事評価に基づく措置）

第二十三条の三　任命権者は、前条第一項の人事評価の結果に応じた措置を講じなければならない。

〔趣　旨〕

平成二六年（二〇一四年）法律第三四号による改正（第二三条の〔趣旨〕二参照）前の地方公務員法第四〇条第一項は「任命権者は、職員の執務について定期的に勤務成績の評定を行い、その評定の結果に応じた措置を講じなければならない。」としており、本条は、この規定の後段を承継したものである。「人事評価を任用、給与、分限その他の人事管理の基礎として活用するものとする。」（法二三2）というのは、任用、給与、分限その他の人事管理を行う際に人事評価の結果を活用するということであり、人事評価からみると受動的、消極的なものであるが、本条は、人事評価の結果を能動的、積極的に活用すべきことをいうものである。

〔解　釈〕

任命権者は、人事評価の結果に応じた措置を講じなければならない（本条）。人事評価は能力主義、成績主義を実現するための手段であるから、これが十分に活用されてはじめて意義を持つものであることはいうまでもない。任命権者がどのような措置をとるべきかは法文上必ずしも明らかではないが、最少限、昇給、昇格、勤勉手当の査定および分限処分の資料として用いることが本条で義務づけられているといってよいであろう。

任命権者に対するこれらの義務づけを含めて、人事評価の結果は次のような人事管理上の手段として活用することが期待されている。

1　昇給および勤勉手当の成績率の査定　昇給は、一定期間の業績に対する報償としてなされることが建前である（昇任との関係については第一五条の二〔解釈〕二および第二五条〔解釈〕三㈠カ参照）。したがって、昇給をさせる、させないの決定はもちろん、昇給させる場合の号給数の決定のいずれにおいても勤務成績に基づいて行わなければならない。また、勤勉手当は、勤務期間による率（期間率）と所定期間内における勤務成績による率（成績率）とを乗じて決定するものである（第二五条の〔解釈〕四㈦参照）が、前者は機械的に決定され、後者は勤務成績の評価の結果に応じて決定すべきものである。現実には成績率の査定は十分に行われているとはいいがたく、公務能率の維持、増進の上で一つの問題点となっている。

2　昇　格　昇格は、昇給と並んで能力主義に基づいて行うことがもっとも強く要請されている身分取扱いである。昇格に当たっては、当該職員が就任することが予定されている上位の等級の職務に必要な能力を有するかどうかを判断しなければならないが、そのための方法は、下級の職員の場合には昇任試験と人事評価の結果、上級の職員の場合には人事評価の結果によることがもっとも適切であるといえよう（昇格は昇任と密接な関係を有するが、そのことについては第一五条の二の〔解釈〕二および第二四条の〔解釈〕一参照）。ただ、人事評価は「潜在的能力や業務に関係のない能力、人格等を評価するものではな」いとされている（第二三条の〔解釈〕一参照）ので、この場合に用いる人事評価の結果は、勤務成績の評価の長期的記録から判断される人物、実績となろう。

３　研　修　人事評価の結果は、職員研修のための重要な資料である。たとえば、職員の中で、特定の評価項目について成績が良好でない者が多く見られるようなときには、その改善に重点を置いた研修を実施しなければならないことが明らかになる。評価結果の統計的分析を行うことによって、いかなる職員層を対象としていかなる内容の研修を行うべきかということが明らかになるので、人事評価制度を各地方公共団体の人材育成に関する基本方針に位置付け、体系的な能力開発に努めることができる。また、個々の職員については、上司は評価結果に基づいて職場研修を実施すべきである。たとえば、評価の結果、研究心が不足しているとみられる職員に対しては、職務に関する研究を命令し、その経過をフォローして指導するようなことである。

４　人材育成　人事評価制度を通じて、職員に期待する人材像を明らかにするように努めるとともに、自己申告、目標設定、面談や評価結果の開示などの過程を通じて、職員が自らの職務行動を振り返ることにより、効果的、主体的な能力開発につながるように努めることができ、管理・監督職たる評価者にとっては、評価者訓練が能力開発の機会となるとともに、評価者としての責任を担って評価を行うこと自体がマネジメント能力を向上させることに繋がる。

５　人事記録　人事評価を継続的に実施すると、その集積と分析結果は、貴重な人事記録となる。まず、個々の職員については、その努力の跡を明らかにする記録であり歴史であって、それが昇任や配置転換の重要な資料となることはもとより、表彰に際してもその根拠となろう。

６　その他　人事評価の結果は、以上のほかにも、およそ能力主義、成績主義に基づいて行われる身分取扱いのあらゆる分野において活用すべきものである。たとえば、先に述べた昇級以外の任用にも、職員の適性に応じた任用を目的として活用しうるものである。任用のうち、特殊なものとして分限処分としての適格性を理由とする免職および降任についても、人事評価の結果は有力な資料となる。さらに、職員を成績功労者として表彰するような場合も人事評価の結果によることが期待されるものである。なお、条件付採用期間中の職員（法二二）を正式任用するかどうかを判断するためには、必ず特別評定を実施すべきものである。

人事評価の結果の利用に関連して問題とされるのは、人事評価の結果を公表することの可否である。理想としてはこれを公表し、いわゆるガラス張りの人事行政を行うことが望ましいといえようし、大多数の者が人事評価の結果を納得して受け入れ、それが相互の励みとなるようなオープンな気風がある場合には、公開することを積極的に肯定することができよう。しかしながら、わが国の現状では、官民をとわず、人事の考課を公表することは職員間の人間関係にマイナスの影響を与えるといってよいであろう。これは人間関係がドライでなく、終身雇用を基本とする閉鎖的な雇用関係の下で、情緒的、ウエットな人間関係が根強く形成されているためである。したがって、現状では、人事評価の結果は公表すべきものでなく、むしろ本人の利益を損ねるおそれが強いので、それは職務上の秘密（法三四1）に該当するものと解される。国家公務員の場合も、人事評価の結果は、当該被評価者に対するものを除いて、非公開とされている（人事評価の基準、方法等に関する政令（平二一・三・六政令第三一号）一〇、個人情報保護法七八②本文）。

（人事評価に関する勧告）

第二十三条の四　人事委員会は、人事評価の実施に関し、任命権者に勧告することができる。

平成二六年（二〇一四年）法律第三四号による改正（第二三条の〔**趣旨**〕二参照）前の地方公務員法第四〇条第二項は「人事委員会は、勤務成績の評定に関する計画の立案その他勤務成績の評定に関し必要な事項について任命権者に勧告することができる。」としており、本条は、この規定を承継したものである。本条では「人事評価の実施に関し」とされており、人事評価に関する計画の立案は含まれないようにも思われるが、この規定は、人事行政に関する専門的行政機関として人事管理全般について専門的、技術的知見を有する人事委員会に人事評価についての勧告権を付与することによって、人事評価の公正な実施と人事管理の基礎として活用する趣旨の徹底を図ろうとする趣旨によるものであること（平成二六年八月一五日付け総行公六七号・総行経四一号総務省自治行政局長通知）からすると、そのように限定して解釈する必要はないであろう。

第四節　給与、勤務時間その他の勤務条件

（給与、勤務時間その他の勤務条件の根本基準）

第二十四条　職員の給与は、その職務と責任に応ずるものでなければならない。

2　職員の給与は、生計費並びに国及び他の地方公共団体の職員並びに民間事業の従事者の給与その他の事情を考慮して定められなければならない。

3　職員は、他の職員の職を兼ねる場合においても、これに対して給与を受けてはならない。

4　職員の勤務時間その他職員の給与以外の勤務条件を定めるに当つては、国及び他の地方公共団体の職員との間に権衡を失しないように適当な考慮が払われなければならない。

5　職員の給与、勤務時間その他の勤務条件は、条例で定める。

〔趣　旨〕

一　勤務条件の意義

職員とその勤務する地方公共団体の間には、任命権者（上司）は職員に対して勤務を命ずることができ、職員はその勤務に服さなければならず、職員は地方公共団体に対して給料の支払いを請求することができ、地方公共団体はその給料を支払わなければならないというように、それぞれが相手方に対して権利を有し、義務を負い、相手方はそれに対応する義務を負うとともに権利を有するという関係がある。地方公務員法第三章「職員に適用される基準」はこれらの権利と義務の内容を

定めるものであるが、本節は、その中にあって、主として職員が提供すべき勤務の量である勤務時間とそれに対する対価である給与の定め方を明らかにしている。

勤務条件は、職員にとっては生活を支える経済的な基盤に直結する最大の関心事の一つであり、地方公共団体にとっては、優秀な人材を確保するためのきわめて重要な要素の一つであるとともに、財政支出において最大の比重を占める人件費に直接作用し、その結果は住民の生活にも影響を与えるという性質を有している。その意味において、その決定の方法および決定の結果については、ひとり職員のみならず、地方公共団体、ひいては住民が細心の注意と配慮を払う必要がある。勤務条件は条例で定めることとされているが（本条5）、これは、勤務条件のこのような性質に基づくものである。

二　勤務条件の内容

「給与、勤務時間その他の勤務条件」という言葉は、本条のほか、措置の要求に関する第四六条、職員団体の交渉に関する第五五条で使用され、職員団体の定義を定める第五二条では単に「勤務条件」という言葉が使用されている。そして、地方公務員法で使用されている勤務条件という言葉は、「労働関係法規において一般の雇用関係についていう『労働条件』に相当するもの、すなわち、給与及び勤務時間のような、職員が地方公共団体に対して勤務を提供するについて存する諸条件で、職員が自己の勤務を提供し、またはその提供を継続するかどうかの決心をするにあたり一般に当然に考慮の対象となるべき利害関係事項であるものを指す」と解されている（法制意見昭二六・四・一八　法意一発第二〇号）。

このような広範な内容を有する勤務条件をその性質別にみると、職員に対する経済的給付に関するもの、職員が提供すべき労務の量に関するもの、職場秩序を含む執務環境に関するものおよび勤務の提供に付帯する便益に関するものに分類することができるが、その具体的な内容は次のとおりである。

㈠　職員に対する経済的給付に関するもの

職員に対する経済的給付の中心は、非常勤の職員に対する報酬と常勤の職員に対する給料であるが、このほか、常勤の職員に対しては、時間外勤務手当、扶養手当などの各種手当（給料とこれらその手当を含めて「給与」という。）があり、実費弁償として、非常勤の職員には費用弁償、常勤の職員には旅費が支給される（自治法二〇三の二、二〇四）。なお、給与の関係については、短時間勤務職員および会計年度フルタイム職員も常勤の職員と同じ扱いになっているが会計年度パートタイム職員には報酬のほかに期末手当または勤勉手当を支給できるとされている（自治法二〇三の二1 4、二〇四1）。また、法律には規定がないが、業務の遂行に必要な事務用品、作業服などの提供も経済的給付に関する勤務条件に含めて考えることができる。

㈡　職員が提供すべき労働の量に関するもの

職員が提供すべき労働の量の基本は正規の勤務時間であるが、これに加えて、時間外勤務や宿直・日直勤務に関するものがある。また、本来は勤務すべき時間（正規の勤務時間）であるが、政策的配慮により勤務の義務を免れることができるものとして、休日、休暇、職務専念義務の免除がある。さらに、正規の勤務時間中に置かれる休息時間（国家公務員については平成一八年七月一日から廃止されている。詳しくは本条の〔解釈〕五㈡5⑶参照）、その途中に置かれる休憩時間、正規の勤務のための待機時間なども提供すべき労働の量に関するものと考えられる。なお、特殊なものではあるが、定年も、勤務の年限を画するという意味において、これに含めることができよう。

㈢　職場秩序を含む執務環境に関するもの

職場秩序に関するものとしては、職員の義務としての服務の内容および分限や懲戒の基準があり、給料とも密接に関連するものとして昇任、転任、昇給の基準がある。また、これら以外の執務環境に関するものとしては、職場の安全や衛生、セクシュアルハラスメントやパワーハラスメント等に関することなどがある。ただし、これらの事項のうち、服務、分限、懲戒、昇任、転任、昇給については地方公務員法が具体的な規定を置いているので、各地方公共団体が独自に定めることができる範囲はきわめて限定されている一方、セクシュアルハラスメントやパワーハラスメント等については各地方公共団体が必要な措置を講じなければならない（雇用機会均等法一一1、一一の二1参照）。

㈣　労働の提供に付帯する便益に関するもの

これに該当するものとしては、公務上の災害による損害に対する補償、通勤途上の災害による損害に対する補償、職員およびその被扶養者の病気、負傷、出産、災害、死亡などに対する相互救済制度、職員の保健や元気回復などのための厚生制度などがある。これらのうち、厚生制度以外のものについては、地方公務員災害補償法、地方公務員等共済組合法、国民健康保険法、雇用保険法、国民年金法などの法律によって個別に給付の内容や条件が定められており、地方公務員に対する給与その他の給付は法律または法律に基づく条例に基づかなければならないとされているので（自治法二〇四の二）、各地方公共団体が独自に措置をする余地はない。ただ、地方公務員災害補償法による補償がなされない職員については使用者による災害補償を義務づける労働基準法第七五条から第八八条が適用される（法五八３但し書）ので、これについては、各地方公共団体が独自に措置しなければならないことになる。

勤務条件をこのように広い意味を持つものとして理解する立場に対しては、社会実態の変化に応じて勤務条件の実質的内容の増減や質的な変化がみられ、その限界が常に不明確であるために、実定法上はこれに何らかの限定をしておくことが必要であるとして、本条第五項が勤務条件は条例でこれを定めるとしていることを主たる根拠に、「条例、すなわち、団体意思で決定する職員の経済的条件がここでいう『勤務条件』であるということができる」として本条第五項を限定的に解釈すべきであるとする見解がある（鹿児島重治・「逐条地方公務員法（第六次改訂版）」二八九頁、学陽書房、一九九六年）。しかし、本条第五項は、勤務条件を条例で定めることとしているのであり、条例で定めるものを勤務条件としているのではないから、この論理には若干無理があるように思われる。本条第五項の趣旨は、職員に対して権利を付与したり、義務を負わせることになる勤務条件については条例で定めなければならないとするところにあり、前記のように法律で定められているものは、たとえそれが勤務条件に該当するものであっても、法律の下位規範である条例で定める余地はないが、もしも、何らかの事情で当該法律が廃止されれば、条例で定めることになるのであるから、それを勤務条件から除外しておく必要はないであろう。また、本条第五項は、このような勤務条件（地方公共団体と職員との間の権利義務の関係として把握すべきもの）を定めるときは条例で定めなければならないとするにすぎず、明示されている給与、勤務時間以外のものについて、勤務条件として何を定めるかは、条例制定権者の裁量によることになる。しかし、措置要求や職員団体の交渉事項としての勤務条件については、このような制約はなく、当該勤務条件について当局が権限を有している限り、その対象とすることができるのであるが、これについては該当箇所で詳述する。

三　給与に関する諸原則

前述のように勤務条件は、職員にとっても地方公共団体にとってもきわめて重要な事項であるため、地方公務員法は第一四条で勤務条件全般についての情勢適応の原則を定めているほか、本条および次条でいくつかの原則を定め、すべての職員の勤務条件が同一の原理原則の下に決定、運用されるべきものとしている。そして、勤務条件の中でも実質的にその中心となる給与については、若干の原則が法定されている。そこで、まず、給与に関する諸原則の趣旨を明らかにしたうえで、次に給与以外の勤務条件に関する原則について述べることとする。なお、勤務条件についての情勢適応の原則については、第一四条の説明を参照されたい。

給与に関する基本原則は、給与決定の原則と給与支給の原則とに大別することができるが、いずれの原則も本条と次条にまたがって規定されている。すなわち、給与決定の原則のうち、職務給の原則と均衡の原則は本条第一項および第二項に、条例主義は本条第五項および次条第一項に規定されている。また、給与支給の原則については、重複給与の禁止は本条第三項に、通貨払い、直接払いおよび全額払いの原則は次条第二項にそれぞれ規定されている。これらの原則の趣旨をまとめれば、次のとおりである。

(一)　給与決定の原則

給与または賃金をどのような原則に基づいて決定するかについては、理論的にも実態的にもさまざまな考え方がある。それは社会の状況によって異なるものであるし、また、使用者と被使用者の立場によっても異なる。たとえば、社会全体の賃金水準が低い場合には生活給の主張が強まるし、逆に賃金水準が高まるときは職務給、職能給が積極的に導入される。また、被使用者が生活給を要求し、使用者が職務給を確立しようとするのも公務、民間を問わず、一般的な傾向である。このようなさまざまな立場の中からどのような立場を給与決定の原則として取り上げるかは、社会の実情を前提とした立法政策の問題であるが、現行の地方公務員法においては、職務給の原則、均衡の原則および条例主義が給与を決定する原則としてとり上げられている。以下、それぞれの目的、趣旨について述べる。

１　職務給の原則　給与は職務と責任に応ずるもの、すなわち、地方公共団体に対する貢献度に応じて決定されなければならないとする原則である。これに対立する考え方として生活給の原則（給与は勤労者の生活の維持に必要な額を決定すべきであるとする原則）がある。給与は、勤務（労働）に対する報酬であるとする考え方には経済原則からみて十分な合理性があると同時に、給与が現実に生活する人に対して支払われるものであることおよび労働力の継続性を維持するためのものであることを考えると、給与が生活の資として労働力の再生産を賄うに足るものでなければならないとする考え方も、説得力のある見解であろう。わが国の場合も、戦後の経済の混乱期には民間の賃金はもとより、公務員の給与も生活給の色彩が濃厚であった。その後、経済の発展と賃金水準の上昇につれて職務給、職能給の考え方が強まり、公務員についていえば、昭和三二年（一九五七年）の給与制度の大改正でそれ以前の通し号俸的な給与体系が等級別の給与制度に改められたことによって、職務給の基礎が確立され、平成二六年（二〇一四年）法律第三四号による改正（施行は平成二八年四月一日）で標準職務遂行能力の考え方が導入され（法一五の二１⑤）、条例で等級別基準職務表を定めるものとされた（法二五３②）ことによって、制度としては法律が要請する原則に適合するものとなっているということができる。

２　均衡の原則　一般の企業における賃金の決定には、かなり明確な尺度がある。それは労働と利益の相関関係であり、賃金全体の枠については費用に占める賃金の割合が適正であるかどうかということが一つの物指となるし、個別の賃金については労働によって得られた附加価値あるいは利益が上限となることである。実際の賃金決定のメカニズムはこれほど単純ではないが、原理としては企業目的が利益という客観的な数字で表示され、賃金は長期的にはこの利益を基準として決定されることになる。これに対し、公務の場合には、このように明確な内在的尺度は存在しない。公務の目的である公共の福祉の増進は、金銭によって表示し得ないものであり、利益以外の基準によって決定せざるを得ない。そこで現行公務員法の下でとられている方式が均衡の原則であり、民間企業の賃金や他の公務員との比較によって給与を定める方法である。この方式は、二つの考え方を背景にもっている。その一は、公務員の採用も国全体の労働市場の中で行われており、民間や他の公務員に匹敵する給与を支給しないと労働力の確保が困難になるということである。その二は、公務員の給与について国民、住民の納得を得なければならないということである。公務員の給与は、国民または住民の負担によって賄われており、もし公務員の給与が著しく世間一般の水準を超えるようなことがあれば、国民や住民の納得を得ることが困難となり、当該地方公共団体に対する信頼を損ねることになりかねないのである。前者の人材確保という観点からは、給与水準は高いことが望ましく、後者の国民、住民の負担という観点からは給与水準は低いことが望ましい。この相反する要請を調和させるものが、均衡の原則であるといってよいであろう。

3　条例主義　職員の給与を議会の議決に基づく条例で決定することを条例主義という。民間企業における賃金は、私的自治の原則と労使対等の原則に基づいて、使用者と被使用者の合意に基づいて自由に決定するものであるが、これと条例主義とは著しい対照を示している。職員の給与について条例主義の原則が定められている趣旨は、次の二点にあると考えられる。その一は、職員の給与については住民自治の原則に基づいて住民の同意が必要であり、議会が団体意思として制定する条例によってこの同意が与えられるということである。地方自治法第二〇三条第四項、第二〇三条の二第五項、第二〇四条第三項および第二〇四条の二にも給与（報酬）の条例主義がうたわれているが、これも住民の納得を得ることを第一の趣旨とするものと考えられる。その二は、職員に対して給与を保障することである。第三七条および第五二条以下についで述べるように、職員の労働基本権は一定の制限を受けている。労働基本権は、労働者の勤務条件（労働条件）を保障するための権利であり、団結、交渉および労働の供給の停止（ストライキ）を背景として勤務条件の維持向上を図ることを目的としている。公務員はその地位の特殊性に基づいて労働基本権が制限されているため、勤務条件を保障する制度が必要であるが、この代償措置の基本となるものが法令による勤務条件の保障であり、これに加えて法令による身分保障や人事委員会、公平委員会などの勤務条件を保護する制度（勤務条件に関する措置要求の審査、人事委員会の給与勧告など）がある。法令による勤務条件の保障とは、法律や条例という実定法による勤務条件の確定であり、私人間の契約と異なり公的な権威によって勤務条件が保障されることになる。また、法令および条例は、国民または住民の意思であるから、いわば主権者の合意によって勤務条件が保護されることになるわけである。

(二)　給与支給の原則

給与決定の原則とともに、給与の支給の仕方についても二つの原則が法定されている。その一は重複給与支給の禁止であり、その二は通貨払い、直接払いおよび全額払いの原則である。前者は給与支払いの秩序を確立し、みだりに給与が混同して支給されることがないようにするための原則であり、後者は給与の支払いが職員の利益を十分に確保する形で行われることを保障する原則である。それぞれの趣旨をさらに詳しく述べると、次のとおりである。

１　重複給与支給の禁止　　職員は第一七条で述べたように同一の地方公共団体内部における兼職を禁止されていないので、複数の職を兼ねる場合がありうる。このような場合の給与の支給の仕方としては、それぞれの職に支給すべき給与をあわせて支給するという考え方、本来の職（本務）の給与のみを支給するという考え方、それぞれの職に従事した割合に応じて按分した給与を支給するという考え方などがありうる。立法論としては、いずれの考え方をとることも可能であると考えられるが、重複支給の方法は過大な給与が支給されたり、任用が乱れたりするおそれがあり、また、按分支給の方法は、職務の対価を支給するという観点から合理性があるものであるが、支給手続が複雑になることが考えられる。そこでもっとも簡明な本務についてのみ給与を支給する方法が地方公務員法では採用されたのであろう。確かに、この方法は簡単明瞭であり、給与支給について疑義を生ずる余地がない点ですぐれているが、実際の運用に当たって問題が生じないわけではない。特別職との兼職にこのような禁止規定がないこと、著しく給与単価が異なる職を兼ねたときの問題など、実情にそわない場合がありうるし、このことが兼職の運用を妨げることも考えられる。これらの問題については、ある程度は解釈で補うことができるとしても、立法論としては、給料および各種手当を通じて、よりきめの細かい調整措置を講ずることが実際的であるように思われる。

２　通貨払い、直接払いおよび全額払いの原則　　給与は、労働者の生活の糧であるから、これが確実にその手に渡ることがその生活を保護するゆえんである。ところが、かつては往々にして給与（賃金）が中間で搾取されたり、また、使用者の便宜のみによって分割払いされたり、現物支給されたりして、その結果、労働者の不利益に帰することが少なくなかった。このような実情にかんがみ、各国で給与の確実な支給を確保し、労働者の生活を保障する立法が行われてきたが、その中心となるものが、通貨払い、直接払いおよび全額払いの三原則である。職員については、地方公務員法制定後、暫くの間は労働基準法第二四条第一項ならびに船員法第五三条および第五五条の規定によってこの三原則が適用されていたのであるが、昭和四〇年（一九六五年）の本法の改正によって、一般の職員については直接地方公務員法中に規定されることとなった。これは、給与支給の三原則を地方公務員法自体の中に規定することにより、職員に対する給与の支給を公法上の原則として明確に保障する趣旨であると考えられるが、昭和四〇年（一九六五年）の改正は職員の団結権の保障と労使関係の正常化を中心とするものであり、給与支給三原則の明確化は、給与からの組合費の天引き（チェック・オフ）がルーズに行われていたものを、条例で特例を定めた場合にのみ行いうるとすることに実質的な狙いがあったことは否定できない。しかし、この問題は三原則にかかる一部の問題であり、三原則に関しては、法律的に各種の問題がある。詳細については、第二五条の〔解釈〕一で述べる。

四　給与以外の勤務条件に関する原則

勤務条件の中心は労働の直接の対価である給与であるが、給与以外の勤務条件もこれに劣らず重要である。勤務時間、週休日、休日、休暇および休憩は、それぞれ給与との見合いで給与単価を決定する重要な要素であり、その長短は地方公共団体の業務の遂行体制を決定する要素でもある。また、職員自身にとっても勤労の強度は勤務時間などによって左右されるものであり、給与水準の向上に伴って、勤務時間や休暇などに対する関心も漸次高まっている。

給与以外の勤務条件についても、地方公務員法はその重要性にかんがみ、均衡の原則および条例主義の二つの原則を定めているが、その趣旨は、次のとおりである。

(一)　均衡の原則

本条第四項では、勤務時間、休日、休暇などについても給与と同じく均衡の原則が定められており、国や他の地方公共団体の職員との権衡を考慮しなければならないとされる。公務員は、国、地方を問わず公共の福祉の増進のために勤務するものである点で全く同質のものであるから、勤務時間などの均衡がとれていることが公正な処遇に適うものといえよう。給与の場合と違って民間事業の従事者との均衡が明記されていないことの趣旨は必ずしも明らかではない。勤務時間や休日などについて民間の動向を考慮すべきことは週休二日制にかかる推移や、後述のように職員に民間の従業員と同じように労働基準法が適用されていることからしても当然のことと考えられるが、民間には様々な職種があり、それに応じた弾力的な取扱いがなされていることが少なくないため、一律に均衡を考慮することの難しさがあることによるものであろうか。

㈡　条例主義

次に、給与以外の勤務条件についても給与と同様に条例で定めるべきことが本条第五項に規定されている。その趣旨は、給与の場合と全く同じであり、住民の負担につながる問題である以上、住民の同意を条例の形式によって得ることと、条例という法規範によって職員の勤務条件を保障することの二点が目的である。

五　職員の勤務条件に関する労働基準法の適用

職員に対しては原則として労働基準法が適用されるが（法五八３、地公企法三九１、地公労法一七１、附則５）、労働基準法は労働条件（勤務条件）の最低基準を定めることを目的とするものであり（労基法一２）、同法が適用される限りにおいて、職員の勤務条件は、条例で定める場合においても同法が定める基準以上のものでなければならないことになる。このことは国家公務員について同法が適用されないこと（国公法附則六）と著しい対照をなしている。もっとも国家公務員についても、昭和二三年（一九四八年）一二月の国家公務員法改正法附則第三条で労働基準法の規定を準用するとされているが、「国家公務員法の精神にてい触せず、且つ、同法に基く法律又は人事院規則で定められた事項に矛盾しない範囲内において」という限定付きであり、実際には機能しない状態にあるといってよい。

地方公務員である職員に労働基準法が適用されたのは、日本国憲法第二七条第二項に「賃金、就業時間、休息その他の勤労条件に関する基準は、法律でこれを定める。」と規定されているため、労働基準法を適用しない限り、地方公務員法に労働基準法の各規定に相当する規定を定めなければならず、その煩瑣を避けたためであるといわれている。

労働基準法の個々の適用関係については、個々の勤務条件の内容を述べる際にふれることとするが、労働基準法をほぼ全面的に職員に適用していることには問題なしとしない。たとえば、職員を懲戒処分として免職する場合でも、民間の労働者と異なって（事後にではあるが）審査請求を行うことができるにもかかわらず、「労働者の責に帰すべき事由」に当たるかどうか行政官庁の認定が必要とされていたり（労基法一九2、二〇1但し書、3）、企業職員や単純労務職員に懲戒処分として減給を行う場合（法二九1）に、一回の額が平均賃金の日額の半額以下でなければならないとされていること（労基法九一）など種々問題がある（第二九条の〔解釈〕六3参照）。立法論としては、国家公務員に労働基準法が実質的に適用されていないにもかかわらず、地方公務員には適用されていることには法制度としての不均衡があること、および労働基準法の適用関係がきわめて大雑把になされていることにかんがみ、地方公務員法の中で、またはこれに基づく政令を定めて、労働基準法の「準用」をもっときめ細かく規定し、公務員としての立場が十分に確立されるよう整備することが適切であると思われる。

〔解　釈〕

一　職務給の原則

職員の給与は、その職務と責任に応ずるものでなければならない（本条1）。これを「職務給の原則」と呼ぶ。「給与」の意味は、次条第一項の〔解釈〕で述べるが、ここで「職務……に応ずる」とは職務内容の難易あるいは複雑さの程度に応じて差をつけることであり、「責任に応ずる」とは責任の軽重によって差を設けることである。職務といい、責任といっても、実質的には同じことを指しているといってよいであろう。平成二六年（二〇一四年）法律第四三号による改正前の地方公務員法第二四条第二項は「前項の規定の趣旨は、できるだけすみやかに達成されなければならない。」としていたが、この改正によって、同項は職階制について定めた同法第二三条とともに削除されている。この改正によって、標準職務遂行能力（法一五1⑤）、人事評価（法二三、二三の二）及び等級別基準職務表（法二五3②）に関する規定が整備されたことにより、給与に関する制度がその職務と責任に応ずるものとなったと判断されたものであろう。なお、標準職務遂行能力と等級別基準職務表の関係については次条の〔**趣旨**〕二で詳述する。

職務給の原則は、具体的には給料表の別および各給料表における級の区分によって実現されている。従事する職に応じ適用される給料表を別にするとともに、たとえば、九級は部長、六級は課長、四級は課長補佐というように（第二五条の〔**解釈**〕三(一)参照）、職に応じて給料の級を異にすることによって職務給の原則を具体化しているのである。各級内の号給の区別は、生活給の要素を考慮したものであると同時に、同一職務における能率の向上に対応するものであるから、ここにも職務給の原則が一部反映されているといってよいであろう。給料以外の諸手当においても、職務の困難などに応じて支給される特殊勤務手当や管理職員の職務の特殊性に応じて支給される管理職手当などは職務給の原則に基づくものであるということができる。職務給の原則と並んで、生活の維持のための生活給の原則も考慮されなければならないが、各級内の号給が生活費の上昇を考慮して複数のレンジ・レートで設定されていること、後述するように、均衡の原則および人事委員会の給与勧告において生計費を考慮していること、各種手当中、扶養手当や期末手当、寒冷地手当など、生活費を前提とした手当が設けられていることによって付加的に措置されている。このように、現行制度の下では、職務給の原則が主であり、生活給の要素は従たる地位を占めている。

本条の職務給の原則は、一般の職員をはじめ、教職員、警察職員および消防職員にはそのまま適用されるが、企業職員および単純労務職員には本条が適用されず、職務給の原則は地方公営企業法第三八条第二項の定めるところによる（法五七、地公企法三九1、地公労法一七1、附則5）。これは、これらの職員については、企業経営の原則に基づき職員が発揮した能率を考慮すべきこと、およびこれらの職員が団体協約の締結権を有することにかんがみ、条例では給与の種類と基準のみを定めるものであることから、給与に関する諸原則を一括して別に規定したためであり、職務給の原則については、「職務に必要とされる技能、職務遂行の困難度等職務の内容と責任に応ずるもの」（地公企法三八2）でなければならないとされ、表現は多少異なるが、趣旨は全く同じである。なお、独法職員にも本条は適用されず（地方独法法五三1①）、企業職員の場合と同様の規定（地方独法法五一1）が設けられている。

職務給の原則については、給与制度の運用上多くの問題があるが、もっとも重大なものはいわゆる「わたり」の濫用である。わたりとは、職務の内容と責任に実質的に変更がないにもかかわらず、上位の級に格付けすることであり、給料の格付けの発令のみで行われることもあれば、職制を濫設することによって行われることもあり、さらには等級別基準職務表を不当に拡大解釈して行われる場合などがある（昇任と昇給の関係については第一五条の二の〔解釈〕二で述べた。）。わたりが行われる原因は、給与制度を年功序列により生活給的な通し号俸として運用しようとすることにあり、これによって職務の級の区別が崩れ、職務給の原則が無視されることになりかねないのである。わたりについては昭和四三年（一九六八年）の通達（昭四三・一二・二一　自治給第一〇五号）で標準職務（注、現行の等級別基準職務に相当する。）に適合しない等級（注、現行の級、以下の通知でも同じ。）への格付けを行うべきでないとされたのをはじめ、再三の注意が促されているところであり、昭和四七年（一九七二年）には、「標準的な職務区分によらない等級に格付けを行うことおよび実質的にわたりと同一の結果となる構造の給料表を用いることは、職務給の原則に反する……」と明確な判断が示されている（通知昭四七・九・二五　自治給第三七号　第五1）。なお、専門職に限っては、職名を付すなど職務分類を活用して二以上の等級に格付けすることが認められるものであり（前記通知第一3、通知昭三二・六・一　自乙公発第五一号　第一　三4）、これはわたりには該当しない。

わたり以外にも初任給の決定を国家公務員のそれよりも上位に決定することや多額の特殊勤務手当を支給することなどは、後述の均衡の原則に反するとともに、職務に本来あるべき給与を支給しないという点で、職務給の原則にも反すると解される。

二　均衡の原則

職員の給与は、生計費ならびに国および他の地方公共団体の職員ならびに民間事業の従事者の給与その他の事情を考慮して定められなければならない（本条2）。この原則を均衡の原則と称している。均衡の原則は、(1)生計費、(2)国家公務員の給与、(3)他の地方公共団体の職員の給与、(4)民間事業の従事者の給与、および(5)その他の事情の五点を考慮することによって実現されるものであるが、それぞれの内容は必ずしも明らかではない。まず、「生計費」とは、職員の生活を維持するための費用という意味であるが、個々の職員の具体的な生計費ではなく、国民全体の標準的な生計費をいうもので、抽象的な概念である。次に、「国家公務員の給与」も個々についてみれば千差万別であり、それぞれ類似の職種の標準的な給与との比較を考慮すべきものであろう。「他の地方公共団体の職員の給与」も同様で、個別の地方公共団体との比較や単純に平均した給与比較ではなく、類似の職種のあるべき給与との比較をいうものと考えられる。「民間事業の従事者の給与」との比較はもっとも困難であり、民間企業がきわめて多種多様であることから、その比較の技法を確立することは容易ではない。職務の内容と責任とがおおむね相似していると思われるものとの比較を行うことになるが、現実には人事院が国家公務員の給与勧告を行うに当たって用いている手法が地方公共団体でも一般に用いられている。「その他の事情」の内容も不分明であるが、「その他の」とされていることから、原則的には前記の諸点に類似する事情でなければならないであろう。これを当該地方公共団体において給与を決定するに際して当然考慮すべき事情と考えるならば、地域の経済事情、たとえば、地場産業の景況であるとか、地元中小企業などの状況、あるいはその地域における職員採用の難易などが考慮の対象になるといえよう。

国家公務員の給与については平成一八年（二〇〇六年）度から平成二二年（二〇一〇年）度までの間に給与構造改革が実施されたが、それまでは、本条の運用として、均衡の原則は、「国家公務員の給与に準ずる」ことによって実現されるものと解されていた（通知昭三五・四・一　自内公発第九号ほか）。その趣旨は、国家公務員の給与は人事院勧告によって決定されているが、人事院勧告では生計費および民間事業の賃金が考慮されているので、地方公共団体がその給与をこれに準ずることとすれば、国および他の地方公共団体とも均衡がとれるわけで、均衡の原則における前述の(1)から(4)までの要素を満足させるということにあった。ただ、「国家公務員の給与に準ずる」ことが永年にわたって継続された結果、当該地方公共団体の区域における経済事情や賃金の状況との乖離がみられる例も生じており、この伝統的な考え方に対する批判が高まっていた。

このような状況の中で実施された国家公務員の給与構造改革の内容は、大きく分けて、地域の民間賃金を反映させるための地域間給与配分の見直し、職務・職責に応じた俸給構造への転換、勤務実績の給与への反映の推進、複線型人事管理に向けた環境整備、本府省業務調整手当の新設の五つの項目からなっていた。このうち、地域の民間賃金を反映させるための地域間給与配分の見直しというのは、平成一七年の人事院勧告による全国共通に適用される俸給表の水準を民間賃金水準が最も低い地域に合わせるための平均四・八％の引き下げ及び民間賃金が高い地域に勤務する職員を対象とする三％から一八％までの地域手当の新設（第二五条の〔解釈〕四㈢参照）並びに同一八年（二〇〇六年）の人事院勧告による広域異動手当の新設である。職務・職責に応じた俸給構造への転換というのは、同一七年の人事院勧告に基づくものであり、中高年齢層の俸給水準の引き下げ幅を七％程度とすることなどによって給与カーブをフラット化し、俸給表の職務の級と役職段階との関係を整理し、職務の級を統合・新設することである。勤務実績の給与への反映の推進というのは、同一七年（二〇〇五年）の人事院勧告に基づくものであり、従前の俸給表の号俸を四分割することにより、弾力的な昇給幅を確保した上で、勤務実績に基づくいわゆる査定昇給に一本化し（特別昇給と普通昇給を統合し）、勤勉手当に勤務実績をより反映できるように「優秀」以上の成績区分の人員分布を拡大することである。複線型人事管理に向けた環境整備というのは、同一九年（二〇〇七年）の人事院勧告に基づくものであり、公務において職員が培ってきた高度の専門的な知識や経験を活用するとともに、在職期間の長期化に対応する観点からする専門スタッフ職俸給表を新設したことである。本府省業務調整手当の新設というのは、同二〇年（二〇〇八年）の人事院勧告に基づくものであり、本府省の業務に従事する職員の業務の特殊性・困難性を踏まえ、近年、各府省において必要な人材の確保が困難になっている事情を考慮して、本府省の課長補佐、係長および係員を対象とした手当の新設のことである。

さらに、平成二四年（二〇一二年）八月の人事院勧告において、五〇歳台後半の層における官民の給与格差が相当程度存在しているとして、「世代間の給与配分を適正化する観点から、五〇歳台後半層における給与水準の上昇をより抑える方向で、早急に昇給・昇格制度の改正を行う必要がある。」との指摘がなされ、平成二五年四月一日からは昇格の抑制が、同二六年四月一日からは五五歳を超える職員についての昇給抑制が実施された（現行制度については第二五条の〔解釈〕三㈠カ参照）。

ただ、総務省の調査によると、令和三年（二〇二一年）四月一日現在で、昇給抑制については、都道府県で九団体（一九・一%）、指定都市で九団体（四五・〇%）、市区町村で九五九団体（五五・七%）が、昇格抑制については、都道府県で一団体（二・一%）、指定都市で八団体（四〇・〇%）、市区町村で九五九団体（二九・一%）が、国と同様の措置を採っていないとのことである。

国家公務員の給与に準ずることが均衡の原則を実現する現実的な方法であるとすれば、国がこのような給与改革を実施している以上、職員についてもこれに準じた改革を行うことが必要であるし、独自に均衡の原則を実現するとしても、自らが位置する地域の実情を十分に反映させた給与制度を樹立しなければならないことは当然のことである。特に、独自の調査、研究、勧告の権限を有する人事委員会（法八１①②⑤、二六）は、安易に国家公務員準拠とするのではなく、地域における民間給与の実態を十分に反映し、住民が納得できる給与制度を提示する責務があるといわなければならないし、長その他の執行機関においても、地域の実情を十分に考慮した給与の適正化を図らなければならない。

ところで、均衡の原則の一つの要素である国家公務員の給与との均衡は、制度の面と水準の面の二つからみる必要がある。前者は、給料表の構造や初任給、昇格および昇給の決定方法、各種手当の種類とその内容等が国家公務員に準じて定められているかどうかによって判断することになろう。後者は、ラスパイレス方式、フィッシャー方式およびパーシェ方式のいずれかによって統計学的に比較される。ラスパイレス方式によることが普通であるが、ラスパイレス方式というのは、同職種の地方公務員と国家公務員を学歴別、経験年数別に区分し、それぞれの区分における国家公務員数（N）に、その区分に属する国家公務員の平均俸給月額（A）と地方公務員の平均給料月額（B）とをそれぞれ乗じ、こうして得た各区分別の金額を国家公務員と地方公務員とに分けて集計し、前者で後者を除したもの、すなわち $\frac{\Sigma NB}{\Sigma NA}$ を指数としているものである。パーシェ方式は、比較される地方公共団体の職員数を N' とし、$\frac{\Sigma N'B}{\Sigma N'A}$ が指数となるものであり、フィッシャー方式では $\sqrt{\frac{\Sigma NB}{\Sigma NA} \times \frac{\Sigma N'B}{\Sigma N'A}}$ が指数となる。これらの比較数式は絶対的なものではないが、統計学的にもっとも精度の高い方法であり、たとえば、ラスパイレス方式は、区分の仕方は若干複雑であるが、人事院が給与勧告に当たり、国家公務員の給与と民間賃金を比較する場合にも用いられているものである。ただ、いずれの方式による場合においても、職員の区分の対応関係や給料（俸給）月額に地域手当などの手当をどこまで反映させるかによって、全く異なる結果となり得るので、そのことを認識したうえで、これらの数値を利用することが必要である。

均衡の原則については、教職員、警察職員、企業職員および単純労務職員並びに独法職員についてそれぞれ本条の特則がある。まず、公立の小学校等（教特法一二1）の校長および教員（教特法二2）の給与額は、これらの者の職務と責任の特殊性に基づき条例で定めることとされ（教特法一三1）、また、地方警察職員の給与は、警察庁の職員の例を基準として条例または人事委員会規則で定めることとされている（警察法五六2）。次に、企業職員および単純労務職員については本法の均衡の原則は適用されず（法五七、地公企法三九1、地公労法一七1、同法附則5）、企業職員の給与は、地方公営企業法第三八条第三項により、生計費、同一または類似の職種の国および地方公共団体の職員ならびに民間事業の従事者の給与、当該地方公営企業の経営の状況その他の事情を考慮して定めることとされている。「当該地方公営企業の経営の状況」以外の考慮事項は、本条における均衡の原則と同一趣旨のものと解されるが、経営の状況を考慮することは、理論的にはいわゆる均衡の原則の概念の外にあるものであり、企業の独立採算性に基づく「健全経営の原則」に基づくものと考えられる。企業職員については、給与決定の三原則に加えて四つ目の原則が適用されるものといってよいであろう。なお、独法職員については、「退職手当以外の給与及び退職手当の支給の基準は、同一又は類似の職種の国及び地方公共団体の職員の給与を参酌し、かつ、他の特定地方独立行政法人の職員及び民間事業の従事者の給与、当該特定地方独立行政法人の業務の実績及び認可中期計画の第二十六条第二項第三号の人件費の見積りその他の事情を考慮して定められなければならない」とされている（地方独法法五一3）。

このように、企業職員および単純労務職員については、本条に定める均衡の原則および給与条例主義が適用されないのであるが、現実には、一般の行政職員の例、すなわち国家公務員の例に準じて給与改定がなされているのが通常である。毎年の給与改定が増額の場合は、このような運用に特段の問題がなかったのであるが、人事院が給与の減額を勧告した場合に、当該職員または労働組合の同意を得ることなく、従前の給与を減額できるかという問題がある。学校法人における例ではあるが、「長年にわたり、四月分以降の年間給与の総額について人事院勧告を踏まえて調整するという方針を採り、人事院勧告に従って毎年一一月ころに給与規程を増額改定し」、四月分以降の差額分を別途支給してきた場合に、「増額の場合にのみそ及的な調整が行われ、減額の場合にこれが許容されないとするのでは衡平を失するものというべきであるから」、人事院勧告に倣って減額調整を行う決定は合理性があり、労働条件の不利益変更という観点からその効力を否定されることはないという判例（最高裁平一九・一二・一八判決　判例時報一九九六号一三七頁）があり、企業職員および単純労務職員並びに独法職員についても、同様に考えることができよう。

三　条例主義

職員の給与は、条例でこれを定めなければならず（本条５、自治法二〇三の二４、二〇四３）、また、職員の給与は法律またはこれに基づく条例に基づかない限り支給することができない（法二五１、自治法二〇四の二）。このように、給与は必ず条例の根拠に基づかなければならないとする原則を給与条例主義という。

給与条例主義については、地方公務員法と地方自治法とにそれぞれ規定されているが、このように重複して規定されている理由は必ずしも明らかではない。地方自治法の規定は、同法が地方公共団体の経営管理に関する基本法であり、予算などの財務に関する規定も同法中に定められていることからみて、特別職を含めたすべての地方公務員の給与を議会の統制の下に公明正大にこれを支給するという趣旨によるものと思われる。とくに、昭和三一年（一九五六年）の改正で条例主義を強調する第二〇四条の二が新設され、それまで運用で支給されていた雑手当などの支給を封ずることとされた経緯からしても、給与秩序の確立を主眼としているといってよいであろう。

給与条例主義に関しては、「職員の給与の額及び支給方法を議会が制定する条例によって定めることにより、地方公務員の給与に対する民主的統制を図るとともに、地方公務員の給与を条例によって保障する趣旨に出たものと解される。同法の上記規定（注：自治法二〇三の二４および二〇四３）の趣旨、特に議会による民主的統制の要請に照らすと、職員の給与の額及び支給方法を条例で定めないことは許されないし、また、条例において、一定の細則的事項を規則等に委任することは許され得るとしても、職員の給与の額及び支給方法に係る基本的事項を規則等に委任することは許されないというべきである。」とする判例（最高裁平二二・九・一〇判決　判例時報二〇九六号三頁）および「地方公務員の勤務条件が法律及び地方公共団体の議会の制定する条例によって定められ、また、その給与が地方公共団体の税収等の財源によってまかなわれるところから、専ら当該地方公共団体における政治的、財政的、社会的その他諸般の合理的な配慮によって決定されるべきものである」とする判例（最高裁昭五一・五・二一判決　判例時報八一四号七三頁）がある。なお、給与を減額することを内容とする条例が違法無効であるとする主張を排除した判決（名古屋地裁平一七・一・二六　判例時報一九四一号四九頁）がある。

給与に関する条例の内容、問題点などについては、次条の記述に譲ることとするが、条例そのものの取扱いについては、地方公務員法第五条の規定によるほか、地方自治法の原則によって解釈、運用される。給与条例の提案権は長、議会の議員の双方にあると解され（自治法一一二、一四九①）、急施を要する場合など、一定の場合には長が条例を専決処分することも法律上は可能である（自治法一七九）。また、給与条例の公布施行は所定の公告式条例に基づいて行われるが（自治法一六）、給与条例の内容が職員の利益になる場合は遡及適用すること、たとえば、給与改訂の時期を遡及することも可能である（給与調整の遡及について、最高裁平五・五・二七判決（判例時報一四六〇号五七頁））。この場合、年度を超えて遡及することには予算単年度主義との関係で問題があるが、過年度支出として処理するなど、当該年度において支出することに予算上の問題がない限りさしつかえないであろう。

地方公務員法の給与条例主義については、教職員、企業職員および単純労務職員にそれぞれ特則がある。まず、教職員については、県費負担教職員（指定都市の教職員はこれに含まれない。）の身分は市町村（特別区を含む。）に属するが、その給与は都道府県が負担することにかんがみ（市町村立学校職員給与負担法一、二）、その給与条例は都道府県が定めるという支払団体主義がとられている（地教行法四二）。

地方公営企業の職員および単純労務職員の給与については、本条および次条の給与条例主義の適用はなく（地公企法三九1、地公労法一七1、附則5）、地方公営企業法第三八条により、これらの職員に対する給与は、給料および手当とされ（地公企法三八1）、給与の種類と基準のみを条例で定めることとされている（同条4）。これらの職員には、労働組合を結成して団体協約を締結することが認められており（地公労法七）、この団体協約による勤務条件の決定を最大限に尊重するため、勤務条件の中心である給与についてのみ、また、給与の種類と基準のみを条例主義によることとして、労働基本権と条例主義の調整が図られているのである。したがって、これらの職員の給与については、その種類と基準以外の事項、たとえば、給料表や各種手当の額などは、団体協約または団体協約がない場合には就業規則に相当する企業管理規程あるいは長の規則によって具体的に定めることになる。

なお、独法職員については、「特定地方独立行政法人は、その職員の退職手当以外の給与及び退職手当の支給の基準をそれぞれ定め、これらを設立団体の長に届け出るとともに、公表しなければならない。これを変更したときも、同様とする。」とされているが（地方独法法五一2）、これは、その役員に対する報酬などの基準についての同様の規定（同法四八2）とともに、議会による監視がなされない特定地方独立行政法人の役職員の給与がお手盛りにならないようにしようとするものであろう。

四　重複給与支給の禁止

本条第三項は、給与の支給に関する諸原則のうち、重複給与支給の禁止を定めており、これ以外の給与支給の原則である通貨払い、直接払いおよび全額払いの三原則は次条第二項に定められている。この三原則と労働基準法による給与支給の原則については、次条で述べることとする。

本条第三項は、職員が他の職員の職を兼ねる場合、「これに対して」給与を支給してはならないとしており、「これ」とは、いわゆる「本務」以外の「兼務」を指すものである。また、兼務の「職」は、当該地方公共団体の職だけでなく、他の地方公共団体の職も含まれるので、職員である限り、他の地方公共団体の職に任用された場合、他の地方公共団体から給与を受けることはできないといわなければならないとする解釈がある（鹿児島重治・「逐条地方公務員法（第六次改訂版）」三〇三頁、学陽書房、一九九六年）が、本条は当該職員の属する地方公共団体における勤務条件のあり方について定めるものであり、ここでいう他の職員の職に他の地方公共団体のそれが含まれると解する必要はないであろう。市の職員が一部事務組合の職員を兼務している場合に、給料月額を事務分量によって按分し双方より支給してもさしつかえないとされているのは（行実昭三六・六・九　自治丁公発第四九号）、この趣旨によるものであり、双方が相互に職務専念義務を免除する（法三五）とともに、営利企業等の従事許可（法三八）を与えていることを前提とするものと解される。主たる職が明白で、従たる職に従事する時間が比較的僅かであるときは、主たる職にのみ給与を支給し、従たる職については給与以外の旅費または実費弁償のみを支給すれば、実際にはほとんど問題はないであろう。兼職の比重が大きい場合には、給与を一方だけから支給することは実情からみて不合理な場合も予想されるが、その場合でも双方から給与を支給することは本項違反となるので、やはり一方の職についてのみ給与を支給すべきものである。たとえば、管理職手当の支給を受けている職員（例、市町村課長）が他の職（例、選挙管理委員会書記長）を兼ね、その兼職の時間外勤務について時間外勤務手当の支給を受けることはできないとされているのは（行実昭三六・八・一五　自治丁公発第六九号、同昭三六・八・二一　自治丁公発第七二号）、一つには管理職手当を受ける者には時間外勤務手当の支給が義務づけられていないからであるが（労基法四一参照）、いま一つには、本項の重複給与支給禁止に違反するからである。ただ、兼職の場合に給与は一方の職についてのみ支給し、その費用をそれぞれの職が属する会計で分担することはさしつかえなく、その方が実情に即している場合もあろう。

次に、職員が特別職の職を兼ねた場合には本項の適用はないので、特別職の職に対して給与または報酬を支給することは可能であるが、特別職の職員の給与に関する法律（昭二四法二五二）第一四条と同趣旨の規定を報酬条例中に設けて報酬を支給しないとすることも可能であり、さらに給与条例に給与の減額調整規定を設けることが適当であるとされている（行実昭二六・三・一二　地自公発第七一号、同昭二七・六・一六　地自公発第二一四号ほか）。

次に、職員が国家公務員の職を兼ねるときに、国家公務員の職について給与を受けることも本項には違反しない。ただし、営利企業等の従事許可（法三八）が必要であるし、場合によっては職務専念義務の免除も必要となる。また、一般職の国家公務員を兼ね、地方公共団体から給与の支給を受けるときは、国家公務員法第一〇四条の報酬を得て他の事務事業に関与することの許可を得なければならない。

職員が他の地方公共団体に地方自治法第二五二条の一七の規定によって派遣される場合、その者は両方の身分を併せ有するものであり、その給与については、原則として派遣をした地方公共団体の給与条例の適用があるが、例外として協議により派遣を受けた地方公共団体の給与条例を適用することも可能である（同条４、自治法施行令一七四の二五３）。給与の支給は、いずれの地方公共団体が行ってもさしつかえなく、派遣した地方公共団体の給与条例を適用し、派遣を受けた地方公共団体が支給することもできることとされている（行実昭三五・六・九　自丁公発第六八号）。また、給与費の負担は、給料、退職手当以外の手当および旅費は派遣を受けた地方公共団体が、退職手当および退職年金または退職一時金は派遣をした地方公共団体がそれぞれ負担するのが原則であるが、派遣の期間が長期間にわたるときなどには、派遣を受けた地方公共団体がその全部または一部を負担することとすることができるとされている（自治法二五二の一七２３）。なお詳しくは第一七条の〔解釈〕一㈤１を参照されたい。

企業職員および単純労務職員並びに独法職員には、重複給与支給禁止規定の適用はない（地公企法三九１、地公労法一七１、附則５、地方独法法五三１）が、これらの職員が本条の適用を受ける職員の職を兼ねたときは、その職員としては重複給与の支給が禁止されるので、結果的に双方から給与を受けることはできないことになる（行実昭二九・五・六　自丁公発第六八号）。

教職員の場合にも、本条第三項の重複給与支給禁止規定は適用されるが、その特例として、教育公務員特例法第一七条第一項の規定によって教育に関する他の職を兼ねた場合には兼職給与を受けることができるものとされている（行実昭二七・一・五　文部省調査普及局地方連絡課長回答）。

重複給与支給禁止規定は、すべての給与について適用されるものであり、給料以外の各種手当についても適用される。しかし、給与以外の地方公共団体の給付については本条第三項の適用はない。したがって、兼職について旅費または実費弁償を支給することはさしつかえない。

五　勤務時間、週休日、休日、休暇など

㈠　均衡の原則

職員の給与以外の勤務条件、すなわち、勤務時間、週休日、休日、休暇などを定めるに当たっても国および他の地方公共団体の職員との間に権衡を失しないように適当な考慮が払われなければならない（本条4）。給与に関する均衡の原則（本条2）と同趣旨の原則であるが、法文の規定上、両者の間には二点で相違がある。その一は給与については民間事業の従事者の給与を考慮することとされているのに対し、勤務時間などについてはそのことは規定されておらず、その二は、給与については列記の事情を「考慮して定め」るとされているのに対し、勤務時間などについては「権衡を失しないように適当な考慮が払われなければならない」とより強い表現がとられている。このような規定上の相違の理由は明らかではなく、同趣旨のものと理解すべきであろう。

職員の勤務時間などを定めるに当たってとくに留意する必要があるのは、次の二点である。

第一は、平成一六年（二〇〇四年）の地方公務員法の一部改正により勤務時間などについても人事委員会の勧告制度（法一四2）が設けられたことである。従前から人事委員会は勤務時間などについて研究を行い、その成果を長や任命権者に提出すること（法八1②）、勤務時間などに関する条例の制定改廃について議会および長に意見を申し出ること（法五2、八1③）、勤務時間などに関する勤務条件の措置要求を審査すること（法四六～四八）などを通じて勤務時間などの維持改善に関する権限を有していたのであるが、この改正によって、より積極的にその役割を果たすことが期待されることとなったのである。

第二は、勤務時間などについてはほとんど全面的に労働基準法（同じ法体系の船員法を含む。）の適用を受けることである（法五八3）。個別の適用関係は該当箇所で述べるが、それによって国家公務員の場合とは異なる取扱いを要することがある。運用上、給与についてはほぼ国家公務員のそれに倣って制度を策定し運用を行えば十分であるが、勤務時間、週休日、休日、休暇などについては、国家公務員のそれに準拠しつつも、任命権者は労働基準法の適用があることを念頭に置かなければならないことになる。

なお、企業職員および単純労務職員並びに独法職員には均衡の原則を定める本条第四項の規定は適用されず（地公企法三九1、地公労法一七1、附則5、地方独法法五三1）、企業職員および単純労務職員に関しては同項に相当する定めはないが、独法職員に関しては、職員の勤務時間、休憩、休日および休暇についての規程は「国及び地方公共団体の職員の勤務条件その他の事情を考慮したものでなければならない」とされている（地方独法法五二２）。このような違いが存する理由は不明である。

㈡　勤務時間などを定める条例とその内容

職員の勤務時間などについても、給与と同様に条例で定めなければならない（本条５）。その趣旨も給与と同じであり、勤務時間などを職員の権利として法令で保障することおよびこれが住民の負担や利便につながる問題であることから、住民の代表である議会の意思決定によるものとされているのである。したがって、勤務時間などを全面的に規則で定めるよう条例で委任することはできない（行実昭二七・一一・一八　自行公発第九六号）。この条例主義に対し、企業職員および単純労務職員並びに独法職員には特例があり、これらの職員の勤務時間などは、企業管理規程などの就業規則に相当する規程または団体協約によって決定される（地公企法三九１、地公労法一七１、地公労法附則５、地方独法法五三１）。これは、これらの職員の団体協約締結権を尊重し、民間企業の従業員と同じ決定方式をとることとしたためである。また、警察職員の勤務時間などは警察庁の職員の例を基準として条例または人事委員会規則で定めるものであり（警察法五六２）、県費負担教職員の勤務時間などは都道府県の条例で定めることとされている（地教行法四二）。

以下、給与以外の勤務条件を勤務時間、週休日、休日、休暇、休憩および休息ならびに宿日直の六項目に分けて説明し、旅費については別の項で述べることとする。

１　勤　務　時　間

⑴　法定の勤務時間の原則と特例

ア　勤務時間の原則　職員の勤務時間を条例で定めるに当たっては、労働基準法の基準を下回ってはならない。労働基準法では実働の勤務時間は一日について八時間、一週間については四〇時間を超えてはならないとされており（労基法三二）、船員である職員についても、船員法第六〇条がこれと同様の勤務時間を定めている。なお、ここで一週間とは日曜日から土曜日までをいうものとされている（行実昭二四・二・五　基収第四一六〇号）。また、「執務時間」という概念があるが、これは本条第五項の勤務時間とは全く別のものとされており（行実昭二六・五・一（地自公発第一八〇号）、東京高裁平元・四・一八判決（判例地方自治五七号一〇頁））、役所が国民、住民に対して開庁をしている時間と解すべきであろう。したがって、この執務時間と個々の職員の勤務時間、すなわち、職員が事務をとる必要がある時間とは必ずしも一致しないことがある。

イ　変形八時間制　正規の勤務時間を一律に一日八時間、一週四〇時間以内に限定することが必ずしも実情に合わない職務がある。たとえば、地方公営企業の電車やバスに乗務する職員、交替制で勤務する公立病院の看護師や警察職員、消防職員などの職務である。このような場合には、一カ月以内の一定の期間を平均して一週間当たりの勤務時間が四〇時間を超えないときは一日八時間、一週四〇時間を超える正規の勤務時間を定めることができ（労基法三二の二）、このような定めをすることを「変形八時間制」と称する。たとえば、一日おきに一二時間勤務とすることや、一週おきに週三〇時間勤務と週五〇時間勤務を繰りかえすことも可能である。変形八時間制を実施する場合には、条例、就業規則またはこれに準じる規程によって定め（法五八４による労基法三二の二の読み替え）、使用者が恣意的に勤務時間を変更することのないよう勤労者の利益を保護するため、八時間以上勤務させる日または四〇時間以上勤務させる週を特定しなければならない。なお、変形八時間制が定められるとそれが法定の勤務時間となるものであるから、特定された日に八時間以上勤務しても変形八時間の範囲内である限り、時間外勤務とはならず割増賃金の支払い義務は生じない（労基法三七１）。

ウ　事業場外での勤務に関する特例　職員については、労働基準法三八条の二第一項本文によって、事業場（通常の勤務をしている場所）外で勤務した場合（休暇を取得し、または欠勤した場合は含まない。）において、労働時間を算定し難いときは、正規の勤務時間勤務したものとみなされるので、現実に勤務した時間が正規の勤務時間と異なっていても、時間外勤務手当の支給または給料の減額はなされないことになる。ただし、当該勤務（通常の勤務場所以外で行う勤務）を遂行するために通常正規の勤務時間を超えて勤務することが必要となる場合は、当該勤務に関しては、通常勤務することが必要となる時間勤務したものとみなされ（労基法三八の二１ただし書）、通常の勤務場所外で勤務した時間と在庁勤務の時間がある日については、当該勤務について通常勤務することが必要となる時間と在庁勤務した時間との合計時間に対して、労働基準法第四章の労働時間、休憩、休日、割増賃金に関する規定が適用されることになる（労基法施行則二四の二1）。

エ　公益上の必要に基づく勤務時間の特例　　特定の事業で、公衆の不便を避けるために必要なもの、その他特殊な必要があるものにはアの勤務時間の特例が認められる（労基法四〇1）。職員に関する主なものとしては、交通事業において予備の勤務に就く者の場合がある。たとえば、地方公営企業の電車に乗務する職員で予備の勤務、すなわち、臨時に乗務するため一定時間待機する勤務は、あらかじめ日または週を特定しておくことは困難であるので、一カ月以内の一定の期間（通常は、四週間）を平均して一週間当たりの勤務時間が四〇時間を超えない限り、一日について八時間、一週間について四〇時間を超えて勤務させることができる（労基法施行則二六）。

オ　管理監督職員などの勤務時間の特例　　監督もしくは管理の地位にある職員または機密の事務に従事する職員は、その勤務内容にかんがみ、その勤務を一定の時間に限定することが困難であるので、アの勤務時間の原則は適用されず（労基法四一②）、使用者は時間外勤務手当を支給する法律上の義務も負わないが、それが管理職手当に含まれている場合を除いて、深夜割増賃金（労基法三七④）は支払わなければならない（最高裁平二一・一二・一八判決　判例時報二〇六八号一五九頁）。この管理監督職員の範囲は、その職務内容が勤務時間を一定することに適しない者であるかどうかによって定まり、職責上、定型的な勤務時間（所定労働時間）の勤務では職務を全うできない状況が恒常的である部課長や秘書業務の者などが該当する。また、その範囲は、労使関係において一般の職員と同じ職員団体を結成することができないいわゆる管理職員等（法五二3但し書）とも必ずしも一致せず、一般的には後者の範囲の方が広く、また、前者に対してはおおむね管理職手当が支給されることになる。

カ　監視または断続的労働に従事する者の勤務時間の特例　　勤務の負担が比較的軽い監視の業務に従事する職員および労働の密度が比較的薄い断続的労働に従事する職員については、労働基準監督機関（法五八5）の許可を得て、アの勤務時間の原則を適用しないことができる（労基法四一③）。職員のうち、守衛や庁舎の保守管理の計器監視者などは監視の業務に従事する者として、また、寄宿舎指導員、学校の用務員、庁用自動車の運転手、宿日直を命じられた者などは断続的労働に従事する者としてそれぞれ許可を受けることができよう。なお、この労働基準監督機関の権限を任命権者が行使する場合（人事委員会を置かない地方公共団体における労働基準法別表第一第一号から第一〇号までおよび第一三号から第一五号までに掲げる事業以外の事業に従事する職員についての場合）であっても、任命権者が監視または断続的労働を命ずるときは、この許可が必要なことは当然のことである（自分が自分に対して許可することになる。）。

キ　農水産業などに従事する職員の特例　農業、畜産、水産などに従事する職員の場合は、その職務の性質上、定型的な勤務時間による規制はなされない（労基法四一①）。ただし、林業に従事する職員は規制が可能であるとされ、除外される。もっとも地方公共団体では、これらの職員の勤務時間も他の職員と同様に定められており、時間外の勤務には時間外勤務手当が支給されているのが通例である。

ク　公務上の臨時の必要に基づく勤務時間の特例　労働基準法別表第一は第一号から第一五号まで各種の事業を具体的に列記しているが、これらに該当しない官公署の事業に従事する職員に対しては、公務上臨時の必要があるときは、正規の勤務時間を超えて勤務することを命じることができる（労基法三三３）。このような官公署の職員は、一般の行政事務に従事するものであり、民間の事務事業と性格が異なって、公共性が高いので、勤務時間の特例が認められているのである。この規定によって時間外勤務を命じられる職員の範囲は、事業所単位で定まるものであり、一般職員とか単純労務職員などの職種によって区別されるものではなく、たとえば、主として工事を担当する土木事務所などが全体として同法別表第一第三号に該当するとされることもあり得よう。公務上臨時の必要があるかどうかは、使用者が判断するものであるが、漫然と時間外勤務を命ずべきでないことはいうまでもない。公務上の臨時の必要に基づき時間外勤務を行わせたときは、労働基準法第三七条および給与条例に基づいて時間外勤務手当を支給しなければならない。なお、労働基準法別表第一各号に掲げる事業に従事する職員を「現業職員」、それ以外の事業に従事する職員を「非現業職員」ということがあるが、同法別表第一第一号から第一〇号までおよび第一三号から第一五号までに掲げる事業に従事する職員を「現業職員」、それ以外の事業に従事する職員を「非現業職員」という方がより一般的である（第五八条の【解釈】二㈠３⑴ア参照）。両者の違いは、「郵便、信書便又は電気通信の事業」（一一号）および「教育、研究又は調査の事業」（一二号）に従事する職員をどちらに含めるかということにある。ただ、教育の事業に従事する者のうち、公立の小学校、中学校、義務教育学校、高等学校、中等教育学校、特別支援学校又は幼稚園の校長（園長を含む。）、副校長（副園長を含む。）、教頭、主幹教諭、指導教諭、教諭、養護教諭、栄養教諭、助教諭、養護助教諭、講師（常時勤務の者及び短時間勤務の職を占める者に限る。）、実習助手および寄宿舎指導員（次のケにおいて教育職員という。）については、公立の義務教育諸学校等の教育職員の給与等に関する特別措置法第五条により読み替えられた地方公務員法第五八条第三項によって労働基準法第三三条第三項が読み替えられ、これらの職員については公務上臨時の必要があるときに時間外勤務を命じることができるが、職員の健康及び福祉を害しないように考慮しなければならないとされている。

ケ　公立の義務教育諸学校などにおける特例　管理職手当を受ける者以外の教育職員については、政令（公立の義務教育諸学校等の教育職員を正規の勤務時間を超えて勤務させる場合等の基準を定める政令）で定める基準に従い条例で定める場合（生徒の実習、学校行事、職員会議、非常災害など）に限って時間外勤務を命じられるものとされ、この場合には、時間外勤務手当は支給されない（義務教育職員給与等特別措置法三2、五、六、法五八3）。

コ　災害等の場合の勤務時間の特例　災害その他避けることができない事由により臨時の必要が生じた場合は、正規の勤務時間を超えて職員を勤務させることができるが、この場合には、地方公共団体の当局はあらかじめその限度を示して労働基準監督機関（法五八5）に届け出て許可を受けなければならず、許可を受けるいとまがないときは、事後に遅滞なく届け出なければならない（労基法三三1）。職員のうち労働基準法別表第一各号に掲げる事業に該当しない官公署の事業に従事する者については、クで述べたところにより、公務上の必要（災害発生を含む。）があれば正規の勤務時間外に勤務させることができるので、この手続きをとる必要はない。また、この場合には、後記サで述べる三六協定に基づく必要はない。この手続をとることによって時間外勤務をさせることができるのは、「災害その他避けることのできない事由」がある場合であるが、「災害」とは暴風、竜巻、豪雨、豪雪、洪水、高潮、地震、津波、噴火その他の異常な自然現象または大規模な火事もしくは爆発など（災対法二①）のほか、いわゆる新型コロナのような悪疫の流行や干ばつなども含めてよいであろう。「その他避けることのできない事由」とは、以上に類似する場合に限られず、たとえ規模が大きくなくても緊急に措置を要する人的、物的事故などが該当するであろう。本項によって時間外勤務を命じた場合も労働基準法第三七条および給与条例に基づいて、時間外勤務手当を支給しなければならないことは当然である。

サ　三六協定に基づく勤務時間の特例　前記クの「公務上の臨時の必要に基づく勤務時間の特例」が適用にならない職員についても、正規の勤務時間を超えて勤務させる必要が生じるが、このような場合に時間外勤務を命じるためには、労働基準法第三六条に基づく協定に従うことが必要であり、この協定は一般に「三六協定」と呼ばれている。三六協定は、個々の事業場ごとに、その事業場の職員の過半数以上を構成員とする職員団体または労働組合との間で締結するものであり、このような団体が存在しない場合は、その事業場の過半数以上の者を代表するものと締結する必要がある。この協定は、書面によることを要し、労働基準監督機関に届け出なければならない。協定の内容は、①労働時間を延長し、または休日に労働させることができることとされる労働者の範囲、②労働時間を延長し、または休日に労働させることができる期間（「対象期間」といい、一年間に限る。）、③労働時間を延長し、または休日に労働させることができる場合、④対象期間における一日、一か月および一年のそれぞれの期間について労働時間を延長して労働させることができる時間または労働させることができる休日の日数、⑤一か月について四五時間、一年について三六〇時間（「限度時間」という。）を超えた労働に係る割増賃金の率、⑥限度時間を超えて労働させる場合における手続等である（労基法三六、労基法施行則一七1）。三六協定は個々の事業場ごと、たとえば個々の保育所、清掃工場ごとに作成するものであるが、協約の当事者は、職員の側はこれらの事業場の職員を包含する職員団体または労働組合があるときはその代表者または個々の事業場の支部長でもよい。また、当局の側は権限の分配いかんにより、人事課長などがすべての事業場を通じて行ってもよく、個々の事業場の長が行ってもよい。三六協定は双方の合意によって成立するものであるから、合意が得られないときは時間外勤務をさせることができず（行実昭二七・一〇・二自行公発第六二号）、就業規則などに時間外勤務の定めがあり、三六協定が締結されている場合は、個々の職員に時間外勤務の義務がある（東京高裁昭四六・一・二二判決　判例タイムズ二六一号三四六頁）。なお、使用者および当該事業場の労働者を代表する者を構成員とする労使委員会が設けられている場合は、その委員会において、五分の四以上の多数で時間外勤務の決議がなされたときは、その決議に三六協定と同一の効力が認められている（労基法三六1、三八の四5）。

三六協定が存在しないにもかかわらず発せられた時間外勤務命令の効力が問題となるが、このような命令は法律に違反することが明白であるので無効であるとする判決がある（東京高裁昭四三・四・二六判決　判例タイムズ二二二号二〇二頁）。他方、宿日直についてであるが、労働基準監督機関の許可を得ないで命じた宿日直命令を有効とする行政実例がある（行実昭三二・九・九　自丁公発第一二二号）。このように法律の手続を踏まない職務命令について有効、無効の見解が分かれるのは、時間外勤務命令を私法上の行為とみるか公法上の行為とみるかによるものであり、右の判決は地方公営企業の職員の労働関係を私法的規律に服するとした考え方を前提とするものである。これに対して、行政実例の考え方は、時間外勤務命令は行政処分たる職務命令であると考え、労働基準法は使用者の行為を罰則をもって規制することを目的とし、行政行為の効力にまで影響を及ぼすものではないと考えたからであろう。三六協定に基づく時間外勤務については当然に時間外勤務手当を支給しなければならないが、三六協定がない場合の時間外勤務についても時間外勤務手当を支給しなければならないとする最高裁判例（昭三五・七・一四判決　判例時報二三〇号六頁）があり、これを不当利得の返還請求と見ることもできようが、やはり時間外勤務命令は有効に成立し、これに基づく時間外勤務手当の支給と考えることが常識的であろう。いずれにしても、当局は、時間外勤務の必要性が認められるときは三六協定を締結するよう最大限の努力をし、これに基づいて時間外勤務を命ずべきであるが、職員の側が故意に正当な理由なくその締結を回避または遅滞させ、その間、現実にやむを得ない理由によって時間外勤務が必要となったときは、三六協定がなくとも有効に時間外勤務命令を発することができるものと解される。このような場合に、当該超過勤務自体とは関係のない要求を貫徹するために時間外勤務を拒否することは争議行為に該当するというのが判例（最高裁昭六三・一二・八判決　判例時報一三一四号一二七頁）である。

シ　子の養育または介護のための時間外勤務の特例　任命権者またはその委任を受けた者（県費負担教職員については市町村教育委員会）は、三歳に満たない子を養育する職員が当該子を養育するために請求した場合において、公務の運営に支障がないと認めるときは、所定労働時間を超えて勤務しないことを承認しなければならず、また、労働基準法第三六条第一項の規定により同項の労働時間を延長することができる場合（三六協定によって勤務時間を延長することができる場合）において、小学校就学の始期に達するまでの子を養育する職員が、当該子を養育するために請求した場合に、公務の運営に支障がないと認めるときは、その者について、一月について二四時間、一年について一五〇時間を超えて勤務時間を延長して勤務しないことを承認しなければならないが、次のいずれかに該当する職員についてはこの承認をする必要はない（育児休業法六一19、20、23、24、一六の八1、一七1、同法施行則四四、五二）。

① 当該地方公共団体に引き続き任用された期間が一年に満たない者（三歳未満の子を養育する短時間勤務職員を除く。）

② 一週間の所定労働日数が二日以下の場合

また、配偶者、父母、子または配偶者の父母であって負傷、疾病または身体上もしくは精神上の障害により、二週間以上にわたって日常生活を営むのに支障があるもの（「要介護家族」と称される。）が当該要介護家族を介護するために請求した場合についても、小学校就学の始期に達するまでの子を養育する場合と同じ扱いをしなければならないが、前記①および②のいずれかに該当する職員については、この承認をする必要はない（育児休業法二③、六一23、24、一七1、同法施行則五二）。

なお、ここで述べた時間外勤務の特例は、時間外勤務を行わせる場合に三六協定が必要な職場に限られるものであり、労働基準法第三三条の規定による災害などや公務のための臨時の必要がある場合の時間外勤務については、適用がないことに注意が必要である。

ス　子の養育または介護のための深夜勤務の特例　任命権者またはその委任を受けた者（県費負担教職員については市町村教育委員会）は、小学校就学の始期に達するまでの子を養育する職員が、当該子を養育するために請求した場合に、公務の運営に支障がないと認めるときは、深夜（午後一〇時から午前五時までの間）において勤務しないことを承認しなければならないが、次のいずれかに該当する職員については、この承認をする必要はない（育児休業法六一27、28、一九1、同法施行則六〇、六一）。

① 当該地方公共団体に引き続き任用された期間が一年に満たない者

② 当該請求に係る深夜において、常態として当該子を保育することができる当該子の一六歳以上の同居の親族（婚姻の届出

をしていないが、事実上婚姻関係と同様の事情にある者を含み、次のａからｃのいずれにも該当する者であること）がいる者

ａ　深夜において就業していない者（深夜における就業日数が一月について三日以下の者を含む。）であること

ｂ　負傷、疾病または身体上もしくは精神上の障害により請求に係る子を保育することが困難な状態にある者でないこと

ｃ　六週間（多胎妊娠の場合にあっては、一四週間）以内に出産する予定であるかまたは産後八週間を経過しない者でないこと

③　一週間の所定労働日数が二日以下の労働者

④　所定労働時間の全部が深夜にある労働者

また、要介護家族を介護する職員が、当該要介護家族を介護するために請求した場合についても、上記と同じ扱いをしなければならない（育児休業法六一27、28、二〇1、一九1、同法施行則六〇、六一、六五、六六）。

(2)　育児短時間勤務の特例

前記(1)で述べた勤務時間に関する定めは、労働者の保護という観点からのものであるが、少子高齢化社会における育児（家庭生活）と職業生活の両立という要請に応えて、地方公務員の育児休業等に関する法律の一部を改正する法律（平成一九年法律第四四号）によって育児短時間勤務の制度が設けられたが、その概要については、第二六条の四の〔解釈〕二㈢で述べる。

(3)　勤務時間等を定める条例

職員の勤務時間、週休日、休日、休暇等に関する条例については、次に掲げるような条例案（平六・八・五　自治能第六五号別紙）が示されている。

○職員の勤務時間、休暇等に関する条例（案）

最終改正　令四・三・一八総行公第二〇号

（目的）

第一条　この条例は、地方公務員法（昭和二十五年法律第二百六十一号）第二十四条第六項の規定に基づき、職員の勤務時間、休日及び休暇に関し必要な事項を定めることを目的とする。

（一週間の勤務時間）

第二条　職員の勤務時間は、休憩時間を除き、四週間を超えない期間につき一週間当たり三十八時間四十五分とする。

２　地方公務員の育児休業等に関する法律（平成三年法律第百十号）第

十条第三項の規定により同条第一項に規定する育児短時間勤務（以下「育児短時間勤務」という。）の承認を受けた職員（同法第十七条の規定による短時間勤務をすることとなった職員を含む。以下「育児短時間勤務職員等」という。）の一週間当たりの勤務時間は、当該承認を受けた育児短時間勤務の内容（同法第十七条の規定による短時間勤務をすることとなった職員にあっては、同条の規定によりすることとなった短時間勤務の内容。以下「育児短時間勤務等の内容」という。）に従い、任命権者が定める。

3　地方公務員法第二十二条の四第一項又は第二十二条の五第一項若しくは第二項の規定により採用された職員で同法第二十二条の四第一項に規定する短時間勤務の職を占めるもの（以下「定年前再任用短時間勤務職員」という。）の勤務時間は、第一項の規定にかかわらず、休憩時間を除き、四週間を超えない期間につき一週間当たり十五時間三十分から三十一時間までの範囲内で任命権者が定める。

4　地方公務員の育児休業等に関する法律第十八条第一項又は地方公共団体の一般職の任期付職員の採用に関する法律（平成十四年法律第四十八号）第五条の規定により採用された職員（以下「任期付短時間勤務職員」という。）の勤務時間は、第一項の規定にかかわらず、休憩時間を除き、四週間を超えない期間につき一週間当たり三十一時間までの範囲内で、任命権者が定める。

5　任命権者は、職務の特殊性又は当該公署の特殊の必要により前各項に規定する勤務時間を超えて勤務することを必要とする職員の勤務時間について、人事委員会の承認を得て、別に定めることができる。

（週休日及び勤務時間の割振り）

第三条　日曜日及び土曜日は、週休日（勤務時間を割り振らない日をいう。以下同じ。）とする。ただし、任命権者は、育児短時間勤務職員等については、必要に応じ、当該育児短時間勤務等の内容に従いこれらの日に加えて月曜日から金曜日までの五日間において週休日を設けるものとし、定年前再任用短時間勤務職員及び任期付短時間勤務職員については、日曜日及び土曜日に加えて月曜日から金曜日までの五日間において週休日を設けることができる。

2　任命権者は、月曜日から金曜日までの五日間において、一日につき七時間四十五分の勤務時間を割り振るものとする。ただし、育児短時間勤務職員等については、一週間ごとの期間について、当該育児短時間勤務等の内容に従い一日につき七時間四十五分を超えない範囲内で勤務時間を割り振るものとし、定年前再任用短時間勤務職員及び任期付短時間勤務職員については、一週間ごとの期間について、一日につき七時間四十五分を超えない範囲内で勤務時間を割り振るものとする。

3　任命権者は、○○県の一般職の職員の給与に関する条例（昭和○○年条例第○○号（以下「給与条例」という。））別表第○研究職給与表の適用を受ける職員（これに類する職員を含む。）で人事委員会規則で定めるものについて、始業及び終業の時刻について職員の申告を考慮して当該職員の勤務時間を割り振ることが公務の能率の向上に資すると認める場合には、前項の規定にかかわらず、人事委員会規則の定めるところにより、職員の申告を経て、四週間ごとの期間につき一週間当たりの勤務時間が三十八時間四十五分となるように当該職員の勤務時間を割り振ることができる。ただし、当該職員が育児短時間勤務職員等である場合にあっては、四週間ごとの期間について、当該育児短時間勤務等の内容に従い勤務時間を割り振るものとし、当該職員が再任用短時間勤務職員又は任期付短時間勤務職員である場合にあっては、それぞれ前条第三項又は第四項の規定に基づき定める時間となるように当該職員の勤務時間を割り振ることができる。

第四条　任命権者は、公務の運営上の事情により特別の形態によって勤務する必要のある職員については、前条第一項及び第二項の規定にかかわらず、週休日及び勤務時間の割振りを別に定めることができる。

２　任命権者は、前項の規定により週休日及び勤務時間の割振りを定める場合には、人事委員会規則の定めるところにより、四週間ごとの期間につき八日の週休日（育児短時間勤務職員等にあっては八日以上で当該育児短時間勤務等の内容に従った週休日、定年前再任用短時間勤務職員及び任期付短時間勤務職員にあっては八日以上の週休日）を設けなければならない。ただし、職務の特殊性又は当該公署の特殊の必要（育児短時間勤務職員等にあっては、当該育児短時間勤務等の内容）により四週間ごとの期間につき八日（育児短時間勤務職員等、定年前再任用短時間勤務職員及び任期付短時間勤務職員にあっては、八日以上）の週休日を設けることが困難である職員について、人事委員会と協議して、人事委員会規則の定めるところにより、四週間を超えない期間につき一週間当たり一日以上の割合で週休日（育児短時間勤務職員等にあっては、四週間を超えない期間につき一週間当たり一日以上の割合で当該育児短時間勤務等の内容に従った週休日）を設ける場合には、この限りでない。

（週休日の振替等）

第五条　任命権者は、職員に第三条第一項又は前条の規定により週休日とされた日において特に勤務することを命ずる必要がある場合には、人事委員会規則の定めるところにより、第三条第二項若しくは第三項又は前条の規定により勤務時間が割り振られた日（以下この条において「勤務日」という。）のうち人事委員会規則で定める期間内にある勤務日を週休日に変更して当該勤務日に割り振られた勤務時間を当該勤務することを命ずる必要がある日に割り振り、又は当該期間内にある勤務日の勤務時間のうち四時間を当該勤務日に割り振ることをやめて当該四時間の勤務時間を当該勤務することを命ずる必要がある日に割り振ることができる。

（休憩時間）

第六条　任命権者は、一日の勤務時間が、六時間を超える場合においては少なくとも一時間の休憩時間を、それぞれ勤務時間の途中に置かなければならない。

２　任命権者は、一日の勤務時間が六時間を超え八時間以下の場合において、前項の規定によると職員の健康及び福祉に重大な影響を及ぼすときは、人事委員会規則の定めるところにより、同項の休憩時間を四十五分以上一時間未満とすることができる。

３　第一項の休憩時間は、職務の特殊性又は当該公署の特殊の必要がある場合において、人事委員会規則の定めるところにより、一斉に与えないことができる。

（休憩時間）

第七条　任命権者は、第四条第一項に規定する職員について、所定の勤務時間のうちに、人事委員会の定める基準に従い、休息時間を置くものとする。

（船員の勤務時間等の特例）

第八条　任命権者は、第二条の規定にかかわらず、船舶に乗り組む職員の勤務時間について、人事委員会規則の定めるところにより、人事委員会の承認を得て、五十二週間を超えない期間につき一週間当たり三十八時間四十五分（育児短時間勤務職員等にあっては同条第二項の規定に基づき定める時間、定年前再任用短時間勤務職員にあっては同条第三項の規定に基づき定める時間、任期付短時間勤務職員にあっては同条第四項の規定に基づき定める時間）とすることができる。

２　任命権者は、船舶に乗り組む職員（育児短時間勤務職員等、定年前再任用短時間勤務職員及び任期付短時間勤務職員を除く。次項において同じ。）について、人事委員会と協議して、前項に規定する勤務時間を一週間当たり一時間十五分を超えない範囲内において延長することができる。この場合には、第三条第二項の規定は適用しない。

３　任命権者は、船舶に乗り組む職員のうち第三条第三項に規定する人事委員会規則で定めるものについて、人事委員会と協議して、同項に規定する勤務時間を一週間当たり一時間十五分を超えない範囲内において延長することができる。

４　任命権者は、前項の規定により勤務時間を定める場合には、第四条第二項の規定にかかわらず、前項の期間につき一週間当たり一日以上の割合で週休日を設けなければならない。

５　任命権者は、第六条の規定にかかわらず、船舶に乗り組む職員の休憩時間について、人事委員会の承認を得て、別に定めることができる。

第九条　船舶に乗り組む職員で人事委員会規則で定めるものの勤務時間については、当該職員が、第三条第二項若しくは第三項、第四条又は第五条の規定により勤務時間が割り振られた時間以外の時間に人命を救助するため緊急を要する作業その他の人事委員会規則で定める作業に従事する場合には、第二条又は前条の規定による勤務時間のほか、当該作業に従事する時間は、当該職員の勤務時間とする。

（正規の勤務時間以外の時間における勤務）

第十条　任命権者は、人事委員会（労働基準法（昭和二十二年法律第四十九号）別表第一第一号から第十号まで及び第十三号から第十五号までに掲げる事業にあっては労働基準監督署長）の許可を受けて、第二条から第五条まで、第八条第一項及び前条の規定による勤務時間（以下「正規の勤務時間」という。）以外の時間において職員に設備等の保全、外部との連絡及び文書の収受を目的とする勤務その他の人事委員会規則で定める断続的な勤務をすることを命ずることができる。ただし、当該職員が育児短時間勤務職員等である場合にあっては、公務の運営に著しい支障が生ずると認められる場合として人事委員会規則で定める場合に限り、当該断続的な勤務をすることを命ずることができる。

２　任命権者は、公務のため臨時又は緊急の必要がある場合には、正規の勤務時間以外の時間において職員に前項に掲げる勤務以外の勤務をすることを命ずることができる。ただし、当該職員が育児短時間勤務職員等である場合にあっては、公務の運営に著しい支障が生ずると認められる場合として人事委員会規則で定める場合に限り、正規の勤務時間以外の時間において同項に掲げる勤務以外の勤務をすることを命ずることができる。

（時間外勤務代休時間）

第十条の二　任命権者は、給与条例第○○条の規定により時間外勤務手当を支給すべき職員に対して、人事委員会規則の定めるところにより、当該時間外勤務手当の一部の支給に代わる措置の対象となるべき時間（以下「時間外勤務代休時間」という。）として、人事委員会規則で定める期間内にある第三条第二項若しくは第三項、第四条又は第五条の規定により勤務時間が割り振られた日（第十二条第一項において「勤務日等」という。）のうち第十二条第一項に規定する休日及び代休日を除いた日に割り振られた勤務時間の全部又は一部を指定することができる。

２　前項の規定により時間外勤務代休時間を指定された職員は、当該時間外勤務代休時間には、特に勤務することを命ぜられる場合を除き、正規の勤務時間においても勤務することを要しない。

（育児又は介護を行う職員の早出遅出勤務）

第十条の三　任命権者は、次に掲げる職員が、人事委員会規則で定めるところにより、その子を養育するために請求した場合には、公務の運営に支障がある場合を除き、人事委員会規則で定めるところにより、当該職員に当該請求に係る早出遅出勤務（始業及び終業の時刻を、職員が育児又は介護を行うためのものとしてあらかじめ定められた特定の時刻とする勤務時間の割振りによる勤務をいう。第三項において同じ。）をさせるものとする。

2　小学校就学の始期に達するまでの子のある職員

3　小学校に就学している子のある職員であって人事委員会規則で定めるもの

4　前項の規定は、第十七条第一項に規定する日常生活を営むのに支障がある者を介護する職員について準用する。この場合において、前項中「次に掲げる職員が、人事委員会規則で定めるところにより、その子を養育」とあるのは「第十七条第一項に規定する日常生活を営むのに支障がある者（以下「要介護者」という。）のある職員が、人事委員会規則で定めるところにより、当該要介護者を介護」と読み替えるものとする。

5　前二項に規定するもののほか、早出遅出勤務に関する手続その他の早出遅出勤務に関し必要な事項は、人事委員会規則で定める。

（育児又は介護を行う職員の深夜勤務及び時間外勤務の制限）

第十条の四　任命権者は、小学校就学の始期に達するまでの子のある職員（職員の配偶者で当該子の親であるものが、深夜（午後十時から翌日の午前五時までの間をいう。以下この項において同じ。）において常態として当該子を養育することができるものとして人事委員会規則で定める者に該当する場合における当該職員を除く。）が、人事委員会規則で定めるところにより、当該子を養育するために請求した場合には、公務の正常な運営を妨げる場合を除き、深夜における勤務をさせてはならない。

2　任命権者は、三歳に満たない子のある職員が、人事委員会規則で定めるところにより、当該子を養育するために請求した場合には、当該請求をした職員の業務を処理するための措置を講ずることが著しく困難である場合を除き、第十条第二項に規定する勤務（災害その他避けることのできない事由に基づく臨時の勤務を除く。次項において同じ。）をさせてはならない。

3　任命権者は、小学校就学の始期に達するまでの子のある職員が、人事委員会規則で定めるところにより、当該子を養育するために請求した場合には、当該請求をした職員の業務を処理するための措置を講ずることが著しく困難である場合を除き、一月について二十四時間、一年について百五十時間を超えて、第十条第二項に規定する勤務（災害その他避けることのできない事由に基づく臨時の勤務を除く。）をさせてはならない。

4　第一項及び前項の規定は、第十七条第一項に規定する日常生活を営むのに支障がある者を介護する職員について準用する。この場合において、第一項中「小学校就学の始期に達するまでの子のある職員（職員の配偶者で当該子の親であるものが、深夜（午後十時から翌日の午前五時までの間をいう。以下この項において同じ。）において常態として当該子を養育することができるものとして人事委員会規則で定める者に該当する場合における当該職員を除く。）が、人事委員会規則で定めるところにより、当該子を養育」とあるのは「第十七条第一項に規定する日常生活を営むのに支障がある者（以下「要介護者」という。）のある職員が、人事委員会規則で定めるところにより、当該要介護者を介護」と、「深夜における」とあるのは「深夜（午後十時から翌日午前五時までの間をいう。）における」と、前項中「小学校就学の始期に達するまでの子のある職員が、人事委員会規則で定めるところにより、当該子を養育」とあるのは「要介護者のある職員が、人事委員会規則で定めるところにより、当該要介護者を介護」と読み替えるものとする。

5　前四項に規定するもののほか、勤務の制限に関する手続その他の勤務の制限に関し必要な事項は、人事委員会規則で定める。

（休日）

第十一条　職員は、国民の祝日に関する法律（昭和二十三年法律第百七十八号）に規定する休日（以下「祝日法による休日」という。）には、特に勤務することを命ぜられる者を除き、正規の勤務時間においても勤務することを要しない。十二月二十九日から翌年の一月三日までの日（祝日法による休日を除く。以下「年末年始の休日」という。）についても、同様とする。

（休日の代休日）

第十二条　任命権者は、職員に祝日法による休日又は年末年始の休日（以下この項において「休日」と総称する。）である第三条第二項若しくは第三項、第四条又は第五条の規定により割り振られた日（以下この項において「勤務日等」という。）に割り振られた勤務時間の全部（次項において「休日の全勤務時間」という。）について特に勤務することを命じた場合には、人事委員会規則の定めるところにより、当該休日前に、当該休日に代わる日（次項において「代休日」という。）として、当該休日後の勤務日等（第十条の二第一項の規定により時間外勤務代休時間が指定された勤務日等及び休日を除く。）を指定することができる。

2　前項の規定により代休日を指定された職員は、勤務を命ぜられた休日の全勤務時間を勤務した場合において、当該代休日には、特に勤務することを命ぜられるときを除き、正規の勤務時間においても勤務することを要しない。

（休暇の種類）

第十三条　職員の休暇は、年次有給休暇、病気休暇、特別休暇及び介護休暇とする。

（年次休暇）

第十四条　年次休暇は、一の年ごとにおける休暇とし、その日数は、一の年において、次の各号に掲げる職員の区分に応じて、当該各号に掲げる日数とする。

一　次号から第四号までに掲げる職員以外の職員　二十日（育児短時間勤務職員等、定年前再任用短時間勤務職員及び任期付短時間勤務職員にあっては、その者の勤務時間等を考慮し二十日を超えない範囲内で人事委員会規則で定める日数）

二　次号及び第四号に掲げる職員以外の職員であって、当該年の中途において新たに職員となるもの　その年の在職期間を考慮し二十日を超えない範囲内で人事委員会規則で定める日数

三　当該年の前年において地方公営企業等の労働関係に関する法律（昭和二十七年法律第二百八十九号　以下この号において「地公労法」という。）の適用を受ける職員、特別職に属する地方公務員、○○県以外の地方公共団体の職員、国家公務員又は地方住宅供給公社法（昭和四十年法律第百二十四号）に規定する地方住宅供給公社若しくは地方道路公社法（昭和四十五年法律第八十二号）に規定す

る地方道路公社若しくは公有地の拡大の推進に関する法律（昭和四十七年法律第六十六号）に規定する土地開発公社若しくは沖縄振興開発金融公庫の予算及び決算に関する法律（昭和二十六年法律第九十九号）第一条に規定する公庫その他その業務が国又は地方公共団体の事務若しくは事業と密接な関連を有する法人のうち人事委員会規則で定めるものに使用される者（以下この号において「地公労法適用職員等」という。）であった者であって引き続き当該年に新たに職員となったものその他人事委員会規則で定める職員　地公労法適用職員等としての在職期間及びその在職期間中における年次有給休暇の残日数等を考慮し、二十日に次項の人事委員会規則で定める日数を加えた日数を超えない範囲内で人事委員会規則で定める日数

四　船舶に乗り組む職員　人事委員会規則で定める日数

２　年次有給休暇（この項の規定により繰り越されたものを除く。）は、人事委員会規則で定める日数を限度として、当該年の翌年に繰り越すことができる。

３　任命権者は、年次有給休暇を職員の請求する時季に与えなければならない。ただし、請求された時季に年次有給休暇を与えることが公務の正常な運営を妨げる場合においては、他の時季にこれを与えることができる。

（病気休暇）

第十五条　病気休暇は、職員が負傷又は疾病のため療養する必要があり、その勤務しないことがやむを得ないと認められる場合における休暇とする。

（特別休暇）

第十六条　特別休暇は、選挙権の行使、結婚、出産、交通機関の事故その他の特別の事由により職員が勤務しないことが相当である場合として人事委員会規則で定める場合における休暇とする。この場合において、人事委員会規則で定める特別休暇については、人事委員会規則でその期間を定める。

（介護休暇）

第十七条　介護休暇は、職員が要介護者（配偶者等で負傷、疾病又は老齢により人事委員会規則で定める期間にわたり日常生活を営むのに支障があるものをいう。以下同じ。）の介護をするため、任命権者が、人事委員会規則の定めるところにより、職員の申出に基づき、要介護者の各々が当該介護を必要とする一の継続する状態ごとに、三回を超えず、かつ、通算して六月を超えない範囲内で指定する期間（以下「指定期間」という。）内において勤務しないことが相当であると認められる場合における休暇とする。

２　介護休暇の期間は、指定期間内において必要と認められる期間とする。

３　介護休暇については、給与条例第〇〇条の規定にかかわらず、その期間の勤務しない一時間につき、同条例第〇〇条に規定する勤務時間一時間当たりの給与額を減額する。

（介護時間）

第十七条の二　介護時間は、職員が要介護者の介護をするため、要介護者の各々が当該介護を必要とする一の継続する状態ごとに、連続する三年の期間（当該要介護者に係る指定期間と重複する期間を除く。）内において一日の勤務時間の一部につき勤務しないことが相当であると認められる場合における休暇とする。

２　介護時間の時間は、前項に規定する期間内において一日につき二時間を超えない範囲内で必要と認められる時間とする。

３　介護時間については、給与条例第〇〇条の規定にかかわらず、そ

の勤務しない一時間につき、同条例第○○条に規定する勤務一時間当たりの給与額を減額する。

（病気休暇、特別休暇及び介護休暇の承認）

第十八条　病気休暇、特別休暇（人事委員会規則で定めるものを除く。）及び介護休暇については、人事委員会規則の定めるところにより、任命権者の承認を受けなければならない。

（人事委員会規則への委任）

第十九条　第十四条から前条までに規定するもののほか、休暇に関する手続その他の休暇に関し必要な事項は、人事委員会規則で定める。

（非常勤職員の勤務時間、休暇等）

第二十条　非常勤職員（再任用短時間勤務職員及び定年前再任期付短時間勤務職員を除く。）の勤務時間、休暇等については、第二条から前条までの規定にかかわらず、その職務の性質等を考慮して、人事委員会規則の定める基準に従い、任命権者が定める。

附　則

（施行期日）

第一条　この条例は、令和五年四月一日から施行する。

（経過措置）

第二条　暫定再任用職員（地方公務員法の一部を改正する法律（令和三年法律第六三号）附則第四条第一項若しくは第二項（これらの規定を同法附則第九条第三項の規定により読み替えて適用する場合を含む。）、第五条第一項から第四項まで、第六条第一項若しくは第二項（これらの規定を同法附則第九条第三項の規定により読み替えて適用する場合を含む。）又は第七条第一項から第四項までの規定により採用された職員をいう。）で地方公務員法（昭和二十五年法律第二百六十一号）第二十二条の四第一項に規定する短時間勤務の職を占めるものは、この条例による改正後の職員の勤務時間、休暇等に関する条例（平成○○年○○県条例第○○号。以下この条において「新条例」という。）第二条第三項に規定する定年前再任用短時間勤務職員とみなして、新条例の規定を適用する。

この条例案（以下単に「条例案」という。）には、勤務をしなければならないという本来の勤務時間のほか、勤務をしなくてもいい日や時間である週休日、休日、休暇など、広義の勤務時間にかかる事項が統一的に規定されている。また、条例案の実施の細目についての通知（平六・八・五　自治能第六五号）で運用上の留意事項が示されている。なお、条例案は恒常的な職務に常時勤務を要する職員の勤務時間などを定めたものであり、会計年度パートタイム職員などの非常勤の職員（一週間の勤務時間が一般の職員のそれの四分の三以下の職員をいうのが通例である。第三条の【趣旨】二㈠1参照）の勤務時間、週休日、休暇などについては、別途規定する必要がある（人事院規則一五―一五（非常勤職員の勤務時間及び休暇）参照）。

ア　正規の勤務時間

職員の勤務時間は、従来から、一日について八時間、一週間について四〇時間という労働基準法第三二条が定める上限時間がそのまま採用されてきたが、平成二〇年（二〇〇八年）の人事院勧告において、民間労働者と比較して、一日一五分程度、一週間一時間一五分程度長い状態が安定していることなどを理由として、職員の勤務時間を一日七時間四五分、一週三八時間四五分とすべきであるとされ、この勧告に基づく勤務時間の短縮は、国家公務員については同二一年（二〇〇九年）四月一日から実施され、職員についても同様に措置されている。なお、この実施を決定した同二〇年（二〇〇八年）一一月一四日の閣議決定においては、「勤務時間の改訂を行うに当たっては、国家公務員と同様、公務能率の一層の向上に努め、行政サービスを維持するとともに行政コストの増加を招かないことを基本とする」とされている。

この結果、この条例案においても、職員の勤務時間は、休憩時間を除き、四週間を超えない期間につき一週間当たり三八時間四五分とされ（条例案二1）、月曜日から金曜日までの五日間に、一日につき七時間四五分の勤務時間を割り振るものとされている（条例案三2）。ただし、定年前再任用短時間勤務職員の一週間当たりの勤務時間は一五時間三〇分から三一時間までの間、任期付短時間勤務職員の一週間当たりの勤務時間は三一時間までの間で、それぞれ定めるものとし、これらの職員については、一週間ごとの期間について一日につき七時間四五分を超えない範囲で勤務時間を割り振るものとされている（条例案二3 4、三2）。また、公務の運営上の事由により特別の形態によって勤務する必要のある職員については、これらの原則によらない勤務時間の割り振りができることとされている（条例案四）。さらに、職務の特殊性または公署（勤務箇所）の特殊の必要により、一週間当たり三八時間四五分、一日につき七時間四五分の勤務時間を超えて勤務することを必要とする職員の勤務時間については、人事委員会の承認を得て、別に定めることができるとされている（条例案二5）。これは、いわゆる変形労働時間制の採用を可能とするものであるが、職員には労働基準法第三二条の四が適用除外され（法五八3）、労働基準法第三二条の二について、労働組合または労働者の代表者との協定が不要とされていること（法五八4）を受けたものである（前記1(1)イ参照）。

次に、従来、研究職の職員については、その業務の遂行上、自主的な判断や集中的、継続的な実験等が必要とされるとして、勤務時間を一律、固定的に定めることなく、その弾力的な配分を認めることによって、研究成果の一層の向上を図ることができると考えられることを理由に、勤務時間の割振りの始期と終期に弾力性のあるフレックスタイムを定めることができるとされていたが、国においては、平成二七年（二〇一五年）の人事院勧告において「適切な公務運営の確保に配慮しつつ、原則として全ての職員を対象にフレックスタイム制を拡充することが適当」であるとされたことを受け、平成二八年四月一日から研究職以外の職員についてもフレックスタイム制が導入されている（平成二八年法律第一号による勤務時間法六条一項の改正）。フレックスタイムは職場を単位として行われ、四週間の勤務時間が一週平均三八時間四五分（研究職以外の職員にあっては一日七時間四五分）となることを条件として、必ず勤務しなければならないコアタイム（たとえば一〇時から一五時まで）の前後（たとえば七時から一〇時までの間および一五時から二二時までの間）にフレックスタイムの勤務時間を、職員の申告を考慮して割り振るものである（条例案三３）。なお、これは労働基準法第三二条の三に定めるフレックスタイムとは異なり（同条は職員に適用されない。法五八３）、職員に始業および終業の時刻の決定をゆだねるものではなく、これらの時刻を決定するのはあくまでも任命権者である。

なお、一般職の職員の勤務時間、休暇等に関する法律第一〇条では、勤務時間が割り振られた日に通常の勤務場所を離れてする勤務のうち研修その他の勤務する時間帯が定められる勤務のうち人事院規則で定めるもの（令和二年（二〇二〇年）一月一日現在「職員が一日の執務の全部を離れて受ける研修」が定められている。）を命じられた職員については、当該命じられた時間を正規の勤務時間（職員についての「正規の勤務時間」というのは勤務時間条例の規定によって割り振られた勤務時間を意味する。）とみなすとしているが、職員には労働基準法第三七条が適用されるので、このような定めをすることはできない（通常の勤務場所以外での勤務の場合の勤務時間については、前記１⑴ウ参照）。また、平成二八年（二〇一六年）法律第一号によって一般職の勤務時間、休暇等に関する法律第六条に第四項が追加され、同年（二〇一六年）四月一日から施行されている。そこでは、次に掲げる職員について、職員の申告を考慮して、公務の運営に支障がないと認める場合には、四週間を超えない範囲内で週を単位として人事院規則で定める期間（「単位期間」という。）ごとの期間につき、正規の勤務時間となるように当該職員の勤務時間を割り振ることができるとされているが、この制度を導入するに際しては、職員には労働基準法第三二条および第三二条の二が適用されない（法五八３）ことによる制限があることに注意が必要である。

①　子の養育又は配偶者等（配偶者（届出をしないが事実上婚姻関係と同様の事情にある者を含む。）、父母、子、配偶者の父母その他人事院規則で定める者をいう。）の介護をする職員であって、人事院規則で定めるもの

②　前号に掲げる職員の状況に類する状況にある職員として人事院規則で定めるもの

イ　正規の勤務時間以外の時間における勤務

正規の勤務時間以外の時間における勤務には、断続的な勤務と公務のため臨時または緊急の必要がある場合の二種類がある（条例案一〇）。いずれも、労働基準法が認める特例を勤務時間条例に定めるものであり、前者は同法第四一条第三号に、後者は第三三条に、それぞれ対応するものである。

まず、断続的な勤務の場合については、設備などの保全、外部との連絡、文書の収受を目的とする勤務が例示されているが、問題になることが多いのはいわゆる宿直や日直であり、それが断続的な勤務に該当するかどうかは実態に即して判断することになる。実作業に従事していない仮眠時間であっても、役務の提供が義務付けられていると評価される場合には労働基準法第三二条の労働時間に該当するとするのが判例（最高裁平一四・二・二八　判例時報一七八三号一五〇頁）であり、単に当該勤務の名称だけで判断することはできない。また、これに該当する場合であっても、労働基準監督機関の許可を受けなければならないので（労基法四一）、労働基準法別表第一第一号から第一〇号までおよび第一三号から第一五号までに掲げる事業に従事する職員については労働基準監督署長（労基法九九３）の、それ以外の事業に従事する職員については人事委員会または当該地方公共団体の長（法五八３５）の許可が必要である。人事委員会を置かない地方公共団体にあっては、長が長に対して許可を求めるということが生ずるが、そのことを理由として、許可を不要とすることはできないので注意が必要である。なお、職員が従事する事業の種別が判然としないときは、労働基準監督機関相互で協議して定めることになろう（法八７参

照）。

次に、公務のため臨時または緊急の必要がある場合については、労働基準法第三三条第三項が「公務のため臨時の必要がある場合」には同法が定める労働時間（「法定労働時間」という。）を超えて、または同法が定める休日に労働させることができるとしており、勤務時間条例第一〇条第二項が「公務のため臨時又は緊急の必要がある場合」としているのとは表現が異なっている。しかし、「臨時の必要」と「緊急の必要」の違いは定かではなく、勤務時間条例の表現は、労働基準法の表現を詳しくしたにすぎず、その意味するものは同じであると解される。

なお、勤務時間条例は、育児を行う職員について、小学校就学の始期に達するまでの子のある場合は、深夜勤務をさせることを禁止し、それ以外の時間外勤務の時間数を制限し、それが三歳に満たない子である場合は時間外勤務そのものをさせないことを原則とし（条例案一〇の四1～3）、深夜勤務の禁止と時間数制限の原則を介護休暇を取得することができる職員に準用している（条例案一〇の四4）が、これらは、育児休業、介護休業等育児又は家族介護を行う労働者の福祉に関する法律第六一条第一九項、第二〇項、第二三項および第二四項の規定を踏まえたものである（前記1(1)シ参照）。

ウ　時間外勤務代休時間

条例案第一〇条の二は、時間外勤務代休時間について定める。これは、平成二〇年（二〇〇八年）の労働基準法の改正によって、法定労働時間を超えて、または法定の休日に労働させた場合において、当該延長して労働させた時間が一月について六〇時間を超えたときは、その超えた時間について通常の労働時間の賃金の計算額の五割以上の率で計算した割増賃金を支払わなければならないとされたものの（同法三七1ただし書）、この割増賃金の支払いに代えて通常の労働時間の賃金が支払われる休暇（同法が定める年次有給休暇を除く。）を与えることを定めた場合において、当該労働者が当該休暇を取得したときは、当該労働者の一月について六〇時間を超える時間のうち当該取得した休暇に対応するものとして同条第三項で定める時間の労働について、前記の割増賃金を支払うことを要しないとされたことに対応して設けられた制度であるから、時間外勤務代休時間を与えた場合においても、当該時間に対して通常の割増賃金を支払うことは必要である（同法三七3）。

労働基準法においては休暇と表現されているが、条例案においては時間外勤務代休時間とされている。これは、同法が要求しているのは、当該時間に対して通常の労働時間の賃金が支払われることであり、休暇という名称に実質的な意味があるわけではないし、職員の意思に関係なく指定されるものであることから、国の制度に倣って休暇とは別のもの（職務専念義務の免除）として整理したものであろう。また、時間外勤務代休時間の単位は、一日又は半日（代休時間以外の通常の労働時間の賃金が支払われる休暇と合わせて与える旨を定めた場合においては、当該休暇と合わせた一日又は半日を含む。）でなければならないが（労基法施行則一九の二1②）、職員については、原則として一日の勤務時間が七時間四五分とされていることから、ここでいう一日を七時間四五分と、半日を四時間として取り扱うのが妥当であろうし（人事院規則一五―一四（職員の勤務時間、休日及び休暇）一六の三3参照）、通常の労働時間の賃金が支払われる休暇というのは、年次有給休暇に限らず、通常の労働時間の賃金が支払われる限り、名称の如何にかかわらず職務に専念する義務を有しない時間を意味するものと解することができる。

さらに、時間外勤務代休時間を与えることができる時間は、一月について六〇時間を超えて延長して労働させた時間の時間数に、通常の時間外勤務に対する賃金の割増率（通常は二五％であるが、週休日については三五％、育児短時間勤務職員及び定年前再任用短時間勤務職員の一日通算七時間四五分に達するまでの時間については〇％）と一週間六〇時間を超える場合の賃金の割増率五〇％の差に相当する率（これを「換算率」という。通常の日の勤務については二五％、週休日の勤務については一五％、育児短時間勤務職員及び定年前再任用短時間勤務職員の一日通算七時間四五分に達するまでの時間の勤務については五〇％となる。）を乗じて得た時間数とし（労基法施行則一九の二2）、その時間数に一日または半日に満たない端数が生ずる場合は、時間外勤務代休時間以外の通常の労働時間の賃金が支払われる休暇と合わせて一日または半日の休暇とするか、その端数については時間外勤務代休時間を与えないことになる。

なお、時間外勤務代休時間は時間外勤務が一月六〇時間を超えた月の末日の翌日から起算して二月以内に与えなければならない（労基法施行則一九の二1③）のであるが、労働基準法第三七条第一項ただし書の割増賃金を支払うことを要しない時間は、取得した時間外勤務代休時間の時間数を換算率で除して得た時間数の時間とされるので（労基法施行則一九の二3）、時間外勤務代休時間が一日または半日を単位であるとすることからくる端数時間の処理の問題を引こすれば、労働基準法第三七条第一項ただし書に該当する全ての時間について時間外勤務代休時間を与えることも可能である。

２　週　休　日

日曜日および土曜日は週休日とされ、この日には原則として職員に勤務時間の割振りは行われない（条例案三１）。従前は週休日は「勤務を要しない日」と称されており、労働基準法では「休日」と呼ばれている（労基法三五）。また、地方自治法において地方公共団体の閉庁日とされている「休日」には、日曜日および土曜日が含まれている（自治法四の二２）。

労働基準法では労働者に毎週少なくとも一回の休日（週休日）を与えることが原則とされ、例外として四週間を通じて四日以上の休日を与えるときは必ずしも毎週一回とすることはないものとされている（労基法三五）。日曜日および土曜日が週休日とされる職員の場合は、いわゆる「完全週休二日制」が実施されており、同法の基準を上回っている。

日曜日または土曜日を週休日とすることができない公営企業や警察、消防などの職員については、別途週休日を定めることができるが、四週間につき八日の週休日を設けなければならない（条例案四１２本文）。また、この四週八休制によることも困難な職務に従事する職員については、四週間につき一週間当たり一日以上の割合で週休日を定めることで足りる（労基法三五２、条例案四２但し書）。

公務のために週休日に勤務することを命じられた職員に対して週休日を他の勤務日に振り替え、または勤務日の四時間を週休日の四時間の勤務に振り替えることができる（条例案五）。前者は週休日の振替であり、後者は半日勤務の振替である。週休日の振替または半日勤務の振替は必ず行わなければならないものではないが、職員の健康管理および勤務日数並びに勤務時間数の総量を抑制するためにできるだけこれを行うことが望ましい。また、国家公務員の場合、勤務日が引き続き一二日を超えないようにするとともに、週休日の振替は、勤務を命じる週休日を起算日として四週間前の日から八週間後の期間内に行うこととされているが（人事院規則一五―一四（職員の勤務時間、休日及び休暇）五１、六１）、職員については労働基準法第三七条によって週四〇時間を超える勤務に対して時間外勤務手当を支給しなければならないので、その週休日が属する週の勤務日または勤務時間に振り替えることが望ましい（第二五条の〔解釈〕四(二)参照）。この振替をしない週休日の勤務に対して所定の時間外勤務手当を支給しなければならないことは当然である。

なお、平成二八年（二〇一六年）法律第一号によって一般職の勤務時間、休暇等に関する法律第六条に第四項が追加され、同年（二〇一六年）四月一日から施行されている。そこでは、次に掲げる職員について、職員の申告を考慮して、公務の運営に支障がないと認める場合には、四週間を超えない範囲内で週を単位として人事院規則で定める期間（「単位期間」という。）ごとの期間につき、一般の職員の週休日に加えて当該職員の週休日（勤務時間を割り振らない日）を設けることができるとされている。

① 子の養育又は配偶者等（配偶者（届出をしないが事実上婚姻関係と同様の事情にある者を含む。）、父母、子、配偶者の父母その他人事院規則で定める者をいう。）の介護をする職員であって、人事院規則で定めるもの

② 前号に掲げる職員の状況に類する状況にある職員として人事院規則で定めるもの

３　休　日

職員は、国民の祝日に関する法律に定める休日（国民の祝日およびそれが日曜日に当たるときはその日後においてその日に最も近い「国民の祝日」でない日並びに平日である五月四日）および年末年始の休日（一二月二九日から一月三日までの日（国民の祝日を除く。））には原則として勤務をすることを要しない（条例案一一）。この休日は、週休日と異なり、正規の勤務時間が割り振られているのであるが、従前から広く行われてきた慣行によってこれらの日の勤務を免除することが制度化されているものである。

また、個々の地方公共団体は、特別な歴史的、社会的意義を有する日として住民が記念することが定着しているもので総務大臣と協議して条例で定めた日を、当該地方公共団体の休日として定めることができるが（自治法四の二３）、この地方公共団体の休日をここでいう職員の休日として条例で規定することもできる。現在、総務大臣と協議して定められた地方公共団体の休日には広島市の平和記念日と沖縄県および同県内の全ての地方公共団体における慰霊の日とがある。

交替制で勤務する病院の職員、公営交通の職員、警察職員、消防職員および休日に開館する図書館、博物館、美術館、体

育施設などの職員は、それぞれの勤務の割振に従って休日に勤務する必要があり、また、休日の勤務が免除されている職員の場合も、公務の必要によって休日の勤務を命じられることがある。この場合、休日の正規の勤務時間に相当する時間は給与支給の対象となっている時間であるが、勤務が免除される（勤務しないことを理由とした給与の減額はなされない。給与法一五参照）ことが常例であることにかんがみ、次条の〔解釈〕四㈤で述べる休日勤務手当が別途支給されるのが通例である。休日の正規の勤務時間以外の時間の勤務に対しては、時間外勤務手当が支給される。

次に、休日の正規の勤務時間のすべてについて勤務を命じられた職員に対しては、当該職員があらかじめその付与を希望しない旨申し出た場合を除き、任命権者は勤務を命じた休日の後八週間以内の日を「代休日」として指定して職務専念義務を免除することができる（条例案一二、人事院規則一五―一四（職員の勤務時間、休日及び休暇）一七1）。代休日は一日を単位として与えられ、時間単位では認められない。また、職員の勤務条件の安定をはかるため代休日は事前に指定しなければならず、休日に勤務した事後にこれを指定することはできない。休日の代休日が与えられた職員には休日勤務手当は支給されないが、代休日にさらに勤務を命じられた場合はあらためて休日勤務手当が支給される。この代休日は必ず付与しなければならないものではないが、任命権者はできるかぎりこれを付与するように努めなければならないものである。なお、休日の代休の代休、いわゆる再代休は認められない。

４　休　暇

職員が特別の事情または条件により勤務を要する日に法律または条例に基づいて職務専念義務を免除されることを広く休暇という。休暇には、年次有給休暇、病気休暇、特別休暇および介護休暇の四種類がある（条例案一三）。休暇は、年次有給休暇のように事由を限らずに与えられる無因性の休暇と、事由を限ってそのつど与えられる有因性の休暇とに分けることができ、また、給料が支給されるか否かにより、有給休暇と無給休暇とに分けることができる。

休暇との異同が問題となるものに職務専念義務の免除がある。休暇は、本条第五項に基づく条例によって規定され、勤務条件の一つとして観念されているのに対し、職務専念義務の免除は地方公務員法第三五条に基づいて条例で規定され、服務上の問題として観念されている。確かに、勤務条件と服務とは別個の観念であるが、勤務を要する日の職務を免除することは、職員の側からみれば勤務条件であり、他方、当局の側からみれば義務の免除、服務の問題である。国家公務員法が服務の節の中に、第一〇六条の勤務条件の規定を置いているのは、このような理解が前提となっているようにも思われる。地方公務員法は、両者を別に規定しているが、法第三五条の「条例に特別の定がある場合」の大部分は、本条第五項に基づく休暇に関する条例の規定を指すといってよい。なお、国家公務員の特別休暇が整備されたことに伴い、従来の法第三五条に基づく職務専念義務の免除のかなりのものが、特別休暇に含まれることになった（勤務時間法一九、条例案一六）。また、育児休業は、職員の申請によって認められるため休暇に類似しているが休暇ではなく、任命権者が指定する時間外勤務代休時間とともに、職務専念義務の免除である。

職員の休暇は、条例で定めなければならない（本条５）が、この条例を定めるに当たっては、年次有給休暇その他について労働基準法で定める基準を下回ってはならない。

以下、職員の休暇について、それぞれの種類ごとに述べることとする。

（1）　年次有給休暇

職員には、一の年ごとに、原則として二〇日（年の中途で採用されたときは月割の日数）の年次有給休暇が与えられる（条例案一四１①②）。労働基準法では、年次有給休暇の最低限を、六カ月間継続して勤務し、その勤務すべき日の八割以上勤務した職員に対して継続し、または分割した一〇日、一年六カ月以上勤務した職員に対しては六カ月を超えて継続勤務した勤務年数一年につき一日、二年につき二日、三年につき四日、四年につき六日、五年につき八日、六年以上につき一〇日をそれぞれ一〇日に加算した日数を年次有給休暇として与えなければならないとしているが（労基法三九１２）、地方公共団体の場合、労働基準法との関係で日数が問題となることはない。また、船員である職員には船員法に基づく年次有給休暇が与えられる（条例案一四１④）。なお、一週間の所定勤務時間が三〇時間に満たない職員の年次有給休暇の日数は、一週間の所定労働日数が四日以下の者にあっては週の所定労働日数を、週以外の期間によって所定労働日数が定められ、その日数が一年間二一六日以下の者にあっては一年間の所定労働日数を、それぞれ基準とする前記の特例が定められている（労基法三九3、労基法施行則二四の三）。したがって、会計年度パートタイム職員、短時間勤務職員や非常勤の職員で、これらに該当する者が六カ月間継続して勤務し、その勤務すべき日の八割以上勤務した場合には、このようにして定められた日数の年次有給休暇を与えなければならないことになる。条例案第一四条第一項第一号括弧書には、育児短時間勤務職員等、定年前再任用短時間勤務職員および任期付短時間勤務職員について、その者の勤務時間などを考慮して二〇日を超えない範囲内で人事委員会規則で定める旨が定められているが、これらの職員以外の非常勤職員にも年次有給休暇を与える必要が生ずることがある。また、これらの職員の勤務時間が週三〇時間を超える場合には労働基準法第三九条第一項および第二項がそのまま適用になるが、採用された年から年二〇日の割合による年次有給休暇を付与するというのは、終身雇用を前提とした公務員独特のものであり、民間ではほとんど例が見られないものであるから、任用期間が限定されている場合に、単に週の勤務時間だけを任期の定めのない職員と比較してその日数を定めることは不適当であろう。

労働基準法に基づく年次有給休暇は職員の権利であり、職員から請求があったときは、その請求する時季に与えなければならないが、請求された時季に与えることが業務の正常な運営を妨げる場合は、他の時季にこれを与えることができる（条例案一四3、労基法三九4）。使用者が他の時季に変更して与える権限を「時季変更権」という。時季変更権は、業務の正常な運営を阻害するか否かによって判断すべきもので、休暇の目的による変更権の行使は無効とされる（最高裁昭六二・七・一〇判決　判例時報一二四九号三三頁）。しかし、正当に行使された変更権に従わなかったときは、懲戒処分の対象となる（最高裁平一二・三・三一判決　判例時報一七〇九号一二八頁）。職員の年次有給休暇に関する権利の法律的性格については議論があり、職員の請求によって、使用者が時季変更権を行使しない限り、直ちに効力が発生するとする「形成権説」と、労働基準法上「請求」という字句が用いられていることや、使用者の立場との調整が必要であるということから、使用者が承認を与えてはじめて効力を生じるという「請求権説」とが対立していたが、昭和四八年（一九七三年）三月二日の最高裁判所の判決（判例時報六九四号三頁）は、労働者の指定によって効力が生じるとする「指定権説」をとった。

次に、年次有給休暇は翌年に限りこれを繰り越すことができる（条例案一四２）。年次有給休暇の権利が時効について定める労働基準法第一一五条の「請求権」に該当するか否かは、前記昭和四八年の最高裁判決との関係で明らかではないが、この判決の後も従前の扱いを継続してその翌年に限り繰り越すことができることとしているものである。また、年次有給休暇は暦年によって与えるとするのが一般的であるが、これは法律に根拠があるものではないから、条例で定めることによって、通常の採用および退職の日にあわせて、四月一日から翌年三月三一日までとすることも可能である。

次に、年次有給休暇を時間単位に分割して与えることができるであろうか。年次有給休暇は職員の元気回復に充てるもので分割は不可とする意見もあるが、国家公務員の場合は、一日または半日で与えることを原則としながら、とくに必要があると認めるときは一時間を単位として与えることができることとされており（人事院規則一五―一四（職員の勤務時間、休日及び休暇）二〇）、地方公共団体でもこれに倣うことができよう。年次有給休暇は、本来、労働者の元気回復を目的とするものであり、この観点に立てば、少なくとも一日単位で与えることとし、また、先述の繰り越しについても年内消化すべきもので繰り越しは認めないことが本旨であるとも考えられるが、現実に生活の便宜（短時間の通院やＰＴＡの会合など）に用いられている現状からして、時間単位の年次有給休暇もやむを得ないであろう。なお、平成二〇年（二〇〇八年）法律八九号による労働基準法第三九条第四項の改正により、職員の過半数を組織する労働組合またはそれを代表する者との協定で、時間を単位として有給休暇を与えることができる職員の範囲、時間を単位として与えることができる有給休暇の日数（五日以内に限る。）などを定め、それに従って時間単位の有給休暇を与えることができることが明文化され、企業職員および単純労務職員並びに独法職員にはそのまま適用されるものの、それ以外の職員については、そのような協定なしに、「特に必要があると認められる時」に時間単位の有給休暇を認めることができることとされた（法五八４、地公企法三九１、地公労法一七１、同法附則５、地方独法法五三１）。

(2)　病気休暇

病気休暇は、職員が負傷または病気を療養するために必要とされる最小限度の期間について認められる休暇である（条例案一五）。病気休暇は特定の事由に基づいて認められる有因性の休暇であるという点で⑶および⑷で述べる特別休暇および介護休暇と同じであり、広義の特別休暇の一つであるといってよいが、病気は生活上頻度の多い現象であるため、独立した休暇とされたものである。

病気休暇の対象となる病気には、予防注射などによる発熱、女性職員の生理による就業困難（労基法六八）などが含まれ、その療養には予後のリハビリテーションなどが含まれる。病気休暇を得るためには、任命権者に事前に請求してその承認（やむを得ない場合は事後の承認）を受けることが必要であり（条例案一八）、任命権者は原則としてその請求を承認すべきであるが、その請求の日時の公務に支障があり、通院やリハビリテーションなどで他の時期にそれを認めても療養の目的を損なうおそれがないときはその請求を承認しないことができる（人事院規則一五—一四（職員の勤務時間、休日及び休暇）二五参照）。任命権者は、病状を確認する必要があるときは、診断書などの提出を求めることができるのは当然のことである（人事院規則一五—一四（職員の勤務時間、休日及び休暇）二九２参照）。なお、国家公務員の場合は、病気休暇は必要に応じて一日、一時間または一分を単位として与えることができるとされている（人事院通知平六・七・二七職職三二八参照）。

病気休暇は給与条例の定めるところにより有給とされる（給与法一六参照）。ただし、職務を実際に遂行したことまたは職務に関連した一定の事実に基づいて支給される特殊勤務手当、通勤手当などが所定の要件を欠いた場合に支給されないことは当然である。

病気休暇のあらましは以上のとおりであるが、一口に病気といっても病状の軽重、療養期間の長短などさまざまなものがあり、また、職員の心身の故障は分限処分（法二七、二八）の事由でもある。職員が実際に病気になった場合の一般的な身分取扱いは、おおむね次のとおりである。

職員が病気により職務に従事することができなくなったときは、まず、その請求に基づいて病気休暇が与えられる。この場合、限られた時間の通院や一、二日の療養については、本人が病気休暇を請求せず年次有給休暇を利用することも実際にはあり得る。病気休暇の期間は限定されていないが、私傷病の場合の病気休暇が九〇日（結核性疾患の場合は一年）を超えるときは、給料の半額が減額されるのが通例である（給与法附則7、人事院規則九—八二（俸給の半減）五参照）。次に、病気のために長期の療養が必要とされる場合には、休職処分が行われることになる（法二八2①）。病気になった職員について病気休暇と休職のいずれによるか、あるいは病気休暇で療養中の職員をいつ休職とするかは、個々の場合について判断しなければならないが、長期の療養を要することが診断書などで明らかになったとき、または公務遂行上すみやかに他の職員をその職に任用する必要があるときは休職にすべきである。また、上述のように、病気休暇が九〇日を超えると給料が半減されるが、病気休職については原則として給料および一定の手当の一〇〇分の八〇が支給されるので（給与法二三3参照）、その時期も休職とする一つの目途となろう。なお、公務災害を受けた職員に対しては、療養期間中、給与の全額が支給される（給与法二三1参照）。次に、職員が病気により、それが治癒しても職務を遂行できないことまたは休職期間中に治癒しないことが明らかになったときは、分限免職が行われることになる（法二八1②）。なお、公務災害を受けて療養のために休業している期間中およびその後三〇日間内の職員を分限免職することはできない（労基法一九1）。ただし、療養の開始後三年を経過した日に傷病補償年金を受けている場合または同日後に傷病補償年金を受けることとなった場合はこの限りでない（地公災法二八の三）。

ところで、職員が伝染性の疾病など、一定の病気にかかったときは、その就業を禁止される場合がある（労安法六八）。病気を理由として職務を免除されることは病気休暇と同じであるが、病気休暇は職員の勤務条件であるのに対し、この病者の就業禁止は、職場の安全衛生を確保するために職務命令によって行われる職員の服務上の措置である。

なお、職場復帰に関する不安を緩和するなどして、職場復帰を円滑に行うことを目的として、病気（精神・行動の障害）による休暇や休職の期間中の職員について、復職（職場復帰）前に、元の職場などに一定期間継続して試験的に出勤をすること（「試し出勤」と称される。）を認めるべきであるという議論がある。これは、長期間職場を離れていた者が職場に復帰したときに、十分働くことができず、症状が悪化して再度職場を離脱しなければならないことがあることを考慮した制度であり、民間においてある程度採用され、効果が見られることから、国においても導入されている。人事院が作成した『「試し出勤」実施要領』（平成二二年七月三一日付け職職一二五四人事院事務総局職員福祉局長通知別紙）によれば、その対象となるのは「精神・行動の障害による長期病休職員（引き続いて一月以上の期間、病気休暇又は病気休職により勤務していない職員）で、主治医、健康管理医（精神科医又は心療内科医等の専門家であることが望ましい。以下同じ）及び健康管理者により復職可能と考えられる程度に回復した者のうち、「試し出勤」の実施を希望する者」であり、実施時期は「病気休暇期間中又は病気休職期間中で、職場復帰が可能と考えられる程度に回復した時期」とされ、実施期間は一月程度（延長は概ね二週間まで）、実施内容は「健康管理者が職員本人との話合いを行い、健康管理医、主治医及び受入先職場の管理監督者の意見も踏まえて決定すること」とされ、給与は病気休暇または病気休職中の職員に対して支給されるもの以外は一切支給しないものとされている。この試し出勤により従事した職務が公務であるか否かについての明確な見解は示されていないが、試し出勤中に災害を受けたときは、具体的な事情によって、国家公務員災害補償法上の公務上の災害または通勤による災害に該当する場合があるとされている（平成二四年四月二四日衆議院議員河野太郎君提出「試し出勤」についての官民格差に関する質問に対する答弁）。このような試し出勤の性質からすると、それは職場離脱中の治療の一環としてのリハビリテーションであるとも考えられ、公務災害該当性だけでなく、それによって病状が悪化した場合（この可能性があるとして、このような制度に反対する意見もある。）の責任の所在や試し出勤中の安全配慮義務など、慎重に検討すべき問題が残されている。なお、これと似て非なるものに「慣らし出勤」と称されるものがある。これは、復職した者に対して行う軽減勤務のことであり、民間において導入されている実例があるが、公務員については、そのようなことを可能にする勤務形態は構築されていない。

(3)　特別休暇

特別休暇はすべて有因性の休暇であり、選挙権の行使、結婚、出産、交通機関の事故その他の特別の事由がある場合に認められる（条例案一六）。特別休暇は、本条第五項の条例およびその委任に基づく人事委員会規則（人事委員会を置かない地方公共団体は任命権者の規則）で具体的に定められるが、職員は公務を優先することが原則である以上、真にやむを得ない公的な要請または社会通念上妥当とされる個人的事情がある場合に限って認めることとすべきものである。また、特別休暇は、職員の勤務条件であり、地方公務員法第三五条に規定されている条例で定める職務専念義務の免除の一つである。特別休暇のほかに、直接同条に基づく条例によって職務専念義務の免除を定める場合があり、特別休暇に類似した取扱いがなされることがあるが、この職務専念義務の免除は服務上の措置として行われるものであり、勤務条件である特別休暇とは明確に区別されなければならない（特に県費負担教職員について問題となる。地教行法四二参照）。

ところで、職員が勤務しないときは、その勤務しない時間に応じて給料が減額されるのが原則（ノーワーク・ノーペイの原則）であるが、特別休暇については、給与条例において減額しない旨を定めているのが通例のようである（給与法一五参照）。しかし、職務専念義務が免除されることと給与の満額支給とは別の問題であって、後者については、本条第一項の趣旨に反しないことが必要であるとするのが最高裁の判例（平一〇・四・二四判決　判例時報一六四〇号一一五頁）であり、特別休暇についても、それぞれが認められる趣旨を個別に検討したうえで、病気休暇および介護休暇についてと同様、個別に減額の必要性を判断すべきものである（第二五条の〔解釈〕二(八)参照）。

特別休暇が認められる場合およびその期間並びにそれぞれについて留意しなければならないことは次のとおりである（人事院規則一五―一四（職員の勤務時間、休日及び休暇）二二参照）。

ア　公民権の行使　　必要と認められる期間　　職員が勤務時間中に選挙権その他公民としての権利を行使するために必要とする時間を請求した場合には、これを拒んではならないが、公民権の行使を妨げない限り、職員が請求した時刻を変更することができる（労基法七）。この時間が特別休暇とされているのであり、選挙の投票については問題はないが、被選挙権の行使の場合は、職員は公職の立候補を制限されているので（公選法八九１）、ここでいう権利の行使に該当することはあり得ない。ただし、公職選挙法による立候補制限のない単純労務職員並びに企業職員および独法職員（いずれも、課長またはこれに相当する職以上の主たる事務所における職に在る者を除く。）は在職のまま立候補できるので（公選法八九１②⑤、公選法施行令九〇１３）、この条例とは別に定められるこれらの職員の特別休暇に関する規程でそのための特別休暇が認められることになろう。また、これらの職員が公職に当選したときは、地方公共団体の長や議員との兼職が禁止されているので（自治法九二２、一四一２）、特別休暇の問題は生じないが、国会議員の場合には兼職が禁止されていないので、必要な場合には特別休暇を認めなければならない。選挙以外の公民権の行使としては、直接請求や住民監査請求およびその訴訟が考えられる。検察審査員となることも公民としての権利であり義務であるが、職員はその職務を辞することができるので（検察審査会法八③）、職務との競合を避けるよう配慮することが適当である。

イ　証人などとしての出頭　必要と認められる期間　職員が勤務時間中に証人、鑑定人、参考人などとして国会、裁判所、地方公共団体の議会その他官公署へ出頭し、または裁判員として刑事裁判に参加しなければならない場合は、それに必要な日時について特別休暇が認められる。刑事事件の証人としての召喚（刑訴法一四三）、民事事件の証人としての呼出し（民訴法一九〇）や地方議会の調査の証人としての出席（自治法一〇〇1）、人事委員会または公平委員会の不服申立ての審査の証人としての出頭（法八6）などのように法律に基づく義務がある場合の特別休暇については問題はないが、警察官から参考人として任意の同行（警察官職務執行法二2）を求められたような場合は、それぞれの事情に応じて特別休暇を認めるかどうかを判断することになろう。なお、職員が説明のために議場に出席すること（自治法一二一）は、その職務として行うものであって特別休暇の問題でないことはいうまでもない。

ウ　骨髄液の提供　必要と認められる期間　白血病等の治療のため健康な提供者（ドナー）の骨髄液を患者に移植することが行われており、その場合、ＨＬＡ型（白血球の型）が一致する確率が低いことから骨髄バンクによる患者、提供者の登録、検査、適合者の検索、移植等が実施されている。この難病治療の困難性にかんがみ、職員が骨髄液の提供者として登録や検査を行い、あるいは実際に骨髄液を提供するために必要な日時について特別休暇が認められる。この特別休暇は国家公務員について平成五年（一九九三年）四月から認められるようになったものであり、地方公共団体でもこれに倣って導入されている。なお、この特別休暇は公益上の目的で認められるものであるため、配偶者、父母、子および兄弟姉妹に対して行う場合は、個人的な関係によるものとされ、この休暇の対象にはならない。このような場合には、週休日や年次有給休暇が利用されることになろう。

エ　ボランティア活動　一の年において五日以内　職員が自発的に、かつ報酬を得ないで次に掲げる社会に貢献する活動

（専ら親族に対する支援となるものを除く。）を行う場合で、そのために勤務しないことが相当である場合に認められる特別休暇である。

(ア)　地震、暴風雨、噴火などにより相当規模の災害が発生した被災地またはその周辺の地域における生活関連物資の配布その他の被災者を支援する活動

(イ)　障害者支援施設、特別養護老人ホームその他の主として身体上もしくは精神上の障害がある者または負傷し、もしくは疾病にかかった者に対して必要な措置を講ずることを目的とする施設であって相当と認められるものにおける活動

(ウ)　(ア)および(イ)に掲げる活動のほか、身体上もしくは精神上の障害、負傷または疾病により常態として日常生活を営むのに支障がある者の介護その他の日常生活を支援する活動

オ　結　婚　　連続する五日の範囲内の期間　職員の結婚のための挙式、旅行などに必要とされる期間について認められる特別休暇であり、一定の期間内（たとえば、結婚の日の五日前の日からその結婚の日後一月を経過する日までの間）に限って認められる。結婚は初婚であると再婚であるとを問わない。また、連続する五日とは、連続する五暦日であり、たとえば、金曜日から結婚休暇を取得する場合は土、日曜日を加えて翌週の火曜日までである。

カ　不妊治療　　一の年において五日（当該通院等が体外受精その他の人事院が定める不妊治療に係るものである場合にあっては、十日）の範囲内の期間　職員が不妊治療に係る通院等のため勤務しないことが相当であると認められる場合に認められる特別休暇である。

キ　産前産後　　産前については出産予定の女子職員の申出により分べん予定日から起算して六週間（双生児など多胎妊娠の場合は一四週間）以内の期間、産後については出産（妊娠満一二週以後の分べん、以下同じ。）の日の翌日から八週間を経過する日までの期間、ただし、産後六週間を経過した者が就業を申し出た場合で医師が支障がないと認めた業務に就くときはそれまでの期間（労基法六五1 2）　女子職員の母性保護のために認められる特別休暇である。産前の休暇は当該女子職員の請求によるものであるが、産後の休暇はその請求の有無にかかわらず就業が禁止される。なお、妊娠中または産後一年を経過しない

職員（妊産婦である職員）から請求があったときは、時間外勤務および週休日の勤務などをさせることはできない（労基法六六）。

ク　育児時間　一日二回それぞれ三〇分以内の時間　生後一年に達しない子を育てる職員がその保育のための授乳などを行うために認められる特別休暇である（女性について労基法六七）。現に子を育てている限り、養親にも認められる。なお、男子職員がこの特別休暇を取得する場合には、その取得しようとする日において、当該職員以外の親（同一の地方公共団体の職員である必要はない。）がこの特別休暇（これに相当するものを含む。）を承認され、または労働基準法第六七条の規定に基づく育児時間の請求をしたときは、一日二回それぞれ三〇分から当該承認または請求に係る各回ごとの時間を差し引いた時間がこの特別休暇の上限となる。

ケ　妻の出産　二日の範囲内の期間　妻（事実上の婚姻関係にある者を含む。）が出産する場合に、配偶者である男子職員が付添い等をするために認められる特別休暇である。一定の期間内（たとえば、出産のために入院等をする日から出産の日後二週間を経過する日まで）に限って認められるものであり、一日ずつ分割することもできる。

コ　妻の出産に伴う養育　五日の範囲内の期間　妻が出産する場合において、当該出産に係る子または小学校就学の始期に達するまでの子（妻の子を含む。）を養育する男子職員が、これらの子の養育のため勤務しないことが相当であるときに認められる特別休暇であり、出産予定日の六週間（多胎妊娠の場合は一四週間）前の日から当該出産の日以後一年を経過する日までの期間に限って認められる。

サ　子の看護　一の年において五日（子が二人以上の場合は一〇日）の範囲内の期間　この休暇は、小学校就学の始期に達するまでの子（配偶者の子を含む。）を養育する職員について、負傷し、若しくは疾病にかかったその子の世話または当該子に予防接種または健康診断を受けさせる（育児休業法施行則三二）ために取得することが認められるものであり、国においては特別休暇として整理されていることから、職員についてもそのような取扱いとされているのが一般である。

なお、育児休業、介護休業等育児又は家族介護を行う労働者の福祉に関する法律第六一条第一一項は、職員について、子の看護に関する同条第七項から第一〇項の規定を準用している。この制度の対象となる職員には、定年前再任用短時間勤務職員および次のいずれにも該当しない非常勤職員が含まれる（同法一六の三2、六1②、同法施行則三六）。

①　当該地方公共団体に引き続き雇用された期間が六月に満たない者

②　一週間の所定労働日数が二日以下の者

シ　忌　引　死亡した親族により七日から一日の連続する日数　職員の近親が死亡した場合に葬儀、服喪などのために認められる特別休暇である。この休暇が認められる親族の範囲およびそれぞれについての日数は次のとおりである。

親　族	日　数
配偶者・父母	七日
子	五日
祖父母	三日（職員が代襲相続し、かつ、祭具等の承継を受ける場合にあっては、七日）
孫	一日
兄弟姉妹	三日
おじ又はおば	一日（職員が代襲相続し、かつ、祭具等の承継を受ける場合にあっては、七日）
父母の配偶者又は配偶者の父母	三日（職員と生計を一にしていた場合にあっては、七日）
子の配偶者又は配偶者の子	一日（職員と生計を一にしていた場合にあっては、五日）
祖父母の配偶者又は配偶者の祖父母・兄弟姉妹の配偶者又は配偶者の兄弟姉妹	一日（職員と生計を一にしていた場合にあっては、三日）
おじ又はおばの配偶者	一日

この父母には養父母、子には養子、祖父母には父母の養父母、養父母の父母等が含まれることは、共済組合の遺族年金の場合（地共済法四五）と同じである。また、代襲相続とは死亡者の子がすでに死亡しているときの孫あるいは死亡者の兄弟姉妹が相続人である場合でその兄弟姉妹が死亡しているときの死亡者の甥または姪が相続することをいい（民法八八七23、八

八九）、祭具等の承継には位牌、墓所等を相続することのほか、葬儀の喪主となることも含まれるであろう。連続する日数は暦日による。

ス　父母の祭日　一日の範囲内　父母の死後一定期間内（たとえば一五年以内）に法事などの追悼をするために認められる特別休暇である。

セ　夏季休暇　連続する三日の範囲内　七月から九月までの間に、盆の行事、心身の健康、家族とのふれ合いなどを行うために認められる特別休暇である。連続する三日は、週休日、休日および代休日を除いて暦日によるものであり、たとえば週休日に続けて、あるいはこれをはさんで夏季休暇を得たときは、連続五日間の夏休みになる。なお、やむを得ない場合には一暦日ごとに分割することも認められる。

ソ　災害による住居の重大な被災　七日の範囲内　地震、水害、火災その他の災害によって職員の現在の住居が滅失または損壊した場合にその復旧などのために認められる特別休暇である。ここでいう災害には、以上のほか暴風、豪雨などによる地すべり、豪雪、噴火、爆発などが含まれる（災対法二①）。また、七日の範囲内とは原則として連続する七暦日の範囲内である。

タ　災害のための交通途絶による出勤不能および退勤時の危険回避　必要と認められる期間　災害または交通機関の事故などにより列車、バスなどの運行が停止し、あるいは道路の決壊や洪水などのために車輌や舟または徒歩による通行が不能となり出勤することができなくなった場合、および災害による被害の拡大や交通の混乱が予想されて退勤時に職員の身体に危険が及ぶおそれがある場合に認められる特別休暇である。後者については女子職員の早退をまず行うなど時宜に応じて休暇を与えることが適当である。なお、地方公共団体は災害対策を実施する責務を負うものであるから（災対法四、五）、不可抗力による場合はやむを得ないが、災害対策のための業務遂行に必要な要員の確保に全力を挙げなければならないことはいうまでもない。

特別休暇を得るためには任命権者の承認を受けなければならない（条例案一八）。職員には年次有給休暇のように形成権的効力を有する時季指定権があるものでなく、任命権者の事前の承認（ただし、災害などやむを得ないときは事後の承認）によって休暇の効力が生じるのであるが、特別休暇のそれぞれにそれを必要とする特段の事情がある以上、任命権者は原則としてこれを承認すべきものである。公民権の行使や産後の休暇のように、労働基準法によって、その承認を羈束される場合もある。なお、特別休暇は必要に応じて一日、一時間または一分を単位として与えることができる。

(4)　介護休暇（介護休業）

育児休業、介護休業等育児又は家族介護を行う労働者の福祉に関する法律は、同法が定める育児休業、介護休業、子の看護休暇、介護休暇などに関する規定は、国家公務員および地方公務員に関しては適用しないとした（同法六一1）うえで、地方公務員に関する介護休業（同法六一3〜6）、子の看護休暇（同法六一7〜11）、介護休暇（同法六一12〜16）などについて具体的な規定を置いている。このように、同法は、介護のための制度として休業と休暇を分け、また看護については子に対するものと要介護家族に対するものとを分けて規定しているのであるが、条例案においては子の看護休暇を特別休暇とすることを想定し（前記3サ参照）、介護休暇という名称で介護休業について規定している（条例案一七）。これは、職員については、同法が介護休業について定めた平成七年（一九九五年）一〇月よりも前から国（勤務時間法二〇参照）に倣う形で介護休暇の制度を設けていたという沿革上の理由によるものであり、条例案も人事院規則一五—一四（職員の勤務時間、休日及び休暇）第二三条に準じた形で作成されている。ただ、この結果、条例案から同法に定める介護休暇についての規定が欠落することとなっている（後記(5)参照）。

条例案が定める介護休暇は、職員の職の維持と介護の両立を目的とする休暇であり、有因性の休暇である点で前述の病気休暇および特別休暇と同じであるが、比較的長期にわたる社会的要請が強い休暇であること、無給休暇であることなどから特別休暇とは別に規定されることになったのであろう（条例案一七）が、前記のように、介護休暇そのものは育児休業、介護休業等育児又は家族介護を行う労働者の福祉に関する法律第六一条第六項で準用される同条第三項から第五項に定められている介護休業の要件を満たすものでなければならない。同法が定める介護休業における介護の対象者は、当該職員の配偶者、父母、子、祖父母、兄弟姉妹若しくは孫または配偶者の父母であって負傷、疾病または身体上若しくは精神上の障害により二週間以上の期間にわたり日常生活を営むのに支障があるもの（「要介護家族」という。）であり（同法六一3、同法施行則八六）、休業をすることができる期間は、要介護家族の各々が介護を必要とする一の継続する状態ごとに、三回を超えず、かつ、合算して九三日を超えない範囲内で指定する期間内において必要と認められる期間であり、職員からその承認の請求があったときは、当該請求に係る期間のうち公務の運営に支障があると認められる日または時間を除き、これを承認しなければならないとされている（同法六一4、5、6）。

なお、条例案では、非常勤の職員については別に定めることとなっているが（条例案二〇条）、定年前再任用短時間勤務職員以外の非常勤職員であって介護休業開始予定日から起算して九三日を経過する日から六月を経過する日までに、その任用の期間が満了することが明らかでない者（育児休業法一一1ただし書）には育児休業、介護休業等育児又は家族介護を行う労働者の福祉に関する法律第六一条第六項によって介護休業（条例案一七条の介護休暇）に関する同法第六一条第三項から第五項の規定が準用されるので、常勤の職員と同じ取扱いが必要である。

(5)　要介護家族の介護などのための休暇

育児休業、介護休業等育児又は家族介護を行う労働者の福祉に関する法律第六一条第一六項は、要介護家族の介護などのための休暇に関する同条第一二項から第一五項までを職員について準用している。この休暇は、要介護家族の介護、対象家族の介護、対象家族（当該職員の配偶者、父母、子、祖父母、兄弟姉妹若しくは孫をいう。）の通院などの付添い、対象家族が対象サービスの提供を受けるために必要な手続きの代行その他の対象家族の必要な世話を行うため（同法一六の五1、同法施行則三八）のものであり、職員は、一年につき五日（要介護家族が二人以上のときは一〇日）の日数を取得でき（始業の時刻から連続し、又は終業の時刻まで連続する一日の所定労働時間数に満たない時間単位で取得することもできる（同法六一14、同法施行則九三1）。）、任命権者またはその委任を受けた者は公務の運営に支障があると認められる場合を除いて、承認しなければならない（同法六一15）職員には、短時間勤務職員およびそれ以外の非常勤職員であって次のいずれにも該当しないものが含まれる（同法六1、一六の六2、六一16、同法施行則四二、八②)。

① 当該地方公共団体に引き続き雇用された期間が六月に満たない者

② 一週間の所定労働日数が二日以下の者

(6) 介護時間

条例案第一七条の二は介護時間について定めているが、これは国の制度(勤務時間法二〇の二)に倣ったものであり、要介護者(育児休業法の要介護家族とは必ずしも一致しない。)の各々が介護を必要とする一の継続する状態ごとに、連続する三年の期間(介護休暇と重複する期間を除く。)内において、二時間を超えない範囲内で一日の勤務時間の一部について勤務しないことが相当であると認められる場合に認められる時間である。

職員には、育児休業、介護休業等育児又は家族介護を行う労働者の福祉に関する法律第六一条第一六項で準用される同条第一四項で定められている一日の所定労働時間数に満たない時間単位の介護休暇も認められている(前記(5)参照)が、この時間単位の介護休業は一年につき五日(要介護者が二人以上の場合は一〇日)という制限がある一方で一日についての時間制限がないのに対して、条例案が定める介護時間には日数の制限がないかわりに、一日二時間を超えないという制限がある。

5 休憩および休息

長時間にわたって継続して労働することは、勤労者の疲労を蓄積し、心身に有害な影響を及ぼし、かつ、労働の能率を阻害し、低下させるおそれがある。このような悪影響を防止するため、勤務時間の中途に休憩時間を設けなければならないが、その内容は次のとおりである。

(1) 休憩時間の原則

職員の休憩時間は、本条第五項に基づき、条例(企業職員および単純労務職員並びに独法職員については規程、規則または団体協約)で定めなければならないが、その場合には労働基準法で定める基準を下回ってはならない。そして、労働基準法第三四条第一項は、労働時間が六時間を超える場合においては少なくとも四五分、八時間を超える場合においては少なくとも一時間の休憩時間を労働時間の途中に与えなければならないとしているのであるが、条例案第六条第一項では、勤務時間が六時間を超える場合においては、それが八時間を超えるか否かを問題にすることなく、少なくとも一時間の休憩時間を労働時間の途中に与えなければならないとしている。これは、一日七時間四五分の勤務時間を割り振られる国家公務員についての休憩時間が原則として六〇分とされたことにならったものであるが、これによって、七時間四五分の正規の勤務時間を終了後引き続いて時間外勤務をする際には、それが、八時間を超えることとなる場合にあっても、正規の勤務時間と時間外勤務の時間との間に休憩時間を置く必要がなくなった。なお、変形労働時間制により八時間を超える勤務時間を定めるときも一時間の休憩時間のほかに休憩時間を置く必要はなく、六時間未満の勤務時間の場合には休憩時間自体が不要である。また、条例案第六条第二項は、人事委員会規則で定めるところにより、休憩時間を四五分以上一時間未満とすることができるとしているが、そこで想定されているのは、①小学校就学の始期に達するまでの子がある職員が当該子を養育する場合、②小学校に就学している子のある職員が当該子を送迎するため、その住居以外の場所に赴く場合、③要介護者を介護する職員が要介護者を介護する場合、④交通機関を利用して通勤した場合に、出勤に要する時間と退勤に要する時間を合計した時間（交通機関を利用する場合に限る。）が、休憩時間を短縮することにより三〇分以上短縮されると認められるとき（早出遅出で同様の効果が得られるときを除く。）および⑤妊娠中の女子職員が通勤に利用する交通機関の混雑の程度が当該女子職員の母体または胎児の健康保持に影響があると認められる場合であり、この場合は、短縮された休憩時間に相当する時間だけ、当該職員に係る出勤の時間が繰り下げられ、または退勤の時間が繰り上げられることになる。

休憩時間については、一斉休憩の原則と自由利用の原則の二原則がある（労基法三四２３）。前者は勤労者に対し一斉に休憩を与えなければならないとするものであり、後者は休憩時間を勤労者に自由に利用させなければならないとするものである。後述するように、職員にはその職種に応じてこの二原則に対するいくつかの特例があるが、この特例とは別に、休憩時間自由利用の原則といっても無制限の自由を意味するものではなく、たとえば、庁舎内においては庁舎管理規則など財産管理上の規制に従って休憩時間を利用すべきことは当然である。

(2)　休憩時間の特例

休憩時間については、次の特例がある（労基法四〇）。

ア　休憩時間を与えなくてもよい場合　地方公営企業の職員のうち、自動車および電車などの交通事業の運転手または車掌などで長距離にわたり継続して乗務する者には休憩時間を与えないことができる（労基法施行則三二1）。また、短距離の乗務員であっても、その業務の性質上休憩時間を与えることができないと認められる場合で、その勤務中の停車時間、折返しによる待合わせ時間等の合計、すなわち手待時間が労働基準法第三四条第一項に規定する休憩時間に相当するときは、休憩時間を与えないことができる（労基法施行則三二2）。

イ　一斉休憩の特例　非現業（労働基準法別表第一に掲げる事業以外の事業）の職員、地方公営企業のバスや電車の職員、病院や保健所などの職員については、一斉休憩の原則は適用されない（労基法施行則三一）。たとえば、市役所、町村役場の窓口事務を行う職員は非現業の事業所の職員であるから、いわゆる昼休みの時間の窓口を閉鎖せず、交替制で勤務させることも可能である。また、これら以外の職員であっても、企業職員または単純労務職員については、労働組合などとの書面による協定を結ぶことによって、それ以外の職員については条例で定めることによって、それぞれ一斉休憩の特例を定めることができる（労基法三四2但し書、法五八4）。

ウ　自由利用の特例　警察官、消防吏員、常勤の消防団員および児童自立支援施設に勤務する職員ならびに乳児院、児童養護施設、知的障害児施設、盲ろうあ児施設および肢体不自由児施設に勤務し、児童と起居をともにする職員で労働基準監督機関の許可を得たものについては、休憩時間自由利用の原則が適用されない（労基法施行則三三）。

エ　管理監督職員および監視または断続的勤務に従事する職員等の特例　管理または監督の地位にある職員、機密の事務に従事する職員、農畜産、水産等の事業に従事する職員および監視または断続的勤務に従事する職員（労働基準監督機関の許可を得たものに限る。）には、休憩時間に関する労働基準法第三四条の規定は適用されない（労基法四一）。

(3)　休息時間

休息時間は、労働基準法に基づくものではないが、従前は午前および午後に各一五分の休息時間を置くことが広く行われていた。休息時間は給与の支給対象として勤務時間に含まれるものであるから、一斉休憩の原則および自由利用の原則の適用はなく、交替制で与えること、あるいは休息は執務場所でとるよう規制することなどが可能である。ところで、平成一八年（二〇〇六年）の改正によって勤務時間の中途に置く休憩時間が原則として六〇分とされたこと（前記⑴参照）に伴い、一般の職員について従来午前と午後の勤務時間の間に一五分ずつ置かれていた休息時間が廃止された。これは、これまで休息時間と休憩時間を混同するような運用がなされ、実質的に勤務時間が短縮されていたような例が多数あり、それが公務員の勤務態度や勤務時間に対する不信の原因となっていたことをも考慮した結果であろう。なお、休息時間については、交替制勤務などの特別な勤務体制をとる職員（条例案四条一項に規定する職員）に限って、置くものとされている（条例案七）が、この場合にあっても、休息時間を休憩時間に引き続いて置いたり、始業時刻の直後や終業時刻の直前に置いたりして、実質的な勤務時間を短縮するようなことが許されないのは当然のことである。

６　宿　日　直

地方公共団体の庁舎、学校その他の施設の保全を図り、執務時間外の連絡体制を確保するため、職員に宿直または日直を行わせることがある。この宿直および日直は、労働基準法第四一条第三号の断続的労働に該当するが、その規制の概要は次のとおりである。

宿日直については労働基準監督機関の許可が必要であり（労基法四一③）、その許可の基準は次のように定められている（労働省通達昭二三　基収第三四五八号、ウのただし以下については労働省通達昭三三　基発第九〇号）。

ア　宿日直の勤務内容は、通常の勤務の延長であってはならず、定期的巡視、緊急連絡の収受のような勤務でなければならないこと。

イ　宿直については、睡眠のための設備がなければならないこと。

ウ　同一の者の宿日直の頻度として、日直は月一回、宿直は週一回以下であること。ただし、小規模の事業所などで、一八歳以上のすべての男子を宿日直させてもなお員数が不足し、労働密度が薄いような場合は、実態に応じ、週一回以上の宿直、月一回以上の日直をさせてもさしつかえないものであること。

宿日直については若干の問題がある。その一は、宿日直は本来の職務ではないという議論である。しかし、職員の職務内容は必ずしも固定的なものではなく、有効な職務命令によってその内容を付加しうるものである。庁舎などの保全、緊急連絡の収受は、地方公共団体の業務であり、これを職員の職務として命じうるものであるから、これを命じられた職員はそれが職務内容の一部となるものであり、それに従わないときは職務上の義務違反となる。その二は、通常の勤務を行った者に引き続き宿日直を行わせることができるかどうかである。宿日直、すなわち断続的勤務は、通常の勤務とは別個の勤務であり、この別個の勤務は労働基準監督機関の許可を得れば、労働基準法第三二条の規定にかかわらず、通常の勤務に引き続いて宿日直させることができるものとされている（労基法施行則二三）。その三は、宿日直に対する報酬であるが、これは通常の勤務の延長ではないので、時間外勤務手当は支給されず（労基法四一参照）、宿直手当または日直手当が支給される。しかし、たとえば、宿直の医師が救急患者の手術を行ったような場合には、それに要する時間については、通常の勤務と同じ勤務を行ったのであるから、時間外勤務手当を支給しなければならないし、実作業に従事していない仮眠時間であっても、役務の提供が義務付けられていると評価される場合には労働基準法第三二条の労働時間に該当するとされる（最高裁平一四・二・二八民集五六・二・三六一）ことに注意が必要である。なお、宿日直を労働基準監督機関が許可する要件として、宿直手当、日直手当の最低額の定めがあるが、これについては次条の宿日直手当の項で述べることとする。

７　労働基準監督機関

本条で述べてきた勤務時間、休日、休暇、宿日直などについては、すでに見てきたように労働基準法の適用があることにより、「労働基準監督機関」（行政官庁）が許可などの権限を行使することが多い。また、本条以外の関係でも、たとえば、職員の免職に関係がある「予告手当」（労基法二〇３、一九２）などについても労働基準監督機関の権限が定められている。

地方公共団体の職員についてこの労働基準監督機関の権限を行使する機関の特例が地方公務員法第五八条第五項に定めら

れているが、職員の勤務条件に関する労働基準監督機関は、職員の種類に応じて、人事委員会（その委任を受けた人事委員会の委員を含む。）、人事委員会を置かない市町村の長、労働基準監督官および船員労務官の四種類にわたっている。すなわち、郵便、信書便若しくは電気通信の事業または教育、研究若しくは調査の事業に従事する職員および労働基準法別表第一に掲げられていない事業に従事する職員の労働基準監督機関は、人事委員会を置く地方公共団体では人事委員会またはその委任を受けた人事委員会の委員、人事委員会を置かない地方公共団体にあっては市町村長である。また、これらの職員以外の職員の労働基準監督機関は労働基準監督官であるが、それが船員法の適用を受ける船員である場合は船員労務官である。

これらの労働基準監督機関のうち、人事委員会を置かない市町村の長については、それが同時に職員の使用者でもあるが、法律の建前は市町村長は使用者としての立場で労働基準の監督を行うものではなく、公益を代表する公の機関としてその権限を行使するものであるから、たとえ自分が任命権者である場合であっても、自分に対して許可をしなければならないことになる。立法論としては、監督者と被監督者とを同一人格とすることは好ましいものではない。

次に、地方公共団体の事業所または職員のうちには、いずれの労働基準監督機関の管轄に属するのか明らかではない場合が生じることがある。たとえば、本庁内の運転手が待機する部署が人事委員会または市町村長の管轄か、労働基準監督署の所轄かというような問題である。このような場合には、関係機関で協議していずれに属するかを決定すること、すなわち、いわゆる「号別決定」をすることが適当であろう（行実昭三八・六・三　自丁公発第一六六号）。

六　旅　費

(一)　旅費の意義

職員が公務のために職務命令により旅行したときは、地方公共団体はそれに要する費用を支給しなければならない。非常勤の職員の場合にはこれを費用弁償といい（自治法二〇三の二3）、常勤の職員（定年前短時間勤務職員および会計年度フルタイム職員を含む。）の場合は旅費と称する（自治法二〇四1）。なお、地方公務員でない者に公用による旅行をさせたときは、実費弁償がなされる（自治法二〇七）。

旅費は、勤務条件の一つであり、一般の職員の場合は条例で定めなければならない（法二四6、自治法二〇四3、二〇四の二）。企業職員および単純労務職員ならびに独法職員の場合は、規則その他の規程または団体協約で定められる（地公企法三九1、地公労法一七、附則5、地方独法法五三1）。

旅費は、旅行する者および旅行の内容によって、職員の出張若しくは赴任の場合の旅費または退職した職員若しくは死亡した職員の遺族の旅費に分けられ、旅行地の相違によって内国旅行の旅費と外国旅行の旅費とに分けられる。それぞれの概要は、次に述べるとおりである（旅費法参照）。

(二)　内国旅行の旅費

ア　鉄道賃　鉄道旅行をする場合には、路程に応じ旅客運賃等に基づいて鉄道賃が支給される（旅費法六2）。鉄道賃の額は、運賃の等級が設けられている場合には職務の級に応じて定められた運賃の等級の旅客運賃が、運賃の等級が設けられていない場合は乗車に要する旅客運賃がそれぞれ支給されるほか、必要に応じて急行料金等が支給される（旅費法一六、一六）。

イ　船賃　水路旅行をする場合には、路程に応じ旅客運賃等に基づいて船賃が支給される。船賃の額は、運賃の等級が設けられている場合には職務の級に応じて定められた運賃の等級の旅客運賃が、運賃の等級が設けられていない場合にはその乗船に要する旅客運賃がそれぞれ支給されるほか、必要に応じて寝台料金などが支給される（旅費法六3、一七）。

ウ　航空賃　航空旅行をする場合には、路程に応じて現に支払った旅客運賃が支給される（旅費法六4、一八）。

エ　車賃　鉄道を除く陸路旅行については、路程に応じて一キロメートル当たりの定額または実費額により支給される（旅費法六5、一九）。

オ　日当　日当は、旅行中の日数および職務の級に応じて一日当たりの定額により支給される。ただし、鉄道一〇〇キロメートル、水路五〇キロメートルまたは陸路二五キロメートル未満の旅行の場合は、定額の半額である（旅費法六6、二〇）。

カ　宿泊料　宿泊料は、旅行中の夜数、宿泊先の地域の区分および職務の級に応じて一夜当たりの定額により支給される。宿泊料は、水路旅行中または航空旅行中の場合は、公務上の必要または天災その他やむを得ない事情により上陸または着陸して宿泊したときに限って支給される（旅費法六7、二一）。

キ　食卓料　食卓料は、水路旅行および航空旅行中の夜数および職務の級に応じて一夜当たりの定額により支給される。船賃もしくは航空賃のほかに別に食費を要する場合または船賃もしくは航空賃は要しないが食費を要する場合に限り支給される（旅費法六8、二二）。

ク　移転料　職員が赴任に伴い、住所または居所を移転する場合には、路程、扶養親族の移転の有無および職務の級に応じて定額により支給される（旅費法六9、二三）。

ケ　着後手当　職員が赴任に伴い住所または居所を移転する場合には、日当定額の五日分および移転先の地域区分に応じた五夜分の宿泊料が支給される（旅費法六10、二四）。

コ　扶養親族移転料　職員の赴任に伴い、扶養親族が移転する場合は、扶養親族の年齢および路程に応じて鉄道賃、船賃、航空賃および車賃ならびに日当、宿泊料、食卓料および着後手当が支給される（旅費法六11、二五）。

サ　日額旅費　職員が測量、調査等のために旅行する場合、長期間の研修、講習等のために旅行する場合またはその職務の性質上常時出張を必要とする場合には、これまで述べた旅費に代えて、日額旅費が支給される（旅費法二六）。なお、在勤地内（勤務公署から八キロメートルまたは五時間以内の地域）の旅行については、一定の場合以外は旅費は支給されず、また、在勤地外であっても、同一地域内（同一市町村内）の旅行については、原則として鉄道賃、船賃、車賃、移転料、着後手当および扶養親族移転料は支給されない（旅費法二七、二八）。

㈢　外国旅行の旅費

外国旅行については、鉄道賃、船賃、航空賃、車賃、日当、宿泊料、食卓料、移転料、着後手当および扶養親族移転料がおおむね内国旅行に準ずる考え方の下に支給される。そしてそのほか必要に応じて次の種類の旅費が支給される。

ア　支度料　支度料は、本邦から外国へのおよび外国相互間の出張または赴任の区分、職務の級および出張の場合には旅行期間に応じて定額により支給される。ただし、過去一年以内の間に支度料を受けたことがあるときは、それを差し引いた額の範囲内で支給される（旅費法六12、三九）。

イ　旅行雑費　外国旅行に際し、職員が予防注射料、旅券の交付手数料、査証手数料、外貨交換手数料並びに入出国税を支払ったときは、その実費額が支給される（旅費法六13、三九の二）。

ウ　死亡手当　職員が外国の在勤地で死亡したとき、または出張もしくは赴任のための外国旅行中に死亡したときは、職員の遺族に対して定額により支給される。外国在勤の職員の配偶者が、当該職員の在勤地において死亡したとき、または各庁の長の許可を受け、旧在勤地から新在勤地まで随伴するときもしくは同一在勤地について一回限り在勤地に呼び寄せ、または本邦に帰らせるときに死亡したときは、職員に対して定額により支給される（旅費法六14、三２⑤⑦）。いずれも職員の職務の級等に応ずる一定額が支給される（旅費法六14、四〇）。

エ　旅行手当　職員が捕鯨監督または漁業監視などのために旅行する場合で、前記の外国旅行旅費を支給することが適当でないときは、それに代えて旅行手当が支給される（旅費法六16、四一１）。

㈣　旅費の支給

旅費の支給については若干の問題がある。第一は、旅費は実費の弁償であるから、実際の支出が確定してから清算払いすることが建前であるが、相当の金額を職員に立替え払いさせることは必ずしも適切ではない場合もあり、概算払い（自治法二三二の五２、自治法施行令一六二①）をすることが普通となっている。ただし、赴任旅費は清算払いとされることが多い。第二は、旅費は給与ではないので通貨払いの原則（法二五２、労基法二四１）の適用はなく、小切手で支払うことも可能である。一般的には出納員に資金前渡（自治法二三二の五２、自治法施行令一六一１④）された上、現金で支給されるが、赴任旅費などは小切手で支給される例がある。第三は、打切り旅費または旅費別途支給という方法がとられることがあることである。前者は、正規に計算された旅費の一部を支給しないことであり、職員が旅費の一部を辞退する形式をとる。旅費は職員に旅行を命令した以上、地方公共団体はこれを支給する義務を負うものであり、職員が権利の一部を放棄した形式をとるにせよ、このようなやり方が一般化することは問題である。予算がない場合には、義務費として追加計上すべきである。後者は、職員の属する地方公共団体以外の者が旅費相当分を支給することを前提として、当該地方公共団体は旅費を支給しないこととする方法である。当該地方公共団体と職員との関係では旅費の支給を全額辞退する形になるが、他から実費弁償を受けるので、もしも旅費を支給した場合には二重払いになるわけである。しかし、本来の財務会計上の処理としては、旅行命令の原因を生ぜしめた第三者から旅費相当分を納付させて歳入とし、旅費を歳出として支給することが妥当であり、これはこの手続を省略した便宜的な方法といわざるを得ない。なお、打切り旅費の場合にせよ、旅費別途支給の場合にせよ、旅行命令を発する必要があり、万一旅行中公務上の災害を受けた場合は、公務災害補償の対象となるのは当然である。

（給与に関する条例及び給与の支給）

第二十五条　職員の給与は、前条第五項の規定による給与に関する条例に基づいて支給されなければならず、また、これに基づかずには、いかなる金銭又は有価物も職員に支給してはならない。

２　職員の給与は、法律又は条例により特に認められた場合を除き、通貨で、直接職員に、その全額を支払わなければならない。

３　給与に関する条例には、次に掲げる事項を規定するものとする。

一　給料表

二　等級別基準職務表

三　昇給の基準に関する事項

四　時間外勤務手当、夜間勤務手当及び休日勤務手当に関する事項

五　前号に規定するものを除くほか、地方自治法第二百四条第二項に規定する手当を支給する場合には、当該手

当に関する事項

六　非常勤の職その他勤務条件の特別な職があるときは、これらについて行う給与の調整に関する事項

七　前各号に規定するものを除くほか、給与の支給方法及び支給条件に関する事項

4　前項第一号の給料表には、職員の職務の複雑、困難及び責任の度に基づく等級ごとに明確な給料額の幅を定めていなければならない。

5　第三項第二号の等級別基準職務表には、職員の職務を前項の等級ごとに分類する際に基準となるべき職務の内容を定めていなければならない。

〔趣　旨〕

一　給与条例の意義

職員の給与については、次条の給料表に関する人事委員会の報告および勧告を除き、前条および本条にいくつかの基本原則が規定され、前条では給与だけでなく勤務条件一般についての原則も規定されている。前条と本条との給与に関する規定の仕分けは、必ずしも論理的であるとは思われないので、すでに前条の〔趣旨〕三において給与に関する諸原則について、また、その〔解釈〕で職務給の原則、均衡の原則、条例主義および重複給与支給の禁止についてそれぞれ述べたところである。そこで本条の規定に即しつつそれら以外の給与の問題について述べることとする。

第一は、給与条例の持つ意義である。給与条例主義の法律的意義についてはすでに前条で述べたが、給与は職員の勤務条件の中心であり、職員の最大の関心事であるため、人事管理において常にその基本的な位置を占めている。また、給与費は年々増大する硬直的な経費であり、しかも義務費として経常的経費の最大の部分を占めているため、財政上とくに重視しなければならない支出項目となっている。さらに対外的には、公務員の数とその給与は世上しばしば論議の的となり、極めて社会的関心の高い問題となっている。

まず、給与条例の立案に当たっては、当局は給与が職務給の原則および均衡の原則に適合するよう条例案を作成しなければならない。給与は勤務条件として交渉の対象となるものであり、労使の間で意思疎通が図られるべきものであるが、労使の合意によって任意の給与条例を定めうるものではなく、労使の合意は尊重しながら、法律が定める原則に基づいて条例案を作成しなければならない。このことは人事委員会を置く地方公共団体の給与に関する勧告についてもいいうることであって、人事委員会の給与勧告は職務給の原則および均衡の原則を実質的に確立するためになされるべきものである。

次に、議会が条例を審議するについても、給与条例主義の意義を体して給与の法律上の基本原則が確立されるよう審議しなければならない。従来、議会はともすると給与の審議について詳細な検討を怠りがちであったように思われる。給与をとやかくいうことは職員の反感を買う懸念があったためかもしれない。しかし、給与は前述のように職員管理および財政の基本的事項であり、住民の代表である議会としてゆるがせにはできない問題である。このような趣旨から昭和五〇年（一九七五年）一月の地方自治法施行規則の改正（昭五〇自治令一）によって、予算に関する説明書の様式の一つとして給与費の明細書がより詳細に定められた（自治法施行則一五の二、予算に関する説明書様式）ところであり、議会が住民の代表として納得のいく審議を行うことが期待されているところであり、さらに職員の給与について広報紙などで住民に公表すべきことも指導されている（通知昭五六・一〇・一三　自治給第四五号）。

第二は、給与条例の運用である。給与条例の構造がいかに法律に適合していても、その運用が適正に行なわれ得ない限り、仏を造って魂を入れないのに等しい。職務の内容よりも高い級に格付けすること（わたり）、特別昇給の要件に該当しないにもかかわらず昇給期間を短縮すること（一せい昇短）、初任給を高く格付けすることなどによって、給与制度の趣旨が実質的に崩壊している例もしばしば見受けられる。適正な給与条例を制定することと並んで、その運用、なかんづく給与条例に基づく初任給、昇格および昇給の基準、等級別基準職務表および等級別定数を策定し、その厳格な運用を行う必要がある。一旦、給与を制度あるいは運用の面で混乱させてしまうと、個々の職員の利害がからむ問題だけにその建直しは容易ではない。人事管理、財政、あるいは世論のそれぞれに納得のいく給与制度の運営を行うためには、当局が給与条例の意義の重要性を理解し、厳正な執行を心がける必要があるとともに、議会や人事委員会あるいは監査委員なども、制度面だけでなく、運用面における検討、是正を怠ってはならない。

第三は、国における給与構造改革との関係であるが、これについては第二四条の〔解釈〕二で詳しく述べた。

二　給与条例の内容

地方自治法は、非常勤の職員（定年前再任用短時間勤務職員および会計年度フルタイム職員を除く。）の報酬、費用弁償の額、会計年度パートタイム職員の期末手当および勤勉手当の額ならびに常勤職員、定年前再任用短時間勤務職員および会計年度フルタイム職員の給料、手当、旅費の額並びにそれらの支給方法は条例で定めなければならないとし（同法二〇三の二5、二〇四3）、いかなる給与その他の給付も法律または法律に基づく条例に基づかずには、職員に支給することができない（同法二〇四の二）としている。本条は、これらの地方自治法の定めを前提とするものであり、一定の細則的事項を規則などに委任することは許されるとしても、給与の額および支給方法に係る基本的事項を規則などに委任することは許されず、その職に応じた給与の額などを予め条例で定めることが困難な場合にあっても、それを定めるに当たって依拠すべき一般的基準などの基本的事項は可能な限り条例で定めるべきことは当然のことである（最高裁平二二・九・一〇判決（判例時報二〇九六号三頁）。大阪高裁平二五・三・二七判決（判例集未搭載））。

三　給料表および等級別基準職務表並びに標準職務遂行能力

本条第四項は、職員の職務の複雑、困難及び責任の度に基づく等級ごとに明確な給料額の幅を定めて給料表を作成しなければならないとし、第五項は、給料表の等級ごとに分類する際に基準となるべき職務の内容を等級別基準職務表として定めなければならないとしている。等級別基準職務表は「職務の内容」に着目して分類の基準を定め、給料表における職務の等級と対照されるべきものであるが、実務的には職制上の段階に応じて定められる標準的な職（法一五の二2）である部長、課長などが念頭に置かれることになる（本条の〔解釈〕三㈠イ参照）。一方、職制上の段階および職務の種類に応じ定められる標準的な職の職務を遂行する上で発揮することが求められる能力として定められているのが標準職務遂行能力であり（法一五の二1⑤）、給与などの人事管理の基礎とされる人事評価（法六）における能力評価は、「標準職務遂行能力の類型として、各任命権者が定める項目ごとに、当該職員が発揮した能力の程度を評価」するものであり（平成二六年八月一五日付け総行公六七号・総行経四一号総務省自治行政局長通知）、採用試験および選考は対象となる職に係る標準職務遂行能力および当該職の適性を正確に判定するものとされ（法二〇、二一の二）、昇任についても任命しようとする職に係る標準職務遂行能力および当該職についての適性を有する者の中から行うものとするとされている（法二一の三）。このような体系からすると、標準職務遂行能力と給料表における格付けは密接な関係を有しているのであり、標準職務遂行能力を定めるに際しての職制上の段階の標準的な職を前提として等級別基準職務表を定め、等級別職務標準表に基づいて給料表の級を分類し、そのことを踏まえて、初任給、昇給および昇格の基準を定めることになる。ただ、法律的には、等級別基準職務表は条例で定められ（法二五3②）、標準職務遂行能力を定めるに際しての職制上の段階の標準的な職は任命権者が定める（法一五の二1⑤、2）のであるから、等級別基準職務表が上位にあることになる。

四　六〇歳に達した職員の給与および退職手当

令和三年国公法改正法によって、国家公務員法が改正され、令和五年四月一日からの定年の引上げとともに管理監督職上限年齢制が導入され、給与法および退手法についても、それに対応した改正がなされた。地方公務員法についても、令和三年地公法改正法によって、令和五年四月一日からの定年の引上げとともに管理監督職上限年齢制が導入されたが、地方公務員については、給料、手当および旅費の額ならびにその支給方法は条例で定めなければならない（自治法二〇四3、法二四5）とされており、令和三年地公法改正法による定年の引上げと管理監督職上限年齢制の導入に伴う給与および退職手当上の措置は、条例で定めることになる。「職員の給与は、その職務と責任に応ずるものでなければならない。」（法二四1）とされ、「職員の給与は、生計費並びに国及び他の地方公共団体の職員並びに民間事業の従事者の給与その他の事情を考慮して定められなければならない。」（法二四2）とされていること（その意味と問題点については、第二四条の【解釈】一、二で詳しく述べた。）および立法技術的な問題から、実務上は、給与法および退手法が定める措置に倣ったものにならざるを得ないと思われるので、以下、その措置の概要について述べる（退職手当については後記〔解釈〕四㈡㈥退職手当の該当箇所参照。）。

㈠　俸給月額七割措置

当分の間、職員の俸給月額は、当該職員が六〇歳（令和三年国公法改正法による改正前の国家公務員法（「改正前国公法」という。）第八一条の二第二項第二号に該当する職員（守衛、巡視等の監視、警備等の業務に従事する職員および用務員、労務作業員等の庁務又は労務に従事する職員）にあっては六三歳、同項第三号に該当する職員（その職務と責任に特殊性があることまたは欠員の補充が困難であることにより定年を年齢六〇年とすることが著しく不適当と認められる官職（事務次官、会計検査院事務総長、人事院事務総長および内閣法制次長等））にあっては六二歳）に達した日後における最初の四月一日（「特定日」という。）以後、当該職員に適用される俸給表の俸給月額のうち、その職務の級および号俸に応じた額に一〇〇分の七〇を乗じて得た額（当該額に、五〇円未満の端数を生じたときはこれを切り捨て、五〇円以上一〇〇円未満の端数を生じたときはこれを一〇〇円に切り上げるものとする。）とする（給与法附則８、人事院規則九―一四七（給与法附則第八項の規定による俸給月額）二、三）。ただし、この措置は、臨時的職員その他の法律により任期を定めて任用される職員および常勤を要しない職員、改正前国公法第八一条の二第二項第一号に掲げる職員として人事院規則で定める職員および同項第三号に掲げる職員に相当する職員のうち人事院規則で定める職員、異動期間を延長された管理監督職を占める職員、その職務と責任に特殊性があることまたは欠員の補充が困難であることにより定年を年齢六五年とすることが著しく不適当と認められる官職を占める医師および歯科医師その他の職員として六五年を超え七〇年を超えない範囲内で人事院規則で定年を定めた職員ならびに定年延長の制度により勤務している職員（定年延長前の定年退職日において俸給月額七割措置が適用されていた職員を除く。）には適用しない（給与法附則９）。

管理監督職に係る管理監督職勤務上限年齢に達している職員が異動期間中に、管理監督職以外の官職または管理監督職勤務上限年齢が当該職員の年齢を超える管理監督職への降任または転任（降給を伴う転任に限る。）をされた職員（法二八の二参照）であって、当該他の官職への降任等をされた日（「異動日」という。）の前日から引き続き同一の俸給表の適用を受ける職員のうち、特定日における引下げ後の俸給月額（「特定日俸給月額」という。）が異動日の前日に当該職員が受けていた俸給月額に一〇〇分の七〇を乗じて得た額（当該額に、五〇円未満の端数を生じたときはこれを切り捨て、五〇円以上一〇〇円未満の端数を生じたときはこれを一〇〇円に切り上げるものとする。「基礎俸給月額」という。）に達しないこととなる職員（人事院規則で定める職員を除く。）には、当分の間、特定日以後、引き下げられた俸給月額のほか、基礎俸給月額と特定日俸給月額との差額に相当する額（「管理監督職勤務上限年齢調整額」という。）を俸給として支給する（国公法八一の二、給与法附則10）。これは、降任等による減額と俸給月額七割措置による二重の減額を避けるための措置である。

管理監督職勤務上限年齢調整額は、その後に昇給等があっても退職まで支給されるが、その額と俸給月額との合計額が当該職員の属する職務の級における最高の号俸の俸給月額を超えるときは、その最高の号俸の俸給月額と当該職員の受ける俸給月額との差額を管理監督職勤務上限年齢調整額とする（給与法附則11）。

〔解　釈〕

一　給与の意義および給与支給に関する三原則

本条は、前条の給与、勤務時間その他の勤務条件の根本基準の規定を受けて、主として給与条例に関する原則を定めている。まず第一項では、前条で述べた給与条例主義に基づく給与の支給を確認するとともに、これに基づかないで金銭または有価物を支給することを禁止しているが、ここで「給与」というのは、職員に対しその勤務に対する対価として支給される一切の有価物を意味する。職員に適用される労働基準法では、「賃金」を定義して「賃金、給料、手当、賞与その他名称の如何を問わず、労働の対償として使用者が労働者に支払うすべてのものをいう。」としている（同法一一）が、地方公務員法の「給与」はこの「賃金」と同意義のものであり、職員の場合、給料のほか各種手当が給与に該当する。地方自治法第二編第八章は給与その他の給付について規定しているが、非常勤職員（定年前短時間勤務職員および会計年度フルタイム職員を除く。）の場合は報酬および会計年度パート職員に対する期末手当および勤勉手当が、常勤の職員（定年前短時間勤務職員および会計年度フルタイム職員を含む。）の場合は給料と手当が、それぞれ給与であり、旅費は公務による旅行に要する実費の補てんであり給与ではない（歳出予算においては、報酬は第一節に、給料は第二節に、条例に基づく手当は第三節に、旅費は第八節に計上することとされ、事業費支弁の給料および手当はそれぞれの事業費の目に計上することとされている（自治法施行則一五別記）。）。そのほか共済組合の給付および公務災害補償も給与ではない。また、給与はそれが現金である場合はもとより、被服、生産物などの現物であっても勤務に基づいて支給される以上、給与に該当する。ただし、被服が貸与されるような場合は、それは支給、すなわち所有権の移転を伴うものではないので給与には該当しない。なお、職員の表彰に伴う記念品の支給や職員が講師となった場合の謝礼などは、勤労の度合に比例する対価ではないので給与には該当しないとされている（行実昭三一・一一・二〇　自丁公発第一六四号、昭三四・五・一三　自丁行発第六七号、国家公務員について　昭二五・一二・一四　給実回発第一四六四号、昭二七・一〇・二　給実甲第五七号）。食糧費をもって支弁する弁当や茶菓も給与には該当しないと考えてよいであろう。

本条第二項は、給与支給の三原則を定めている。給与の内容の説明の前に、この三原則について述べる。

給与支給の三原則とは、職員の給与を、通貨で、直接、その全額を支払うという三つの原則をいうものであり、企業職員および単純労務職員並びに独法職員以外の職員については本条第二項で、企業職員および単純労務職員並びに独法職員については労働基準法第二四条第一項で定められている。かつては、すべての職員が労働基準法の規定によっていたが、一般の職員について本条第二項が定められた経緯は前条の〔**趣旨**〕の**三**(二)２で述べたところである。

まず、給与支給の三原則の趣旨であるが、かつて諸外国においても、わが国においても、形式的には一定の給料を支給することを約束しながら、実際には労働者の経済的に弱い立場につけ入り、使用者が一方的に給与の一部または全部を現金以外の現物で支給したり、使用者が経営する販売所だけで通用する金券で支給したり、あるいは給料の一部を強制的に使用者に預金させたりするようなことが行われ、また、年少労働者の給料が本人でなくその親などに支払われたり、また、私設の労働仲介業者が中間で賃金を搾取するなど、さまざまな方法で実質的に給料を切り下げることが行われてきた。その結果、労働者の生活を困窮させる例が少なくなかった。そこで、このような給与の支給を通じて行われる不正を防止するための立法措置がとられるようになり、給与を直接本人に、通貨で、全額を支払わなければならないとする三原則が確立されたのである。三原則のそれぞれについての問題点は、次のとおりである。

㈠　通貨払いの原則

職員の給与は、後述の例外を除き、通貨で支払わなければならない（本条２、地公企法三九１、地公労法一七１、地公労法附則５、地方独法法五三１、労基法二四１、以下、㈡および㈢も同じ。）。いわゆる、現物給与（トラック・システム）は原則として禁止されている。「給与」とは、給料のほか各種手当のすべてを含むが、旅費や共済年金は含まれない。「通貨」とは、通貨の単位及び貨幣の発行等に関する法律第五条に定める貨幣および日本銀行法第四六条第一項の規定により日本銀行が発行する銀行券をいう。小切手は貨幣ではないので、小切手による給与の支給は通貨払いの原則に反するし、財務会計制度上も、小切手による給与支給は、退職手当以外はできないこととされている（自治法施行令一六五の四３、地公企法施行令二一の一二５）。

㈡　直接払いの原則

職員の給与は、後述の例外を除き、直接職員本人に支給しなければならない。このことは、地方公共団体の予算の支出を担当する会計機関の責任であるが、会計機関としては、会計管理者および出納員その他の会計職員（自治法一六八、一七一１）、資金前渡を受けた職員（自治法施行令一六一１④）、支出の事務の委託を受けた私人（自治法施行令一六五の三１）および地方公共団体の指定金融機関（自治法二三五）がある。これらの会計機関は、職員に直接に給与を支払う義務を負い、給与の支出命令がなされた後であっても、職員に支給される前に忘失、盗難などの事故があった場合には、地方公共団体はさらに職員に対して給与を支給する義務を負うものである。職員に給与を支給する場合、給与の支払義務は、当局が職員の所在する場所で行う持参債務か、あるいは職員が当局の指定する場所へ受領に赴く取立て債務かが問題となる。金銭債務の弁済は債権者の現在の住所地においてなされるのが原則であるが、それとは異なる定めがあったり、慣習があるときは、それによることになる（民法四八四、九一、九二）。そして、一般的には、職員の勤労提供の場所、すなわち勤務場所で支給するという扱いが慣習として成立しているものと解してよいであろう。したがって、遠隔地の出先機関などの職員に給与を支払うため、当該出先機関の職員が指定金融機関に給与をまとめて受け取りに赴くような場合には、その職員を会計機関に任命し、出先機関において支給するといった措置が必要であろう。

直接払いの原則に関してもっとも問題が多いのは、職員の委任を受けた者に対して給与を支給することができるかどうかということである。もし、委任を受けた者に対して給与を支給することができるものとすると、委任の名目の下に第三者に給与請求権の譲渡がなされ、直接払いの原則によって直接の受領を保障しようとした趣旨が没却されるおそれがあるので、これは認められないと解されている。ただ、職員が海外出張など長期にわたる出張中であるとか、病気のため長期療養中であるなど、実際問題として直接受領できない場合には、職員の収入によって生計を維持する家族に対して支給することは条理上認めざるを得ないところであり、このような場合には、その家族は職員の手足である使者として観念されることになろう（使者に対する支払いを肯定　労働省行実昭二三・一二・四　基収第四〇九三号）。

㈢　全額払いの原則

職員の給与は、後述の例外を除き、その全額を支給しなければならず、全部または一部を控除することはできない。この原則に関し、まず問題とされるのは、懲戒処分による減給や無断欠勤その他の事由によって給与の減額を行う場合である。給与を減額すべき事由の発生が、ある給与の支払期日以前であり、かつ、その給与支払いの基礎となる期間中であるときは、その支払期日に条例で定めるところにより給与を減額すれば、減額後の給与の額が支給すべき給与の全額であるから、当該額を支給することにより全額払いの原則に従ったことになる。この場合の減額は、支給すべき給与を計算する過程での問題で、全額払いの原則とは関係がない（法制意見昭三三・八・七　法制局一発第二三号）。

ある給与支給期日に、給与を減額すべき事由があるにもかかわらず、その減額をせず、あるいはなし得なかった場合に、次回以降の給与支給期日に給与を減額することには問題がある。たとえば、各月分の給与の計算期間が月の一日から末日であって、その月の給与の支給期日が二〇日とされている場合に、二一日以降月末までの間に給与を減額すべき事由が発生したときには、その月の給与から減額することは不可能である。また、一九日とか二〇日に給与を減額すべき事由が生じたときにも、その月の給与を減額することは事実上できないであろう。このような極端な場合でなくても、次回以降の給与支給期日に減額せざるを得ない場合もあろう。このような場合に、すでに超過して支給した金額の返還請求権を自働債権とし、職員の次期以降の給与支払請求権を受働債権として相殺することができるかということについて、判例は、相殺の時期、方法、全額につき過払いの時期と清算調整の時期が合理的に接着して行われ、労働者に予告されるなり、その額が多額ではないなどの労働者の経済生活の安定を脅かさない場合には相殺が許されるとし（最高裁昭四四・一二・一八判決　判例時報五八一号三頁）、給与過払い後、三カ月経過して行われた減額調整は全額払いの原則に反し、違法であるとしている（最高裁昭四五・一〇・三〇判決（判例時報六一三号八九頁）、同昭五〇・三・六判決（判例時報七七八号一〇〇頁））。したがって、相殺による給与の減額は、次の給与支給期日に限って行うこととし、それ以降における過払い分の給与の返納については、給与条例などに、後述の全額払いの特例として過払い分の給与を減額しうる旨を定めておけば、いつでも合法的に給与の減額を行うことができることとなる。

(四)　給与支払いの三原則の特例

給与の支払いに関する三原則については、それぞれについて一定の場合に特例が認められる。その概要は次のとおりである。

1　特例を認める方法　三原則の特例を認めるについては、職種によってその方法が異なる。まず、地方公務員法で三原則が定められている一般の職員の場合は、法律または条例で定めたときは三原則のすべてについて特例が認められる（本条2）。次に、労働基準法で三原則が定められている企業職員および単純労務職員並びに独法職員については、法令若しくは労働協約に特別の定めがあるときまたは労働基準法施行規則第七条の二に定められている場合には通貨払いの特例が認められ、法令に特別の定めがある場合または当該事業場の職員の過半数が加入する労働組合（そのような労働組合がないときは、当該事業場の職員の過半数の代表者）との間の書面による協定（「二四協定」と呼ばれる。）がある場合には全額払いの特例が認められる（労基法二四）が、これらの職員については特別法によらない限り、直接払いの原則の特例は認められない。

2　通貨払いの特例の具体例　職員について通貨払いの特例を認める必要性は少ない。前述のように、財務会計制度における支払手段の制限という観点から退職手当以外は条例によっても小切手による支払いを認めることはできないものであり、現物支給も例は少ない。たとえば、職員に制服や作業着を与える場合があるが、これが現物給与であるときは条例または労働協約で特例を定めなければならないが、それが貸与であるときは給与ではないのでそのような措置を必要としない。給与であるのか貸与であるかは、一次的には当局の判断によって定まるが、基本的にはそれが社会通念上職員の実質的所得として認められるか否かによって定まるものであり、課税の対象となるかどうかが有力な判断基準となるであろう。

３　全額払いおよび直接払いの特例の具体例　全額払いおよび直接払いの特例は例が多い。そして全額払いの特例が同時に直接払いの特例でもあることがほとんどである。

まず、他の法律によるこれらの特例の主なものは、次のとおりである。

⑴　所得税の源泉徴収（所得税法一八三）ならびに道府県民税の賦課徴収および市町村民税の特別徴収（地方税法四一、三二一の三）

⑵　地方公務員共済組合の掛金および同共済組合に対して支払うべき掛金以外の金額（地共済法一一五）

⑶　通勤途上災害により療養補償を受ける職員が地方公務員災害補償基金に納付する一部負担金（地公災法六六の二３）

⑷　給与について債権の差押えを受けた場合

給与の差押えについては、若干説明を要する。給与の差押えがなされるのは、民事執行法による場合と国税徴収法による場合（その例による地方税などの徴収を含む。）の二つの場合である。いずれの場合も一定の差押えの限度がある。まず、民事執行法は、各支払期における給料などおよび期末・勤勉手当の四分の三の額（月給の場合は三三万円を限度とする。）並びに退職手当の四分の三の額までの差押えが禁止されている（民事執行法一五二１２、同法施行令二）。

次に国税徴収法による差押えは、一般に給料については源泉徴収される所得税、特別徴収される道府県民税および市町村民税並びに森林環境税、給料から控除される社会保険料、差押えを受ける者が所得を有しないものと仮定した場合に受けるべき生活扶助料に一定の金額を加算したもの並びに給料から上記の各金額の合計額を控除した額の一〇〇分の二〇に相当する金額までは差し押さえることはできない（国税徴収法七六１）。退職手当については、源泉徴収された所得税、特別徴収される道府県民税および市町村民税、退職手当から控除される社会保険料、生活扶助料相当額に、一定の金額を加算したものの三月分並びに退職手当の基礎となった期間が五年をこえる場合にはそのこえる年数一年につき生活扶助料等相当額の三月分の一〇〇分の二〇を加算した額のそれぞれを合計した額までは、差し押えることはできない（国税徴収法七六４）。なお、滞納者の承諾があるときは、これらの国税徴収法による差押えの制限の規定は適用されない（国税徴収法七六５）。

ところで、全額払いの原則に対しては条例または労働基準法第二四条に基づく協定（「二四協定」と称される。）で特例を設ける例、あるいは直接払いの原則に対し条例が特例を設ける例があり、これが運用上もっとも問題が多い。これらの特例としては、給与の口座振替（金融商品取引業者に対する当該職員の預り金への振込みおよび指定資金移動業者の第二種資金移動業に係る口座（いわゆる「電子マネー」の口座）への資金移動を含む。）、有料公舎の使用料、互助会の掛金、団体生命の保険料、各種の貯金（財形貯蓄など）、職員団体または労働組合の組合費、各種の購買代金などを定める例がみられるが、このような特例を定める場合には、それぞれについての必要性、公の会計機関が事務上の援助をすることや、万一預り金を忘失したときに危険負担を負うことの是非などを検討して、慎重に決定すべきであろう。たとえば、有料公舎の使用料は、行政財産の使用料（自治法二二五）であって公租公課に準ずるものであるから、行政財産の使用料を定める条例または給与条例で全額払い、直接払いの特例を規定することは当然であろうが、組合費の天引き（チェック・オフ）は、労使の自主性を尊重する趣旨からすると、当局の組合に対する便宜供与の一つであり、不当な干渉のために利用されるおそれもあるので、とりわけ慎重に対処する必要があるように思われる。この組合費の天引きについて実際にしばしば問題となるのはいわゆる「袋引き」の問題である。これは、各分課や出先機関などで職員に給与を支給する際に組合費を天引きするやり方である。この方法も、分課や出先機関の会計職員が職員に給与を手渡す前に行うならば、それはやはり給与の天引きであり、条例または二四協定に基づかない限り全額払いおよび直接払いの原則に違反し、また、それを勤務時間中に行うと、会計職員は職務専念義務（法三五）に反することにもなる。職員に給与が全額支払われた後に、組合の分会長などが勤務時間外に個々の職員から組合費を徴収すれば全く問題はないが、これは袋引きとはいわないであろう。さらに、組合の分会長などが、組合費に相当する額を職員に代わって会計機関から受領することも、前述のように給与の受領を委任することはできず、直接払いの原則に違反することになる。

給与の支給については、以上のほか労働基準法による規制があり、職員の死亡、退職時における金品の返還（労基法二三）、給与の非常時払い（労基法二五）、給与の一定期日払い（労基法二四２）などの規定が適用され、それに違反したときは三〇万円以下の罰金に処せられる（労基法一二〇①）。これらの規定の概要については法第五八条の〔解釈〕二(一)３(2)ウおよび(3)を参照されたい。

二　給与請求権の譲渡、放棄、時効など

前条および本条に規定されていないが、給与の支給に関して解釈上問題とされるものに、給与請求権を譲渡または放棄できるか、その時効はいつ完成するか、さらに休職中の職員や減給、停職等の処分を受けた職員の給与はどうなるか、給与の減額はどのように計算するかなどの問題がある。これらの問題をここで一括して述べておくこととする。

(一)　給与請求権の譲渡または放棄

給与請求権は経済的価値の面だけからみれば、他の債権と変わらないので、その譲渡や放棄を認めるという考え方もありうる。しかし、譲渡や放棄を無制限に認めると、職員の生活を脅かし、ひいては公務を停滞させるおそれもないとはいえないので、少なくとも給与請求権の基本権（勤務の対価として給与の支給を受ける権利）の譲渡または放棄は認められないと解すべきであろう。また、給与請求権の支分権（過去の勤務によって発生している給与請求権）もその譲渡または放棄は職員の生活に支障を生ぜしめるおそれがあるので、原則として認めるべきではなく、例外として、職員の申出により、給与支払者が職員の生活および公務の遂行に支障がないと判断して承認した限度で認めることができるとした判決（仙台高裁昭三二・七・一五判決行政事件裁判例集八巻七号一三七五頁）がある。

(二)　給与請求権の時効

職員の給与請求権については、労働基準法の適用があり、その権利を行使することができる時から五年を経過した時に時効によって消滅する（法五八３、労基法一一五、最高裁昭四一・一二・八判決（判例時報四七〇号一五頁）参照）。なお、権利を行使することができる時とは、支払期日が定められている給与についてはその支払期日、その定めがないときは給与を支給すべき事実が発生した時である。また、給与請求権は公法上の権利である（前掲最高裁昭四一・一二・八判決）から、裁判上の請求など、

時効の完成猶予または更新（民法一四七～一五二）がなされない限り、五年を経過したときに絶対的に消滅し（自治法二三六2、労基法一一五）もしその後に当該給与を支払うとその支出は違法になる。

㈢　休職者の給与

地方公務員法第二八条（分限）の規定によって、休職にされた職員の給与はその一定割合が支給されることが普通であるが、国家公務員の例によれば、それぞれの事由に応じて次のとおりとなる（給与法二三参照）。

ア　公務上の傷病により休職となった場合　給与の全額が支給される。

イ　職員が結核性疾患にかかり休職させられた場合　休職期間が満二年に達するまでは給料、扶養手当、地域手当、住居手当および期末手当の一〇〇分の八〇を支給することができる。この期間を経過してなお休職とされているときは無給とされる。

ウ　アおよびイ以外の心身の故障により休職させられた場合　休職期間が満一年に達するまでは、給料、扶養手当、地域手当、住居手当および期末手当の一〇〇分の八〇を支給することができる。この期間を経過してなお休職とされているときは無給とされる。

エ　刑事事件に関し起訴されたことにより休職させられた場合　休職期間中、給料、扶養手当、地域手当および住居手当の一〇〇分の六〇以内を支給することができる。

オ　前記の各事由以外の事由により休職させられた場合　人事委員会または任命権者が定めるところにより、給料、扶養手当、地域手当、住居手当および期末手当の一〇〇分の一〇〇以内を支給することができる。

㈣　減給または停職の処分を受けた者の給与

懲戒処分として減給の処分を受けた場合は、職員の懲戒の手続および効果に関する条例（法二九4）の定めるところにより、一定期間、給料（給料の調整額を含む。）の一定割合が減じられる。また、懲戒処分として停職処分を受けた職員は、上記条例の定めるところにより、停職の期間中、いかなる給与も支給されない。

(五)　育児休業中の給与

育児休業の承認を受けた者に対しては、その期間中の給与は支給せず、また、その期間の二分の一に相当する月数（育児休業に係る子が一歳に達した日の属する月までの期間については、その期間の三分の一に相当する月数）を退職手当の算定基礎となる勤続期間から控除する（地公育児休業法四２、八、国公育児休業法一〇２、退手法七４）。また、育児のための部分休業が承認された職員は、そのために勤務しない時間の給与が減額される（地公育児休業法一九２、国公育児休業法二六２）。なお、育児休業中の職員に対しては、共済組合から給料の二五パーセントに相当する給付が支給される。

(六)　介護休暇および介護時間中の給与

職員の勤務時間、休暇等に関する条例（案）においては、介護休暇及び介護時間給与条例の規定にかかわらず、その勤務しない一時間につき、勤務一時間当たりの給与額を減額することとされている（第二四条の〔解釈〕五１(3)参照）。

(七)　在籍専従職員および組合活動をした職員の給与

登録を受けた職員団体または職員の労働組合の役員としてもっぱらその業務に従事する許可を受けた職員（在籍専従職員）は休職者とされ、いかなる給与も支給されず、また、その期間は退職手当の算定の基礎となる勤続期間に算入されない（法五五の二５、地公労法六５）。

また、職員は給与を受けながら職員団体のために活動をしてはならないものであり、勤務時間中、承認を得て組合活動をした場合であっても、条例でとくに定めた場合を除き、給与を減額しなければならない（法五五の二６）。

(八)　その他の給与の減額

給与条例には、「職員が勤務しないときは、その勤務しないことにつき任命権者の承認があった場合を除く外、その勤務しない一時間につき、勤務一時間当たりの給与額を減額して給与を支給する」旨の規定が置かれているのが普通である（給与法一五参照）。この給与条例の解釈上問題になるのは「その勤務しないことにつき任命権者の承認があった場合」の意味であるが、任命権者が勤務しないことを承認した場合にあっても、給与が支給されず、あるいは減額されることがあるのは前述したとおりであるから、勤務をしないことの承認が直ちに給与を減額しないことを意味することにはならない。このことについて、最高裁は、市が職員を商工会議所に派遣するために職務専念義務を免除し、給与を支払ったという事案において、「市が本件派遣職員に対して給与全額を支給するためには、本件給与条例一一条前段に定める勤務しないことについての適法な承認が必要であると解すべきである」（ここで「本件給与条例一一条前段に定める勤務しないことについての適法な承認」というのは、「その勤務しないことにつき任命権者の承認があった場合」の「任命権者の承認」を意味する。）とし、「本件派遣職員に対し、派遣命令を発するとともに、本件免除条例二条三号に基づき本件職務専念義務の免除をし、派遣期間中の給与を支払ったというのであるから、本件職務専念義務の免除とともに、本件給与条例一一条前段の承認（以下「本件承認」という。）がされたことがうかがわれ」るとしたうえで、「本件免除条例二条三号及び本件給与条例一一条前段は、職務専念義務の免除や勤務しないことについての承認について明示の要件を定めていないが、処分権者がこれを全く自由に行うことができるというものではなく、職務専念義務の免除が服務の根本基準を定める地方公務員法三〇条や職務に専念すべき義務を定める同法三五条の趣旨に違反したり、勤務しないことについての承認が給与の根本基準を定める同法二四条一項の趣旨に違反する場合には、これらは違法になると解すべきである。」と判示している（平一〇・四・二四判決　判例時報一六四〇号一一五頁）。従前は、法律または条例に勤務しないことを認める根拠（職務専念義務を免除する根拠）があるときは、給与を支給しない、または減額するという特別の定めがない限り、当然に給与を減額しないという取扱いがなされていたのが通常であると思われるが、この判例によって、職員が勤務しないにもかかわらず給与を支給するためには、給与条例以外の法的根拠に基づく勤務しないこと自体の承認のほかに、給与条例に基づく承認が必要であり、その承認は地方公務員法第二四条第一項の趣旨に反してはならないことが確認された。

このことは、給与条例以外の法的根拠に基づく勤務しないことの承認がない場合には、当然に、その勤務しない時間に相当する給与額を減額して給与を支給しなければならないことを意味するものでもある。これは、勤務実績がない以上、勤務に対する対価が支払われないということであり、「ノーワーク・ノーペイの原則」と称され、前記の条例の定めはこのことを実定法化したものである。したがって、勤務しないことの承認がない場合に、勤務の対価である給料（給与法五1参照）および給料の額を調整する給料調整額（教職調整額を含む。）、地域手当、初任給調整手当などが減額されるのは当然のことであるが、勤務の対価としての性質をもたない扶養手当、住居手当、通勤手当などは減額されないこととなり、勤務実績に応じて支給される時間外勤務手当や特殊勤務手当などは支給されないことになる。この減額の対象となる給与の範囲は、時間外勤務、休日勤務および深夜勤務について支払うべき割増賃金の基礎となる賃金（労基法三七）とパラレルに考えるのが原則であると思われる。ちなみに、この賃金には、家族手当、通勤手当、別居手当、子女教育手当、住宅手当、臨時に支払われた賃金および一カ月を超える期間ごとに支払われる賃金（労基法三七5、労基法施行則二一）は含まれない。

三　給　料

地方公共団体は、常勤の職員並びに短時間勤務職員および会計年度フルタイム職員に対して給料を支給する義務を負うが（自治法二〇四1）、給料は給与の中で、量質ともにその中心をなすものである。給料は職員の正規の勤務時間の勤務に対応する対価であり、正規の勤務時間外の勤務に対する対価および正規の勤務時間に必ずしも直接対応しない報酬は各種の手当で措置されている。給料と諸手当との関係は一概にはいえないが、諸手当は一般的にいって給料を補完する性質を有し、給料が職務給の原則に基づいて職務の内容に相応するものになればなるだけ、諸手当は相対的にその必要性が減ずるものであるといえる。実際には生活給的な手当や、職務加算的な手当が残っているが、理論的には職務給を給料の制度および運用の上で確立すべきであり、反面、諸手当を極力整理すべきであるといえよう。

職員の給料は、具体的には給料表およびそれを運用するための初任給、昇格および昇給等の基準を定める規則その他によって決定される。それらは、職種、職務の内容、職員の経歴等によって異なり、全体として複雑、ぼう大な体系を形成している。また、実際には各地方公共団体ごとに必ずしも同一ではない。これを国家公務員の場合を基準として一般的に述べれば、次のとおりである。

(一)　給　料　表

ア　給料表の種類　給料表は、職務の種類に応じてそれぞれ別個の給料表を条例で定める必要がある。現在、国家公務員については一七種類の俸給表が定められているが（給与法六1）、地方公務員である職員については、それぞれの地方公共団体ごとに、各給料表が適用される職員の数、人事交流の状況、勤務の実態などを考慮して、国家公務員の場合よりも簡素化した給料制度を用いるべきであり、一般的にいって国家公務員の俸給表（給与法六1）のうち、地方公共団体の職員の給料表として用いるものの基準は次のとおりとされている（通知昭三二・六・一　自乙公発第五一号、専門行政職給料表について　通知昭六〇・一二・八　自治給第六三号）。

(ア)　原則として用いられるもの　行政職給料表㈠、公安職給料表㈠、教育職給料表㈠㈡、研究職給料表、医療職給料表㈠㈡㈢

(イ)　必要がある場合に限り用いるもの　海事職給料表㈠㈡

(ウ)　原則として用いないもの　行政職給料表㈡、専門行政職給料表、税務職給料表、公安職給料表㈡、福祉職給料表、専門スタッフ職給料表、指定職給料表

以上は、原則として都道府県の職員の場合であり、比較的職員数が少なく、職種も少ない市町村の場合はさらに簡素化することが適当であるとされている（前記昭三二年通知）。市町村では、行政職給料表㈠が中心であり、小中学校や病院を独自に設置しているような場合に教育職給料表や医療職給料表などが用いられることになる。また、道府県にはない職種である市町村の消防職員の場合は、その職務の危険度および特殊性にかんがみ、一般職員とは異なる特別給料表を適用するとされているが（通知昭二六・三・一六　国消管発第五八号）、消防職員数が多く独立の給料表を用いるのに十分である場合は公安職給料表㈠を、消防職員数が少ないときは行政職給料表㈠を用いて特殊勤務手当または給料の調整額によって調整することが適当であろう。

ところで、この通知で行政職給料表㈡および公安職給料表㈡を用いないとされているのは、これらは単純労務職員の給料表であり、単純労務職員の給料表は、任命権者の規則、企業管理規程または団体協約で定められ、条例で定められるものではないからであり、規則などで定めるときは、行政職給料表㈡に準じて定めることが妥当である。なお、単純労務職員の給

料表は、職員の給与条例によることなく、国家公務員の場合の取扱いを参考として任命権者が定める規則その他の規程で措置すべき旨の指導がなされている（通知昭三六・二・一一　自治乙公発第二号）。一般の職員にも例はあるが、単純労務職員の中には、学校給食関係の職員のように正規の勤務時間が週平均三八時間四五分未満のものがある。このような場合、給料は正規の勤務時間に対応して支給されるものであることを考慮して、行政職給料表㈡に調整を加えた給料表を用いることなどを考えるべきものであり、さらに、一週間の正規の勤務時間が一般の職員の四分の三以下の場合には、非常勤職員としての報酬のみを原則として日額で支給すべきであろう（自治法二〇三の二②）。

また、税務職給料表も用いないこととされているが、それは、地方公共団体の場合、税務職員の数が比較的少なく、また、他の行政事務との交流を考慮して行政職給料表㈠を適用することとしたためで、徴税事務の特殊性は特殊勤務手当によって措置することとされているのが通常である。しかし、規模の大きな団体で、税務職員の専門化が進んでいるような場合には、税務職給料表を採用する余地もあるように思われる。次に、専門行政職給料表および指定職給料表を用いないこととされているのは、国において専門行政職俸給表が適用されている特許の審査官、航空管制官等に相当する職が地方公共団体にはないからであり、また、地方公共団体の規模に対応する国の機関においては、指定職に相当する一般職の職員の存在が原則として予想されないためであると考えられる。さらに、専門スタッフ職俸給表も用いないこととされているが、それは、同俸給表が「行政の特定の分野における高度の専門的な知識経験に基づく調査、研究、情報の分析等を行うことにより、政策の企画及び立案等を支援する業務に従事する職員で人事院規則で定めるものに適用する」ものとされ（給与法別表第一〇備考）、人事院では指令で各省庁ごとに特定の職員を指定している（人事院規則九―二（俸給表の適用範囲）第一四条の三およびそれに基づく指令）ことから、これに相当するような地方公共団体の業務を考えることが困難であることによるものであろう。

イ　職務の級　それぞれの給料表には、職務の内容と責任の度合いに応ずる数個の級が設けられる。そして、個々の職員をいずれの級に格付けするかは、給与条例に基づく等級別基準職務表によって定まるが、同時に等級別定数によって予算上の統制を受け、その定数に余裕がある場合に限り当該等級に格付けすることになる。

(ア)　等級別基準職務表　等級別基準職務表は、条例で定めなければならない（本条3②）。国の級別標準職務表は法律ではなく人事院規則九—八（初任給、昇格、昇給等の基準）で定められているが、それは等級別定数と相まって個々の職の格付けが厳格に行われているからである。これに対し、多くの地方公共団体では等級別定数が定められていないのが現実なので、職の格付けを適切に行って「わたり」を防ぐためには、条例で職務の分類を明確にしておくこと、それも弾力的な標準職務ではなく基準となる職務を定める必要があると考えられたのであろう。

給料表には、職員の職務の複雑、困難及び責任の度に基づく等級が定められ、その等級毎に明確な給料額の幅をもって号給が定められるのであるが（国における給与構造改革については第二四条〔解釈〕二参照）、その等級ごとに分類する際に基準となるべき職務の内容を定めるのが等級別基準職務表であり、都道府県における行政職給料表㈠が適用される職員について、例として次のものが示されている（通知平二七・四・一〇　総行給第三一号・総財公第七三号）。

等級	基準となる職務
一級	定型的な業務を行う職務
二級	一　主任の職務 二　特に高度の知識又は経験を必要とする業務を行う職務
三級	係長の職務
四級	一　本庁又は委員会の事務局の課長補佐の職務 二　地方機関の課長の職務
五級	一　困難な業務を行う本庁又は委員会等の事務局の課長補佐の職務 二　地方機関の次長の職務

級	職務
六級	一　本庁又は委員会等の事務局の課長の職務 二　地方機関の長の職務 三　困難な業務を行う地方機関の次長の職務
七級	一　困難な業務を行う本庁又は委員会等の事務局の課長の職務 二　困難な業務を行う地方機関の長の職務 三　困難な業務を行う規模の大きい地方機関の次長の職務
八級	一　本庁の次長の職務 二　委員会等の事務局の長の職務 三　困難な業務を行う規模の大きい地方機関の長の職務
九級	一　本庁の部長の職務 二　会計管理者の職務 三　困難な業務を行う委員会等の事務局の長の職務

1　この表において「委員会等の事務局」とは、地方自治法第一三八条の規定により議会に置かれる事務局並びに同法第一三八条の四の規定により置かれる委員会及び委員の事務局をいう。
2　この表において「地方機関」とは、地方自治法第一五五条の規定により条例で設けられた支庁及び地方事務所並びに同法第一五六条の規定により法律又は条例で設けられた行政機関をいう。

市町村においては行政規模に応じて行政組織も相対的に簡素なものでなければならないが、職制および給料表は行政組織に対応するものであるから、前記の基準をさらに簡素化した給料表が用いられることになる。次に、職を等級に区分する場合、都道府県の農業改良普及員などの専門職については、専門的知識および経験に基づいて職務分類を明確にした上、二以上の級にわたって区分することができる（通知昭四七・九・二五　自治給第三七号）。このような取扱いは、きわめて厳格に合理的な理由がある職種に限って行われなければならないものであり、漫然と、かつ、一般的に同一の職にある職員を二以上の級に格付けするいわゆる「わたり」を行うことは等級制を実質的に崩し、職務給の原則に違反することになるものである。

また、等級別基準職務表に記載する職名を抽象的に規定したり、または「……に相当する職」といった規定をすることによって、実質的なわたりが行われることがあり、さらに参事、主幹、主査、主任等のいわゆるスタッフ職ないしはこれに類する職を濫設することによって、これまた実質的なわたりが行われることもある。このような濫用が行われないようにするため、職の設置はあくまでも行政管理上の職の必要性および職務の内容に即して厳格に行うこととするほか、出先機関の職なども本庁との比較において適切に職務内容を評価することが必要であり、また、等級別基準職務表には明確な職名を記載することとすべきである。なお、等級別基準職務表の改正によってわたりを是正し、その結果、個々の職員の職務の級が下位のそれに格付けされることは、制度改正による身分取扱いの変更であって分限処分の降任には該当しない。

(イ)　等級別定数　職員をある等級に格付けするためには、等級別基準職務表の基準に適合していることのほか、等級別定数において当該等級に余裕があることが必要である。等級別定数は、任命権者ごとに、また、一般会計および特別会計ごとに、かつ、給料表ごとに、各等級それぞれの定数を人事委員会を置く地方公共団体では人事委員会規則で、人事委員会を置かない地方公共団体ではその長の規則で定めるのが適当である（給与法八１２参照）。この等級別定数の規則については、次のような規則案が示されている（昭三六・六・二七　自治丁公発第五三号別紙）。

○級別定数に関する規則（案）

（趣旨）

第一条　この規則は、一般職の職員の給与に関する条例（昭和　年　県条例第　号。以下「給与条例」という。）第　条の規定による職務の級の定数（以下「級別定数」という。）の設定、改定その他級別定数の管理について必要な事項を定めるものとする。

（設定及び改定）

第二条　人事委員会は、任命権者ごとに、かつ、一般会計及び各特別会計ごとに級別定数を定めるものとする。

2　級別定数は、毎年四月一日に設定するものとし、必要のつど改定するものとする。

（職務の級の決定及び級別定数の流用）

第三条　職員の職務の級の決定は、前条の規定により定められた級別定数（以下「標準定数」という。）の範囲内で行なわなければならない。ただし、任命権者は、上位の職務の級の定数に欠員がある場合には、その欠員数の範囲内でその定数を下位の職務の級の定数に流用することを妨げない。

（暫定定数）

第四条　人事委員会は、標準定数に欠員がない場合において、次の各号に掲げる特殊の事由により標準定数の範囲をこえて職員の職務の級を決定することが人事管理上特にやむをえないと認めるときは、その事由に該当する職員に限り、暫定的な級別定数（以下「暫定定数」という。）を設定することができるものとする。

一　次に掲げる職員について、その者の占める職員の職の職務内容及び部内の他の職員との均衡を考慮し、従前と同一の職務の級にとどまらせ、又は従前と同等と認められる職務の級に決定することが必要であると認められる場合

ア　転任等の異動に伴つて、従前と同等以上の職務内容を有する職員の職を占めることとなつた者

イ　退職等を予定し、一時暫定の職員の職（一時的に設定された職員の職で標準定数の定めがないもの。以下同じ。）を占めることとなつた者

ウ　公務上負傷し、若しくは疾病にかかり、又は公務によらない結核性疾患等にかかつたため、給与条例第　条の規定に基づいて勤務しないことにつき特に承認があり、一時暫定の職員の職を占めることとなつた者

エ　復職の際、一時暫定の職員の職を占めることとなつた者

二　新たに給料表の適用を受けることとなつた職員の職の職務内容によりその者と同等の資格等を有する部内の他の職員の職務の級と同一の職務の級に決定することが必要であると認められる場合

三　次に掲げる職員について、その者が長期間勤務し功績がきわめて顕著であり、職務内容及び部内の他の職員との均衡を考慮し特に昇格させることが必要であると認められる場合

ア　職制若しくは定数の改廃又は予算の減少により廃職又は過員を生じた結果退職が予定されている者

イ　長期間同一の職務に従事し、高度の専門的な知識、経験を有している者

四　職員の職が新設され、標準定数が設定されるまでの間、職員の職務の級を決定するため、一時級別定数上の措置を行なうことが必要であると認められる場合

五　標準定数が減少したため、現在員（暫定定数が設定されている職員を除く。）が標準定数をこえることとなり、一時級別定数上の措置を行なうことが必要であると認められる場合

（実行定数）

第五条　前条の規定により暫定定数が設定された場合においては、標準定数は次項に定めるところにより増減するものとし、職員の職務の級の決定は、その増減した級別定数（以下「実行定数」という。）の範囲内で行なわなければならない。

2　暫定定数が設定された場合は、その設定された暫定定数の数をその

職務の級の標準定数（すでに暫定定数が設定されている場合は本項により増減された実行定数とする。以下本項において同じ。）に加えた数をもつて当該職務の級の実行定数とし、その直近下位の職務の級の標準定数をその増加した数だけ振替に減じた数をもつて当該直近下位の職務の級の実行定数とする。ただし、直近下位の職務の級において欠員がないため減ずることができない場合は、さらにその職務の級より順次下位の職務の級の定数について振替を行なうものとする。

3　暫定定数に欠員を生じた場合には、暫定定数及び当該職務の級の実行定数は、それぞれ欠員数だけ減ずるものとし、その暫定定数と振替に減じて定められた実行定数は、その欠員数に相当する数だけ振替に増加するものとする。

（委任）

第六条　この規則に定めるものを除き、級別定数の管理に関し必要な事項は、人事委員会が定める。

附　則

この規則は、公布の日から施行する。

備　考

一　標準定数は、人事委員会の定めるところにより、別表第一（注　省略）の様式により設定するものとすること。

二　級別定数管理に当つては、人事委員会は、別表第二（注　省略）の様式により級別定数管理表を各任命権者に作成させるものとすること。

三　標準定数の流用については、異る給料表間の流用は行なわないものとし、必要がある場合には、標準定数の改定を行なうものとすること。

等級別定数は、等級別基準職務表と組み合わせて運用されることにより、地方公共団体における職制の立て方、一定の等級に属する職の数、すなわち当該等級に任用されうる者の数、あるいは予算上の給与費などと総合的な調整が行われることになる。等級別定数は、このように人事管理、組織管理および予算管理の上で極めて重要な意義を有するものであるが、いまだこれを策定していない地方公共団体も少なくない。よりすぐれた行政管理を行うためには、このような団体では等級別定数の設定を早急に行う必要がある。なお、平成二六年法律第三四号による改正によって、任命権者は給料表の等級および各等級の基準として定められた職制上の段階毎に職員の数を地方公共団体の長に報告し、長はそれを取りまとめて公表しなければならないこととされているが（法五八の三）、これは、等級別定数が条例で定められていないという実態を考慮したものであろう。

ウ　号　給

給料表における等級には、それぞれさらにいくつかの号給が設けられ、一号給、二号給と号給数が多くなるに従って給料額が増加するしくみとなっている。各等級内に複数の号給が設けられているのは、基本的には同一の内容と責任の職務であっても、経験を経るに従って熟練の度が加わることを考慮して職務の対価である給料額を増加させることとしているのである。したがって、各等級内の号給の間差額（昇給額）は当初はほぼ同額であり、直線的な上昇線をたどるが、一定の号給に達した後は間差額が縮小することとされている。これは、同一の職務については、一定年限以上従事するときは能率の向上の度合いが低下するという一般的に認められる傾向に対応するものである。なお、号給が設けられているいま一つの理由として、この号給に応じておおむね毎年昇給が行われることにより、職員の経年的な生活費の増加に対処するためでもあるとされている。

職員の給料表の級に号給を設ける場合の基準は、国家公務員のそれに準拠すべきものであり、たとえば、都道府県の職員の行政職給料表㈠の各等級における初号および各号給の幅は、原則としてこれに対応する国家公務員の行政職俸給表㈠の各級の初号および各号給の幅を基準とするものとされている（通知昭三一・六・一　自乙公発第五一号）。国家公務員について定められている各級の号俸数以上の号給数を設ける場合、初号以下につぎ足すことを「げたばき」、最高号給以上につぎ足すことを「つぎ足し」などと呼んでいる。このうち、つぎ足しについては、前述のように昇給は能率の向上に対応するもので、一定の限度に達した後は昇給が停止されること、すなわち、いわゆる「頭打ち」となることに意味があるので適当な措置とはいえない。

市町村の職員の給料表の号給についても、おおむね以上の考え方によって措置すべきものである。ただ、たとえば、国家公務員の行政職俸給表㈠は、新規高校卒の職員を採用することを前提として最下位の級の初号が定められているが、市町村で新規中学卒を採用する場合には、最下位の級の初号の前に適当な号給の「げたばき」を行う必要があろう。

なお、平成一八年（二〇〇六年）四月一日から施行された一般職の職員の給与に関する法律等の一部を改正する法律（平成一七年法律第一一三号）第二条による給与制度の改正によって、国家公務員については、俸給表における各級内の号俸の間差額は従前の考え方による場合の約四分の一とされ、号俸の数がそれに応じて増加されている。また、この改正によって、従前、一八月または二四月を下らない期間を良好な成績で勤務した者などについて当該最高号俸を超えて昇給させることができることとされていた最高号俸に達している職員については、「職員の昇給は、その属する職務の級における最高の号俸を超えて行うことができない」ことが明記される（現行給与法八⑨）とともに、職員が一の職務の級から他の職務の級に移った場合などにおける最高号俸を超える号俸の決定を認めていた一般職の職員の給与に関する法律第八条第五項が廃止（形式的には他の内容の条文に改正）されたことによって、最高号俸に達している職員に対する昇給停止が厳格なものとなっている。

エ　初任給の決定　初任給の決定とは、あらたに採用された職員の給料の級および号給を決定することである。初任給の決定は、給与条例に基づく「初任給、昇格および昇給等の基準に関する規則」に基づいて行われる。初任給の決定を行うには、まずその職員の採用試験、学歴、経験年数（公務のために役立つと考えられる任用前の経験年数）などの区分に応じ、前記規則で定められている「等級別資格基準表」によって職務の等級を決定する。次に、その等級内で何号給にするかは、同じ規則で定められている「初任給基準表」によってひとまず決定される。そして新規学卒者など前歴のない職員の場合は、それがそのまま最終的に初任給として決定されるが、あらたに任用されたものが公務その他の前歴を有するときは、任命権者の裁量によって経験年数に応ずる号給の調整（前歴換算）を行うことができ、調整後の号給を初任給とすることができる。前歴換算は強制的なものでなく、部内の他の職員との均衡を考慮して判断することが大切である。また、一部の地方公共団体で初任給を国家公務員より引き上げるもの、あるいは初任給決定後、短期間に一律に昇給させるものが見受けられるが、これは均衡の原則に反するだけでなく、職員全体に調整の影響を及ぼすことが多く、給与体系を乱し、給与費を著しく増嵩させるおそれがあるといわなければならない。

オ　昇　格　給与上の昇格とは、職員をその現に属する等級よりも上位の級に決定することをいう。昇格は任用上の昇任（法一五の二1②）に相当するものであるが、職制上の段階における標準的な職は課長、課長補佐などとされる（第一五条の二の〔解釈〕二参照）のに対して、等級別基準職務表においては困難な業務を行う課長、課長補佐などが基準職務とされていることからわかるように、昇任は必ず昇格を伴うが、昇任を伴わない昇格もある。昇格は、昇格させようとする等級の定数に欠員があることを前提として、初任給、昇給、昇格等に関する規則（人事院規則９―８（初任給、昇格、昇給等の基準）参照）に基づいて行われるものであり、受験成績、人事評価その他の能力の実証（法一五、二一の三）のほか、現在の等級に一定年限以上在任していたことが要件とされているのが通常である。また、昇格した等級における号給の決定も当該規則に基づいてなされる。

職員の職務内容が実質的に変わらないにもかかわらず、処遇上、上位の級に昇格させることを「わたり」というが、これについてはイ(ア)で述べたとおり、給与制度の本質に反する運用であり、すみやかに是正すべきものである。

カ　昇　給　職員が現に受けている号給よりもより上位の同一等級内の号給に決定することを昇給という。

国家公務員については平成一八年（二〇〇六年）から実施された給与構造改革および平成二五年から実施された高齢者を対象とした昇給・昇格の抑制措置（第二四条の**【解釈】**二参照）により、令和五年（二〇二三年）四月一日現在における昇給の制度は概ね次のようになっている（給与法八６～10）。

①　職員（指定職俸給表の適用を受ける職員を除く。）の昇給は、人事院規則で定める日に、同日前において人事院規則で定める日以前一年間におけるその者の勤務成績に応じて、行うものとする。この場合において、同日の翌日から昇給を行う日の前日までの間に当該職員が国家公務員法第八二条の規定による懲戒処分を受けたことその他これに準ずるものとして人事院規則で定める事由に該当したときは、これらの事由を併せて考慮するものとする。

②　①により職員（③各号に掲げる職員を除く。以下この項において同じ。）を昇給させるか否か及び昇給させる場合の昇給の号俸数は、①前段に規定する期間の全部を良好な成績で勤務し、かつ、①後段の規定の適用を受けない職員の昇給の号俸数を四号俸（行政職俸給表㈠の適用を受ける職員でその職務の級が七級以上であるもの並びに同表及び専門スタッフ職俸給表以外の各俸給表の適用を受ける職員でその職務の級がこれに相当するものとして人事院規則で定める職員にあっては三号俸、専門スタッフ職俸給表の適用を受ける職員でその職務の級が二級であるものにあっては一号俸）とすることを標準として人事院規則で定める基準に従い決定するものとする。

③　次に掲げる職員の①による昇給は、①前段に規定する期間におけるその者の勤務成績がⅰおよびⅱの区分に応じてそれ

ぞれに定める勤務成績に該当し、かつ、①後段の規定の適用を受けない場合に限り行うものとし、昇給させる場合の昇給の号俸数は、勤務成績に応じて人事院規則で定める基準に従い決定するものとする。

ｉ　五五歳（人事院規則で定める職員にあっては、五六歳以上の年齢で人事院規則で定めるもの）を超える職員（専門スタッフ職俸給表の適用を受ける職員でその職務の級が二級以上であるものを除く。）　特に良好である場合

ⅱ　専門スタッフ職俸給表の適用を受ける職員でその職務の級が三級又は四級であるもの　三級であるものは特に良好である場合、四級であるものは極めて良好である場合

④　職員の昇給は、その属する職務の級における最高の号俸を超えて行うことができない。

⑤　職員の昇給は、予算の範囲内で行わなければならない。

これは、給料表における各級内の号給の間差額を従前の考え方による場合の約四分の一とし、号給の数をそれに応じて増加させたことと相まって、従前の昇給についての考え方を大幅に変更したものである。すなわち、従来は、良好な勤務成績のときに普通昇給がなされ、とくに良好な勤務成績のときに特別昇給がなされることとされていたのに対して、改正後においては、良好な勤務成績に対応する普通昇給および特に良好な勤務成績に対応する特別昇給という二分法が廃止され、きめ細かな勤務成績の評価に基づいて、昇給させるか否かと昇給させるとした場合の昇給の幅（号給数）を決定することとされたのである。この結果、勤務成績の悪い職員を昇給させないのは当然のことであるが、昇給前一年間の全部を良好な成績で勤務した職員を昇給させる号級数を四号（七級以上の職務の級にある者については三号、五五歳を超える職員については勤務成績が特に良好な者に限る。）として、昇給前一年間の全部を良好な成績で勤務したとまではいえない職員については、その成績の程度に応じて〇号から二号までの幅で昇給させるものとし、極めて優秀な成績で勤務した職員については、その成績の程度に応じて五号以上の昇給をさせることとし、勤務成績の昇給への反映を連続的なものとすることを可能としたものである。具体的には、職員が次のいずれに該当するかに応じて、それぞれ昇給の号俸数が決定されることとされているが、勤務期間による調整や他の職員との不均衡是正など、若干の例外があるので、詳しくは人事院規則九—八（初任給、昇格、昇給等の基準）第三

七条を参照されたい。

①　勤務成績が極めて良好である職員　八〔五五歳を超える職員にあっては二。以下〔　〕内はいずれも五五歳を超える職員についてのものである。〕以上

②　勤務成績が特に良好である職員　六〔一〕

③　勤務成績が良好である職員　四（七級以上の職にある者は三）〔〇〕

④　勤務成績がやや良好でない職員　二〔〇〕

⑤　勤務成績が良好でない職員　〇〔〇〕

なお、前記①および②の対象となる職員の総数については制限があり、各府省における職員の総数に占める割合が次の割合におおむね合致してなければならないとされている（人事院規則九―八（初任給、昇格、昇給等の基準）の運用について（通知）昭四四・五・一給実甲三二六）。

①の対象となるもの　一〇〇分の五（行政職俸給表㈠の七級以上の者については一〇〇分の一〇、二級以下の者については一〇〇分の五以内）

②の対象となるもの　一〇〇分の二〇（行政職俸給表㈠の七級以上の者については一〇〇分の三〇、二級以下の者については①の区分との合計で一〇〇分の二〇）

㈡　給料の調整額

ア　給料の調整額　職員の職務の複雑さ、困難性若しくは責任の度合い、または勤労の強度、勤務時間、勤労環境その他の勤務条件が同じ級に属する他の職員に比して著しく特殊な職に対しては、条例で定めるところにより、給料月額の一定割合に一定額を加えた額を月額とする給料の調整額を支給することが認められる。それぞれの職の職務の内容と責任の対価は、個々の給料表の中で具体化されることが原則であるが、特殊な職の場合に必ずしもその特殊性が給料表で実現し得ない場合があり、それを給料の調整額で補うわけである。したがって、給料の調整額は給料の一部としてその中に含まれるので

あるが、昇格、昇給などは、給料の調整額を含まない給料額を基礎として行われる。

給料の調整額の支給対象は、病院または研究所で危険な病原体を取り扱う職員、麻薬取締員、児童自立支援施設に勤務する児童生活支援員（後二者について、通知昭二八・七・三一　自丙行発第四三号）などであり、そのほか、給料表を簡素化した場合に職の実態に応じて支給されることもある（通知昭三二・六・一　自乙公発第五一号）。たとえば、市町村の消防職員に行政職給料表(一)を適用した場合、その職務の特殊性に対して給料の調整額を支給するような場合である。

給料の調整額と類似する給与に特殊勤務手当があるが、国家公務員の場合には、給料の調整額は月額で支給され、特殊勤務手当は原則として日、時間または回数を基礎として支給されており、職務の特殊性を常態としてとらえるか、個々の具体的な勤務についてみるかによって区別されている。地方公務員の場合、特殊勤務手当の中に月額で支給される税務手当などを含んでいるため、両者の区別が明らかではなくなっているが、基本的には国家公務員の場合と同じ考え方によるべきであろう。また、レントゲン技師のように、結核患者などに接することによる感染の危険に対し給料の調整額が支給されるとともに、放射線による障害の危険に対し特殊勤務手当があわせて支給される場合もある（人事院行実昭三三・九・一八　給三―四一九）。

イ　教職調整額　公立の小学校、中学校、義務教育学校、高等学校、中等教育学校、特別支援学校および幼稚園の教育職員（校長、副校長および教頭を除く。）に対しては、その職務と勤務態様の特殊性に基づき教職調整額が支給される（義務教育職員給与等特別措置法一～四）。その月額は給料月額の四パーセントを基準として条例で定められ、教職調整額は、給料の調整額とほぼ同じ性格のものであり、給料とみなされる。したがって、教職調整額は、地域手当、特地勤務手当、期末・勤勉手当、退職手当などの諸手当および公務災害補償の算定の基礎となる。

教職調整額は、教職員の勤務が正規の勤務時間外にわたることも考慮して支給されるものであるとされており、その支給を受ける教職員には時間外勤務手当および休日勤務手当は支給されないのが原則である（義務教育職員給与等特別措置法三2、五、六）。ただ、近年教職員の実働時間の長さ（いわゆる働き過ぎ）が問題とされ、教職調整額の引き上げなどが議論されている。

四　諸　手　当

(一)　手当の種類

職員の給与は給料を中心とするものであり、手当は給料を補完する性質のものである。したがって、理論的には、給料の制度および運用の上で職務給の原則が確立されるにつれて諸手当は漸減するはずのものであるが、実際には従来からの沿革もあり、また、民間企業の賃金構造との均衡もあって現在なお多くの手当が存在する。

職員に支給される手当の種類は、原則的に地方自治法第二〇四条第二項に列記されている。同項に手当の種類が具体的に規定されたのは昭和三一年（一九五六年）の同法改正によってであるが、その趣旨は同じ改正で同法第二〇四条の二に給与法定主義が明記されたこととあわせて、法律に基づかない諸手当の支給を認めず、手当の濫設を防止することにあった。現在、同法第二〇四条第二項に規定されているのは、扶養手当、地域手当、住居手当、初任給調整手当、通勤手当、単身赴任手当、特殊勤務手当、特地勤務手当（これに準ずる手当を含む。）、へき地手当（これに準ずる手当を含む。）、時間外勤務手当、宿日直手当、管理職員特別勤務手当、夜間勤務手当、休日勤務手当、管理職手当、期末手当、勤勉手当、寒冷地手当、特定任期付職員業績手当、任期付研究員業績手当、義務教育等教員特別手当、定時制通信教育手当、産業教育手当、農林漁業普及指導手当、災害派遣手当（武力攻撃災害等派遣手当および新型インフルエンザ等緊急事態派遣手当を含む。）および退職手当の二六種類である。以上のほか、職員に対しては、児童手当法に基づく児童手当および育児休業手当金が支給される。児童手当は、社会保障としての給付で、民間企業の従業員と同様に支給されるものであり、育児休業手当金は共済組合の給付であり、いずれも給与としての手当ではない。地方公務員法第二五条第三項第四号は「時間外勤務手当、夜間勤務手当及び休日勤務手当に関する事項」を、同項第五号はそれら以外の「地方自治法第二百四条第二項に規定する手当を支給する場合には、当該手当に関する事項」を給与に関する条例に定めなければならないとするが、前者は労働基準法で支給が義務付けられている割増賃金を手当という名称にしたものであり、後者はそれ以外のものである。

職員に支給する諸手当の種類、額、支給方法などは、条例で定める必要があるが（法二四5、本条1）、その内容が、それぞれの手当の性質に応じた合理的なものでなければならないことは当然のことである（最高裁平二二・九・一〇判決（判例時報二〇九六号三頁）参照）。なお、職員のうち、地方公営企業の職員および単純労務職員に支給される手当については、地方自治法第二〇四条第二項の適用はなく、地方公営企業法によりその種類だけを条例で定めることとされている（地公企法三八４、地公労法一七１、附則５）。また、独法職員に対する手当については地方独立行政法人法第五一条第二項および第三項に特別の規定がある。

それぞれの手当について、国家公務員の場合を例に述べると次のようになっている。

(二)　扶養手当

扶養親族のある職員に対し、生計費の一助として支給される手当である。ここで扶養親族とは、次に掲げる者で、他に生計の途がなく、主としてその職員の扶養を受けているものをいうものである。

ア　配偶者（婚姻の届出をしないが、事実上婚姻関係と同様の事情にある者を含む。）

イ　満二二歳に達する日以後の最初の三月三一日までの間にある子および孫

ウ　満六〇歳以上の父母および祖父母

エ　満二二歳に達する日以後の最初の三月三一日までの間にある弟妹

オ　重度心身障害者

以上のうち、イ、ウおよびエについては、血族のみで姻族は該当せず、オについては民法の法定親族に限られず、また、血族および姻族のいずれであっても親族であれば該当するとされている（行実昭三〇・一一・一四　自丁公発第二一一号）。

(三)　地域手当

一般職の職員の給与に関する法律等の一部を改正する法律（平成一七年法律第一一三号）附則第一八条は、地方自治法第二〇四条第二項中の「調整手当」を「地域手当」と改めると定め、この規定は平成一八年（二〇〇六年）四月一日から施行されている。これは、平成一七年度の人事院勧告で示された公務員給与に地場賃金を反映させるための地域間配分の見直しという考え方を具体化するために、国家公務員に対して支給されていた調整手当を廃止し、あらたに地域手当を支給することとされたことに対応するものである。すなわち、この人事院勧告においては、従前の全国平均でみた民間賃金の水準を基準として決定されていた国家公務員の給与水準が地域による官民格差を無視したものだという批判に応えて、①民間賃金の低い地域を考慮して俸給表水準を全体として平均四・八パーセント程度引き下げ、②民間賃金が高い地域には最低三パーセントから最高一八パーセント（調整手当の最高は一二パーセント）の地域手当を支給することとされていたのであるが、その後、民間賃金の低い地域における官民の給与差を踏まえた俸給表の俸給（給料）水準の引き下げに伴う級地の細分化とそれに応じた支給割合の引き上げがなされた結果、令和五年（二〇二三年）四月一日現在は次のようになっている（給与法一一の三）。

「地域手当は、当該地域における民間の賃金水準を基礎とし、当該地域における物価等を考慮して人事院規則で定める地域に在勤する職員に支給する。当該地域に近接する地域のうち民間の賃金水準及び物価等に関する事情が当該地域に準ずる地域に所在する官署で人事院規則で定めるものに在勤する職員についても、同様とする。

２　地域手当の月額は、俸給、俸給の特別調整額、専門スタッフ職調整手当及び扶養手当の月額の合計額に、次の各号に掲げる地域手当の級地の区分に応じて、当該各号に定める割合を乗じて得た額とする。

一　一級地　一〇〇分の二〇
二　二級地　一〇〇分の一六
三　三級地　一〇〇分の一五
四　四級地　一〇〇分の一二
五　五級地　一〇〇分の一〇
六　六級地　一〇〇分の六
七　七級地　一〇〇分の三

３　前項の地域手当の級地は、人事院規則で定める。」

なお、地域手当に関しては、平成一九年度（二〇〇七年度）の国家公務員の給与改定に関連して発出された総務事務次官名の通知「地方公務員の給与改定に関する取扱いについて」（平一九・一〇・三〇総行給一〇一号）において次のように述べられている。

地域手当については、給料水準の見直しを前提に、原則として国における地域手当の指定基準に基づいて支給地域及び支給割合を定めることとし、次の事項に留意すること。

(1) 国における地域手当の指定基準に基づく支給割合を超えて地域手当を支給している団体及び支給地域に該当していない地域において地域手当を支給している団体にあっては、直ちに是正すること。

(2) 人口五万人未満の市町村で、国における地域手当の指定基準により判断できない市町村にあっては、支給対象としないこと。

(3) 給料水準の引下げと併せても国の指定基準に基づく支給割合によれば著しく給与水準が上昇する場合については、地域手当の支給割合について住民の理解と納得が得られるものとなることを基本として適切に対応すること。

(4) 都道府県にあっては、人事管理上一定の考慮が必要となる場合等であっても、地域手当の趣旨が没却されるような措置は厳に行わないこと。

(四)　住居手当

住居手当は、職員の住居費の一部を補うため支給される生活給であり、公務員住宅に居住する職員および父母の住居の一部に居住する職員には住居手当は支給されない。

(五)　初任給調整手当

科学技術等の専門的知識を有する職員の採用、とくに大都市以外の地域における医師の採用を容易にするため、採用後一定の期間、初任給調整手当が支給される。現在、医師についてはこの手当が非常に長期にわたって支給されるようになっているので、初任給調整手当というよりも、特定の職員の確保のための手当という方がふさわしくなっている。

㈥　通勤手当

職員が通勤に要する費用を補うために通勤手当が支給される。これは給与所得者の必要経費なので、所得税法上非課税とされている（所得税法九１⑤、同法施行令二〇の二、通知昭四一・一・一〇　自治給第二号）。

㈦　単身赴任手当

単身赴任手当は、職員が勤務場所を異にする異動により、やむを得ない事情のために同居していた配偶者と別居することを常況とするようになった場合に支給される生活給であり、民間企業のいわゆる別居手当の普及状況にかんがみ、平成二年（一九九〇年）四月から支給されることとなった手当である。

単身赴任は、子の教育、配偶者の就業、老親の介護、持家の管理等の職員の私的な事情と公務上の必要に基づく転勤との関係で生じるものであるが、それが家族のあり方、職員の健康などの面からみて一般に望ましい状態ではない以上、任命権者および職員はできるかぎりそれが生じることのないよう配慮または努力する必要があろう。

㈧　特殊勤務手当

特殊勤務手当は、著しく危険、不快、不健康または困難な勤務その他の著しく特殊な勤務で、給与上特別の考慮を必要とし、かつ、その特殊性を給料で考慮することが適当でないと認められるものに従事する職員に対して支給される。具体的にどのような勤務がこれに該当するかは個々の勤務形態ごとに客観的に判断するほかないが、国においては、人事院規則九―三〇（特殊勤務手当）において詳しく定められている。

ただ、特殊勤務手当は、ややもするとその支給対象が不当に拡大され、それが他の職員との均衡からさらに拡大されるという傾向があるので、放漫に流れないよう慎重に措置すべきものである（通知昭二八・七・三一　自丙行発第四三号）。たとえば、業務手当というような形で広い範囲にわたって、一定の職種すべてに特殊勤務手当を支給することは、特殊勤務手当の範囲を逸脱するものといえよう。なお、特殊勤務手当条例に「この条例に定めるもの以外の勤務で特別の考慮を必要とするものに対しては、市長は、臨時に手当を支給することができる。」との規定が置かれている場合について、この規定は、臨時に従事させた業務について特殊勤務手当を支給しないことが条例上特殊勤務手当の支給の対象とされている他の勤務との対比において不合理であり、特殊勤務手当の支給に関し均衡を失する事態を生ずる場合に、その臨時に従事させた勤務について、応急的に、条例に定められている手当の額に準ずる額を支給することを可能にしたものであるとし、この規定を根拠として、継続的、恒常的に行われていた昼休み窓口業務について特殊勤務手当を支給したことを違法とした判例（最高裁平七・四・一七判決　判例時報一五三〇号四三頁）がある。

特殊勤務手当と給料との関係は、給料で考慮することが制度的、技術的に適当ではない職務に対して特殊勤務手当が支給されるものであるから、たとえば、消防職員に行政職俸給表㈠に相当する給料表を適用している場合に、特殊勤務手当で措置することは可能である（通知昭三二・六・一　自乙公発第五一号）。この場合、特殊勤務手当ではなく、給料の調整額で措置することもさしつかえないであろう。また、給料の調整額を受けている勤務については、原則として特殊勤務手当を支給すべきではない。なお、前述のように、地方公務員である税務職員には、国の税務職俸給表に相当する給料表が適用されず、特殊勤務手当で措置されているが、職務の実態と人事交流の状況および各地方公共団体における税務職員の数を勘案して税務職給料表の適用も検討すべき時期に至っているように思われる。

特殊勤務手当の額は、勤務の内容に応じて時間給または日額で措置されるべきものであるが、実際には月額で措置されているもの（例、税務職員に対する特殊勤務手当）もある。なお、特殊勤務手当が支給される職から支給されない職への異動は不利益処分に該当しないとする判決（東京地裁平成二六・九・二九判決　判例地方自治三九八号五五項）がある。

㈨　特地勤務手当

特地勤務手当は、次に述べる教職員に対するへき地手当とともに、交通不便な地域に勤務する特殊性を考慮して支給される手当である。特地勤務手当は、離島その他生活の著しく不便な地域における生活給として観念されており、次に述べるへき地手当が支給される教職員には、特地勤務手当は支給されない。

㈩　へき地手当

へき地手当は、交通条件および自然的、経済的、文化的諸条件に恵まれない山間地、離島その他の地域に所在する公立小・中学校および義務教育学校ならびに中等教育学校の前期課程ならびに共同調理場に勤務する教職員（短時間勤務の者を除く。）に対して支給される（へき地教育法二、五の二）。へき地教育振興法では、公立高等学校の教職員については規定されていないが、へき地手当を条例で支給することが適当であるとされている（文部省通知昭三四・一一・二一　文初財第六四四号）。

㈡　時間外勤務手当

職員が正規の勤務時間を超えて勤務することを命じられた場合、その超えた全時間に対して時間外勤務手当（超過勤務手当）が支給される。正規の勤務時間を超える勤務とは、勤務を要する日における正規の勤務時間を超える場合のほか、週休日の全時間を含むものである。週休日の正規の勤務時間に当たる時間に勤務を命じ、同一週内に週休日の振替をした場合は、時間外勤務手当を支給する必要はないが、振替をせず、または同一週内ではない日に振り替えた結果、一週間の所定の勤務時間を超えることとなったときは、時間外勤務手当を支給しなければならない。休日の正規の勤務時間に当たる時間に勤務を命じられたときは、この時間については給料の支給の対象となっているので、時間外勤務手当ではなく、㈤で述べる休日勤務手当が支給される。ただし、休日が週休日と重なった日に正規の勤務時間に当たる時間に勤務を命じられたとき、および休日の正規の勤務時間に当たる時間外に勤務を命じられたときは、いずれも給料の支給対象外であるから、時間外勤務手当が支給される。

なお、教職調整額が支給される教員には、時間外勤務に相当する勤務が命じられても時間外勤務手当は支給されない（義務教育職員給与等特別措置法三２）。

次に、時間外勤務手当は、一時間を単位として計算され、給与期間中の全時間を合算したものに一時間未満の端数がある場合については、それが三〇分以上のときは一時間とし、三〇分未満のときは切り捨てることができる（労働省通知昭和六三・三・一四基発第一五〇号）。そして、この一時間当たりの額は、一般職員の場合、各地方公共団体の条例で定められるが、その額は労働基準法で定める基準を下回ってはならない。すなわち、時間外勤務を命じたときは、通常の労働時間または労働日の賃金の計算額の二五パーセント以上五〇パーセント以下で政令で定める率（勤務を要する日は二五パーセント、その他の日は三五パーセント以上の率）で計算した割増賃金を支払わなければならない（労基法三七1、労働基準法第三十七条第一項の時間外及び休日の割増賃金に係る率の最低限度を定める政令）。また、午後一〇時から午前五時までの時間外勤務（深夜業）を命じたときは、五〇パーセント（その時間の労働のうち、一カ月に六〇時間を超えるものについては七五パーセント）以上の率で計算した割増賃金を支払わなければならない（労基法施行則二〇）。なお、労働基準法第三七条第一項ただし書によって、一カ月に六〇時間を超える時間外勤務（厳密には法定労働時間を超えた勤務および法定の休日の勤務をいうが、国家公務員については全ての時間外勤務が対象とされている。また、週休日の振り替えが同一の週内になされなかった結果として、一週間の法定労働時間および所定労働時間を超えることとなった勤務時間は同項ただし書の「当該延長して労働させた時間」に含まれる。）に対しては五〇パーセント以上の率で計算した割増賃金を支払わなければならないが、この割増賃金の支払いに代えて休暇を与える（正規の勤務時間において勤務することを要しない日または時間を指定する。）こともできることとされている（労基法三七3、法五八4。なお、この休暇については第二四条の〔解釈〕五(二)4参照）。

この割増賃金の基礎となる賃金には、家族手当、通勤手当、別居手当、子女教育手当、住宅手当、臨時に支払われた賃金および一カ月を超える期間ごとに支払われる賃金は算入されないのであるが（労基法三七5、労基法施行則二一）、これを地方公共団体の給与に当てはめてみると、扶養手当、通勤手当、単身赴任手当、期末手当および勤勉手当が算入されないことはまず明白である。そのほか、寒冷地手当も含まれないとされている（仙台地裁昭三五・一一・二九判決　行集一一巻一一号三三一一頁）。他方、地域手当、産業教育手当および月額で支給される特殊勤務手当（例、税務職手当）などは含まれるとされている（行実昭三三・九・一二　自丁公発第一二七号）。

国家公務員の超過勤務手当の計算の基礎となる一時間当たりの給与額は、俸給（給料）、地域手当、広域異動手当および研究員調整手当のみの合算額に基づいているが（給与法一九）、職員には労働基準法が適用されているので、正規の勤務時間を超える勤務については、すべて労働基準法に基づく手当を含めた一時間当たりの給与額を基礎として割増賃金を計算するよう条例で定めるべきである。なお、給与の減額についても、同じ計算方法とすることが均衡上妥当である。

企業職員および単純労務職員並びに独法職員の場合には、時間外勤務の割増賃金の計算方法は、労働基準法の基準を下回ることのないよう、規則またはその他の規程若しくは団体協約で定めることになる。

問題となるのは、時間外勤務手当の支給に要する予算が措置されていないにもかかわらず命令により時間外勤務が行われた場合、または現業職員について三六協定がないにもかかわらず命令により時間外勤務が行われたような場合に、時間外勤務手当を支給すべきかどうかということである。これらの場合、時間外勤務命令に瑕疵があることは否定できないが、時間外勤務手当は勤務の対価であるから、現実に勤務が行われた以上、地方公共団体はそれを支給する義務があるというべきである（三六協定未締結の場合の時間外勤務について、最高裁昭三五・七・一四判決（判例時報二三〇号六頁））。また、これに要する経費は予算上の義務費に属するものである。なお、夜間の勤務に対する手当については、監視または継続的労働との関係が問題になるが、これについては第二四条の〔**解釈**〕**五**㈡１⑴オで述べた。

㈢　宿日直手当

宿日直手当は、職員が宿直または日直を行ったときに支給される。宿日直勤務は、通常の勤務とは異なる断続的勤務であるので、正規の勤務時間後に引き続き宿日直を行った場合であっても、時間外勤務手当ではなく宿日直手当が支給される。ただし、宿日直中に公務上の必要によって通常の勤務についたときは、その時間に対しては時間外勤務手当を支給しなければならない（前記㈡参照）。

宿日直手当の額は、一般の職員については条例で、企業職員および単純労務職員並びに独法職員については規則その他の規程若しくは団体協約で定められる。後者の場合は、宿日直を行わせることについて労働基準監督機関の許可が必要であり（労基法四一③）、その許可の基準の一つとして宿日直手当の額が一定の額以上でなければならないこととされている。それは原則として、その事業場で宿日直につく予定人員の平均賃金の一日分の三分の一以上でなければならないということである（労働省通知昭三三　基発第九〇号）。この場合、それぞれの事業場における宿日直につく全従業員の平均賃金によることが原則であるが、職種が著しく異なる場合（例、医師と看護師）にはこれを分けてそれぞれの平均賃金により計算することも認められる。また、宿日直時間が著しく短い者など、前記の基準によることが困難または不適当なものについても例外が認められる（労働省通知昭三〇　基発第四八二号）。

㈢　管理職員特別勤務手当

管理職員特別勤務手当は、管理職手当の支給を受ける職を占める職員のうち管理もしくは監督の複雑、困難および責任の度が高い職員が、臨時または緊急の必要その他の公務のために勤務を要しない日または祝日法による休日、年末年始の休日もしくは地方公共団体の休日に勤務をした場合に支給され、その額は、六時間を超える勤務一回について一二、〇〇〇円以内の額が、管理職手当の支給区分に応じて定められている（人事院規則九—九三（管理職員特別勤務手当）二2）。

㈣　夜間勤務手当

夜間勤務手当は、正規の勤務時間が午後一〇時から翌日の午前五時までの間（深夜）に割り当てられている職員に対し、その間に勤務した全時間について支給される（前記㈡参照）。その一時間当たりの額は、一般の職員については条例で、企業職員および単純労務職員並びに独法職員については規則その他の規程若しくは団体協約によってそれぞれ定められるが、労働基準法に基づき、通常の労働時間または労働日の賃金の計算額の二五パーセント以上の率で計算した額を割増賃金の額としなければならない（労基法三七4）。

㈤　休日勤務手当

職員が休日における正規の勤務時間に相当する時間に勤務したときは、その勤務した全時間に対して休日勤務手当が支給される。ここで「休日」とは、前条の**〔解釈〕五**㈡3で述べた休日をいうものであり、週休日は該当しない。週休日に勤務を命じられたときは時間外勤務手当が支給される。休日勤務手当が支給される趣旨は、休日には正規の給料が支給されているのであるが、職員は一般に勤務しない取扱いとされているので、とくに勤務を命じられたときはそれに対する報償の意味で給料に対する加算給として支給されるのである。休日勤務について代休が与えられた場合は、休日勤務手当は支給されない。その代休日に勤務を命じられた場合は、再代休は認められず、休日勤務手当が支給される（給与法一七）。

休日勤務手当については、労働基準法による規制はなく、一般の職員については条例で、企業職員および単純労務職員並びに独法職員については規則その他の規程または団体協約でそれぞれ定められるが、その額は国家公務員の例により、一時間当たりの給与額の一〇〇分の一三五の額を休日勤務の一時間当たりの額として、休日における正規の勤務時間に相当する時間中に勤務した全時間について支給する（人事院規則九—四三（休日給）三）。なお、教職調整額が支給される教育職員には、休日勤務手当は支給されない（義務教育職員給与等特別措置法三2）。

㈥　管理職手当

管理職手当は、管理または監督の地位にある職員の職務の特殊性に基づき支給される手当である。国家公務員の場合には、俸給の特別調整額と呼ばれている（給与法一〇の二）。

管理職手当の支給の対象となる職員は、労働時間等について労働基準法の規制を受けない同法第四一条第二号の監督若しくは管理の地位にある職員とすべきものとされている（行実昭三六・八・一五　自治丁公発第七〇号）。より具体的には、部下を管理し監督する地位にある部長、課長、出先機関の課長などの職が一般的に該当するといえよう。たとえば、係長などは権限の内容からみて通常は該当しないが、かりに一般の地方公共団体の課長に相当するだけの実質的権限を有している場合には例外的に該当することもありうる。参事や主査などのスタッフ職は、一般にラインの長のように部下の管理監督を行わないので、該当しないというべきであるが、職位の均衡上管理職手当を支給している例が少なくない。また、労働基準法第四一条第二号は、監督または管理の地位にあるもののほか、「機密の事務を取り扱う者」も同法の勤務時間などの規制を受けないものとして規定しており、これは地方公共団体の場合、人事や秘書の業務を行う係員をさすのであるが、これらの職員は部下を管理する職務ではないので管理職手当の支給の対象とはならない。

次に、管理職手当の支給対象と地方公務員法第五二条第三項但し書の「管理職員等」の範囲との関係が問題となるが、両者は必ずしも一致するものではない。すなわち、管理職手当は職務の特殊性に基づいて支給されるものであるのに対し、管理職員等の範囲は労使関係において使用者としての地方公共団体の利益を代表することによって定まるもので、それぞれの観点が異なるからである。一般的には、管理職員等の一部の者に管理職手当が支給されることになろう。たとえば、課長補佐に普通人事上の機密に関与するので管理職員等であるが、管理職手当は支給されず、その時間外勤務に対しては時間外勤務手当が支給されているのが実情であろう。

また、管理職手当の支給を受ける職員に対しては、原則として時間外勤務手当、夜間勤務手当および休日勤務手当は支給されない（なお、国家公務員の場合は、本省庁の課長補佐に対し、その勤務の実態にかんがみ、管理職手当と時間外勤務手当が併給されるが、職員の場合は、一般に同様の管理職手当の支給を受けるものはいないと考えられる。）。管理職手当は、管理、監督の地位にある職員が正規の勤務時間外においても職務のために知力と体力を用いるのが常態であることを前提として支給されるものだからである。労働基準法第四一条第二号で管理、監督の地位にある者に同法の労働時間などに関する規制を適用しないこととしているのも同じ趣旨からであると考えられる。すでに管理職手当の支給を受けている職員がその支給の対象となっていない職を兼ねる場合（例、府県の市町村課長が選挙管理委員会の書記長を兼ねる場合）に、その支給対象でない職の職務に関して時間外勤務を行った場合であっても、時間外勤務手当を支給することはできないとされているが（行実昭三六・八・二二　自治丁公発第七二号）、勤務の内容がいちじるしく異なるときは、併給を認める余地があるであろう。

なお、管理職手当の額は、給料月額に職務の内容に応じて一定の率を乗じた額とするのが原則であり、定額制とすることもさしつかえないとされていたが（行実昭三六・八・一五　自治丁公発第七〇号）、国においては平成一九年度（二〇〇七年度）から、当該職員の属する職務の級における最高の号俸の俸給月額の一〇〇分の二五を超えない範囲で人事院が定める定額とされている（給与法一〇の二２）。

㈦　期末手当および勤勉手当

期末手当は、わが国の生活慣習上、盛夏と年末に生活費が一時的に増嵩することを考慮して支給される生活給である。他方、勤勉手当は、精勤に対する報償として年に一回またはそれ以上支給される能率給としての性格を有する。この期末手当と勤勉手当の両者をあわせてボーナスと俗称している。民間企業においてもボーナスが一般化しているが、その内容は、生活給的要素と精勤報償としての要素の両者を含んでいるように思われる。勤勉手当に相当する部分を期末手当として支給する例も時には見受けられるが、このようなやり方は給与制度の能力主義的運用を阻害するものであり、また、権衡の原則（法二四４）に反するものである。勤勉手当が成績主義に基づいて運用されるべきことは当然のことであるが、国家公務員については、人事院規則九―四〇（期末手当及び勤勉手当）が次のように定めている。

（勤勉手当の成績率）

第十三条　定年前再任用短時間勤務職員以外の職員の成績率は、次の各号に掲げる職員の区分に応じ、当該各号に定める割合の範囲内において、各庁の長が定めるものとする。ただし、各庁の長は、その所属の給与法第十九条の七第一項の職員が著しく少数であること等の事情により、第一号イ及びロ、第二号イ及びロ又は第三号イに定める成績率によることが著しく困難であると認める場合には、あらかじめ人事院と協議して、別段の取扱いをすることができる。

一　次号及び第三号に掲げる職員以外の職員　当該職員が次に掲げる職員の区分のいずれに該当するかに応じ、次に定める割合

イ　直近の業績評価（基準日以前における直近の業績評価をいう。以下同じ。）の全体評語が「非常に優秀」の段階以上である職員のうち、勤務成績が特に優秀な職員　百分の百十九以上百分の二百以下（給与法第十九条の四第二項に規定する特定管理職員（以下この条及び次条において「特定管理職員」という。）にあつては、百分の百四十三以上二百四十以下）

ロ　直近の業績評価の全体評語が「優良」の段階以上である職員のうち、勤務成績が優秀な職員　百分の百七・五以上百分の百十九未満（特定管理職員にあつては、百分の百二十八・五以上百分の百四十三未満）

ハ　直近の業績評価の全体評語が「優良」の段階以上である職員のうち勤務成績が良好な職員並びに直近の業績評価の全体評語が「良好」の段階である職員及び基準日以前における直近の人事評価の結果がない職員（二の人事院の定める職員を除く。）　百分の九十六（特定管理職員にあつては、百分の百十六）

二　直近の業績評価の全体評語が「やや不十分」の段階以下である職員及び基準日以前六箇月以内の期間において懲戒処分を受けた職員その他の人事院の定める職員　百分の八十七・五以下（特定管理職員にあつては、百分の百六・五以下）

二、三　略

2　略

3　第一項の場合において、職員の成績率は、直近の業績評価の全体評語について、当該職員より上位である職員（当該職員の人事評価に係る人事評価政令第七条第二項に規定する調整者が成績率を定めようとする職員と同一である等の事情を考慮して、人事院の定める者に限る。）の成績率を超えてはならない。

4　第一項の場合において、直近の業績評価の全体評語が「優良」の段階以上又は上位の段階である職員のうち当該全体評語が同じ段階である職員について同項第一号イからハまで及び第二号イからハまで（当該全体評語が「優良」の段階である職員にあつては、同項第一号イ及び第二号イを除く。）、並びに同項第三号イ又はロのいずれに該当するかを定めるとき並びに当該職員の成績率を定めるとき並びに直近の業績評価の全体評語が「やや不十分」の段階以下又は下位の段階である職員のうち当該全体評語が同じ段階である職員の成績率を定めるときは、これらの職員の直近の業績評価の全体評語が付された理由、人事評価政令第六条第一項に規定する個別評語及び当該個別評語が付された理由その他参考となる事項を考慮するものとする。

5　第一項第一号イ及びロ、第二号イ及びロ又は第三号イに掲げる職員として成績率を定める者の数について基準となる割合は、人事院が定める。

期末手当および勤勉手当は通常、六月一日および一二月一日に在職する職員に対し、それぞれ六月三〇日および一二月一〇日に支給される。期末手当および勤勉手当の額は、一般職員の場合は条例で、企業職員および単純労務職員並びに独法職員の場合は規則その他の規程または団体協約でそれぞれ定められる。

ところで、期末手当や勤勉手当の支給を受けて退職した後になってから、在職時に懲戒免職に相当する不祥事を起こしていたことが発覚することが続き、その場合にこれらの手当の返還を求めることができないのは不合理であるとの強い批判が起こったことから、基準日から当該基準日に対応する支給日の前日までの間に懲戒免職の処分を受け、または失職した職員および基準日前一カ月以内または基準日から当該基準日に対応する支給日の前日までの間に離職した職員で、その離職した日から当該支給日の前日までの間に拘禁刑以上の刑に処せられたもの並びに期末手当または勤勉手当の支給を一時差し止める処分を受けた者（当該処分を取り消された者を除く。）で、その者の在職期間中の行為に係る刑事事件に関し拘禁刑以上の刑に処せられたものに対しては、それぞれの基準日に係る期末手当または勤勉手当を支給しないものとされている（給与法一九の五、一九の六、一九の七⑤）。さらに、支給日に期末手当または勤勉手当を支給することとされていた職員で当該支給日の前日までに離職したもので、離職した日から当該支給日の前日までの間に、その者の在職期間中の行為に係る刑事事件に関して、起訴（当該起訴に係る犯罪について拘禁刑以上の刑が定められているものに限り、略式手続によるものを除く。）をされ、その判決が確定していない場合または離職した日から当該支給日の前日までの間に、在職期間中の行為に係る刑事事件に関して、逮捕された場合またはその者から聴取した事項若しくは調査により判明した事実に基づきその者に犯罪があると思料するに至った場合であって、その者に対し期末手当または勤勉手当を支給することが、公務に対する国民の信頼を確保し、期末手当または勤勉手当に関する制度の適正かつ円滑な実施を維持する上で重大な支障を生ずると認めるときは、当該支給日にかかる期末手当または勤勉手当の支給を一時差し止めることができることとされている（給与法一九の五、一九の六、一九の七⑤）。この一時差し止めは、あくまでも刑が確定するまでのものであるから、当該職員からの申立てまたは職権による調査などの結果、その必要がなくなった場合には、速やかに当該期末手当および勤勉手当を支給すべきことは当然のことである。

なお、この期末手当および勤勉手当の一時差し止めは、国家公務員については、当該職員に対する不利益処分とみなして、人事院に対してのみ審査請求をすることができるとされ、その処分を行う際に一時差止処分の事由を記載した説明書を交付しなければならないとされている（給与法一九の六⑤⑥、一九の七⑤）。しかし、職員の場合にあっては、これらの手当の支給手続きとして条例で定めることになるのであるから、たとえ結果的に、国家公務員の場合におけると同様な効果をもたらすものであっても、それを不利益処分（行政処分）とみなすことはできず、この一時差し止めについては不利益処分に関する審査請求の規定（法四九、四九の二）の適用はなく、これに不満のある職員は、当該地方公共団体の長に対して給与その他の給付に関する処分についての審査請求（自治法二〇六、行政法四①）をすることができるものと解する。ちなみに、法律上「みなす」というのは、本来は異なるものを同一のものとして取り扱うという意味であり、法律の根拠なしに条例で法律の適用関係を定めることはできない（地公企法二3参照）。

ところで、期末・勤勉手当の運用上もっとも問題となるのは、いわゆる「プラス・アルファー」の支給である。プラス・アルファーとは、国家公務員の支給率を上回る期末・勤勉手当の支給をさす。期末・勤勉手当の支給率を国家公務員のそれより高くすることは、給与に関する均衡の原則（法二四4）との関係で問題を生じるが、社会的には民間企業の従業員との均衡などがしばしば問題となる。公務員の給与ベースが相当に高いものとなった今日、とくに中小企業が多い地域やボーナスの支給を受けない農林漁業者を中心とする地域などでは、国家公務員を上回る期末・勤勉手当の支給に対し、強い批判が生じることに留意しなければならない。

このような批判を逃れるために、旅費や時間外勤務手当の名目で実質的なプラス・アルファーを支給したり、互助会を通じる形で支給するようなことが行われる。これらは実質的なプラス・アルファーである限り、脱法行為であり（使途を定めず職員に支給した「職員厚生費」が違法な公金の支出とされた例として、大阪高裁平元・一・二七判決（判例時報一三一九号九二頁）がある。）、議会や監査委員および給与の支払の管理をする人事委員会は、そのようなことが行われることのないよう監視、監督を強化すべきである。なお、旅費名目で実質的な給与の支給を行うことは脱税の問題も生じるし、架空の時間外勤務や旅行に基づく支出は文書偽造の問題にもなりうるであろう。さらに、プラス・アルファーを支給する地方公共団体はそれだけ余裕財源があるものとみなされても致し方ないといえよう。

(六)　寒冷地手当

寒冷地手当は、北海道その他の一定の寒冷地域に常時勤務する職員に対し生活給として支給される。これは、寒冷地においては燃料費等が増嵩することを考慮したものである。

寒冷地手当の額は、国家公務員の寒冷地手当に関する法律に基づいて国家公務員に支給される寒冷地手当の例により、一般の職員については条例で、企業職員および単純労務職員並びに独法職員については規則その他の規程または団体協約で定められるが、具体的には、毎年一一月から翌年三月までの各月の初日（「基準日」と称される。）において同法の別表に掲げる地域に在勤する職員および内閣総理大臣が定める官署に在勤する職員であって同表に掲げる地域または内閣総理大臣が定める区域に居住するもの（常勤の職員に限り、「支給対象職員」と称される。）に対して、地域の区分、世帯主であるか否かおよび扶養親族の有無に応じて定めた額を、予算の範囲内で支給することになる（寒冷地手当法一、二1 2）。基準日の後で当該基準日の属する月のうちに新たに支給対象職員となった場合または支給対象職員でなくなった場合には、日割り計算がなされる（寒冷地手当支給規則五1）。また、休職中の職員に対しては寒冷地手当も減額され、給料などが支給されないこととされている職員に対しては寒冷地手当も支給されないこととされている（寒冷地手当法二3）。

㈨　特定任期付職員業績手当

特定任期付職員業績手当は、地方公共団体の一般職の任期付職員の採用に関する法律第三条第一項の規定に基づいて採用された職員のうち、特に顕著な業績を挙げたと認められる職員に対して支給される手当であり、その額は給料月額相当額である（任期付職員特例法七4参照）。とくに顕著な業績を挙げたかどうかは、採用時の給料の決定の際に期待された業績に照らして判断されるのであるが、その判断の対象となる期間は、採用された日から一二月一日（基準日という。）までの間（この手当の支給を受けたことがある者にあっては、支給を受けた直近の当該手当に係る基準日の翌日から直近の基準日までの間）とされ、支給日は基準日の属する月の期末手当のそれと同じである（人事院規則二三—〇（任期付職員の採用及び給与の特例）七、八参照）。

㈩　任期付研究員業績手当

任期付研究員業績手当は、地方公共団体の一般職の任期付研究員の採用等に関する法律第三条第一項の規定に基づいて採用された研究員のうち、特に顕著な研究業績を挙げたと認められる職員に対して支給される手当であり、その額は給料月額相当額である（任期付研究員特例法六３参照）。特に顕著な業績を挙げたかどうかは、採用時の給料の決定の際に期待された研究成果、研究活動などに照らして判断されるのであるが、その判断の対象となる期間は、採用された日から一二月一日（基準日という。）までの間（この手当の支給を受けたことがある者にあっては、支給を受けた直近の当該手当に係る基準日の翌日から直近の基準日までの間）とされ、支給日は基準日の属する月の期末手当のそれと同じである（人事院規則二〇—〇（任期付研究員の採用、給与及び勤務時間の特例）七、八参照）。

㈡　義務教育等教員特別手当

義務教育等教員特別手当は、次に掲げる者に支給されるものであり、その内容は条例で定めることとなっている（教特法一三２）。

①　公立の小学校、中学校、義務教育学校、中等教育学校の前期課程または特別支援学校の小学部若しくは中学部に勤務する校長および教員

②　①の校長および教員との権衡上必要があると認められる公立の高等学校、中等教育学校の後期課程、特別支援学校の高等部若しくは幼稚部、幼稚園または幼保連携型認定こども園に勤務する校長および教員

なお、義務教育職員については、教職調整額が支給される（本条の【解釈】三㈡イ参照）ほか、義務教育諸学校の教育職員の給与については、一般の公務員の給与水準に比較して必要な優遇措置が講じられなければならないとされており（人材確保法三）、この手当は、これらの措置と相まって、教育の場に人材を確保するために設けられたものである。

㈢　定時制通信教育手当

定時制通信教育手当は、公立の高等学校の校長、副校長、教頭、主幹教諭、指導教諭、教員（教諭、養護教諭、助教諭、養護助教諭および講師（常時勤務の者および定年前再任用短時間勤務の職を占める者および会計年度フルタイム職員に限る。））および実習助手のうち次に掲げる者に支給されるもので、その内容は、条例で定めることとされている（定時制・通信教育振興法五、同法施行令）。

①　公立の高等学校で、定時制の課程または通信制の課程を置くものの校長（本務として当該高等学校の校長（中等教育学校の後期課程にあっては、当該課程の属する中等教育学校の校長とする。）の職にある者に限る。）、副校長（本務として定時制の課程または通信制の課程に関する校務をつかさどる者に限る。）、教頭（定時制の課程または通信制の課程に関する校務を整理する者に限る。）、主幹教諭（本務として定時制の課程若しくは通信制の課程に関する校務の一部を整理する者または本務として定時制教育若しくは通信教育に従事する者に限る。）、指導教諭（本務として定時制教育または通信教育に従事する者に限る。）および教員（本務として定時制教育または通信教育に従事する者に限る。）

②　高等学校若しくは中等教育学校を卒業した者若しくは高等専門学校の第三学年の課程を修了した者またはこれらと同等以上の学力があると認められる者で、その者の従事する実験または実習（「担当実習」という。）に関し技術優秀と認められるもの

③　三年以上担当実習に関連のある実地の経験を有する者で、当該担当実習に関し技術優秀と認められるもの

㈢　産業教育手当

産業教育手当は、農業、水産、工業、電波または商船に関する課程を置く公立の高等学校の副校長、教頭、主幹教諭、指導教諭、教諭、助教諭または講師（常時勤務の者、定年前再任用短時間勤務職員および会計年度フルタイム職員に限る。）および実習助手のうち次に掲げる者に支給されるもので、その内容は、条例で定めることとされている（産業教育手当法二、三、産業教育手当の支給を受ける実習助手の範囲を定める政令）。

①　高等学校の農業若しくは農業実習、水産若しくは水産実習、工業若しくは工業実習または商船若しくは商船実習の教諭または助教諭の免許状を有する者であって、当該農業、水産、工業、電波または商船に関する課程において実習を伴う農業、水産、工業、電波または商船に関する科目を主として担任するもの

②　当該高等学校の農業、水産、工業、電波または商船に関する課程において実習を伴う農業、水産、工業、電波または商船に関する科目について教諭の職務を助ける実習助手であって、高等学校若しくは中等教育学校を卒業した者若しくは高等専門学校の第三学年の課程を修了した者またはこれらと同等以上の学力があると認められる者で、その者の従事する実

験または実習（「担当実習」という。）に関し技術優秀と認められるものおよび三年以上担当実習に関連のある実地の経験を有する者で、当該担当実習に関し技術優秀と認められるもの

(四)　農林漁業普及指導手当

農林漁業普及指導手当のうち、特例の法律に支給根拠が定められているのは農業についての普及指導員に対する農業普及指導手当だけである。林業普及指導員については、森林法に職の設置の根拠規定（同法一八七1）があるが、手当についての規定はない。農業および林業以外には、普及指導員の設置について定める法律はないが、事実上、水産業に関して水産普及指導員が置かれ、養蚕業に関して蚕業普及指導員が置かれるなどしており、これらの場合も農業普及指導員に準じてこの手当が支給されることになる（農林省通知昭三八・五・一一（三八農政B第一八五〇号）参照）。

農業普及指導手当は、農業改良助長法第八条第一項に基づいて置かれる普及指導員（常勤の職員および定年前再任用短時間勤務職員に限る。）に対して、支給されるものであり、その内容は条例で定められるのであるが、この手当の支給を受けるためには、月の初日から末日までの間において、その月の勤務を要する日または時間の合計の二分の一以上を、同法第八条第二項に定める普及事務（公務災害による休暇を含む。）に従事していることが必要である（農改法一一、同法施行令四、同法施行規則一三）。

農林漁業普及指導手当は、職務の特殊性を理由に設けられたものであるが、きわめて政策的な判断に基づいたもので、その内容は業務手当的な色彩が強く、他の職員との均衡上問題があるといえよう。もし、職務の特殊性によるものとするなら、むしろ特殊勤務手当として、特殊な勤務の時間数に応じて支給すべきものであろう。

(五)　災害派遣手当および武力攻撃災害等派遣手当

災害派遣手当は、暴風、豪雨雪、洪水等の災害が発生したときに、その災害応急対策または災害復旧のために、都道府県知事、市町村長などの要請またはあっせん（災対法二九、三〇）に応じて、国の行政機関などまたは他の地方公共団体から派遣された職員に対し、その職員が住所または居所を離れて派遣を受けた地域に滞在することを要する場合に支給される手当であり派遣を受けた地方公共団体の条例で定められ（災対法三二1、同法施行令一九）、他の手当（退職手当を除く。）および給料と

ともに、派遣を受けた地方公共団体が負担しなければならない（自治法二五二の一七２、災対法施行令一八８）。

武力攻撃災害等派遣手当は、武力攻撃（わが国に対する外部からの武力攻撃をいう。）、武力攻撃事態（武力攻撃が発生した事態または武力攻撃が発生する明白な危険が切迫していると認められるに至った事態をいう。）または武力攻撃予測事態（武力攻撃事態には至っていないが、事態が緊迫し、武力攻撃が予測されるに至った事態をいう。）に際して、警報の発令、避難の指示、被災者の救助、消防等に関する措置、施設および設備の応急の復旧に関する措置、保健衛生の確保および社会秩序の維持に関する措置、輸送および通信に関する措置、国民の生活の安定に関する措置、被害の復旧に関する措置その他の武力攻撃から国民の生命、身体および財産を保護するため、または武力攻撃が国民生活および国民経済に影響を及ぼす場合において当該影響が最小となるようにするための措置の実施のため必要があるときに、都道府県知事、市町村長などの要請またはあっせんに応じて、国の行政機関などまたは他の地方公共団体から派遣された職員に対して、その職員が住所または居所を離れて派遣を受けた地域に滞在することを要する場合に支給される手当である（武力攻撃事態等における安全確保法二二①、武力攻撃事態等措置法一五一～一五四、災対法三二）。

武力攻撃災害等派遣手当については、災害派遣手当に関する法令の規定が準用されることとなっている（武力攻撃事態等措置法一五四、同法施行令三八、災対法三二、同法施行令一九）ので、その内容は災害派遣手当について述べたことがそのまま当てはまることになる。

㈥　退職手当

1　退職手当の性格等　退職手当がどのような性格の給与であるかについては、議論のあるところである。使用者側は、退職手当は勤続報償、功労金であると主張するものが多く、他方、労働者側は給与の後払いあるいは退職後の生活保障であるとする。沿革的には、江戸時代の商家ののれん分けに由来するという説もあるが、その近代的な発祥は、明治後期の産業の重工業化に伴って、熟練労働者の長期勤続を確保するため、終身雇用制、年功序列制とともに勤続期間によって逓増する退職手当を導入したことにあると見ることが妥当であろう。職員の場合、現状では、功績報償的な性格を中心としつつ、給与の後払的な性格や生活保障的な性格も有するものと理解される（最高裁令五・六・二七判決　裁判所ウェブサイト）が、後述する退職手当の種類のうち、普通退職者および長期勤続者に対する退職手当は功績報償的色彩が強く、遺族に対する退職手当、予告を受けず退職させられる者および失業者としての退職手当ならびに整理退職者の退職手当の割増部分は、生活保障的性格が強いものと思われる。

いずれにしても、退職手当を条例（企業職員および単純労務職員ならびに独法職員の場合は、規則その他の規程または団体協約）で規定し、退職の事実が発生したときは、退職手当は職員の権利として具体化し、法律上の保障を受けるものである。

次に、退職手当の支給対象等については、一般の職員の場合には条例で、企業職員および単純労務職員ならびに独法職員の場合は規則その他の規程または団体協約で定められるが、その内容は均衡の原則に基づき国家公務員の例に準ずるのが原則である。国家公務員の例によった退職手当の概要は次のとおりである。

2　退職手当の支給対象と種類　退職手当は、職員が退職（死亡による退職を含む。）した場合に、当該職員またはその遺族に対して支給される（退手法二1）。退職手当の遺族とは、次に掲げる者をいう（退手法二の二1）。ただし、職員を故意に死亡させた者および職員の生存中に職員の死亡によって先順位または同順位の遺族となるべき者を故意に死亡させた者は、支給対象である遺族から除外される（退手法二の二4）。

(ア)　配偶者（届出をしていないが、職員の死亡当時事実上婚姻関係と同様の事情にあった者（いわゆる内縁の配偶者）を含む。）
(イ)　子、父母、孫、祖父母および兄弟姉妹で、職員の死亡当時主としてその収入によって生計を維持していたもの
(ウ)　(イ)に掲げる者のほか、職員の死亡当時、主としてその収入によって生計を維持していた親族
(エ)　子、父母、孫、祖父母および兄弟姉妹で、(イ)に該当しないもの

以上の者が退職手当を受ける順位は、ここに掲げた順序により、(イ)および(エ)に掲げる者の順位はそこに掲げてある順序による。また、父母については養父母、実父母の順、祖父母については養父母の父母、実父母の父母、さらに養父母および実父母の父母については、いずれもその養父母、実父母の順である。同順位の者が二人以上ある場合は、その人数によっ

て等分する（退手法二の二23）。

3　退職手当の種類　退職手当は、次のとおり区分される。

(ア)　一般の退職手当

(1)　自己の都合による退職などの場合の退職手当（退手法三、六の四）

(2)　一一年以上二五年未満勤続後の定年退職などの場合の退職手当（退手法四、六の四）

(3)　二五年以上勤続後の定年退職などの場合の退職手当（退手法五、六の四、六の五）

(4)　給料月額の減額改定以外の理由により給料月額が減額されたことがある場合の退職手当（退手法五の二、六の四）

(5)　定年前早期退職者に対する退職手当（退手法五の三、六の四）

(イ)　特別の退職手当

(1)　予告を受けない退職者の退職手当（退手法九）

(2)　失業者の退職手当（退手法一〇）

4　一般の退職手当の額の計算　一般の退職手当の額は、退職の日におけるその者の給料月額（退職者の給料が日額で定められている場合には、退職の日の日額の二一日分に相当する額とされる。この給料月額を「退職日給料月額」という。）に、その者の勤続期間に応じて定められた割合（支給率）を乗じて算出される退職手当の基本額に退職手当の算出基礎となる勤続期間（「基礎在職期間」という。）中における職員の区分に応じて算出される退職手当の調整額を加えて得た額とするのが本則である（退手法二の四）。ただし、退職手当の基本額は、原則として退職日給料月額に六〇を乗じて得た額が最高限度とされ（同法六～六の三）、懲戒免職の処分を受けた場合などには全部または一部の退職手当が支給されず、支給が停止され、または支給を受けた退職手当を返納しなければならない場合がある（同法一二～一七）。

ところで、前述の本則による退職手当の基本額については、平成一六年（二〇〇四年）一〇月以降、本則により計算された額に一〇〇分の一〇四の調整率を乗じて得たものとするものとされていたが（同二四年一一月の改正前の退手法附則21 22等）、平成二四年（二〇一二年）三月に人事院から総務・財務両大臣に提出された「民間の企業年金及び退職金の実態調査の結果並びに当該調査の結果に係る本院の見解について」において、退職給付総額は、国家公務員の二九五〇万三〇〇〇円（年金部分二四三万三〇〇〇円、退職手当二七〇七万一〇〇〇円）に対して民間が二五四七万七〇〇〇円（年金部分一五〇六万三〇〇〇円、退職一時金一〇四一万五〇〇〇円）であり、国家公務員が民間を四〇二万六〇〇〇円（一三・六五％）上回っているとされ、この格差を是正すべきこと、その是正に当たっては経過措置を講ずべきこと及び早期退職に対するインセンティブを付与する措置を講ずべきことが示された。これを受けて、「国家公務員の退職給付の給付水準の見直し等のための国家公務員退職手当法等の一部を改正する法律」が平成二四年一一月一二日に国会に提出され、同月一六日に成立し、同月二六日に公布され、退職手当の支給水準引き下げに係る改正部分は同二五年（二〇一三年）一月一日から施行された。その内容は、退職手当の基本額に乗ずべき調整率を平成二七年（二〇一五年）七月一日から「当分の間」一〇〇分の八七とするものであったが、さらに、平成二九年（二〇一七年）法律七九号によって、平成三〇年（二〇一八年）一月一日から一〇〇分の八三・七に引き下げられている（退手法附則6）。なお、早期退職に対するインセンティブとしての退職手当の割増しについては後記(2)オで、定年前早期退職制度については第二八条の二の【趣旨】二で述べる。

(1)　勤続期間

退職手当の算出基礎となる勤続期間というのは、職員としての引き続いた在職期間のことであり、職員となった日の属する月から退職した日の属する月までの月数を意味するが、退職した日またはその翌日に再び職員となったとき（その退職が懲戒免職、失職などである場合を除く。）は、その退職の前後の期間は通算されることとなっている（退手法七1～3）。しかし、この在職期間のうちに休職（公務災害または通勤災害による場合などを除く。）または停職の処分を受けるなどの事由により現実に職務をとることを要しない月（現実に職務をとることを要する日があった月を除く。この月を「休職月等」という。）があったときは、その月数の二分の一（在籍専従休職またはこれに準ずる事由により現実に職務をとることを要しなかった期間については、その月数。育児休業をした期間については、その月数の二分の一（当該育児休業に係る子が一歳に達した日の属する月までの期間は三分の一））に相当する月数がこの在職期間から控除される（同法七４、国公育児休業法一〇２、地公育児休業法八）。逆に、国家公務員または他の地方公共団体の職員であった者が引き続き職員となった場合（退手法七５および自治法二五二の一八の二参照）や、公社、公庫など（特定独立行政法人および特定地方独立行政法人を除く。これらの職員は、それぞれ国家公務員および地方公務員である。）でその職務が当該地方公共団体の事務または事業と密接な関係を有し、かつ、相互に退職手当の算出基礎となる在職期間を通算することとなっているものに使用される者（役員および常時勤務に服することを要しない者を除く。）となるために退職し、かつ、引き続きこれらの法人の職員（「公庫等職員」）として在職した後引き続いて職員となった場合など（退手法八２参照）には、国家公務員若しくは他の地方公共団体の職員またはこれらの法人の職員としての在職期間も職員としての引き続いた在職期間に含めて計算される。また、これらの法人の常勤の役員についても同様な取扱いがされることになっている（同法八２参照）。そして、在職期間が一年を超える場合であって、それに一年未満の端数がある場合には、その端数は切り捨てられるのが原則である（同法七６７）。なお、このような在職期間の通算がなされる場合には、最後に退職したところで退職手当が支給されるので、中途における退職の際には退職手当が支給されない（同法二〇２～４）のは当然のことである。

(2)　一般の退職手当における退職手当の基本額

退職手当の基本額は、勤続期間に応じて退職日給料月額に一定の割合を乗じて算出されることとなっており、具体的には次のように定められている。

ア　自己の都合による退職などの場合の退職手当の基本額　次のイまたはウで述べる場合を除く一般の退職手当の基本額は、次の退職者の勤続期間の区分に応じた割合を退職日給料月額（給料が日額で定められている場合は、退職の日における日額の二一日分相当額）に乗じて算出される（退手法三１）。

①　一年以上一〇年以下の期間　一年につき一〇〇分の一〇〇
②　一一年以上一五年以下の期間　一年につき一〇〇分の一一〇
③　一六年以上二〇年以下の期間　一年につき一〇〇分の一六〇

④　二一年以上二五年以下の期間　一年につき一〇〇分の二〇〇
⑤　二六年以上三〇年以下の期間　一年につき一〇〇分の一六〇
⑥　三一年以上の期間　一年につき一〇〇分の一二〇

ただし、負傷若しくは病気（以下「傷病」という。）または死亡によらず、かつ定年前早期退職制度による認定を受けないで、その者の自己都合で退職した者（懲戒免職された者、失職した者および地方公務員法第二八条第一項第一号から第三号までの規定により免職された者を含む。）で勤続期間が一九年以下のものに対する退職手当の基本額は、前記により計算した額に次の勤続期間の区分に応じた割合を乗じて得た額とされる（退手法三2）。

①　一年以上一〇年以下の者　一〇〇分の六〇
②　一一年以上一五年以下の者　一〇〇分の八〇
③　一六年以上一九年以下の者　一〇〇分の九〇

イ　一一年以上二五年未満勤続後の定年退職などの場合の退職手当の基本額　一一年以上二五年未満の期間勤続し、定年（延長された定年を含む。）により退職した者、法律もしくは条例の規定に基づく任期を終えて退職した者、定年の定めのない職を職員の配置等の事務の都合により退職した者または定年前早期退職制度による認定を受け、当該制度により退職すべきとされた日に退職した者に対する退職手当の基本額は、次の勤続期間の区分に応じた割合を退職日給料月額に乗じて算出される（退手法四1３、八の二、同法施行令三）。また、これらの者以外で、一一年以上二五年未満の期間勤務した者で通勤途上災害による傷病により退職し、死亡（公務上の死亡を除く。）により退職し、または定年に達した日以後その者の非違によることなく退職した者に対する退職手当の基本額も同様である（同法四2）。

①　一年以上一〇年以下の期間　一年につき一〇〇分の一二五
②　一一年以上一五年以下の期間　一年につき一〇〇分の一三七・五
③　一六年以上二四年以下の期間　一年につき一〇〇分の二〇〇

なお、当分の間、六〇歳（令和三年地公法改正法の施行日の前日における定年がこれを超える者については、その定年年齢）に達した日以後その者の非違によることなく退職した者（定年の定めのない職を退職した者および六〇年を超え六四年を超えない範囲内で定年が定められている者を除く。）に対する退職手当の基本額についてもこれと同様である（退手法附則12 14）。

ウ　二五年以上勤続後の定年退職などの場合の退職手当の基本額　定員の減少若しくは組織の改廃のため過員もしくは廃職を生ずることまたは勤務していた事務所の移転により退職した者、公務上の傷病若しくは死亡により退職した者、二五年以上勤続し、定年（延長された定年を含む。）により退職した者、二五年以上勤続し、その者の非違によることなく勧奨を受けて退職した者、法律もしくは条例の規定に基づく任期を終えて退職した者または定年前早期退職制度による認定を受け、当該制度により退職すべきとされた日に退職した者に対する退職手当の基本額は、次の勤続期間の区分に応じた割合を退職日給料月額に乗じて算出される（退手法五１３、同法施行令四）。また、二五年以上勤続した者で通勤途上災害による傷病により退職し、死亡により退職し、または定年に達した日以後その者の非違によることなく退職した者に対する退職手当の基本額も同様である（同法五２）。なお、勧奨による退職について、勧奨の事実について所定の記録が作成されなければならないことはイの場合と同じである（退手法施行令四の二）。

①　一年以上一〇年以下の期間　一年につき一〇〇分の一五〇
②　一一年以上二五年以下の期間　一年につき一〇〇分の一六五
③　二六年以上三四年以下の期間　一年につき一〇〇分の一八〇
④　三五年以上の期間　一年につき一〇〇分の一〇五

なお、当分の間、六〇歳（令和三年地公法改正法の施行日の前日における定年がこれを超える者については、その定年年齢）に達した日以後その者の非違によることなく退職した者（定年の定めのない職を退職した者および六〇年を超え六四年を超えない範囲内で定年が定められている者を除く。）に対する退職手当の基本額についてもこれと同様である（退手法附則13 14）。

エ　給料月額の減額改定以外の理由により給料月額が減額されたことがある場合の退職手当の基本額　退職した者の基

礎在職期間中に、給料月額の減額改定（給料月額の改定をする法令が制定され、またはこれに準ずる給与の支給の基準が定められた場合において、当該法令または給与の支給の基準による改定により当該改定前に受けていた給料月額が減額されることをいう。）以外の理由によりその者の給料月額が減額されたこと（俸給月額七割措置（本条の〔解釈〕四参照）による俸給月額の改定および管理監督職勤務上限年齢制による降給などはこれに含まれる（給与法附則15）。）がある場合において、当該理由が生じた日（「減額日」という。）における当該理由により減額されなかったものとした場合のその者の給料月額のうち最も多いもの（「特定減額前給料月額」という。）が、退職日給料月額よりも多いときは、その者に対する退職手当の基本額は、前記アからウにかかわらず、次に掲げる額の合計額とされる（退手法五の二）。

①　その者が特定減額前給料月額に係る減額日のうち最も遅い日の前日に現に退職した理由と同一の理由により退職したものとし、かつ、その者の同日までの勤続期間および特定減額前給料月額を基礎として、前記アからウにより計算した場合の退職手当の基本額に相当する額

②　退職日給料月額に、(ア)に掲げる割合から(イ)に掲げる割合を控除した割合を乗じて得た額

(ア)　その者に対する退職手当の基本額が前記アからウにより計算した額であるものとした場合における当該退職手当の基本額の退職日給料月額に対する割合

(イ)　前記(ア)に掲げる額の特定減額前給料月額に対する割合

オ　定年前早期退職者に対する退職手当の基本額　二〇年以上勤続した者（任期満了により退職する者を除く。）で、定員の減少若しくは組織の改廃のため過員若しくは廃職を生ずることにより退職したもの、公務上の傷病若しくは死亡により退職したものまたはその者の非違によることなく勧奨を受けて退職したもの、法律または条例の規定に基づく任期を終えて退職したものまたは定年前早期退職制度（第二八条の六〔趣旨〕二参照）による認定を受け、当該制度により退職すべきとされた日に退職したものの退職の日が、その者に係る定年の一〇年前から定年に達する日の六月前までの間である場合は、退職日給料月額にその者に係る定年とその者の年齢との差一年について一〇〇分の三を超えない範囲の割合を乗じて得た額を加算し

た額が退職日給料月額とされる（退手法五の三による同法五1の読み替えおよび同法施行令五の三4）。また、給料月額の減額改定以外の理由により給料月額が減額されたことがある場合に該当する者がこの定年前の退職の要件を満たしたときも、その退職日給料月額および特定減給前給料月額に同様な割増がなされるものとされている（退手法五の三による同法五の二1の読み替えおよび同法施行令五の三2 5）。

なお、当分の間、ここでいう定年は六〇歳（令和三年地公法改正法の施行日の前日における定年がこれを超える者については、その定年年齢）とされる（退手法附則16）。

カ　退職手当の基本額の最高限度　前記アからウまでによって計算した退職手当の基本額が退職日給料月額に六〇を乗じて得た額を超えるときは、その乗じて得た額がその者の退職手当の基本額とされる（退手法六）。前記エによって退職手当の基本額が計算されるときは、前記エの②(イ)の割合が六〇以上のときは特定減額前給料月額に六〇を乗じて得た額が、それが六〇未満のときは特定減額前給料月額に前記エの②(イ)の割合を乗じて得た額および退職日給料月額に六〇からその割合を控除した割合を乗じて得た額の合計額が、それぞれ、その者の退職手当の基本額とされる（退手法六の二）。なお、前記オによって退職手当の基本額が計算されるときは、割増された退職日給料月額および特定減給前給料月額を基準として、それに六〇を乗じて得た額がその者の退職手当の基本額とされる（退手法六の三による同法六および六の二の読み替え、同法施行令五の四）。これらは、いずれも、退職手当の基本額の上限を画すものであり、退職手当がいたずらに高額となることを防止するためのものである。

(3)　一般の退職手当の調整額

退職した者に対する退職手当の調整額は、その者の退職手当の算定の基礎となる勤続期間中の各月ごとにその各月にその者が属していた次に掲げる職員の区分に応じて定める額（「調整月額」という。）のうちその額が最も多いものから順次その順位を付し、その第一順位から第六〇順位までの調整月額（当該各月の月数が六〇月に満たない場合には、当該各月の調整月額）を合計した額とされ（退手法六の四1 2）、この職員の区分は、職制上の段階、職務の級、階級その他職員の職務の複雑、困難および責任の度に関する事項を考慮して定めるものとされている（退手法六の四３）。

①　第一号区分　九五、四〇〇円
②　第二号区分　七八、七五〇円
③　第三号区分　七〇、四〇〇円
④　第四号区分　六五、〇〇〇円
⑤　第五号区分　五九、五五〇円
⑥　第六号区分　五四、一五〇円
⑦　第七号区分　四三、三五〇円
⑧　第八号区分　三二、五〇〇円
⑨　第九号区分　二七、一〇〇円
⑩　第十号区分　二一、七〇〇円
⑪　第十一号区分　〇円

ただし、この調整額の算出方法には次の例外がある（退手法六の四４）。

ア　退職した者（オに該当する者を除く。）のうち自己都合等退職者以外のものでその勤続期間が一年以上四年以下のものについては、前記により計算した額の二分の一に相当する額

イ　退職した者（オに該当する者を除く。）のうち自己都合等退職者以外のものでその勤続期間が零のものについては零（〇）

ウ　自己都合等退職者でその勤続期間が十年以上二四年以下のものについては前記①～⑪により計算した額の二分の一に相当する額

エ　自己都合等退職者でその勤続期間が九年以下のものについては零（〇）

オ　その者の基礎在職期間がすべて特別職の職員としての在職期間である者については前記により計算した退職手当の基

本額の一〇〇分の八に相当する額

⑷　一般の退職手当の額に係る特例

前記⑵のウに該当する者で次に掲げる者に該当するものに対する退職手当の額が退職の日におけるその者の基本給月額（給料および扶養手当の月額ならびにこれらに対する地域手当の月額の合計額をいう。）にそれぞれに定める割合を乗じて得た額に満たないときは、その乗じて得た額がその者の退職手当の額とされる（退手法六の五）。

①　勤続期間一年未満の者　一〇〇分の二七〇

②　勤続期間一年以上二年未満の者　一〇〇分の三六〇

③　勤続期間二年以上三年未満の者　一〇〇分の四五〇

④　勤続期間三年以上の者　一〇〇分の五四〇

５　特別の退職手当の額の計算　特別の退職手当には、解雇の予告を受けない退職者の退職手当と失業者の退職手当があり、それぞれの内容は次のとおりとなっている。

ア　予告を受けない退職者の退職手当　職員には解雇予告制度（労基法二〇、二一）が適用されるため、予告なしに退職させる場合には、原則として平均賃金の三〇日分以上の予告手当を支給しなければならない。一般の退職手当が支給されるときは、通常はその中に予告手当相当分が含まれるものとされるが、その退職手当の額が予告手当の額に満たないときは、その差額が特別の退職手当として支給される（退手法九）。

イ　失業者の退職手当　職員は、雇用保険法の対象とされていない（同法六⑥）。これは地方公共団体が職員が離職した場合に、同法による失業給付の内容を超える給付を行うことが前提となっているからである。したがって、職員が離職後失業しているときは、地方公共団体は退職手当の形で失業給付に相当する額を支給しなければならない。

まず、一二月以上（特定退職者にあっては、六月以上）勤続した職員が、退職した翌日から起算して、原則として一年以内の間失業している場合に、その者がすでに支給を受けた一般の退職手当および予告手当としての特別の退職手当がある場合には、その合計が雇用保険法に基づいて計算した雇用保険金の額に満たないときは、その差額を雇用保険金の支給の条件に従い退職手当として支給する。この場合、その者がすでに支給を受けた一般の退職手当および予告手当としての特別の退職手当の合計額をその者の雇用保険金の日額に相当する額で除して得た数に等しい日数を超えて失業している場合に限り、その超える部分の失業の日数に応じて支給されることになる。一般の退職手当および予告手当に相当する特別の退職手当の支給を受けないときは、雇用保険金に相当する額の退職手当が直ちに支給される（退手法一〇）。

６　退職手当の支給制限および返納　平成一〇年代の半ば過ぎ、国の幹部職員による不祥事が相次ぎ、職員が不祥事を起こしても、退職後は禁錮以上の刑に処せられない限り退職金を返納させることができず、職員が死亡した場合はその支給制限も返納命令もできないという退職金制度に欠陥があるのではないかとの批判が高まり、平成一九年（二〇〇七年）一一月に総務大臣主催の「国家公務員退職手当の支給の在り方等に関する検討会」が設けられ、翌年六月に、退職金の返納事由の拡大、遺族への支給制限および相続人からの返納制度の創設、一部支給制限制度の創設などを内容とする報告書が提出され、これに沿う形で、国家公務員退職手当法が改正され（平成二〇年法律第九五号）、平成二一年（二〇〇九年）四月一日から施行された。この改正によって、懲戒免職等処分を受けた場合等についてと退職後禁錮以上の刑に処せられた場合などについて、未だ一般の退職手当が支給されていないときに退職手当の支給を制限し、既に支給されているときにはその全部又は一部の返納（相続に対しては納付）を命ずることができることとされた。

退職手当の額および支給方法は条例で定める（自治法二〇四３）のであるが、以下、国家公務員退職手当法の例によって、その内容および問題点について述べる。

(1)　懲戒免職等処分を受けた場合における退職手当の支給制限

退職をした者が次のいずれかに該当するときは、当該退職に係る退職手当管理機関（当該職員に対し懲戒免職などの処分を行う権限を有していた機関）は、当該退職をした者が占めていた職の職務および責任、当該退職をした者が行った非違の内容および程度、当該非違が公務に対する国民の信頼に及ぼす影響、当該退職をした者の勤務の状況、当該非違に至った経緯、当該非違後における当該退職をした者の言動、当該非違が公務の遂行に及ぼす支障の程度を勘案して、当該一般の退職手当等の全部又は一部を支給しないこととする処分を行うことができるとされている（退手法一二、退手法施行令一七）。

① 地方公務員法第二九条の規定による懲戒免職の処分その他の職員としての身分を当該職員の非違を理由として失わせる処分（「懲戒免職等処分」と定義されている。退手法一二①）を受けた場合

② 地方公務員法第二八条第四項の規定（欠格条項該当）により失職した場合

従来、懲戒免職処分を受けた場合または禁錮以上の刑に処せられたことにより失職した者（法一六①②参照）に対しては、一般の退職手当は支給しないこととされていたが、これは、懲戒免職や欠格条項の制度による効果ではなく、給与制度独自の立場からする退職手当算出上の取扱いであり、退職手当を支給しないという処分は存在しないと整理されていた（第二九条の【解釈】一4参照）。ところが、平成二〇年（二〇〇八年）の国家公務員退職手当法の改正で一般の退職手当等（一般の退職手当および予告を受けない退職届の退職手当を意味する。）の全部又は一部を支給しないこととする処分を行うことができるとされたことによって、懲戒免職や欠格条項に該当する事実の存在とは別に、退職手当制度独自の見地に立って、一般の退職手当等の全部又は一部を支給するか否かを決定しなければならないこととなった。

そして、総務省から発出されている「国家公務員退職手当法の運用方針」においては、この制度の運用に関して次のことが示されており、各地方公共団体においても同旨の運用方針を定めているようである。

ア　非違の発生を抑止するという制度目的に留意し、一般の退職手当等の全部を支給しないこととすることを原則とするものとする。

イ　一般の退職手当等の一部を支給しないこととする処分にとどめることを検討する場合は、施行令第十七条に規定する「当該退職をした者が行った非違の内容及び程度」について、次のいずれかに該当する場合に限定する。その場合であっても、公務に対する国民の信頼に及ぼす影響に留意して、慎重な検討を行うものとする。

a　停職以下の処分にとどめる余地がある場合に、特に厳しい措置として懲戒免職等処分とされた場合

ｂ　懲戒免職等処分の理由となった非違が、正当な理由がない欠勤その他の行為により職務規律を乱したことのみである場合であって、特に参酌すべき情状のある場合

ｃ　懲戒免職等処分の理由となった非違が過失（重過失を除く。）による場合であって、特に参酌すべき情状のある場合

ｄ　過失（重過失を除く。）により拘禁刑以上の刑に処せられ、執行猶予を付された場合であって、特に参酌すべき情状のある場合

ウ　一般の退職手当等の一部を支給しないこととする処分にとどめることを検討する場合には、例えば、当該退職をした者が指定職以上の職員であるとき又は当該退職をした者が占めていた職の職務に関連した非違であるときには処分を加重することを検討すること等により施行令第十七条に規定する「当該退職をした者が占めていた職の職務及び責任」を勘案することとする。

エ　一般の退職手当等の一部を支給しないこととする処分にとどめることとすることを検討する場合には、例えば、過去にも類似の非違を行ったことを理由として懲戒処分を受けたことがある場合には処分を加重することを検討すること等により、施行令第十七条に規定する「当該退職をした者の勤務の状況」を勘案することとする。

オ　一般の退職手当等の一部を支給しないこととする処分にとどめることとすることを検討する場合には、例えば、当該非違が行われることとなった背景や動機について特に参酌すべき情状がある場合にはそれらに応じて処分を減軽又は加重することを検討すること等により、施行令第十七条に規定する「当該非違に至った経緯」を勘案することとする。

カ　一般の退職手当等の一部を支給しないこととする処分にとどめることとすることを検討する場合には、例えば、当該非違による被害や悪影響を最小限にするための行動をとった場合には処分を減軽することを検討し、当該非違を隠蔽する行動をとった場合には処分を加重することを検討すること等により、施行令第十七条に規定する「当該非違後における当該退職をした者の言動」を勘案することとする。

キ　一般の退職手当等の一部を支給しないこととする処分にとどめることとすることを検討する場合には、例えば、当該

非違による被害や悪影響が結果として重大であった場合には処分を加重することを検討すること等により、施行令第十七条に規定する「当該非違が公務の遂行に及ぼす支障の程度」を勘案することとする。

退職手当の支給制限については、条例で、懲戒免職等処分を受けた者または欠格条項に該当して退職をした者の、「当該退職に係る退職手当管理機関は、当該退職をした者（当該退職をした者が死亡したときは、当該退職に係る一般の退職手当等の額の支払を受ける権利を承継した者）に対し、当該退職をした者が占めていた職の職務及び責任、当該退職をした者の勤務の状況、当該退職をした者が行つた非違の内容及び程度、当該非違に至つた経緯、当該非違後における当該退職をした者の言動、当該非違が公務の遂行に及ぼす支障の程度並びに当該非違が公務に対する信頼に及ぼす影響を勘案して、当該一般の退職手当等の全部又は一部を支給しないこととする処分を行うことができる。」と定められている場合に、懲戒免職の処分を受けた者に対して退職手当の全部を支給しないとの処分がなされた事案について、判例（最高裁令五・六・二七日判決　裁判所ウェブサイト）は、次のように述べて、懲戒免職処分に違法はないとしながら退職手当の三割に相当する部分は支給すべきであるとした原判決を破棄し、全額不支給とした処分を是認している。

「本件条例の規定により支給される一般の退職手当等は、勤続報償的な性格を中心としつつ、給与の後払的な性格や生活保障的な性格も有するものと解される。そして、本件規定は、個々の事案ごとに、退職者の功績の度合いや非違行為の内容及び程度等に関する諸般の事情を総合的に勘案し、給与の後払的な性格や生活保障的な性格を踏まえても、当該退職者の勤続の功を抹消し又は減殺するに足りる事情があったと評価することができる場合に、退職手当支給制限処分をすることができる旨を規定したものと解される。このような退職手当支給制限処分に係る判断については、平素から職員の職務等の実情に精通している者の裁量に委ねるのでなければ、適切な結果を期待することができない。

そうすると、本件規定は、懲戒免職処分を受けた退職者の一般の退職手当等につき、退職手当支給制限処分をするか否か、これをするとした場合にどの程度支給しないこととするかの判断を、退職手当管理機関の裁量に委ねているものと解すべきである。したがって、裁判所が退職手当支給制限処分の適否を審査するに当たっては、退職手当管理機関と同一の立場に立って、処分をすべきであったかどうか又はどの程度支給しないこととすべきであったかについて判断し、その結果と実際にされた処分とを比較してその軽重を論ずべきではなく、退職手当支給制限処分が退職手当管理機関の裁量権の行使としてされたことを前提とした上で、当該処分に係る判断が社会観念上著しく妥当を欠いて裁量権の範囲を逸脱し、又はこれを濫用したと認められる場合に違法であると判断すべきである。

そして、本件規定は、退職手当支給制限処分に係る判断に当たり勘案すべき事情を列挙するのみであり、そのうち公務に対する信頼に及ぼす影響の程度等、公務員に固有の事情を他の事情に比して重視すべきでないとする趣旨を含むものとは解されない。また、本件規定の内容に加え、本件規定と趣旨を同じくするものと解される国家公務員退職手当法（令和元年法律第三七号による改正前のもの）一二条一項一号等の規定の内容及びその立法経緯を踏まえても、本件規定からは、一般の退職手当等の全部を支給しないこととする場合を含め、退職手当支給制限処分をする場合を例外的なものに限定する趣旨を読み取ることはできない。」

なお、いわゆる諭旨免職（退職）として、本人からの辞職願に基づく退職でありながら、退職手当の支給を制限するという例があるが（第二九条の〔解釈〕一４参照）、上記の一般の退職手当の支給制限の制度は、懲戒免職された職員を対象とするものであり、その適用される場面は異なる。

(2)　退職後禁錮以上の刑に処せられた場合などにおける退職手当の支給制限

退職後禁錮以上の刑に処せられた場合などにおいてまだ当該退職に係る一般の退職手当等の額が支払われていない場合については、退職をした者についてと死亡により退職した者の遺族についてとに分けて規定されている。まず、退職をした者（次の①または②に該当する場合において、当該退職をした者が死亡したときは、当該一般の退職手当等の額の支払を受ける権利を承継した者）については、次のいずれかに該当するときは、当該退職に係る退職手当管理機関は、当該退職をした者に対し、懲戒免職等処分（退手法一一①）を受けた場合等の支給制限に際してと同じ事情並びに懲戒免職等処分を受けての退職および欠格条項該当による失職（これに準ずる退職を含む。）をした場合の一般の退職手当等の額との権衡を勘案して、当該一般の退職手当等の全部又は一部を支給しないこととする処分を行うことができるとされる（退手法一四1）。

① 当該退職をした者が刑事事件（当該退職後に起訴をされた場合にあっては、基礎在職期間中の行為に係る刑事事件に限る。）に関し当該退職後に禁錮以上の刑に処せられたとき。

② 当該退職をした者が当該一般の退職手当等の額の算定の基礎となる職員としての引き続いた在職期間中の行為に関し地方公務員法第二九条第二項の規定による懲戒免職等処分（「再任用職員等に対する免職処分」という。）を受けたとき。

③ 当該退職手当管理機関が、当該退職をした者（定年前再任用短時間勤務職員等に対する免職処分の対象となる者を除く。）について、当該退職後に当該一般の退職手当等の額の算定の基礎となる職員としての引き続いた在職期間中に懲戒免職等処分を受けるべき行為をしたと認めたとき。

また、死亡による退職をした者については、その遺族（退職をした者（死亡による退職の場合には、その遺族）が当該退職に係る一般の退職手当等の額の支払を受ける前に死亡したことにより当該一般の退職手当等の額の支払を受ける権利を承継した者を含む。）に対しまだ当該一般の退職手当等の額が支払われていない場合において、前記③に該当するときは、当該退職に係る退職手当管理機関は、当該遺族に対し、懲戒免職等処分を受けた場合等の支給制限に際してと同じ事情を勘案して、当該一般の退職手当等の全部又は一部を支給しないこととする処分を行うことができるとされる（退手法一四2）。そして、この場合および前記③による処分を行おうとするときは、退職手当管理機関は、行政手続法の不利益処分についての規定に準じて、当該処分を受けるべき者の意見を聴取しなければならないとされている（退手法一四3 4）。

そして、これらの処分を行うときは、その理由を付記した書面によって当該処分を受けるべき者に通知しなければならず、当該処分を受けるべき者の所在が知れないときは、当該処分の内容を官報に掲載することをもって通知に替えることができ、その掲載した日から起算して二週間を経過した日に通知が相手方に到達したものとみなすものとされている（退手法一四5、一二2 3）。

⑶ 退職手当の支払の差止め

当該退職に係る退職手当管理機関は、次のアに該当するときは、当該退職をした者に対し、当該退職に係る一般の退職手当等の額の支払を差し止める処分を行い（退手法一三1）、イまたはウに該当するときは、当該退職に係る一般の退職手当等の額の支払を差し止める処分を行うことができることとされている（退手法一三23）。

ア　退職をした者が次の各号のいずれかに該当するとき。

①　当該職員が刑事事件に関し起訴（当該起訴に係る犯罪について拘禁刑以上の刑が定められているものに限り、刑事訴訟法第六編に規定する略式手続によるものを除く。以下同じ。）をされた場合において、その判決の確定前に退職をしたとき。

②　当該退職をした者に対しまだ当該一般の退職手当等の額が支払われていない場合において、当該退職をした者が基礎在職期間中の行為に係る刑事事件に関し起訴をされたとき。

イ　退職をした者に対しまだ当該退職に係る一般の退職手当等の額が支払われていない場合において、次の各号のいずれかに該当するとき。

①　当該退職をした者の基礎在職期間中の行為に係る刑事事件に関して、その者が逮捕されたとき又は当該退職手当管理機関がその者から聴取した事項若しくは調査により判明した事実に基づきその者に犯罪があると思料するに至ったときであって、その者に対し一般の退職手当等の額を支払うことが公務に対する国民の信頼を確保する上で支障を生ずると認めるとき。

②　当該退職手当管理機関が、当該退職をした者について、当該一般の退職手当等の額の算定の基礎となる職員としての引き続いた在職期間中に懲戒免職等処分を受けるべき行為（在職期間中の職員の非違に当たる行為であって、その非違の内容及び程度に照らして懲戒免職等処分に値することが明らかなものをいう。以下同じ。）をしたことを疑うに足りる相当な理由があると思料するに至ったとき。

ウ　死亡による退職をした者の遺族（退職をした者（死亡による退職の場合には、その遺族）が当該退職に係る一般の退職手当等の額の支払を受ける前に死亡したことにより当該一般の退職手当等の額の支払を受ける権利を承継した者を含む。）に対しまだ当該一般の退職手当等の額が支払われていない場合において、前記イ②に該当するとき。

ただし、これらの支払差止処分がなされた場合、それが前記アまたはイによるときは、次のいずれかに該当するに至ったとき（次の③に該当する場合において、当該支払差止処分を受けた者がその者の基礎在職期間中の行為に係る刑事事件に関し現に逮捕されているときその他これを取り消すことが支払差止処分の目的に明らかに反すると認めるときを除く。）、前記ウによるときは、当該一般の退職手当等の全部または一部を支給しない処分を受けることなく当該支払差止処分を受けた日から一年を経過したときには、速やかに当該支払差止処分を取り消さなければならない（退手法一三５６）。

①　当該支払差止処分を受けた者について、当該支払差止処分の理由となった起訴または行為に係る刑事事件につき無罪の判決が確定した場合

②　当該支払差止処分を受けた者について、当該支払差止処分の理由となった起訴または行為に係る刑事事件につき、判決が確定した場合（拘禁刑以上の刑に処せられた場合及び無罪の判決が確定した場合を除く。）または公訴を提起しない処分があった場合であって、前記(2)中の①から③の処分を受けることなく、当該判決が確定した日または当該公訴を提起しない処分があった日から六月を経過した場合

③　当該支払差止処分を受けた者について、その者の基礎在職期間中の行為に係る刑事事件に関し起訴をされることなく、かつ、前記(2)中の①から③の処分を受けることなく、当該支払差止処分を受けた日から一年を経過した場合

なお、これらの処分を行うときは、その理由を付記した書面によって当該処分を受けるべき者に通知しなければならず、当該処分を受けるべき者の所在が知れないときは、当該処分の内容を官報に掲載することをもって通知に替えることができ、その掲載した日から起算して二週間を経過した日に通知が相手方に到達したものとみなすものとされている（退手法一三10、一二２３）。

(4)　退職手当の返納など

退職をした者に対し当該退職に係る一般の退職手当等の額が支払われた後において、次のいずれかに該当するときは、当

該退職に係る退職手当管理機関は、当該退職をした者に対し、懲戒免職等処分を受けた場合等の支給制限に際してと同じ事情のほか、当該退職をした者の生計の状況を勘案して、当該一般の退職手当等の額（失業者退職手当額を除く。）の全部または一部の返納を命ずる処分を行うことができる（退手法一五1）。

①　当該退職をした者が基礎在職期間中の行為に係る刑事事件に関し禁錮以上の刑に処せられたとき。

②　当該退職をした者が当該一般の退職手当等の額の算定の基礎となる職員としての引き続いた在職期間中の行為に関し定年前再任用短時間勤務職員等に対する免職処分を受けたとき。

③　当該退職手当管理機関が、当該退職をした者（定年前再任用短時間勤務職員等に対する免職処分の対象となる職員を除く。）について、当該一般の退職手当等の額の算定の基礎となる職員としての引き続いた在職期間中に懲戒免職等処分を受けるべき行為をしたと認めたとき。

また、前記③に該当するときは、当該退職をした者に対する処分は当該退職の日から五年以内に限られ（退手法一五3）、死亡による退職をした者の遺族（当該一般の退職手当等の額の支払を受ける権利を承継した者を含む。）に対しては、当該一般の退職手当等の額が支払われた後においても、当該退職に係る退職手当管理機関は、当該退職の日から一年以内に限り、懲戒免職等処分を受けた場合等の支給制限に際してと同じ事情のほか、当該遺族の生計の状況を勘案して、当該一般の退職手当等の額（当該退職をした者が失業手当受給可能者であった場合にあっては、失業者退職手当額を除く。）の全部または一部の返納を命ずる処分を行うことができるとされるほか（退手法一六1）、一般の退職手当等の額が支払われた後、受給者が死亡した場合は、一定の条件の下で、その相続人に対しても、当該一般の退職手当等の額（当該退職をした者が失業手当受給可能者であった場合にあっては、失業者退職手当額を除く。）の全部または一部に相当する額の納付を命ずる処分を行うことができることとされている（退手法一七1～5）。なお、前記①に該当する者に対して退職手当を支給しないと定めた条例の規定が憲法第一三条、第一四条第一項、第二九条第一項に違反するものではないとする判例（最高裁平一二・一二・一九判決　判例時報一七三七号一四一頁）がある。

そして、これらの処分を行おうとするときは、退職手当管理機関は、行政手続法の不利益処分についての規定に準じて、当該処分を受けるべき者の意見を聴取しなければならないとされ（退手法一五4 5、一六2、一七7）、これらの処分をしたときは、その理由を付記した書面によって当該処分を受けるべき者に通知しなければならないとされている（退手法一二2、一五6、一六2、一七7）。

(5)　退職手当審査会

国家公務員退職手当法第一九条は、退職手当管理機関が、退職した職員またはその遺族に対する前記(2)中の③による処分、前記(4)中の①から③による処分、死亡による退職をした者の遺族に対する一般の退職手当等の額の全部又は一部の返納を命ずる処分または受給者の相続人に対するその全部または一部に相当する額の納付を命ずる処分を行おうとするときは、退職手当・恩給審査会に諮問しなければならないとして、同審査会がとるべき手続き等について詳細に定めている。国においては、退職手当についてのこのような処分の制度が導入される前から恩給審査会が存在したことから、そこに退職手当の支給制限などについての諮問に応じる権限を付与したものであるが、地方公共団体については、事情が異なる。このことについて、総務省から示されている退職手当条例の案では、人事委員会の付属機関として退職手当審査会を設置することとされているが、これらの処分は、本来退職手当管理機関の責任において行われるべきものであり、審査会の答申を得ることによって、その責任を免れることはできないし、これらの処分を行うことが必要となるのは稀であろうと思われ、その必要性については十分な検討が必要である。

(6)　支給制限に対する審査請求

一般の退職手当の支給制限は、処分としてなされることが明文で定められ、それが条例で定められた退職手当の支給を受ける権利を制限するものであることは明らかであるから、その相手方は、行政不服審査法に基づく審査請求および行政訴訟を提起することができる。ただ、この処分は、退職した職員または職員の遺族などに対してなされるものであるから、地方公務員法が定める不利益処分に該当せず、同法第四九条から第五一条の二までの規定は適用されず、行政不服審査法および給与その他の給付に対する審査請求について定める地方自治法第二〇六条の規定が適用されることになる。

この結果、懲戒免職処分を受けたことによって、一般の退職手当の支給制限の処分を受けた職員は、懲戒免職処分に不服がある場合は、人事委員会または公平委員会に審査請求をし、その裁決または決定を経た後、さらに不服がある場合に訴訟を提起することとなり（法五一の二）、退職手当の支給制限の処分に対する不服がある場合は、当該地方公共団体の長に対する審査請求をすることができるとされている（行服法四①、自治法二〇六１）が、この審査請求をすることなく、直接訴えを提起することもできる（行訴法八１本文参照）。なお、この審査請求を受けた長は、議会に諮問して決定をしなければならないとされている（自治法二〇六２）。そして、懲戒免職処分の取消し訴訟において当該処分の適法性が審査されるのは当然であるが、支給制限の処分の取消し訴訟においても、その適否の判断の前提として当該免職処分の有効性が審査されることになる（最高裁令五・六・二七判決（裁判所ウェブサイト）がその例である。）。一般論としては、訴訟においては、懲戒免職処分の取消しと一般の退職手当の支給制限の処分の取消しの請求を関連訴訟として併合して審理することも可能であるが（行訴法一三②）、懲戒免職処分については審査請求前置とされ、一般の退職手当の支給制限の処分については、審査請求前置主義がとられず（行訴法八１）、出訴期間の制限（行訴法一四１２）があるので、事実上併合審理ができない場合もあると思われる。そして、それぞれの訴訟が別個の裁判所に係属したときは、懲戒免職処分の適法性が二回審理されることになる結果、その適法性について矛盾する判決が生ずる可能性が生じるとともに、懲戒免職処分についての審査請求前置主義の存在意義が問われることになろう。

なお、一般の退職手当等の額の支払を差し止める処分を受けた者は、行政不服審査法に規定する審査請求期間（同法一八１本文）が経過した後においては、当該処分後の事情の変化を理由に、当該処分を行った退職手当管理機関に対し、その取消しを申し立てることができるとされているが（退手法一三４）、この場合において、この申立てが認められなかったときは、その申立てを認めないとする決定の取消しを求める訴訟を提起することができるものである。

五　非常勤の職などに対する給与の調整

地方自治法第二〇三条の二は、その第一項で「普通地方公共団体は、その委員会の非常勤の委員、非常勤の監査委員、自治紛争処理委員、審査会、審議会及び調査会等の委員その他の構成員、専門委員、監査専門委員、投票管理者、開票管理者、選挙長、投票立会人、開票立会人及び選挙立会人その他普通地方公共団体の非常勤の職員（短時間勤務職員及び地方公務員法第二十二条の二第一項第二号に掲げる職員を除く。）に対し、報酬を支給しなければならない。」と、第二項で「前項の者に対する報酬は、その勤務日数に応じてこれを支給する。ただし、条例で特別の定めをした場合は、この限りでない。」と、第三項で「第一項の者は、職務を行うため要する費用の弁償を受けることができる。」としたうえで、第五項において「報酬、費用弁償、期末手当及び勤勉手当の額並びにその支給方法は、条例でこれを定めなければならない。」としている。この規定を受けて、特別職の職員の報酬等に関する条例や非常勤職員（自治法は特別職と一般職とを区別していない。）の報酬等に関する条例を定められているのが通常である。本条第三項第六号は「非常勤の職その他勤務条件の特別な職があるときは、これらについて行う給与の調整に関する事項」を定めなければならないとしているが、一般職の職に属する職員のうちここでいう特別な職に属する職員について地方自治法第二〇三条の二第五項に基づく条例（非常勤職員の報酬等に関する条例）が定められているときは、この規定による「給与の調整に関する事項」を定める必要はないが、そのような条例が定められていない場合や同条第一項が適用除外している短時間勤務職員（法二二の四1及び任期付職員採用法五1参照）および会計年度フルタイム職員については、本条第三項第六号の定めが必要になる。

なお、前記三〔**給料**〕(二)で述べた給料の調整額の制度があるが、それは給料表で定める給料の額が不十分である場合に、それを調整するためのものであり、本条第三項第六号における「非常勤の職その他勤務条件の特別な職」についての給与の調整とは意味が異なる。

（給料表に関する報告及び勧告）

第二十六条　人事委員会は、毎年少くとも一回、給料表が適当であるかどうかについて、地方公共団体の議会及び長に同時に報告するものとする。給与を決定する諸条件の変化により、給料表に定める給料額を増減することが適当であると認めるときは、あわせて適当な勧告をすることができる。

〔趣　旨〕

一　給与改定に関する人事委員会の役割

職員の勤務条件、すなわち経済的な権利の中心は給与であり、その給与の中枢が給料であることはこれまでもしばしば述べてきたところである。このような給与または給料の持つ意義にかんがみ、地方公務員法は給与または給料を保障するためのさまざまな規定を置いている。その基本となるのは、職員の勤務条件が社会一般の情勢に適応するように随時適当な措置をとるべきことを地方公共団体に義務づけた第一四条の規定であり、これをさらに具体化するために給与決定の三原則を明らかにし（法二四１２４）、勤務条件に関して職員が人事委員会または公平委員会に対して措置要求をする権利を認める（法四六）などしている。しかし、職員の給与の決定について実際にきわめて大きな役割を果たしているのは人事委員会の給与勧告である。

国家公務員の給与決定についても人事院の給与勧告（国公法二八２）がもっとも大きな役割を果たしていることは周知の事実であり、人事委員会の給与勧告はこれに準ずる機能を果たしているといってよい。

職員の給与を決定するに当たっては、地方公共団体の長部局が給与条例案を作成し、最終的には議会がこれを決定することをはじめ、人事委員会自身も給与勧告以外に給与制度を研究し、その成果を議会および長等に提出するなどさまざまな機関がこれに関与する。これらは、それぞれ重要な意義を持っているのであるが、人事委員会の勧告がとりわけ重要視されるのは、次の二つの理由に基づくものである。

㈠　給与決定における中立性および専門性

公務員の給与決定をどのような方法で、またどのような基準によって行うかについては、さまざまな考え方がありうる。まずその方法であるが、民間のように労使が対等の立場で協議して決定する方法、戦前の給与のようにもっぱら任命権者または議会が責任をもって定める方法、第三者の判断を求めてこれに準拠して定める方法（特別職の報酬審議会）などが考えられる。また、その基準についても、民間企業のように終局的には企業収益および人件費のコストによって決定するやり方、財政あるいは給与総額を判断して決定する方法、民間その他の給与に準拠して定める方法などがありうる。諸外国の場合も、その方法および基準はそれぞれの国情によって区々であるのが現状である。

わが国の公務員については、行政機関ではあるが、中立的かつ専門的な機関である人事院または人事委員会が給与勧告を行い、執行機関と議会とがこれを最大限に尊重するという方式により、また、その基準としては、専門機関である人事院または人事委員会の調査に基づく民間給与に準拠する方法によることとしている。いわば、給与を中立的、かつ、専門的に決定することとしているのである。戦後、このような制度が採用されてから、その是否について議論もなかったわけではないが、今日では、相対的に国民、住民の納得を得やすい方法であることおよび当事者による決定方式よりも安定性が高いことによって、ほぼ定着した制度となっているといえる。このように、人事院または人事委員会の中立的、専門的な給与勧告に対する信頼性が、給与決定におけるその勧告の意義を高めているといえよう。なお、昭和五七年（一九八二年）度以降の人事院の給与勧告は、財政の非常事態を理由として凍結あるいは政府独自の改定が行われたため、給与勧告制度に動揺が生じたが、昭和六一年（一九八六年）度に、完全実施に復し、今日に至っている。

㈡　労働基本権の制限との関係

地方公務員法第三七条および第五二条以下で述べるように、職員の労働基本権が制限されているため、さまざまな論議があるが、その中の一つとして、労働基本権制限の代償措置の問題がある。ＩＬＯにおける過去の日本の公務員問題の論議の中で、人事委員会および公平委員会がこの代償措置であるという考え方が示され（例、ドライヤー・レポート二一五二、二一五三、二一八〇～二一八四）、これらの委員会の重要な権限の一つである給与勧告が従来にもまして重視されるようになった。たしかに、労働基本権の目的は、職員の経済的利益を維持増進することにあり、労働基本権が制限される場合には、これに代わってその利益を確保する措置を講ずる必要がある。給与勧告は、職員の経済的利益の中心をなす給与の決定に大きな影響力を持つものであるから、労働基本権との関係および労使関係において、その意義はきわめて大きいものがあるといわなければならないのである。

二　給与勧告制度の問題点

人事委員会の給与勧告制度についてはいくつかの問題点がある。

第一は、地方公務員制度全体の中で、人事委員会に給与勧告を行う権限が認められているのに対し、公平委員会にはその権限がないことである。その理由は、公平委員会が比較的規模の小さい市および町村に設けられるものであり、人事委員会と同じような機能、権限を与えることはその行政能力からみて困難であると考えられたからであろう。しかし、前述のように、人事委員会の給与勧告の意義が高まり、実質的にこれが重視されるようになればなるほど、両者の不均衡が指摘されることになる。とくに給与勧告の労働基本権制限の代償措置としての役割が強調されることの反面、公平委員会を設置する地方公共団体の代償措置が不備であるという主張がなされることになる。しかし、最高裁判所は、給与勧告制度のない企業職員や単純労務職員に対する争議行為の禁止が憲法に違反しないとしており（昭六三・一二・八判決（判例時報一三一四号一二七頁）、昭六三・一二・九判決（判例時報一三一四号一四六頁））、給与勧告制度の労働基本権制限の代償措置としての機能を過大視することは慎むべきであろう。

第二は、人事委員会の勧告の内容である。人事委員会制度発足以来の経験の積み重ねによって、人事委員会の給与勧告はおおむね定着し、国の人事院の給与勧告に倣って、ほぼ同じような内容の勧告が行われるようになっている。本来、職員については、均衡の原則および情勢適応の原則が法定されているので、人事委員会の給与勧告をまつまでもなく、職員の給与制度の基幹的な事項は議会および当局が自主的に改定を行い、人事委員会は地方的な事項、たとえば、どの給料表を採用するとか、給料表以外では特殊勤務手当の内容などについてのみ給与勧告を行うことが法制定当初の考え方であったといわれているが、現在では、人事院の給与勧告とほぼ同じ内容の勧告が行われ、これに基づいて給与条例などの改正案が作成され、議会がこれを議決するというのが通例になっている。このような方法も一概に否定できないが、問題はその実質的内容であり、形式的に国の勧告に倣うということには問題があろう。人事委員会は、職員の給与の水準、給与制度適用の実態を十分に斟酌し、かつ、法律で明記されている職務給の原則および均衡の原則が実現されるような内容の給与勧告を行うべきである。

第三は、給与勧告およびこれに基づく給与改定の実施時期である。人事院の給与勧告は、毎年四月一日現在で官民の給与比較を行い、八月ごろに勧告が行われるのが通例となっている。このため、年度の中途で改定内容が明らかになり、予算上は追加補正予算を組む必要が生じたり、あらかじめ当初予算に一定の枠の財源留保を行うような操作が行われている。また、職員の側としても民間の給与改定時期よりかなり遅れた時期に給与改定がなされて追給を受けたり、期末手当によって給与水準切り下げの調整を受ける状態である。このような予算上および職員の処遇上の問題を解決しようと、かつて人事院の給与勧告制度について、予備勧告制度や、事前調査制度が検討されたが結論を得るに至らなかった。当該年度の官民比較を基礎として給与勧告を行う以上、現行の方法はやむを得ないものといわざるを得ないであろう。

なお、かつては、給与勧告に基づく給与改定の実施時期が大きな問題であった。予算の都合により、給与改定の実施時期が官民比較が行われた四月一日ではなく、それ以降とされてきたために職員側から強く批判されていた。その後原則として四月に遡って実施されるようになったために、現在はとくに大きな問題ではなくなっている。

〔解　釈〕

一　給料表に関する報告および勧告

本条は、人事委員会が毎年少なくとも一回、現在の給料表が適当であるかどうかを議会および長に報告することと、諸情勢の変化によって給料額を増減することが適当であると認めたときはあわせて適当な勧告をすることの二種類の措置を定めている。まず、この報告は給料に関するものであり、給料表以外の事項についての意見は、二で述べるように、本条以外の規定に基づいて行われる。「毎年少くとも一回」行うことが最低限の義務であり、少なくとも年に一回は、現行給料表が社会の情勢や国家公務員の給与などに照らして適当であるかどうかを洗い直し、常に適正な給料表が維持されるよう期待しているものである。物価の急騰、国家公務員についての人事院勧告が年内に二度以上行われるなどの事情があるときは、人事委員会が年に二回以上本条に基づく報告または報告および勧告を行うことは当然である。報告は地方公共団体の議会および長に対して同時に行われなければならないが、議会が開会中であれば議長またはその代行者に、議会が閉会中であるときは議長、議長に事故があるときは副議長、両者に事故があるとき、議会が解散などによって存在しないときは議会の事務局長などに対してなされることになろう。長が不在のときは長の職務代理者（自治法一五二）に対して行われる。報告は、勧告も同様であるが、法律上は要式行為ではないが、事柄の性質上、文書を以てなされるべきである。

次に、勧告であるが、国家公務員については、人事院は俸給表に定める給与を一〇〇分の五以上増減する必要が生じたと認めるときは勧告を義務づけられ、それ以下のときは任意であるが（国公法二八２）、人事委員会の場合にはこのような限定はなく、常に任意であり、また、「給与を決定する諸条件の変化」とは、物価の情勢、民間賃金の動向、国家公務員の給与の変化などであり、「給与」であるから給料表だけでなく諸手当などの変化も考慮の対象になる。しかし、本条に基づいて勧告できるのは、あくまでも給料についてのみである。また、この勧告は「給料額の増減」について行われるもので、増額だけでなく、減額の勧告もありうるものである。そしてこの増減が「適当である」かどうかは、人事委員会がその責任で決定するものであるが、その判断は法律に定める職務給の原則および均衡の原則に従うものでなければならない。勧告は、必ず報告に「あわせて」行われる。報告を伴わない勧告というものは本条の予想しないところである。しかし、勧告を伴わない報告はありうる。社会情勢等に大きな変化がなくても報告は義務づけられているからであり、その場合には、現状で適当である旨の報告がなされることになろう。次に、この勧告は、給料表に定める給料額を全面的に改定する場合はもとより、一部の給料額を改定する場合も行うことができる（行実昭二六・一二・一九　地自公発第五五六号）。勧告の効力については、法律上はそれは強制力を有するものではない。しかし、〔**趣旨**〕で述べたとおり、これが実質的にきわめて重視される背景があり、地方公共団体の議会および長は最大限これを尊重する政治的義務を負うといってよいであろう。

なお、人事委員会の勧告については、地域における給与の実態をより強く反映させるべきであるとする世論が大きくなったことから、総務省から次の内容の「人事委員会における公民比較の較差算定等に係る留意点について」（平一八・八・二三総行給第九三号）という通知が出されている。

①　公務と比較する民間企業の規模は、地域民間給与をより広く把握し反映させる観点から、従来の一〇〇人以上から五〇人以上に拡大すること

②　比較対象従業員の範囲は、民間の雇用形態の変化等を踏まえ、民間役職者の要件を改めるほか、ライン職と職能資格が同等のスタッフ職等も比較対象とすること

③　比較における役職の対応関係については、国では給与構造改革や前述の比較対象企業規模の見直しに伴い、今回の人事院勧告で所要の見直しが行われたことから、地方公務員給与についても、国の見直し後の対応関係に準じた取扱いを行うこと

④　公民比較を行う際の比較給与種目（給料及び手当）は、特段の合理的な理由がない限り、国と同様の取扱いとすること

⑤　特別給（ボーナス）の公民比較については、企業規模五〇人以上の企業を比較対象とすること

⑥　精確な公民較差算定の前提となる適正な給与制度及びその運用を確保する観点から、給与制度やその運用が不適切な地方公共団体にあっては、速やかにその是正措置を講ずること

この通知においては、上記のことに加えて、人事委員会が中立的・専門的な第三者機関として、給与勧告に対する国民、住民からの信頼をより一層向上させるため、その役割を適切に発揮し、かつ勧告の内容等について今まで以上に説明責任の徹底を果たすよう、次のような助言もなされている。

①　公民較差を適切に反映させた具体的な給料表を勧告に盛り込むこと

②　民間給与実態調査の結果概要や公民比較方法について、人事院勧告の取扱いを参考にして、勧告と併せて公表すること

③　通知と異なる取扱いを行った場合には、その理由を示すこと等

なお、団体協約の締結権を持つ企業職員および単純労務職員については、この報告および勧告の制度は適用されず（地公

企法三九１、地公労法附則５）、また、県費負担教職員の給料表に関する報告および勧告は、都道府県の人事委員会が行う（地教行法四二、同法施行令七）。また独法職員についても本条は適用しないとされている（地方独法法五三１①）が、地方独立行政法人は設立団体とは全く別の法主体であるから、人事委員会の権限が及ばないのは当然のことである。

二　給料表以外の勤務条件にかかる人事委員会の勧告など

給料表に関する人事委員会の勧告は、本条に基づいて行われ、それがいわゆる給与勧告の中心をなすものであるが、人事委員会の給与勧告では給料表以外の事項、たとえば、各種手当であるとか、週休二日制の実施等の勤務時間、休日、休暇に関する事項、旅費などについても触れられることが普通である。これらの給料表以外の勤務条件について議会および長に報告または勧告する場合の法律的根拠は、地方公務員法第八条第一項第二号または第五号の規定によることが相当であるとされている（行実昭二六・一二・一九　地自公発第五五六号）。このほか、同項第四号にも人事行政の運営全般に関し、任命権者に勧告する権限が認められているが、これは任命権者に対するものであって、長や議会に対するものでないことに注意を要する。

本条および地方公務員法第八条第一項第二号および第五号による人事委員会の給与勧告は、給与制度の改廃について行われるものであり、個々の職員の勤務条件の問題の改善をこの勧告によって行うことはできない。個々の職員の勤務条件の改善に関する人事委員会の勧告は、勤務条件に関する措置要求に基づいて行われることがある（法四七）。

（修学部分休業）

第二十六条の二　任命権者は、職員（臨時的に任用される職員その他の法律により任期を定めて任用される職員及び非常勤職員を除く。以下この条及び次条において同じ。）が申請した場合において、公務の運営に支障がなく、かつ、当該職員の公務に関する能力の向上に資すると認めるときは、条例で定めるところにより、当該職員が、大学その他の条例で定める教育施設における修学のため、当該修学に必要と認められる期間として条例で定める期間中、一週間の勤務時間の一部について勤務しないこと（以下この条において「修学部分休業」という。）を承認することができる。

２　前項の規定による承認は、修学部分休業をしている職員が休職又は停職の処分を受けた場合には、その効力を失う。

３　職員が第一項の規定による承認を受けて勤務しない場合には、条例で定めるところにより、減額して給与を支給するものとする。

４　前三項に定めるもののほか、修学部分休業に関し必要な事項は、条例で定める。

〔趣　旨〕

職員の能力向上のための修学部分休業

地方分権の実現のためには職員の能力の向上が極めて重要な意味をもつ。しかし、就職してから定年までの勤務（終身雇用）を原則とする地方公務員制度においては、就業しながらの研修は、基本的に職務命令によるものに限られ、職員が自主的に多方面にわたる広い知識や経験あるいは特定の分野における深い知識や経験を身につける機会は限定されたものとならざるを得ない。また、任命権者が必要と考える研修の分野と職員自らが関心を有するそれとは必ずしも一致するとは限らず、職員の隠れた才能や能力を十分に開発するためには、職員の自発的な意欲を生かすことが効果的である。しかし、職員の自主性を余りに重んじるときは、職員としてなすべき職務との関係が明確でなくなったり、自らが勤務する地方公共団体に労務を提供するという本来の役割がおろそかになったりする心配がないわけではない。

地方公務員法第三九条は任命権者が職務命令として行う研修について定めるが、本条は、職員が自らの意思で、任命権者からの資金的な援助を受けることなく、公務に関する能力の向上に資する学習を行うために、その勤務上の便宜を図ることができることを定めるものである。そして、この制度が職員の意思による休業を定めるものであることから、身分保障に関する分限としてではなく、勤務条件の一つとして位置づけられ、その導入のためには条例の定めが必要とされている。そして、この条例においては、当該学習が公務の遂行に役立つことと、それが職員の都合によってなされることとのバランスを考慮して、休業（職務から離脱すること）の期間と時間および支給されるべき給与の内容などを定めることになる。ただ、この制度は、一週間の勤務時間の一部についてのみ勤務しないことを認めるものであることから、勤務場所の近辺に適当な教育施設がない場合には利用できないことになるが、それはやむを得ないということであろうか。なお、公立の小学校、中学校、義務教育学校、高等学校、中等教育学校、特別支援学校、幼稚園および幼保連携型認定こども園の主幹教諭、指導教諭、教諭、養護教諭、栄養教諭、主幹保育教諭、指導保育教諭、保育教諭または講師で一定の要件に該当するものについては、一定の期間完全に職務から離れる大学院修学休業の制度（教特法二六～二八）が設けられているが、これは、教育公務員が一定の資格を取得するための修学について認められるものであり、本条とは若干趣を異にする。

ところで、地方公務員法第三五条に基づいて職務に専念する義務の特例に関する条例（いわゆる職免条例）が定められ、研修を受ける場合には職務に専念する義務を免除することができるとされているのが通常である。同条と本条に関する限り、研修といい、修学というも、職員が、その現に担当している職務に支障のない限度において、自発的に公務に直接または間接に必要または有益な知識経験を身につけるという意味（研修一般の意義については法第三九条の**〔趣旨〕**で詳述する。）であり、その間に実質的な違いはない。職務専念義務の免除を受けて行う研修の場合は、給与を減額しないという取扱いがなされているのが通常であり（そのような取扱いが適当であるか否かは地方公務員法第二四条第一項の趣旨に照らして判断されなければならないことについては第二五条の**〔解釈〕**二で述べた。）、本条の場合は、給与は減額して支給するものとされている。職務との関連が密接であり、かつ単発的な短期間の研修の場合に職務専念義務を免除して、給与も支給するという扱いはあり得るであろうが、本条に相当する、あるいは本条で想定するよりも本格的な修学について職務専念義務を免除することは認められないと解すべきであろう。

また、地方公務員法第二七条第二項に基づく条例で定める休職の事由としては、「学校、研究所、病院その他人事院の指定する公共的施設において、その職員の職務に関連があると認められる学術に関する事項の調査、研究若しくは指導に従事し、又は人事院の定める国際事情の調査等の業務若しくは国際約束等に基づく国際的な貢献に資する業務に従事する場合」や「国及び行政執行法人以外の者がこれらと共同して、又はこれらの委託を受けて行う科学技術に関する研究に係る業務であつて、その職員の職務に関連があると認められるものに、前号に掲げる施設又は人事院が当該研究に関し指定する施設において従事する場合」（人事院規則一一―四（職員の身分保障）三１①②）に相当するものが考えられる。これらに該当する場合の休職は、建前としては職員の意に反する処分としてなされるものであるが、実際には、職員とその従事する業務を所管する者との間で何らかの契約またはそれに相当する行政処分による身分関係を創設することが必要であるから、職員の同意を得ないで行うことは不可能である。国においては、これらの場合に該当するとして休職にされた職員に対して、俸給、扶養手当、地域手当、住居手当および期末手当の七割以内が支給されるが、それ以外の給与は支給されないとして（給与法二三５６、人事院規則九―一三（休職者の給与）一①）、給与の一部の減額を定めているのは、このことを考慮したものと思われる。そうすると、これらの場合の休職についても、それが本条に定める部分休業と重なることがあり得ることになる。このようなときは、条例で定める制度に優先して法律に定める制度を利用するのが筋だということになるのであろうか。

〔解　釈〕

一　対象となる職員

本条による休業は修学部分休業と称されるが、その対象となるのは、「臨時的に任用される職員その他の法律により任期を定めて任用される職員及び非常勤職員」（本条一括弧書）並びに企業職員、単純労務職員および独法職員を除くすべての職員である。ここで、「臨時的に任用される職員」というのは地方公務員法第二二条の三または第二六条の六第七項第二号の規定により採用された職員を意味し、「法律により任期を定めて任用される職員」というのは、地方公務員法第二二条の二第二項または第二六条の六第七項第一号の規定により任期を定めて採用された職員、同法第二二条の四の規定により再任用された者（定年前再任用短時間勤務職員）、地方公共団体の一般職の任期付職員の採用に関する法律に基づいて採用された者、地方公共団体の一般職の任期付研究員の採用等に関する法律に基づいて採用された者、地方公務員の育児休業等に関する法律

第六条第一項の規定により任期付採用または臨時的任用された者および女子教職員の出産に際しての補助教職員の確保に関する法律第三条第一項または第三項の規定により臨時的任用された者並びに大学の学長および部局長（教特法七）を意味する。これらの者が対象とならないのは、終身雇用を前提として、勤務期間中に職員の自主的な公務能力向上の努力を期待するという本条の趣旨からして当然のことであろう。なお、大学の学長および部局長および教育長は、その職責および就任に際して必要とされる資質（教特法三２３、地教行法四１参照）からして、任期の定めの有無にかかわらず、修学部分休業の対象となることはあり得ないであろう。また、地方公務員法第一七条第一項に基づく正式任用の場合においても任期を限って任用することができ（法一七条の〔解釈〕二参照）、この任用は任期を定めて任用されるものであっても「法律による」ものではないから、修学部分休業の対象となり得ると解されるが、その必要性と妥当性は疑問である。次に、「非常勤職員」というのは、一般的には一週間の勤務時間が一般の職員の四分の三以内である者を意味する（法第三条の〔趣旨〕二㈠１２および第二二条の二の〔解釈〕一㈠参照）。

なお、企業職員および単純労務職員ならびに独法職員については、それぞれの職員に関する規定（企業職員については地公企法三九１、地公労法一七、単純労務職員については地公労法附則５、独法職員については地方独法法五三１）が本条の適用を除外している。

二　修学部分休業が承認される要件

本条第一項は、修学部分休業が承認される要件として、「職員の申請」、「公務の運営に支障がないこと」および「当該職員の公務に関する能力の向上に資すると認めるとき」を掲げている。「職員の申請」というのは、修学部分休業は職務命令によるものではなく、職員の意思に基づくものでなければならないことを意味するものであるが、任命権者あるいは上司などが職員に対して修学部分休業の申請をすることを慫慂（しょうよう）することまで禁止されるわけではない。職員のキャリアや将来性などを考慮して、この制度の利用を勧めることは、当該職員にとっても利益になることであるから、それが強制にあたらない限り問題はない。

次に「公務の運営に支障がないこと」というのは、修学部分休業によって、職員が一定の期間、一定の時間職務を離れることになる結果、当該職員が担当している職務が滞って、住民に不便が生じたり、公務の効率性や経済性が損なわれたり、同僚職員に過重な負担がかかるようなことがないことを意味する。しかし、この要件をあまりに厳密に解するときは、有能な職員になればなるほど、公務の運営に支障が生ずることとなり、この制度を利用できないことになりかねない。また、このことを避けるために、当該職員が時間外勤務をしなければならなくなるようでは、本末転倒である。したがって、ここでいう公務の運営に支障がないというのは、支障が全くないということまでを意味するのではなく、多少の支障が生ずるとしても、それが容認または許容できる範囲であればよいと理解すべきであろう。なお、修学部分休業による不都合を解消するために任期付短時間勤務職員を採用することが認められているが（任期付職員採用法五３①）、そこまでの措置をとる必要があるかは慎重な考慮が必要であろう。

さらに「当該職員の公務に関する能力の向上に資すると認めるとき」というのは、当該職員の学歴、職歴、勤務実績その他の状況からみて、当該地方公共団体の職員としての現在または将来の職務に役立つことが期待できるときという意味に解され、職員の趣味に属するような能力の向上は、この制度の対象外であるということでもある。

ところで、職員から申請があった場合に、それが「公務の運営に支障がないこと」および「当該職員の公務に関する能力の向上に資すると認めるとき」に該当するか否かは任命権者の裁量による判断である。本条は、職員に修学部分休業を取得することの具体的な権利を付与したものではなく、修学部分休業を承認しないという判断が職員の処遇に変化を及ぼすわけではないから、不利益処分（法四九１）に該当せず、その判断を不服として不利益処分に対する審査請求（法四九の二１）をすることはできないが、措置の要求（法四六）をすることはできる。ただし、任命権者の判断が裁量権の範囲をこえ、またはその濫用があった場合には、裁判所にその取消しを求めることができる（行訴法三〇）。なお、「教員は、授業に支障のない限り、本属長の承認を受けて、勤務場所を離れて研修を行うことができる」という規定（教特法二二２）について、校務の円滑な執行に対する支障および勤務場所を離れて研修を行うことの特別の必要性の有無の判断が本属長（校長）の裁量によるものであるとする判例（最高裁平五・一一・二判決　判例時報一五一八号一二五頁）がある。

三　修学部分休業の対象となる教育施設、期間、時間など

本条第一項に、「条例で定めるところにより」修学部分休業を承認することができるとしているので、この条例においては、まず、「任命権者は、職員が申請した場合において、公務の運営に支障がなく、かつ、当該職員の公務に関する能力の向上に資すると認めるときは、この条例で定めるところにより、修学部分休業を承認することができる」旨を定めることが必要である。

修学が認められるのは、大学その他の条例で定める教育施設におけるものであるが、この条例においては、通学または通所の便宜をも考慮したうえで、学校教育法に定めのある大学、高等専門学校、専修学校および各種学校のほか、適当な研究機関などで教育施設に該当するものを定めることになろう。

修学の期間は当該修学に必要と認められる期間として条例で定める期間とされるが、具体的な修学する教育施設および内容（カリキュラム）が決まらないうちに期間を定めることはできないから、条例では、上限の年数を定めたうえで、「任命権者が適当と認める期間」とでもするしかないものと思われる。

修学のために休業する時間は「一週間の勤務時間の一部」とされるのみで、特にそれを条例で定めるべきこととされていないが、この制度そのものが「条例で定めるところにより」設けられるものであるから、これについても条例で定めることができるし、定めるべきであろう。その際に考慮しなければならないのは、修学部分休業の承認を受けた職員が非常勤職員となるものではなく、あくまでも常勤職員としての範囲内で休業するということである（このことは後述する給与の取扱いについて重要な意味をもつ。）。そうであるならば、休業の時間は、通常の常勤の職員の一週間の勤務時間の二分の一を超えないことが常識的な限度ということになるものと思われる。また、この時間の具体的な割り振りは、修学する教育施設が定める時間割に従わざるを得ないので、時間単位または日単位のいずれによることもできることとしておくことが必要である。

四　修学部分休業と休職または停職

本条第二項は、修学部分休業の承認は、当該職員が休職または停職の処分を受けた場合には、その効力を失うことを定め

ている。ここで休職の処分というのは地方公務員法第二七条第二項に基づく条例および同法第二八条第二項各号に該当することによりなされた休職のことであり、停職というのは同法第二九条第一項各号に該当することによりなされた停職のことである。休職および停職の処分を受けた者は、その者が従前有していた職を保有する（職員としての地位は失わない。）が、職務に従事しない（それぞれの手続および効果に関する条例）のであるから、職務に従事しながら修学するという修学部分休業の趣旨とは相容れないことになるのである。もっとも、この期間は職務に従事しないのであるから、修学そのものを継続することに支障が生ずることはないであろう。

五　給与の減額

本条第三項は、修学部分休業の承認を受けて勤務しない場合には、条例で定めるところにより、減額して給与を支給することを定めている。どの範囲の給与を減額するかは条例で定めるのであるが、これは、ノーワーク・ノーペイの原則の適用の問題であり、減額されるべき給与の種類については地方公務員法第二五条の〔解釈〕で述べたとおりであるが、修学部分休業の場合は、勤務しない時間が一週間の勤務時間のうちの一部の時間であることから、減額されるべきであるとされた給与について、当該時間に相当する額を減額することになり、その計算方法は時間外勤務手当の算出と同じとするのが適当であろう。

六　修学部分休業の取得の手続および承認の取消しなど

本条第四項は、同条第一項から第三項までに定めるもののほか、修学部分休業に関し必要な事項は条例で定めるとしているが、その必要な事項としては、修学部分休業の承認の申請の手続き、承認の効果、承認内容の変更、承認の取消し、承認の期間満了時の措置などが考えられる。すなわち、修学部分休業の承認の申請の手続きとしては、申請の時期、必要書類などが、承認の効果としては、承認された期間および時間は職務に従事しないことなどが、承認の変更については、教育施設によるカリキュラムの変更への対応などが、承認の取消しについては、取消し事由および手続きならびにその効果などが、承認の期間満了時の措置としては、当然に従前の勤務時間により勤務することなどがそれぞれ条例で定められることになる。

なお、本条第一項、第三項および第四項において条例で定めることとされた事項であっても、その詳細を人事委員会規則または任命権者の規則に委任できることは一般の場合と同じである。

（高齢者部分休業）

第二十六条の三　任命権者は、高年齢として条例で定める年齢に達した職員が申請した場合において、公務の運営に支障がないと認めるときは、条例で定めるところにより、当該職員が当該条例で定める年齢に達した日以後の日で当該申請において示した日から当該職員に係る定年退職日（第二十八条の六第一項に規定する定年退職日をいう。）までの期間中、一週間の勤務時間の一部について勤務しないこと（次項において「高齢者部分休業」という。）を承認することができる。

2　前条第二項から第四項までの規定は、高齢者部分休業について準用する。

〔**趣　旨**〕

職員については定年の定め（法二八の六、二八の七）があるが、現実には、定年年齢に到達する前に勧奨により退職することも多く行われている。また、地域によっては、短時間勤務を希望する住民が多く存在し、地方公共団体がその受け皿になることを期待されているところもある。さらに、高齢者である職員の中にも、肉体的、精神的または家庭の事情などによって、勤務時間を減じることを希望する者も現れている。このような状況を総合的に勘案して設けられたのが高齢者部分休業の制度であり、高齢者である職員の担当する職務の一部を外部の者に提供すること（いわゆるワークシェアリング）もその目的の一つであることから、この制度により休業する職員の代替えとして短時間勤務職員を採用することができることとされている（任期付職員採用法五３①）。

〔解　釈〕

本条第一項の「職員が申請した場合」、「公務の運営に支障がないと認めるとき」、「条例で定めるところにより」、「一週間の勤務時間の一部」の意味は前条の修学部分休業についてと同じである。高齢者部分休業と修学部分休業の最大の違いは、前者には後者において必要とされる「当該職員の公務に関する能力の向上に資すると認めるとき」という要件がないことであるが、これは両者の制度趣旨の違いからして当然のことである。

高齢者部分休業が認められる期間は、高年齢として条例で定める年齢に達した日以後の日で、当該職員が指定した日から当該職員に係る定年退職日（第二八条の六第一項に規定する定年退職日をいう。）までの期間中であるが、これは従前「定年退職日から五年を超えない範囲内において条例で定める期間さかのぼった日後の日で、当該申請において示した日からその定年退職日までの期間中」とあったのが、平成二六年（二〇一四年）四月一日から施行された「地域の自主性及び自立性を高めるための改革の推進を図るための関係法律の整備に関する法律」（平成二五年法律四四号）で改正されたものである。

本条第二項は、修学部分休業についての休職および停職に関する規定、給与の減額に関する規定および必要な事項を条例で定めるとする規定（法二六の二２～４）を準用しているので、これらの事項については前条の〔解説〕を参照されたい。なお、いわゆるワークシェアリングの観点からは、一旦この休業に入った後で休業の期間や時間を変更することを認めることは適当ではないが、条例において、変更を認めるのか否か、認めるとした場合の要件を明記しておくことが適当であろう。

第四節の二　休　業

（休業の種類）

第二十六条の四　職員の休業は、自己啓発等休業、配偶者同行休業、育児休業及び大学院修学休業とする。

2　育児休業及び大学院修学休業については、別に法律で定めるところによる。

〔趣　旨〕

職員は、当該地方公共団体の事務を処理するために任用された者であるから、当該地方公共団体がなすべき責めを負う職務にのみ専念しなければならないのは当然のことであり、その義務を免れることができるのは法律または条例に特別の定めがある場合に限られる（法三五）。この職務専念義務が免除される期間が限定されたものであれば、個別の法律や条例に委ねておいても問題は少ないが、ある程度長期にわたり、しかも職員の発意によってなされる場合については、地方公務員法との関係を明確にし、制度に一覧性を与えておくことが望ましい。本条は、そのような観点から、休業制度についての総括的な規定としての意味を持つものである。したがって、今後新たな休業制度を設けようとする場合は、本条にその旨を規定することが必要となる。なお、ここには、育児休業、介護休業等育児又は家族介護を行う労働者の福祉に関する法律第六一条第六項によって準用される同条第三項から第五項に定める介護休業が掲げられていないが、その理由は必ずしも明らかではない（第二四条の〔**解釈**〕五４⑷参照）。

〔解　釈〕

一　休業の種類

本条は、職員の休業の制度が自己啓発等休業、配偶者同行休業、育児休業および大学院修学休業の四種類であるとしているが、それぞれの制度の具体的な内容は、個別の法律または地方公務員法の該当条文の定めるところによることになる。すなわち、それぞれの休業制度の内容は、本条によって定まるものではなく、自己啓発等休業は地方公務員法第二六条の五の規定により、配偶者同行休業は同法第二六条の六の規定により、育児休業は地方公務員の育児休業等に関する法律により、大学院修学休業は教育公務員特例法第二六条から第二八条の規定により、それぞれ定められているのである。

自己啓発等休業については次条の解説で、配偶者同行休業については第二六条の六の解説で述べることとして、便宜上、ここでは育児休業および大学院修学休業の制度について概観しておくこととする。

二　育児休業

(一)　育児休業

職員は、任命権者の承認を受けて、当該職員の三歳に満たない子を養育するためその子が三歳に達する日（非常勤職員にあっては当該子の事情に応じ、一歳に達する日から一歳六か月に達する日までの間で条例で定める日（特に必要と認める場合として条例で定める場合に該当するときは二歳に達する日））まで、育児休業ができるとされ、その承認を受けるための請求に際しては、育児休業をしようとする期間の初日および末日を明らかにしなければならず、任命権者は、当該請求に係る期間について当該請求をした職員の業務を処理するための措置を講ずることが著しく困難である場合以外は承認しなければならないとされる。ただし、職員であっても、職員の育児休業に伴い任期付きで採用された再任用短時間勤務職員、臨時的に任用される職員その他その任用の状況がこれらに類する職員として条例（独法職員については設立団体の条例（地方独法法五三5）。以下本条および次条の解説において同じ。）で定める職員（会計年度任用職員や特例定年によって引き続いて勤務している職員、異動期間を延長された管理監督職員、短時間勤務の任期付採用職員などが想定される。）はこの対象とならない。また、当該子について、既に二回の育児休業（次に掲げるものを除く。）

をしたことがあるときは、条例で定める特別の事情がなければ更に育児休業を取得することはできない（地公育児休業法二、人事院規則一九―〇（職員の育児休業等）四参照）。

① 子の出生の日から国家公務員の育児休業等に関する法律第三条第一項第一号の規定により人事院規則で定める期間（子の出生後八週間）を基準として条例で定める期間内に、職員（当該期間内に産後八週間（医師が認めた場合は六週間）を経過しないことにより勤務しない職員（労基法六五２）を除く。）が当該子についてする育児休業（②に掲げる育児休業を除く。）のうち最初のものおよび二回目のもの

② 任期を定めて採用された職員が当該任期の末日を育児休業の期間の末日としてする育児休業（当該職員が、当該任期を更新され、または当該任期の満了後引き続いて任命権者を同じくする職に採用されることに伴い、当該育児休業に係る子について、当該更新前の任期の末日の翌日または当該採用の日を育児休業の期間の初日とする育児休業をする場合に限る。）

なお、条例で定める特別の事情としては、常勤職員について、次のような事情が想定されている。

① 育児休業の承認が、産前の休業を始めまたは出産したことにより効力を失った後、当該産前の休業または出産に係る子が次に掲げる場合に該当することとなったこと。

イ 死亡した場合

ロ 養子縁組などにより職員と別居することになった場合

② 育児休業の承認が、育児休業をしている職員について当該育児休業に係る子以外の子に係る育児休業を承認しようとすることにより取り消された後、その承認に係る子が次に掲げる場合に該当することとなったこと。

イ 前記①イ又はロに掲げる場合

ロ 特別養子縁組の成立を求める家事審判事件が終了した場合（特別養子縁組の成立の審判が確定した場合を除く。）又は養子縁組が成立しないまま児童福祉法第二七条第一項第三号の規定による里親への委託または乳児院などへの入所の措置が解除された場合

③　育児休業の承認が休職または停職の処分を受けたことにより効力を失った後、当該休職または停職が終了したこと。

④　育児休業の承認が、職員の負傷、疾病または身体上もしくは精神上の障害により当該育児休業に係る子を養育することができない状態が相当期間にわたり継続することが見込まれることにより取り消された後、当該子を養育することができる状態に回復したこと。

⑤　育児休業（この規定に該当したことにより当該育児休業に係る子について既にしたものを除く。）の終了後、三月以上の期間を経過したこと（当該育児休業をした職員が、当該育児休業の承認の請求の際育児休業により当該子を養育するための計画について育児休業等計画書により任命権者に申し出た場合に限る。）。

⑥　配偶者が負傷または疾病により入院したこと、配偶者と別居したこと、育児休業に係る子について保育所、認定こども園、家庭的保育事業などにおける保育の利用を希望し、申込みを行っているが、当面その実施が行われないことその他の育児休業の終了時に予測することができなかった事実が生じたことにより当該育児休業に係る子について再度の育児休業をしなければその養育に著しい支障が生じること。

⑦　任期を定めて採用された職員であって、当該任期の末日を育児休業の期間の末日とする育児休業をしているものが、当該任期を更新され、または当該任期の満了後引き続いて特定官職に採用されることに伴い、当該育児休業に係る子について、当該更新前の任期の末日の翌日又は当該採用の日を育児休業の期間の初日とする育児休業をしようとすること。

育児休業をしている職員は、原則として一回だけ期間の延長を請求することができ（地公育児休業法三）、育児休業を開始した時に就いていた職または育児休業期間中に異動した職を保有するが、職務に従事せず、その期間については育児休業をしている職員が占めている職に他の職員を充てる（一の職に二人の職員を就ける）ことができる（人事院規則一九―〇（職員の育児休業等）八参照）。なお、条例で定める場合には二回以上の期間の延長ができるが、その事由としては、配偶者が負傷または疾病により入院したこと、配偶者と別居したこと、育児休業に係る子について保育所、認定こども園、家庭的保育事業などにおける保育の利用を希望し、申込みを行っているが、当面その実施が行われないことその他の育児休業の期間の延長の請求時に予測することができなかった事実が生じたことにより当該育児休業に係る子について育児休業の期間の再度の延長をしなければその養育に著しい支障が生じることなどが想定されている（人事院規則一九—〇（職員の育児休業等）七参照）。

なお、育児休業中の職員には給与は支給されず、部分休業中の職員には給与が減額されるが（地公育児休業法四2、一九2）、共済組合から当該育児休業等により勤務に服さなかった期間で当該育児休業等に係る子が一歳（一歳六か月または二歳とされる特別な場合がある。）に達する日までの期間一日につき標準報酬の日額の一〇〇分の五〇（当該育児休業等をした期間が一八〇日に達するまでの期間については、一〇〇分の六七）に相当する金額が育児休業手当金として支給されるのが原則である（地共済法七〇条の二）。期末手当または勤勉手当は、それぞれの基準日に育児休業をしている職員のうち、基準日以前六か月以内の期間において勤務した期間（人事院規則で定めるこれに相当する期間を含む。）がある職員には、当該基準日に係る期末手当および勤勉手当が支給される（地公育児休業法七、国公育児休業法八）。また、育児休業中の期間（当該育児休業に係る子が一歳に達した日の属する月までの期間に限る。）が一か月以上あったときは、その月数の三分の一に相当する月数を退職手当に係る在職期間から除算される（地公育児休業法八、国公育児休業法一〇、退手法六の四1、七4）。

育児休業の承認は、当該育児休業をしている職員が産前の休業を始め、もしくは出産した場合、当該職員が休職もしくは停職の処分を受けた場合または当該育児休業に係る子が死亡し、もしくは当該職員の子でなくなった場合には、その効力を失い、任命権者は、育児休業をしている職員が当該育児休業に係る子を養育しなくなったことその他条例で定める事由に該当すると認めるときは、当該育児休業の承認を取り消すものとされている（地公育児休業法五）。そして、この条例で定める事由としては、育児休業をしている職員について当該育児休業に係る子以外の子に係る育児休業を承認しようとするときが想定されている（人事院規則一九—〇（職員の育児休業等）九参照）。

なお、企業職員および単純労務職員ならびに独法職員については、育児休業期間中の給与の不支給に関する規定（地公育児休業法四2）、期末手当等の支給に関する規定（地公育児休業法七）および職場復帰後における給与等の取扱いに関する規定（地公育児休業法八）は適用されない（地公企法三九1、地公労法附則5、地方独法法五三1③）が、これは、これらの職員については給与条例主義（法二四5）の適用がないという形式的な理由によるものであり、これらの規定の趣旨が尊重して取り扱われるべきことは当然のことである。

(二)　部分休業

任命権者（県費負担教職員については、市町村の教育委員会）は、職員（育児短時間勤務職員その他その任用の状況がこれに類する職員として条例で定める職員を除く。）が請求した場合において、公務の運営に支障がないと認めるときは、条例の定めるところにより、当該職員がその小学校就学の始期（非常勤職員（定年前再任用短時間勤務職員を除く。）にあっては、三歳）に達するまでの子を養育するため一日の勤務時間の一部（二時間を超えない範囲内の時間に限る。）について勤務しないこと（「部分休業」という。）を承認することができ、この勤務しない時間については、減額して給与を支給するものとされている（地公育児休業法一九）。この部分休業は、正規の勤務時間の始め又は終わりにおいて、三〇分を単位として行うものとし、介護時間または育児休暇を承認されている職員に対する部分休業の承認については、一日につき二時間から当該育児休暇を承認されている時間を減じた時間を超えない範囲内で行うものとするのが適当であろう（人事院規則一九―〇（職員の育児休業等）二九参照）。

なお、この部分休業に関する地方公務員の育児休業等に関する法律第一九条は、企業職員および単純労務職員並びに独法職員には適用されない（地公企法三九1、地公労法附則5、地方独法法五三1③）が、その趣旨は育児休業中の給与の不支給に関する規定などが適用されないこと（前記(一)参照）と同じである。

(三)　育児短時間勤務

平成一九年（二〇〇七年）八月一日から施行された地方公務員の育児休業等に関する法律の一部を改正する法律によって育児短時間勤務の制度が導入された（地公育児休業法一〇）。これは、小学校就学の始期に達するまでの子を養育するために正規の勤務時間よりも短い勤務時間による勤務を認めることを内容とするものであり、具体的には次のようになっている。

ア　すなわち、職員（非常勤職員、臨時的に任用される職員その他これに類する職員として条例で定める職員（特例定年によって引き続いて勤務している職員、異動期間を延長された管理監督職員、短時間勤務の任期付採用職員、育児休業に伴う任期付採用職員などが想定される。）を除く。）は、任命権者の承認を得て、小学校就学の始期に達するまでの自分の子を養育するため、その子が就学の始期に達するまで、常時勤務を要する職（正規の勤務時間の勤務を要求される職）を占めたままで、次のいずれかの勤務の形態によって、その希望する日および時間帯において勤務することができるとされる（地公育児休業法一〇1本文）。

① 日曜日及び土曜日を週休日（勤務時間を割り振らない日をいう。以下この項において同じ。）とし、週休日以外の日において一日につき一〇分の一勤務時間（当該職員の一週間当たりの通常の勤務時間（「週間勤務時間」という。）に一〇分の一を乗じて得た時間に端数処理（五分を最小の単位とし、これに満たない端数を切り上げることをいう。）を行って得た時間をいう。）勤務すること。

② 日曜日及び土曜日を週休日とし、週休日以外の日において一日につき八分の一勤務時間（週間勤務時間に八分の一を乗じて得た時間に端数処理を行って得た時間をいう。）勤務すること。

③ 日曜日及び土曜日並びに月曜日から金曜日までの五日間のうちの二日を週休日とし、週休日以外の日において一日につき五分の一勤務時間（週間勤務時間に五分の一を乗じて得た時間に端数処理を行って得た時間をいう。）勤務すること。

④ 日曜日及び土曜日並びに月曜日から金曜日までの五日間のうちの二日を週休日とし、週休日以外の日のうち、二日については一日につき五分の一勤務時間、一日については一日につき一〇分の一勤務時間勤務すること。

⑤ 前各号に掲げるもののほか、一週間当たりの勤務時間が五分の一勤務時間に二を乗じて得た時間に一〇分の一勤務時間を加えた時間から八分の一勤務時間に五を乗じて得た時間までの範囲内の時間となるように条例で定める勤務の形態。

なお、交代制勤務やフレックス制勤務等のため日曜日および土曜日を週休日としない職員は、この勤務の形態だけによることとなる（地公育児休業法一〇1本文括弧書）。

日曜日および土曜日が週休日ではない職員が⑤の勤務の形態のみによることになるのは、通常の勤務体制が日曜日および土曜日が週休日ではない職員は、前記の①から④の勤務の形態をとることができないことによるものである。したがって、日曜日および土曜日が週休日である職員については、当面、⑤の形態による短時間勤務は想定されていない。なお、一週間当たりの通常の勤務時間を七時間四五分とした場合における条例で定めるこの勤務の形態としては、次に掲げる職員の区分に応じて、それぞれのものが想定される（人事院規則一九―〇（職員の育児休業等）一九、労基法三二の二、船員法六〇、六一参照）。

i　試験研究機関においてフレックスタイムにより勤務する職員　日曜日及び土曜日を週休日（勤務時間、休暇等に関する条例に規定する週休日をいう。）とし、または日曜日及び土曜日並びに月曜日から金曜日までの五日間のうちの二日を週休日とし、四週間ごとの期間につき一週間当たりの勤務時間が一九時間二五分、一九時間三五分、二三時間一五分又は二四時間三五分となるように、かつ、一日につき午前七時から午後一〇時までの間において二時間以上勤務すること

ii　公務の運営上の事情により特別の形態により勤務する職員（cに掲げる勤務の形態は船舶に乗り組む職員に限る。）次に掲げる勤務の形態（勤務日が引き続き一二日を超えず、かつ、一回の勤務が一六時間を超えないものに限る。）

a　四週間ごとの期間につき八日以上を週休日とし、当該期間につき一週間当たりの勤務時間が一九時間二五分、一九時間三五分、二三時間一五分又は二四時間三五分となるように勤務すること

b　四週間を超えない一定の期間につき一週間当たり一日以上の割合の日を週休日とし、当該期間につき一週間当たりの勤務時間が一九時間二五分、一九時間三五分、二三時間一五分又は二四時間三五分となるように勤務すること

c　五十二週間を超えない期間につき一週間当たり一日以上の割合の日を週休日とし、週休日が毎四週間につき四日以上となるようにし、および当該期間につき一週間当たりの勤務時間が一九時間二五分、一九時間三五分、二三時間一五分又は二四時間三五分となるように、かつ、毎四週間につき一週間当たりの勤務時間が四二時間を超えないように勤務すること

なお、企業職員および単純労務職員ならびに独法職員については、前記の勤務形態を定める地方公務員の育児休業に関する法律第一〇条第一項の該当部分を、「五分の一勤務時間（当該職員の一週間当たりの通常の勤務時間（以下この項において「週間勤務時間」という。）に五分の一を乗じて得た時間に端数処理（五分を最小単位とし、これに満たない端数を切り上げることをいう。以下この項において同じ。）を行って得た時間をいう。）に二を乗じて得た時間に一〇分の一勤務時間（週間勤務時間に一〇分の一を乗じて得た時間に端数処理

を行って得た時間をいう。）を加えた時間から八分の一勤務時間（週間勤務時間に八分の一を乗じて得た時間に端数処理を行って得た時間をいう。）に五を乗じて得た時間までの範囲内の時間となるように地方公営企業の管理者（独法職員については理事長）が定める勤務の形態」と読み替えて適用されるものとされている（地公企法三九5、地公労法一七1、地公労法附則5、地方独法法五三5）。

ともあれ、育児短時間勤務の承認を受けようとする職員は、条例で定めるところ（書面で、一定の余裕を持って事前に請求すべきことなどが考えられる。）により、育児短時間勤務をしようとする期間（一月以上一年以下の期間に限る。）の初日および末日並びにその勤務の形態における勤務の日および時間帯を明らかにして、任命権者に対し、その承認を請求し、その請求を受けた任命権者は、当該請求に係る期間について当該請求をした職員の業務を処理するための措置を講ずることが困難である場合を除き、これを承認しなければならない（地公育児休業法一〇2 3）。このことは、職員の希望が無条件に受け入れられるわけではなく、あくまでも任命権者の承認が得られることが条件であり、任命権者は、当該職員が勤務しないこととなった場合に、その担当すべき業務が円滑に処理できるような措置ができないときは、その希望に沿った勤務形態を認めないとすることもできることを意味する。また、このことは、任命権者が勤務の日および時間を類型化し、その類型以外の勤務の形態を認めないこととしてはならないということでもあり、類型化するとしても、それはあくまでも職員が承認申請をする際の便宜のためにすぎないということになる。

また、承認を受けた育児短時間勤務の期間の延長を請求することができるが（同法一一）、一旦期間が満了し、通常の勤務に復した場合は、条例で定める特別の事情がない限り、その期間が終了した日の翌日から起算して一年を経過しない間における再度の育児短時間勤務は認められない（同法一〇1但し書）。その例外として条例で定める再度の育児短時間勤務を認める事情としては、次のものが考えられる（人事院規則一九—〇（職員の育児休業等）一八参照）。

①　育児短時間勤務の承認が、産前の休業を始めまたは出産したことにより効力を失った後、当該産前の休業または出産に係る子が死亡し、または養子縁組などにより職員と別居することとなったこと。

②　育児短時間勤務の承認が、育児短時間勤務をしている職員について当該育児短時間勤務に係る子以外の子に係る育児短

時間勤務を承認しようとすることにより取り消された後、その承認に係る子が死亡し、または養子縁組などにより職員と別居することとなったこと。

③　育児短時間勤務の承認が休職または停職の処分を受けたことにより効力を失った後、当該休職または停職が終了したこと。

④　育児短時間勤務の承認が、職員の負傷、疾病または身体上若しくは精神上の障害により当該育児短時間勤務に係る子を養育することができない状態が相当期間にわたり継続することが見込まれることにより取り消された後、当該子を養育することができる状態に回復したこと。

⑤　育児短時間勤務の承認が、既に承認を得ている育児短時間勤務の内容と異なる内容の育児短時間勤務（勤務の日および時間帯の変更を含む。）を承認するために取り消されたこと。

⑥　育児短時間勤務（この規定に該当したことにより当該育児短時間勤務に係る子について既にしたものを除く。）の終了後、三カ月以上の期間が経過したこと（当該育児短時間勤務をした職員が、当該育児短時間勤務の承認の請求の際、育児短時間勤務により当該子を養育するための計画について育児休業等計画書により任命権者に申し出た場合に限る。）。

⑦　配偶者が負傷または疾病により入院したこと、配偶者と別居したこと、育児休業に係る子について保育所、認定こども園、家庭的保育事業などにおける保育の利用を希望し、申込みを行っているが、当面その実施が行われないことその他の育児短時間勤務の終了時に予測することができなかった事実が生じたことにより当該育児短時間勤務に係る子について育児短時間勤務をしなければその養育に著しい支障が生じること。

イ　ところで、地方公務員の育児休業等に関する法律第一三条は、育児短時間勤務の承認を受けた職員は、「常時勤務を要する職を占めたまま」であるにもかかわらず、一人の職員の短時間勤務の勤務時間がその承認を得る前の勤務時間の二分の一であるときは、同じ職に他の一人の育児短時間勤務職員を任用することができるとする（この任用を「育児短時間勤務職員の並立任用」という。）。これは、「職員の職に欠員を生じた場合」に職員を任命できるとする地方公務員法第一七条第一項の特例であり、一つの職を二人の育児短時間勤務職員（育児短時間勤務に伴って任用された短時間勤務職員（地公育児休業法一八）は含まれない。）で分けあうということを意味し、休職中の職員や育児休業中の職員が占める職に他の職員を任命することとは別のものである。育児短時間勤務職員の並立任用においては、一つの職について、二人の職員が交互に職務を行うことになるので、休職の場合と異なり、専決や代決の権限を有する職または上司として部下に対する指導、指揮もしくは監督をする立場にある職などについては、その適用について十分な考慮をはらうことが必要であろう。

育児短時間勤務職員の並立任用が実質的な意味を有するのは、定数との関係である。地方自治法などのいわゆる組織法においては、条例で職員の定数を定めるものとされており、育児短時間勤務職員も常時勤務を要する職を占めている以上、条例で定める定数に含まれることになるが、二人で一つの常時勤務を要する職を占めるのであれば、当該条例の解釈として、一の定数で二人の育児短時間勤務職員を置くことができるとすることが可能になるわけである。ただ、この場合においても、育児短時間勤務職員の並立任用は、同一の職への任用の場合に限られるものであるから、異なる職を有する二人の育児短時間勤務職員について並立任用の扱いをすることができないのは当然のことである。なお、定数と職の関係については、第一七条の〔**解釈**〕一㈠および㈡で詳しく述べた。

ウ　育児短時間勤務職員の給与などの取扱いについては、育児短時間勤務をしている国家公務員の給与、勤務時間及び休暇の取扱いに関する事項を基準として、給与、勤務時間及び休暇の取扱いに関する措置を講じなければならないとされ（地公育児休業法一四）、退職手当についても、育児短時間勤務をした国家公務員の退職手当の取扱いに関する事項を基準として、退職した場合の退職手当の取扱いに関する措置を講じなければならないとされている（同法一五）。これらの規定は、企業職員および単純労務職員並びに独法職員には適用されない（地公企法三九1、地公労法附則5、地方独法法五三1③）が、これは、これらの職員については給与条例主義（法二四5）の適用がないという形式的な理由によるものであり、これらの規定の趣旨が尊重して取り扱われるべきことは育児休業の場合と同様である。

また、職員は、育児短時間勤務を理由として、不利益な取扱いを受けることはないが（地公育児休業法一六）、育児短時間勤務の承認が失効し、または取り消された場合において、過員を生ずることその他の条例で定めるやむを得ない事情があると認めるときは、その事情が継続している期間、条例で定めるところにより、当該育児短時間勤務をしていた職員に、引き続き当該育児短時間勤務と同一の勤務の日及び時間帯において常時勤務を要する職を占めたまま勤務をさせることができることとされている（同法一七）。ここで「育児短時間勤務の承認が失効し、又は取り消された場合において、過員を生ずる」場合というのは、並立任用によって定数一の職を二人の職員が占めることとして、定数の限度までの職員が配置されていたときに、一人にこの事由が生ずると、その職員は一人で一の職を占めることになるので、定数に一以上の余裕がなければ過員が生ずることになることを意味する。また、「条例で定めるやむを得ない事情」としては、育児短時間勤務に伴う短時間勤務職員の任用がなされていた場合において、当該短時間勤務職員の任期が満了する前に、当該任用の前提となった育児短時間勤務の承認が失効し、または取り消されたものの、当該育児短時間勤務職員をフルタイムの勤務で復職させるときは、当該短時間勤務職員を配置すべき職がないことが想定される。なお、「条例で定めるところにより」というのは、この措置を行うに際しての通知は書面で行うなどの手続きを条例で定めるということである。

なお、育児短時間勤務に伴う短時間勤務職員の任用については、任期付採用の一つとして述べた（法第一七条の〔解釈〕二(二)３）ので、合わせて参照されたい。

三　大学院修学休業

教育公務員については、その職務の特殊性から、絶えず研究と修養に努めることが要求され（教特法二一１）、任命権者などは教育公務員の研修に関する計画を樹立し、その実施に努めなければならないとされる（同条２）ほか、教育公務員には研修を受ける機会が与えられなければならないとされている（教特法二二１）。大学院修学休業は、教育職員免許法に定めるより上級の専修免許状を取得する機会を与えるために認められたものであり、一般の研修とは若干異なるという面もあるが、本書においては研修についての教育公務員に関する特例として述べているので、その内容については該当箇所（法第五七条の〔解釈〕一４）を参照されたい。

（自己啓発等休業）

第二十六条の五　任命権者は、職員（臨時的に任用される職員その他の法律により任期を定めて任用される職員及び非常勤職員を除く。以下この条及び次条（第八項及び第九項を除く。）において同じ。）が申請した場合において、公務の運営に支障がなく、かつ、当該職員の公務に関する能力の向上に資すると認めるときは、条例で定めるところにより、当該職員が、三年を超えない範囲内において条例で定める期間、大学等課程の履修（大学その他の条例で定める教育施設の課程の履修をいう。第五項において同じ。）又は国際貢献活動（国際協力の促進に資する外国における奉仕活動（当該奉仕活動を行うために必要な国内における訓練その他の準備行為を含む。）のうち職員として参加することが適当であると認められるものとして条例で定めるものに参加することをいう。第五項において同じ。）のための休業（以下この条において「自己啓発等休業」という。）をすることを承認することができる。

2　自己啓発等休業をしている職員は、自己啓発等休業を開始した時就いていた職又は自己啓発等休業の期間中に異動した職を保有するが、職務に従事しない。

3　自己啓発等休業をしている期間については、給与を支給しない。

4　自己啓発等休業の承認は、当該自己啓発等休業をしている職員が休職又は停職の処分を受けた場合には、その効力を失う。

5　任命権者は、自己啓発等休業をしている職員が当該自己啓発等休業の承認に係る大学等課程の履修又は国際貢献活動を取りやめたことその他条例で定める事由に該当すると認めるときは、当該自己啓発等休業の承認を取り消すものとする。

6　前各項に定めるもののほか、自己啓発等休業に関し必要な事項は、条例で定める。

〔趣　旨〕

自発的研修のための自己啓発等休業

地方分権の推進の必要が強調されればされるほど、地方公共団体の職員の能力不足を根拠とした時期尚早論が唱えられる。また、地方公共団体自身の問題としても、複雑、高度化する行政課題に対処していくためには、職員の能力向上が喫緊の課題となっている。従来、職員の能力は、職員自らが行う業務を通じた研鑽を基礎としつつ、任命権者が提供する集合研修やオン・ザ・ジョブトレーニングなどによって、その向上が図られてきたが、より効果をあげるためには、職員の自発性と自主性を積極的に生かすことが必要であると考えられるようになってきた。また、国際協力、なかでも人的国際貢献を促進することがわが国の政策として掲げられていること（平成一五年（二〇〇三年）八月二九日閣議決定の政府開発援助大綱）を踏まえると、この分野において公務員がより積極的に関与することが望まれ、地方公共団体においても、意欲ある職員の国際貢献活動を支援することが組織の活性化と公に奉仕するという感覚の醸成に役立つと考えられる。

このような状況の中で、平成一八年（二〇〇六年）八月、人事院は「一般職の職員の自己啓発等休業に関する法律の制定についての意見の申出」を行い、国家公務員の自主的な幅広い能力開発や自発的な国際ボランティアへの参加をするために自己啓発等休業制度の導入を提言した。この提言を受けて、国家公務員の自己啓発等休業に関する法律が制定され、地方公務員についても同様な制度を導入することを目的として、本条を追加する地方公務員法の改正がなされ、平成一九年（二〇〇七年）八月一日から施行された。

本条は、任命権者は、職員が申請した場合において、公務の運営に支障がなく、かつ、当該職員の公務に関する能力の向上に資すると認めるときは、条例で定めるところにより、当該職員が、三年を超えない範囲内において条例で定める期間、大学等課程の履修または国際貢献活動のための休業（「自己啓発等休業」という。）をすることを承認することができ、自己啓発等休業をしている職員は、自己啓発等休業を開始した時に就いていた職又は自己啓発等休業の期間中に異動した職を保有するが、職務に従事せず、その期間については、給与を支給しないことを定めるほか、自己啓発等休業の承認の失効や取消しについて定め、本条に定める以外の必要な事項は、条例で定めることとしている。

〔解　釈〕

一　対象となる職員

自己啓発等休業を取得することができる職員は、「臨時的に任用される職員その他の法律により任期を定めて任用される職員及び非常勤職員」以外の職員である（本条1）。この「臨時的に任用される職員その他の法律により任期を定めて任用される職員及び非常勤職員」という表現は、地方公務員法第二六条の二や第二八条の六第四項にもあり、その意味は同じである（第二六条の二の〔解釈〕一および第二八条の二〔解釈〕四参照）。これらの職員に自己啓発等休業の制度が適用されないのは、この制度が大学等課程の履修又は国際貢献活動のための休業を内容とするものであり、休業の期間がこれらの職員の任用期間を超えるのが通常であることと、休業期間中に習得した知識経験などを職務に活用することが期待されるものであり、これらの職員にはそのことを期待できないことによるものである。また、これらの職員は、臨時的または特別の公務の必要性に基づいて任用されるものであるから、公務の運営に支障がない場合に限って休業を承認するという制度の趣旨からしても、この制度の対象にならないのは当然のことであろう。

二　自己啓発等休業が承認される要件

本条第一項は、自己啓発等休業が認められる要件として、「職員の申請」、「公務の運営に支障がないこと」および「当該職員の公務に関する能力の向上に資すると認めるとき」を定める。これは、修学部分休業が承認される要件と同じであるので該当箇所（第二六条の二の〔解釈〕二）を参照されたい。なお、国家公務員についての自己啓発等休業については、「職員の申請」、「公務の運営に支障がないこと」のほかに「在職期間が二年以上であること」が必要であるとされ、承認に際しては、「当該請求をした職員の勤務成績、当該請求に係る大学等における修学又は国際貢献活動の内容その他の事情」を考慮しなければならないことが法定されているが（国公自己啓発法三1）、職員については、「当該職員の公務に関する能力の向上に資すると認めるとき」に該当するか否かの判断に際してこれらの事柄も考慮されることになろう。

三　自己啓発等休業の期間と対象

自己啓発等休業の期間は、上限を三年として条例で定められるが、それは、自己啓発等休業の目的と対応すべきものであり、大学への学士入学であれば二年、短期大学や大学院への入学であれば、その専攻に応じて一年、二年または三年と固定的に期間を定めることができるが、国際貢献活動については、その参加するプログラムに応じて適切な期間を定めなければならない。したがって、条例においては、確定した期間を定めるだけでなく、一定の幅だけを定め、具体的な期間の決定は人事委員会規則や長の規則に委ねることもあり得るであろう。

本条第一項は、「大学等課程の履修」というのは大学その他の条例で定める教育施設の課程の履修のことであるとしているが、大学というのは学校教育法第八三条に規定される大学（そこに置かれる専攻科および別科（同法九一）並びに大学院（同法九七）も含まれる。）および同法第一〇八条に規定される短期大学を意味し、条例で定める教育施設としては、学校教育法第一条に定める学校以外の教育施設で、そこに置かれる課程を修了した者に対して、独立行政法人大学改革支援・学位授与機構が学士、修士または博士の学位を授与することとされているもの（当該職員が当該課程を履修する場合に限る。）やこれらに相当する外国の教育施設が考えられるほか、地域の実情に応じて、専修学校（学校教育法一二四）などもあり得る。

自己啓発等休業の対象となる国際貢献活動は、国際協力の促進に資する外国における奉仕活動（当該奉仕活動を行うために必要な国内における訓練その他の準備行為を含む。）のうち職員として参加することが適当であると認められるものとして条例で定めるもののことであるとされるが、この条例を定めるに際しては次のようなことについて考慮することが必要であると考えられる。すなわち、国際協力の促進に資するという観点からは、個人的な活動ではなく、ある程度組織的に行われる国際協力のプログラムに沿ったものであることが必要であり、外国における奉仕活動であるという観点からは、本来の活動が外国で行われることのほか、それが奉仕活動（収入（労働の対価）を得ることが目的ではないこと）でなければならないので、外国の地方公共団体の機関等に派遣される一般職の地方公務員の処遇等に関する法律の対象となるものは含まれないことになる。さらに、職員として参加することが適当であるという観点からは、当該活動に参加することが地方公務員法の禁止する信用失墜行為に該当しないこと、当該奉仕活動の目的や方針が明確であること、安全性が確保されていることなども考慮の対象とすべきものであろう。国家公務員については、当面、独立行政法人国際協力機構（ＪＩＣＡ）が自ら行う派遣業務の目的となる開発途上地域における奉仕活動（当該奉仕活動を行うために必要な国内における訓練その他の準備行為を含む。）などが予定されている（国公自己啓発法二4、人事院規則二五―〇（職員の自己啓発等休業）四）が、地方公共団体においては、外国の姉妹都市などとの交流に関する活動の一環として職員が外国における奉仕活動に参加することも、それが公務感覚の醸成などを図るために役立つと認められるものであれば、自己啓発等休業の対象とすることが可能であろう。

四　自己啓発等休業中の職と給与

自己啓発等休業をしている職員は、自己啓発等休業を開始した時に就いていた職または自己啓発等休業の期間中に異動した職を保有するが、職務に従事しないとされ（本条2）、自己啓発等休業をしている期間については、給与を支給しないとされている（本条3）。これは、育児休業など、他の休業制度における場合と同じであり、職員の地位が職と離れて存在しないことと、職務に従事しない場合に給与が支給されないというノーワーク・ノーペイの原則を確認するものである。問題は、定数との関係であるが、職員が職務に従事しないとしても、その者が常勤の職を占める以上定数条例上の定数に含めるべきであるという考え方もあるものの、職と身分が未分離であるという現実を考えると、条例に明記することによって自己啓発等休業をしている職員を定数に含めないことができるし（定数と職の関係については第一七条の〔解釈〕一㈠および㈡参照）、定数に含めない以上、自己啓発等休業をしている職員が占めている職に他の職員を充てることができるものと解される。

なお、企業職員および単純労務職員並びに独法職員には、自己啓発等休業をしている期間について給与を支給しないとする本条第三項の規定が適用されないが（地公企法三九1、地公労法附則5、地方独法法五三1①）、それは、これらの職員には給与条例主義が適用されないためであり、勤務しない時間について給与を支給するという趣旨ではないことは当然のことである。

五　自己啓発等休業の承認の失効と取り消し

自己啓発等休業は、職員の申請に基づいて任命権者が承認することによって効力が生ずるものであるが、その効力を維持する必要がなくなった場合またはそれを維持することが不適当になった場合は、その効力を失わせなければならない。

まず、自己啓発等休業をしている職員が休職または停職の処分を受けた場合には、職務に従事することができないのであるから、職務専念義務を免除するという意味での自己啓発等休業の承認の効力を維持する必要はないし、そのような処分を受けた職員に自己啓発等休業を認める妥当性もない。そこで、このような場合には、任命権者による何の行為も必要とせずに、当然にその効力を失うとされている（本条４）。

次に、「任命権者は、自己啓発等休業をしている職員が当該自己啓発等休業の承認に係る大学等課程の履修又は国際貢献活動を取りやめたことその他条例で定める事由に該当すると認めるときは、当該自己啓発等休業の承認を取り消すものとする」とされる（本条５）が、ここで、「取り消すものとする」というのは、「取り消さなければならない」という意味である。自己啓発等休業をしている職員が当該自己啓発等休業の承認に係る大学等課程の履修または国際貢献活動を取りやめた場合は、当該自己啓発等休業の目的が消滅したことになるので、その後も承認の効力を維持する理由がない（それを維持することが公益に反する）というのがその理由である。条例においても、これらに準じる事由を定めることになるが、具体的には、次のようなことが考えられる（人事院規則二五―〇（職員の自己啓発等休業）九参照）。

①　自己啓発等休業をしている職員が、正当な理由なく、その者が在学している課程を休学し、もしくはその授業を頻繁に欠席していることまたはその者が参加している奉仕活動の全部もしくは一部を行っていないこと。

②　自己啓発等休業をしている職員が、その者が在学している課程を休学し、停学にされ、またはその授業を欠席していること、その者が参加している奉仕活動の全部または一部を行っていないことその他の事情により、当該職員の請求に係る大学等課程の履修又は国際貢献活動に支障が生ずること。

①は、「正当な理由なく」すなわち当該職員に責任があり、そのことを理由とするものであり、②は当該職員の責任の有無に関係なく、自己啓発等休業の目的を達成する見込みがなくなったことを理由とするものである。したがって、同じ休学であっても、不正な行為を行ったことを理由としてなされた処分の場合は①に該当し、病気を理由とする場合は②に該当す

ることになり、①の場合はその期間が極めて短いときも該当するのに対して、②の場合はその期間が相当程度長期間にわたるときが該当することになる。なお、②の「その他の事情」としては、職場外非行による信用失墜行為を理由とする減給または戒告の懲戒処分がなされたことなどが考えられる。

なお、育児休業または産前休暇を取得すべき事由が生じた場合の取扱いについては特別の規定はないが、予定よりも早期に目的を達成したり、家庭の事情から国際貢献活動を中止せざるを得なくなったりした場合と同様、当該職員が自ら自己啓発等休業を中止したい旨の申出をし、任命権者がその申出を受けて、自己啓発等休業の取消しをすることができるのは当然のことであろう。なお、この取消しは、後発的事由によって、将来に向かって効力を発生させるためのものであり、講学上の撤回に該当するものである。

六　条例で定めるべき事項

本条第六項は、「前各項に定めるもののほか、自己啓発等休業に関し必要な事項は、条例で定める。」としているが、条例で定めるべき事項としては次のようなものがある。

①　自己啓発等休業の承認の請求手続

自己啓発等休業の承認の請求は、自己啓発等休業をしようとする期間の初日および末日並びに当該期間中の大学課程の履修または国際貢献活動の内容を明らかにして、自己啓発等休業を始めようとする日の一月前までに行うものとし、任命権者は、自己啓発等休業の承認の請求をした職員に対して、当該請求について確認するため必要があると認める書類の提出を求めることができること。

②　自己啓発等休業の期間の延長の請求

自己啓発等休業をしている職員は、当該自己啓発等休業を開始した日から引き続き自己啓発等休業をしようとする期間が当該自己啓発等休業の期間として定められている期間を超えない範囲内において、延長しようとする期間の末日を明らかにして、任命権者に対して自己啓発等休業の期間の延長を申請することができるが、その申請は一回に限ること。なお、一回

を超える回数の延長を認める場合にはその要件

③　自己啓発等休業に係る報告等

自己啓発等休業をしている職員は、任命権者から求められた場合のほか、次に掲げる場合には、当該職員の請求に係る大学等における履修または国際貢献活動の状況について任命権者に報告しなければならないこと。任命権者は、自己啓発等休業をしている職員からこの報告を求めるほか、当該職員と定期的に連絡を取ることにより、十分な意思疎通を図るものとすること

ⅰ　当該職員が、その請求に係る大学等課程の履修または国際貢献活動を取りやめた場合

ⅱ　当該職員が、その在学している課程を休学し、停学にされ、若しくはその授業を欠席している場合またはその参加している奉仕活動の全部若しくは一部を行っていない場合

ⅲ　当該職員の請求に係る大学等課程の履修または国際貢献活動に支障が生じている場合

④　職務復帰後における号給の調整

自己啓発等休業をした職員が職務に復帰した場合において、部内の他の職員との均衡上必要があると認められるときは、当該自己啓発等休業の期間を大学等課程の履修または国際貢献活動のためのもののうち、職員としての職務に特に有用であると認められるものにあっては一〇〇分の一〇〇以下、それ以外のものにあっては一〇〇分の五〇以下の換算率により換算して得た期間を引き続き勤務したものとみなして、その職務に復帰した日及びその日後における（人事委員会規則で定める）最初の昇給日またはそのいずれかの日に、昇給の場合に準じてその者の号俸を調整することができること

⑤　退職手当の特例

自己啓発等休業の期間を退職手当の算定の基礎となる勤続期間から原則として除算し、当該期間中の大学等課程の履修または国際貢献活動の内容が公務の能率的な運営に特に資すると認められる場合その他の（人事委員会）規則で定める場合に該当するときは、当該休業期間の二分の一を退職手当の算定の基礎となる勤続期間に算入すること。なお、この（人事委員会）

規則で定める場合については、平成一九年（二〇〇七年）七月二〇日付け総人恩総第八一二号「国家公務員の自己啓発等休業に関する法律第八条第二項の規定により読み替えて適用される国家公務員退職手当法第七条第四項に規定する総務大臣が定める要件について（通知）」が参考になる。

（配偶者同行休業）

第二十六条の六　任命権者は、職員が申請した場合において、公務の運営に支障がないと認めるときは、条例で定めるところにより、当該申請をした職員の勤務成績その他の事情を考慮した上で、当該職員が、三年を超えない範囲内において条例で定める期間、配偶者同行休業（職員が、外国での勤務その他の条例で定める事由により外国に住所又は居所を定めて滞在するその配偶者（届出をしないが事実上婚姻関係と同様の事情にある者を含む。第五項及び第六項において同じ。）と、当該住所又は居所において生活を共にするための休業をいう。以下この条において同じ。）をすることを承認することができる。

2　配偶者同行休業をしている職員は、当該配偶者同行休業を開始した日から引き続き配偶者同行休業をしようとする期間が前項の条例で定める期間を超えない範囲内において、条例で定めるところにより、任命権者に対し、配偶者同行休業の期間の延長を申請することができる。

3　配偶者同行休業の期間の延長は、条例で定める特別の事情がある場合を除き、一回に限るものとする。

4　第一項の規定は、配偶者同行休業の期間の延長の承認について準用する。

5　配偶者同行休業の承認は、当該配偶者同行休業をしている職員が休職若しくは停職の処分を受けた場合又は当該配偶者同行休業に係る配偶者が死亡し、若しくは当該職員の配偶者でなくなつた場合には、その効力を失う。

6　任命権者は、配偶者同行休業をしている職員が当該配偶者同行休業に係る配偶者と生活を共にしなくなつたことその他条例で定める事由に該当すると認めるときは、当該配偶者同行休業の承認を取り消すものとする。

7　任命権者は、第一項又は第二項の規定による申請があつた場合において、当該申請に係る期間（以下この項及び次項において「申請期間」という。）について職員の配置換えその他の方法によつて当該申請をした職員の業務を処理することが困難であると認めるときは、条例で定めるところにより、当該業務を処理するため、次の各号に掲げる任用のいずれかを行うことができる。この場合において、第二号に掲げる任用は、申請期間について一年を超えて行うことができない。

一　申請期間を任用の期間（以下この条において「任期」という。）の限度として行う任期を定めた採用

二　申請期間を任期の限度として行う臨時的任用

8　任命権者は、条例で定めるところにより、前項の規定により任期を定めて採用された職員の任期が申請期間に満たない場合には、当該申請期間の範囲内において、その任期を更新することができる。

9　任命権者は、第七項の規定により任期を定めて採用された職員を、任期を定めて採用した趣旨に反しない場合に限り、その任期中、他の職に任用することができる。

10　第七項の規定に基づき臨時的任用を行う場合には、第二十二条の三第一項から第四項までの規定は、適用しない。

11　前条第二項、第三項及び第六項の規定は、配偶者同行休業について準用する。

〔趣　旨〕

本条は、平成二五年（二〇一三年）六月一四日に閣議決定された日本再興戦略において「女性の採用・登用の促進や、男女の仕事と子育て等の両立支援について、まずは公務員から率先して取り組む」こととされ、「配偶者の転勤に伴う離職への対応」が掲げられたことに応じて、人事院が同年八月八日に「人事院は有為な職員の継続的な勤務を促進するため、外国で勤務等をすることとなった配偶者と生活を共にすることを希望する職員に対し、職員としての身分を保有しつつ、職務に従

事しないことを認める必要があるので、（中略）一般職の職員の配偶者帯同休業に関する法律を制定されるよう」内閣総理大臣などに意見の申出をし、それを受けて国家公務員について配偶者同行休業制度が創設されたことに対応するものであり、同年（二〇一三年）一一月一五日に成立した地方公務員法の一部を改正する法律（同二六年二月一日施行）によって追加されたものである。この配偶者同行休業制度は、配偶者（届出をしないが事実上婚姻関係と同様の事情にある者を含む。）が外国での勤務その他の条例で定める事由により外国に住所又は居所を定めて滞在することとなった場合において、職員の申請により、公務の運営に支障がないと認めるときは、条例で定めるところにより、当該申請をした職員の勤務成績その他の事情を考慮した上で、当該職員が、三年を超えない範囲内において条例で定める期間の休業を認めることができることとして、配偶者が外国で勤務などすることとなった場合においても、退職することなく、配偶者に同行することができるようにしようとするものである。

〔解　釈〕

一　配偶者同行休業の申請・承認など

配偶者同行休業の制度を利用できるのは、臨時的に任用される職員その他の法律により任期を定めて任用される職員及び非常勤職を除く職員であり（法二六条の五１括弧書き）、その意味は前条の〔解釈〕一で述べたのと同じである。配偶者同行休業が認められるのは任命権者が公務の運営に支障がないと認めるときでなければならないが、これは、全力を挙げて職務を遂行すべき（法三〇参照）職員が、職務とは関係なく、配偶者に同行するために職務を離脱することを承認するための要件として当然のことであろう。また、当該申請した職員の勤務成績その他の事情を考慮するとされているのは、この制度が〔趣旨〕で述べたように「有為な職員の継続的な勤務を促進するため」のものであることによるものである。なお、「勤務成績」を考慮するとされ、「勤務成績の評価」を意味する「人事評価」（法六１）を考慮するとされていないことの理由は不明であるが、人事評価とは別に勤務成績を考慮しなければならないという意味ではないと思われる。そして、「その他の事情」というのは、復職後、休業期間中の経験などを職務に反映させることが期待できることなどであろうが、勤務成績とは異なり、その期待は、一般的・抽象的なものとならざるを得ないであろう。配偶者同行休業は「条例で定めるところにより」認められるのであるが、その意味は、地方公務員法が枠の法律であることを考慮して、具体的な制度の根拠は条例で定めるべきということである。

休職が認められる期間は三年を超えない範囲で条例で定めることとされているが、敢えて、これと異なる期間を定めるべき事情はないのが通常であろうが、実際の休業の承認に際しては、真に必要な期間に限定すべきこと（外国での勤務などの終了に際しての不必要な休暇の期間などは認められない。）は当然である。さらに、職員の配偶者が外国に住所又は居所を定めて滞在する事由は条例で定めることができるとされているが、外国での勤務のほか、事業を経営することその他の個人が業として行う活動であって外国で行うものや外国の大学であって外国に所在するものにおける修学などが考えられる（人事院規則一一六一〇（職員の配偶者同行休業）参照）。なお、配偶者の意味については〔趣旨〕で述べた。

二　配偶者同行休業の期間の延長

配偶者同行休業をしている職員は、当該配偶者同行休業を開始した日から引き続き配偶者同行休業をしようとする期間が本条第一項に基づいて条例で定めた期間を超えない範囲において、条例で定めるところにより、任命権者に対し、配偶者同行休業の期間の延長を申請することができる（本条２）。この条例では、延長をしようとする期間の末日を明らかにして申請することなどが定められるが、二回以上の延長を認める場合も条例の定めが必要であり、延長が二回以上になる場合であっても、通算して前記の条例で定めた期間を超えることはできない。また、延長を認めることができるのは、公務の運営に支障がないと認めるときであって、当該申請をした職員の勤務成績その他の事情を考慮した上で適当と認められる場合に限られることは、最初の承認の場合と同じである。

三　配偶者同行休業の承認の失効および取消し

配偶者同行休業の承認は、当該配偶者同行休業をしている職員が休職もしくは停職の処分を受けた場合または当該配偶者同行休業に係る配偶者が死亡し、もしくは当該職員の配偶者でなくなった場合には、その効力を失うとされる（本条５）

が、これは、その事実が外形的、客観的に明らかであるために、何らの行為を要せず、当然に効力がなくなるとしたものである。ただ、配偶者同行休業の制度は届出をしないが事実上婚姻関係と同様の事情にある者が配偶者である場合にも適用されるのであり、その場合の事実確認は必ずしも容易ではないが、そのような場合は、配偶者同行休業をしている職員が当該配偶者同行休業に係る配偶者と生活を共にしなくなったこと（本条６）に該当するとして、承認を取り消すこともできよう。本条第六項が定める「生活を共にしなくなつたことと」というのは、別居生活に入ったことが典型的であるが、介護などのための長期にわたる帰国も含まれるものと解される。

ところで、本条第六項は、条例で定める事由に該当する場合も配偶者同行休業の承認を取り消すことができるとしているが、その事由としては次のものが考えられる。

① 当該配偶者同行休業に係る配偶者が外国に滞在しないこととなり、または外国に滞在する事由が配偶者同行休業が承認された際の事由に該当しないこととなったこと。

② 配偶者同行休業をしている職員が労働基準法第六五条第一項または第二項の規定（産前産後休暇）により就業しないこととなったこと。

③ 配偶者同行休業をしている職員について、育児休業を承認することとなったこと。

なお、本条第六項による失効の原因となる事由および前記①および②については、条例で、その事実が生じたことの届出を義務付けることが適当であろうが、同項による失効の効果は届出の有無にかかわらず、その事実が生じたときに当然に生ずるものである。

四　配偶者同行休業中の職員の身分取扱いおよび代替職員の確保など

配偶者同行休業の承認を受けた職員は、その休業の期間中、職は保有するが給与は支給されないことは自己啓発等休業の場合と同じである（法二六条の六第一一項による法二六条の五第二項および第三項の準用）。また、本条第七項は、配偶者同行休業の申請があった場合において、当該申請に係る期間（「申請期間」という。）について、職員の配置換えその他の方法によって当該申請をした職員の業務を処理することが困難であると認めるときは、当該業務を処理するため、申請期間を任用の期間の限度として任期を定めた採用または一年を超えない期間の臨時的任用を行うことができるとし、同条第八項は、その任期を定めて採用された職員の任期が申請期間に満たない場合には、その範囲内で任期を更新できることとしているが、いずれの場合も、その旨の条例の定めが必要である。配偶者同行休業は、「公務の運営に支障がないと認めるとき」に承認されるべきものであるが（同条1）、この任期付き任用によって対処できるときは「公務の運営に支障がない」ことになるが、そのような対処をするかどうかは任命権者の裁量に委ねられているものと解される。なお、任期付採用および臨時的任用のいずれの場合にあっても、任期を定めて採用した趣旨に反しない場合に限り、その任期中、他の職に任用することができることとされ（本条9）、本条第七項に基づく臨時的任用には、臨時的任用一般について定める第二二条の三第一項から第四項までの規定は適用されないこととされている（本条10）。

配偶者同行休業に関し必要な事項は条例で定めることになるが（本条第一一項による法二六条の五第六項の準用）、この条例で定めることが必要事項としては、配偶者同行休業をした職員が職務に復帰した場合の号級の調整（人事院規則二六―〇（職員の配偶者同行休業）一五参照）や退職手当の算定の基礎となる勤続期間から当該休業の期間を控除すること（国家公務員の配偶者同行休業に関する法律九参照）などが考えられる。

第五節　分限及び懲戒

（分限及び懲戒の基準）

第二十七条　すべて職員の分限及び懲戒については、公正でなければならない。

2　職員は、この法律で定める事由による場合でなければ、その意に反して、降任され、又は免職されず、この法律又は条例で定める事由による場合でなければ、その意に反して、休職され、又は降給されることがない。

3　職員は、この法律で定める事由による場合でなければ、懲戒処分を受けることがない。

〔趣　旨〕

一　職員の身分保障

職員の基本的な権利は、その身分の保障と給与その他の経済的権利の二つであり、さらにこれらを支えるために保障請求権（勤務条件に関する措置要求制度および不利益処分に関する審査請求制度）、労働基本権などが認められているところである。

このうち身分保障は、職員の身分取扱いにおいてとくに重要な要素であり、本条第二項で規定されているように、法律またはこれに基づく条例によることなくその身分保障を奪うことはできない。法律による身分保障が行われていることは、民間の労働者と比較した場合の特徴である。すなわち、民間の労働者の場合は、雇用の期間の定めがないときは何時でも解約の申入れをすることができるのが建前（民法六二七）であり、法律による雇用関係の保障としては、解雇制限、解雇予告および予告手当の制度（労基法一九、二〇）があるに過ぎない（労働契約法一六条は権利濫用による解雇を無効としているが、これは当然のことを定めたにすぎず、そのことに特別の意味はない。）。このような民間の労働者と公務員との違いは、民間の労働者の雇用関係は私法上の関係であり、公務員の勤務関係は、公法上の関係であることにある。

職員の身分保障は、職員にとって不利益な処分である分限処分および懲戒処分を法律およびこれに基づく条例で定める場合以外は認めないという形で具体化されている。そしてもし分限処分または懲戒処分が不当に行われた場合には、不利益処分に関する審査請求を行う権利（法四九の二）が認められ、さらにこれらの処分が違法な場合は行政事件訴訟法に基づいて出訴することができることとされている。なお、日本国憲法第一五条第一項は、公務員の選定、罷免は国民固有の権利であると定めているが、これは公務員に対する国民の絶対的優越を表現したものであり、直接この規定に基づいて国民が公務員を免職することができるわけではない。

なお、公益通報者保護法は、その第三条において、労働者が一定の公益通報を行ったことを理由として事業者が行った解雇は無効とするとし、その第四条において、労働者派遣契約に基づいて派遣された労働者による労務の提供を受ける事業者（地方公共団体および特定地方独立行政法人が含まれる。）が当該派遣労働者が公益通報をしたことを理由としてした当該派遣契約の解除を無効とし、第六条において、公益通報をしたことを理由として解任された役員は、解任した事業者に損害賠償を請求することができるとし、第七条において、事業者は公益通報によって損害を受けたことを理由として、当該公益通報をした者に対して、賠償を請求することができないとしている。そのうえで、その第九条において、職員に対する免職その他不利益な取扱いの禁止については、第三条から第五条までの規定にかかわらず地方公務員法の定めるところによるとし、その場合において、地方公共団体（事業者である。）は、公益通報をしたことを理由として職員に対して免職その他不利益な取扱いがされることのないよう、これらの法律の規定を適用しなければならないとしており、これは、本条の趣旨が正当な行為を理由とする不利益な処分の禁止にもあることを意味するものとして理解されるべきことを示すものである。

二　分限処分および懲戒処分の意義

分限処分および懲戒処分は、いずれも職員に対する不利益処分であるが、それぞれの趣旨と目的は異なる。

(一)　分限処分

分限制度は、公務の能率の維持およびその適正な運営の確保という目的から、一定の事由がある場合に、職員の意に反する不利益な身分上の変動をもたらす処分をする権限を任命権者に認めるとともに、他方で職員の身分保障の見地からその処分権限を発動しうる場合を限定したものである（最高裁昭四八・九・一四判決　判例時報七一六号二七頁）。その一定の事由というのは、職員がその職責を十分に果たすことができないことであり、この場合には、公務能率を維持することを目的として当該職員に不利益をもたらす処分を行うことが認められるのである。この意味で、職員の非違の責任を追及することを目的とする懲戒処分とは異なるものである。分限処分は、職員が職務を十分に果たし得ないことを理由とする処分であるから、広い意味では職員の責任を問うものということもできるであろうが、それは懲戒処分のように職員の道義的責任を直接明らかにするものではない。ところで、分限処分は「処分」であり、単に「分限」というときは身分保障そのものを意味する。そして、「処分」である以上、積極的な行政行為がなされないものは、たとえ結果として職員に不利益をもたらすものであっても分限処分ではない。したがって、地方公務員法第二八条第四項に規定されている失職は、失職事由を法定して職員の身分を保障しているという意味で「分限」に該当するが、行政行為を要せず離職するものであるので「分限処分」ではない。

次に、分限処分は、職員の意に反する処分であるから、職員の意に反しない処分は分限処分ではない。たとえば、勧奨による退職を含め、職員の自発的な意思に基づく退職は分限処分ではない。職員の同意を得て行われる降任や降給も分限処分ではない。この点に関し、最高裁判所の判例は、依願休職について、休職は地方公務員法第二八条第二項各号の場合以外は本来法律の予想するところではないとしながら、職員本人が希望し、任命権者がその必要を認めて行った無給の依願休職処分はあえて無効としなければならないものではないとしている（最高裁昭三五・七・二六判決　民集一四巻一〇号一八四六頁）。そして、国家公務員法の解釈としては、同法所定の休職事由に該当する場合は、職員の意思の有無に関係なく休職にすることができるものとして、依願休職がありうることを肯定している（人事院行実昭二六・一・一二）。これに対し、地方公務員法の解釈としては、依願休職は認められないとされている（行実昭三八・一〇・二九　自治丁公発第二九八号）。分限の規定により職員の身分を保障しなければならないのは、その意に反する身分取扱いであり、仮に依願休職を認めるにしても、それは分限処分ではあり得ない。そして、分限処分ではない依願休職を認めるかどうかは、勤務条件としてそのような措置を認める必要があるかどうかという観点から決定されるべきものである。職員にとって在職中は職務に専念することが基本的な義務であって、みだりにその例外を認めるべきでないことを考慮すると、依願休職を制度として認める必要があるとは考えられない（職員の申請に基づく休業として法二六の四に例挙されているものがある。）。しかしこのようにいうことと、病気休職の場合にみられるように現実に行われた分限処分が結果として本人の意に反していないこと（本人が希望したことと同じこと）になることがあるのは別問題である。その意味では本人の希望を契機として、任命権者の判断で分限処分を行うことには何の問題もない。ただ、これはあくまでも法律の要件を満たしていることが前提である。

なお、給与条例に基づく給料表あるいは等級別基準職務表が改正されて、職員の給料の級が現在よりも下位に格付けされた場合は、制度の改正によるものであり、また、昇給が延伸ないしは停止された場合は不作為であり、それぞれ「処分」はないので、分限処分とはならない。

㈡　懲戒処分

懲戒処分は、当該公務員に職務上の義務違反、その他、単なる労使関係の見地においてではなく、国民全体の奉仕者として、公共の利益のために勤務することをその本質的な内容とする勤務関係の見地において、公務員としてふさわしくない非行がある場合に、その責任を確認し、公務員関係の秩序を維持するため、科される制裁であり（最高裁昭五二・一二・二〇判決（神戸税関事件）判例時報八七四号三頁）、職員の一定の義務違反に対する道義的責任を問うことによって、公務における規律と秩序を維持することを目的とする処分である。㈠で述べたように、職員にとって不利益な処分であることは分限処分と同じであるが、分限処分が公務能率の維持向上を直接の目的とする点で懲戒処分とは目的を異にするものである。

懲戒処分は、特定の者の間における勤務関係においてその秩序を維持するための制裁であり、勤務関係の存在を前提として発動されるものであるから、その関係が消滅したときは懲戒処分を行うことはできない。たとえば、すでに退職した者については懲戒処分を行うことはできず（行実昭二六・五・一五　地自公発第五〇三号）、一度退職した者が再び任用されたときは、前の在職中の義務違反について懲戒処分を行うことにできないのが原則であるが、同一の地方公共団体内において、任命権者を異にして異動したときは、任用行為は別個になされるものの、勤務関係は一貫して当該地方公共団体と職員との間に存在すると考えられるので、前の任命権者の下における義務違反について、後の任命権者が懲戒処分を行うことは可能である。また、第二九条の〔解釈〕四で述べるように、一度退職して再び任用された者が一定の要件を備える場合には、後の採用後においてもその退職前の行為を理由とする懲戒処分を行うことができることとされている。

次に、同一の地方公共団体において、異なる任命権者に属する職を兼職している（併任されている）職員の義務違反については、それぞれの任命権者に懲戒権が与えられている以上、法律上はいずれの任命権者も懲戒処分を行うことができると解される。そして同一の義務違反について一の任命権者が懲戒処分を行ったときは、他の任命権者が重ねて懲戒処分を行うことはできないことはもとより、当該懲戒処分の効果は他の任命権者を拘束する。この場合、運用上は、職務上の義務違反についてはその職務の上司である任命権者が懲戒処分を行い、身分上の義務違反についてはいわゆる本務の職の任命権者が懲戒処分を行うことが適当であろう。ただ、その処分が免職または停職である場合は兼職（併任）を解いた上で本務についての任命権者が行い、減給である場合は給与の支給についての権限を有する任命権者が行うことになるのが通常であろう。

職員が兼職ではなく、他の任命権者の職務に事務従事しているときに、その職務について義務違反を行ったときは、当該他の任命権者が懲戒処分を行うことはできず、その職員の任命権者が懲戒処分を行うものである。

次に、職員が異なる地方公共団体の職を兼職している場合には、職務上の義務違反についてはその職務の属する地方公共団体において懲戒処分を行うこととなり、身分上の義務違反（職務上の義務違反（例えば職務命令違反）が、同時に身分上の義務違反（たとえば信用失墜行為）に該当することもあり得る。）については、いずれの地方公共団体においても懲戒処分を行うことができ、それぞれ独自に重ねて行うことも可能である。この場合は、一方の地方公共団体における懲戒処分が他の地方公共団体を拘束することにはならない（行実昭三一・三・二〇　自丁公発第三六号）。たとえば、一方の地方公共団体で免職処分となり、他方で停職処分になることもありうる。なお、災害対策基本法に基づいて派遣された職員については、派遣を受けた地方公共団体の任命権者が懲戒処分を行うことはできない（災対法施行令一七５）。これは暫定的な兼職であるので、派遣をした地方公共団体、すなわち本務の地方公共団体に懲戒権を専属させたものである。

次に、懲戒処分に関して問題となるのは、任命権者が一旦行った懲戒処分の取消しまたは懲戒処分の撤回をすることができるかどうかということである。いずれも既往の懲戒処分の効果を覆すものであるが、取消しは、懲戒処分が行われたときに違法があったことを理由として、そのときに遡って処分の効果を消滅させるのに対し、撤回は、処分時には違法がなかったにもかかわらず、撤回が行われたとき以降について処分の効果を消滅させるものである。ところで、懲戒処分の取消しまたは撤回は、職員の側からすればその利益となるものであるから、任命権者の裁量によってこれを行うことは可能であるようにも考えられるが、懲戒処分はそれが行われた時点で完結する行政行為であり、このような行政行為は、その安定性をはかる見地から処分権者といえども自由に取り消したり撤回したりすることはできないのが原則であり（最高裁昭四三・一一・七判決（判例時報五四三号四六頁）参照。なお、審査請求が棄却された後の撤回について横浜地裁平二五・三・六判決（判例時報二一九五号一〇頁）参照）、その取消しは、これについて正当な権限を与えられた機関、すなわち、不利益処分として審査しこれを取り消すことができる人事委員会または公平委員会若しくは懲戒処分を行政事件訴訟として審査し取り消すことができる裁判所のそれぞれ裁決または判決によってなされるのが通常である（最高裁昭五〇・五・二三判決（訟務月報二一巻七号一四三〇頁）参照）。また、懲戒処分の撤回は、これらの機関にはその権限は与えられておらず、処分権者も行うことはできない。なお、懲戒処分に重大かつ明白な瑕疵がある場合、たとえば、義務違反の事実がないにもかかわらず懲戒処分が行われたような場合に、処分権者が「懲戒処分を取り消す」と表現することがありうるが、これは懲戒処分が無効であることないしは存在しないことを宣言する行為と考えるべきであろう。

ところで、懲戒処分は、職員の個々の義務違反に基づいて行われるものであるが、同一職員が数個の義務違反をおかした場合は、その個々について別個の懲戒処分を行うことも、その全体を勘案して一の懲戒処分を行うことも可能である。後者の場合でも、個々の義務違反の事実は処分の対象として特定されていなければならず、分限処分のように個々の事実に徴表される職員の状態に対して処分をすることはできない。また、一度、有効に懲戒処分がなされた事実について重ねて懲戒処分を行うことは、一事不再議の原則により、認められない。しかし、ある義務違反について懲戒処分が行われ、その後に、それ以前の義務違反が明らかになった場合に、その前の事実について懲戒処分を行うことはさしつかえない（最高裁平八・九・二六判決（判例時報一五八二号一三一頁）参照）。また、懲戒処分には、法律上は時効はなく、職員の身分を継続して保有する限り、在職中の義務違反に対していつでも懲戒処分を行うことができるが、任命権者が義務違反の事実を了知した後に、あまりに時機を失して懲戒処分を行ったときには当、不当の問題が生じる可能性がある。

ちなみに、民間企業における事例ではあるが、「本件各事件から七年以上経過した後にされた本件諭旨退職処分は、原審が事実を確定していない本件各事件以外の懲戒解雇事由について被上告人が主張するとおりの事実が存在すると仮定しても、処分時点において企業秩序維持の観点からそのような重い懲戒処分を必要とする客観的に合理的な理由を欠くものといわざるを得ず、社会通念上相当なものとして是認することはできない。そうすると、本件諭旨退職処分は権利の濫用として無効というべきであり、本件諭旨退職処分による懲戒解雇はその効力を生じないというべきである。」とする判例（最高裁平一八・一〇・六判決　判例時報一九五四号一五一頁）がある。

㈢　分限処分と懲戒処分との関係

分限処分と懲戒処分とは、その目的が異なることはこれまで述べてきたとおりであるが、現実問題として両者の関係が問題となることがある。

まず、分限処分と懲戒処分には、同じ効果を有するものがあり、このような処分を重ねて行うことの可否が問題となる。その一つは、分限免職と懲戒免職の両方の事由に該当する職員がいる場合であるが、この場合は一方の処分が先行すればそれによって職員の身分は失われ、他方の処分を行う余地はなくなることから、重ねて処分を行うことは不可能である。ただし、原則として同一の任命権者が処分を行うものであり、しかも処分の効果（共済年金、再度の任用、退職手当など）が異なるものであるから、いずれの処分を行うかは事案に即して適切に判断すべきものである。分限免職または懲戒免職のいずれかと重なる場合以外は、分限処分と懲戒処分とを重ねて行うことは可能である。両者は目的を異にし、また、停職と休職のようにたまたま職務に従事させないという効果が同じ場合であっても、その他の効果（給与の支給など）は異なるからである。もし休職中の職員を停職にした場合、後者の処分による職務に従事させないという効果は顕在化しないが、かりに前の処分が取り消された場合には後者の処分の職務に従事させないという効果が顕在化することになる。「休職中のものに対して懲戒処分を行うことは、原理的には可能であるが、実際的には困難を伴う。例えば給与を受けていない職員に対して減給の処分を行うことはできないし、職務に従事していない職員に対して、停職の処分を行うことはできない。」（鵜飼信成・公務員法（新版）二九五頁、有斐閣、一九八〇年）とする見解もあるが、前述の理由により賛成できない。

次に問題となるのは、同一の事由または事実に基づいて、懲戒処分と分限処分をそれぞれ行うことができるかどうかということである。いずれの処分を行うかは任命権者の裁量によるとされているが（行実昭二八・一・一四　自行公発第一二号）、正確ではない。すなわち、職員の特定の行為について、分限処分を行う場合と、懲戒処分を行う場合とでは、それぞれの目的に照らして評価の仕方が異なるからである。たとえば、ある職員について職務命令に従わない事実がある場合、職務命令に従う義務（法三二）違反として懲戒処分の対象となるものであるが、その行為が職員の性格に根ざしているものと判断して、職に必要な適格性を欠くもの（法二八１③）として分限処分の対象になる場合もありうる（刑事罰を科されたものを含む暴行、暴言、極めて卑わいな言動、プライバシーを侵害した上に相手を不安に陥れる言動等の約八〇件の行為を五年を超えて繰り返した消防職員について、当該消防組織において上司が部下に対して厳しく接する傾向等があったとしても、公務員である消防職員として要求される一般的な適格性を欠くとみることが不合理であるとはいえないとした判例（最高裁令四・九・一三判決　判例タイムズ一五〇四号一三頁）がある。）。したがって、いずれか一方の処分を行うか、両者を行うかは、事案の内容に従って任命権者が適切に判断すべきものである（東京高裁平一九・一二・二六判決（最高裁平二〇・六・一九判決）公務員関係判決速報三八三号三五頁）。しかし、分限処分と懲戒処分とはその目的が異なるものであるから、たとえば、懲戒免職をすべき場合に、その制裁を軽減する意味で分限免職にするようなことは許されず、もしそのようなことが行われ、退職手当が支給されたときは、住民監査請求（自治法二四二）の対象となることもあり得るであろう（最高裁昭六〇・九・一二判決　判例時報一一七一号六二頁）。なお、諭旨免職という処分がなされることがあるが、これは職員の軽度の非違を非難する意味が含まれているとしても、その法律的性質は辞職（依願退職）であり（第二九条の〔解釈〕一4参照）、懲戒処分でも分限処分でもない。

三　離　職

㈠　離職の種類

分限処分および懲戒処分の免職、地方公務員法第二八条第四項で規定している失職ならびに第二八条の六で規定している定年退職は、いずれも職員の離職の一態様である。しかし、職員の離職はこの四つに限られるものではなく、これ以外にも離職の態様がある。地方公務員法には、離職に関する統一的な規定がないので、ここで離職全般について説明しておく。

まず、離職の意義であるが、離職とは職員がその身分を失うことをいうものである。現行の公務員制度の下では、職員の身分と職とは一体のものとされているので、離職とは字義どおりに職員が職を離れることでもある。離職は、失職と退職に大別することができ、さらに、失職は欠格条項該当によるもの、任用期間（単に「任用」と称されることも多い。）の満了によるものおよび定年によるものに、退職は免職と辞職に、それぞれ区分することができるが、各々の意義は以下に述べるとおりである。なお、第二八条の六の定年による離職は「退職」と規定されており、また、人事院規則八―一二（職員の任免）第四条では、失職を欠格条項該当に限定し、退職を失職および懲戒免職以外の離職に限定して、それぞれ定義しているが、ここで述べた区分の方が正確で論理的であると考える。念のためここで述べる区分と人事院規則の区分とを対比すると次のとおりである。

１　失　職　職員が一定の事由により、なんらの行政処分によることなく当然に離職することを失職といい、次の三つのものがある。

(1)　欠格条項該当　第二八条の説明で述べるように、職員が法定の欠格条項に該当したときは、条例に特別の定めがない限り、当然に職を失う（法二八４）。処分を要しないことはもとより、理論上は辞令の交付も必要ではないが、失職を確認し、本人に了知させるために辞令を交付する取扱いとすることが普通である（参考、人事院規則八―一二　五三⑨）。なお、教員が免許を取り消されたり、その有する免許状が失効したような場合も失職するという見解がある（最高裁昭三九・三・三判決（判例時報三七〇号二九頁）、文部省行実昭二六・四・一七）。

(2)　任用期間の満了　地方公務員法第二二条の三第一項または第四項の規定により臨時的に任用された職員の任用期間が満了したときは、当該職員は期間満了と同時に失職するものと解されている（名古屋高裁平三・二・二六判決（判例地方自治八三号四三頁）、最高裁（平四・一〇・六判決）はこれを支持）。地方公務員法第二二条の二の規定による会計年度任用職員についての任期満了、同法第二二条の四による定年前再任用短時間勤務職員の定年退職日相当日の到来、同法第二八条の四による定年および同法第二八条の七による退職の特例による勤務期間の満了の場合ならびに任期付職員の任期満了（任期付職員採用法六、七）および任期付研究員の任期満了（任期付研究員採用法四、五）も同様に解される。地方公務員法第一七条の規定により正規に任用される職員を期限付きとすることができるかどうかは問題のあるところであるが、期限付きとされた場合に、その期間満了と同時に失職することも同じである（最高裁平六・七・一四判決　判例時報一五一九号一一八頁）。これらの場合には失職する旨の処分は必要ではないが、確認および本人に了知させる意味で辞令を交付することが適当である。ちなみに、人事院事務総長発の人事異動通知書の様式及び記載事項（昭和二七年（一九五二年）六月一日）によれば、任期の満了により職員が当然に退職した場合には「任期の満了により　年　月　日限り退職した」と記入した人事異動通知書を交付することとなっている。

(3)　定年の到来　地方公務員法第二八条の六の規定により職員が定年によって退職すべき日が到来したときは当然に離職することとなる。地方公務員法では定年による「退職」と規定しているが、その法律的性質は失職である。

２　退　職　退職とは、処分の効果として退職するものであり、処分を要しない失職と異なるものである。退職は、職員の意思に基づくか否かによって次の二つに区分される。

(1)　免　職　職員を処分によってその意に反して退職させることを免職という。職員をその意に反して退職させることができるのは、法律に基づく場合、すなわち、分限免職処分または懲戒免職処分を行う場合に限られる。

(2)　辞　職　職員が自らの意思に基づき退職することをいうものであり、依願退職ともいう。地方公共団体でひろく行われている勧奨退職（定年前に退職する意思を有する職員の募集に応じた退職（退手法八の二）を含む。）は、当局の慫慂によるものであるが、その法律的性質はあくまでも本人の意思に基づく辞職である。勧奨は、職員の意思に基づいて退職の申出をなさしめるための誘因であり、その申出（退職の同意）によって退職の発令（行政処分）が行われるのである。なお、諭旨免職の法的性質が辞職であることは後述するとおりである（第二九条の〔解釈〕一4参照）。

(3)　死　亡　職員が死亡した場合は、当然に職員として地位を失う。これは、本人の意思はもちろん、任命権者の意思とも関係がないものであるが、職員としての地位を失ったことを確認するという意味で、退職の発令を行うのが通例である。

(二)　辞職に関する問題

離職のうち辞職については、法律上なんらの規定がなく、しばしば問題となることがある。これらの問題については、もっぱら条理によって解釈しなければならないが、まず、問題となるのは退職願い（申出）の法律的性質である。これは基本的には職員の任用が行政処分か公法上の契約かという問題に帰着するのであるが、第一五条の〔趣旨〕一で述べたように、職員の任用は行政行為であると考えられるので、その辞職、すなわち職を離れるについても任命権者の行政行為によらなければならない。したがって、職員は、退職願いを提出することによって当然かつ直ちに離職するのではなく、退職願いは本人の同意を確かめるための手続であり、辞職を承認する旨の退職発令（行政行為）が行われてはじめて離職することとなる（高松高裁昭三五・三・三一判決　行政裁判例集一一巻三号七九六頁）。退職の効力の発生時期は、死亡による退職の場合は当然にその死亡のときであるが、それ以外は、他の辞令交付による場合と同じく、法律的には到達主義によるもの、すなわち辞令が交付されたときであり、辞令の発信の時期ではない（最高裁昭三〇・四・一二判決　刑事裁判集九巻四号八三八頁）。この辞令が交付されたときとは、現実に本人が了知したときはもちろん、本人が了知しうべき状態に置かれたときを含むものである（最高裁昭二九・八・二四判決　判例時報三四号二二頁）。なお、実際には当日またはそれ以前に辞令が交付されることが普通であり、その辞令に記載された日付の午後一二時に退職するものと観念されている（辞令の意思解釈の問題である。）。

次に、退職願いを提出した職員が、退職処分の通知を受ける前にこれを撤回しうるかどうかという問題がある。これについては、辞令交付前は信義則に反しない限り自由であるという判例（最高裁昭三四・六・二六判決（判例時報一九一号五頁）、同昭三七・七・一三判決（判例時報三一〇号二五頁））がある。この場合、どのような撤回が信義則に反するかということが問題となるが、前掲最高裁昭和三四年判決は、「（無制限に撤回を許すと）信義に反する退職願いの撤回によって、退職願いの提出を前提として進められた爾後の手続が徒労に帰し、個人の恣意により行政秩序が犠牲に供される結果となるので、免職辞令の交付前においても、退職願いを撤回することが信義に反すると認められるような特段の事情がある場合には、その撤回は許されないものと解するのが相当である。」と述べているにとどまり、これ以上具体的な基準は明らかではない。当局側が本人の退職の申出を信頼し、その後の人員配置などを進めてきた事情と、本人の撤回の時期、動機などとを相対的に勘案して個々のケースごとに判断するほかない。

〔解　釈〕

一　公正の原則

すべて職員の分限および懲戒については、公正でなければならない（本条1）。およそ職員の身分取扱いは、常に公正でなければならないが、分限および懲戒が職員にとって不利益な身分取扱いである以上、その取扱いにとりわけ公正を期さなければならないものであり、とくに法文上明記されたものである。

分限および懲戒が公正に行われたか否かは、個々の事案についてそれぞれ具体的に判断するほかないが、公正についてとくに問題となるのは処分が行われる場合にはそれが苛酷であるかどうか、および他の処分との均衡がはかられているかどうかの二点であろう。

まず、処分が苛酷であるか否かは、処分を行うこと自体についてとどのような種類の処分を行うかという二点に関して論議される。これらは、いずれも基本的には任命権者の裁量権の範囲内の問題であり、任命権者が処分の原因となった事実の軽重を基礎として、これまでの勤務実績の評価を含む本人の情状、さらに他の職員に及ぼす影響や公正な世論の批判などに対する対外的な影響等を考慮して適切に判断することになるが、特定の職員を不当に処遇する意図が諸般の証拠から明らかであるときは苛酷な処分として公正の原則にふれる場合もありうるであろう。

また、他の処分との均衡がとれているかどうかも原則として任命権者の裁量に属するが、事実の軽重と本人の情状がほぼ等しいにもかかわらず、処分の重さが著しく異なるときは公正の原則に照らして問題となることがありうる。処分の苛酷性および不均衡の問題は、この公正の原則だけでなく、同時に平等取扱いの原則（法一三）との関係においても問題となるものである。なお、懲戒について処分の基準が作成された場合の問題点については第二九条の〔解釈〕三で述べる。

処分が公正の原則に反するときは、それが比較的軽度の場合は当、不当の問題にとどまるが、重大な違反の場合は違法な処分となる。そして、いずれの場合も不利益処分に関する不服申立ての対象となり、後者の場合は取消し訴訟を提起することができる。

運用上の問題として留意しなければならないのは、同一地方公共団体内における処分の適正と均衡をはかるよう常に留意しなければならないことであり、たとえば、ある事実について任命権者が情に流されて処分をせず、あるいは処分を軽減するようなことがあると、当該処分の対象となった者については、本人の利益になることであるため、法律上の問題は直ちに生じないが、それ以降の処分を行う場合に公正の原則および平等取扱いの原則との関係で問題を生じるおそれがある。

二　分限処分の根拠と種類

職員は、地方公務員法で定める事由による場合でない限りその意に反して降任または免職の処分を受けることはなく、地方公務員法または条例で定める事由による場合でない限りその意に反して休職処分または降給処分を受けることはない（本条2）。分限処分には、免職、降任、休職および降給の四種類があり、この順序で重い処分から軽い処分となるものであるが、もっとも重い処分である免職と次に重い処分である降任については、次項の懲戒処分の場合と同様に、その事由をもっぱら地方公務員法で定める場合に限定している。次に重い処分である休職および降給は、地方公務員法で定める場合のほか、条例で定める場合も行いうることとしている。

法定の分限処分の事由は次条で規定されているが、それぞれの分限処分の意義は、次のとおりである。

1　免　職　　分限処分としての免職は、公務能率を維持する見地から職員の意に反してその職を失わせる処分である。退職、すなわち身分を失わせる点では懲戒処分による免職と同じであるが、処分の目的が異なり、また、懲戒免職の場合は退職手当の全部または一部が支給されず、共済年金の一部の支給制限を受けることがあり、第一六条〔**解釈**〕一で述べたように任用の制限を受けるなどの効果（これらの効果は懲戒免職自体によるものではなく、その事実に対するそれぞれの制度における評価の結果である。）に相違がある。第二八条第四項で定める失職も職員が身分を失うものであるが、この場合は処分を必要としない点で分限免職とは異なる。なお、本項では、単に「免職」と規定しているが、本項が分限処分の根拠規定であり、次項が懲戒処分のそれであることからして、これにもっぱら分限免職のみを指していることは明らかである。

２　休　職　休職は、職員に職を保有させたまま一定期間職務に従事させない処分である。かつて、休職中の職員は身分は保有するが職は保有しないと解されていたが（行実昭二六・八・二八　地自公発第三七六号）、これは身分と職とを分離して考えていた戦前の官公吏制度の名残であり、現在の公務員制度の下では職と身分は一体のものと観念されているので、休職者もなんらかの職を保有するものと解釈が改められている（行実昭三六・一二・二二　自治丁公発第一一八号）。たとえば、〇〇係長を休職にする場合、〇〇係長のまま休職にするか、他の職員を〇〇係長に充てるときは、その者を人事課付というような職に配置換えして（当該職が〇〇係長と同等でないときは降任の問題が生じる。）から休職にすることとなる（育児休業の場合の代替職員の発令について第一七条の〔解釈〕一(二)参照）。休職の効果として職務に従事させない点は、懲戒処分の停職のそれと同じであるが、処分の目的が異なるほか、停職の場合は給与が支給されないなどの相違がある。

３　降　任　第一七条第一項で規定されているように、降任は任用の方法の一つであるが他の任用の方法である採用、昇任または転任と異なり、職員に不利益を与える方法であるため分限処分に位置づけられている。降任は昇任の逆であり、「職員をその職員が現に任命されている職より下位の職制上の段階に属する職員の職に任命すること」と定義され（法一五の二１③）、職員を法令、条例、規則その他の規程により公の名称が与えられている職で、その現に有するものより下位のものに任命する処分をいう。何が上位の職で、何が下位の職か判定が困難な場合があるが、職制上、上下の別が判定される上位の職から下位の職に下げること（標準職務遂行能力を定めるについての職制上の段階における上位の段階の職から下位の段階の職へ下げること）はこれに該当し、職制上の段階を下げることなく（たとえば、課長補佐のままで）、給料表における等級別基準職務表の等級を（五級から四級に）下げることはこれに該当しないことになり、降任に伴って給料が下がることは降給ではないことになる。また、任命権者を異にして異動し、たとえば、係長職のあるところから、それがないところの一般の係員や主任などになることは、職制上の相違によるもので、下位の職につけたものとはいいがたいので、降任には該当しないと解される。さらに、ある職についている職員を部付や課付にする場合は、個々のケースについて判断する必要があるが、給料が下がるなど、明白に職位の評価が下がった場合以外は、必ずしも降任とはならず、いわゆる待命のための部付、課付などは一時的なものであり、降任には該当しないと解される。

４　降　給　降給は、職員が現に決定されている給料の額よりも低い額の給料に決定する処分である。懲戒処分の減給も給料の額を減じられるが、それは一定期間に限られ、その期間の満了とともに自動的に元の給料額に復するが、降給は給料の決定そのものの変更であって、昇給がなされない限り、降給後の給料額が継続するものである。また、３で述べた降任に伴い給料が下がることは降給ではなく（行実昭二八・二・二三　自行公発第三五号、昭三〇・一〇・一二　自丁公発第一八八号）、また、たとえば、教員が教育委員会の一般事務職員に転任し、職務と責任が変更されたことにより給料が下がる場合も降給には該当しない（行実昭二八・一〇・六　自行公発第二一三号）。なお、平成二八年（二〇一六年）の法律第三四号による改正で、降任が新たに定義されたことに伴い、降給には、職員の号級を同一の職務の級の下位の号級に変更すること（「降号」という。）だけでなく、その改正前は降任に含まれると解されていた職員の職務の級を同一の給料表の下位の職務の級に変更すること（「降格」という。）が含まれると解されることとなった（第二三条の【趣旨】一参照）。

三　懲戒処分の根拠

職員は、この法律で定める事由による場合以外に懲戒処分に付されることはない（本条３）。懲戒処分は、職員にとってもっとも不利益な処分であるから、その事由はもっぱら本法で定める場合に限ることとしたのである。懲戒処分の事由は、その種類とともに、第二九条に規定されているところであり、同条で詳述することとする。

（降任、免職、休職等）

第二十八条　職員が、次の各号に掲げる場合のいずれかに該当するときは、その意に反して、これを降任し、又は免職することができる。

一　人事評価又は勤務の状況を示す事実に照らして、勤務実績がよくない場合
二　心身の故障のため、職務の遂行に支障があり、又はこれに堪えない場合
三　前二号に規定する場合のほか、その職に必要な適格性を欠く場合
四　職制若しくは定数の改廃又は予算の減少により廃職又は過員を生じた場合

2　職員が、次の各号に掲げる場合のいずれかに該当するときは、その意に反して、これを休職することができる。
一　心身の故障のため、長期の休養を要する場合
二　刑事事件に関し起訴された場合

3　職員の意に反する降任、免職、休職及び降給の手続及び効果は、法律に特別の定めがある場合を除くほか、条例で定めなければならない。

4　職員は、第十六条各号（第二号を除く。）のいずれかに該当するに至つたときは、条例に特別の定めがある場合を除くほか、その職を失う。

〔趣　旨〕

一　分限処分の事由

分限処分のうち、降任および免職の事由はもっぱら本条第一項でのみ定められている。また、休職処分の事由は本条第二項に規定されているが、同項に定める事由のほか、地方公共団体が条例でその事由を追加することができる（前条の〔解釈〕二参照）。

本条第一項および第二項で規定されている分限処分の事由は、さまざまな場合を想定しているため、かなり抽象的に定められている。しかし、そのことは任命権者が恣意的に分限処分を行うことを認めるものではなく、公務能率上の見地から十分な理由と合理性がある場合に限られるものである。したがって、いかなる場合に分限処分を行うべきかということは、実

例、判例の積み重ねの中で自ずから明らかになっていくものである。

二　分限処分の手続と効果

分限処分の手続と効果は、条例で定めなければならない（本条３）。分限処分は、職員に不利益を与える重大な処分であるから、その事由を法律または条例で定めなければならないこととしていることは前述のとおりであるが、同じようにその重大性にかんがみ、分限処分の手続についても手続的な保障を行って職員の利益を擁護することとし、その効果についても条例で限界を明らかにすることとしているのである。

分限処分に先立って事実を十分に確かめなければならないことは当然であり、必要に応じて本人の弁明を聴取したり、部内に審査委員会を設けて事前審査を行うなどの配慮も場合によっては適切な手続であるといえよう。もちろんこのような手続をとることは法律上の義務ではない（東京高裁平八・二・二九判決（判例集未登載）、最高裁平九・一〇・二八判決（判例集未登載）、一審判決は静岡地裁平六・三・三一（判例地方自治一二七号二六頁））が、当局としては慎重な配慮をしなければならない。

分限処分の効果については、法律または条例によって当然に明らかなものが多いが、間接的または反射的な影響については、果たしてそれが分限処分の効果であるのか、そうでないのか必ずしも明らかではないものもある。たとえば、分限処分により休職させられた者の昇給が延伸される場合などである。原則として、分限処分の効果とは、降任により下位の職につけられるとか、休職者には一定期間その職務に従事させないとかのような、直接的なものに限られる。人事行政が総合的な管理であることから、分限処分が間接的に他の人事管理に影響を及ぼすこともあり得るが、このような影響は波及的、反射的効果であり、ここでいう分限処分の効果ではない。

なお、地方公務員法第二八条の二第一項に「降給を伴う転任」が定められているが、この場合の降給は転任の効果として生ずるものであり、分限処分としてのものではない。

三　失　職

職員が一定の事由に該当する場合に、なんらの処分によらず離職することを失職といい、処分を前提としていないので、分限処分ではないが、職員の身分保障の例外をなすものであるので「分限」の一種とされる。

本条第四項に、職員が第一六条各号（第二号を除く。）のいずれかに該当することとなったときは失職することを定めており、本条第一項から第三項までがいずれも分限処分の規定であるのに対し、第四項は分限処分以外の分限を規定しているものである。

職員がなんらの処分を要せず離職する場合の一つに、任期満了があるが、これについては前条の**〔趣旨〕**三(一)1(2)で述べた。

次に、失職については、分限処分の場合と異なり、その手続および効果について条例で定める必要はない。これは、失職は法定の事由に該当すると同時になんらの手続を要せず離職し、その法律効果も職を失うという形で直ちに完結するからであり、失職した旨を本人に通知することがあるとしても、それは観念の通知であって行政処分ではない（最高裁平元・一・一七判決　判例時報一三〇三号一三九頁）。ただ、**〔解釈〕**で述べるように、法律上は失職事由に該当する場合の例外を条例で定めうることができるとされている。

なお、地方公務員法第一六条と本条第四項との関係は、すでに第一六条で述べたように、職員となろうとする者が一定事由に該当するために職員として任命することができないことを定めたのが第一六条であり、職員となるときはこの事由に該当せず、職員となった後にこれに該当することとなったため職を失うとしたのが本条第四項である。そしてこの事由、すなわち欠格条項は、職員となることを禁ずるだけでなく、すでに職員である者の職を継続することをも禁ずる条項である。換言すれば、欠格条項に該当しないことは、身分取得の消極的条件であるだけでなく、身分維持のための消極的条件でもあるということである。

〔解　釈〕

一　降任および免職の事由

降任または免職の処分の事由として、本条第一項は四つの事由を定めているが、それぞれに該当するかどうかは客観的標準に照らして決定すべきであり、いかなる分限処分を行うかは、その内容と程度に応じて任命権者が裁量によって決定すべきものであり、裁量の範囲を逸脱してはならないことはいうまでもない（最高裁昭四八・九・一四判決　判例時報七一六号二七頁）。ただ、降任と免職とでは、その適格性の判断要素だけではなく、その結果にも大きな差異があるので、免職の場合における適格性の有無の判断については特に厳密、慎重であることが要求されるのに対し、降任の場合における適格性の有無については、公務の能率の維持およびその適正な運営の確保の目的に照らして裁量的判断を加える余地を比較的広く認めてもさしつかえないものと解される（前記最高裁判決）。

それぞれの事由の意義は、次のとおりである。

１　勤務実績がよくない場合　従前の本条第一項第一号は単に「勤務実績がよくない場合」と定めていたが、平成二六年（二〇一四年）の法律第三四号による改正（第二三条の【趣旨】一参照）によって「人事評価又は勤務の状況を示す事実に照らして、勤務実績がよくない場合」と改められた（国公法七八①参照）。この改正は、人事評価制度の導入などにより能力および実績に基づく人事管理を図るという観点からなされたものであり、職員の勤務実績が不良であることは、任命権者の客観的な判断によるべきであることを確認するものである。勤務実績がよくない場合は、３で述べるその職に必要な適格性を欠く場合にも同時に該当することが多いと思われるが、理論的には職務を遂行するために必要な肉体的条件と精神的資質を備えていても、外的条件、たとえば、飲酒とか賭事などのために出勤状況が不良である場合も勤務実績がよくない場合に該当する。すなわち、職に必要な適格性は、素質、能力、性格などに根ざしているものに着目して判断するのに対し、勤務実績の良否は、勤務の結果について判断するものということができよう。いかなる場合が「勤務実績がよくない場合」に該当するかということは、個々の場合について判断するほかないが、現実には「その職に必要な適格性を欠く場合」との区別が困難なことが多いであろう。

２　心身の故障のため、職務の遂行に支障があり、またはこれに堪えない場合　職員の精神または肉体に故障があり、職務に支障を生じる場合の身分取扱いには大別して三つの方法がある。その一は病気療養のための休暇を与えることであり、その二はその意に反して休職させること、すなわち分限休職（本条2①）であり、その三が本条第一項第二号によって降任または免職することである。一般的には、短期間の療養によって回復する見込みがあるときは病気休暇により、長期を要するときは休職により、回復の見込みがないか治療に極めて長期間を要するときは、もし他の職に適当なものがあれば降任により、いかんともしがたいときは免職により、それぞれ措置することが適当であろう。現実的な措置として病気休暇、休職、免職の順序をたどることもあり得る。なお、職員の心身の故障が公務に起因する負傷または疾病によるものであるときは、その療養のために休業する期間およびその後三〇日間ならびに産前産後の休業期間およびその後三〇日間は免職をすることができないが、天災事変その他やむを得ない事由のため事業の継続が不可能となった場合で、行政官庁の認定を受けたときは、直ちに免職することができる（労基法一九）。また、公務上の傷病の療養の開始後三年を経過した日に傷病補償年金を受けている場合、または同日後に当該年金を受けることとなった場合には、それぞれの日以後において免職することができる（地公災法二八の三）。なお、条例で要求されている医師の医学的所見を得ることができない場合に、「勤務実績がよくない場合」または「その職に必要な適格性を欠く場合」に該当するとして処分できるかという問題がある。これらの場合は過去の勤務実績や態度などを評価の基礎とするものであり、それぞれの理由は評価の対象外（何が原因で勤務実績が不良なのかまたは適格性を欠くのかが問題になるわけではない。）であるから、この問題は肯定されるべきである（東京地裁昭五九・一一・一二判決（判例地方自治一一号五七頁）、大阪高裁平一二・三・二二判決（判例タイムズ一〇四五号一四八頁））が、問題とされる行動が精神疾患に起因するものと推認されるときは、本条第一項第一号または第三号に該当するか否かを判断するに際してもその精神疾患を考慮することが不可欠であるとする判決（東京高裁平二五・二・二〇判決（公務員関係判決速報四三八号二頁）、最高裁平二六・二・二一上告不受理決定）があり、慎重な対応が必要である。

　ところで、病気休職の期間は三年を超えない範囲内（人事院規則一一―四（職員の身分保障）五1参照）とされているのが通常であるが、この期間が満了したときの取り扱いが問題となることがある。心身に故障がある場合は、長期の休養を要するときは休職に、職務の遂行に支障があり、またはこれに耐えないときは免職にすることができるとされているのであるが、心身に故障があっても、職務の遂行に支障がなければ（職務を遂行することによって当該故障が悪化するおそれがあるときは、職務の遂行に支障があることになる。）、免職にすることはもちろん、休職にする必要もないのであるから、この意味は、長期の休養によって当該心身の故障から回復できる見込みがあるときは休職に、その見込みがないときは免職にすることができるということである（大阪地裁昭六二・三・一六判決（労働判例四九七号一二一頁）参照）。そして、病気休職の期間が最長で三年というのは、三年以内の休養によって当該心身の故障が回復することを期待してのことであり、その期間が満了しても職務を遂行することができない状態であれば、免職にすることもやむを得ないことを意味する。また、心身の故障のために休職している職員に対して、期間が満了したことを理由として一方的に復職を命ずることはできず、安全配慮義務を負う任命権者は、当該心身の故障から回復したことを確認したうえで、復職を命ずることになる。この確認は、通常、休職期間中に当該職員の治療を担当していた医師（主治医）の判断に従うことになると思われるが、任命権者において確信がもてないときは、別の医師の判断を求めることが必要である。

分限の手続及び効果に関する条例においては、心身の故障を理由とする免職の場合は指定する医師二名による診断書を求めることとされているのが通常である。主治医以外の医師にあっては診断書を作成するまでに相当の期間を要することが考えられ、任命権者における事務処理の時間等も考慮すると、実務的には、休職期間が満了する日の相当程度前までには、当該期間満了までに復職が可能であるとの判断がなされないときは免職となる旨を伝えたうえで、指定医の受診を命ずることが必要となることもある（後記**四**参照）。

３　その職に必要な適格性を欠く場合　　１および２で述べた勤務実績の不良または心身の故障が、実際問題として同時に職に必要な適格性を欠くことになる場合も少なくないと思われる。本条第一項第三号も、「前二号に規定する場合のほか、その職に必要な適格性を欠く場合」と規定しており、文理上は勤務実績の不良や心身の故障による職務遂行上の支障などを適格性を欠く場合の一種としているのである。しかし、厳密な理論からすれば、勤務実績の不良や職務遂行上の支障などは結果による判断であり、適格性の欠如は素質、能力、性格などの本質によって判断するものであり、両者は別個の範疇に属するというべきであろう。

具体的にいかなる場合が適格性を欠くことになるかは、個々の事例について判断するほかないが、最高裁は、このことについて、「同号にいう「その職に必要な適格性を欠く場合」とは、当該職員の簡単に矯正することのできない持続性を有する素質、能力、性格等に基因してその職務の円滑な遂行に支障があり、または支障を生ずる高度の蓋然性が認められる場合をいうものと解されるが、この意味における適格性の有無は、当該職員の外部にあらわれた行動、態度に徴してこれを判断するほかはない。その場合、個々の行為、態度につき、その性質、態様、背景、状況等の諸般の事情に照らして評価すべきことはもちろん、それら一連の行動、態度については相互に有機的に関連づけてこれを評価すべく、さらに当該職員の経歴や性格、社会環境等の一般的要素をも考慮する必要があり、これら諸般の要素を総合的に検討したうえ、当該職に要求される一般的な適格性の要件との関連においてこれを判断しなければならないのである」と判示している（最高裁昭四八・九・一四判決（判例時報七一六号二七頁）、最高裁平一六・三・二五判決（判例時報一八七一号二二頁））。

なお、裁判においてその職に必要な適格性を欠く場合に該当するとされた例としては、勤務状況がやや怠慢で節度に欠け、上司の再三にわたる注意や指示にも従わず、私的憤懣にかられたとはいえ、警察官に付き添われた状況にある加害者に対していきなり暴力を振るった警察職員（神戸地裁平七・八・二八判決　判例地方自治一四九号五八頁）、校長の再三の命令にもかかわらず、「小学校児童指導要録」の「各教科の学習の記録」中の「観点別学習状況」の評価を行わず放置した小学校教諭（長崎地裁平二・一二・二〇（判例地方自治九一号二六頁）、福岡高裁平五・九・三〇判決（労働判例六五二号六六頁）で確定）、生徒に対する暴行および授業や校務に対する態度に誠実さを欠く公立中学校教諭（横浜地裁昭五九・九・二七判決　判例地方自治一一号六九頁）、上司に対する反抗的態度、職務に対する熱意の不足、喫煙態度、校長に対する不穏当な言辞、学年主任との口論などをする市立中学校教員（最高裁昭五四・七・三一判決　判例時報九四四号三五頁）などがある。また、特殊な事案ではあるが、懲戒処分（戒告）を受けた後に命ぜられた長期研修の期間中も自己の行為の正当性を主張する等していたことが「研修による指導を受け入れて、教育公務員としての自覚と責任感の下で、公正、中立に教育を行うという考えがなく、今後も、自己が正しいと信じる見解と相容れない見解を一方的に誹謗する資料配布等を行うという強い意思を有していると評価することが可能である」として、教育公務員として必要な適格性を欠くとした判断に違法はないとする判決（東京地裁平二一・六・一一判決　裁判所ウェブサイト）や第二七条の〔趣旨〕二㈢で引用した令和四年九月一三日の最高裁判決の例がある。

４　職制もしくは定数の改廃または予算が減少したため、職制が廃止され、あるいは人員が過剰となったとき　これらの事由を「廃官廃庁」、「行政整理」などと呼ぶが、このような場合には降任または免職することもやむを得ないといえよう。

まず、「職制」とは、法令の根拠に基づいて設けられる地方公共団体の内部組織を意味するものであり、地方自治法第一五八条第一項の規定に基づいて条例で定められたものおよび長が設けたもののいずれも職制に該当する（法制意見昭二七・四・一九（法意一発第四四号）参照）。すなわち、規則などで設置される室、出先機関などもこれに該当し、さらに、職の設置規則など（都道府県の場合、自治法施行規程五）で明記されている職もここでいう職制に該当するものと解される。次に「定数」とは、法令に基づいて決定された職員の員数であって、条例または条例に基づく都道府県知事の定めによって決定される都道府県の局部別または地方事務所別の定数がこれに該当することはもとより、都道府県の分課の定数はもっぱら都道府県知事の権限によって決定されるが、この分課の定数もここでいう定数に該当するとされている（前記法制意見）。定数は条例で全体または組織（たとえば部局）ごとに決定されるが（自治法一七二③ほか）、これが減少したときで実人員が全体または組織別に剰員となったときに、その余剰の数の者を降任または分限免職しうることは問題ない。条例定数以外の定数、たとえば、予算上の級別定数や条例定数をさらに具体化する規則、内規などによる組織別（分課、出先機関等の別）の定数などの削減により、分限免職を行いうるかどうかは法律上疑問がないとはいえないところであり、運用上は条例定数の削減に基づいて行うことが望ましいといえよう（なお、後掲福岡高裁昭和六二年判決は、公営企業の管理者が管理規程でその内部組織の職員定数を設定又は変更した場合も定数の改廃に含まれるとしている。）。さらに「予算の減少」とは、廃職または過員を生ずる直接的原因となるような予算の減少はすべて含まれるとされる（行実昭二八・九・七　自行公発第一九七号）。また、必ずしも予算の絶対的減少のみを指すものでなく、予算額算定の基礎が変更され、そのため当初予算額によって支弁されるべき職員数または事業量若しくは事務量の減少を余儀なくされ、廃職または過員を生ずるに至ったような場合を含むものと解されている（行実昭二八・六・八　自行公発第一一四号）。しかし、予算の議決科目である款項で人員減が明白にされることはほとんどなく、人員減の方針が示されるのは説明科目である目節、あるいは予算の説明資料（自治法二一一2、自治法施行令一四四）においてであり、また、予算の減少と人員の削減との関係は必ずしも明らかではないことも少なくないと思われる。廃職、過員が予算の説明資料や提案説明などで具体的に明確にされている場合でなければ、それを降任または分限免職の事由とすることは実際問題として困難であろう。

ところで、法律上は、職制の改廃、定数の改廃または予算の減少のいずれか一の事由のみに基づいて降任または分限免職を行うことが可能であるが、職員にとって重大な問題であり、前述のように必ずしも明確でない場合もあるので、実際に降任または分限免職を行う場合には、職制および定数を改廃するとともに、予算上の減員措置もあわせて明確にした上で行うことが適切であるといえよう。なお、定数を減少する条例または人員減の予算が議決された後、それが施行される前に降任または分限免職を行うことができるかどうかについては、すでに団体意思は確定していることを理由にこれを肯定する考えもありうるが、それは、職制もしくは定数の改廃または予算の減少により廃職または過員を生ずる日の前日の満了とともに効力を生ずるものとして行われるべきであろう（福岡地裁昭四三・一二・二六決定　行政事件裁判例集一九巻一二号二〇〇〇頁）。

次に、特定の職が明らかに廃職となった場合、たとえば、ダム建設の完了によりそのための専門的技師の職が廃止されたような場合は、その職にある者が降任または免職されることに問題はない（市立病院の再建計画による炊事婦らに対する分限免職処分を有効とした福岡高裁昭六二・一・二九判決（判例地方自治三五号二九頁）がある。）が、過員を生じた場合、たとえば、ある機構の人員の数が削減されたにとどまるような場合は、具体的な職を特定しがたいことが生じる。このような場合、どのような基準によって降任または免職処分を行うかが問題であるが、裁判例には、高年齢者順に対象者を選定したことは公平な措置であるとしたもの（大阪高裁昭四三・一〇・三一判決　訟務月報一五巻三号二七五頁）、あるいは誰を免職するかは、地方公務員法第二八条第一項第一号ないし第三号に該当する者のほか、老齢者、高給者、長期欠勤者、素行の修まらない者、風紀問題のある者、生活関係が比較的良好な者など客観的に妥当性ある基準に従って免職者を選定することが行政上妥当な措置であるが、そうしなかったからといって、それは当、不当の問題であり、違法の問題とはなり得ないとするものもある（宮崎地裁昭二八・五・一二判決　行政事件裁判例集四巻五号一二〇七頁）。一般的には、法律上は平等取扱いの原則（法一三）および公正の原則（法二七1）に抵触しない限り、任命権者の裁量を許すものであり、その範囲内では当、不当の問題は別として違法の問題は生じないと考えられる（行実昭二七・五・七　地自公発第一三七号）。

職制若しくは定数の改廃または予算の減少に基づく廃職または過員によって離職した職員は、離職の原因に関する限り本人の責任とはいえないので、その復職に際しての資格要件、任用手続および任用の際の身分について、人事委員会（人事委員会を置かない地方公共団体にあっては任命権者）の定めるところにより、他の採用と異なる優先的な取扱いをすることが認められている（法一七の二3）。

二　休職の事由

職員がその意に反して休職させられる場合としては、次に述べる三つの場合がある（法二七2、本条2）。職員の意思に基づく休職、いわゆる依願休職については、前条の〔**趣旨**〕で述べたところであるが、それは地方公務員法に直接基づくものではなく、条理による解釈の問題である。また、地方公務員法第五五条の二第五項の規定では、同条第一項ただし書の規定により登録を受けた職員団体の在籍専従職員は「休職者」として取り扱われることとされているが、これも本人の申出に基づいて認められるもので、その意に反する休職ではなく、在籍専従の許可は分限処分ではなく、その身分取扱い上、職務に従事させないことなど、分限による休職処分を受けた者と同じ取扱いをするという趣旨である。なお、実例は少ないと思われるが、職員の意に反する休職の基準を地方公共団体の委員会または委員が定めようとするときは、その長と協議することを要し（自治法一八〇の四2、自治法施行令一三二⑤）、また、企業職員および単純労務職員並びに独法職員の休職の基準は、団体交渉および労働協約の対象となる（地公労法七②、附則5）。

地方公務員法で定められた休職の事由は、次のとおりである。

１　心身の故障のため長期の休養を要する場合　〔解釈〕一２で述べたとおり、通常は、心身の故障が短期間で治癒することは病気休暇により、長期の場合は休職とし、極めて長期にわたるか回復の見込みのないときは降任または免職することになる。実際問題として、療養休暇制度と休職制度との関係をいかにするかはいろいろな考え方がありうるが、それは運用の問題であって法律上いずれでなければならないものではない（行実昭二六・八・二一　地自公発第三五二号）。一般的には、前述の区分によるほか、心身に故障がある職員の職務を代決、代行によって処理しうる間は病気休暇により、職務の遂行上その職に他の職員を充てることが必要であると思われるときは、心身に故障のある職員を部付、課付などに配置換した上、休職にすることが妥当であろう。なお、休職者は条例定数外とすることが普通である（行実昭二七・二・二三　地自公発第五〇号）。

次に、感染を予防する見地から、大学以外の学校の教員や事務職員が結核性疾患にかかった場合には最大限満三年までの間、休職を命じることができることとされている（教特法一四、公立の学校の事務職員の休職の特例に関する法律（昭三二法一一七））。

２　刑事事件に関し起訴された場合　職員が刑事事件に関して起訴された場合には、裁判所による勾留（刑訴法六〇）、召喚（同法五七）が行われるなど職務の遂行に支障が生じることがあり、また、起訴の段階では犯罪人でないことはもちろんであるが、被疑者を引き続き職務に従事させることは住民の公務に対する信頼に悪い影響を与えることもありうる。こうした事情を考慮して、刑事事件で起訴された職員を休職にすることができるものとされている。なお、このような趣旨に基づく起訴休職制度は合理的であり、憲法第一四条の平等取扱いに反するものではないとされている（東京地裁平元・一〇・二六判決　判例時報一三三七号一三六頁）。

実際に休職処分とするかどうかは、任命権者の裁量であり、犯罪の成否、身体の拘束その他の事情の有無を問わないものとされている（東京高裁昭三五・一一・二六判決　行政事件裁判例集一一巻四号一〇五九頁）。また、起訴前に本条第二項第二号に基づいて休職にすることはできないが（本人から請求があるときは年次有給休暇とすることができるが、それがないときは無断欠勤として給与が減額される（給与法一五参照）ことになる。）、休職は起訴と同時にしなければならないものでなく、起訴の状態が続いている限りいつでも行うことができるものである。さらに、採用以前から起訴されている事実があり、採用後にそれが判明したような場合も判明時以後に休職処分を行うことができる（行実昭三七・六・一四　自治丁公発第五九号）。起訴された職員が一審で無罪とされて、引き続き控訴審が継続しているときに休職処分を継続するか否かも任命権者の裁量の問題である（最高裁昭六三・六・一六判決　判例時報一三〇〇号四九頁）。なお、在籍専従職員が起訴されたときも休職処分にすることができる（行実昭三八・九・二　自治丁公発第二八五号）。

○

３　条例で定める事由　地方公共団体は、条例で休職の事由を定めることができることとされている（法二七２）が、国や他の地方公共団体との均衡、特別休暇制度や職務専念義務の免除などとの関係を考慮し、慎重に判断すべきものである。

国家公務員の場合は、法律で定める場合のほか、次の場合に休職とすることができることとされている（人事院規則一一―四（職員の身分保障）三）。

(1)　学校、研究所、病院その他人事院の指定する公共的施設において、その職員の職務に関連があると認められる学術に関する事項の調査、研究若しくは指導に従事し、または人事院の定める国際事情の調査等の業務若しくは国際約束等に基づく国際的な貢献に資する業務に従事する場合（次号に該当する場合、派遣法第二条第一項の規定による派遣の場合及び法科大学院派遣法第一一条第一項の規定による派遣の場合を除く。）

(2)　国および行政執行法人以外の者がこれらと共同して、またはこれらの委託を受けて行う科学技術に関する研究に係る業務であって、その職員の職務に関連があるものに(1)の公共的施設または人事院が指定する施設において従事する場合（派遣法第二条第一項の規定による派遣の場合を除く。）

(3)　人事院規則一四―一八（研究職員の研究成果活用企業の役員等との兼業）第二条第一項に規定する研究職員の官職と同規則第一条に規定する役員などの職とを兼ねる場合において、これらを兼ねることが同規則第四条第一項各号（第三号および第六号を除く。）に掲げる基準のいずれにも該当するときで、かつ、主として当該役員などの職務に従事する必要があり、当該研究職員としての職務に従事することができないと認められるとき

(4)　法令の規定により、国が必要な援助または配慮をすることとされている公共的機関の設立に伴う臨時的必要に基づ

き、これらの機関のうち人事院が指定する機関において、その職員の職務と関連があると認められる業務に従事する場合

⑸　水難、火災その他の災害により、生死不明または所在不明となった場合

地方公共団体においてもこれらに準ずる場合を条例で定めて休職の事由とすることができるであろうが、理論上、運用上、若干の問題がある。その一つは、⑸の場合以外は本人の希望なり同意を前提とする休職であり、任命権者が本人の意に反して一方的に他の機関への事務従事や出向を命じることは、かりに理論上はあり得ても実際にはあり得ないことであり、制度的に本人の希望または同意がなければできないものを分限処分と観念することはできないであろう。その二は、運用上の問題で、たとえば、⑷の場合には、第一七条の〔解釈〕一㈤2で述べた公社などに対する協力をどのような任用形式で認めるかという問題との関連を慎重に検討して行わなければならないであろう。また、上記の場合のほかに、条例による休職事由を定める場合もあり得るが、原則的には休職の事由を拡大することは、職員の身分保障の観点から適当ではないことである。なお、刑事起訴になるまでの間を休職とすること、および運転手が免許停止を受けた場合に休職とすることは、いずれも適当でないとされている（行実昭四四・四・二二）。なお、自宅待機を命ずることの問題点については第三五条の〔解釈〕三で述べることとする。

三　降給の事由

分限処分としての降給の事由は、各地方公共団体が条例で定めることとされている（法二七２）が、国においては人事院規則一一—一〇（職員の降給）が次のように定めている。

「（降格の事由）

第四条　各庁の長（給与法第七条に規定する各庁の長又はその委任を受けた者をいう。以下同じ。）は、職員が降任又は転任（規則一一—一一（管理監督職勤務上限年齢による降任等）第五条第一号又は第二号に掲げる場合における法第八十一条の二第一項に規定する他の官職への転任に限る。第六条第一項において同じ。）により現に属する職務の級より同一の俸給表の下位の職務の級に分類されている職務を遂行することとなった場合のほか、次の各号のいずれかに掲げる事由に該当

し、必要があると認める場合は、当該職員を降格するものとする。この場合において、第二号の規定により職員のうちいずれを降格させるかは、各庁の長が、勤務成績、勤務年数その他の事実に基づき、公正に判断して定めるものとする。

一　次に掲げる事由のいずれかに該当する場合（職員が降任された場合を除く。）

イ　職員の能力評価又は業績評価の人事評価政令第九条第三項（人事評価政令第十四条において準用する場合を含む。）に規定する確認が行われた人事評価政令第六条第一項に規定する全体評語が最下位の段階である場合（次条及び第六条第一項第一号イにおいて「定期評価の全体評語が最下位の段階である場合」という。）その他勤務の状況を示す事実に基づき勤務実績がよくないと認められる場合において、指導その他の人事院が定める措置を行ったにもかかわらず、なお勤務実績がよくない状態が改善されないときであって、当該職員がその職務の級に分類されている職務を遂行することが困難であると認められるとき。

ロ　各庁の長が指定する医師二名によって、心身の故障があると診断され、その故障のため職務の遂行に支障があり、又はこれに堪えないことが明らかな場合

ハ　職員がその職務の級に分類されている職務を遂行することについての適格性を判断するに足りると認められる事実に基づき、当該適格性を欠くと認められる場合において、指導その他の人事院が定める措置を行ったにもかかわらず、当該適格性を欠く状態がなお改善されないとき。

二　官制若しくは定員の改廃又は予算の減少により職員の属する職務の級の給与法第八条第一項又は第二項の規定による定数に不足が生じた場合

（降号の事由）

第五条　各庁の長は、職員の定期評価の全体評語が下位又は「不十分」の段階である場合その他勤務の状況を示す事実に基づき勤務実績がよくないと認められる場合であり、かつ、その職務の級に分類されている職務を遂行することが可能

であると認められる場合であって、指導その他の人事院が定める措置を行ったにもかかわらず、なお勤務実績がよくない状態が改善されない場合において、必要があると認めるときは、当該職員を降号するものとする。」

ここで、降格の事由から「職員が降任された場合」が除外されているのは、降任された場合の給料の格付けの低下は降任の結果として当然に生ずるものであり、降給とは関係がないことによるものである。

四　職員の分限に関する手続及び効果に関する条例案

職員の意に反する降任、免職、休職および降給の手続および効果は、法律に特別の定めがある場合のほか、条例で定めなければならない（本条3）。この条例においては、必要に応じて降給の事由が定められるほか、当該処分の理由が心身の故障による場合には指定する医師二名による診断が必要であること、処分はその旨を記載した書面を交付して行わなければならないことおよび休職の効果が定められるのが一般的である。

ここで、まず問題になるのは、心身の故障による場合の指定する医師二名による診断の意味であるが、心身の故障による降任、免職または休職については、任命権者が指定する医師二名の診断によることとされているが、この医師の指定はあくまでも任命権者が指定するもので、本人が任意に依頼した診断書によることはできない。診断書の信憑性に問題が生じる場合があるからである。また、本人が診断を拒否する場合がありうるが、このような場合に、本人が正当な理由なく拒否していることが明らかである限り、医師の診断なしでこれらの分限処分を行っても手続上の瑕疵にはならないものと解される（東京地裁平五・三・三〇判決（公務員関係判決速報二二九号七頁）、最高裁平六・二・一〇判決（判例集未登載）で確定）。

このことについて、大阪高裁平成一二年三月二二日判決（判例タイムズ一〇四五号一四八頁）は、任命権者が、心身の故障があると疑われる職員に対し、職務遂行能力の有無を把握し、国家公務員法第七八条第二号の分限免職の要件を充たすか否かを判断するために、特定の医師を指定して受診を命じることは、同法第九八条第一項の職務命令に該当し、当該職員は、正当な理由がない限り受診命令に従わなければならないとしたうえで、次の適格性欠如の要件と受診命令拒否の要件に該当するときは、医師二名の診断がない場合でも、その職に必要な適格性を欠くとして、分限免職することができるとしている。

(1)　適格性欠如の要件

①　長期の療養若しくは休養を要する疾患又は療養若しくは休養によっても治癒し難い心身の故障があると認められ、その疾患又は故障のため職務の遂行に支障があり、又はこれに堪えないこと。

②　受診命令拒否の事由などの行動、態度に徴表される一定期間にわたって継続している状態により、当該職員が官職に必要な適格性を欠くこと。

③　現に就いている職務に限らず、配転可能な他の職務を含めて考慮しても、なお、当該職員の疾患又は故障のため、職務の遂行に支障があり、又はこれに堪えないこと。

(2)　受診命令拒否の要件

①　任命権者が、心身の故障があるとの合理的な疑いがある職員に対し、職務遂行能力の有無を把握し、分限免職の要件を充たすか否かを判断するために、特定の医師を指定して受診を命じていること。

②　当該職員が正当な理由がなく受診命令を拒否していること。

次に問題となるのは、処分は書面を交付して行うとする意味であり、これは、行政処分一般について、「行政処分が行政処分として有効に成立したといえるためには、行政庁の内部において単なる意思決定の事実があるかあるいは右意思決定の内容を記載した書面が作成・用意されているのみでは足りず、右意思決定が何らかの形式で外部に表示されることが必要であり、名宛人である相手方の受領を要する行政処分の場合は、さらに右処分が相手方に告知され又は相手方に到達することすなわち相手方の了知しうべき状態におかれることによってはじめてその相手方に対する効力を生ずるものというべきである。」とする（最高裁昭五七・七・一五判決　判例時報一〇五五号三三頁）考え方によるものである。すなわち、分限処分の効力発生の時期は、懲戒処分と同じく、辞令を交付したとき、または了知しうべき状態に置かれたときとなるのである（最高裁昭三〇・四・一二判決　刑事裁判集九巻四号八三八頁）。ところで、行方不明その他の理由で分限処分を受けた職員に対して文書を交付できない場合が生ずることがある。このような場合、国家公務員については、その内容を官報に掲載することをもって文書を交付することに替えることができ、掲載された日から二週間を経過した時に通知書の交付があったものとみなす（人事院規則八―一二（職員の任免）五六）こととされており、右の条例案には含まれていないが、国の場合と同様の措置を条例に定めておくことが適当であろう（懲戒処分の通知について、行方不明の場合には県の公報に掲載するという方法で行ってきたという従来からの取扱いを考慮し、当該職員がその方法によって懲戒免職処分がされることを十分に了知し得たことを理由として、県の公報への掲載をもって通知が到達したことを認めた判例（最高裁平一一・七・一五判決　判例時報一六九二号一四〇頁）がある。）。

このほか、地方公務員法第二八条第三項でいう「法律に特別の定めがある場合」として、同法第四九条第一項に基づく、不利益処分に関する説明書の交付がある。もっともこの説明書の交付は処分の効力には関係がなく、もし、説明書が交付されなかったときは、当該職員はその交付を請求できるものである（同条２）。また、処分をした任命権者は、分限処分の取消しの訴えは審査請求に対する裁決を経た後でなければ提起できないこと、当該処分または裁決に係る取消訴訟の被告とすべき者および当該処分または裁決に係る取消訴訟の出訴期間を書面で当該処分の相手方に教示しなければならない（行訴法四六）。次に、職員の分限に関する手続き及び効果に関する条例第三条および第四条は、休職の効果を定めているが、心身の故障による休職は最大限三年とされており、これを超えて療養を要するときは本条第一項第二号の規定によって免職されることになろう。なお、休職中の給与は給与条例で定められるが、休職の事由によって一〇〇分の一〇〇から一〇〇分の六〇以内までの各段階がある（給与法二三参照）。また、心身の故障による休職の場合、給与が支給されるのは最大限一年（結核性疾患の場合。その他は一年）であるので、この条例による最長期の休業期間三年のうち、二年（または一年）は有給であるが、残余の期間は無給ということになり、その期間については共済組合の休業給付（共済法六六）が支給される。

この職員の分限に関する手続及び効果に関する条例案において、職に必要な適格性を欠くことにより降任または免職をすることができるのは、転任させることができない場合に限ること、職制、定数の改廃または予算の減少により降任する場合は、平等取扱いの原則（法一三）、職員団体活動を理由とする不利益取扱い禁止の原則（法五六）などに反してはならないことなどを定めることができるかということにつき、これらは分限の手続ではないとして否定されているが（行実昭二六・八・

四）、むしろ、任命権者の裁量権を拘束すること（職員団体活動に関する不利益取扱いの禁止については当然のことであり）を理由として否定されるべきものと考える。また、休職期間満了時に自動的に退職する旨を条例で規定することは適当でないとする実例もあるが（行実昭二六・八・二二　地自公発第三五三号）、適不適の問題でなく、法律上不可能であり、一旦、復職させた上、分限免職の事由があれば分限免職とするか（行実昭二六・一二・三　地自乙発第三九六号）、休職中に明確な分限免職の事由に基づいて別途免職処分を行うか（行実昭三二・一〇・二二　自丁公発第一三〇号）のいずれかによるべきである。

なお、分限処分は不利益処分ではあるが、行政手続法が定める聴聞および弁明の機会の付与に関する規定は公務員の身分に関してなされる処分には適用されないことになっている（同法三1⑨）。

五　分限処分の特例

分限処分については、地方公務員法および他の法律に若干の特例があり、そのうちの一部は本条第三項にいう「法律に特別の定めがある場合」に該当する。

㈠　条件附採用期間中の職員および臨時的任用職員の特例

条件附採用期間中の職員および臨時的任用職員については、分限事由を定める規定は適用されない（法二九の二1）。その趣旨および内容については、第二九条の二で述べることとする。

㈡　教育公務員の特例

教育公務員については、その身分取扱いに一般の職員と異なる点があり、分限処分についても、それぞれの種類によって、次のような特例が設けられている。

1　大学の教員などの免職、休職など　大学の教員などについては、大学自治の原則に基づき、学長および教員にあっては評議会、部局長にあっては学長の審査の結果によるのでなければ、その意に反して免職されず、教員の降任についても同様である（教特法五1）。また、これらの職員の免職、休職、復職、退職および懲戒処分は、学長の申出に基づき任命権者が行う（教特法一〇）が、休職の期間は評議会の議に基づき学長が定める（教特法六）こととされている。

２　大学以外の学校の校長、教員などの結核性疾患による休職の期間および効果　大学以外の学校の校長および教員が、結核性疾患のために長期の療養を要する場合の休職の期間は、原則として満二年とされ、任命権者がとくに必要があると定めるときは予算の範囲内で満三年まで延長することができ、その休職期間中は給与の全額が支給される（教特法一四）。この特例は、児童が結核性疾患にかかることがないよう予防するためのものとされる。なお、大学以外の公立学校の事務職員の結核性疾患についても同じ取扱いとされる（公立の学校の事務職員の休職の特例に関する法律）。

３　県費負担教職員の分限処分　県費負担教職員の分限処分は、任命権者である都道府県教育委員会が行う（地教行法三七）が、都道府県の教育委員会は、当該教職員の身分が属する市町村の教育委員会の内申に基づいて行わなければならない（地教行法三八）。また、県費負担教職員が属する学校の校長は、これら教職員の分限について市町村の教育委員会に意見を申し出ることができる（地教行法三九）。さらに、県費負担教職員の分限の手続および効果に関する事項は、都道府県の条例で定められる（地教行法四三３）。なお、県費負担教職員の任命権が都道府県教育委員会にあることに対応し、ある市町村の身分を有する県費負担教職員を免職して同一都道府県内の他の市町村の県費負担教職員として採用するときには、その免職については分限の規定の適用はなく、したがって、任命権者である都道府県教育委員会は自由に免職し引き続き他の市町村に採用できる。そしてその採用については、その者がすでに正式任用職員であるときは条件附採用の規定は適用されない（地教行法四〇）。

４　県費負担教職員の免職と都道府県の職への採用　県費負担教職員のうち、教諭、養護教諭、栄養教諭、助教諭および養護助教諭ならびに講師（会計年度任用職員である者を除く。）で、①児童または生徒に対する指導が不適切であることおよび②研修など必要な措置が講じられたとしてもなお児童または生徒に対する指導を適切に行うことができないと認められることの二つの要件に該当することとなった者（分限による降任、休職または免職の対象となる者を除く。）は、地方公務員法第二七条第二項および第二八条第一項の規定にかかわらず、その職を免じ、引き続いて当該都道府県の指導主事ならびに校長、園長および教員以外の当該都道府県の常時勤務を要する職に採用することができることとされている（地教行法四七の二１）。

これは、荒れる学校が社会的な問題となり、教職員の指導能力が問われるようになったことを契機として設けられた制度であり、地方公務員法第二八条第一項各号及び第二項各号の規定のいずれかに該当する者以外のものを対象として、市町村の職員である県費負担教職員を都道府県の職員にすることができることとするものである。しかし、児童または生徒に対する指導が不適切であり、必要な措置を講じても適切な指導を行うことができることとなる見込みのない者が、教員として、勤務実績がよくない場合（法二八１①）にも、その職に必要な適格性を欠く場合（法二八１③）にも該当しないということは考え難いうえに、そのような者が教育職以外の職の適性を有するという保証はないし、この規定により都道府県の職員として採用するにあたっては、「公務の能率的な運営を確保する見地から」、その職員の「適性、知識等について十分に考慮するものとする」（地教行法四七の二３）というのであるから、そこまでしてこのような制度を設ける必要があるかは疑問の残るところである。なお、この規定に基づく任免は、都道府県の教育委員会が行うものであるから、これらの要件に該当する者が就任する職は、都道府県の教育委員会が任命権を有するものに限られるのは当然のことである。

㈢　労働基準法による分限免職処分の制限

職員を分限免職する場合も労働基準法の規定に従わなければならないが（法五八３）、まず、職員が公務上負傷し、または疾病にかかり、療養のために休養する期間およびその後三〇日間、ならびに産前産後の女子職員が休業する期間およびその後三〇日間は分限免職することができないが、例外として、天災事変その他やむを得ない事由により事業の継続が不可能となった場合で労働基準監督官庁の許可を得たときはこの限りでない（労基法一九）。また、公務傷病の療養の開始後三年を経過した日において傷病補償年金を受けている場合、または同日後に当該年金を受けることとなった場合には、それぞれの日以降は分限免職をすることが可能である（地公災法二八の三）。

次に、任命権者が職員を分限免職しようとするときは、少なくとも三〇日前に予告しなければならず、その予告をしないときは三〇日分以上の平均賃金を予告手当として支給しなければならない（労基法二〇１本文）。この予告との関係で、先日付の分限免職処分を行うことは可能であるとされている（福岡高裁宮崎支部昭四一・一〇・三一判決　行政事件裁判例集一七巻一〇号一二一三頁）。但し、天災事変その他やむを得ない事由のために事業の継続が不可能となった場合、または職員の責に帰すべき場合で、いずれも労働基準監督機関（法五八5参照）の認定を得た場合は、解雇の予告および予告手当の支給のいずれも必要としない（労基法二〇1但し書、3）。実際には、退職手当が支給されるので、これが予告手当に相当することが多く、また、逆に通常の方法で計算した退職手当の額が予告手当の額に満たないときは、その差額が特別の退職手当として支給される（退手法九参照）ので、解雇の予告をすることなしに分限免職することができることになる。なお、もし、解雇の予告を行わず、または予告手当を支給せずに免職処分を行ったときは、その処分は無効ではなく、当該処分が行われた日から三〇日後、または予告手当が支払われたときに効力を生じるものと解されている（最高裁昭三五・三・一一判決　判例時報二一八号六頁）。この判例の考え方に従うときは、退職手当が支給されるのは退職した後（退職した日から起算して一月以内とされている（退手法二の三2本文））であるから、予告手当相当額が退職手当に含まれている場合であっても、三〇日前の解雇の予告が必要となるものと思われる。

六　失　職

職員が地方公務員法第一六条の欠格条項に該当したときは、懲戒免職の処分を受けた場合を除き法律上当然にその職を失う（本条4）。懲戒免職の処分を受けたとき（法一六②）は、すでに職を失っているので失職する余地はないからである。本条に定めるもののほか、災害対策基本法に基づき地方公共団体に派遣された国の職員は、地方公共団体の職員としての身分を併せ有するが、その派遣期間が終了したとき、または国家公務員としての身分を喪失したときは、地方公務員の職も当然に失うとされているので（災対法施行令一七8）、これも失職の一つといってよい。

失職は、法律上当然に職を失うものであるから、失職事由が発生したときに自動的に離職するものであり、なんらの処分を必要としないのであるから、分限（身分保障）にかかる問題ではあるが、分限処分ではない。しかし、運用上は、事実の発生がいつであるかを確認し、また本人に知らせるために通知の意味の辞令を交付することが適切であろう。もっともこの通知を行わなかったからといって、失職の法律的効力に影響するものでないことはもとより、「処分」ではないので本人に不利益をもたらす身分上の変動ではあるが、不利益処分の説明書（法四九）を交付する必要はないし、行政事件訴訟法第四六条の規定による教示の必要もない。

本条の失職の事由は、地方公務員法第一六条に定められている、①拘禁刑以上の刑に処せられたこと、および②憲法またはこれに基づく政府を暴力で破壊しようとする政党などを結成しまたは加入したことであり、それぞれの意義については第一六条の解釈を参照されたい。なお、本項では、地方公務員法第一六条第三号に該当すること、すなわち、人事委員会または公平委員会の委員で地方公務員法第五章に規定する罪を犯して刑に処せられたことを職員の失職事由としているが、これらの委員は職員との兼職を禁止されているので（法九の二⑨）、この条項による失職はあり得ない。かつて委員であった者が第一六条第三号に該当した後、職員となったときは、欠格条項該当者の採用ということになり、任用が無効となるし、職員の身分を有する者が委員となったときは、瑕疵ある任用として委員の任命を取り消すべきことになるからである。

なお、「郵政事務官として採用された者が、禁錮以上の刑に処せられたという失職事由が発生した後も約二六年一一月にわたり勤務を継続した場合に、国において上記の者が国家公務員法第七六条、第三八条第二号に基づき失職した旨を主張することは、上記の者が上記失職事由の発生を隠して、事実上勤務を継続し給与の支給を受け続けていたという事情の下では、信義則に反し権利の濫用に当たるということはできない」とした判例（最高裁平一九・一二・一三判決　判例時報一九九五号一五七頁）がある。

次に、欠格条項は、これに該当すれば職員たり得ないという職員の任用およびその身分を引き続き保有するための消極的資格要件であるといってよいが、これとは逆の職員の積極的資格要件、すなわち、その資格を有することを前提として職員となるというもの（教育職員の教員免許、医師である職員の医師免許、運転手である職員の運転免許など）があり、このような資格を失った場合に、当該職員の身分がどうなるかという問題がある。これについて、教育職員の免許状を失ったときには、当然その身分を失うという見解がある（最高裁昭三九・三・三判決（判例時報三七〇号二九頁）、文部省行実昭二六・四・一七）が、職員は法定の事由に該当した場合にのみ失職するものであり、単に解釈で失職事由を追加することは問題である。また、たとえば、運転免許の効力を一時停止された運転手である職員が当然に失職、休職、または休暇のいずれかに該当すると解釈することも困難であろう。したがって、積極的資格要件を失った職員は、まず、配置転換または降任によって適職があるかどうかを検討し（困難な場合が多いであろう。）、それが不可能な場合は職に必要な適格性を欠くもの（本条1③）として、分限免職の手続をとるべきである。

次に、失職の事由に該当する場合であっても、条例で失職の特例を定めることができることとされている。これは地方公務員法第一六条の欠格条項の特例を定める条例に対応するものであるが、欠格条項および失職の事由はいずれも職員の資格としては重大なものであり、また、その特例は身分取扱上極めて重要な問題でもあるので、一般的には特例条例を定めることは適当であるとは考えられず、特例条例を定める場合は、極めて例外的な場合に限られなければならない。また、欠格条項の特例と本項の特例は、その内容が同一のものでなければならないものではない。たとえば、交通事故を惹起したことによって禁錮以上の刑に処せられた者を、欠格条項の関係では特例を設けず、失職の関係ではとくに情状酌量しうる場合に限って特例を設けることも法律上は可能である。なお、交通事故を起こして有罪の判決があった職員について、平素の勤務成績を勘案して情状により失職しない旨の特例条例を設けることは、一般的には適切なものとは考えられないとされている（行実昭三四・一・八　自丁公発第四号）。これは裁判所が判決する際に、公務員の場合は禁錮以上の刑に処せられることによって当然に失職することを考慮して判決することがあることも考慮したものであろう。

（管理監督職勤務上限年齢による降任等）

第二十八条の二　任命権者は、管理監督職（地方自治法第二百四条第二項に規定する管理職手当を支給される職員の職及びこれに準ずる職であつて条例で定める職をいう。以下この節において同じ。）を占める職員でその占める管理監督職に係る管理監督職勤務上限年齢に達している職員について、異動期間（当該管理監督職勤務上限年齢に達した日の翌日から同日以後における最初の四月一日までの間をいう。以下この節において同じ。）（第二十八条の五第一項から第四項までの規定により延長された期間を含む。以下この項において同じ。）に、管理監督職以外の職又は管理監督職勤務上限年齢が当該職員の年齢を超える管理監督職（以下この項及び第四項においてこれらの職を「他の職」という。）への降任又は転任（降給を伴う転任に限る。）をするものとする。ただし、異動期間に、この法律の他の規定により当該職員について他の職への昇任、降任若しくは転任をした場合又は第二十八条の七第一項の規定により当該職員を管理監督職を占めたまま引き続き勤務させることとした場合は、この限りでない。

２　前項の管理監督職勤務上限年齢は、条例で定めるものとする。

３　管理監督職及び管理監督職勤務上限年齢を定めるに当たつては、国及び他の地方公共団体の職員との間に権衡を失しないように適当な考慮が払われなければならない。

４　第一項本文の規定による他の職への降任又は転任（以下この節及び第四十九条第一項ただし書において「他の職への降任等」という。）を行うに当たつて任命権者が遵守すべき基準に関する事項その他の他の職への降任等に関し必要な事項は、条例で定める。

〔趣　旨〕

令和三年国公法改正法によって国家公務員の定年が引き上げられたことに伴い、国の職員につき定められている定年を基準として定めることとされている職員の定年も引き上げることとなる（定年の意義や定年延長の経過等については第二八条の六の〔趣旨〕参照）。このことは、定年間近の職員（その多くは既に管理監督の職に就いている職員である。）については朗報であるが、若年・中堅職員にとっては、昇進のペースが遅くなることを意味し、職務遂行のモチベーションに影響が生ずるだけでなく、人事ローテーションの中で、オン・ザ・ジョブ・トレーニングによって人材を育成するという我が国における公務員の伝統的な人事システム（第一七条の〔趣旨〕一参照）に支障を来しかねない。このようなことを避け、高齢期の職員の知識、技術、経験等の活用を図りつつ、組織全体としての活力を維持するため、管理監督職を対象として設けられたのが本条の制度であり、役職定年制と称される。

〔解　釈〕

一　管理監督職及び管理監督職勤務上限年齢の定め方

本条が適用されるのは、管理監督職を占める職員で、当該管理監督職に係る管理監督職勤務上限年齢（「役職定年」とも称される。）に達しているものである。

まず、管理監督職というのは、「地方自治法第二〇四条第二項に規定する管理職手当を支給される職員の職及びこれに準ずる職であって条例で定める職」と定義されている（本条1）。この条文からは、「管理職手当を支給される職員の職」についても条例で定めることが必要かどうか明確でないが、行政解釈は、これを肯定しているので、それに従えば、管理職手当を支給される職員の職であっても条例で定めない限り、本条は適用されないことになる。なお、国家公務員法第八一条の二第一項は、役職定年制が適用される管理監督職の範囲から「病院、療養所、診療所その他の国の部局又は機関に勤務する医師及び歯科医師が占める官職その他のその職務と責任に特殊性があること又は欠員の補充が困難であることによりこの条の規定を適用することが著しく不適当と認められる官職として人事院規則で定める官職」を除くことを定めている（これらの職員には六〇歳に達したことによる俸給月額七割措置も適用されないこととされていることについては第二五条の**〔趣旨〕四**で述べた。）。したがって、条例で管理監督職の範囲を定めるに際しても、国におけるこの取り扱いを考慮することになる（本条3、法二四4参照）。また、職員の年齢別構成に著しい不均衡があり、管理監督職を一律に設定することによって公務能率の確保が困難になるような場合においては、制度の趣旨を勘案したうえで、特定の職を管理監督職の範囲から除くことも可能である。さらに、「これに準ずる職」としては、指定職給料表を作成している地方公共団体における指定職や特定地方独立行政法人において管理職手当に相当する手当が支給されている職が想定されるが、管理職手当が支給されない職（課長補佐や係長等）はこれに該当しないであろう。

次に、管理監督職勤務上限年齢であるが、これも条例で定めるものとされている（本条2）。そして、この条例を定めるに際しても、「国及び他の地方公共団体の職員との間に権衡を失しないように適当な考慮が払われなければならない。」（本条3）とされるところ、国においては、その年齢を六〇年としたうえで、事務次官等について六〇年を超える特例を設けている（国公法八一条の二2）。職員の年齢別構成に著しい不均衡があり、その年齢を一律に設定することによって公務能率の確保が困難になるような場合においては、制度の趣旨を勘案したうえで、特定の職について六〇年を超える特例を設けることも考えられる。

二　他の職への降任または転任

管理監督職勤務上限年齢に達した者については、当該年齢に達した日の翌日（誕生日を意味する。年齢計算ニ関スル法律）から同日以後における最初の四月一日までの間（「異動期間」といい、地方公務員法第二八条の五第一項から第四項までの規定により延長された期間を含む。）に、管理監督職以外の職又は管理監督職勤務上限年齢が当該職員の年齢を超える管理監督職（「他の職」という。）への降任または転任（降給を伴う転任に限る。）をするものとされる（本条1本文）。

降任というのは、「職員をその職員が現に任命されている職よりも下位の職制上の段階に属する職員の職に任命すること」（法一五の二1③）であるから、降任によって給料表における職務の等級が下位のものに位置づけられ、結果として給料の額が下がることになるが、降給には該当しない（第二七条の**〔解釈〕**二4参照）。転任は昇任にも降任にも該当しない異動を意味し（法一五の二1④）、降給は、職員が現に決定されている給料の額よりも低い額の給料に決定する処分であるから、降給を伴う転任という意味は分かりにくい。本条の趣旨から考えると、転任が降給を伴うということは、職制上の段階（例えば課長）は同じであるが、等級別基準職務表における等級が下位の職に任命することを意味することになる（第一五条の二**〔解釈〕**四、第二五条の**〔解釈〕**三㈠イ、第二七条の**〔解釈〕**二4参照）。

また、異動期間に、この法律の他の規定により当該職員について他の職への昇任、降任若しくは転任をした場合または地方公務員法第二八条の七第一項の規定により当該職員を管理監督職を占めたまま引き続き勤務させることとした場合は、本条第一項本文の規定による降任又は転任をさせることはできない（本条1ただし書き）。ここでいう他の職への昇任、降任若しくは転任というのは、管理監督職以外の職又は管理監督職勤務上限年齢が当該職員の年齢を超える管理監督職への異動のことであるから、これらの者に本条第一項本文の規定が適用されないのは当然のことであり、定年退職日の翌日以降も当該職務に従事させることとした職員に役職定年制を適用することは背理であるから、このただし書きは当然のことを確認するものである。

三　降任または転任等の基準

役職定年に達したことによる他の職への降任または転任を行うに当たって任命権者が遵守すべき基準に関する事項その他の他の職への降任等に関し必要な事項は、条例で定めることとされ（本条４）、この条例を定めるに際しては次のようなことに配慮すべきであろう（具体的な条例の定めについては第二八条の六〔**解釈**〕六参照）。

①　役職定年の対象となる職員とそれ以外の職員の間や役職定年の対象となる複数の職員の間の公平性を確保すること

②　他の職員の昇任機会の確保に留意しつつ、役職定年の対象となる職員の職が可能な限り下がらないような配置に努めること

③　職員の意向も踏まえ、能力や経験を十分に活用できる職に任用すること

ただ、給与条例においては、等級別基準職務表が定められ、その基準に従って等級が決定されるとともに、人事委員会規則または長の規則で等級別定数も定めるべきであるとされており（第二五条の〔**解釈**〕三㈠イ参照）、役職定年に達したことによる降任又は転任の場合についても例外は認められていない。降任および転任の場合は、等級別基準職務表の等級が直近下位の等級に位置づけられる職に任命するのが原則であろうが、等級別定数に余裕がない場合は、さらに下位の等級に位置づけられる職に任命することもやむを得ないであろう。

（管理監督職への任用の制限）

第二十八条の三　任命権者は、採用し、昇任し、降任し、又は転任しようとする管理監督職に係る管理監督職勤務上限年齢に達している者を、その者が当該管理監督職を占めているものとした場合における異動期間の末日の翌日（他の職への降任等をされた職員にあつては、当該他の職への降任等をされた日）以後、当該管理監督職に採用し、昇任し、降任し、又は転任することができない。

〔趣　旨〕

管理監督職勤務上限年齢に達した職員については、異動期間中に管理監督職以外の職または管理監督職勤務上限年齢が当該職員の年齢を超える管理監督職への降任または転任をするものとしているので、本条では、管理監督職勤務上限年齢に達している者について、異動期間が経過した後についても、当該管理監督職に採用し、昇任し、降任し、または転任することができないとして、役職定年制の趣旨が没却されることがないようにしている。

〔解　釈〕

本条の対象となる者は、管理監督職勤務上限年齢に達している者であり、これには現に職員でない者も含まれる（採用について意味がある。）。採用、昇任、降任または転任の意味は地方公務員法第一五条の二第一項が定めるところであり、前条とは異なり、転任には「降給を伴うものに限る」との制限はない。

また、異動期間の末日の翌日というのは、当該管理監督職勤務上限年齢に達した日以後における最初の四月一日のことである。

（適用除外）

第二十八条の四　前二条の規定は、臨時的に任用される職員その他の法律により任期を定めて任用される職員には適用しない。

〔解　釈〕

臨時的に任用される職員その他の法律により任期を定めて任用される職員の意味については第一七条の〔趣旨〕四及び〔解釈〕二で詳しく述べた。

役職定年制は、任期の定めのない職員についての定年の引き上げに伴う措置であり、任期の満了によって当然に退職となるこれらの職員には、役職定年制を適用する必要はない。ただ、地方公務員法第二八条の二の趣旨からして、任期を定めて職員を任用する場合は、その者が管理監督職勤務上限年齢に達しているか否か、当該年齢と当該者の任期の満了時における年齢とを考慮すべきである。

（管理監督職勤務上限年齢による降任等及び管理監督職への任用の制限の特例）

第二十八条の五　任命権者は、他の職への降任等をすべき管理監督職を占める職員について、次に掲げる事由があると認めるときは、条例で定めるところにより、当該職員が占める管理監督職に係る異動期間の末日の翌日から起算して一年を超えない期間内（当該期間内に次条第一項に規定する定年退職日（以下この項及び次項において「定年退職日」という。）がある職員にあつては、当該異動期間の末日の翌日から定年退職日までの期間内。第三項において同じ。）で当該異動期間を延長し、引き続き当該管理監督職を占める職員に、当該管理監督職を占めたまま勤務をさせることができる。

一　当該職員の職務の遂行上の特別の事情を勘案して、当該職員の他の職への降任等により公務の運営に著しい支障が生ずると認められる事由として条例で定める事由

二　当該職員の職務の特殊性を勘案して、当該職員の他の職への降任等により、当該管理監督職の欠員の補充が困難となることにより公務の運営に著しい支障が生ずると認められる事由として条例で定める事由

２　任命権者は、前項又はこの項の規定により異動期間（これらの規定により延長された期間を含む。）が延長され

た管理監督職を占める職員について、前項各号に掲げる事由が引き続きあると認めるときは、条例で定めるところにより、延長された当該異動期間の末日の翌日から起算して一年を超えない期間内（当該期間内に定年退職日がある職員にあつては、延長された当該異動期間の末日の翌日から定年退職日までの期間内。第四項において同じ。）で延長された当該異動期間を更に延長することができる。ただし、更に延長される当該異動期間の末日は、当該職員が占める管理監督職に係る異動期間の末日の翌日から起算して三年を超えることができない。

3　任命権者は、第一項の規定により異動期間を延長することができる場合を除き、他の職への降任等をすべき特定管理監督職群（職務の内容が相互に類似する複数の管理監督職であつて、これらの欠員を容易に補充することができない年齢別構成その他の特別の事情がある管理監督職として人事委員会規則（人事委員会を置かない地方公共団体においては、地方公共団体の規則）で定める管理監督職をいう。以下この項において同じ。）に属する管理監督職を占める職員について、当該職員の他の職への降任等により、当該特定管理監督職群に属する管理監督職の欠員の補充が困難となることにより公務の運営に著しい支障が生ずると認められる事由として条例で定める事由があると認めるときは、条例で定めるところにより、当該職員が占める管理監督職に係る異動期間の末日の翌日から起算して一年を超えない期間内で当該異動期間を延長し、引き続き当該管理監督職を占めている職員に当該管理監督職を占めたまま勤務をさせ、又は当該職員を当該管理監督職が属する特定管理監督職群の他の管理監督職に降任し、若しくは転任することができる。

4　任命権者は、第一項若しくは第二項の規定により異動期間（これらの規定により延長された期間を含む。）が延長された管理監督職を占める職員について前項に規定する事由があると認めるとき（第二項の規定により延長された当該異動期間を更に延長することができるときを除く。）、又は前項若しくはこの項の規定により異動期間（前三項又はこの項の規定により延長された期間を含む。）が延長された管理監督職を占める職員について前項に規定する事由が引き続きあると認めるときは、条例で定めるところにより、延長された当該異動期間の末日の翌日からか起算して一年を超えない期間内で延長された当該異動期間を更に延長することができる。

5　前各項に定めるもののほか、これらの規定による異動期間（これらの規定により延長された期間を含む。）の延長及び当該延長に係る職員の降任又は転任に関し必要な事項は、条例で定める。

〔趣　旨〕

地方公務員法第二八条の二が定める役職定年制は、令和三年地公法改正法および令和三年国公法改正法によって定年が段階的に引き上げられることとされたこと（詳しくは第二八条の六の**〔趣旨〕五**で述べる。）から、組織全体としての活力の維持を図ることを目的として設けられたものであり、原則として画一的な年齢を定めるものである。しかしながら、地方公共団体の事務は、多種多様な職務と多数の職員との組み合わせによって遂行されているのであり、個々の事務についてみた場合は、現にその職に就いている職員を他の職に異動させることが公務の運営に著しい支障を生じさせることがあり得る。このような場合には、地方公務員法第二八条の二が定める役職定年制の趣旨を損なわない範囲内で一年を超えない範囲で異動期間を延長して、管理監督職を占めることができることとして、公務の遂行に支障を生ずることがないようにしようというのが本条の趣旨であり、第二八条の七が定める定年による退職の特例と同じ趣旨である。

〔解　釈〕

一　管理監督職勤務上限年齢による降任等及び管理監督職への任用の制限の特例（その一）

本条が定める管理監督職勤務上限年齢による降任等及び管理監督職への任用の制限の特例は、もっぱら公務上の必要性に基づくものであるが、それが認められる第一のケースは、次の事由として条例で定める事由がある場合である（本条1）。

一　当該職員の職務の遂行上の特別の事情を勘案して、当該職員の他の職への降任等により公務の運営に著しい支障が生ずると認められる事由

二　当該職員の職務の特殊性を勘案して、当該職員の他の職への降任等により、当該管理監督職の欠員の補充が困難となる

ことにより公務の運営に著しい支障が生ずると認められる事由

前記一の事由は、職員の個性に着目するものであり、当該職員が担当している職務が特別なプロジェクトであり、別の職員が担当したときは、その遂行に著しい支障が生ずる場合などが考えられる。これに対して、前記二の事由は、職務の性質に着目するものであり、特殊な知識、経験、技能が必要な職務やへき地での勤務が必要な職務であるため、現に担当している職員に代わるべき職員を確保することが著しく困難である場合が考えられる（具体的な条例の定めについては第二八条の六〔解釈〕七参照）。

これらの事由に該当する場合は、管理監督職勤務上限年齢に達した職員に引き続き当該管理監督職の地位を占めたまま勤務をさせることができるのであるが、その期間は、当該職員に係る異動期間の末日の翌日から起算して一年を超えない期間内とするのが原則である（本条1）。そして、この期間が満了する時点においても前記一または二の事由が引き続いているときは、この期間の末日の翌日から起算して一年を超えない期間内でさらに延長することができるのであるが、その延長は、通算して当該職員に係る当初の異動期間の末日の翌日から起算して三年を超えることはできない（本条2）。したがって、これらの事由に該当する場合であっても、延長された異動期間が満了したときは、他の職への降任等がなされることになり、この延長された期間内に定年退職日が到来する場合は、その日に退職となる（本条1、2）。

二　管理監督職勤務上限年齢による降任等及び管理監督職への任用の制限の特例（その二）

本条第一項および第二項が当該職員または当該職の特殊性に着目して、異動期間の延長を認めるものであるのに対して、本条第三項は、複数の管理職の集まりの特殊性に着目して、異動期間の延長について定める。すなわち、人事委員会規則（人事委員会を置かない地方公共団体においては、地方公共団体の規則）で、職務の内容が相互に類似する複数の管理監督職であって、年齢別構成その他の特別の事情により欠員を容易に補充することができないものを一つのグループ（「特定管理監督職群」という。）として定めることによって、当該特定管理監督職群に属する職員について、当該職員の他の職への降任等により、当該特定管理監督職群に属する管理監督職の欠員の補充が困難となることにより公務の運営に著しい支障が生ずると認められる事由として条例で定める事由があるときは、一年を超えない期間内で異動期間を延長し、引き続き当該管理監督職を占めたまま勤務をさせ、または当該職員を当該管理監督職が属する特定管理監督職群の他の管理監督職に降任し、若しくは転任することができるとする（本条3。なお、具体的な条例の定めについては第二八条の六〔解釈〕七参照）。

特定管理職群として定められる管理監督職のグループとして考えられるのは、医師、獣医師など特定の資格を有する者をもって充てるべき職や公立学校（幼稚園を含む。）の校長・副校長・教頭及び児童相談所長などについて、年齢別構成の偏りなどにより後任の補充が困難なものであるが、これはあくまでも職務の内容が類似する複数の職に着目したものであるから、本条第一項が定める特例によることができる場合（前記一参照）は、これには含まれない。

三　異動期間の更なる延長

本条第一項または第二項の規定によって、異動期間（これらの規定により延長された期間を含む。）が延長された管理監督職を占める職員について、当該職員の他の職への降任などにより、当該職の欠員の補充が困難となることにより公務の運営に著しい支障が生ずると認められる事由があるときは（第二項の規定により延長された当該異動期間を更に延長することができるときを除く。）、条例で定めるところにより、延長された当該異動期間の末日の翌日から起算して一年を超えない期間内で延長された当該異動期間を更に延長することができる（本条4）。

また、本条第三項または第四項の規定によって、異動期間（本条第一項から第四項の規定により延長された期間を含む。）が延長された管理監督職を占める職員について、当該職員の他の職への降任などにより、当該職の欠員の補充が困難となることにより公務の運営に著しい支障が生ずると認められる事由があるときは、条例で定めるところにより、延長された当該異動期間の末日の翌日から起算して一年を超えない期間内で延長された当該異動期間を更に延長することができる（本条4）。

なお、異動期間の更なる延長について定める本条第四項には全体の延長期間についての制限がないので、これについては定年退職日までの延長、再延長が可能である。異動期間の延長および当該延長に係る職員の降任または転任に関し必要な事項は条例で定めることとされている（本条5）。

（定年による退職）

第二十八条の六　職員は、定年に達したときは、定年に達した日以後における最初の三月三十一日までの間において、条例で定める日（次条第一項及び第二項ただし書において「定年退職日」という。）に退職する。

２　前項の定年は、国の職員につき定められている定年を基準として条例で定めるものとする。

３　前項の場合において、地方公共団体における当該職員に関しその職務と責任に特殊性があること又は欠員の補充が困難であることにより国の職員につき定められている定年を基準として定めることが実情に即さないと認められるときは、当該職員の定年については、条例で別の定めをすることができる。この場合においては、国及び他の地方公共団体の職員との間に権衡を失しないように適当な考慮が払われなければならない。

４　前三項の規定は、臨時的に任用される職員その他の法律により任期を定めて任用される職員及び非常勤職員には適用しない。

〔趣　旨〕

一　定年制の沿革

定年（停年）制は、昭和五六年（一九八一年）に制度化されるまで、地方公務員制度上の大きな課題であった。地方公務員法の施行前は、府県の職員については内規などで、市町村の職員については条例で、それぞれ定年制を設けていたものが相当数あったといわれている。しかし、地方公務員法の施行に伴い、法律に特別の定めがない限りその意に反して離職させることはできないものと解されるようになったため、別に法律の定めがあった公立大学の教員を除き、職員に定年制を実施することはできないこととされてきた（行実昭二六・三・一二（地自公発第六七号）、昭二九・一一・二〇（自丁公発第一九七号）、昭三〇・三・八（自丁公発第四〇号））。地方公務員法の制定当時は、職員の新陳代謝が比較的若年で順調に行われていたこと、小規模町村などではその必要性に乏しかったこと、職員の退職年金制度が整備されていなかったこと等の理由により、定年制を法定するまでには至らなかったものと思われる。

その後、地方公共団体の人事管理体制を整備し、職員の新陳代謝をはかるため、地方公共団体の当局から定年制の実施について相次いで強い要望がなされるようになった。古くは昭和二八年一〇月の第一次地方制度調査会の答申をはじめ、昭和三〇年一二月の第三次地方制度調査会の答申も地方公務員に定年制を実施すべきことを述べており、昭和四〇年一〇月の地方公営企業制度調査会の答申も企業職員に定年制を実施すべきであるとしている。

このような事情を背景として、定年制の実施を可能にするための地方公務員法の改正案が昭和三一年二月の第二四国会に提案されたが、継続審議となって昭和三二年の第二六国会で審議未了となった。さらに、昭和四三年三月の第五八国会および同年一二月の第六一国会にも同様の法案が提出されたがいずれも審議未了となった。地方公共団体の当局は定年制の実施を強く希望したが、反面、職員の労働団体の反対もきわめて根強いものがあったのである。

一方、国家公務員については、従来からその一部について定年制が実施されてきた。具体的には、裁判官（最高裁七〇歳、高裁、地裁および家裁六五歳）、検察官（一般の検察官六三歳）、自衛官（たとえば、陸将六〇歳から三等陸曹五三歳まで）、大学の教員（大学管理機関が定めるが、おおむね六〇歳ないし六七歳）などである。そして昭和三〇年一一月の公務員制度調査会の答申は国家公務員および、地方公務員のすべてについて、昭和三九年九月の臨時行政調査会の答申は国家公務員について、それぞれ定年制を実施すべきことを述べていたが、昭和五〇年代の半ばに至るまで公務員全体の定年制を実施するための法案は提出されなかったのである。

ところが、昭和五二年になって政府は行政改革の一環として定年制の導入を検討することとし、翌年二月、人事院に定年制を検討するよう依頼した。人事院は昭和五四年八月、政府に対し退職管理制度を整備する手段の一として定年制度が導入されることは意義がある旨の見解を明らかにした。政府はこれを受けて昭和五五年の第九一国会に定年制を実施するための国家公務員法改正案および地方公務員法改正案を提出したが審議未了となり、さらに同年一〇月第九三国会に提出し、継続審議の上、前者は昭和五六年五月に第九四国会で、後者は同年一一月に第九五国会でそれぞれ成立した。これにより所定の準備期間を経て昭和六〇年（一九八五年）三月三一日から国家公務員、地方公務員のいずれについても定年制が実施されることとなったのである。

二　定年制の目的

公務員に定年制を定める目的は大きく分けて二つあると考えられる。

第一は、職員の新陳代謝を計画的に行うことにより組織の活力を確保し、もって公務能率の維持増進をはかることである。すなわち、定年制によって退職管理制度を整備し、これを前提として昇格、採用などを計画的に行い、年齢構成の老齢化を防ぐとともに、志気の沈滞を防止しようとするものである。昭和五四年（一九七九年）八月の人事院の意見においても「……適正な新陳代謝の促進と長期的展望に立った計画的な人事管理の展開を通じて職員の志気の高揚を図り、組織の活力を維持するとともに、職員を安んじて公務に専念せしめ、もって、より能率的な公務の運営を期待し得るよう、退職管理制度が整備される必要があると認められる。」と述べられているところである。

ところで、従来は職員の新陳代謝を図るための方法としていわゆる「勧奨退職」がひろく行われてきた。しかし、その法律的性質は第二七条の〔**趣旨**〕三㈠２⑵で述べたように、本人の意思に基づく辞職であり、法律上の強制力がないため、必ずしも所期の目的を達成することができない場合があり、また、それぞれの地方公共団体の取扱いにも不均衡があったために、法律に基づく統一的な定年制の実施が当局から要望されてきたのである。

定年制を定める第二の目的は、所定の年齢まで職員の勤務の継続を保障し、安んじて公務に専念させることにある。従来の定年制の定めがない状態の下においては、職員の退職は勧奨退職、本人の意思による自発的な辞職、職場の慣習を考慮しての辞職などさまざまな事情の下に行われ、一貫性と安定性を欠く場合が少なくなかった。職員にとって退職の条件は、法律的にも社会的にも不安定だったのであり、定年制の実施によって職員は原則として定年までの在職が保障され、生活設計をより明確にすることが可能となったのである。また、最近の大きな社会的課題の一つに高齢者の雇用問題があることは周知のとおりである。民間企業においても逐次定年年齢の引き上げが行われているが、公務員の場合も従来の一般的な退職年齢を上まわる年齢を定年として定めることにより、こうした社会的問題に応え、職員の就業意欲を満足させてその利益を保障することが期待できるのである。この点について前述の人事院の見解は、「近年、我が国の人口構造の急激な高齢化の影響もあって勤労者の間に高年齢まで就業したいという意識が高まってきている。このことは公務部内においても例外ではなく、高齢者の労働市場が狭いことなどと相まって、近い将来、勧奨は十分に機能しにくくなり、公務部内における職員の高齢化の傾向が次第に強まるものと考えられる。」と述べている。こうした状態が予想されるとすれば、定年制により退職の秩序を確立することは、高齢職員の就労意欲に応えるゆえんであるといえよう。

しかしながら、定年制が実施された場合においても勧奨による退職制度の必要性が全くなくなるとは考えられない。従前の一斉に行われた画一的な勧奨退職は、定年制がこれに代わるので原則として行われないことになると思われるが、管理職員の新陳代謝をはかることによって昇任の速度を維持し、志気の増進をはかる必要がある場合をはじめ、個々の職員の執務能力が分限免職処分の対象とはならないまでも相当程度低下したと認められる場合や、いわゆる廃官廃庁が予定され、該当職員の配置転換が困難である場合、あるいは財政再建のために緊急やむを得ない場合などにおいては、今後も退職の勧奨が行われることになろう。

こうした観点から、国においては、平成二四年（二〇一二年）三月に人事院から総務・財務両大臣に提出された「民間の企業年金及び退職金の実態調査の結果並びに当該調査の結果に係る本院の見解について」を受けて、定年前に退職する意思を有する職員の募集や認定の制度（「定年前早期退職制度」という。）が設けられている（退手法八条の二）。この制度においては、募集要領を作成して、定年よりも一〇年早い年齢以上の年齢である職員および改廃対象の組織や移転対象の事務所に属する職員を対象として定年前に退職する意思を有する職員を募集するものとされ、これに応募した職員で一定の要件に該当する者以外の者について応募による退職が予定されている職員である旨の認定をし、その認定を受けた者に対しては募集要領に定めた期間内のいずれかの日を退職すべき期日として定めることなどとされている。この認定を受けて退職した職員には退職手当の割増がなされることとなっているが、このことについては第二五条の〔解釈〕四㈥4⑵で述べた。

三　公務員の定年制を法定する理由

定年制に関して明らかにしておく必要があると思われるのは、公務員の定年制はなぜ法律で定めなければならないかということである。今日、民間企業の従業員の定年制がひろく行われているが、その根拠は就業規則、団体協約などであり、法律ではない。それは、民間企業の雇用関係が民事上の契約に基づくものだからであり、定年は契約の条件として私的自治の範囲内で定めることができるからである。

これに対し、公務員の任用に基づく地方公共団体との関係（身分）は民事上の契約ではなく公法上の任命に基づくものであり、第二七条〔趣旨〕の一で述べたように、行政の安定性を確保する見地からその身分は法律によって保障されている。定年制は、本人の意思によらない離職であってこの身分保障の例外であるため、法律に基づく保障の例外を定めるには法律を必要とするという法理に基づき公務員の定年制は法律でこれを定めなければならないのである。

ところで、国家公務員の定年制の具体的内容は国家公務員法と人事院規則で定められるが、地方公務員のそれは地方公務員法およびそれぞれの地方公共団体の条例で定められる。後者の場合、法律と条例の規定事項をどのように区分するかということは、地方公務員の身分取扱いの根本基準の共通的事項をどのように法律で確保するか、団体自治の観点からどのような事項を団体意思に委ねるか等を考慮して定めることになろうが、結局は立法政策の問題である。たとえば、地方公務員の定年を法律で具体的に定めることも可能であり、条例で任意に定めるものとすることも可能である。現行地方公務員法が定めている定年制は、すべての地方公共団体が必ず定年制を定めなければならないこととし、定年年齢については国家公務員のそれに準拠すべきものとして法律による羈束が比較的強いものとなっているが、これは国、地方を通じる公務員制度改革の一環として定年制が導入された事情や高齢化社会の到来に国も地方公共団体も同一の歩調で対応しなければならないことなどが考慮されたのであろう。

四　雇用と年金の接続

年金の支給開始年齢が満六五歳に引き上げられることに伴い、高年齢者等の雇用の安定等に関する法律第九条第一項において、「六五歳未満の定年の定めをしている事業主は、当該定年の引上げ、継続雇用制度（現に雇用している高年齢者が希望するときは、当該高年齢者をその定年後も引き続いて雇用する制度をいう。）の導入または当該定年の定めの廃止が義務付けられている。この規定は国家公務員および地方公務員に適用しないとされているが（高年齢者雇用安定法七2）、年金が支給されるまでの間の雇用の確保が必要なことは公務員についても同様である。

職員については、令和三年度に六〇歳の定年に達した者については、原則として、年金の支給開始年齢が六五歳となることから、従前は定年退職後の勤務を可能とする再任用の制度が設けられていたが、令和三年地公法改正法によって、定年が六五歳に達するまで順次引き上げられることが原則とされたことから、定年前再任用短時間勤務制度が設けられるとともに、定年が六五歳に引き上げられるまでの間の措置として暫定再任用制度が設けられている（これらの制度の具体的な内容については、第二二条の四の〔趣旨〕及び〔解釈〕参照）。

五　定年延長

〔趣旨〕　一で述べたように、公務員について定年制が実施されたのは昭和六〇年（一九八五年）三月三一日であるが、平成二〇年（二〇〇八年）六月に制定された国家公務員制度改革基本法は、その第一〇条第三号において「定年を段階的に六十五歳に引き上げることについて検討すること」および「定年の引上げの検討に際し、高年齢である職員の給与の抑制を可能とする制度その他のこれらに対応した給与制度の在り方並びに職制上の段階に応じそれに属する職に就くことができる年齢を定める制度及び職種に応じ定年を定める制度の導入について検討すること」を政府に求めていた。そして、次のような経過を経て、令和二年（二〇二〇年）の第二〇一回国会に定年を段階的に六五歳に引き上げることを内容とする国家公務員法等の一部を改正する法律案が提出されるに至った。

平成二三年（二〇一一年）九月　人事院が国会および政府に対し、定年を段階的に六五歳に引き上げることが適当とする「意見の申出」を行う。

平成二五年（二〇一三年）三月　当面、年金支給開始年齢に達するまで希望者を原則として常勤官職に再任用すること、年金支給開始年齢の段階的な引き上げの時期ごとに段階的な定年の引き上げも含めて検討を行うことを閣議決定。

平成二九年（二〇一七年）六月　公務員の定年の引き上げについて、具体的な検討を進めることを閣議決定。

平成三〇年（二〇一八年）二月　政府は、関係行政機関による検討会で人事院の意見の申出も含めて検討した結果、定年を段階的に六五歳に引き上げる方向で検討することが適当と判断し、論点を整理し、人事院に対し、論点整理を踏まえ定年の引き上げについて検討を要請。

平成三〇年（二〇一八年）六月　公務員の定年を段階的に六五歳に引き上げる方向で検討する旨を閣議決定。

平成三〇年（二〇一八年）八月　人事院は、「定年を段階的に六五歳に引き上げるための国家公務員法等の改正についての意見のポイント」を公表。

令和二年（二〇二〇年）三月　国家公務員法等の一部を改正する法律案および地方公務員法の一部を改正する法律案が第二〇一回国会に提出されたが、国家公務員法等の一部を改正する法律案に含まれていた検察庁法の改正案に役職定年に達した検事総長、次長検事及び検事長の留任などを可能にする条項が含まれていることが問題視された結果、国家公務員法等の一部を改正する法律案は廃案となり、同法の成立を前提とする地方公務員法の一部を改正する法律案は継続審査となった。

令和三年（二〇二一年）六月　前国会で提出されて法案を修正した国家公務員法等の一部を改正する法律（以下、「令和三年改正国公法」という。）及び地方公務員法の一部を改正する法律（以下「令和三年改正地公法」という。）が第二〇二回国会で成立し、前者は令和三年法律第六一号として、後者は法律第六三号として、公布され、両者とも原則として令和五年四月一日から施行されることになった。

令和三年改正国公法は、①定年を六五歳としたうえで、それが実現するまでの経過措置として、令和五年（二〇二三年）度に六一歳とした後、二年毎に一歳ずつ引き上げ、令和一三年（二〇三一年）度には六五歳とすること（職務と責任の特殊性・欠員の補充の困難性を有する医師等については、六六歳から七〇歳の間で人事院規則により定年を設けること）、②管理監督職（指定職および俸給の特別調整額適用官職など）の職員は六〇歳（事務次官は六二歳）の誕生日から同日以後の最初の四月一日までの間に、管理監督職以外の官職に移動させること（この移動により公務の運営に著しい支障が生ずる場合に限り、引き続き管理監督職として勤務させることができること）、③定年前再任用短時間勤務制を導入することを定めるものであり、それぞれが地方公務員法に第二二条の四、同条の五、第二八条の二から同条の五として反映されている。なお、これと併せて、給与法に附則八項及び九項が、退手法に附則一三項が追加され、当分の間、職員の俸給月額は、④職員が六〇歳に達した日以後の最初の四月一日以後、その者に適用される俸給表の職務の級および号俸に応じた額に一〇〇分の七〇を乗じて得た額とすること（役職定年により降任、降級を伴う異動をした職員の俸給月額は、異動前の俸給月額の七割水準とすること）、⑤六〇歳に達した日以後定年前に退職した職員については、定年を理由とする退職と同様に退職手当を算定することが定められた。

令和三年地公法改正法の趣旨については、総務省自治行政局公務員部長通知（総行公第八九号　総行女第四〇号　総行給第五五号　令和三年八月三一日）が次のように述べている。

「少子高齢化が進み、生産年齢人口が減少する我が国においては、複雑高度化する行政課題への的確な対応などの観点から、能力と意欲のある高齢期の職員を最大限活用しつつ、次の世代にその知識、技術、経験などを継承していくことが必要であるため、国家公務員について、定年が段階的に引き上げられるとともに、組織全体としての活力の維持や高齢期における多様な職業生活設計の支援などを図るため、管理監督職勤務上限年齢による降任及び転任並びに定年前再任用短時間勤務の制度が設けられたところ。

地方公務員については、国家公務員の定年を基準としてその定年を条例で定めることとされており、今般、定年の引上げに合わせて、管理監督職勤務上限年齢制や定年前再任用短時間勤務制の導入など、国家公務員と同様の措置を講ずる法律改正を行うものであること。」

ところで、公務員には適用されないものの、高年齢者等の雇用の安定等に関する法律第一〇条の二は、六五歳以上七〇歳未満の定年の定めをしている事業主または継続雇用制度（高年齢者を七〇歳以上まで引き続いて雇用する制度を除く。）を導入している事業主は、定年の引上げや六五歳以上の継続雇用制度の導入などによって、六五歳から七〇歳までの安定した雇用を確保するよう努めなければならないとしている。この努力義務における雇用の確保は給与水準の確保までをも求めるものではないが、民間企業においては、令和五年（二〇二三年）中ごろからは、人手不足の深刻化などに対応するため、雇用期間の延長だけでなく、六〇歳を超える者の給与水準の切り下げを廃止したり、役職定年制を廃止するなどの動きも生じている。

六　職員に対する情報提供及び意思確認

定年が令和五年四月一日から順次引き上げられることに伴って、定年前任用短時間勤務、管理監督職勤務上限年齢による降任等だけでなく、六〇歳以降の給料が引き下げられる等、従前と異なる複雑な制度が導入されている。

そこで、地方公務員法附則第二三項は、任命権者は、当分の間、あらたな制度が適用になる職員が定年に達する日の属する年度の前年度において、当該職員に対し、当該職員が年齢六〇年に達する日以後に適用される任用および給与に関する措置の内容その他の必要な情報を提供するものとするとともに、同日の翌日以後における勤務の意思を確認するよう努めるものとするとしている。なお、管理監督職上限年齢に達している職員の降任または転任については当該職員の同意は必要ないが、定年前任用短時間勤務の職への採用については本人の同意が必要である。さらに、年齢六〇年に達した職員について、新たに給与に関する措置（給料月額を給料表に定める額の七割とすることやそれに関連する退職手当についての措置が想定されている。）が導入される場合は、当然に当該措置が適用されるので、該当するすべての職員には十分な説明をすることが必要となる。

〔解　釈〕

一　定年の意義および定年による退職

本条第一項は、職員が定年に達したときはその年度内に退職することを規定している。まず、ここで「定年」とは、職員が一定の年齢に達したことを理由として自動的に退職する制度（定年制）における当該一定の年齢（満年齢）をいうものである。また、「定年に達したとき」とはそれぞれの職員が定年の満年齢に達する前日の午後一二時を指し（年齢計算法1、民法一四三2)、「定年に達した日」とは当該前日をいうものである。

職員が定年により実際に退職するのは、「定年に達した日以後における最初の三月三一日までの間」、すなわち、定年に達した日からその日の属する年度の末日までの間で、条例で定める日である。このように実際の退職の日の定め方について一定の幅をもたせたのは、法律上定年に達した日を一律に退職の日とすると、採用、昇任、転任などを計画的に行う上で支障を生じる場合が予想されるからである。条例で退職の日を定めるに当たっては、定年に達した日とすること、その日の属する月末とすること、たとえば、年度の前半と後半に分けてそれぞれの末日とすること、すべて当該年度の末日とすることはいずれも可能であるが、いずれにしても人事異動時期との関係を考慮し、採用、昇任、転任などに支障や無理が生じないよう配慮する必要がある。また、人事管理上の理由により、職種によって異なる退職の日の定め方をすることも可能であるが、個々の職員ごとの退職の日を別異に定めることは、定年制が計画的、かつ少なくとも同一の職種については平等で画一的な退職の制度とすべきものであることにかんがみ、また、分限に関する公正取扱いの原則（法二七1）に照らして、できないものと解される。なお、定年年齢や退職の日を条例で具体的に定めずに規則あるいは任命権者に委任することは、これらの事項を団体意思を表明する条例で定めることとした法の趣旨に反し、違法となる。

定年による退職は、定年に達し、かつ条例で定める日が到来したという事実のみに基づいて当然かつ自動的に離職の法律効果が生ずるものである。したがって、定年による退職についての辞令の交付は法律上の要件ではないが、職員にとっては重要な身分上の変更であるので、事実を確認する意味で辞令を交付することが適当であろう。また、定年による退職は、任命権者の裁量の余地のない自動的な退職であり、雇用を使用者の意思によって解除する「解雇」ではないので、労働基準法第一九条の解雇制限の規定の適用はなく（民間の定年退職に関し同条の適用がないことについて、労働省行実昭二五・一・一〇　基収第六八二号）、同法第二〇条の解雇予告制度の適用もない。

次に定年により退職した者を、同一の定年が定められている職に再度任用することはできない。欠格条項（法一六）のように明文の規定はないが、条理上当然である。より高い定年が定められている職に任用することができることはいうまでもない。また、異なる定年が定められている職を兼職している者が、一方の職について定年に達したときは、原則としてその達した職のみを退職するが、本務、兼務の区別があるときは、本務の定年によりいずれも退職するものと解される。

二　定年の決定

本条第二項は、職員の定年は原則として国の職員の定年を基準として条例で定めることとしている。国の職員の定年を基準とすることとしたのは、そもそも国家公務員との均衡は地方公務員制度全般について原則として妥当する考え方であり、定年制が公務員の身分保障の基本的事項であること、および高齢者雇用の趣旨は共通であることにかんがみ、とくに地方公務員制度と国家公務員制度の整合性を保つことが妥当であると考えられたことによるものといえよう。したがって、本条第二項の「国の職員につき定められている定年を基準として条例で定め」るという規定の法意は、とくに別段の取扱いをする合理的理由がない限り、国家公務員と同一の定年を条例で定めなければならないことを意味する。

そして、令和三年改正国公法八一条の六は、定年を六五年としたうえで（この定年を「原則定年」という。）、その職務と責任に特殊性があること又は欠員の補充が困難であることにより定年を年齢六五年とすることが著しく不適当と認められる官職を占める医師及び歯科医師その他の職員として人事院規則で定める職員の定年は、六五年を超え七〇年を超えない範囲内で人事院規則で定める年齢（「特例定年」という。）とするとして（臨時的職員その他の法律により任期を定めて任用される職員及び常時勤務を要しない官職を占める職員には適用されない。）、これをそのまま適用するときは、原則として定年が一斉に五年引き上げられることとなり、そのことによる人事管理上の支障を避けるため、令和一三年三月三一日までの経過措置が定められている（同法附則八条）ことから、この経過措置についても「国の職員につき定められている当該期間における定年に関する特例を基準として、条例で特例を定めるものとする。」（令和三年改正地公法附則二一項）とされている。なお、令和三年改正地公法第二八条の六（改正前の二八条の二）第三項は、国家公務員の定年と別の定めをすることができるとしているが、この場合における経過措置についても、「国及び他の地方公共団体の職員との間に権衡を失しないように適当な考慮が払われなければならない。」（同法附則二二項）とされている（この経過措置については後記五で詳述する。）。

なお、公立大学の教員の定年は、評議会の議に基づいて学長が定めることとされている（教特法八1）。

三　定年に関する特別の定め

二で述べた定年の原則に対しては特例がある。まず、本条第三項は、職務と責任の特殊性または欠員補充の困難がある場合で国の職員を基準として定年を定めることが実情に即さないときは、地方公共団体の当該職員の定年については条例で別の定めをすることができることとしている。まず、職務と責任に特殊性がある職員で国の職員の基準により難いものとしては、たとえば、庁舎の監視などに従事する職員が該当する場合があろう。このように、現場における職務の遂行に支障があると認められるときは、その職務の特殊性にかんがみ、それとは異なる定年を定めることも可能である。国においても「その職務と責任に特殊性があること又は欠員の補充が困難であることにより定年を年齢六十五年とすることが著しく不適当と認められる官職を占める医師及び歯科医師その他の職員として人事院規則で定める職員の定年は、六十五年を超え七十年を超えない範囲内で人事院規則で定める年齢とする。」（国公法八一の六2）としている。なお、女子職員の定年を職務に対する責任（体力その他の相違）を理由として男子職員よりも低い年齢とすることは、平等取扱いの原則（法一三）に反し違法である（民間企業における女子の定年の差別が民法第九〇条違反であることについて、最高裁昭五六・三・二四判決（判例時報九九八号三頁）がある。）。職制上の段階や職務の等級別に異なる定年を定めることについても、職務の責任に基づく区別として説明することは困難であろう。次に、欠員の補充が困難なため国の職員の基準により難いものとしては、たとえば、へき地の医師、歯科医師、保健師などが該当する場合がある。これらの特例は、「地方公共団体における当該職員に関し」て定められるものであるから、必ずしも職種ごとに定める必要はなく、特定の職について、あるいは特定の地域における特定の職について定めることも可能である。ただし、具体的な職員を特定して定めることはできず、そのような場合には、次条または次々条の規定によるべきである。

本条第三項の特例は、同項後段で「国及び他の地方公共団体の職員との間に権衡を失しないように適当な考慮が払われなければならない。」と限定されていることからも明らかなように、例外的な場合を想定しているものであり、人事管理上真にやむを得ない場合は、実情に応じた定めをすることができるものと解される。

四　臨時職員などに対する適用除外

臨時的任用職員など任期を定めて任用される職員および非常勤職員には本条第一項から第三項までの規定は適用されない（本条4）。定年制は、終身的任用を前提とする恒常的な職にある職員の新陳代謝と身分の安定をはかるための制度であるから、これらの一時的あるいは非恒常的な職に任用された職員には適用する必要はないものとされたのであろう。

まず、「臨時的に任用される職員その他の法律により任期を定めて任用される職員」としては、会計年度任用職員（法二二の二1）、臨時的任用職員（法二二の三）、配偶者同行休業に伴う任期付採用職員（法二六の六7）、任期付職員（任期付職員採用法）、任期付研究員（任期付研究員採用法）、大学の学長および部局長（教特法七）、産休代替職員（補助教職員確保法三1 3）および育児休業に伴う代替職員（地公育児休業法六、一八）がある。地方公務員法第一七条第一項に基づく正式任用の場合においても任期を限って任用することができると解されるが（法一七条の**〔解釈〕**二(一)参照）、この任用は任期を定めて任用されるものであっても、法律によるものではないので、定年制は適用されることになる。

次に、「非常勤職員」というのは、一般的には一週間の正規の勤務時間が一般の職員の四分の三以内である者を指す（法三条の**〔趣旨〕**二(一)1参照）。しかし、非常勤職員といえども一般職である以上は地方公務員法の諸規定が適用され、身分保障も与えられているので（法第二九条の二1参照）、これを定年制から除外することは、条件附採用職員について適用除外していることとともに、立法論としては理解し難い。しかし、実定法上非常勤職員に定年制が適用除外されている以上、その任用に当たっては常勤職員の定年による退職と不均衡を生じることのないよう、任用の期限を付するなど運用上配慮することが適当である。

五　定年引上げに伴う経過措置

定年の引き上げに伴う経過措置について「国及び他の地方公共団体の職員との間に権衡を失しないように適当な考慮が払われなければならない。」（同法附則二二項）とされていることは前記**三**で述べたところであるが、そのことについて、令和三年国公法改正法は、その附則第八条で次のように定めている。

㈠　原則定年引上げの経過措置

令和五年四月一日から令和一三年三月三一日までの間は、次の表の上欄に掲げる期間の区分に応じ、原則定年を同表の中欄に掲げる年と、特例定年の上限を同表の下欄に掲げる年とする。

令和五年四月一日から令和七年三月三一日まで	六一年	六六年
令和七年四月一日から令和九年三月三一日まで	六二年	六七年
令和九年四月一日から令和一一年三月三一日まで	六三年	六八年
令和一一年四月一日から令和一三年三月三一日まで	六四年	六九年

㈡　特例定年の経過措置

令和三年改正国公法が適用される前は、特例定年に相当するものとして、職種によって定年を六五年、六三年、六〇年から六五年の範囲内で人事院規則で定める年齢とするという例外を定めていたが、これらについての経過措置は次のとおりである。

①　従来の定年が六五年とされていた病院、療養所、診療所等に勤務する医師及び歯科医師に相当する職員として人事院規則で定める職員

令和五年四月一日から令和一三年三月三一日までの間は、次の表の上欄に掲げる期間の区分に応じ、特例定年の上限を、同表の中欄に掲げる年について同表の下欄に掲げる年とする。

令和五年四月一日から令和七年三月三一日まで	六五年を超え七〇年を超えない範囲内で人事院規則で定める年齢	六六年
令和七年四月一日から令和九年三月三一日まで	七〇年	六七年
令和九年四月一日から令和一一年三月三十一日まで	七〇年	六八年
令和一一年四月一日から令和一三年三月三一日まで	七〇年	六九年

② 従来の定年が六三年とされていた庁舎の監視その他の庁務及びこれに準ずる業務に従事する職員として人事院規則で定める職員に相当する職員として人事院規則で定める職員

令和五年四月一日から令和一三年三月三一日までの間は、次の表の上欄に掲げる期間の区分に応じ、定年は同表の中欄に掲げる年と、特例定年は同表の下欄に掲げる年とする。

令和五年四月一日から令和七年三月三一日まで	六三年	六六年
令和七年四月一日から令和九年三月三一日まで	六三年	六七年
令和九年四月一日から令和一一年三月三一日まで	六三年	六八年
令和一一年四月一日から令	六四年	六九年

和一三年三月三一日まで		

③　従来の定年が六〇年を超え、六五年を超えない範囲内で人事院規則で定められていたその職務と責任に特殊性があること又は欠員の補充が困難であることにより定年を年齢六〇年とすることが著しく不適当と認められる官職を占める職員に相当する職員として人事院規則で定める職員

令和五年四月一日から令和一三年三月三一日までの間は、次の表の上欄に掲げる期間の区分に応じ、その定年を同表の中欄に掲げる年と、その上限を同表の下欄に掲げる年とする。

令和五年四月一日から令和七年三月三一日まで	六〇年を超え六五年を超えない範囲内で人事院規則で定める年齢	六六年
令和七年四月一日から令和九年三月三一日まで	六一年を超え六五年を超えない範囲内で人事院規則で定める年齢	六七年
令和九年四月一日から令和一一年三月三一日まで	六二年を超え六五年を超えない範囲内で人事院規則で定める年齢	六八年
令和一一年四月一日から令和一三年三月三一日まで	六三年を超え六五年を超えない範囲内で人事院規則で定める年齢	六九年

六　定年制に関する条例

地方公共団体は、定年制を実施するに当たって所定の事項について条例を定めなければならない。具体的には定年前再任用短時間勤務職員の任用（法二二条の四1、2、法二二条の五1）、管理監督職勤務上限年齢（法二八条の二3）、管理監督職勤務上限年齢による任用制限の特例（法二八条の五）、定年（法二八条の六1から3）および定年による退職の特例（法二八条の七）ならびに定年の引上げに伴う経過措置（附則三条から八条）についてそれぞれの地方公共団体が条例で定めなければならない。この条例については、次のような案（昭五七・一〇・八　自治公一第四六号）が示されている。

職員の定年等に関する条例（案）

目次　略

第一章　総則

（趣旨）

第一条　この条例は、地方公務員法（昭和二十五年法律第二百六十一号。以下「法」という。）第二十二条の四第一項及び第二項、第二十二条の五第一項、第二十八条の二、第二十八条の五、第二十八条の六第一項から第三項まで並びに第二十八条の七の規定に基づき、職員の定年等に関し必要な事項を定めるものとする。

第二章　定年制度

（定年による退職）

第二条　職員は、定年に達したときは、定年に達した日以後における最初の〇月〇日又は三月三十一日のいずれか早い日（以下「定年退職日」という。）に退職する。

（定年）

第三条　職員の定年は、年齢六十五年とする。

2　前項の規定にかかわらず、別表第一に掲げる医療施設等において医療業務に従事する医師及び歯科医師の定年は、年齢〇〇年とする。

（定年による退職の特例）

第四条　任命権者は、定年に達した職員が第二条の規定により退職すべきこととなる場合において、次に掲げる事由があると認めるときは、同条の規定にかかわらず、当該職員に係る定年退職日の翌日から起算して一年を超えない範囲内で期限を定め、当該職員を当該定年退職日において従事している職務に従事させるため、引き続き勤務させることができる。ただし、第九条第一項から第四項までの規定により異動期間（第九条第一項に規定する異動期間をいう。以下この項及び次項において同じ。）（第九条第一項又は第二項の規定により延長された異動期間を含む。）を延長した職員であって、定年退職日において管理監督職（第六条に規定する職をいう。以下この条及び第三章において同じ。）を占めている職員については、第九条第一項又は第二項の規定により当該異動期間を延長した場合であって、引き続き勤務させることについて人事委員会の承認を得たときに限るものとし、当該期限は、当該職員が占めている管理監督職に係る異動期間の末日の翌日から起算して三年を超えることができない。

一　当該職務が高度の知識、技能又は経験を必要とするものであるため、当該職員の退職により生ずる欠員を容易に補充することができず公務の運営に著しい支障が生ずること

二　当該職務に係る勤務環境その他の勤務条件に特殊性があるため、当該職員の退職による欠員を容易に補充することができず公務の運営に著しい支障が生ずること

三　当該職務を担当する者の交替が当該業務の遂行上重大な障害となる特別の事情があるため、当該職員の退職により公務の運営に著しい支障が生ずること

２　任命権者は、前項の期限又はこの項の規定により延長された期限が到来する場合において、前項各号に掲げる事由が引き続きあると認めるときは、人事委員会の承認を得て、これらの期限の翌日から起算して一年を超えない範囲内で期限を延長することができる。ただし、当該期限は、当該職員に係る定年退職日（同項ただし書に規定する職員にあっては、当該職員が占めている管理監督職に係る異動期間の末日）の翌日から起算して三年を超えることができない。

３　任命権者は、第一項の規定により職員を引き続き勤務させる場合又は前項の規定により期限を延長する場合には、当該職員の同意を得なければならない。

４　任命権者は、第一項の規定により引き続き勤務することとされた職員及び第二項の規定により期限が延長された職員について、第一項の期限又は第二項の規定により延長された期限が到来する前に第一項各号に掲げる事由がなくなったと認めるときは、当該職員の同意を得て、期日を定めて当該期限を繰り上げるものとする。

５　前各項の規定を実施するために必要な手続は、人事委員会規則で定める。

（定年に関する施策の調査等）

第五条　知事は、職員の定年に関する事務の適正な運営を確保するため、職員の定年に関する制度の実施に関する施策を調査研究し、その権限に属する事務について適切な方策を講ずるものとする。

第三章　管理監督職勤務上限年齢制

（管理監督職勤務上限年齢制の対象となる管理監督職）

第六条　法第二十八条の二第一項に規定する条例で定める職は、次の各号に掲げる職（別表第二に掲げる施設等において医療業務に従事する医師及び歯科医師が占める職を除く。）とする。

一　職員の給与に関する条例（昭和○○年○○県条例第○○号）第○条〔※地方自治法第二百四条第二項に規定する管理職手当を支給される職員の職等を規定する条文〕に規定する職

二　○○○〔※前号に準ずる職〕

（管理監督職勤務上限年齢）

第七条　法第二十八条の二第一項に規定する管理監督職勤務上限年齢は、年齢六十年とする。ただし、次の各号に掲げる管理監督職を占める職員の管理監督職勤務上限年齢は、当該各号に定める年齢とする。

一　○○○　年齢六十二年

二　○○○　年齢六十三年

（他の職への降任等を行うに当たって遵守すべき基準）

第八条　任命権者は、法第二十八条の二第四項に規定する他の職への降任等（以下この章において「他の職への降任等」という。）を行うに当たっては、法第十三条、第十五条、第二十三条の三、第二十七条第一項及び第五十六条に定めるもののほか、次に掲げる基準を遵守しなければならない。

一　当該職員の人事評価の結果又は勤務の状況及び職務経験等に基づ

き、降任又は転任（降給を伴う転任に限る。）（以下この条及び第十条において「降任等」という。）をしようとする職の属する職制上の段階の標準的な職に係る法第十五条の二第一項第五号に規定する標準職務遂行能力（次条第三項において「標準職務遂行能力」という。）及び当該降任等をしようとする職についての適性を有すると認められる職に、降任等をすること。

二　人事の計画その他の事情を考慮した上で、管理監督職以外の職又は管理監督職勤務上限年齢が当該職員の年齢を超える管理監督職のうちできる限り上位の職制上の段階に属する職に、降任等をすること。

三　当該職員の他の職への降任等をする際に、当該職員が占めていた管理監督職が属する職制上の段階より上位の職制上の段階に属する管理監督職を占める職員（以下この号において「上位職職員」という。）の他の職への降任等もする場合には、第一号に掲げる基準に従った上での状況その他の事情を考慮してやむを得ないと認められる場合を除き、上位職職員の降任等をした職が属する職制上の段階と同じ職制上の段階又は当該職制上の段階より下位の職制上の段階に属する職に、降任等をすること。

（管理監督職勤務上限年齢による降任等及び管理監督職への任用の制限の特例）

第九条　任命権者は、他の職への降任等をすべき管理監督職を占める職員について、次に掲げる事由があると認めるときは、当該職員が占める管理監督職に係る異動期間（当該管理監督職に係る管理監督職勤務上限年齢に達した日の翌日から同日以後における最初の四月一日までの間をいう。以下この章において同じ。）の末日の翌日から起算して一年を超えない期間内（当該期間内に定年退職日がある職員にあっては、当該異動期間の末日の翌日から定年退職日までの期間内。第三項において同じ。）で当該異動期間を延長し、引き続き当該管理監督職を占める職員に、当該管理監督職を占めたまま勤務をさせることができる。

一　当該職務が高度の知識、技能又は経験を必要とするものであるため、当該職員の他の職への降任等により生ずる欠員を容易に補充することができず公務の運営に著しい支障が生ずること

二　当該職務に係る勤務環境その他の勤務条件に特殊性があるため、当該職員の他の職への降任等による欠員を容易に補充することができず公務の運営に著しい支障が生ずること

三　当該職務を担当する者の交替が当該業務の遂行上重大な障害となる特別の事情があるため、当該職員の他の職への降任等により公務の運営に著しい支障が生ずること

2　任命権者は、前項又はこの項の規定により異動期間（これらの規定により延長された期間を含む。）が延長された管理監督職を占める職員について、前項各号に掲げる事由が引き続きあると認めるときは、人事委員会の承認を得て、延長された当該異動期間の末日の翌日から起算して一年を超えない期間内（当該期間内に定年退職日がある職員にあっては、延長された当該異動期間の末日の翌日から定年退職日までの期間内。第四項において同じ。）で延長された当該異動期間を更に延長することができる。ただし、更に延長される当該異動期間の末日は、当該職員が占める管理監督職に係る異動期間の末日の翌日から起算して三年を超えることができない。

3　任命権者は、第一項の規定により異動期間を延長することができる場合を除き、他の職への降任等をすべき特定管理監督職群（職務の内容が相互に類似する複数の管理監督職であって、これらの欠員を容易

に補充することができない年齢別構成その他の特別の事情がある管理監督職として人事委員会規則で定める管理監督職をいう。以下この項において同じ。）に属する管理監督職を占める職員について、当該特定管理監督職群に属する管理監督職の属する職制上の段階の標準的な職に係る標準職務遂行能力及び当該管理監督職についての適性を有すると認められる職員（当該管理監督職に係る管理監督職勤務上限年齢に達した職員を除く。）の数が当該管理監督職の数に満たない等の事情があるため、当該職員の他の職への降任等により当該管理監督職に生ずる欠員を容易に補充することができず業務の遂行に重大な障害が生ずると認めるときは、当該職員が占める管理監督職に係る異動期間の末日の翌日から起算して一年を超えない期間内で当該異動期間を延長し、引き続き当該管理監督職を占めている職員に当該管理監督職を占めたまま勤務をさせ、又は当該職員を当該管理監督職が属する特定管理監督職群の他の管理監督職に降任し、若しくは転任することができる。

４　任命権者は、第一項若しくは第二項の規定により異動期間（これらの規定により延長された期間を含む。）が延長された管理監督職を占める職員について前項に規定する事由があると認めるとき（第二項の規定により延長された当該異動期間を更に延長することができるときを除く。）、又は前項若しくはこの項の規定により異動期間（前三項又はこの項の規定により延長された期間を含む。）が延長された管理監督職を占める職員について前項に規定する事由が引き続きあると認めるときは、人事委員会の承認を得て、延長された当該異動期間の末日の翌日から起算して一年を超えない期間内で延長された当該異動期間を更に延長することができる。

（異動期間の延長等に係る職員の同意）

第十条　任命権者は、第九条第一項から第四項までの規定により異動期間を延長する場合及び同条第三項の規定により他の管理監督職に降任等をする場合には、あらかじめ職員の同意を得なければならない。

（異動期間の延長事由が消滅した場合の措置）

第十一条　任命権者は、第九条の規定により異動期間を延長した場合において、当該異動期間の末日の到来前に当該異動期間の延長の事由が消滅したときは、他の職への降任等をするものとする。

第四章　定年前再任用短時間勤務制

（定年前再任用短時間勤務職員の任用）

第十二条　任命権者は、年齢六十年に達した日以後に退職（臨時的に任用される職員その他の法律により任期を定めて任用される職員及び非常勤職員が退職する場合を除く。）をした者（以下この条及び次条において「年齢六十年以上退職者」という。）を、従前の勤務実績その他の人事委員会規則で定める情報に基づく選考により、短時間勤務の職（当該職を占める職員の一週間当たりの通常の勤務時間が、常時勤務を要する職でその職務が当該短時間勤務の職と同種の職を占める職員の一週間当たりの通常の勤務時間に比し短い時間である職をいう。以下この条及び次条において同じ。）に採用することができる。ただし、年齢六十年以上退職者がその者を採用しようとする短時間勤務の職に係る定年退職日相当日（短時間勤務の職を占める職員が、常時勤務を要する職でその職務が当該短時間勤務の職と同種の職を占めているものとした場合における定年退職日をいう。）を経過した者であるときは、この限りでない。

第十三条　任命権者は、前条本文の規定によるほか、組合（○○○組合、○○○組合及び○○○組合をいう。）の年齢六十年以上退職者を、従前の勤務実績その他の人事委員会規則で定める情報に基づく選考により、短時間勤務の職に採用することができる。

２　前項の場合においては、前条ただし書の規定を準用する。

第五章　雑則

（雑則）

第十四条　この条例の実施に関し必要な事項は、人事委員会規則で定める。

附則　略

この条例案に関し問題となるのは次の諸点である。

まず、令和三年地公法改正法における改正後の条文には、条例で定めるとしながら、法律に細部まで定めたうえで、条例で定める内容は国家公務員法の定めを基準とすべきとするものが多く、実質的には裁量の余地が極めて限定されているものが多いことである。このことは、枠の法律としての地方公務員法（第一条の〔**趣旨**〕**四**参照）に内在する大きな問題であるが、この条例案も、法律の定めを繰り返したり、定年に関する国家公務員法および人事院規則の定めをほとんどそのまま定めるものが多くなっている（附則には経過措置が定められているが、その内容は前記**六**で述べた国家公務員についてと同じである。）。

次に注意すべきことは、職員のうち県費負担教職員の定年制は都道府県の条例で定めれられることである。定年制は分限の一つであり、県費負担教職員の分限に関する条例は都道府県が定めることとされているからである（地教行法四三３）。

次に、定年制度を定める条例と勤務条件に関する措置要求（法四六）および職員団体または職員の労働組合との交渉の関係であるが、まず、定年制は職員の退職の基準を定めるものであり、職員の勤務条件に該当し、勤務条件に関する措置要求を行うことは可能である。そしてその限りで交渉または団体交渉の対象となるものである。しかしながら、他方では定年制条例の提案、定年制による個々の職員の退職の確認などは管理運営事項（法五五３）であり、交渉の対象とはならない。また、本条第二項に基づいて定められる定年も法律上ほとんど当局に裁量の余地がないので交渉すべき内容は乏しい。いかなる職について本条第三項の定年の特例を認めるか、定年による退職日をどのように定めるか、定年退職の際の退職手当の支給内容をどうするかも交渉事項であり、書面協定（法五五９）または団体協約（地公労法七）を締結することができるが、最終的には議会が条例で定めるところによる（既制定の条例と抵触する団体協約が締結された場合は、地公労法八の手続による。）。

（定年による退職の特例）

第二十八条の七　任命権者は、定年に達した職員が前条第一項の規定により退職すべきこととなる場合において、次に掲げる事由があると認めるときは、同項の規定にかかわらず、条例で定めるところにより、当該職員に係る定年退職日の翌日から起算して一年を超えない範囲内で期限を定め、当該職員を当該職務に従事させるため引き続いて勤務させることができる。ただし、第二十八条の五第一項から第四項までの規定により異動期間（これらの規定により延長された期間を含む。）を延長した職員であつて、定年退職日において管理監督職を占めている職員については、同条第一項又は第二項の規定により当該定年退職日まで当該異動期間を延長した場合に限るものとし、当該期間は、当該職員が占めている管理監督職に係る異動期間の末日の翌日から起算して三年を超えることができない。

一　前条第一項の規定により退職すべきこととなる職員の職務の遂行上の特別の事情を勘案して、当該職員の退職により公務の運営に著しい支障が生ずると認められる事由として条例で定める事由

二　前条第一項の規定により退職すべきこととなる職員の職務の特殊性を勘案して、当該職員の退職により、当該職員が占める職の欠員の補充が困難となることにより公務の運営に著しい支障が生ずると認められる事由として条例で定める事由

2　任命権者は、前項の期限又はこの項の規定により延長された期限が到来する場合において、前項各号に掲げる事由が引き続き存すると認めるときは、条例で定めるところにより、これらの期限の翌日から起算して一年を超えない範囲内で期限を延長することができる。ただし、その期限は、その職員に係る定年退職日（同項ただし書に規定する職員にあつては、当該職員が占めている管理監督職に係る異動期間の末日）の翌日から起算して三年を超えることができない。

３　前二項に定めるもののほか、これらの規定による勤務に関し必要な事項は、条例で定める。

〔趣　旨〕

公務上の必要に基づく定年の延長

前条の定年制は、組織の新陳代謝をはかり、あわせて職員の雇用の安定を図る見地から、原則として画一的な定年年齢を定めるものである。しかしながら、地方公共団体の事務事業は、多種多様な職務と多数の職員との組合わせによって遂行されているものであり、個々の事務事業についてみた場合、特定の職員に定年後も引き続きその職務を担当させることが公務遂行上著しく得策であることがあり得る。このような場合には、前条の定年制の趣旨を損なわない範囲で定年の延長を認め、公務遂行に支障を生じることがないようにしようとしたのが本条の趣旨である。

本条の定年の延長は、もっぱら公務上の必要性に基づいて行われるものであり、任命権者は、公務上の見地のみに基づいて当該職員の定年を延長すべきか否かを判断し、これが積極的に肯定される場合は、当該職員は自らの事情によってこれを受けるかどうか（同意するかどうか）を決定することになるものである。なお、前条第三項の定年の特例は、国の基準によることが実情に即さない職について別の定年を定めるものであり、本条のように定年に達した者の特例を定めるものではない。換言すれば前条第三項は職務と責任の特殊性に基づき一定の「職」について原則的な定年の特例を定めるものであるが、本条は個々の「職員」について定年の例外を認めるものである（前条第三項は「当該職員」について別の定めをするとしているがその表現は適切ではない。「当該職」について別の定めをすると規定すべきである。）。

本条の定年の延長は、公務上の必要に基づくものではあるが、無制限に認められるものではない。定年制が個々の職員の事情いかんにかかわらず画一的に退職年齢を定め、それによって計画的な人事管理を行おうとするものである以上、その例外を大幅に認めることは他の職員との均衡もあり、定年制の趣旨を損なうおそれがあるからである。したがって、定年の延長は、最大限三年以内しか認められないものであり、また、そもそも定年の延長を認めること自体、ごく特定の場合に限られるよう、厳格に運用すべきものである。

〔解　釈〕

一　定年の延長が認められる場合

本条の規定により定年の延長が認められるのは、前条第一項の規定により定年で退職することとなる職員である。ここで「定年」とは、同条第二項の規定により国の職員の定年を基準として定められたものはもとより、同条第三項の規定に基づく特例定年もこれに該当する。すなわち、特例定年で退職することとなる者を、本条の規定によって定年延長することもさしつかえないものである。

定年の延長が認められる事由は、本条第一項の各号に列記されている。その一は、当該職員の職務の遂行上の特別の事情を勘案して、当該職員の退職により公務の運営に著しい支障が生ずると認められる事由であり、その二は当該職員の職務の特殊性を勘案して、当該職員の退職により、当該職員が占める職の欠員の補充が困難となることにより公務の運営に著しい支障が生ずると認められる事由である（条文ではこれらの事由として「条例で定める事由」とされているが、結局、条例においてはこれらの事由をそのまま定めることになるものと思われる。）。その一は当該職員に職務遂行上の際立った能力ないしは特別の事情があること、すなわち、余人をもって替え難い能力ないしは特別の事情があることを、その二は職務そのものの内容に特殊性、非一般性があることを、それぞれ意味するものと解される。たとえば、へき地に勤務する医師の定年を延長するのはその一に基づくものであり、特殊な分野の専門的な研究に従事する職員の定年延長はその二に基づくものである。特定の研究なりプロジェクトが間もなく完成する場合に、これに従事してきた職員の定年を延長するのも後者によるものである。また、芸術、芸能に従事する職員の定年を延長することは、職に特殊性があると同時にこれに従事する職員の能力も優れている場合であろうから、両者の要件に該当するケースであるといえよう。いずれにしても定年の延長は特殊な場合についてのみ認められるものであり、〔**趣旨**〕で述べたように、定年制の趣旨を損なうことのないよう慎重かつ厳格にこの特例措置を運用しなければならないものである。

二　定年の延長の手続および当該職員の身分取扱い

定年の延長の手続は、条例で定めなければならない（本条１）。条例の内容は、再延長（本条２）の場合を含め、いずれも任命権者が準拠すべき基準を示すことになる。次に、この条例で定年を延長するに際して人事委員会の承認を要する旨規定することができるかどうかであるが、国家公務員の場合は本条第二項に相当する定年の再延長については人事院の承認を要するものとされている（国公法八一の七２）。職員についても、定年の延長および再延長のいずれについても条例で人事委員会の承認に係らしめることとすることは法律上は可能である（法八１⑫）が、公平委員会にこのような権限を与えることはできない（法八２④）。

それぞれの職員について定年の延長を決定するのは任命権者である。任命権者は、一で述べた要件に該当するかどうかを客観的に判断して決定しなければならないが、同一地方公共団体内の各任命権者の間で齟齬を生じることがないよう、地方公共団体の長は必要に応じて委員会などの執行機関に対して適切な措置をとるよう勧告することができる（自治法一八〇の四１）。定年の延長は、個々の職員について決定することが普通であろうが、委員会または委員がその基準を決める場合は、長と協議をしなければならない（自治法同条２、自治法施行令一三二⑥）。任命権者が定年の延長を決定するには、それに先立って本人の同意を要するものと解される。定年の延長によりその職員は引き続き勤務するものであって採用（法一七１）の場合と法律的な性質は異にするが、本来であれば定年によって当然に退職し、その退職は定年による退職（退手法四１参照）となるものであり、定年を延長することは職員にとって新たな決意を要することであるからである。なお、定年の延長は、本人が同意し任命権者がその旨を決定すれば当該職員は引き続き勤務を継続するものであり、辞令交付は定年延長の効力発生の要件ではないが、事実を確認するために辞令を交付し、人事記録に記載することとすべきである。

次に、定年の延長は、前条第一項の規定に基づく条例で定めた退職の日の翌日から起算して一年を超えない範囲内を期限とする。ただし、地方公務員法第二八条の五第一項から第四項までの規定により異動期間を延長した職員であって、定年退職日において管理監督職を占めている者については、同条第一項または第二項の規定により当該定年退職日まで当該異動期間を延長した場合に限るものとし、引き続き勤務させる期間は当該職員が占めている管理監督職に係る異動期間の末日の翌日から起算して三年を超えることができない。また、このようにして延長された期限が到来する場合において、前記のその一又はその二の事由が引き続きあると認めるときは、当該延長された期限翌日から起算して一年を超えない範囲内でさらに延長するとができるが、その期限は、定年退職日（延長された異動期間の末日）の翌日から起算して三年が限度とされる（本条2）。その範囲内であれば、年、月、日または週のいずれによって定めてもさしつかえない。任命権者は、その決定の手続においておよび辞令上、この期限を明示しなければならない。

定年を延長された職員の身分取扱いは、原則として一般の職員のそれと同じである。地方公務員法その他の身分取扱いに関する規定は全面的に適用され、給与に関する条例も引き続き適用される。延長された期間が退職手当の算定の基礎となる勤続期間に通算されることはもちろんである。共済組合の長期給付である年金についても同様である。ただし、この定年延長は、「当該職務に従事させるため引き続いて勤務させる」ことを条件として認められるものであるから、定年延長された職員を転任、昇任または降任により他の職に従事させることはあり得ない。ただ、当該職との密接な関連で他の職に併任することは場合によってはあり得るであろう。さらにその職員が延長された期限内に一身上の都合により退職すること、あるいは分限処分または懲戒処分によって免職されることも当然ありうるものである。

三　定年の再延長

二で述べたように定年の延長は、原則として一年以内の範囲で認められるものであるが、前述の事由が引き続き存すると客観的に認められる十分な理由があるときは、条例で定めるところにより、一年を超えない範囲内で定年の再延長を行うことができる（本条2）。この再延長は、二回以上におよぶこともありうるが、その回数にかかわりなく前条第一項の規定による本来の定年退職の日の翌日から起算して三年を超えることはできない（同項）。定年の再延長の手続および当該職員の身分取扱いは、二で述べたところと同じである。

（懲戒）

第二十九条　職員が次の各号のいずれかに該当する場合には、当該職員に対し懲戒処分として戒告、減給、停職又は免職の処分をすることができる。

一　この法律若しくは第五十七条に規定する特例を定めた法律又はこれらに基づく条例、地方公共団体の規則若しくは地方公共団体の機関の定める規程に違反した場合

二　職務上の義務に違反し、又は職務を怠つた場合

三　全体の奉仕者たるにふさわしくない非行のあつた場合

2　職員が、任命権者の要請に応じ当該地方公共団体の特別職に属する地方公務員、他の地方公共団体若しくは特定地方独立行政法人の地方公務員、国家公務員又は地方公社（地方住宅供給公社、地方道路公社及び土地開発公社をいう。）その他その業務が地方公共団体若しくは国の事務若しくは事業と密接な関連を有する法人のうち条例で定めるものに使用される者（以下この項において「特別職地方公務員等」という。）となるため退職し、引き続き特別職地方公務員等として在職した後、引き続いて当該退職を前提として職員として採用された場合（一の特別職地方公務員等として在職した後、引き続き一以上の特別職地方公務員等として在職し、引き続いて当該退職を前提として職員として採用された場合を含む。）において、当該退職までの引き続く職員としての在職期間（当該退職前に同様の退職（以下この項において「先の退職」という。）、特別職地方公務員等としての在職及び職員としての採用がある場合には、当該先の退職までの引き続く職員としての在職期間を含む。次項において「要請に応じた退職前の在職期間」という。）中に前項各号のいずれかに該当したときは、当該職員に対し同項に規定する懲戒処分を行うことができる。

3　定年前再任用短時間勤務職員（第二十二条の四第一項の規定により採用された職員に限る。以下この項におい

て同じ。）が、条例年齢以上退職者となつた日までの引き続く職員としての在職期間（要請に応じた退職前の在職期間を含む。）又は第二十二条の四第一項の規定によりかつて採用されて定年前再任用短時間勤務職員として在職していた期間中に第一項各号のいずれかに該当したときは、当該職員に対し同項に規定する懲戒処分を行うことができる。

4　職員の懲戒の手続及び効果は、法律に特別の定めがある場合を除くほか、条例で定めなければならない。

〔趣　旨〕

一　職員の責任

職員はその一定の行為について、責任を問われることがある。分限処分も広い意味では職員が負う責任の一つであるということができるが、それは特定の行為について責任を問うものではなく、適正に職務を遂行することが困難であるという職員の一定の状態についての責任であり、公務能率の増進を目的とするものである。分限処分以外の職員の責任としては、第一に職員の非違に対して行政上の処罰をする懲戒処分、第二に職員たる身分に基づく犯罪を罰する刑事処分、第三に職員たる身分に基づいて違法、不当に損害を与えた場合の民事上の賠償責任の三つに分けることができよう。この三つの職員の責任のうち、地方公務員法で規定されているのは、主として懲戒処分についてであり、他の二つはおおむね他の法律に基づくものである。以下、それぞれについて概説しておくこととする。

二　懲戒処分の意義

第二七条で述べたとおり、懲戒処分は任命権者が職員の一定の義務違反に対し道義的責任を問う処分であり、それによってその地方公共団体における規律と公務遂行の秩序を維持することを目的とするものである。分限処分も職員に不利益を課する処分であるが、これは公務能率の維持向上を目的とする点で懲戒処分のように道義的責任を問うものと異なることは前述のとおりである。このことについて、判例（最高裁昭五二・一二・二〇判決　判例時報八七四号三頁）は次のように述べている。

「公務員に対する懲戒処分は、当該公務員に職務上の義務違反、その他、単なる労使関係の見地においてではなく、国民全体の奉仕者として公共の利益のために勤務することをその本質的な内容とする勤務関係の見地において、公務員としてふさわしくない非行がある場合に、その責任を確認し、公務員関係の秩序を維持するため、科される制裁である。」

また、懲戒処分は特定の当事者間における勤務関係に基づいて行われること、兼職の場合の懲戒処分、懲戒処分の取消しまたは撤回、数個の義務違反に対する懲戒処分などは、いずれも懲戒処分の性質にかかわる問題であり、すでに第二七条の〔趣旨〕で述べたところである。

なお、平成一一年（一九九九年）七月に、懲戒制度の一層の適正化を図るためとして、退職した職員が再び職員として採用された場合において当該退職および採用が一定の要件に該当するときは、退職前の在職期間中に生じた事由を理由として懲戒処分を行うことができる旨の改正がなされている。これは、懲戒処分は、組織内部における規律を維持するためのものであるから、当該地方公共団体の職員でなくなった場合には、それを行うことができないことになることの論理的な帰結として、当該職員が一旦退職した後、再度職員として任用された場合については、その退職以前に生じた事由を根拠として再任用後に懲戒処分を行うことができないという形式論理を立法によって拒否したものである。すなわち、平成一〇年前後に国家公務員の不祥事が相次いで発覚し、国民の強い批判の的となっていたが、当該不祥事が引き起こされた後それが発覚するまでの間に公社公団などの特殊法人や地方公共団体に勤務したことがある者が多く、勤務が中断しているが故に懲戒処分を行うことができないという形式的な説明に対して、各方面からの批判が殺到し、立法的にその批判に応えることとなったものである。確かに、理論的に考えても、職員を国や他の地方公共団体に派遣し、または地方公社などに勤務させるために、当該地方公共団体の都合によって一旦退職させたうえで、そこでの勤務が終了した後に復職させることも少なくないという現実を前提にするならば、このような場合には、一旦退職して国などに勤務している間も、当事者は当該地方公共団体との勤務関係が潜在的に存在していると認識し、一定の期間が経過した後に復職することが当然と考えているのが通常であり、住民から見ても、国などの勤務期間の前と後での勤務を別のものとすることの方が不自然なのであるから、復職することを前提にしての異動である限り、前後の勤務関係を一連のものとして把握することが十分に可能であり、妥当であると考えられる。

三　職員の刑事上の責任

職員は職員としての地位に基づく行為によって刑罰の適用を受けることがある。そしてその刑罰は、行政法規に基づく行政刑罰と刑法に基づく刑罰とに大別することができる。

㈠　行政刑罰

行政刑罰の例は多く、その一々をあげることはできないが、たとえば、地方公務員法においても第三四条の規定に違反して職務に関する秘密をもらした者、人事委員会または公平委員会が不利益処分の審査の結果行った指示に故意に従わなかった者などに対して、一年以下の拘禁刑または五〇万円以下の罰金に処することが規定されている（法六〇②③）。そのほか、選挙管理委員会の職員が選挙の自由を妨害したときは四年以下の拘禁刑に処せられ（公選法二二六１）、同じ職員が投票の秘密を侵したときは二年以下の拘禁刑または三〇万円以下の罰金に処せられ（公選法二二七）、地方税に関する調査若しくは徴収に関する事務に従事している職員または従事していた者が、職務に関して知り得た秘密をもらし、または窃用したときは二年以下の拘禁刑または一〇〇万円以下の罰金に処せられ（地方税法二二）、住民基本台帳に関する調査に関する事務に従事している職員が、その事務に関して知り得た秘密をもらしたときは一年以下の拘禁刑または三〇万円以下の罰金に処せられる（住民基本台帳法三五、四四）などの例がある。

㈡　刑法による刑罰

職員の職務に関連する刑法上の犯罪は、職務犯罪と準職務犯罪とに区別できる。

1　職務犯罪　職務犯罪とは職務執行行為として法益を侵害するものをいい、職権を濫用することになる犯罪である。すなわち、行為そのものは職権として行われるが、その正当な範囲を超えるものである。まず、職員がその職権を濫用して人をして義務のないことを行わせ、あるいはその行う権利を妨害したときは、二年以下の拘禁刑に処せられる（刑法一九三）。

また、警察の職務を行いまたはこれを補助する職員が職権を濫用して人を逮捕または監禁したときは、六月以上一〇年以下の拘禁刑に処せられる（刑法一九四）。

２　準職務犯罪　準職務犯罪とは、職務に関連してなされる犯罪であるが、形式的にも実質的にも正当な職務の範囲に属さないことが明らかなものである。準職務犯罪には特別公務員暴行陵虐と収賄の二つがある。

(1)　特別公務員暴行陵虐　警察の職務を行いまたはこれを補助する職員が、その職務を行うに当たり、刑事被告人その他の者に対し暴行または陵虐もしくは加虐の行為を行ったときは、七年以下の拘禁刑に処せられる（刑法一九五１）。

(2)　収　賄　職員が職務に関し賄賂を収受し、またはこれを要求し、もしくは約束したときは、五年以下の拘禁刑に処せられる。また、請託を受けたときは七年以下の拘禁刑に処せられる。さらに職員となろうとする者が将来担当する職務に関して請託を受けて賄賂を収受し、またはこれを要求し、もしくは約束したときは五年以下の拘禁刑に処せられる（刑法一九七）。

次に、職員が職務に関し請託を受けて第三者に賄賂を提供させ、またはその提供を要求し、もしくは約束したときは、五年以下の拘禁刑に処せられる（刑法一九七の二）。

また、職員がこれまで述べた収賄、事前収賄または第三者収賄に関する罪を犯し、その結果、不正な行為を行い、またはなすべき行為をしなかったときは、その行為または不作為について一年以上の有期拘禁刑に処せられる（刑法一九七の三１）。

次に、現在職員である者が職務上不正な行為をしたこと、またはなすべき行為をしなかったことについて賄賂を収受し、要求しもしくは約束し、または第三者に賄賂を供与させ、その供与を要求しもしくは約束したときは、一年以上の有期拘禁刑に処せられる。また、職員であった者が、在職中請託を受けて職務上不正な行為をしたこと、またはなすべき行為をしなかったことについて賄賂を収受し、または要求し若しくは約束したときは、五年以下の拘禁刑に処せられる（刑法一九七の三２３）。

また、職員が請託を受けて他の職員をして職務上不当な行為を行わせ、またはなすべき行為を行わないようあっせんすること、またはあっせんをしたことの報酬として賄賂を収受し、またはこれを要求し若しくは約束したときは、五年以下の拘禁刑に処せられる（刑法一九七の四）。

四　職員の民事上の責任

職員が故意または過失によりその属する地方公共団体または当該地方公共団体以外の第三者に損害を与えたときは、民法上の不法行為を行ったものとして賠償責任を負うことが基本原則である。しかし、その損害を与える行為が職員の職務の執行に関連するものであるときは、私法上の問題としてではなく、公法上の特別の賠償責任を負うことがある。そして、その主なものに地方自治法に基づくものと国家賠償法に基づくものとがあるが、それぞれの概要は次のとおりである。

(一)　地方自治法に基づく職員の賠償責任

地方自治法に基づいて賠償責任を負うこととなる職員の範囲と事由は、次のとおりである（自治法二四三の二の二1）。

1　会計管理者若しくは会計管理者の事務を補助する職員、資金前渡を受けた職員、占有動産を保管している職員または物品を使用している職員が、その保管する現金、有価証券、物品若しくは占有動産またはその使用する物品を亡失し、または損傷したとき　ここで会計管理者を補助する職員には出納員その他の会計職員（自治法一七一1）が該当する。また、資金前渡を受けた職員とは、給与、報償金、事業の現場で支払う事務費、非常災害のため即時支払う経費などの一定の資金（自治法施行令一六一1 2）を前渡された職員をいい、他の地方公共団体の職員も資金前渡職員となることがある（自治法施行令一六一3）。次に、占有動産を保管している職員とは、法令の規定によりその保全管理の責任を有する者をいい、物品を使用している職員とは、現に物品を使用している者のことである。

2　支出負担行為、支出の命令または確認、支出または支払い、あるいは契約履行の確保のための監督または検査のいずれかの行為をする権限を有する職員またはその権限に属する事務を直接補助する職員で地方公共団体の規則で指定したものが、法令の規定に違反してこれらの行為をしたこと、または怠ったことにより、地方公共団体に損害を与えたとき　ここで支出負担行為とは、地方公共団体の支出の原因となる契約その他の行為で、法令または予算の定めるところに従って行われるものである（自治法二三二の三）。支出または支払いは、地方公共団体の長の命令に基づき、法令または予算に違反しておらず、債務が確定していることを確認し、かつ、債権者のために行うものである（自治法二三二の四、二三二の五１）。契約履行の確保のための監督は、立会い、指示などの方法により行い、検査は、契約書、仕様書、設計書などに基づいて行うものである（自治法二三四の二１、自治法施行令一六七の一五１２）。なお、その権限に属する事務を直接補助する職員とは、当該事務を実質的に補助する下級の職員で、その権限を代理しうる者のことである。

３　１または２の事由によって生じた損害が、二人以上の職員の行為によって生じたものであるときは、それぞれの職分に応じ、かつ、それぞれの行為が損害発生の原因となった程度に応じて賠償責任を負うことになる（自治法二四三の二の二２）。すなわち、この賠償責任は連帯責任ではなく、個々の職員ごとに決定される。職分に応じとは、職責の軽重によるという意味であり、損害発生の原因となった程度に応じてとは、行為と損害発生との因果関係の強弱によるという意味である。いずれにしても個々の場合ごとに判断せざるを得ないであろう。

ところで、地方自治法に基づく賠償責任については、その主観的要件が問題となる。ここで主観的要件とは、職員に故意または過失があったことが要件となるかどうかということである。地方自治法に基づく損害賠償責任は原則として故意または重大な過失を要件とするものである。したがって、軽過失の場合には賠償責任を負わない建前であるが、例外として現金の亡失については軽過失の場合も賠償責任を負うこととされている（自治法二四三の二の二１）。現金の取扱いについては、その性質上、とくに慎重な注意義務が課されているのである。

地方自治法に基づく職員の賠償責任を追及する手続として、まず、地方公共団体の長は、前述の要件に該当する事態が生じたと認めるときは監査委員に事実の有無を監査させ、賠償責任の有無および賠償額の決定を求め、その決定に基づいて職員に賠償を命じなければならない（自治法二四三の二の二３）。ただし、監査委員が賠償責任があると決定した場合においても、職員が避けることができない事故その他やむを得ない事情によって損害が生じたことを証明し、地方公共団体の長が相当と認めたときは、あらかじめ監査委員の意見を聴き、その意見を付して議会の同意を求め、その同意があったときは賠償責任の全部または一部を免除することができる（自治法二四三の二の二8）。

なお、大赦または復権（恩赦法二、三、九、一〇）が行われる場合には、地方公共団体は条例で定めるところにより、会計管理者その他法令の規定に基づいて現金または物品を保管する地方公共団体の職員の賠償責任の債務を将来に向かって免除することができる。しかし、本人の犯罪行為による賠償責任は、免除することができない（公務員等の懲戒免除等に関する法律五）。

次に、地方公共団体の長の賠償命令に不服がある職員は、賠償命令があったことを知った日の翌日から起算して三月以内に、行政不服審査法に基づく審査請求をすることができる（行服法一八1）。また、審査請求があった場合には、地方公共団体の長はこれに対する決定を行うに当たり、議会に諮問しなければならず、この諮問を受けた議会は二〇日以内に意見を述べなければならない（自治法二四三の二の二11 12）。

なお、職員が地方自治法第二四三条の二の二第一項の規定によって賠償責任を負うこととなる場合は、民法の賠償責任の規定（通常は同法第七〇九条）は適用にならない（自治法二四三の二の二14）。職員の職務に関連する賠償責任は、公法上の責任であるために地方自治法に規定を設け、私法の適用を排除したものといえよう。

(二)　国家賠償法に基づく職員の賠償責任

地方公共団体の公権力の行使に当たる職員が故意または過失によって違法に他人に損害を与えたときは、地方公共団体はその損害を賠償する責任を負う（国賠法一1）。そしてこの場合、職員に故意または重大な過失があったときは、地方公共団体はその職員に対して求償権を有する（同法一2）。この求償権の及ぶ限りで職員は賠償責任を負うことになる。

ところで、地方公共団体は、職員の軽過失によって第三者に損害を与えた場合においても賠償責任を負うのであるが、この場合には、地方公共団体は職員に対して求償権を行使できない。また、職員が重過失または故意によって第三者に損害を与えた場合にも地方公共団体に第一次的な責任があり、職員が被害者に対して直接の責任を負うことはない（最高裁昭三〇・四・一九判決　最高裁判所民事判例集九巻五号五三四頁）。なお、平成二〇年（二〇〇八年）六月に制定された国家公務員制度改革基本法第九条は「政府は、職員の倫理の確立及び信賞必罰の徹底のため、次に掲げる措置を講ずるものとする。」として「国家賠償法（昭和二十二年法律第百二十五号）に基づく求償権について、適正かつ厳格な行使の徹底を図るための措置を講ずること。」を掲げている。

〔解　釈〕

一　懲戒処分の種類

懲戒処分には、戒告、減給、停職および免職の四つの種類があり、その軽重はここで述べた順序である。それぞれの処分の内容は次のとおりである。

1　戒　告　　職員の規律違反の責任を確認し、その将来を戒める処分である。

2　減　給　　一定期間、職員の給料（地域手当を含む。）の一定割合を減額して支給する処分である。分限処分の降給も給料が減額されるが、これは給料の基本額そのものを変更するものであるのに対し、減給は給料の基本額は変更せず一時的な減額であり、所定期間の経過により自動的に元の給料額に復するものである。

3　停　職　　職員を懲罰として職務に従事させない処分である。分限処分の休職も職務に従事させないものであるが、休職は公務能率の維持を目的とし、職員を道義的に非難するものではないのに対し、停職は職員の道義的責任を追及するための制裁で、公務秩序の維持を目的とするものである。また、休職処分を受けた者に対しては通常給料の全部または一部が支給され、退職手当の計算の基礎となる期間には休職期間が通算されるのに対し、停職の場合は給与は支給されず、退職手当の計算の基礎となる期間から除算される。

4　免　職　　職員を懲罰として勤務関係から排除する処分である。地方公営企業等の労働関係に関する法律第一二条は、争議行為などを行った職員を「解雇」することができると定めているが、この解雇も懲戒免職と同趣旨の処分である。これに対して、同条の解雇は、懲戒処分ではなく、労働契約の解除を意味するにとどまり、争議行為などが行われた場合に任命権者は解雇をするか否かの二者択一の判断しかなし得ないとする見解がある（峯村光郎・公共企業体等労働関係法（法律学全集四八一二）一一二頁、有斐閣、一九七四年）。しかし、同法第一一条で禁止している争議行為などを行うことは、重大な服務規律違反であり、同法は地方公務員法第五七条にいう特例法であって、地方公務員法第二九条第一項第一号の「第五七条に規定する特例を定めた法律」に該当し、その違反は懲戒事由とされているのであるから、「解雇」は懲戒処分に相当するものというべきであり、また、その違反について地方公務員法に基づいて戒告、減給、停職または免職の処分を行うことも可能であると解するのが妥当である。ただ、運用上の問題として、制裁としての離職をさせる場合には、特例法に定められた解雇を適用することが一般的には妥当であろう。ただし、この解雇の効果は、懲戒免職と同じであり、両者の間には実質的な違いはない。

懲戒免職が職員としての身分を失わせる点では分限免職と同じであるが、目的を異にすることは減給と降給、停職と休職との関係で述べたとおりであり、また、分限免職の場合は退職手当および退職年金の取扱上不利益を受けることがないのに対し、懲戒免職の場合はそれぞれについて不利益を蒙る可能性があり（第二五条の〔解釈〕四㈥6参照）、また、前述のように懲戒免職処分の日から二年間は当該地方公共団体の職員となることができないものである（法一六②）。

前記の四種類以外の懲戒処分は違法である（法二七3、二九1）が、実際には訓告、始末書の提出、諭旨免職などの措置が懲戒処分に代わるものとしてとられることが少なくない。このような措置をとることについて、「訓告が懲戒処分としての制裁的実質をそなえるものである限りは許されないが、このような制裁的実質をそなえないものである限りは許されるものと解される」（法制意見昭二八・八・三　法制局一発第七四号）ので、法律上は、訓告は将来を戒める事実上の行為、始末書の提出は本人の自戒を文書で表明する事実上の行為、諭旨免職は本人の責任を自覚させた上での辞職（依願退職）とそれぞれ観念せざるを得ない。すなわち、これらの措置は懲戒処分を課する程度に至らない軽易な非違行為についてとられるものであり、処分ではあり得ないのである。ただ、これらの措置が給与上の措置に結びつくことがあり、訓告を受けた者の普通昇給を一定期間行わないなどの措置がとられることが多い。しかし、これらはもっぱら給与上の措置であり、成績主義（非違行為をしたことによって勤務成績が良くないと評価される。）に基づいて給与上の判断が行われたものとして懲戒処分ないしは先の法制意見でいう「制裁的実質をそなえるもの」とは別のものというべきであろう。また、職員の勤務実績が不良であるため、昇給最短期間に達した場合の普通昇給を行わないこと（いわゆる昇給停止）が懲戒処分ないし制裁であるかどうか問題とされるが、前述の理由および「処分」ではないことにより、懲戒処分に該当しないと解される。

なお、民間企業における例ではあるが、「厳重注意が、将来を戒めることを目的としてされ、控訴人の規程等からは、それをされる根拠となった勤務実績の不良等が期末手当等において不利益に考慮されることはあるとしても、それをされたこと自体が右の不利益に結びつけられては（おらず）、……実際の取扱いでは、厳重注意を受けたことは、期末手当、昇給において、マイナスの要因とされるし、それを受けたことが人事管理台帳等に記載されることになっている」場合において、その取消しを求める法律上の利益はないが、その厳重注意の根拠となった非違行為の存在を立証できない使用者は損害賠償義務を負うとする判例がある（東京高裁平四・二・一〇判決（判例タイムズ七九二号一四三頁）およびその上告審である最高裁平八・三・二八判決（判例時報一五六五号一三九頁））。

二　懲戒処分の事由

懲戒処分の事由には、後述の三つの場合がある（本条1各号）。懲戒処分を行うためには、これらの各事由のいずれかに該当したこと、すなわち、それぞれの結果が発生したことが必要であり、また、その結果の発生について職員に主観的要件、すなわち、故意または過失があったことを必要とする。懲戒の原因として故意または過失を必ずしも必要とせず、懲戒の原因があればいつでも懲戒処分を行いうるとする見解があるが（田中二郎・行政法講義案中巻　一九四頁、有斐閣、一九五〇年）、懲戒処分が職員を道義的に非難する性質のものである以上、職員に帰責事由、すなわち故意または過失を必要とするというべきであろう。

懲戒処分の事由は、次のとおりである。

1　地方公務員法若しくは同法第五七条に規定する同法の特例を定めた法律またはこれに基づく条例、地方公共団体の規則若しくは地方公共団体の機関の定める規程に違反した場合（本条1①）　いわゆる法令違反を懲戒事由としているのであるが、具体的には地方公務員法第三章第六節に定められている服務の規定に違反した場合をはじめとして、同法第五七条に基づく特例法、たとえば、地方公営企業等の労働関係に関する法律や教育公務員特例法に定められている服務の規定に違反した場合、地方公務員法または特例法に基づき服務について定めた条例、規則その他の規程に違反した場合が懲戒事由となる。また、地方公務員法は、第三二条で職員が職務の遂行に当たり、各種の法令に従わなければならないことを規定しているので、地方公務員法およびその特例法以外の法令に違反したときも、職務に関するものである限り、結局はここでいう地方公務員法に違反したことになる。また、職員が職務に関する法令に違反したときは、同時に2で述べる職務上の義務に違反したことにもなる。ただし、在籍専従職員、休職中の職員または停職中の職員のように職務に従事していないものが、地方公務員法の服務に関する規定、たとえば、政治的行為の制限や争議行為の禁止に違反したときは、それは職務に関するものではないので、もっぱら本号の法令違反の事由にのみ該当することになる。

2　職務上の義務に違反し、または職務を怠った場合（本条1②）　職員の職務上の義務は、法令または職務上の命令によって課せられるものであるから、職務上の義務違反は常に地方公務員法第三二条違反となる。また、職務を怠ることは、全力をあげて職務に専念すべきことを定めた同法第三五条違反となるものである（法三〇条が定める職務専念義務違反が直ちに懲戒処分の事由となるわけではないことについては同条の〔解釈〕三参照）。したがって、職務上の義務に違反することおよび職務を怠ることは、常に1の法令違反の事由にも該当することになる。なお、地方公共団体の契約に準用される政府契約の支払遅延防止等に関する法律第一三条は「国の会計事務を処理する職員が故意又は過失により国の支払を著しく遅延させたと認めるときは、その職員の任命権者は、その職員に対し懲戒処分をしなければならない。」と定めている。

3　全体の奉仕者たるにふさわしくない非行があった場合（本条1③）　職員が全体の奉仕者たるにふさわしくない非行を行ったときは、それは地方公務員法第三三条の信用失墜行為の禁止の規定にもふれることになるので、この事由に該当するときは同時に1の事由にも該当することになる。いかなる行為が全体の奉仕者としてふさわしくないものであるかということは、汚職、職権濫用など極めて明白な場合のほかは、個々の場合について健全な社会通念によって判断するほかない。

そしてその判断には客観性がなければならないことは当然である。

なお、民間における事例ではあるが、「精神的な不調のために欠勤を続けていると認められる労働者に対しては、精神的な不調が解消されない限り引き続き出勤しないことが予想されるところであるから、使用者である上告人としては、その欠勤の原因や経緯が上記のとおりである以上、精神科医による健康診断を実施するなどした上で（記録によれば、上告人の就業規則には、必要と認めるときに従業員に対し臨時に健康診断を行うことができる旨の定めがあることがうかがわれる。）、その診断結果等に応じて、必要な場合は治療を勧めた上で休職等の処分を検討し、その後の経過を見るなどの対応を採るべきであり、このような対応を採ることなく、被上告人の出勤しない理由が存在しない事実に基づくものであることから直ちにその欠勤を正当な理由なく無断でされたものとして諭旨退職の懲戒処分の措置を執ることは、精神的な不調を抱える労働者に対する使用者の対応としては適切なものとはいい難い。」とする判例（最高裁平二四・四・二七判決　判例時報二一五九号一四二頁）があるが、これは懲戒処分が道義的責任を問うものである（責任能力があることが必要である。）ことから導き出される結論である。

三　懲戒処分の指針（基準）

懲戒処分の種類は、前記一で述べた四つであり、その事由は前記二で述べたとおりであるが、職員の義務違反に対して懲戒処分をするかどうか、および懲戒処分をする場合にいずれの処分を行うかは、任命権者が裁量によって決定すべきものであり（最高裁昭五二・一二・二〇判決　判例時報八七四号三頁）、「懲戒権者は、懲戒事由に該当すると認められる行為の原因、動機、性質、態様、結果、影響等のほか、当該公務員の右行為の前後における態度、懲戒処分等の処分歴、選択する処分が他の公務員及び社会に与える影響等、諸般の事情を総合的に考慮して、懲戒処分をすべきかどうか、また、懲戒処分をする場合にいかなる処分を選択すべきかを、その裁量的判断によって決定することができる」（最高裁平二・一・一八判決（判例時報一三三七号三頁）、同旨最高裁平二四・一・一六判決（判例時報二一四七号一二七頁））とされている。社会観念上いちじるしく重い処分は裁量権の濫用であり、平等取扱いの原則（法一三）および公正の原則（法二七1）に従い、適切、妥当な判断をすべきものである（複数の同じ処分事由がある者がいる場合に、その一部の者のみを懲戒処分とすることは懲戒権者の自由であるとする判決（大阪高裁昭二八・八・一六判決（行政事件裁判例集四巻八号一八五八頁）がある。）。また、処分の選択について、一個の義務違反に対し、二種類以上の懲戒処分を併課することはできない（行実昭二九・四・一五　自丁公発第五三号）。しかし、数個の義務違反については、それぞれについて懲戒処分を行うことも、それらをまとめて一の懲戒処分を行うこともさしつかえない。なお、上司及び部下に対する暴行などを理由とする停職二月の懲戒処分を受け、さらに、その停職期間中に正当な理由なく上記暴行の被害者である部下に対して面会を求めたこと等を理由とする停職六月の懲戒処分を受けたという事案について、二回目の処分が社会通念上著しく妥当を欠く違法なものであるとした高裁の判決を破棄した判例（最高裁令四・六・一四判決　判例タイムズ一五〇四号二四頁）がある。

　ところで、懲戒処分の対象となるべき事由を類型化して類型毎にいかなる処分の対象とするかを訓令や通達などの形で定めることがある。このことは、任命権者および職員の双方にとって予見可能性が高まり、住民に対する説明も明快になるという観点からは好ましいものであろうが、懲戒処分の対象となる事由が引き起こされる事情には様々なものがあり、それを一律に規定することが難しいことおよび公務員の責任の取り方に対する社会的評価も時代とともに変化することを十分考慮した定め方をすることが必要である。そして、このような基準や指針が定められた場合は、それは「裁量権行使の基準として遵守すべきであり、この基準に合致しない処分については、いわゆる平等原則違背等の評価がされ得るものである」（東京高裁平一五・四・二三判決（公務員関係判例速報三二六号二頁）、同旨広島高裁平一五・三・二六判決（公務員関係判例速報三三三号二頁））とされるのは当然であろう。なお、懲戒処分の基準を定めた場合のその内容が職員団体との交渉の対象となることについては、第五五条の〔解釈〕三㈠を参照されたい。

　なお、人事院は、国家公務員法に基づく懲戒処分について次のような指針を設けて、各省庁事務次官および各外局の長に通知している（「懲戒処分の指針について」職職―六八号　平成一二年三月三一日（最終改正令和二年四月一日職職一三一））。ちなみに、平成二〇年（二〇〇八年）四月一日改正の指針を発するに際して、「特に、組織的に行われていると見られる不祥事に対しては、管理監督者の責任を厳正に問う必要があること、また、職務を怠った場合（国家公務員法第八二条第一項第二号）も懲戒処分の対象となることについて、留意されるようお願いします。」と付言されている。ちなみに、令和元年法律二四号によって改正され、同二年（二〇二〇年）六月一日から施行された労働施策の総合的な推進並びに労働者の雇用の安定及び職業生活の充実等に関する法律第三〇条の二は、その第一項で「事業主は、職場において行われる優越的な関係を背景とした言動であって、業務上必要かつ相当な範囲を超えたものによりその雇用する労働者の就業環境が害されることのないよう、当該労働者からの相談に応じ、適切に対応するために必要な体制の整備その他の雇用管理上必要な措置を講じなければならない。」とし、第二項で「事業主は、労働者が前項の相談を行つたこと又は事業主による当該相談への対応に協力した際に事実を述べたことを理由として、当該労働者に対して解雇その他不利益な取扱いをしてはならない。」としており、この規定は地方公共団体にも適用される。

懲戒処分の指針

第１　基本事項

本指針は、代表的な事例を選び、それぞれにおける標準的な懲戒処分の種類を掲げたものである。具体的な処分量定の決定に当たっては、

① 非違行為の動機、態様及び結果はどのようなものであったか
② 故意又は過失の度合いはどの程度であったか
③ 非違行為を行った職員の職責はどのようなものであったか、その職責は非違行為との関係でどのように評価すべきか
④ 他の職員及び社会に与える影響はどのようなものであるか
⑤ 過去に非違行為を行っているか

等のほか、適宜、日頃の勤務態度や非違行為後の対応等も含め総合的に考慮の上判断するものとする。

個別の事案の内容によっては、標準例に掲げる処分の種類以外とすることもあり得るところである。例えば、標準例

に掲げる処分の種類より重いものとすることが考えられる場合として、

① 非違行為の動機若しくは態様が極めて悪質であるとき又は非違行為の結果が極めて重大であるとき
② 非違行為を行った職員が管理又は監督の地位にあるなどその職責が特に高いとき
③ 非違行為の公務内外に及ぼす影響が特に大きいとき
④ 過去に類似の非違行為を行ったことを理由として懲戒処分を受けたことがあるとき
⑤ 処分の対象となり得る複数の異なる非違行為を行っていたとき

がある。また、例えば、標準例に掲げる処分の種類より軽いものとすることが考えられる場合として、

① 職員が自らの非違行為が発覚する前に自主的に申し出たとき
② 非違行為を行うに至った経緯その他の情状に特に酌量すべきものがあると認められるとき

がある。

なお、標準例に掲げられていない非違行為についても、懲戒処分の対象となり得るものであり、これらについては標準例に掲げる取扱いを参考としつつ判断する。

第2　標　準　例

1　一般服務関係

(1)　欠勤

ア　正当な理由なく一〇日以内の間勤務を欠いた職員は、減給又は戒告とする。

イ　正当な理由なく一一日以上二〇日以内の間勤務を欠いた職員は、停職又は減給とする。

ウ　正当な理由なく二一日以上の間勤務を欠いた職員は、免職又は停職とする。

(2)　遅刻・早退

勤務時間の始め又は終わりに繰り返し勤務を欠いた職員は、戒告とする。

(3)　休暇の虚偽申請

病気休暇又は特別休暇について虚偽の申請をした職員は、減給又は戒告とする。

(4)　勤務態度不良

勤務時間中に職場を離脱して職務を怠り、公務の運営に支障を生じさせた職員は、減給又は戒告とする。

(5)　職場内秩序を乱す行為

ア　他の職員に対する暴行により職場の秩序を乱した職員は、停職又は減給とする。

イ　他の職員に対する暴言により職場の秩序を乱した職員は、減給又は戒告とする。

(6)　虚偽報告

事実をねつ造して虚偽の報告を行った職員は、減給又は戒告とする。

(7)　違法な職員団体活動

ア　国家公務員法第九八条第二項前段の規定に違反して同盟罷業、怠業その他の争議行為をなし、又は政府の活動能率を低下させる怠業的行為をした職員は、減給又は戒告とする。

イ　国家公務員法第九八条第二項後段の規定に違反して同項前段に規定する違法な行為を企て、又はその遂行を共謀し、そそのかし、若しくはあおった職員は、免職又は停職とする。

(8)　秘密漏えい

ア　職務上知ることのできた秘密を故意に漏らし、公務の運営に重大な支障を生じさせた職員は、免職又は停職とする。この場合において、自己の不正な利益を図る目的で秘密を漏らした職員は、免職とする。

イ　具体的に命令され、又は注意喚起された情報セキュリティ対策を怠ったことにより、職務上の秘密が漏えいし、公務の運営に重大な支障を生じさせた職員は、停職、減給又は戒告とする。

(9)　政治的目的を有する文書の配布

政治的目的を有する文書を配布した職員は、戒告とする。

⑽　兼業の承認等を得る手続のけ怠

営利企業の役員等の職を兼ね、若しくは自ら営利企業を営むことの承認を得る手続又は報酬を得て、営利企業以外の事業の団体の役員等を兼ね、その他事業若しくは事務に従事することの許可を得る手続を怠り、これらの兼業を行った職員は、減給又は戒告とする。

⑾　入札談合等に関与する行為

国が入札等により行う契約の締結に関し、その職務に反し、事業者その他の者に談合を唆すこと、事業者その他の者に予定価格等の入札等に関する秘密を教示すること又はその他の方法により、当該入札等の公正を害すべき行為を行った職員は、免職又は停職とする。

⑿　個人の秘密情報の目的外収集

その職権を濫用して、専らその職務の用以外の用に供する目的で個人の秘密に属する事項が記録された文書等を収集した職員は、減給又は戒告とする。

⒀　公文書の不適正な取扱い

ア　公文書を偽造し、若しくは変造し、若しくは虚偽の公文書を作成し、又は公文書を毀棄した職員は、免職又は停職とする。

イ　決裁文書を改ざんした職員は、免職又は停職とする。

ウ　公文書を改ざんし、紛失し、又は誤って廃棄し、その他不適正に取り扱ったことにより、公務の運営に重大な支障を生じさせた職員は、停職、減給又は戒告とする。

⒁　セクシュアル・ハラスメント（他の者を不快にさせる職場における性的な言動及び他の職員を不快にさせる職場外における性的な言動）

ア　暴行若しくは脅迫を用いてわいせつな行為をし、又は職場における上司・部下等の関係に基づく影響力を用いることにより強いて性的関係を結び若しくはわいせつな行為をした職員は、免職又は停職とする。

イ　相手の意に反することを認識の上で、わいせつな言辞、性的な内容の電話、性的な内容の手紙・電子メールの送付、身体的接触、つきまとい等の性的な言動（以下「わいせつな言辞等の性的な言動」という。）を繰り返した職員は、停職又は減給とする。この場合においてわいせつな言辞等の性的な言動を執拗に繰り返したことにより相手が強度の心的ストレスの重積による精神疾患に罹患したときは、当該職員は免職又は停職とする。

ウ　相手の意に反することを認識の上で、わいせつな言辞等の性的な言動を行った職員は、減給又は戒告とする。

⒂　パワー・ハラスメント

ア　パワー・ハラスメント（人事院規則一〇―一六（パワー・ハラスメントの防止等）第二条に規定するパワー・ハラスメントをいう。以下同じ。）を行ったことにより、相手に著しい精神的又は身体的な苦痛を与えた職員は、停職、減給又は戒告とする。

イ　パワー・ハラスメントを行ったことについて指導、注意等を受けたにもかかわらず、パワー・ハラスメントを繰り返した職員は、停職又は減給とする。

ウ　パワー・ハラスメントを行ったことにより、相手を強度の心的ストレスの重積による精神疾患に罹患させた職員は、免職、停職又は減給とする。

（注）⒁及び⒂に関する事案について処分を行うに際しては、具体的な行為の態様、悪質性等も情状として考慮の上判断するものとする。

2　公金官物取扱い関係

（1）　横領

公金又は官物を横領した職員は、免職とする。

(2)　窃取
公金又は官物を窃取した職員は、免職とする。

(3)　詐取
人を欺いて公金又は官物を交付させた職員は、免職とする。

(4)　紛失
公金又は官物を紛失した職員は、戒告とする。

(5)　盗難
重大な過失により公金又は官物の盗難に遭った職員は、戒告とする。

(6)　官物損壊
故意に職場において官物を損壊した職員は、減給又は戒告とする。

(7)　失火
過失により職場において官物の出火を引き起こした職員は、戒告とする。

(8)　諸給与の違法支払・不適正受給
故意に法令に違反して諸給与を不正に支給した職員及び故意に届出を怠り、又は虚偽の届出をするなどして諸給与を不正に受給した職員は、減給又は戒告とする。

(9)　公金官物処理不適正
自己保管中の公金の流用等公金又は官物の不適正な処理をした職員は、減給又は戒告とする。

(10)　コンピュータの不適正使用
職場のコンピュータをその職務に関連しない不適正な目的で使用し、公務の運営に支障を生じさせた職員は、減給又は戒告とする。

３　公務外非行関係

(1)　放火

放火をした職員は、免職とする。

(2)　殺人

人を殺した職員は、免職とする。

(3)　傷害

人の身体を傷害した職員は、停職又は減給とする。

(4)　暴行・けんか

暴行を加え、又はけんかをした職員が人を傷害するに至らなかったときは、減給又は戒告とする。

(5)　器物損壊

故意に他人の物を損壊した職員は、減給又は戒告とする。

(6)　横領

ア　自己の占有する他人の物を横領した職員は、免職又は停職とする。

イ　遺失物、漂流物その他占有を離れた他人の物を横領した職員は、減給又は戒告とする。

(7)　窃盗・強盗

ア　他人の財物を窃取した職員は、免職又は停職とする。

イ　暴行又は脅迫を用いて他人の財物を強取した職員は、免職とする。

(8)　詐欺・恐喝

人を欺いて財物を交付させ、又は人を恐喝して財物を交付させた職員は、免職又は停職とする。

(9)　賭博

ア　賭博をした職員は、減給又は戒告とする。

イ　常習として賭博をした職員は、停職とする。

(10)　麻薬等の所持等

麻薬、大麻、あへん、覚醒剤、危険ドラッグ等の所持、使用、譲渡等をした職員は、免職とする。

(11)　酩酊による粗野な言動等

酩酊して、公共の場所や乗物において、公衆に迷惑をかけるような著しく粗野又は乱暴な言動をした職員は、減給又は戒告とする。

(12)　淫行

一八歳未満の者に対して、金品その他財産上の利益を対償として供与し、又は供与することを約束して淫行をした職員は、免職又は停職とする。

(13)　痴漢行為

公共の場所又は乗物において痴漢行為をした職員は、停職又は減給とする。

(14)　盗撮行為

公共の場所若しくは乗物において他人の通常衣服で隠されている下着若しくは身体の盗撮行為をし、又は通常衣服の全部若しくは一部を着けていない状態となる場所における他人の姿態の盗撮行為をした職員は、停職又は減給とする。

4　飲酒運転・交通事故・交通法規違反関係

(1)　飲酒運転

ア　酒酔い運転をした職員は、免職又は停職とする。この場合において人を死亡させ、又は人に傷害を負わせた職員は、免職とする。

イ　酒気帯び運転をした職員は、免職、停職又は減給とする。この場合において人を死亡させ、又は人に傷害を負わせた職員は、免職又は停職（事故後の救護を怠る等の措置義務違反をした職員は、免職）とする。

ウ　飲酒運転をした職員に対し、車両若しくは酒類を提供し、若しくは飲酒をすすめた職員又は職員の飲酒を知りながら当該職員が運転する車両に同乗した職員は、飲酒運転をした職員に対する処分量定、当該飲酒運転への関与の程度等を考慮して、免職、停職、減給又は戒告とする。

(2)　飲酒運転以外での交通事故（人身事故を伴うもの）

ア　人を死亡させ、又は重篤な傷害を負わせた職員は、免職、停職又は減給とする。この場合において措置義務違反をした職員は、免職又は停職とする。

イ　人に傷害を負わせた職員は、減給又は戒告とする。この場合において措置義務違反をした職員は、停職又は減給とする。

(3)　飲酒運転以外の交通法規違反

著しい速度超過等の悪質な交通法規違反をした職員は、停職、減給又は戒告とする。この場合において物の損壊に係る交通事故を起こして措置義務違反をした職員は、停職又は減給とする。

(注)　処分を行うに際しては、過失の程度や事故後の対応等も情状として考慮の上判断するものとする。

5　監督責任関係

(1)　指導監督不適正

部下職員が懲戒処分を受ける等した場合で、管理監督者としての指導監督に適正を欠いていた職員は、減給又は戒告とする。

(2)　非行の隠ぺい、黙認

部下職員の非違行為を知得したにもかかわらず、その事実を隠ぺいし、又は黙認した職員は、停職又は減給とする。

四　退職前の在職期間中の事由による懲戒処分

職員が一旦退職し、職員以外の職についた後、再度職員となった場合において退職前の事由を理由として懲戒処分を行うことができるが、それにはいくつかの要件がある（法二九２）。なお、この制度は新たに設けられたものであり、従前の制度で不問とされることが確定していた事象をもって新たに懲戒処分という不利益処分を課することは不適当であるので、この制度を定めるための法律が施行された日（平成一一年（一九九九年）一〇月一日）よりも前になされた退職以前に生じた事由による懲戒処分はできないものとされている（地方公務員法等の一部を改正する法律（平成一一年法律一〇七号）附則三条一項）。

まず、第一の要件としては、職員が退職して就任する職が特別職地方公務員等に該当することである。この特別職地方公務員等というのは、当該地方公共団体の特別職に属する地方公務員、他の地方公共団体若しくは特定地方独立行政法人の地方公務員、国家公務員若しくは地方公社（地方住宅供給公社、地方道路公社および土地開発公社をいう。）その他その業務が地方公共団体若しくは国の事務若しくは事業と密接な関連を有する法人のうち条例で定めるものに使用される者または公益的法人等への一般職の地方公務員の派遣等に関する法律第一〇条第二項に規定する退職派遣者（同法一二2）のことであり、これら以外の民間企業などの法人に使用される者は含まれないが、そのように限定することの立法論としての妥当性は疑問である。ともあれ、ここでいう「その業務が地方公共団体若しくは国の事務若しくは事業と密接な関連を有する法人」のうち条例で定める法人には、地方職員等共済組合、消防団員等公務災害補償等共済基金、警察共済組合、公立学校共済組合、日本消防検定協会、地方公務員災害補償基金、北方領土問題対策協会、日本万国博覧会記念機構、独立行政法人国際交流基金、総合研究開発機構、国際協力機構、都市再生機構、中小企業基盤整備機構、日本下水道事業団、危険物保安技術協会、全国市町村職員共済組合連合会、地方公務員共済組合連合会、新関西国際空港株式会社、日本たばこ産業株式会社、独立行政法人空港周辺整備機構、中部国際空港株式会社、独立行政法人都市再生機構などの全国的なもののほか、各地方公共団体が出資している法人や相当程度の財政的援助を行っている法人などが考えられる（人事院規則一二―〇（職員の懲戒）九、退手法施行令九の

二、九の四参照）が、公務員倫理や行政秩序の確立という観点からは、この法人をできるだけ広く定めることが好ましいであろう。

第二の要件は、職員が任命権者の要請に応じて特別職地方公務員等となるために退職したことである。この要請は、特別職地方公務員等となるための退職についてであり、それ以外の目的での退職は含まれないので、そのような目的を有しない勧奨退職はこれに該当しない。また、自己の都合による退職または懲戒処分若しくは分限免職による退職はここでいう退職の要件に該当しないので、これらに該当する者が再度任用された場合にあっても、当該退職以前に生じた事由を理由に懲戒処分を行うことはできないことになる。

第三の要件は、特別職地方公務員等として在職した後、任命権者の要請に応じて特別職地方公務員等となるために退職したことを前提とし、または公益的法人等への一般職の地方公務員の派遣等に関する法律第一〇条第一項に基づいて（同法一二2）、職員として採用されたことである。この採用は、当該退職を前提とするものでなければならないから、当該退職時において、特別職地方公務員等として在職した後に復職することが明示または黙示に約束されていたことが必要である。また、この採用は、当該退職の前に勤務していた地方公共団体へのものである限り、当該退職を要請したのと同一の任命権者によるものであることを要しない。なお、退職した後、再度採用されるまでの間に複数の特別職地方公務員等の職に就くことがあるが、その特別職地方公務員等である期間が引き続いている限り、当該退職を前提として採用されたものとして扱われる。

第四の要件は、地方公務員法第二九条第一項各号に該当する事由が、職員としての在職期間中に生じたものであることである。これは、任命権者が特別職地方公務員等として勤務している期間中の事由を理由として懲戒処分を行うことはできないということとともに、特別職地方公務員等になることによって職員としての在職期間が中断されることによる影響を受けないことを意味するものである。なお、職員、特別職地方公務員等、職員、特別職地方公務員等、職員というように、職員と特別職地方公務員等としての勤務が繰り返された場合においても、職員としての勤務期間中のものである限り、それを理由とする懲戒処分を行うことができるものとされている。

ところで、地方公務員法第二二条の四第一項に定める定年前再任用短時間勤務職員としての任用は、同一地方公共団体におけるものではあるが、新たな採用であると観念されているので、再任用される前の勤務期間中の事由を理由とする懲戒処分はできないというのが論理的な帰結である。そこで定年前再任用短時間勤務職員となった者については、職員としての在職中に生じた事由を理由として懲戒処分をすることができることが明文で定められている（本条３）。なお、会計年度任用職員ならびに地方公共団体の一般職の任期付職員の採用に関する法律および地方公共団体の一般職の任期付研究員の採用等に関する法律に基づいて採用された職員についても、任期が終了した者を再度採用することは妨げられないとされていることの結果、任期が満了した者を改めて採用することが可能であるが（特に会計年度任用職員については、このような任用が通例となっている。）、この場合は、既に終了した任期中の事由を理由とする懲戒処分はできないことに注意が必要である。

ところで、懲戒免職とそれ以外の事由による退職との最大の違いは退職手当の支給制限の有無であることから、本条第二項および第三項による退職前の在職期間中の事由を理由として免職とされた場合に、当該退職時に退職金が支給されていたときの扱いが問題となるが、これについては第二五条の〔解釈〕四㈥６⑷で述べた。

五　懲戒処分の手続および効果

職員の懲戒の手続および効果は、法律に特別の定めがある場合のほかは条例で定めなければならない（本条４）。法律の特別の定めについては本項および六で述べるところを参照されたいが、一般的な懲戒処分の手続および効果の条例については次のような条例案が示されている（昭二六・七・七　地自乙発第二六三号、平成一一年七月三〇日自治公第一〇号で改正）。

○職員の懲戒の手続及び効果に関する条例（案）

（この条例の目的）

第一条　この条例は、地方公務員法（昭和二十五年法律第二百六十一号。以下「法」という。）第二十九条第二項及び第四項の規定に基づき、職員の懲戒の手続及び効果に関し規定することを目的とする。

（地方公共団体又は国の事務等と密接な関連を有する業務を行う法人）

第二条　法第二十九条第二項に規定する条例で定める法人は、次に掲げる法人とする。

一　〇〇〇
二　〇〇〇
（懲戒の手続）
第三条　戒告、減給、停職又は懲戒処分としての免職の処分は、その旨を記載した書面を当該職員に交付して行わなければならない。
（減給の効果）
第四条　減給は、一日以上六月の期間、その発令の日に受ける給料及びこれに対する地域手当の合計額（法第二二条の二第一項第一号に掲げる職員については、報酬の額（一般職の職員の給与に関する条例）昭和〇〇年〇〇県条例第〇号）第〇条に規定する〇〇手当に相当する額を除く。））の十分の一以下を減ずるものとする。この場合において、その減ずる額が現に受ける給料及びこれに対する地域手当の合計額の十分の一に相当する額を超えるときは、当該額を減ずるものとする。
（停職の効果）
第五条　停職の期間は、一日以上六月以下とする。
２　停職者は、その職を保有するが、職務に従事しない。
３　停職者は、停職の期間中、いかなる給与も支給されない。
（この条例の実施に関し必要な事項）
第六条　この条例の実施に関し必要な事項は、人事委員会規則で定める。

附　則

（施行期日）
この条例は、平成十一年十月一日から施行する。

ところで、この条例案第三条は、懲戒処分の手続として、懲戒処分は、書面を交付して行わなければならないとしている。これは分限処分の場合も同じであるが、条例により要式行為とされたもので、この要式を欠く処分は無効である。また、要式行為である懲戒処分、分限処分その他の任命行為の効力の発生の時期は、特別の規定がない限り、意思表示に関する一般原則に従い、文書が相手方に到達したときである。具体的には、相手方がこれを現実に了知したとき、または了知しうべき状態に置かれたときに効力を生じる（最高裁昭三〇・四・一二判決　刑事裁判集九巻四号八三八頁）。したがって、辞令の日付けより後に文書が到達したときは、その日付けいかんにかかわらず、到達の日から効力を生じ、たとえば、免職のときはその到達の日まで職員としての身分を有し、給与を支給する必要がある。ただし、辞令がその到達後の日付けとされているときは、辞令記載の日付けの日に効力を生じるものと解される。懲戒処分や分限処分の場合には、実際問題として職員が辞令の受領を拒否することがあり、いつ文書が到達したのか疑問となる場合がある。到達の日時は個々の場合について判断することになるが、一般的には辞令を手交するときは現実に手交されたとき、郵送のときは職員の住所に郵送されたときであ

る。郵送の場合は、内容証明、配達証明付きで行うことが適当であろう。また、職員の所在が不明である場合には、民法第九八条による公示送達の手続をとることが適当である。あるいは分限または懲戒の手続および効果に関する条例中に、処分の内容を官報または公報に掲載し、その日から、たとえば、二週間を経過した日に辞令の交付があったものとみなす旨の規定を設ける方法によることもできよう（行実昭三〇・九・九　自丁公発第一五二号）。このことについて、国家公務員の懲戒について定める人事院規則一二―一〇（職員の懲戒）第五条第二項は、「これを受けるべき者の所在を知ることができない場合においては、その内容を官報に掲載することをもつてこれに替えることができるものとし、掲載された日から二週間を経過したときに文書の交付があつたものとみなす。」としている。なお、行方不明の場合には県の公報に掲載するという方法で行ってきたという従来からの取扱いを考慮し、当該職員がその方法によって懲戒免職処分がされることを十分に了知し得たことを理由として、県の公報への掲載をもって通知が到達したことを認めた判例（最高裁平一一・七・一五判決　判例時報一六九二号一四〇頁）がある。

次に、この条例案では第四条で減給の限度を給料および地域手当の合計額の一〇分の一以下としているが、六(二)3で述べるように、企業職員および単純労務職員ならびに独法職員については労働基準法に特例があるので注意を要する。

ところで、この条例案には戒告の効果についての規定がない。職員の懲戒の効果は条例で定めなければならない（本条4）のであるから、条例に何の規定もない懲戒は法律上の効果を有しないことになるはずであり、「戒告は、職員が法第八十二条第一項各号のいずれかに該当する場合において、その責任を確認し、及びその将来を戒めるものとする。」（人事院規則一二―一〇（職員の懲戒）四）というような趣旨の規定を置くべきであろう。

なお、この条例案には規定されていないが、懲戒処分を行う場合には、不利益処分に関する説明書を交付しなければならない（法四九）。ただし、この説明書の交付は処分の効力に影響を及ぼすものではない。また、懲戒処分を行う際には懲戒処分の取消しの訴えは審査請求に対する裁決を経た後でなければ提起できないこと、当該処分または裁決に係る取消訴訟の被告とすべき者および当該処分または裁決に係る取消訴訟の出訴期間を書面で当該処分の相手方に教示しなければならない

（行訴法四六）。そして、懲戒免職処分を受けたときは、退職手当条例の定めるところにより、退職手当の支給が制限されることがあり（第二五の〔解釈〕四の（二六）６参照）、懲戒免職（退職手当支給制限処分を受けた場合に限る。）または停職の処分を受けたときは、地方公務員等共済組合法に基づく長期給付の一部を行わないこととされている（地共済法一一一1、地共済法施行令二七1②③）。

さらに、この条例案に規定されていないものに懲戒（分限）審査委員会等がある。これは、処分を適正に行い、処分をした後での紛争を最小化するために、処分を行う前に、事実を確認し、相手方の弁明（言い分）を聴くために設置されるものであり、規則や要綱で定められていることが多い。法律上はこのような機関の設置や手続きが必要とされているわけではないが（公務員の身分に関してなされる処分には行政手続法の聴聞および弁明の機会の付与の規定は適用されない（同法三1⑨））、適正手続きの確保と相手方の納得を得るためには有効な仕組みであると考えられる。

次に、地方公共団体は、任意に条例で特定の場合に懲戒処分を消滅させる旨の規定を設けること、および懲戒処分の執行猶予を定めることはできないものと解されている（前者について、行実昭二六・八・二七　地自公発第三六六号、後者について、行実昭二七・一二・一八　自行公発第九六号）。ただし、大赦または復権（恩赦法二、三、九、一〇）が行われる場合に、地方公共団体の条例で定めるところにより、懲戒処分を受けた職員の懲戒処分を免除し、または懲戒処分を受けるべき職員の懲戒を行わないことができる（公務員等の懲戒免除等に関する法律三）。この懲戒処分の免除があっても、懲戒処分に基づく既成の効果に影響はない。たとえば、停職によってそれまで支給されなかった給与を改めて支給することにはならない。しかし、懲戒免職を受けてから二年以内の者であっても、欠格条項（法一六③）にかかわらず、職員となる資格を回復する（前記免除法六、七）。なお、懲戒処分の免除を受けた者は、その免除後もその懲戒処分に対する審査請求をすることができる（前記免除法八）。

六　懲戒処分の特例

職員の懲戒処分については、分限処分の場合のように条件附採用期間中の職員および臨時的任用職員に対する適用除外はない。すなわち、条件附採用期間中の職員または臨時的任用職員であっても、職務に従事している以上、服務規律に従うことは当然であり、その違反については懲戒処分の対象となるものである。

職員の懲戒処分の手続または効果についての特例を定めたものとしては、次の二つがある。

㈠　教育公務員の特例

１　大学の教員など　大学の学長、教員および部局長の懲戒処分については、学長および教員にあっては評議会（教特法二４）、部局長にあっては学長の審査の結果により、学長の申出に基づいて任命権者が行うこととされている（教特法九、一〇１）。

２　県費負担教職員　県費負担教職員の任命権者は、都道府県教育委員会であり、その懲戒処分は市町村教育委員会の内申によって都道府県教育委員会が行うものである（地教行法三七、三八１）。ただし、市町村教育委員会が内申を行わないことが服務監督者としての措置を怠るものであり、人事管理上いちじるしく適正を欠くものであるときは、都道府県教育委員会は例外的にその内申をまつことなく懲戒処分をすることができる（最高裁昭六一・三・一三判決　判例時報一一八七号二四頁）。また、県費負担教職員の属する学校の校長は、これらの職員の懲戒について市町村の教育委員会に意見を申し出ることができるものであり（地教行法三八３、三九）、県費負担教職員の懲戒の手続および効果については、都道府県の条例で定めることとされている（地教行法四三３）。これらはいずれも分限処分の場合と同じである。

㈡　労働基準法による懲戒処分の制限

職員に原則として労働基準法が適用されていることにより（法五八３）、次のとおり懲戒処分の制限がなされる。

１　公務災害および産前産後と懲戒免職　職員が公務上負傷し、または疾病にかかり、療養のために休養する期間およびその後三〇日間ならびに産前産後の休業期間およびその後三〇日間は懲戒免職することはできない（労基法一九本文）。ただし、天災事変その他やむを得ない事由のため事業の継続が不可能となった場合で、行政官庁（労働基準監督機関）の認定を受けたときは直ちに懲戒免職することができる（労基法一九但し書）。また、公務上の傷病の療養開始後三年を経過した日に傷病補償年金を受けている場合、または同日後に当該年金を受けることとなった場合には、それぞれの日以降は懲戒免職することができる（地公災法二八の三）。

２　解雇予告および予告手当　任命権者が職員を懲戒免職しようとする場合においては、原則として少なくとも三〇日前に解雇の予告を行わなければならず、三〇日前に解雇予告をしない場合は三〇日分以上の平均賃金を支払わなければならない（労基法二〇１本文。この規定が職員に適用されることについて法制意見昭三九・三・一六　決裁）。

ただし、天災事変その他やむを得ない事由のために事業の継続が不可能となった場合または職員の責に帰すべき事由に基づいて解雇する場合で、いずれも行政官庁の認定を受けた場合には、解雇予告または予告手当の支給なしに懲戒免職することができる（労基法二〇１但し書）。ここで行政官庁というのは労働基準監督署長のことである（労基法施行則七）が、非現業の職員（労働基準法別表第一第一号から第一〇号までおよび第一三号から第一五号までに掲げる事業に従事する者以外の職員）の場合は、この行政官庁（労働基準監督機関）の職権は人事委員会または人事委員会の委任を受けた人事委員会の委員（人事委員会を置かない地方公共団体においては、その長）が行うものとされている（法五八５）。職員に懲戒処分の事由があるときは、その責に帰すべき事由があり、行政官庁には懲戒処分の内容の審査権はないのであるから行政官庁は任命権者の判断を尊重してすみやかに認定を行うべきであるが、職員が懲戒事由の存在を認めていないときに労働基準監督署長がこの認定を行うことはほとんどないというのが実情であり、民間においては、解雇予告手当を支払ったうえで懲戒解雇をしているというのが実態である。

３　減給の制限　職員のうち、企業職員および単純労務職員ならびに独法職員には労働基準法第九一条が適用される。したがって、これらの職員を減給処分にするときは、その一回の額が平均賃金の一日分の半額を超え、一の給与支給期日に支払われる給与の総額の一〇分の一を超えてはならないというのが通説である。

確かに、労働基準法第九一条の規定を職員に適用しないとする地方公務員法第五八条第三項は企業職員および単純労務職員並びに独法職員には適用されない（地公企法三九１、地公労法一七１、同法附則５、地方独法法五三１）ので、これらの職員には労働基準法第九一条が適用されるという解釈は文理通りであり、その限りではやむを得ないとも考えられる。しかし、そもそも同条による減給の制限は、工場法時代の遅刻一回あるいは不良製品一個についての制裁金の制限の流れによるものであり、それとは勤務形態も制裁の原因となる事由も全く異なるこれらの職員に同じ制限を付する実質的な理由はない。地方公務員法第二九条第一項に、職員に各号に列記する非違行為があった場合にその程度と職員の責任に応じて、戒告、減給、停職または免職のうちから適切なものを選択することとしているのであり、両者が均衡のとれたものであるためには、それぞれの処分の重さに連続性がなければならない。国家公務員の懲戒の手続および効果を定める人事院規則一二—〇（職員の懲戒）によれば、戒告は、職員の責任を確認したうえで、その将来を戒めるものであり、減給は、一年以下の期間、俸給の月額の五分の一以下に相当する額を給与から減ずるものであり（前記条例案においては一日以上六カ月以下の期間、給料および地域手当の合計額の一〇分の一以下を減ずるものとされている。）、停職は一日以上一年以下とされ（前記条例案においては一日以上六カ月以下とされている。）ている。これは、戒告と最も軽い減給との間、最も重い減給と停職との間にある程度の連続性があるように考慮したものであると考えられる。しかるに、減給一回の額が平均賃金の一日分の半額（月の勤務日数を二二日とすると月額の四四分の一となる。）を超え、総額が給与の月額の一〇分の一を超えてはならないとされるときは、戒告と最も軽い減給との重さの差が少なくなる反面において、最も重い減給と最も軽い停職である一月の停職との間の重さの程度の違いが極めて大きいものとなる。しかも、減給よりも重い停職および免職についての制限はないのであるから、減給についてだけこのような制限をする理由もない。かえってこのような制限があることによって、本来であれば二ないし三月間の一〇分の一の減給を相当とする非違行為があったときには、戒告または停職のいずれかを選択せざるを得ないこととなり、結果的に停職が選択されることも十分想定される。そして、そのようなことになった場合は、減給の程度を制限することによって、労働者が受ける不利益に上限を画そうとした法律の趣旨とは逆に、労働者の不利益が拡大する結果となる。このような実質的な不都合をも考慮すると、労働基準法第九一条は制裁として減給よりも重い停職が法定されているような場合を想定したものではなく、本条第四項が「職員の懲戒の手続及び効果は、法律に特別の定めがある場合を除くほか、条例で定めなければならない。」というときの「特別の定め」には労働基準法第九一条の定めは該当しないとする解釈はできないであろうか。

このほかにも職員に労働基準法が適用されていることについてはいろいろと問題があるが、とくに分限および懲戒処分に労働基準法が適用されていることには問題が多い。たとえば、分限免職または懲戒免職についていえば、労働基準法の解雇制限は、当事者の意思によっていつでも労働契約を解除しうることを前提として労働者を保護するための規制をしているものであり、公務員のように身分保障によって原則として解雇が制限され、さらに行政不服審査法に基づく審査請求の制度によって保護されているものに労働基準法の解雇制限を付加することは保障措置が重複しているといえよう。具体的には、勤務実績がよくない者を分限免職しようとする場合、あるいは重大な服務規律違反をした者を懲戒免職しようとする場合にまで、解雇予告または予告手当の支給を義務づけたり、行政官庁の認定を要するとするのは問題であろう。

（適用除外）

第二十九条の二　次に掲げる職員及びこれに対する処分については、第二十七条第二項、第二十八条第一項から第三項まで、第四十九条第一項及び第二項並びに行政不服審査法（平成二十六年法律第六十八号）の規定を適用しない。

一　条件附採用期間中の職員

二　臨時的に任用された職員

2　前項各号に掲げる職員の分限については、条例で必要な事項を定めることができる。

〔趣　旨〕

一　条件付採用期間中の職員および臨時的任用職員と分限処分

条件付採用期間中の職員（法二二）および臨時的任用職員（法二二の三）については、条例で定めない限り、分限処分に関する規定および分限処分に対する不服申立ての規定は適用されない（本条1）。その趣旨は、条件付採用期間中の職員は、その能力を実証中であり、もし、その間に勤務実績が不良で能力に欠けることが明らかになったときは、身分保障を与えることなく、いつでもその意に反して一方的に免職または降任等の処分をなしうることとしたものであり、臨時的任用職員の場合は、任用期間が短期であり、正式任用のような能力の実証も行われていないので、身分保障を行ったり、分限処分を争わせたりする実益がほとんど乏しいと考えられたためであろう。

このような法律の趣旨は、その考え方の基本は妥当であると考えられるが、法律的な理論構成の上では問題があるように思われる。その一は、条件付採用期間の制度の問題にも関連するのであるが、第二二条の〔解釈〕一でも述べたように、実地に任用を実証するのは採用に限られており、昇任については条件付とされていないことである。採用と同様に昇任についても一定期間条件付とすることが実際に適合していると考えられ、その場合には身分保障の適用を除外すべきであろう。その二は、条件付任用職員の身分保障の適用除外の仕方をもっと事を分けて行うべきである。すなわち、条件付採用の場合は、免職および降任について身分保障を適用除外すれば足り、休職および降給について適用除外する実益は乏しいであろう。また、もし、昇任について条件付とするならば、降任についてのみ適用除外とすることになろう。いずれにしても、身分保障のすべてを適用除外とすることは法律的なきめの細かさを欠いているといわざるをえない。

次に、条件付採用期間中の職員および臨時的任用職員については、前述のように原則として身分保障がなされていないのであるが、特例として、地方公共団体が条例で定めた限りで身分保障を行うことができることとされている（本条２）。この規定の趣旨は必ずしも明らかでなく、条例で身分保障をした場合の法律的効果は明確ではない。条例で身分保障をしても、本条第一項で適用除外されている行政不服審査法の適用を受けることにはならないと考えられ、したがって、人事委員会または公平委員会に救済を申し立てることはできない。条例による身分保障は、これらの職員に不利益な処分を行う場合の手続を保障し、任命権者が不利益処分を行うに際しての基準となり、場合によっては裁判所で救済を受けるときの根拠となるにとどまるであろう。これらの職員の身分保障が地方公共団体が条例を定めるか否かにより、また、条例の内容いかんによって異なることは必ずしも適切であるとは思われず、むしろ、前述のように、条件付採用職員については、事を分けて身分保障をするものと然らざるものとを区別すべきであり、また、臨時的任用職員については、その身分保障をしない趣旨が前述のように、短期間の任用で能力の実証も十分に行われていないため、その実益がないことにあるとするならば、条例で一定の身分保障をすることも実益がないといってよいであろう。

二　条件付採用期間中の職員および臨時的任用職員と行政不服審査

条件付採用期間中の職員および臨時的任用職員には、行政不服審査法が適用されないこととされている（本条1）。その趣旨は、身分保障がなされていないことにより、行政上の救済も不要とされたのである。このことについても法律論として問題がある。公法上の勤務関係内部の問題である不利益処分について、一般的な行政救済法である行政不服審査法を適用することに問題があることは、第四九条の二で述べるが、ここでの問題は、条件付採用期間中の職員および臨時的任用職員に対し、すべての場合について行政不服審査法の適用を除外したことにある。これらの職員に対する分限処分に相当する処分についての審査請求を認めないものとすることは、分限上の身分保障がないことからして一貫性がある措置といえよう。しかし、第二二条の〔解釈〕二および前条の〔解釈〕六で述べたように、これらの職員についても服務規律の適用があり、懲戒処分の規定も当然に適用される。そして行政不服審査法が全面的に適用されないため、その懲戒処分について行政救済を受けることはできないのである。もとより、これらの職員が裁判所に対して救済を求めることは可能であるが、懲戒処分が一般の職員と同様に行われる以上、行政救済の道も同様に認めることが妥当であろう。

以上みてきたように、本条は、条件付採用期間中の職員および臨時的任用職員の分限処分の適用除外について問題があるだけでなく、これらの職員の懲戒処分について行政不服審査法を適用除外していることは大きな問題である。制定当初の地方公務員法においては、これらの職員に分限処分に関する規定を適用しないことは第二八条中に規定されており、適用除外は分限処分に限定されていた。しかし、昭和三七年の行政不服審査法の施行に伴う関係法律の整理等に関する法律による改正によって本条が新設されて、現在のような規定の仕方となったものである。国家公務員法では、本条に相当するのは第八一条であるが、そこではもっぱら分限処分に限って行政不服審査法を含めて適用除外しており、少なくとも懲戒処分に関する問題はない。条件付採用制度、臨時職員制度および行政不服審査法を職員に適用することは、いずれも問題の存するところであり、これらの問題を背景にした本条の規定は、規定の位置、その内容ともに今後検討を要するといわなければならないであろう。

〔解　釈〕

一　分限処分の適用除外の意味

条件付採用期間中の職員および臨時的任用職員に適用されない分限処分に関する地方公務員法の規定は、第二七条第二項（職員の意に反する降任、免職、休職および降給の事由ならびに分限の手続および効果に関する条例の制定根拠）および第二八条第一項から第三項まで（降任、免職、休職および降給の法令上の根拠）の各規定である。この結果、これらの職員については、労働基準法に違反しない限り、法律で定める事由によることなく降任または免職を行うことができ、法律または条例で定める事由によることなく休職にすることができ、さらに条例で定める事由によることなく降給することができることになる。ただし、条件付採用職員については、その期間を設けた趣旨からすれば事実上免職に限られることになる。また、この処分は全くの自由裁量ではなく、「分限事由にはそれ自体おのずから制限があり、客観的に合理的な理由が存し、社会通念上相当とされるものであることを要する」（東京高裁昭五一・一・二九判決（判例タイムズ三四二号一九九頁）。最高裁昭五三・六・二三判決（判例タイムズ三六六号一六九頁）で確定）のであり、分限について条例で必要な事項を定めたときはそれによるべきことは当然である（本条2）。なお、国家公務員については、人事院規則一一―四（職員の身分保障）第九条および第一〇条が臨時的任用機関および条件付採用職員に対する分限処分について定めており、前掲の東京高裁判決は、条例の定めがない場合には、この定めに準じて考えることが相当であるとしている。

条件付採用期間中の職員を免職する場合、労働基準法第二〇条の解雇予告制度が適用になるであろうか。下級審の判例には、かりにこれを適用すると不適格者をなお三〇日雇用する義務を国や地方公共団体に負わせることになり、公の利益に反するとして消極に解するものがあるが（松山地裁昭三四・七・三〇判決　行政事件裁判例集一〇巻七号一四七三頁）、行政解釈は同制度の適用ありとしている（労働省実例昭三八・一一・四　基収第六二二号、行実昭三八・一〇・二六　公務員課決定）。解雇予告制度は、労働者の利益を保護する制度であり、解雇予告手当を支払うことにより即日解雇することができるほか、労働者の責めに帰すべき解雇については、労働基準監督機関（人事委員会、市町村長、労働基準監督署長など（法五八5参照））の認定を得て、予告手当を支払うことなく解雇することもできるのであるから、条件付採用期間中の職員であっても引き続き一四日を超えて使用された者には（労基法二一但し書）、労働基準法第二〇条は適用されると解すべきであろう。なお、解雇予告のみによって解雇しようとするときは、条件付採用期間満了の三〇日よりも前に解雇予告を行うことが必要であり、解雇予告を行ったことによって条件付採用期間が延長になるものではないから注意を要する。そして、もし、条件付採用期間中に行われた解雇予告であっても、それが正式採用後に発効するときは、解雇の効力の発生時にはその職員には身分保障がなされていることになるので、改めて分限免職の手続をとる必要が生じよう。したがって、条件付採用期間満了の日前三〇日以内に解雇をするときは、予告手当を支払うか、当該職員の責めに帰すべき事由があることについて労働基準監督機関（法五八5参照）の認定を得ることが必要である。

ところで、本条により、分限処分に関する規定および行政不服審査法が適用除外される条件付採用期間中の職員とは、法第二二条の適用を受けている職員であり、原則として採用の日から六カ月以内（公立の小学校、中学校、義務教育学校、高等学校、中等教育学校、特別支援学校及び幼稚園の教諭等は一年以内。なお、これらの者には期間延長はない。教特法一二1）のものであるが、人事委員会または市町村長がこれを一年に至るまでの期間延長したときは、その間は適用除外となる。また、条件付採用期間はその満了とともに、なんらの手続を要せず正式任用となるものであり、同時に一切の身分保障が行われる。したがって、正式任用となった後は、条件付採用期間中の勤務成績がいかに不良であったとしても、これに対して分限処分を行うには正規の手続をとらなければならない。もし、条件付採用期間中の能力の実証に基づく措置をとろうとするときは、あくまでもその期間内に行うようにしなければならない。

次に、分限処分に関する規定および行政不服審査法が適用除外される臨時的任用職員とは、地方公務員法第二二条第一項または第四項の規定によって任用されたものである。期限付任用職員は、正式任用されたものである限り、その分限処分は正規の手続によらなければならない。

二　行政不服審査法等の適用除外

条件付採用期間中の職員および臨時的任用職員には、地方公務員法第四九条第一項および第二項ならびに行政不服審査法は適用されない（本条１）。これらの職員の範囲は、前項で述べたところであるが、まず、地方公務員法第四九条第一項および第二項は、任命権者が分限処分、懲戒処分などの不利益処分を行う場合に、処分事由の説明書を交付しなければならないこと、および職員が不利益処分を受けたと思うときに処分事由の説明書の交付を請求しうることを定めたものである。この処分事由の説明書は、行政不服審査法に基づく教示（行服法八二）であると解されているので、同法を適用除外すれば足りるとも考えられるが、法文上明確にしておくこととされたのであろう。また、地方公務員法第四九条第三項および第四項が法文上適用除外されていないのは、これらの規定が請求を受けた場合の説明書の交付および説明書の記載事項の規定で、これらの規定は第一項および第二項を適用除外することにより自動的に適用除外されると考えられたからである。さらに、審査請求に関する第四九条の二（行政不服審査法に基づく審査請求）、第四九条の三（審査請求期間）、第五〇条（審査）、第五一条（審査請求の手続）および第五一条の二（審査請求と訴訟の関係）の各規定が法文上適用除外されていないのは、これらの規定が行政不服審査法の体系上の規定であり、同法の適用除外によって自動的に適用除外されるからである。

この結果、これらの職員に対する不利益処分、すなわち、分限上の不利益な処分はもとより、懲戒処分を行うことについても、処分説明書の交付は不要であり、また、これらの処分について人事委員会または公平委員会に対して救済を申し立てることはできないことになる。運用上は処分の辞令を交付することが適当であろうし、また、これらの処分について裁判所に出訴することは可能である。そして、これらの職員に対して不利益な処分を行うときは、当該処分の取消訴訟の被告とすべき者および当該処分に係る取消訴訟の出訴期間を書面でその相手方に教示しなければならない（行訴法四六）。ただ、裁判所は、人事委員会または公平委員会のように、当、不当についてまで判断することはできず、もっぱら法律事項についての判断、適法、違法の判断を行いうるのみである。

なお、これらの職員も、地方公務員法における「職員」であり、また、勤務条件に関する措置の要求は、行政不服審査法に基づくものではないので、当該職員が人事委員会または公平委員会に対して給料その他の勤務条件の維持改善を求める措置要求を行うことは可能である（法四六）。

第六節　服　務

（服務の根本基準）

第三十条　すべて職員は、全体の奉仕者として公共の利益のために勤務し、且つ、職務の遂行に当つては、全力を挙げてこれに専念しなければならない。

〔**趣　旨**〕

一　職員の勤務の目的

本条は、職員の服務の根本基準として、職員が全体の奉仕者として公共の利益のために勤務すべきことおよび職員は職務の遂行に当たって全力をあげて勤務すべきことを定めている。

まず、前者についてであるが、職員が全体の奉仕者であるということは、職員の服務の根本基準であるにとどまらず、公務員の基本的性格を意味する。いうまでもなく、このことは憲法第一五条第二項で「すべて公務員は、全体の奉仕者であつて、一部の奉仕者ではない。」と規定されていることに基づくものであり、一般職の地方公務員だけでなく、特別職の地方公務員、さらには国家公務員をも含む全公務員についての基本原則である。そしてこの基本原則は、歴史的、社会的、政治的意義のそれぞれにおいて理解されなければならない。

まず、全体の奉仕者であることの歴史的意義であるが、わが国の公務員の場合、戦前は天皇を頂点とする国家機構において、天皇に対して忠実無定量の勤務を尽くす（奉仕する）ことがその本分であったことは周知のとおりである。しかし、戦後の民主主義を国是とする国家体制の下においては、主権を有する国民全体の奉仕者として公務員が位置づけられるのであり、憲法および地方公務員法に全体の奉仕者であることが明記されたことは、わが国の政治体制が基本的に変革された歴史を公務員制度の面から明らかにしたものであるということができる。

次に、公務員は公共の利益のために勤務しなければならないということの社会的意義であるが、この公共の利益（公共の福祉）は国民全体に奉仕するという公務員の使命そのものである。なぜならば、国、地方の政治は、国民または住民の全体から信託を受けたものであり、この信託に基づく政策を実施する公務員が国民全体に対して奉仕すべきこと、およびその奉仕の内容が国民または住民全体の利益（公共の利益）を増進することにあること（自治法一の二１参照）は当然の帰結であるからである。そして、具体的に何が公共の利益であるかということは、社会の実態に即して判断されなければならず、それはその時々の政治的、経済的、社会的状況と、国民、住民の価値観を前提として具体的に決定されていくべきものである。すなわち、全体の奉仕者としての公務員の行動様式は、社会的な条件の中で決定されるものということができるのである。

次に、全体の奉仕者の政治的意義であるが、憲法第一五条第二項で明記されているように、全体の奉仕者であることは、一部の奉仕者となることを否定する。ここで一部とは、単に数の上での一部、あるいは地域的な一部のようなものを意味するのではなく、その趣旨は政治的に一党一派に偏することを否定することにあるといえよう。現実の政治は政党、政派によって運営されているが、三権分立の下で行政の中立性と安定性を維持するためには、公務員が政治的に中立で特定の政治的立場に片寄らず、全体の奉仕者としての性格を堅持することが強く要請されているのである。

二　職務専念義務

本条で規定する二番目の服務の根本基準は、職務専念義務である。職務専念義務は、第三五条でより具体的に規定されているにもかかわらず、本条で重ねてこれを規定したことは、全体の奉仕者たることと並んで服務全体を通じる基本原則であることを強調するためであろう。

職務専念義務の解釈については、第三五条のそれに譲ることとして、ここではその倫理的意義と契約的意義についてふれておくこととしたい。

まず、公務員が職務に専念することは、その倫理的な義務であるといわなければならない。公務員が全体の奉仕者としてひろく公共の利益のために勤務するものであることにより、一部、特定の利益（株主あるいは経営者または従業員の利益）を直接の目的として勤務する民間の労働者以上に強い職業倫理を求められることは当然であるといわなければならない。公務員の職務の成果は、国民全体の利益につながるものであり、一般の労働者のように一部分の利益につながるものではない。このような職務についての自覚がある限り、全力を尽くして職務に当たることは公務員にとって自発的、自律的な規範であり、公務員としての地位に内在する倫理的規律であるといわなければならない。

次に、職務専念義務の契約的意義であるが、公務員は国なり地方公共団体の目的を実現するための一機関として活動するものであり、国または地方公共団体と公務員との関係は、近代社会においては、意思の合致、すなわち広い意味での契約に相当するものであるということができる。公務員の任命が行政行為であるにせよ、契約であるにせよ、任命の主体と客体との間の合意を前提とする以上、広義の契約的関係とみることが妥当であると考えられるのである。そしてこのような契約的な関係においては、当事者の双方が信義誠実の原則に則り、最善を尽くして各自の約束を履行する義務があり（民法一2参照）、そうすることによって社会全体の円滑な運営が保障されるのである。このことは、公務員の場合も民間企業の労働者の場合も全く同じものであり、契約あるいは約束を果たすために全力をあげて職務の遂行に努めなければならないのである。

職務の基本基準の一つである職務専念義務については、以上の倫理的な意義と契約的な意義の二つの側面から理解する必要があり、単に服務上の義務であるにとどまらず、より深い内在的な要請に基づくものであることから本条に特に規定されたものと考えられる。

〔解　釈〕

一　全体の奉仕者

職員が全体の奉仕者であることは憲法に規定されているものであり、その意義については**〔趣旨〕**で述べたとおりであるが、この全体の奉仕者としての性格を有することから、さまざまな特殊性が導き出される。職員が地方公務員法その他の法令において民間企業の労働者と異なる取扱いを受けることを基礎づける基本原理は、それが全体の奉仕者たることにあるといわなければならない。

職員に対する特別な取扱いの一は、職員の身分保障（法二七）である。職員が法律上強い身分保障を受け、民間の労働者のように法律上任意に解雇される（民法六二六～六二八、労働契約法一六）ことがないのは、全体の奉仕者である職員の地位を安定したものとすることにより、国民、住民に対するサービスを安定的、恒常的なものとする必要があるからである。その二は、職務専念義務（本条、法三五）である。全体の奉仕者であることにより、労働者一般を通じる契約的な義務としてだけでなく、倫理的、自律的な要請として職務に精励しなければならないことは〔趣旨〕で述べたとおりである。その三は、政治的行為の制限（法三六）である。職員が一党一派に偏することなく、政治的に中立であることを求められるのは、全体の奉仕者である性格を全うするための措置である。その四は、争議行為等の禁止（法三七）である。職員が争議行為等を行うことは、終局的な使用者である住民に対するサービスを低下させることにほかならず、全体の奉仕者である立場に反するとされるのである。そのほか、信用失墜行為の禁止（法三三）も全体の奉仕者としての地位、体面を傷つけてはならないという趣旨が含まれており、勤務条件の保障（法二四）や保障請求権（法四六～五一の二）には全体の奉仕者たる職員の経済条件や地位を保全する意味がこめられている。さらに、共済制度（法四三、地共済法）および公務災害補償制度（法四五、地公災法）は、全体の奉仕者としての職員に後顧の憂いをなからしめる配慮の一環である。要するに、地方公務員制度のきわめて多くの部面にわたり、全体の奉仕者たる性格が基調となって制度が組み立てられているのであり、それがそれぞれの特殊性を形成する要件となっているものである。

二　公共の利益

〔趣旨〕で述べたように、公共の利益は社会的概念である。公共の利益は憲法がいう公共の福祉（憲法一二、一三、二二1、二九2）と同義であると解されるが、その具体的な定義はなく、何が公共の福祉、公共の利益であるかということは、社会の実態に即し、総合的に、かつ、多くの場合は相対的に判断されなければならない。

国、地方公共団体と民間の企業などは、いずれも事務、業務の遂行組織であり、それぞれ目的を持つ集団である点では同じであるが、両者の基本的な違いは、後者が利益その他の特定の目的を追求する組織であるのに対し、前者は公共の利益という総合的、複合的目的を追求する組織であるという点にある。後者の事務、事業の効率および成果は、たとえば、営利会社の場合には、利益の多寡という単一の尺度で量られ、その判断は比較的容易であるが、前者の事務、事業において公共の福祉、公共の利益が増進されたかどうかは、単一の尺度がない場合が多く、多元的な観点から総合的に判断しなければならない（名古屋地裁平一六・一・二九判決（判例タイムズ一二四六号一五〇頁）参照）。行政効果の測定が困難なゆえんである。たとえば、道路を整備することと集会施設を建設することのいずれを選択することがより住民の福祉を増進するのか、あるいはその両方を部分的に時間をかけて実施すべきであるのか、判断されるべき要素はきわめて多く、判断の基準は多岐にわたる。これを政策として判断する責任を負うのは地方公共団体の議会であり、長その他の執行機関である。そしてその政策の遂行に当たる職員もいかにすれば、より能率的で的確な政策を企画立案し、および遂行しうるかを判断し実行する責任を負うものである。職員は、この困難な判断に常に直面していることを自覚していなければならない。

三　職務専念義務

職員の職務専念義務の具体的な内容は、第三五条で述べるが、本条で服務の根本基準として職務専念義務を掲げているのは、これが他の服務規定の基本原理となっているからである。たとえば、法令および上司の職務上の命令に従う義務（法三二）は、職務専念義務の内容を定めるものであり、営利企業への従事等の制限（法三八）は、職務専念義務に悪影響を及ぼさないよう配慮する趣旨を含むものである。そのほか、研修（法三九）は専念すべき職務の内容を一層充実させようとするものであるし、身分保障や勤務条件の保障、さらには福利厚生制度なども、間接的に職務専念義務を支える制度であるということができよう。

なお、本条は、職務の根本基準として、地方公務員制度の基幹をなす規定であるが、この規定自体は精神的ないし倫理的規定であり、この規定違反による懲戒処分ということはないと解されている。この規定の精神に反する行為は、法令および上司の職務上の命令に従う義務（法三二）、信用失墜行為の禁止（法三三）、職務専念義務（法三五）などの個別の服務規定違反として措置されることになる。

（服務の宣誓）

第三十一条　職員は、条例の定めるところにより、服務の宣誓をしなければならない。

〔**趣　旨**〕

服務の宣誓の意義

服務の宣誓は、職員の倫理的自覚を促すことを目的とする制度である。この制度はアメリカ合衆国の影響によって戦後わが国の公務員制度に取り入れられたものであり、キリスト教に基づく倫理観が日常生活のあらゆる面に深く根付いている西欧諸国の場合は、神に対する宣誓の効果はきわめて大きい力をもつといってよいであろう。

国情および宗教と市民生活のかかわり方が西欧諸国と異なるわが国においては、宣誓はもっぱら職員個人の良心と自覚によって担保されることになる。

宣誓の制度が、国情を異にする国からの外来のものであり、その効果の担保に必ずしも確信をもてないことから、昭和三〇年（一九五五年）一一月の公務員制度調査会「公務員制度の改革に関する答申」においては、国家公務員の宣誓について、警察官、自衛官等特定の者を除いてこれを廃止すべきであるとしている。現在の制度があることにより、格別の支障はないと思われるが、法律上の制度とする実益があるかどうか疑問であり、むしろ研修、採用の技法をさらに工夫して公務員倫理の確立をはかる方が有効であると思われる。

〔解　釈〕

服務の宣誓の方法など

服務の宣誓は、条例で定めるところにより行わなければならない。いつ、どこで、どのような方法でどのような内容の宣誓を行うかは、もっぱら条例の定めに委ねられているのであるが、この条例については、次のような案が示されている（昭二六・一・一〇　地自乙発第三号）。

○職員の服務の宣誓に関する条例（案）

（この条例の目的）

第一条　この条例は、地方公務員法（昭和二十五年法律第二百六十一号）第三十一条の規定に基き、職員の服務の宣誓に関し規定することを目的とする。

（職員の服務の宣誓）

第二条　新たに職員となつた者は、任命権者又は任命権者の定める上級の公務員の面前において、別記様式による宣誓書に署名してからでなければ、その職務を行つてはならない。

2　地方公務員法第二十二条の二第一項に規定する会計年度任用職員の服務の宣誓については、前項の規定にかかわらず、任命権者は、別段の定めをすることができる。

（権限の委任）

第三条　この条例に定めるものを除く外、職員の服務の宣誓に関し必要な事項は、任命権者が定めることができる。

附　則

1　この条例は、公布の日から施行する。

2　この条例施行後三十日以内に新たに職員となつた者は、第二条の規定にかかわらず、この条例施行後三十日間は、宣誓を行う前においてもその職務を行うことができる。

附　則（昭二九・六・二二自丙公発第二二号）

この条例は、昭和二十九年七月一日から施行する。

別　記

様式一　（地方警察職員（市町村にあつては、消防職員）以外の職員）

私は、ここに、主権が国民に存することを認める日本国憲法を尊重し、且つ、擁護することを固く誓います。

私は、地方自治の本旨を体するとともに公務を民主的且つ能率的に運営すべき責務を深く自覚し、全体の奉仕者として誠実且つ公正に職務を執行することを固く誓います。

年　　月　　日

氏　　名㊞

様式二　（地方警察職員）—都道府県

私は、日本国憲法及び法律を忠実に擁護し、命令及び条例を遵守し、地方自治の本旨を体し、警察職務に優先してその規律に従うべきことを要求する団体又は組織に加入せず、何ものにもとらわれず、何ものをも恐れず、何ものをも憎まず、良心のみに従い、不偏不党且つ公平中正に警察職務の遂行に当ることを固く誓います。

年　　月　　日

様式三（消防職員）——市町村　　氏　名㊞

私は、日本国憲法及び法律を尊重し、命令、条例、規則及び規程を忠実に擁護し、消防の目的及び任務を深く自覚し、その規約が消防職務に優先して従うことを要求する団体又は組織に加入せず、全体の奉仕者として誠実且つ公正に消防職務の遂行に当ることを固く誓います。

年　月　日

氏　名㊞

職員の服務上の義務は、この宣誓をすることによって生じるものではなく、職員として採用されたことによって当然に生じるものである。宣誓は、職員が服務上の義務を負うことを確認し、宣言する事実上の行為であり、それによって服務上の義務に特別の効果が生じるものではないと解される。ただし、服務の宣誓を行うという事実行為自体は職員の義務であるから、職員の責に帰すべき事由によりこれを行わなかったときは、服務義務違反となるものである。また、服務の宣誓は、あらたに職員となったその都度行わなければならないものであり、退職した職員がふたたび職員として採用されるときは改めてこれを行う必要がある。

（法令等及び上司の職務上の命令に従う義務）

第三十二条　職員は、その職務を遂行するに当つて、法令、条例、地方公共団体の規則及び地方公共団体の機関の定める規程に従い、且つ、上司の職務上の命令に忠実に従わなければならない。

〔**趣　旨**〕

法治主義の原則と職務上の命令

近代国家の基本原則の一つに法治主義の原則があり、とりわけ国権の執行に当たる行政は、法律すなわち国民の合意である法規範に則って行為しなければならないこととされている。国権を分与された地方公共団体の行政も当然に法治主義の支配下にあり、現実に行政の執行に従事する職員は、その執行に関する法規に忠実に従って事務、事業を遂行しなければならない。

このことは現在のわが国の行政制度における自明の原理であると考えられ、本条で職員が法令の規定に従って職務を行うべきことを規定しているのは、この自明の理を明文化したに過ぎないと考えられる。しかし、本条が服務規定として明文化された以上、これは単なる精神規定ではなく、職務執行に関する法令に違反したときは、地方公務員法第二九条第一項第一号の「この法律……に違反した場合」に該当することになり、懲戒処分の対象となる。

ところで、平成一〇年（一九九八年）前後に国家公務員による汚職事件が多く発覚したことから、同一一年（一九九九年）八月一三日法律第一二九号として国家公務員倫理法が制定され、その中で「地方公共団体は、この法律の規定に基づく国の施策に準じて、地方公務員の職務に係る倫理の保持のために必要な施策を講ずるよう努めなければならない。」（倫理法四三）と規定されるに至った（なお、その後の改正によって特定地方独立行政法人についても地方公共団体に対すると同様の努力義務が課されている。）。この法律は、倫理原則を定めたうえで、それを踏まえた国家公務員倫理規程を定めることを内閣に義務づけ（同法第二章）、本省の課長補佐級以上の職員についての贈与などの報告、本省審議官級以上の職員についての株取引などおよび所得などの報告とその報告書の保管と閲覧について定め（同法第三章）、国家公務員倫理規程の実効性を確保するために国家公務員倫理審査会を設置すること（同法第四章）などを定めているが、地方公務員法は条例または規則により服務上の義務を課することを認めていないので、これらに準ずる施策としては、職務上の命令（法三二）として行うことができる範囲のものに限られることになる（国家公務員倫理審査会に準ずるものは附属機関（自治法二〇二の三）として設置することになろう。）。

〔解　釈〕

一　法令等に従う義務

職員は、その職務を遂行するに当たって、法令、条例、地方公共団体の規則および地方公共団体の機関の定める規程に従わなければならない。まず、職員が本条によって法令などに従わなければならないのは「その職務を遂行するに当つて」である。すなわち、職員に割り当てられた職務の遂行について定められている法令の遵守が規定されているのである。したがって、職員の職務の遂行と直接には関係のない法令、あるいは職員が一市民として遵守しなければならない法令に違反したとき、たとえば、道路交通法規に違反した場合であるとか刑法上の犯罪を犯したとき、または職務とは関係のない個人的な事柄について法律で定める届出を怠ったようなときには、本条違反の問題は生ぜず、もし、それらが懲戒処分の対象となるとすれば、信用失墜行為の禁止（法三三）の違反または全体の奉仕者たるにふさわしくない非行（法二九1③）に該当することによってである。なお、運転手である職員が職務としての運転中に道路交通法規に違反したときは職務遂行に当たって法令に違反したことになるものであり、刑法の収賄をした職員も職務遂行に当たって法令に違反したことになる。

次に、本条でいう「法令、条例、地方公共団体の規則及び地方公共団体の機関の定める規程」とは何を指すかということであるが、まず、法令というのは、法律、政令はもとより、これを実施するための国の府省令をも含むものと解される。しかし、国の通達は前述の法令の解釈例規とはなりえても、ここでいう法令ではないことは当然である。また、条例とは、地方自治法第一四条の条例であり、地方公共団体の規則とは、同法第一五条の長の規則であって、いずれも正規の手続を経て有効に制定され、施行されているものである。次に、「地方公共団体の機関の定める規程」の内容は必ずしも明らかではないが、法律に根拠を有する長以外の地方公共団体の執行機関（自治法一八〇の五1〜3）が定める規則、執行機関ではない地方公営企業の管理者が定める企業管理規程が含まれることは明らかである。また、任命権者やその命を受けた者が定める「訓令」もここでいう「規程」に含まれるものと解される。通常、訓令は、次項で述べる職務命令の一種と考えられているが、法規の形式をとった一般的な職務命令が訓令と呼ばれており、それは「規程」であると同時に職務命令であるといってよい。

二　職務命令に従う義務

(一)　職務命令を発する上司

本条は「職員は、……上司の職務上の命令に忠実に従わなければならない。」と定めるが、ここでいう「職務上の命令」は、その性質に従って「職務上の命令」と「身分上の命令」に分けて説明されるのが通常である。しかし、このようにするときは、「職務上の命令」という用語がいずれの「職務上の命令」を意味するのか不明となる。そこで、「職務命令」を上位概念とし、それを性質に従って分類した下位概念として「職務上の命令」と「身分上の命令」を位置づけるのが適当である。本書においてもこの用法に従うが、上位概念としての職務命令を考えるに当たって最初に問題になるのが、上司とは誰かということである。

まず、「上司」とは、その職員との関係において、これを指揮監督する権限を有する者をいう。上司とは、指揮監督の系列において上位の職にある者といってもよいであろう。しかし、任用上の地位が上位にある者が、必ず上司となるわけではない。たとえば、農林部の職員に対し、農林部長は上司であるが、通常の場合、民生部長は上司ではない。要するに身分的な上下の関係ではなく、職務に関する職と職との上下の関係であるということである。

次に、上司は、職務上の上司と身分上の上司に分けることができる。職務上の上司とは、職務の遂行について職員を指揮監督する者であり、身分上の上司とは職員の任用、分限、懲戒などの身分取扱いについて権限を有する者である。通常は、身分上の上司は職務上の上司でもあるが、時には両者が明白に分離する場合がある。たとえば、知事または市町村長に属する職員が他の執行機関の事務に従事することを命じられた場合は（自治法一八〇の三）、知事または市町村長は身分上の上司であり、当該執行機関が職務上の上司である。また、休職中の職員または在籍専従職員に対しては、任命権者は身分上の上司であって、一般的には職務上の上司ではない。また、異なる任命権者に属する職を兼職したとき、あるいは派遣職員（自治法二五二の一七）のように、複数の身分上の上司および職務上の上司が存在することもある。

なお、県費負担教職員については、本条の特例がある。すなわち、県費負担教職員の勤務条件は都道府県の条例で定められ（地教行法四二）、その任命権は都道府県教育委員会に属するが（同法三七1）、その服務は県費負担教職員の身分が属することとされている市町村の教育委員会が監督するものである（同法四三1）。そして、県費負担教職員は、その職務を遂行するに当たって、法令、当該市町村の条例および規則ならびに当該市町村教育委員会が定める教育委員会規則および規程ならびに都道府県が定める勤務条件に関する条例および任命、分限、懲戒に関する条例に従い、かつ、市町村教育委員会その他職務上の上司の職務命令に忠実に従わなければならないとされている（同法四三2）。

㈡　職務命令の種類

職務命令は、「職務上の命令」と「身分上の命令」に区別することができることは前述した。前者は職務の執行に直接関係する命令、たとえば、公文書を起案する命令、出張の命令などがこれに当たる。後者は職務の執行とは直接の関係を有しない命令、たとえば病気療養の命令（職務専念義務を免除することが必要となる。）、受診命令、名札着用の命令などである。職務上の命令は、職務上の上司のみが発しうるが、身分上の命令は職務上の上司および身分上の上司のいずれもが発することができるものの、身分上の命令といえども職務と無関係に発することはできない。ここでいう職務上の命令というのは、対象となる職員が担当する具体的な職務に関するものであり、身分上の命令というのは職員としての地位一般に関するものであるということはできるが、その区別は相対的なものである。

㈢　職務命令の要件

職務命令が有効に成立するためには、次のそれぞれの要件を充足していることが必要である。

１　権限ある上司から発せられたこと　㈠で述べた上司が発した職務命令でなければならず、地位が上級であっても上司でない者が発した指示や依頼は職務命令たりえない。また、階層的に上下の関係にある二以上の上司が同一事項について異なる職務命令を発したときは、上位の上司の職務命令が優先する。したがって、所属の部長と課長の命令が矛盾するときは部長の命令が優先し、その限りで課長の命令は効力を生じないこととなる。

２　職務に関するものであること　上司の職務上の命令は、その職員の職務に関するものでなければならない。たとえば、通常の場合、税務課の職員に保健衛生の事務に関する命令をしても無効である。このことについて注意を要するのは、職員に割り当てられる職務は固定的ではないことである。職員の職務は法令その他の諸規程によってその範囲が定まるだけでなく、職務命令によって職務がより具体的に定まり、あるいは付加されることがある。たとえば、通常の仕事のほかに特命によって新しい仕事が割り当てられる場合や、通常の仕事のほかに宿日直を命じられることなどである。西欧諸国のように職務記述書によって職務の範囲が明確な場合には、職務命令の範囲も明確であるが、集団的に職務を遂行する慣行のあるわが国の場合は、職務の範囲もやや流動的で、職務命令の範囲もこれに応じて変化するといえよう。ちなみに、小学校の音楽専科の教諭に対して、入学式の国歌斉唱の際に君が代のピアノ伴奏を行うことを内容とする校長の命令を適法とした判例（最高裁平一九・二・二七判決　判例時報一九六二号三頁）、卒業式や入学式などの式典に際し、教職員に対し、国歌斉唱の際に国旗に向かって起立して斉唱することを内容とする校長の命令を適法とした判例（最高裁平二四・二・九判決　判例時報二一五二号二四頁）がある。

3　実行可能であること　職務命令が実行可能であるというのは、法律上または事実上の不能なことを命ずるものではないことをいう。法律上の不能とは、地方税の納税を済ませた者に対する差押の命令、政治的行為の制限に反する行為の命令、犯罪行為を行う命令などのように、法律上の権限がないことや法律が禁止していることを命ずることである。事実上の不能には、物理的不能と社会通念上の不能とがあり、前者の例としては消滅した物件の収用を命令すること、後者の例としては知識、経験が皆無の者に工事の設計を命ずるようなことをあげることができる。

職務命令の手続および形式は、職務命令の効力の要件ではない。すなわち、その手続および形式については、別段の制限はなく、要式行為ではないから口頭によっても文書によってもよい。運用上は、その命令の内容が複雑で、実施に正確を期すべきときには文書によることが適当であろう。次に、職務命令は、個々の職員に対してなされるものと、機関に対してなされるものとに区別することができる。前者は、その命令を受けた職員限りのもので、職務上の命令の場合は当該職員が離職したり転職した場合には効力を失う。後者は機関という抽象的存在に対してなされ、その機関の地位を占める個々具体の職員が交替してもその命令は引き続き効力を有する。職務命令が服務規程のように法規として制定された場合には、機関（この場合にはすべての職員という複数の機関）に対する命令であるが、同じ成文化された命令でも通達の場合には、その内容によって個々の職員に対するものと機関に対するものとに分かれる。

㈣　身分上の命令の限界

職務命令のうち、身分上の命令については、前記㈢で述べた要件のほかに、条理上の限界を検討しておく必要がある。まず、一般的には、身分上の命令といえども職務に関連するものであるから、公務としての地位または職務との関係において、合理的な範囲内でなされなければならない。その範囲を逸脱したと思われる命令、たとえば、戦前の警察官の娶妻願のように職員が婚姻する場合に上司の許可を得るよう命令することはできない。しかし、その範囲内においては、個人的な自由を制限することは可能であり、憲法の基本的人権も同じく憲法の要請である公共の福祉の見地から制限することが可能である。たとえば、職務上の見解を公表する場合に上司の許可を得るよう命ずることは可能であり（表現の自由（憲法二一）についての東京地裁昭二六・四・三〇判決（行政事件裁判例集二巻六号九四七頁））、特定の職員に職務の必要上公舎に居住するよう命ずることもできる（居住の自由（憲法二二Ⅰ））。そのほか、憲法上の問題ではないと思われるが、制服の着用を命ずること、名札やバッジ（職員章）の着用を命ずること（行実昭三九・一〇・一　自治公発第五三号）も可能であり、さらに、過度の飲酒を慎むよう命じること、麻雀などの遊戯に没頭することを控えるよう命じることも、そのような行為が職務に悪影響を及ぼすおそれがある場合には可能であろう。

なお、地下鉄運転業務に従事する職員についてひげをそることを内容とする身だしなみ基準を設けること自体は違法ではないが、それが職員の任意による協力以上の拘束力を持ち、人事考課において考慮事情とし得ると解するとすれば、それを合理的な制限であると認めることはできないとして、ひげを生やしていたことを主要な考慮要素とする人事考課を国家賠償法上違法とした判決（大阪高裁令元・九・六判決　裁判所ウエブサイト）、交通局の職員に対し入れ墨の有無等に関する調査に回答することを義務付ける交通局長の職務命令は適法であるとして、戒告処分を認容した判決（大阪高裁平二七・一〇・一五判決（判例時報二二九二号三〇頁）、最高裁平二八・一一・九決定で確定）がある。

㈤　職務命令に対する部下の審査権

部下が上司の職務命令を審査することができるかどうかという問題がある。まず、職務命令が当然無効である場合、すなわち、職務命令に重大かつ明白な瑕疵がある場合には、部下はこれに従う義務はない。たとえば、職務専念義務（法三五）に違反して職務を放棄するよう命じられた場合、政治的行為の制限（法三六）に違反して特定の公職の候補者のために選挙運動を行うよう命じられた場合、庁用自動車の運転手が制限スピードを超えて運転することを命じられた場合などはいずれも当然無効の命令であり、部下はこのような命令に従う義務がないだけでなく、そのような命令に従ってはならない。

これに対し、職務命令にその取消しの原因となる瑕疵があるにとどまるとき、あるいは有効な命令であるかどうか疑義があるに過ぎないときは、職務命令は有効である推定を受け、職員はその職務命令が権限ある機関によって取り消されるまでは、その命令に従う義務がある。たとえば、労働基準監督機関の許可を得ないでなされた宿日直命令（労基法四一③）によって、職員は宿日直を行う義務を負うものとされ（行実昭三二・九・九　自丁公発第一一二号）、もし、この宿日直命令に従わなかった場合には、懲戒処分の対象になるものと解されている（行実昭三三・五・二　自丁公発第六〇号）。

要するに部下の職務命令に対する審査権とは、上司の職務命令が当然無効であるか否かを判別することであり、その判断は部下の価値判断に基づくものではなく、客観的な認定であるといえよう。

ここで違法な職務命令に従った職員の責任が問題となるが、当然無効の職務命令に従った職員はその行為およびそれによって生じた結果について責任を負わなければならない。たとえば、予算がないにもかかわらず支出命令に従って公金を支出した職員は、法令違反による懲戒処分の対象となり、また、違法支出に基づく損害賠償責任を負うこととなるものである。しかし、違法ではあるが、取り消しうべき瑕疵がある職務命令に従った職員は、その行為および結果について免責されるものと解される（最高裁平一五・一・一七判決（判例時報一八一三号六四頁）参照）。

なお、上司が発した職務命令に疑義がある職員は、上司に意見を具申することができる。かつての官吏服務紀律は、その第二条に「官吏ハ其職務ニ付本属長官ノ命令ヲ遵守スヘシ　但其命令ニ対シ意見ヲ述ルコトヲ得」と規定されていた。このただし書に相当する規定は現行法規にはないが、これは自明の理である。しかし、部下は上司に対して意見を述べうるのにとどまるのであって、上司が職務命令を取り消し、または変更しない限り、部下はその職務命令に忠実に従わなければならない。

このような考え方に対して、職員は常に上司の命令の適法性を審査し、自らの判断に基づいて行動できるし、行動しなければならないとする考え方がある。前記の考え方は、上司の命令は部下に対する行政処分（本条に基づく命令）であり、行政処分は権限のある者によって取り消されるまではすべての者を拘束する効力（これを公定力という。）を有するという行政法理論が前提となっているのであるが、この考え方は、行政処分であっても、それが違法な場合にまで拘束力を認めるのは行き過ぎであるとし、その違法性は何人でも判断できるとする見解に立脚するものである。これは、行政法における基本的な論点に係るものであり、行政に関する法律としての行政法という独立した法分野を認めるべきか否かという大問題にも繋がるものであるが、もしも、この考え方をとるときは、職務命令の適不適を判断した職員は、その判断が結果的に誤っていた場合にはそのことによる全責任を自らが負うことを覚悟しなければならない。

（信用失墜行為の禁止）

第三十三条　職員は、その職の信用を傷つけ、又は職員の職全体の不名誉となるような行為をしてはならない。

〔趣　旨〕

一　職員の非行と公務の信用

第三〇条で述べたように、職員は全体の奉仕者として公共の利益のために勤務するものであり、これを言い換えれば、公務は住民の信託を受けてこれを遂行するものであるということになる。このような職員の地位の特殊性に基づき、職員には一般の国民以上に厳しい、かつ、高度の行為規範に従うことが要求される。そして本条はこの行為規範を倫理規範にとどめることなく、法律上の規範とするものである。

職員が職務の内外において非行を行い、職自体の信用を傷つけたときは、それはその職員を一員としている公務全体の信用を損い、かつ、公務全体の不名誉ともなる。この公務に対する信用、信頼の問題は、公務員の社会的地位および国民感情と切り離して考えることができないものである。わが国の現状についての認識を率直に述べると、公務員に対する世論は非常に厳しいものがあるが、その原因の一つに公務員をいわゆる特権官僚とみて国民が強い反感をもっていることがあるように思われる。また、他の一つの原因として、国民は公務からのサービスに質量ともに大きな期待を潜在的にもっており、多少でもこれが裏切られると逆に非難が厳しくなるということもあるように思われる。いずれにしても公務員に対する期待と評価が安定していないため、公務に対する信用の問題も客観的にとらえることが困難な現状にあると考えられるのである。

二　汚職の防止その他の綱紀粛正

非行の最たるもの、すなわち、公務に対する国民や住民の信頼をはなはだしく裏切ることになるのはいわゆる「汚職」である。汚職は瀆職とも呼ばれるように、公務を直接にけがすものである。

一般的にいえば、わが国の国民性は廉恥心が強く、公務員の道徳的水準も相対的には低い方ではないといってよいように思われる。しかしながら公務員の中には、収賄などの不祥事件を起こすものが後を絶たず、しばしば世間の厳しい指弾を浴びている。汚職が公務員全体の信用を傷つけ、公務の遂行に及ぼす悪影響はまことに著しいものがあるので、地方公共団体の管理者はあらゆる配慮と手段を用いてその防止に努めなければならない。

汚職を防止する基本は、公務員自身の自覚にある。公務員は、全体の奉仕者としての使命感に徹し、自らに厳しい道徳律を課さなければならない。汚職の発端はささやかなつき合いから始まることが多いといわれる。職員が職務の遂行に当たっては些細な油断もしないよう自戒する必要があろう。

他方、上司も部下が汚職に陥ることのないよう留意を怠らず、また、防止の手段を尽くすべきである。研修を通じて職員の公務員倫理の高揚をはかること、許認可事務や工事、物品の発注など外部から誘惑のありがちなポストの人事配置および異動に配慮すること、職制上の監督と相互牽制のシステムを確立すること、内部監察を励行すること、部下の執務態度の弛緩や私生活の乱れに注意することなどが肝要であろう。

汚職の防止などのために管理者として留意すべき事項については、再三にわたり通知が発せられているところであるが、基本的なものとしては次に掲げる「地方公務員の綱紀粛正および服務規律の確保について」（昭四二・一〇・六　自治公一第五〇号）および「地方公務員の綱紀の粛正について」（昭四四・三・二四　自治公一第一〇号）が、地方公共団体が具体的にとっている措置の例については「国および地方公共団体における綱紀粛正のための具体的措置等について」（昭四四・七・一二　自治公一第一七号）別紙一がある。

○地方公務員の綱紀粛正および服務規律の確保について

地方公務員の綱紀・服務規律の確保については、かねてから法令に基づいて厳正に行なうよう要請しているところであるが、最近報ぜられるところによると、公務員による不祥事件が目立ち、統計的にも公務員の犯罪件数が増加し、ことに収賄罪、道路交通関係犯罪の増加が著しい。地方公務員のこの種の犯罪は、地方公共団体および地方公務員全体の信用と品位を失墜するものであるとともに、特にその職務に関して行なわれる犯罪は、地方公共団体の行政の公正な運営を直接に阻害するものとして重大な意味をもつものであり、まことに遺憾にたえないところである。

これらの実態に鑑み、地方公共団体においては、なお一層全体の奉仕者としての自覚に基づく新しい公務員倫理の確立と服務規律の確保に努め、関係者が今一度公に職を奉ずるという自己のおかれている厳粛な立場に思いをいたすとともに、下記事項についても検討し、最善をつくして、いやしくも不祥事によつて住民の信頼を損うことのないよう特段の配慮を払われたい。

なお、この旨をすみやかに管下市町村に対しても示達し、その趣旨の徹底に努められるようお願いする。

記

一　研修課程および職場における日常の研修を通じて公務員倫理の徹底を期するとともに、適確な勤務評定、信賞必罰の励行等適正な人事管理を通じて公務員の質の向上、明るい職場づくりを行なうこと。

二　特に管理、監督の地位にある者は、自ら部下職員の範となるよう努めるとともに、部下職員の掌握、服務規律の確立および執務能率の向上のために積極的意欲をもつて取り組むようその自覚と責任感を高めること。

三　内部査察制度を確立し、不祥事件の発生を未然に防止するとともに、不幸にして事件の発生をみた場合においては、時を失せず、これが原因および経過の究明分析に努め、再び同様の事件の発生をみることのないよう査察の徹底を期すること。

四　特に許認可、補助金査定交付事務、指名入札、工事検査等権限の行使を伴う事務処理の全般について権限の配分を再検討するとともに、運用面での内部統制および人事配置の適正に常に留意し、事故発生の防止に万全を期すること。

五　必要に応じ、職場環境をめぐる問題その他公私にわたる相談指導を行なうカウンセラーを設置する等職場の実情に即し適宜の措置をとることにより不祥事件の未然防止に資すること。

○地方公務員の綱紀の粛正について

地方公務員の綱紀の粛正および服務規律の確保については、法令に基づいて厳正に行なうようかねてからくり返し要請しているところであるが、依然として不祥事件が続発し、国民に不信と疑惑の念をいだかせるような事態があとを絶たないことは、まことに遺憾であるといわざるをえない。

先般公表された法務総合研究所の「犯罪白書」（昭和四三年版）においても、収賄関係あるいは道路交通関係の犯罪を中心に、地方公務員の犯罪が累年増加の傾向にあることが指摘されているが、地方公務員のこの種の犯罪は、地方公共団体と地方公務員全体の品位と信頼を失墜するものであるとともに、地方公共団体の行政の公正円滑な運営を直接に阻害するものとして重大な意味をもつものであることに、あらためて思いを致すべきであると考える。

政府においては、今回、総理府総務長官から別紙のとおり、この点について重ねて要請があったが、各地方公共団体においても、この際、綱紀の粛正と服務規律の確保について従来とられてきた各般の措置に対する総点検とこれについての徹底した反省を加えるとともに、地方公務員の給与その他の経費は、すべて住民の貴重な租税によって賄なわれているという厳粛な事実を職員全員があらためて再確認し、全体の奉仕者としての自覚に基づく公務員倫理の確立と服務規律の確保について重大な決意をもつて臨まれるよう強く期待するものである。

ついては、各地方団体においては下記事項についても検討を加え、今後この種不祥事件の絶滅についての具体的な方策を早急に樹立し、実施に移されるよう命によつて通達する。

なお、貴都道府県において、綱紀粛正の実効をあげるため、従来とられてきた措置および今後とられるべき方策等について、別記様式により五月一〇日までに報告されたい。

おつて、貴管下市町村に対してもこの旨すみやかに示達し、その趣旨の徹底に努められるとともに、市町村がとるべき具体的な方策等についても、上記に準じ適切な指導をされるようあわせてお願いする。

記

一　管理、監督の地位にあるものは、管理者、監督者としての確固たる意識を堅持し、部下職員の範となるよう公務員として自らその姿勢を正すとともに、部下職員の的確な把握と厳正な服務規律の確立のために積極的な意欲をもつて任にあたるよう、その自覚と責任感を高めること。

二　研修課程および職場における日常の研修においては、公務の遂行に必要な知識や技能の習得のほかに、真に住民の負託にこたえうる公務員としての倫理感、使命感の涵養につとめること。

三　許認可、請負業者指名、工事検査等権限の行使を伴う事務その他民間企業等と直接接触する事務に従事する職員については、その職の権限と責任を明確にするとともに、運用面での人事配置の適正化を図り、執務態勢面における事故発生の防止に万全を期すること。

四　勤務評定の実施と活用、昇任管理の適正化、信賞必罰の励行等、近代的、合理的な人事管理を通じて職員の資質の向上を図り、また職場環境の整備、上司と部下職員の意思の疎通等、明るい職場つくりを行なうこと。

五　内部査察を活発に行ない、万一、事件の発生をみた場合は、機を失せずその原因と経過を究明して、再発防止の対策を樹立するとともに、事故を起こした職員はいうに及ばず、とくに当該事故についての管理者、監督者の責任を明らかにして、これに対する適切な処置をとること。

（別紙略）

○国および地方公共団体における綱紀粛正のための具体的措置等について

地方公務員の綱紀粛正および服務規律の確保については、法令等に基づいて厳正に行なうようかねてから繰り返し要請しているところであるが、さきに「地方公務員の綱紀の粛正について」（昭和四四年三月二四日付け自治公一第一〇号）によって報告を求めていた「各都道府県における綱紀の粛正および服務規律の確保について実効をあげるための具体的措置」を別紙一のとおりまとめたので、参考までに送付する。

（別紙一）

各都道府県から提出された綱紀の粛正および服務規律の確保の実効をあげるための具体的措置例

（注）　本表は「従来から既にとっている措置」、「今後とる予定の方策」のそれぞれにつき、各県から提出された項目を列挙したものであるため、両者に共通した項目が含まれている場合があること

一　公務員倫理の確立、服務規律の確保のための措置

従来から既にとっている措置	今後とる予定の方策
1　研修課程への服務規律の課程の必置、強化、研修施設の拡充、改善および研修体制の整備	1　職場研修の強化、職場研修指導者の養成、研修用図書の充実
2　職場研修の実施、新規採用者に対する重点的研修	2　課長等に対する服務管理面の特別研修の強化
3　運転者研修を通じて飲酒運転の絶滅	3　研修課程における「公務員倫理」および「講話」の講義時間の拡充
4　服務関係規程の整備および「職員心得」の常時携帯	4　職場座談会の制度化
5　名札および職員バッジの着用	5　月間（旬間）励行事項の設定とその励行
6　職位別綱紀粛正の実践項目の策定	6　「服務のしおり」を全職員に配布
7　「明るい職場づくり運動」および職員機関紙を通じての公務員倫理の確立	7　職員広報の発行、庁内広報紙の積極的な活用
8　各職場毎の全職員参加による公務員倫理等の自覚を高める方策の討議	8　出張期間を一律化せず、実態にそくした日数とし、復命時における行動日数の報告の励行
9　優秀な職員の採用による職員全体の資質の向上	9　勤務状況不良な職員の指導カルテの作成による適確な指導
10　出勤時間の厳守、出勤時間中における私用の禁止および出勤状況の点検	
11　信賞必罰の励行	
12　庁舎内における飲酒、麻雀の禁止および囲碁、将棋等の自粛	
13　遠隔地、温泉地等での会議の自粛	
14　職員相互間の贈答、年末年始の宴会の自粛	
15　関係団体等に対して物品贈与の自粛について協力方を要請	

二　不祥事件を防止するための措置

従来から既にとつている措置	今後とる予定の方策
1　許認可事務、税務事務等権限の行使を伴なう事務に従事する職員の人事配置の適正化と適期配転	1　許認可事務従事職員の配転基準の確立
2　適材適所主義の定期的人事異動の実施	2　許認可事務等の処理手続の標準化
3　身上明細書等の定例的提出、管理者のヒヤリング、あるいは所属長提出の服務月報などにより、職員の勤務状況、性質の把握に努め、適正配置の実施	3　許認可事務の執務、汚職防止等に関する手引書の作成
4　管理職職員が、部下職員の相談相手となり、職員個人に対する理解を深め、職員の行動、意見等を具体的に把握し、事件の未然防止を図る。	4　権限事務の複数処理、事務の分離等による内部けん制措置の強化
5　職員の公私にわたる問題の解決に応ずるため、職員相談員（非常勤）の設置	5　管理者の月別事業計画の策定と点検による事故の未然防止
6　行政管理室等の監察専門機構の常設による内部査察制度の実施	6　専任監察官による行政監察制度の設置を検討
7　行政考査、あるいは人事考査を総合的に行なう考査制度の実施	7　人事管理を重視した内部査察制度の充実
8　監察主幹、綱紀委員、人事管理長等の設置による服務規律の確保	8　管理監督者に対する専門知識者等による講演会の開催による人事管理研修の強化
9　各種事業における契約事務、事業実施事務と検査事務の分離、用地買収における調査業務と補償業務の分離等によるチエック体制の確立	9　事故防止対策の連絡機関として各部課長会議の定例的開催
10　許認可事務、現地調査等の事務処理の複数制の採用	10　運転適性検査、交通安全に関する講座、交通違反等の処分基準の制定等の交通事故防止対策の策定実施
11　定期的車輌整備の点検、自動車管理規定の制定、事故報告の義務づけ、運転適性検査の実施、交通事故に係る懲戒処分基準の設定および「交通安全のしおり」を全職員に配布する等による事故防止	11　運転手採用時における適性、性格、身体検査等の重視
12　関係業者に対する不祥事件防止のための協力要請	12　業者指名基準の全庁的統一とその規則化
13　関係業者との遊技および年末年始、中元等の贈答品の受領禁止	13　不正業者の排除に関する相互通報体制の確立
14　関係機関への役職就任の禁止	14　汚職業者の指名停止期間の延長

三　責任体制の整備、確立のための措置

従来から既にとつている措置	今後とる予定の方策
1　事務決裁規程、文書管理規	1　事務決裁規程等の改正によ

<table>
<tr><td>程等の制定、整備による責任体制の明確化
2　各部の行政事務管理改善調査の実施による管理体制の整備
3　部別責任体制の確立による組織の末端までの徹底
4　事務連絡会議を通じ、管理監督者及び一般職員の資質の向上を図り、事務執行の適切な実施の指導
5　各部の関係諸会議に総務部長、人事課長が積極的に出席し、管理監督者の率先垂範と部下職員への適切な指導監督の示達
6　年末、年始又は随時に知事から全機関の長に管理者意識の高揚を訓示
7　各機関内部の事務分担についてのチエツクシステム等について各所属長に示達
8　監督責任の厳正な追及
9　管理研修における人事管理講座の重視</td>
<td>る責任所在の一層の明確化
2　管理監督職員の責任体制の確立
3　懲戒基準の設定による公正かつ厳正な処分
4　請負工事等の執行上の相互けん制の実施
5　工事検査制度についての根本的な検討
6　地方出納事務所の設置による出納部門と事業部門間の責任体制の確立
7　職務分析の全庁的実施を企画検討し、職位に応じた責任体制を確立すること。</td></tr>
</table>

四　勤労意欲向上のための措置

<table>
<tr><th>従前から既にとつている措置</th><th>今後とる予定の方策</th></tr>
<tr><td>1　表彰制度を設け、勤務成績良好で他の職員の模範となる者の表彰の実施
2　運転手で長年安全運転を続け勤務成績良好な者に対する積極的な特別昇給の実施
3　勤評の実施による昇任人事および適材適所への職員の配置
4　吏員昇任試験および係長昇任試験の実施
5　本庁、出先機関および他部局との積極的な人事交流の実施
6　能力開発担当主幹（人事課）の設置
7　職員の苦情の解決促進のための職員監督制度等の設置</td>
<td>1　表彰制度の再検討
2　信賞必罰を明確にするため、功績者、善行者等に対するほう賞制度の確立
3　事務改善の提案制度を設け、優秀な提案に対する表彰制度の創設
4　勤評の活用についての検討
5　能力評定制度、自己申告制度の整備による職員の執務体制の積極化
6　係長昇任試験による公平な人材の登用
7　職場相談員等の制度を設け、職員の苦情、生活上の問題等全般にわたる助言、指導の実施
8　ブレーンストーミング、レクリエーション等の実施による明朗な職場環境の確立
9　職場内の意志疎通をはかるための施策の遂行（庁内報の発行、朝会の実施、報告の励行、管理監督職員と部下職員との対話等）
10　職員の意識調査を実施し、分析のうえ対策の樹立</td></tr>
</table>

（別紙二・三略）

また、平成一〇年代の末（二〇〇〇年代の初め）になって資金の不適正な取扱い、工事発注を巡る不祥事、休暇の不適正な取得、飲酒運転による交通事故などが相次いだことから、次に掲げる「地方行政及び地方公務員に対する信頼の回復について」（平一八・一一・七　総行公第七五号）の通知が発せられたが、その後、市町村が国民年金保険料の徴収を行っていた時代における保険料の着服事案の存在が明らかになったことを受けて発せられた「地方行政及び地方公務員に対する信頼の回復と服務規律の確保について」（平一九・一〇・二　総行公第八一号）の通知においては、厳正な服務規律の確保と行政執行体制の確立に全力を尽くすこととあわせて、違法行為または服務規律違反の行為があった場合に懲戒処分や刑事告発を含めた厳正な措置をとるとともに、国民・住民への説明責任を果たすことが要請されている。

○地方行政及び地方公務員に対する信頼の回復について

最近、地方公共団体において、資金の不適正な取扱い、工事発注を巡る不祥事、休暇の不適正な取得、飲酒運転による交通事故など不祥事件が相次いでいることは、国民・住民の地方行政に対する信頼を大きく揺るがすものであり誠に遺憾である。

言うまでもなく公務員には全体の奉仕者としての使命を自覚した上で国民本位、住民本位の行政の推進に全力を尽くすことが強く求められている。

「地方にできることは地方に」との原則に基づき、国民の理解や信頼の下、地方分権を一層推進していこうとする中にあって、一部の地方公共団体とはいえこのような不祥事件が起こっていることは、誠にゆゆしき事態である。

各地方公共団体においては、これまでも職員の綱紀粛正について数々努力していることは承知しているが、一連の不祥事件を地方公共団体全体の信頼に関わる重大な問題と認識していただく必要があると考える。

ついては、特に下記事項に留意の上、これまでの綱紀粛正の取組が適切であったか、あるいは不祥事を引き起こす土壌がなかったか厳しく見直すことにより、公務員倫理の確立や適正な行政執行体制の実現を図り、地方行政及び地方公務員に対する信頼の回復に努められるようお願いする。

なお、貴都道府県内の市区町村に対しても速やかにこの旨を周知徹底するよう併せてお願いする。

以上、命により通知する。

記

1　職員一人一人が、不祥事の再発防止を期し、全体の奉仕者であることを改めて強く自覚し、国民本位、住民本位の行政の推進に全力を尽くすこと。また、最近における不祥事件には、管理、監督の地位にある者によるものがあるが、これらの者は部下職員を指導する立場にあるものであり、まずは部下職員の範となるよう公務員として自らその姿勢を正すとともに、部下職員に対しては、服務義務、公務員倫理に係る周知徹底を図り、全体の奉仕者としての自覚を促すこと。

2　公金の取扱い及び予算執行等については、関係法令にのっとって適正に行うこと。また、情報公開の徹底や監査等の監視機能の強化等を通じ、透明性の向上と公正の確保を図ること。

3　公共工事の入札・契約については、事務手続のより一層の透明性、公平性の確保のため必要な改善を加えること。また、担当職員に対する権限の集中を避け、監督者の責任体制を確立するとともに、部内における内部けん制機能の発揮に努めること。

4　休暇、休職、勤務時間については、その制度趣旨にのっとって適切に運用・管理を行うこと。特に、病気休暇の承認や病気による休職処分については、十分な事実確認に基づいて行うこと。

5　言うまでもなく飲酒運転は許されないことであり、職員に対し、飲酒運転をしないよう一層の周知徹底を図るとともに、管理職員による部下職員に対する飲酒運転防止の指導を強化する等、職員による飲酒運転が根絶されるよう努めること。

6　違法行為又は服務規律違反の行為があった場合においては、速やかに実情を調査し、厳正な措置を採るとともに、不祥事の再発を防止するための行政執行体制の確立を図ること。

〔解　釈〕

信用失墜行為の内容

職員は、その職の信用を傷つけ、または職員の職全体の不名誉となるような行為をしてはならない（本条）。まず、「その職の信用を傷つけ」とは、当該職員が占めている職の信用を毀損することであり、職務に関連して非行を行った場合である。たとえば、職務の執行に当たって職権を濫用したり、収賄を行って職務上便宜をはかることなどがこれに該当する。そしてその職を傷つけるような非行は同時に職全体の不名誉となる行為でもあるといってよいであろう。

「職員の職全体の不名誉となるような行為」とは、職務に関連する非行も含まれるが、必ずしも直接に職務とは関係のない行為も含まれる。すなわち、職員の個人的な行為であっても、職員が地方公務員としての身分を保有している以上、公務に悪い影響、不名誉を与える場合がある。たとえば、職員が勤務時間外に飲酒運転を行ったとき、常習の賭博を行ったとき、道徳的に強い非難を受けるようなスキャンダルに関係したときなど、それぞれは個人的な事件であったとしても、職員としての身分のつながりから、公務全体あるいは職全体に対して社会的な非難がなされ、その信用が損なわれることになることがある。

具体的にどのような行為が信用失墜行為に該当するかということについては、一般的な基準は立てがたく、健全な社会通念に基づいて個々の場合について判断するほかない。たとえば、職権濫用（刑法一九三）、収賄（刑法一九七）など職務に関する罪に該当する場合はもとより、職務の執行とは直接関係ない酒気帯び運転の場合（道路交通法六五、一一七の二①）などのように刑罰を科せられる場合に限られず、争議行為等の禁止（法三七）違反のような服務規定違反も信用失墜行為に該当することが多いであろう。さらに、来庁者に対して粗暴な態度をとったという直接には特定の服務規定に必ずしも違反しない行為も本条の信用失墜行為となることがあり得る。このような事例の場合には、それぞれの情況によって個別に判断せざるを得ないが、それは任命権者の恣意的な判断を許すものではなく、客観的、社会的に納得される判断でなければならない。

かつての官吏服務紀律には、職務の内外を問わず廉恥を重んじ貪汚の行為をしてはならないこと（同令三）、威権を濫用せず、懇切丁寧でなければならないこと（同令三２）、官庁の工事請負者などから接待を受けてはならないこと（同令九）、浪費したり過分の借金をしてはならないこと（同令一四）などが規定されており、これらの行為は一応信用失墜行為の判断の基準になると思われる。しかし、これらの行為類型もなお抽象的、相対的であるので、実際にはさらに具体的に検討する必要があろう。

なお、国家公務員倫理法は職員が遵守すべき職務に関する倫理原則として次のものを定め（倫理法三）、国家公務員法第八二条第一項第一号はこれに違反した場合は懲戒処分の対象となるとするが、そのような規定をまつまでもなく、これらに違反するような行為の多くは、本条違反または全体の奉仕者たるにふさわしくない非行があった場合に該当し、地方公務員法第二九条第一項により懲戒処分の対象となるものと解される。

１　職員は、国民全体の奉仕者であり、国民の一部に対してのみの奉仕者ではないことを自覚し、職務上知り得た情報について国民の一部に対してのみ有利な取扱いをする等国民に対し不当な差別的取扱いをしてはならず、常に公正な職務の執行に当たらなければならない。

２　職員は、常に公私の別を明らかにし、いやしくもその職務や地位を自らや自らの属する組織のための私的利益のために用いてはならない。

３　職員は、法律により与えられた権限の行使に当たっては、当該権限の行使の対象となる者からの贈与等を受けること等の国民の疑惑や不信を招くような行為をしてはならない。

ちなみに、人事院は人事院規則二二―一（倫理法又は同法に基づく命令に違反した場合の懲戒処分の基準）を定め、その違反の態様によって免職、停職、減給または戒告のいずれかの処分を行うこととするとともに、相当の理由があるときはいずれの処分も行わないことがあることを明らかにしている（第二九条の〔解釈〕三参照）。

（秘密を守る義務）

第三十四条　職員は、職務上知り得た秘密を漏らしてはならない。その職を退いた後も、また、同様とする。

２　法令による証人、鑑定人等となり、職務上の秘密に属する事項を発表する場合においては、任命権者（退職者については、その退職した職又はこれに相当する職に係る任命権者）の許可を受けなければならない。

３　前項の許可は、法律に特別の定がある場合を除く外、拒むことができない。

〔趣　旨〕

一　行政と秘密

現代の行政は、住民登録、年金、医療保険、教育、税務に代表されるように、膨大な個人の情報や企業活動に関する情報の収集と蓄積がなければ、その目的を達成できないようになっている。行政は、これらの情報を得るために自ら調査を行うだけでなく、住民や企業に各種の届出義務を課す法令も多い。また、各種の許認可は必然的にそれに関する情報を行政に提供することになるし、職員がその担当する事務を遂行する過程で取得する（知る）情報は、当該事務に直接関係するものに限られない。そして、これらの情報がみだりに外部に漏洩されるときは、当該地方公共団体の利益を害することがあるほか、個人生活に関するものであれ、企業活動に関するものであれ、それによって不利益を被ったり、不快を感じたりする者が生じ、そのことの故に、行政に対する情報の提供に非協力となり、あるいは行政に対する不信の念を引きおこすことになる。しかるときは、行政が必要とする情報を円滑に収集することが困難となり、以後の行政の執行に重大な支障をきたし、行政目的の達成に困難の生ずることが容易に推測される。

本条は、このような観点から、職員に対して、職員である間はもちろん、職を退いた後においても、職務上知り得た秘密を漏らしてはならず、法令の定めるところにより職務上の秘密を発表せざるを得ない場合にも、任命権者の許可を受けなければならないことを定めている。このことは、本条が守ろうとするものが行政に対する信頼であり（最高裁平一七・一〇・一四決定（判例時報一九一四号八四頁）参照）、その効果として、結果的に個人のプライバシーや企業秘密を守ることになることがあるとしても、本条の直接の保護法益が後者にあるわけではないことを意味する。もしも、本条が個人のプライバシーや企業秘密を守ることを目的とするものであれば、秘密を守る義務の解除が任命権者の許可によってなされることの説明がつかない。また、プライバシーの侵害は、各種名簿などのように必ずしも秘密とは言い難い情報の提供や公開によっても生じ得るのであり、その意味でも本条と直接の関係はない。ただ、私法上の不法行為を構成するプライバシーに関する事項や企業秘密の漏洩が職員によってなされた場合は、公務に対する不信を招き、行政への非協力をもたらすおそれがあることがほとんどであろうから、そのような行為が本条による守秘義務に違反すると評価されることが多いということはできるであろう。なお、秘密を漏らした職員には、本条違反だけではなく、信用失墜行為の禁止（法三三）違反の問題が生ずることもあり得る。

二　情報公開と個人情報保護

行政の正当性の根源は主権者たる住民からの信託にあり（憲法前文参照）、主権者が民主主義の原理に基づいて参政権や行政に対する監視の権限を行使するためには、行政に関する正確な情報が提供されなければならない。また、情報が公開され、特定の施策が採択され、または採択されないことの根拠が明らかにされることが行政に対する信頼を高め、住民の行政への積極的な参加にも繫がる。このような観点から、行政の判断による情報提供が積極的になされるようになり、情報あるいは公文書の公開に関する条例が制定されるようになっている。

一方、個人の情報については、詐欺的な商法やストーカー行為などに悪用されたり、ダイレクトメールなどのように本人に不快感を与えるような利用がなされるなどのことから、その保護の重要性と必要性が認識されるようになり、特に地方公共団体においては個人情報が集中的に収集、蓄積されていることを考慮して、その保護のための条例が制定されていたが、デジタル社会の形成を図るための関係法律の整備に関する法律（令和三年法律第三七号）によって個人情報の保護に関する法律が改正されて、地方公共団体の個人情報保護制度についても全国的な共通ルールが規定され（地方公共団体は、保有個人情報の開示、訂正及び利用停止の手続並びに審査請求の手続に関する事項について、同法第五章第四節の規定に違反しない限りにおいて、条例で必要な事項を定めることができる。）、全体の所管が個人情報保護委員会に一元化されるとともに、公立の病院・大学等にも原則として民間の病院・大学等と同等の規律が適用されることとなって、医療分野・学術分野の規制が統一された。

情報公開についての条例を制定している地方公共団体のほとんどにおいては、当該条例において個人情報などの開示しない情報（行政文書）を特定し、それ以外を開示するものとしており、個人情報の保護に関する法律はそこで開示しないこととされている個人情報の開示などについて定めるという関係にあるものと理解されるが、いずれにおいても本条との関係については必ずしも整理されていないように思われる。

本条の趣旨が行政に対する信頼を確保し、情報の取得を確実にすることにあることは前述のとおりであるから、そのためにどの範囲の情報を秘密とするかは、その観点から決定されることになる。したがって、何が本条の秘密に該当するかの第一次的な判断権は当該事務の責任者である執行機関（通常は任命権者と一致する。）にあることになる。本条第二項が任命権者に秘密の発表の許可権を与えているのは、この考え方を前提としたものであると思われる。しかし、一方において、行政に関する基本的な方針を定めるのは議会であり、条例の制定はその方法の一つであるから、条例で開示すべきことを義務付けられた一定の情報については、議会が執行機関に対して秘密とすることを禁止したもの、すなわち、それを開示することにより生ずるであろう行政上の不都合は当該地方公共団体として甘受すべきであるという意思を決定したものと解される。また、本条に、職員に対して守秘義務を負わせるものであって、執行機関の職務を行う地方公務員は特別職であり、職員には該当せず、本条が適用される職員は、執行機関の判断（職務命令）に従って秘密の管理を行えばよいのであるから、その意味でも、条例と本条との抵触矛盾が生ずる余地はないことになる。逆に、条例が開示や提供を禁止している情報は、当該地方公共団体の意思として秘密とすることが決定されたものであるから、執行機関はそれに従った情報管理を行わなければならず、職員がそれに反して当該情報を漏らしたときは、本条に違反することになるわけである。もっとも、条例で公開または提供が禁止されている情報あるいは上司によって秘密の指定がなされている情報（このような情報を「形式的秘密」の情報という。）であっても、実質的な秘密（これを「実質的秘密」の情報という。）に該当しないと判断されるときは、その漏洩が職務命令違反（法三二）となるのは格別、本条違反の問題は生じないことになる（後記〔解釈〕一で引用する最高裁決定参照）。

〔解　釈〕

一　秘密の意義

秘密とは、一般的に了知されていない事実であって、それを了知せしめることが一定の利益の侵害になると客観的に考えられるものである（行実昭三〇・二・一八　自丁公発第二三号）。そして、いかなる事実が秘密に該当するかということは、個々の事実について、一定の利益、すなわち、保護されるべき利益の社会的価値を判断してきめるほかはないであろう。本条の秘密というためには、形式的に秘密の指定がなされているだけでは足りず、秘密というのは「非公知の事項であって、実質的にもそれを秘密として保護するに価するものをいう」と解されている（最高裁昭五二・一二・一九決定、昭五二・一二・一九決定および昭五三・五・三一決定　判例時報八七三号二二頁）。

「秘密を漏らす」又は「秘密を発表する」というためには、その行為者が当該事項が秘密であることを認識していなければならない（これが「秘密の認識」といわれる問題である。）。外務省秘密漏洩事件の原判決（東京高裁昭和五一年七月二〇日判決（判例時報八二〇号二六頁）、最高裁昭五三・五・三一決定（判例時報八八七号一七頁）で確定）は、「近代民主主義国家において、指定秘とされる情報は、その漏示が国家の利益に反するとの判断により秘密とされる真正な秘密でなければならないが、稀には、国家の利益のためにではなく、時の政府の政治的利益のため、特定の情報を秘匿する目的で秘密指定がなされることがありうるのであり、前者は「真正秘密（true secret）」、後者は「擬似秘密（false secret）」と呼称される。ところで、真正秘密と擬似秘密との間に明確な一線を画することは容易ではなく、他の関連する秘密情報との関係において、はじめて両者を区分することが可能であるものであり、したがつて、他の関連する秘密情報に精通する立場にある公務員において、両者を見分けることが可能であるにすぎない場合が多々あることは、当然のことである。」としているが、全ての職員が「他の関連する秘密情報に精通する立場にある」わけではない。したがって、ある情報が地方公務員法第三四条第一項の秘密に該当するというためには、職員がそのことを知っている又は容易に知ることができるものでなければならないことになる。任命権者又は秘密の指定をする職務上の権限を有する者が予め秘密として指定している場合は、当該情報が秘密であることを認識していなかったという抗弁が成立する余地はほとんどないであろうが（それが擬似秘密であると信じていたとして免責されるためには、そう信じたことについて確実な資料や根拠に照らして相当の理由があることを立証することが必要である。）、それ以外の場合については、情報の性質、それが取得された経緯や管理されている状況等を個別に考慮することになる。たとえば、入札の方法による契約の締結に際して定められる予定価格や制限価格など、当該情報を取得するに際して公にしないとの約束をしたもの（情報公開法五②ロ参照）や秘密として管理されているものなどについては、個別に秘密の指定がないとしても、職員である以上、それを外部に漏らしてはならないこと（秘密であること）は当然知っている又は知らなければならないものと考えられる。ちなみに、廃棄物の処理及び清掃に関する法律及び京都市風致地区条例などに違反した疑いのある業者に対する立入調査の実施日について、当該立入調査が抜き打ちのものであることを認識していたとして、それを業者に漏らしたことが地方公務員法第三四条第一項に違反し、第六〇条第二号に該当するとした判決（京都地裁平四・九・八判決　判例タイムズ八一一号二三三頁）、検討段階の高校入学試験問題案が同法第三四条第一項の秘密に該当するとした判決（松江地裁平一六・九・九判決　裁判所ウェブサイト）がある。

本条第一項で洩らしてはならないとされている秘密は「職務上知り得た秘密」であり、本条第二項でその発表について許可を要するとされているのは「職務上の秘密」である。両者の範囲は異なり、後者は前者の一部である。すなわち、前者は、職員が職務の執行に関連して知り得た秘密であって、自ら担当する職務に関する秘密は当然に含まれるが、担当外の事項であっても職務に関連して知り得たものも含まれる。これに対し、後者は、職員の職務上の所管に関する秘密に限定される。若干表現は異なるが、税務職員に対する本条の特別規定である地方税法第二二条では「これらの事務に関して知り得た秘密」と表現されているが、これは前者に相当するものと解されている（行実昭三〇・二・一八　自丁公発第二三号）。たとえば、税務職員がその保管する滞納整理簿に記載された特定個人の滞納額を洩らすようなことは職務上の秘密を漏洩することであり、教員が児童、生徒の家庭訪問の際に知ったその家庭の私的な事情を公にするようなことは職務上知り得た秘密を洩らしたことになる。

なお、民事訴訟法第二二〇条第四号ロには、民事訴訟手続きにおける文書提出命令の対象とならない文書として「公務員の職務上の秘密に関する文書でその提出により公共の利益を害し、又は公務の遂行に著しい支障を生ずるおそれがあるもの」が掲げられているが、ここでいう「公務員の職務上の秘密」とは、公務員が職務上知り得た非公知の事項であって、実質的にもそれを秘密として保護するに値すると認められるものをいうと解すべきであり、これには、公務員の所掌事務に属する秘密だけでなく、公務員が職務を遂行する上で知ることができた私人の秘密であって、それが本案事件において公にされることにより、私人との信頼関係が損なわれ、公務の公正かつ円滑な運営に支障を来すこととなるものも含まれ、「その提出により公共の利益を害し、又は公務の遂行に著しい支障を生ずるおそれがある」とは、単に文書の性格から公共の利益を害し、又は公務の遂行に著しい支障を生ずる抽象的なおそれがあることが認められるだけでは足りず、その文書の記載内容からみてそのおそれの存在することが具体的に認められることが必要であると解すべきであるとして、具体的な文書について、行政内部の意思形成過程に関する情報が記載されたものであり、その記載内容に照らして、これが本案事件において提出されると、行政の自由な意思決定が阻害され、公務の遂行に著しい支障を生ずるおそれが具体的に存在することが明らかであるとした判例（最高裁平一七・一〇・一四決定　判例時報一九一四号八四頁）がある。

二　秘密事項の発表の許可

職務に関する秘密事項であっても、他の法益に基づく強い要請によって、これを公表しなければならない場合があり得る。すなわち、法令による「証人、鑑定人等」となる場合には、行政上の利益と証人や鑑定人などとして真実を発見するための利益とを調整するため、職務上の秘密を発表するときは、現に職員である者は任命権者の、すでに離職した者については離職した職またはこれに相当する職の任命権者の許可を受けなければならないとされている（本条2）。離職者については、離職した当時の行政機関が存続していれば、その行政機関の任命権者、廃官廃庁により当該行政機関が存続していないときは、その事務を引き継いだ行政機関の任命権者、事務引継がない場合は類似の行政機関の任命権者または地方公共団体を統括するその長が許可権者ということになろう。また、町村合併などにより、旧地方公共団体の秘密を発表するときは、その事務は新地方公共団体に引き継がれるので（自治法施行令五）、その事務を引き継いだ任命権者が許可を与えることになる。そして、任命権者は、法律に特別の定めがある場合以外は、許可を与えなければならないこととされ（本条3）、任命権者の許可を羈束行為として、証人、鑑定人などとしての証言などの重要性を優先させている。

まず、職員が公表することについて許可を受けなければならないのは、「職務上の秘密」に限られる。自ら担当する職務に係る秘密についてのみ公表が規制されるのである。したがって、「職務上知り得た秘密」で「職務上の秘密」ではないものについては許可を要せず、証人や鑑定人などとなった場合においても、一般の証言、鑑定などの原則に従って行動することになる。職員が職務に関係のない一私人として証言したり、鑑定する場合も同様である。

次に、証人、鑑定人等となる場合としては、次のような場合がある。

1　訴訟関係　民事事件に関して裁判所で証人として訊問される場合（民訴法一九〇）、鑑定人として鑑定する場合（同法二一二）、二一五の二）および鑑定証人として鑑定する場合（同法二一七）並びに刑事事件に関して証人として尋問される場合（刑訴法一四三）、鑑定人として鑑定する場合（刑訴法一六五）および鑑定証人として尋問される場合（同法一七四）がある。

２　議会関係　普通地方公共団体の議会がその事務に関する調査を行い、選挙人その他の関係人の出頭および証言並びに記録の提出を請求する場合（自治法一〇〇１）並びに国会が議案その他の審査または国政に関する調査のため、証人として出頭および証言または書類の提出を求める場合（議院証人法一）がある。

３　行政委員会関係　人事委員会または公平委員会が法律または条例に基づく権限の行使に関し、証人を喚問し、または書類若しくはその写の提出を求めた場合（法八６）および国の人事院またはその指名する者が人事行政の調査に関し、証人を喚問し、または書類あるいはその写の提出を求める場合（国公法一七２）がある。なお、人事委員会または公平委員会が証人を喚問するのは、審査請求の審査（法五〇）におけるものがほとんどであろうが、この場合も地方公務員法第八条第六項に基づいて喚問されるものである。

次に、任命権者は、職員が証人、鑑定人等となったため、職務上の秘密事項を発表することの許可を求めてきたときには、これを許可するよう羈束されることは既述のとおりであるが、「法律に特別の定がある場合」にはこの許可を与えないことができる（本条３）。このような法律に特別の定めがある場合としては、民事訴訟において職員または職員であった者を証人、鑑定人または鑑定証人として職務上の秘密について尋問することの承認を求められたときに、監督官庁（任命権者）が公共の利益を害し、または公務の遂行に著しい支障を生ずるおそれがあると判断した場合（民訴法一九一、一九七１①、二一六、二一七）、刑事訴訟において職員が職務上の秘密について証人、鑑定人または鑑定証人とすることの承認を求められたときに、任命権者がその秘密を発表することが国の重大な利益を害することとなると判断した場合（刑訴法一四四但し書、一七一、一七四）、普通地方公共団体の議会から職務上の秘密に属する事項について証言または記録の提出の承認を求められた任命権者が、その承認を拒む理由を疎明し、またはその証言あるいは書類の提出が公の利益を害する旨の声明を行った場合（自治法一〇〇４５）および国会から職務上の秘密に属する事項について証言または書類の提出の承認を求められた任命権者が、その承認を拒む理由を疎明し、またはその証言あるいは書類の提出が国家の重大な利益に悪影響を及ぼす旨の内閣の声明があった場合（議院証人法五２３）がある。

これら以外の場合、すなわち、人事委員会および公平委員会に関する場合並びに人事院に関する場合には任命権者は必ず許可を与えなければならないと解される。しかし、職員は服務上の義務としては任命権者の許可があるまでの間は、職務上の秘密事項を発表することはできないものであり、もし、これについて証言などを行うようなことがあれば服務義務違反となる。そして許可がないために結果的に証言や書類の提出を拒否することになったとしても、これに対する罰則（人事委員会および公平委員会の審査請求の審査に関する地方公務員法第六一条第一号の罰則を含む。）の適用関係については、その拒否に「正当な理由」があるものとして、当該職員は免責されることになろう。ただし、人事院が行う調査または審理に際して秘密事項の陳述または証言を求められたときは、何人の許可も不要であるとする特別規定があるので（国公法一〇〇４）、職員は必ず秘密事項についても発表しなければならないものであり、これを拒否すれば直ちに罰則の適用があることになる。

三　秘密の漏洩と懲罰

職員は、職務上知り得た秘密を洩らしてはならず、その職を退いた後も同様である（本条１）。「秘密を洩らす」とは、具体的にどのような行為を指すかということであるが、一で述べたように、「秘密」とは一般に了知されていない事実をいうものであるから、当該職員以外は了知していない事実、あるいは特定の者しか了知していない事実を、ひろく一般に知らしめる行為または知らしめるおそれのある行為の一切をいうものである。たとえば、秘密事項を文書やインターネットで表示すること、口頭で伝達することをはじめ、秘密事項の漏洩を黙認するという不作為も含まれよう。第三者が不当に秘密文書を閲覧しているのをあえて見過ごすような場合である。その危険を認識しながら秘密文書の管理や廃棄を適切に行わなかったときも漏洩となる。また、漏洩の相手方は、不特定多数に対する場合はもちろんであるが、特定の人に対する場合もさらに伝達されるおそれがあるので、漏洩したことになる。さらに、漏洩の相手方がたまたま当該事項を知っていたとしても、それが職員によって確認され、より確実なものになったという意味で秘密を漏洩したことになる。

次に、秘密を洩らした者が現に職員であるときは、服務規定である本条違反として懲戒処分（法二九）の対象となると同時に、地方公務員法第六〇条第二号の規定により一年以下の拘禁刑または五〇万円以下の罰金という刑罰の対象にもなる。

秘密を守る義務は、その法益が公共または個人の利益に直接かかわる問題であるので、行政罰だけでなく刑事罰によってその法益を保護することとしているのである。

さらに、かつて職員であった者が秘密を洩らしたときは、行政罰（懲戒処分）に付することはできないが、地方公務員法第六〇条第二号の規定により刑事罰の対象となる。

町村合併などにより、旧地方公共団体の職員が新地方公共団体に引き継がれ、当該職員が旧地方公共団体の時代に職務上知り得た秘密を新地方公共団体になって洩らした場合は、旧地方公共団体の秘密が新地方公共団体の秘密として引き継がれていることが普通であるので、結局は新地方公共団体の秘密を洩らしたのと同じことになり、新地方公共団体の任命権者が懲戒処分を行うこととなる。

本条違反の刑罰（法六〇②）については、特定の職員について、次のような特別な規定がある。

1　地方税に関する調査若しくは租税条約等の実施に伴う所得税法、法人税法及び地方税法の特例等に関する法律の規定に基づいて行う情報の提供のための調査に関する事務または地方税の徴収に関する事務に従事している者または従事していた者がこれらの事務に関して知り得た秘密を漏洩した場合　二年以下の拘禁刑または一〇〇万円以下の罰金（地方税法二二）

2　児童相談所において相談、調査および判定に従事した者が職務上取り扱ったことについての秘密を漏洩した場合　一年以下の拘禁刑または五〇万円以下の罰金（児童福祉法六一）

3　医師または薬剤師等またはこれらの職にあった者が業務上の秘密を漏洩した場合　六カ月以下の拘禁刑または一〇万円以下の罰金（刑法一三四1）

これらの規定は、いずれも本条と観念的競合の関係にあると考えられ（刑法五四）、重きによって処断されることになろう。

（職務に専念する義務）

第三十五条　職員は、法律又は条例に特別の定がある場合を除く外、その勤務時間及び職務上の注意力のすべてをその職責遂行のために用い、当該地方公共団体がなすべき責を有する職務にのみ従事しなければならない。

〔趣　旨〕

一　職員の基本的義務としての職務専念義務

職員は、全力をあげて職務に専念しなければならないものであり（法三〇）、これが公務員の服務の根本基準であることは第三〇条で述べたとおりである。この根本基準をさらに服務規定として具体化したのが本条であり、職務遂行という観点からは、本条の職務専念義務と第三二条の法令などおよび上司の職務上の命令に従う義務とが、もっとも基本的な義務である。この二つの義務が忠実に履行されることによって、地方公共団体の能率的で秩序ある事務の執行が確保され、住民の負託に応えることができるものである。

与えられた職務に専念すべきことは、民間企業の労働者の場合も同じであるが、それは労働契約としての労務の提供と、これに対する報酬の支給という双務契約を信義誠実の原則に基づいて履行しなければならない（民法一２）ということによるものであり、これに対し、職員の職務専念義務は、全体の奉仕者としての地位に基づく公法上の責務であり、強い倫理的要請によるものであると考えられ、両者は職務に専念するという行為の面では同じであるが、その動機付けは基本的に異なるものといわなければならない。

二　公務優先の原則

職務専念義務は職員の基本的な義務であるが、〔解釈〕で述べるように、これに対する各種の例外が設けられている。これらの例外は、あるいは職員の福利のため、あるいは組合活動を尊重するため、あるいは他の公法上の要請に応えるためなど、多岐にわたっているが、これらの例外をどのような場合に、どのような範囲で認めることができるかということが実務上しばしば大きな問題となる。とくに自主立法である条例やその委任を受けた規則等でこれを定める場合に問題になりがちであるが、この場合において銘記しておかなければならないのは「公務優先の原則」である。

民間企業の労働者の場合も、その正規の労働時間の就労義務についてさまざまな例外が設けられているが、それは使用者の労働者を就労させるという私法上の権利と、労働者側の就労を免除されるという私的な権利との水平的な調整の問題であるといってよい。ところが、職務専念義務の例外の場合は、権利相互間の水平的調整ではなく、公務優先という基本原則に対する限定的、例外的特例であることに留意する必要がある。いうまでもなく、公務は国民、住民の信託に基づくものであり、また、その費用はあげて国民、住民の租税負担によって賄われているものである。したがって、職員が勤務時間中は全力をあげて職務に専念すべきことは、公務のよって立つ基盤からして当然かつ決しておろそかにすることのできない責務であり、地方公共団体の存立目的自体にかかわる義務であるから、任命権者といえども、みだりに職務専念義務の例外を認めることは許されないのである（最高裁判決平一〇・四・二四（判例時報一六四〇号一一五頁）参照）。

職務専念義務の免除は、特例を認める個々のケースについて、それが制度として行われる場合であれ、任命権者が個別に許可を与える場合であれ、常にこの原則に照らし合わせて判断する必要があろう。

〔解　釈〕

一　職務専念義務

職員は二で述べる特例が認められる場合のほかは、その勤務時間および職務上の注意力のすべてをその職責遂行のために用いなければならず、また、当該地方公共団体がなすべき責を有する職務にのみ従事しなければならない。しばしば問題となるのが組合活動との関係であるが、組合活動といえども公務に優先するものではない（勤務時間中、公然かつ頻繁に組合活動を行った職員を懲戒免職することは適法であるとする判決がある（大阪高裁昭五五・一〇・三〇判決　労働判例三五六号三二頁）。

まず、職務専念義務が要求されるのは、「勤務時間」中においてである。戦前の官公吏は「忠実無定量の勤務」に服するものとされ、執務時間外においても奉仕するものといわれていたが、今日の職務専念義務は、もっぱら勤務時間中にのみ課せられる（行実昭二六・一二・一二　地自公発第五四九号）。このことは、勤務時間外においても種々職務の影響を受けることを一つの理由として管理職手当が支給される管理監督職員についても同じである。ここで勤務時間というのは、通常は勤務時間、週休日、休日、休暇等に関する条例で定められた正規の勤務時間であるが、時間外勤務、週休日の勤務、休日勤務または宿日直を命じられてこれに服する時間も当然に含まれる。次に、「職務上の注意力のすべて」とは、こなれた言葉ではないが、職員が有する体力、知力のすべてという意味であろう。常識的にみてその者の有する能力を最大限に発揮せよということであり、勤務時間および注意力のすべてを物理的に職場や職務に拘束するという意味ではないであろう（最高裁昭五七・四・一三判決（判例時報一〇四二号一四〇頁）の伊藤正己裁判官の補足意見参照）。「勤務時間中における本件プレート着用行為は、前記のように職場の同僚に対する訴えかけという性質をもち、それ自体、公社職員としての職務の遂行に直接関係のない行動を勤務時間中に行ったものであって、身体活動の面だけからみれば作業の遂行に特段の支障が生じなかったとしても、精神的活動の面からみれば注意力のすべてが職務の遂行に向けられなかったものと解されるから、職務上の注意力のすべてを職務遂行のために用い職務にのみ従事すべき義務に違反し、職務に専念すべき」義務に違反したことになるとする判例がある（最高裁昭五二・一二・一三判決　判例時報八七一号三頁）。

次に、職員は、勤務時間と職務上の注意力のすべてを「その職責遂行のために用い」なければならず、また、「当該地方公共団体がなすべき責を有する職務にのみ従事しなければならない。」ものであるが、ここで「職責」とは職員の側からみた表現であり、「なすべき責を有する職務」とは地方公共団体からみた表現であって、職員の職責は常に地方公共団体がなすべき職務の内にあることはいうまでもない。地方公共団体がなすべき職務には、自治事務および法定受託事務（自治法二8 9）の双方が含まれるのは当然のことである。他の地方公共団体から委託を受けた事務（自治法二五二の一四1）、および地方公共団体が共同設置した機関の事務（自治法二五二の一一1）のほか、地方公共団体が職員の事務従事の便宜を供与することとした場合における当該便宜供与の範囲内での地方公務員共済組合および地方公務員災害補償基金の業務（地共済法一八1、地公災法一三）も「なすべき責を有する職務」に含まれる。さらに、地方公共団体が博覧会、展示会、文化事業などを主催または共催することがあり、また、公社などの事務に職員を事務従事させるなどの協力をすることがあるが、このような場合も、地方公共団体の権限ある機関が適法にその共催や協力を決定した限りで、その事務も「なすべき責を有する職務」に含まれるものと解される。なお、公社などへの職員の事務従事には、任用上の問題が別にあるが、これについては第一七条の〔解釈〕一(三)2を参照されたい。

なお、職員の「職責」とは、前述の地方公共団体がなすべき責を有する職務のうちから個々の職員に割り当てられた職務と責任をいうものであるが、その内容は、通常、組織規程、事務処理規程などによって一定しているものである。しかし、その職責は固定的なものではなく、宿日直の命令や非常緊急の場合における災害救助に関する命令、部内の他の事務または他の機関の事務に一時従事すべき命令、その他の特命を受けることによって弾力的に変更されるものである。

二　職務専念義務の免除

職務専念義務は、法律または条例に特別の定めがある場合に限り、これを免除することができる。この免除については、〔趣旨〕で述べたように、公務優先の大原則があることにかんがみ、合理的な理由がある場合に限定的に与えることとしなければならない。

法律または条例に基づく職務専念義務の免除は、おおむね次のとおりである。なお、次に掲げるもの以外に、育児休業、介護休業等育児又は家族介護を行う労働者の福祉に関する法律は、地方公務員（職員に限らない）の要介護家族の介護のための休業（同法六一3～6）、子の介護のための休暇（同法六一7～11）及び要介護家族の介護や世話をするための休暇（同法六一12～16）についての規定を置いているが、職員に関しては、これらに相当する場合を特別休暇として条例で定めているのが通例である（第二四条の〔解釈〕五(二)4(4)(5)参照）。

(一)　法律に基づく場合

1　休　職　職員が分限処分により休職にされた場合の効果は、条例で定めることとされているが（法二七、二八2 3）、休職者は職を保有するが職務に従事させないものとされている。したがって、分限処分による休職は、強制的な職務専念義務の免除である。この場合における給与については、休職とされる事由に応じて個別に給与条例で定めているのが通例である。

2　停　職　職員が懲戒処分により停職にされた場合の効果も条例で定めることとされているが（法二九1 4）、職は保有するが職務に従事させないことは休職の場合と同じであり、強制的な職務専念義務の免除である。ただし、停職の場合は、その効果としていかなる給与も支給されないとされているのが通例であり、それが休職との大きな違いとなっている。

３　在籍専従の許可　　職員が任命権者の許可を得て登録を受けた職員団体または職員の労働組合の役員としてもっぱらその業務に従事するときは、休職者として取り扱われ、いかなる給与も支給されないので（法五五の二１但し書５、地公労法六１但し書、５、同法附則５）、その許可が効力を有する間、職務専念義務が免除される。

４　適法な交渉への参加　　あらかじめなされた取り決めに基づき、勤務時間中に行われる適法な交渉のために、職員団体が指名した役員またはその適法な委任を受けた役員以外の者で在籍専従職員以外の職員が出席するときは（法五五５６８）、その間、職務専念義務が免除される。職員の労働組合の団体交渉の場合も同様に考えてよい。なお、この職務専念義務の免除は、自動的に与えられるものではなく、任命権者の許可が必要であると解される。ただ、運用上、任命権者は職員の労働基本権を尊重し、職務遂行上著しい支障がない限り、その許可を与えるべきであろう。またこの場合に給与を支給するためには条例の定めが必要とされている（法五五の二６）。

５　病者の就業禁止　　伝染性の疾病その他一定の疾病にかかった者については、就業をさせてはならない（労安法六八、労安則六一）。病気を原因として職務専念義務が免除される点では病気休暇と同じであるが、病気休暇は本人の請求に基づいて与えられる勤務条件であるのに対し、この就業禁止は本人の保護だけでなく、職場での伝染を防止するための職務命令による服務上の強制的措置でもある。この場合の給与上の取扱いは病気休職に準ずるのが通例である。

６　育児休業および部分休業　　職員で三歳に満たない子を養育する者（男女を問わない。）については、その子が三歳に達する日まで育児休業またはその養育のための部分休業の承認をすることができる（地公育児休業法二、三、一九。詳しくは第二六条の四の〔**解釈**〕二㈠参照）。

７　育児短時間勤務　　小学校就学の始期に達するまでの子を養育する常勤の職員は、正規の勤務時間よりも短い勤務時間による勤務をすることができる（地公育児休業法一〇〜一八。詳しくは第二六条の四の〔**解釈**〕二㈢参照）。これは、勤務時間の定め方の問題であるようにもみえるが、短時間勤務の職という新しい考え方に基づくものであって、同一の職に週の勤務時間の二分の一ずつ二人の有児短時間勤務職員を任用することができるとされている。勤務時間が短縮されていると理解すれば職務専念義務の免除とは関係がないことになるが、常勤の職員に特別な勤務形態を認めたものと考えると職務専念義務の免除の特殊なケースということになる。

8　自己啓発等休業　地方公務員法第二六条の五は、任命権者は、職員が申請した場合において、公務の運営に支障がなく、かつ、当該職員の公務に関する能力の向上に資すると認めるときは、当該職員が、三年を超えない範囲内において条例で定める期間、大学等課程の履修または国際貢献活動のための休業（「自己啓発等休業」という。）をすることを承認することができ、その期間中、職員は、職務に従事せず、給与を支給されないことになっている（第二六条の五の〔趣旨〕および〔解釈〕参照）。

9　配偶者同行休業　地方公務員法第二六条の六は、任命権者は、配偶者（届出をしないが事実上婚姻関係と同様の事情にある者を含む。）が外国での勤務その他の条例で定める事由により外国に住所又は居所を定めて滞在することとなった場合において、職員が申請したときは、公務の運営に支障がないと認めるときは、条例で定めるところにより、当該申請をした職員の勤務成績その他の事情を考慮した上で、三年を超えない範囲内において条例で定める期間の休業を認めることができ、その期間中、職員は、職務に従事せず、給与を支給されないことになっている（二六条の六の〔趣旨〕および〔解釈〕参照）。

10　大学院修学休業　大学院修学休業は、公立の小学校等の主幹教諭等に特に認められたものであり、任命権者の許可を受けて、三年を超えない範囲内で年を単位として定める期間、大学の大学院若しくは専攻科の課程またはこれらの課程に相当する外国の大学の課程に在学してその課程を履修するための休業をすることができ、その期間中、職員は、職務に従事せず、給与の支給を受けないこととされている（第五七条の〔解釈〕一㈠4参照）。

以上が、法律に基づく職務専念義務の免除の主なものであるが、このほか営利企業等に従事することの許可を受けた場合に（法三八）、その許可が当然に職務専念義務を免除するものか否かが問題となるが、両者は目的が異なり、営利企業等に従事することの許可は勤務時間外に従事する場合にも必要とされるものでもあり、それぞれ別個に許可を得なければならない。次に、職員が勤務条件について措置の要求をすること（法四六）および不利益処分に対して審査請求をすること（法四九の二1）はその権利であり、また、職員が不満を表明し意見を申し出る自由も保障されているが（法五五11）、これらの行為を勤務時間中に行う場合も当然には職務専念義務が免除されるものではない（行実昭二七・二・二九　地自公発第五六号）。さらに、職員が国家公務員や兼職が可能な特別職の職を兼ねる場合も職務専念義務は当然には免除されない（国家公務員との兼職について、行実昭二六・七・二五　地自公発第三〇八号。農業委員会の委員との兼職について、行実昭二七・一〇・一〇　自行公発第八四号）。

㈡　条例に基づく場合

地方公共団体が条例で職務専念義務を免除する場合としては、次のものがあり、これらが認められた場合に職務専念義務が免除される。

１　職員の勤務時間、休暇等に関する条例　職員の勤務時間、休暇等に関する条例で定められた週休日、それが振り替えられた日、休日、代休日、休暇、休憩などの期間は職務専念義務が免除される（第二四条の〔**解釈**〕**五**㈡１⑵の条例案参照）。これらのうち、労働基準法に基づく部分は、法律に基づく職務専念義務の免除でもある。

２　職務専念義務の免除に関する条例　１の条例は、地方公務員法第二四条第五項に基づく条例であるが、そのほか本条に直接基づく職務専念義務の免除に関する条例が制定されており、次の案が示されている（昭二六・一・一〇　地自乙発第三号）。

○職務に専念する義務の特例に関する条例（案）

（この条例の目的）

第一条　この条例は、地方公務員法（昭和二十五年法律第二百六十一号）第三十五条の規定に基き、職務に専念する義務の特例に関し規定することを目的とする。

（職務に専念する義務の免除）

第二条　職員は左の各号の一に該当する場合においては、あらかじめ任命権者又はその委任を受けた者の承認を得て、その職務に専念する義務を免除されることができる。

一　研修を受ける場合

二　厚生に関する計画の実施に参加する場合

三　前二号に規定する場合を除く外、人事委員会が定める場合

附　則

一　この条例は、昭和二十六年二月十三日から施行する。

この案では、研修（法三九）および厚生に関する計画に参加する場合（法四二）以外の職務専念義務の特例は人事委員会（人事委員会を置かない地方公共団体では任命権者であり、執行機関が職務専念義務の免除の基準を制定改廃しようとするときは、地方公共団体の長の総合調整を受けるものである（自治法一八〇の四、自治法施行令一三二））が定めることとされている。そして人事委員会などが定める場合には、災害以外の事由による交通機関の事故などの不可抗力によって勤務できない場合と任命権者が個別に定める場合の二つがあるとされている（行実昭二六・七・一三　地自公発第二九七号。なお、通知平六・八・五（自治能第六五号）により、従前の列記事項の大部分が特別休暇とされた。）。

この案では職員が研修を受ける場合を定めているが、研修を行うことは任命権者の義務であり（法三九）、通常、職員の研修は職務命令により職務として行われる。しかも、職務専念義務を免除しての研修を認める場合において、給与を支給しないのであればともかく、給与を支給するのであれば、職務命令による場合と実質的な違いはないのであるから、あえて職務専念義務を免除して研修させなければならない理由は見あたらない。かえって、職務専念義務を免除することによって、その期間中に災害にあった場合の補償や服務規律に問題が生ずることからすると、このような場合を条例で定めることの妥当性は疑問である。また、任命権者が認める場合としては、勤務条件に関する措置要求、不利益処分の審査請求および勤務条件に関する不満の表明（行実昭二七・二・二九　地自公発第五六号）があり、そのほか、予備自衛官として自衛隊法により防衛召集を受けた場合（行実昭三〇・六・一三　自丁公発第一〇一号）および大学通信教育の面接授業を受ける場合（行実昭三二・二・二六　自丁公発第二八号は、前記条例案第二条第一号の研修として認めることができるとしている。）も任命権者の判断で職務専念義務を免除することができるであろう。さらに、国家的行事が行われる場合の職務専念義務の免除（例、昭和四三年の明治百年記念式典（通知昭四三・九・三〇　自治公一第四三号）、昭和四七年の沖縄復帰記念式典（通知昭四七・四・一五　自治公一第一四号）、なお、平成元年二月二四日の昭和天皇の大喪の日は、特例法により休日とされた（平元・一・三一　事務連絡通知）。）も任命権者の判断で行われるものである。なお、適法な交渉の代表者に指名された職員の職務専念義務の免除の根拠も、任命権者の定める場合であるとされているが（行実昭四一・一二・一五　自治公第八五号）、これは前記㈠４で述べたように地方公務員法第五五条に直接基づくもの、すなわち法律を根拠とするものというべきであろう。

これら任命権者の判断に委ねられている場合においても、〔趣旨〕で述べたように、公務優先の原則に照らして、必要最少限度の承認を行うべきであり、みだりにその範囲を拡大するようなことのないよう注意する必要がある（最高裁平七・四・一七判決（判例時報一五三〇号四三頁）、最高裁平一〇・四・二四判決（判例時報一六四〇号一一五頁）参照）。

次に、職務専念義務の免除に関する条例は、それぞれの地方公共団体で制定するものであるが、県費負担教職員の服務は市町村教育委員会が監督するものとされているので、市町村の職務専念義務免除の条例によるものであり（行実昭四二・一〇・六　自治公一第五一号）、その免除の承認は市町村の教育委員会が与えることとされている（行実昭四四・五・一五　公務員第一課決定）。

なお、本条に直接基づく職務専念義務の免除に関する条例は、職員の服務の見地から定められるものであり、勤務条件である特別休暇と区別する必要がある。したがって、この条例に基づく職務専念義務の免除によって実質的に特別休暇の範囲を拡大するようなことは厳に慎まなければならない。

三　職務専念義務の免除と給与

職務専念義務が免除された場合にしばしば問題となるのは、その間の給与の支給の可否である。休暇を含めた広義の職務専念義務の免除についていうと、まず、法律で給与を支給すべきものあるいはすべきでないものとしている場合は問題がない。給与を支給すべきものには、労働基準法第三九条に基づく年次有給休暇、分限処分による休職の大部分などがあり、逆に給与を支給してはならないものとして、懲戒処分である停職、在籍専従（法五五の二5）、勤務時間中の組合活動（法五五の二6。ただし、条例で特別の定めをした場合は支給することができる。）、のほか、本条の〔解釈〕二㈠６から10で述べた休業などがある。

職員が職務に従事しない場合に給与を支給すべきかどうかについては、法律に明確な定めがある場合は別として、もっぱら給与条例の定めるところによることとなる。本来は、「ノーワーク・ノーペイ」の建前からして、職務専念義務を免除された時間の給与は減額することも考えられるが、現実にはほとんどすべての場合について給与が支給されている。国家公務員の場合も、原則は勤務しないときは給与を減額することとされているが（給与法一五）、実際には給与法上「特に承認のあつた」こととされる運用により、ほとんどすべての場合に給与が支給されているのが実情であり、職員の場合も同様である。しかし、最高裁は、職務専念義務の免除がなされた場合にあっても、それとは別に給与条例上の「承認」が必要であるとし、この免除と承認について、それぞれ本条と地方公務員法第二四条第一項の趣旨に反しないことが必要であるとしている（平一〇・四・二四判決　判例時報一六四〇号一一五頁）。

ところで、公務員制度にないにもかかわらず、不祥事を起こした職員に対する処分を検討するためとか、感染症の拡大を避けるためなどを理由として、職員に自宅待機を求める、あるいは命ずることがある。これは、一見すると職員に責任があるようにも見えるが、理論的には、職員は就業できる態勢にあるにもかかわらず、任命権者の判断で就業させないとするものである。したがって、このような場合は、「債権者の責めに帰すべき事由によって債務を履行することができなくなったときは、債権者は、反対給付の履行を拒むことができない。」とする民法第五三六条二項前段が準用され、その対象となった職員は給与請求権を失わないものと解される（職務専念義務の免除は職員の申請に基づいて認められるものであるが、この場合は職務に従事してはならないないという職務命令によるものと理解することになろう。）。

（政治的行為の制限）

第三十六条　職員は、政党その他の政治的団体の結成に関与し、若しくはこれらの団体の役員となつてはならず、又はこれらの団体の構成員となるように、若しくはならないように勧誘運動をしてはならない。

2　職員は、特定の政党その他の政治的団体又は特定の内閣若しくは地方公共団体の執行機関を支持し、又はこれに反対する目的をもつて、あるいは公の選挙又は投票において特定の人又は事件を支持し、又はこれに反対する目的をもつて、次に掲げる政治的行為をしてはならない。ただし、当該職員の属する地方公共団体の区域（当該職員が都道府県の支庁若しくは地方事務所又は地方自治法第二百五十二条の十九第一項の指定都市の区若しくは総合区に勤務する者であるときは、当該支庁若しくは地方事務所又は区若しくは総合区の所管区域）外において、第一号から第三号まで及び第五号に掲げる政治的行為をすることができる。

一　公の選挙又は投票において投票をするように、又はしないように勧誘運動をすること。

二　署名運動を企画し、又は主宰する等これに積極的に関与すること。

三　寄附金その他の金品の募集に関与すること。

四　文書又は図画を地方公共団体又は特定地方独立行政法人の庁舎（特定地方独立行政法人にあつては、事務所。以下この号において同じ。）、施設等に掲示し、又は掲示させ、その他地方公共団体又は特定地方独立行政法人の庁舎、施設、資材又は資金を利用し、又は利用させること。

五　前各号に定めるものを除く外、条例で定める政治的行為

3　何人も前二項に規定する政治的行為を行うよう職員に求め、職員をそそのかし、若しくはあおつてはならず、又は職員が前二項に規定する政治的行為をなし、若しくはなさないことに対する代償若しくは報復として、任用、職務、給与その他職員の地位に関してなんらかの利益若しくは不利益を与え、与えようと企て、若しくは約束してはならない。

4　職員は、前項に規定する違法な行為に応じなかつたことの故をもつて不利益な取扱を受けることはない。

5　本条の規定は、職員の政治的中立性を保障することにより、地方公共団体の行政及び特定地方独立行政法人の業務の公正な運営を確保するとともに職員の利益を保護することを目的とするものであるという趣旨において解釈され、及び運用されなければならない。

〔趣　旨〕

一　行政の中立性と安定性

地方公務員法は、職員の政治的行為に一定の制限を課しているが、これは近代的公務員制度の理念の一つである公務員の政治的中立性を確保することを目的としている。この公務員の政治的中立は、三つの見地から要請されるものであり、その一は全体の奉仕者としての性格に基づくものであり、第二は行政の中立性と安定性を確立することであり、第三は職員を政治的影響から保護することである。

近代国家においては三権分立の下に国政が運営されるのが建前であり、政治と行政の関係についていえば、両者はきわめて密接な関係にあるものの、それぞれ一定の境界を画して運営すべきものとされている。なぜならば、政治は時々刻々の変化に対応して変転するものであり、憲法その他の法律の上でもこれに即応すべく政党による政権の交替や選挙による政治、政策の刷新が予定されている。これに対し、行政は政治によって選択された政策を遂行するものであるが、国民あるいは住民の継続した生活に対応するために安定性を保持することが必要であり、また、行政の技術的性格からしてもその継続的運営が確保されなければならない。

しかし、現実の行政は、政党政治とは無関係ではあり得ないし、政治の役割が増大し、行政の範囲が拡大するとともにますます密接不可分なものとなりつつある。そこで現行の公務員制度においては、行政に携わる公務員を政治的変革、すなわち政権の行方と運命を共にする少数の政務職と、それにかかわりなく安定的、継続的に行政を執行する大多数の行政職とに区別することとしている。地方公務員法においては、前者は特別職のうちに含めて政治的行為の規制をせず、また、身分を保障していないが、後者は一般職であり、政治的行為を制限するとともに、身分の保障をしているのである。要するに、政治と行政との区別を建前としながら、政務職を両者の接点として調整と調和を図ることとしているのである。そして一般職の職員は、単純労務職員などの一部の例外を除き、建前どおりに政治的中立性を維持すべきものとされているのである。

二　政治的影響からの職員の保護

公務員の政治的中立性を確保することは、職員自身を政治的影響から保護し、その身分を保障することになるものである。このことは、前項で述べたことの別の側面であるが、もし、公務員の政治的行為が自由であれば、行政が政治と密接な関係を有するものであるだけに政党その他から政治的活動を求められ、その結果いかんによって身分取扱いが左右されるおそれが大きいことになる。このような状況の下で公務員の身分を保障することは、きわめて困難とならざるを得ない。したがって、公務員の政治的行為を規制し、その中立性を保障することは、その身分上の利益を保障するゆえんでもあるといってよいのである。

歴史的には、このことはスポイルズ・システム（猟官主義）の規制によって明らかにされたといわれている。スポイルズ・システムの弊害はさまざまな角度からとらえることができようが、その大きな一つはそれがメリット・システム（成績主義）に反し、能力によらない任用、情実任用を行うことによって公務能率を阻害することである。そしていま一つは、スポイルズ・システムによって政治上の貢献度による任用や罷免が行われ、公務員の身分を不安定な状態に陥れ、ひいては行政を動揺させることである。そのほか、アメリカ合衆国大統領の暗殺事件（一八八一年九月、ガーフィールド大統領は、猟官に失敗した者によって暗殺された。）に典型的に見られるように、猟官が過熱すると刑事事件に及んだり、汚職が横行するおそれもある。いずれにしても二番目に述べた問題、すなわち政治的行為いかんによって公務員の身分が不安定なものとなることを避けるためには、メリット・システムの原則を確立するとともに、公務員の政治的中立性を保障して、政治の側から職員に働きかける余地を封ずる必要があるのである。この点に関し、地方公務員法の当初の原案では、職員に対し、同法で禁止されている政治的行為を行うよう教唆、煽動した者、あるいはそのような政治的行為を行ったことまたは行わなかったことにつき、代償を与えまたは報復をし、またはしようとした者に対して三年以下の懲役または一〇万円以下の罰金に処することとしていたのであるが、参議院の修正で削除された。この結果、現行法では、政治家が職員に政治的行為をさせた場合、職員は懲戒処分を受けるが、政治家は全く処罰を受けないこととなっており、職員の身分保障の万全を期する上で問題が残されている。

なお、国家公務員法の場合にも、職員には懲戒処分および刑事罰の適用があり、違法な政治的行為を求めた者にはやはり格別の制裁措置はない。

ところで、スポイルズ・システムの排除は現行の公務員制度の建前であるが、若干の例外がある。すなわち、政治家である行政機関の長が自らと政治的信条を同じくし、かつ、進退を共にする職員を腹心として得ることが実際上必要な場合があるのである。副知事および副市町村長はその任期が四年とされながら、長はいつでもこれを罷免しうることとされているのは（自治法一六三）、自由任用を建前としているからであり、また、特別職の秘書（法三3④）も同じである。要するに、政治と行政とが全く無関係でない以上、任用の上でも両者の接点が実際問題として必要である。わが国の公務員制度の場合は、それに強い影響を与えたアメリカ合衆国のそれに比較して、スポイルズ・システムの範囲がきわめて狭いことが特徴であり、それだけ政治的中立性が保障され、政治からの影響が遮断されているといえよう。ちなみに、地方公務員法制定に際しては、都道府県の部長職を自由任用の特別職にすべきであるとの当時の知事の意見もあり（地方自治庁編・改正地方公務員制度資料第七部　二七八頁、二七九頁）、また、復帰前の沖縄の琉球政府の局長（府県の部長に相当）は特別職であり、政治的活動は自由とされていた。

三　政治的行為の制限と職員の市民的自由との関係

公務員の政治的行為を制限する理由は、これまで述べてきたとおりであるが、これについては基本的な問題がある。それは公務員の政治的行為を制約することが、近代国家における市民としての自由または権利を束縛するものではないかということである。

まず、すべての国民は集会、結社、言論などの表現の自由を保障されるものであり（憲法二一1）、また、国民は法の下において平等であり、政治的関係によって差別されることはない（憲法一四1、法一三）。そして、いうまでもなく、職員も国民の一人であり、これらの基本原則の適用を受けるものであるから、その政治的行為は原則的には自由であるといわなければならないであろう。

しかしながら、職員は前述のように全体の奉仕者としての地位を有するもので、一党一派に偏するようなことはその使命に反するおそれがあり、また、行政の安定性、継続性と中立性を維持し、かつ、政治的影響から職員を保護するためには、職員を一定の政治的行為から遮断する必要がある。

そこで、憲法で保障された職員の市民的自由ないし権利と、職員の公務員としての立場からの要請とをどのように調整するかが問題となるのであり、各種の見解があるが、判例は、職員は政治的中立性を維持することによって全体の奉仕者（憲法一五２）であるゆえんが全うされうるのであり、法律で一党一派に偏する政治的行為を制限していることは公共の福祉（憲法一二）の要請に適合するとし、一般の国民と異なる取扱いを受けていることは憲法第一四条（法の下の平等）および第二一条（集会、結社、表現の自由）に反するものではないとしている（最高裁大法廷昭三三・三・一二判決（判例時報一四三号五頁）、同昭四九・一一・六判決（判例時報七五七号三三頁））。要するに、職員の政治的行為の制限は、公共の福祉の要請に基づくものであると同時に職員の地位に内在する制約であると理解されるのである。政治的行為の制約はこのような趣旨を達成するのに必要な範囲内に限定されるものであるから、法律をもってしてもすべての政治的行為を制限することはできず、選挙における投票権のような基本的権利を否定することはできないし、また、法律が制限していない政治的行為を行うことは職員の自由である。

さらに、具体的にどのような政治的行為を制限するかということは、相対的な判断によるものであり、政策的に決定されるべきものである。すなわち、職員の政治的行為の制限は、職員の市民的自由の要請と政治的中立性の確保の要請との調和の問題であるが、その調和点は社会的な背景によって異なる。すなわち、行政の政治の分立の程度や公務員の政治的行為のおそれなどの実態を考慮して判断されるべきなのである。たとえば、職員の私生活における活動がその職務とは全く別のものであると観念されるような社会的基盤がある場合には、職員の勤務時間外の政治的行為は自由に認めてよいであろうし、逆に職員の職務や地位が勤務時間の内外を問わず政治的影響力を及ぼすような社会状態であれば、勤務時間外においても政治的行為を制約することになろう。

次に、職員の場合、政治的行為の制限による市民的自由の制約は、行政罰、すなわち懲戒処分によってのみ担保されているが、国家公務員の場合は、行政罰だけでなく刑罰によっても担保されている（国公法一〇二1、一一〇1⑲）。このように市民的自由の制約を刑罰によって担保することの是非は、立法論として問題であろうが、判例は政治的行為の制限に違反した者に刑罰を科すことは憲法第一四条および第二八条に違反しないとしている（最高裁大法廷昭三三・四・一六判決　刑事裁判例集一二巻六号九四二頁）。

〔解　釈〕

一　政党の結成等に関与することの禁止

地方公務員法により職員に禁止される政治的行為は、政党その他の政治的団体の結成等に関与する行為（本条1）と、特定の政治目的の下に行われる一定の政治的行為（本条2）とに大別することができる。

ここでは、前者について述べることとするが、職員は、政党その他の政治的団体の結成に関与し、若しくはこれらの団体の役員となってはならず、またこれらの団体の構成員となるように、若しくはならないように勧誘運動をしてはならないこととされている。これらの行為は二で述べる特定の目的の下に行われる一定の政治的行為の制限の場合と異なり、政治目的の有無を問わず、また、区域のいかんを問わず制限される。

㈠　職員の範囲

まず、本項および次項以下で政治的行為が禁止される「職員」であるが、本条の解釈を詳しく述べた「地方公務員法第三十六条の運用について」（通知昭二六・三・一九　地自乙発第九五号）（以下本条の解釈中「通知」という。）では、次のとおりとされている。

○地方公務員法第三十六条の運用について

地方公務員法第三十六条については、来る地方公共団体の議会の議員及び長の選挙をひかえ、その適正な運用が強く要望されるのであるが、今般「地方公務員法第三十六条の運用について」を別紙のとおり定めたので、参考のため送付する。なお、管下市町村に対しても、連絡をお願いする。

別　紙

地方公務員法第三十六条の運用について

一　（略）

二　本条の適用範囲

㈠　職員

(1)　現に勤務中の職員のみならず、休職、休暇中の者等をも含み、いやしくも職員たる地位を有する者すべてに適用されるものであること。従つて、いわゆる「専従職員」も当然本条の適用を受けるものであることに注意すること。

(2)　職員は、職員たる地位を有する限り、その勤務時間の内外を問わず本条による制限を受けるものであること。

(3)　（略）

㈡　特別職に属する地方公務員

特別職に属する地方公務員は、本条第三項に規定する制限を除き、本条の適用を受けないことはいうまでもないこと。

㈢、三（略）

通知の㈠で述べられているように、職員としての身分を有する限り、休職、休暇、停職、在籍専従の許可（専従職員が政治的行為の制限を受けることについて、行実昭二六・三・九　地自公発第六〇号）、職務専念義務の免除など、職務に従事していない者も含まれ、また、勤務時間の内外を問わず、本条が適用されるものである。また、特別職には本条の適用はない（法四）が、人事委員会と公平委員会の委員についてだけは本条が準用される（法九の二12）。

なお、職員団体が政治的行為を行うことは、地方公務員法第五二条第一項の職員団体の目的との関係で問題となるが、本条の関知するところではない。しかし、職員団体の行動の一環として職員が政治的行為を行うときは、当該職員は本条の制限を受けることは当然である（行実昭二六・三・一三　地自公発第八三号、同昭二六・四・二　地自公発第一二七号、同昭二六・四・一六　地自公発第一五九号）。また、職員の労働団体が政治団体として届出をすること（政資法六）は可能であるが、この場合は、その役員である職員は本項に違反することになる（行実昭二六・四・一二　地自公発第一四九号）。

次に本条の「職員」には、企業職員および独法職員の大部分および単純労務職員ならびに教育公務員は含まれない。それぞれについて本条の特例規定があり、本条の適用が排除されるからである。まず、企業職員のうち、政令で定める基準に従い地方公共団体の長が定める職にある者は本条の適用を受けるが、それ以外の企業職員には本条は適用されない（地公企法三九2、地公労法一七2）。これらは一般の職員であり、その職務内容は民間の類似の労働者と同様であることにかんがみ、政治的行為の制限をしないこととされているのである。また、「地方公共団体の長が定める職にある者」については、「地方公営企業法第三十九条第二項の規定に基づき地方公共団体の長が定める職の基準に関する政令」（昭四〇政令二七八）により次のとおりその範囲の基準が定められている。

○地方公営企業法第三十九条第二項の規定に基づき
　地方公共団体の長が定める職の基準に関する政令

地方公営企業法第三十九条第二項の規定に基づき地方公共団体の長が定める職の基準は、次のとおりとする。

一　地方公営企業の管理者及び職制上これを直接に補佐する職
二　地方公営企業の主たる事務所の局、部若しくは課又はこれらに準ずる組織の長及び職制上これを直接に補佐する職
三　地方公営企業の営業所、出張所、附属施設その他これらに準ずる組織（以下「営業所等」という。）の長及び職制上これを直接に補佐する職並びに営業所等で大規模なものの局、部若しくは課又はこれらに準ずる組織の長及び職制上これを直接に補佐する職

附　則

この政令は、昭和四十年八月十五日から施行する。

独法職員のうち政令で定める基準に従い特定地方独立行政法人の理事長が定める職にある者以外の者についても本条は適用されない（地方独法法五三2）。そして、「特定地方独立行政法人の理事長が定める職」の基準としては、企業職員についてのそれとほぼ同じ内容のものが定められている（地方独法法施行令一三）。

これらの職にある者の範囲は、後に述べる公職選挙法による立候補制限を受ける企業職員や独法職員の範囲（主たる事務所（本庁）の課長相当職以上の者）（公選法八九1⑤、公選法施行令九〇3）より広いので、これらの指定を受ける職員のうちには、公職に立候補することは制限されないが、政治的行為は制限される者、たとえば、本庁の課長補佐などがあることに注意を要する。

次に、単純労務職員は、政治的行為は制限されない（地公企法三九2、地公労法附則5）。これも民間の同種の労働者と同じ取扱いをする趣旨である。

㈡　政党その他の政治的団体への関与

本条第一項で禁止されるのは、政党その他の政治的団体への関与であるが、これについて「通知」は次のように述べている。

○地方公務員法第三十六条の運用について

地方公務員法第三十六条については、来る地方公共団体の議会の議員及び長の選挙をひかえ、その適正な運用が強く要望されるのであるが、今般「地方公務員法第三十六条の運用について」を別紙のとおり定めたので、参考のため送付する。なお、管下市町村に対しても、連絡をお願いする。

別　紙

地方公務員法第三十六条の運用について

一、二　（略）

三　制限される政治的行為

(一)　第一項関係

(1)　本項の規定により制限される政治的行為は、区域いかん及び政治的目的の有無を問わず、それ自体が制限されるものであることに注意すること。

イ　政党その他の政治的団体の結成に関与してはならないこと。

「政党その他の政治的団体」とは、政治資金規正法（昭和二十三年法律第百九十四号）第三条にいう「政党、協会その他の団体」と同一範囲のものであること。

すなわち、「政党」とは、政治上の主義若しくは施策を推進し、支持し、若しくはこれに反対し、又は公職の候補者を推薦し、支持し、若しくはこれに反対することを本来の目的とする団体を、「その他の政治的団体」とは、政党以外の団体で政治上の主義若しくは施策を支持し、若しくはこれに反対し、又は公職の候補者を推薦し、支持し若しくはこれに反対する目的を有するものをいい、本部のみならず支部をも含むものであること。「結成」とは、当該団体を新たに組織しようとする場合のみならず、既存の団体をして新たにこれらの目的を併せ有せしめようとする場合をも含むものであること。従つて、たとえば法第五十二条第一項に規定する職員団体たる団体等が、政党その他の政治的団体となろうとする場合の如きもこれに該当するものであること。「関与」するとは、たとえば発起人（企画者）となり、その結成企画に係る団体の規約、綱領等を立案し、結成準備のための会合を招集すること。規約、綱領等の起草について発起人に助言を与え、又は準備委員となる等発起人（企画者）を補佐して推進的役割を果すこと、又は、これらの行為のために、労力、金品等を提供し、宣伝、あつ旋等を行つて、その目的達成を容易ならしめるようにすること等一切の援助行為を包含するものであること。なお、結成に関与するものであるから、実際にその政治的団体の結成が実現されることを要せず、結成が途中で失敗に終つた場合も含まれることに注意すること。

ロ　政党その他の政治的団体の役員となつてはならないこと。

「役員」とは、団体において、その業務の執行、業務の監査等につき責任を有する地位にある者及びこれらの者と同等の権限又は支配力を有する地位にある者をいい、その範囲は、その団体の定款、規約等組織を定めたものにより個々の実情に応じて具体的に決定すべきものであること。なお「役員」となることが制限されるのであつて、これらの団体の「役員」以外の構成員となることは差し支えないこと。従つて、職員がその結成に関与しないで実現した政治的団体の役員以外の構成員になることは、本項の規定にふれるものでないこと。

ハ　政党その他の政治的団体の構成員となるように、若しくはならないように勧誘運動をしてはならないこと。

「勧誘運動」とは、不特定又は多数の者を対象として組織的、計画的に、構成員となる決意又はならない決意をさせるよううながす行為をいうものであること。

勧誘運動自体を制限しているのであるから、その相手方が職員であると否とを問わず、又これにより相手方が現実に加入すると否とを問わないものであることはいうまでもないこと。こんなる「勧誘」ではないから、たとえば、党員倍加運動のごときものは、本項の制限に触れるが、たまたま限定された少数の友人に入党をすすめることなどは、差し支えないものであること。

（二）、（三）（略）

政党その他の政治的団体とは、政治資金規正法第三条で定義されている「政治団体」と同一範囲であり（「通知」イは「政党、協会その他の団体」としているが、平成六年七月の同法改正で政治団体の定義が規定された。）、これには同法第一八条のこれらの支部も含まれると解されるので注意を要する。したがって、たとえば支部の役員に就任することも本項の違反となるものである。次に、ロの役員には、定款、規約等に役員として規定されているもののほか、事実上同様の役割を果たす構成員も含まれると解されている（行実昭二七・一・二六　地自乙発第三六号）。また、ハで「勧誘運動」とは、不特定多数の者を対象とするものとされているが、不特定多数とは相手方の内容、すなわち、それが職員であるか、一般の民間の者であるかを問わないものである。

二　特定の政治的目的を有する一定の政治的行為の禁止

本条第二項で禁止されているのは、目的に行為が伴う場合であり、いずれか一方だけの場合を規制するものではない。また、本項の禁止は第一項の場合と異なり、第四号の文書、図画の掲示等の禁止以外は、一定の区域内においてのみ禁止されるものである。以下、政治的目的、政治的行為および禁止される区域のそれぞれに分けて述べることとする。

（一）　政治的目的

本項で禁止の対象となる政治的目的について、「通知」では次のように述べられている。

○地方公務員法第三十六条の運用について

地方公務員法第三十六条については、来る地方公共団体の議会の議員及び長の選挙をひかえ、その適正な運用が強く要望されるのであるが、今般「地方公務員法第三十六条の運用について」を別紙のとおり定めたので、参考のため送付する。なお、管下市町村に対しても、連絡をお願いする。

別　紙

地方公務員法第三十六条の運用について

一、二（略）

三　制限される政治的行為

㈠（略）

㈡　第二項関係

⑴、⑵（略）

⑶　政治的目的

イ　特定の政党その他の政治的団体又は特定の内閣若しくは地方公共団体の執行機関を支持し、又はこれに反対する目的

「特定」とは、その対象の固有の称呼が明示されている場合のみならず、客観的に判断して、何人も容易にその対象を判断しうる場合をも含むものであること。

「内閣」とは、過去のものは包含しないが、現在及び将来における内閣を意味するものであること。「地方公共団体の執行機関」とは、地方公共団体の機関で、その所掌事務を独立して執行する権限を有するものをいい、例えば、地方公共団体の長、選挙管理委員会、監査委員、公安委員会、教育委員会、農地委員会〔現行＝農業委員会〕、労働委員会等がこれに該当するものであること。現在及び将来におけるそれを意味するものであることは「内閣」の場合と同様であること。なお「特定の政党その他の政治的団体」の場合においては、これが現実に存在していることを必要とするものであり、将来におけるそれについては、本条第一項（三㈠⑴イ）の問題があることに注意すること。「支持し又はこれに反対する」とは、「特定の政党その他の政治的団体」については、それらの団体の勢力を維持拡大するように若しくは維持拡大しないように、又はそれらの団体の有する綱領、主張、主義若しくは施策を実現するように若しくは実現しないように、又はそれらの団体に属する者が公職に就任し若しくは就任しないように影響を与えることをいい、「特定の内閣若しくは地方公共団体の執行機関」については、これらの機関の個々の構成員に対するものでなくして、これらの機関（又はその全構成員）自体が存続（在職）するように若しくはしないように、又は成立（就任）するように若しくはしないように影響を与えることをいうものであること。尤も、直接には個々の構成員に対するものであつても、全構成員の過半数を対象とする場合等実質的にこれらの機関の存続又は不存続に影響を与える場合は、これらの機関の支持又は反対に該当することがあること。なお、この場合特定の内閣の首班たる内閣総理大臣を支持し又はこれに反対することは、本号に含まれるものであることに注意すること。「目的をもつて」に該当するためには、支持し又は反対する対象が特定されていなければならず、従つて、あくまでも当該対象が具体的且つ明確に表示されなければならないことに注意すること。

ロ　公の選挙又は投票において特定の人又は事件を支持し、又はこれに反対する目的

「公の選挙又は投票」とは、法令に基く選挙又は投票で、広く国民又は住民一般が直接参加するものをいい、たとえば　衆議院議員、参議院議員、地方公共団体の長、議会の議員、教育委員会の委員〔現行＝公選ではない。〕、都道府県農地委員会及び市町村農地委員会〔現行＝農業委員会〕の委員、海区漁業調整委員会の委員の選挙又は最高裁判所の裁判官の任命に関する国民審査、地方公共団体の長の解職、議会の解散、議員の解職、教育委員会の委員の解職〔現行＝投票は行われない。〕及び憲法第九十六条の規定に基き一の地方公共団体のみに適用される特別法の賛否の投票等がこれに該当するものであること。なお、「公の選挙又は投票において」であるから、いわゆる直接請求に関する署名を成立させ又は成立させないこと並びに条例の制定、改廃及び事務監査の請求は、これに含まれないものであること。但し、これらの場合がイの「地方公共団体の執行機関に反対する」に該当することがあり得ることはいうまでもないこと。「特定の人」とは、当該選挙において立候補の制度がとられている場合においては、法令の規定に基く正式の立候補届出又は推薦届出により候補者としての地位を有するに至つた者をいい、まだ候補者として地位を有するに至らない者は、これを含まないことに注意すること。従つて、この場合、選挙に関する法令に従つて候補者の推薦届出をすること及び候補者としての地位を有するに至らない前において、その特定人の立候補を支持し又はこれに反対することは本号には該当しないものであること。なお、公の投票の場合においても同様であること。すなわち、たとえば公務員の解職の投票においては、「特定の人」とは、法令の規定に基き正式に成立した公務員の解職の請求に係る者であることを要するものであること。「事件」とは、法令の規定に基き正式に成立した地方公共団体の議会の解散の請求及び国会において議決された特別法等をいうものであること。「支持し又はこれに反対する」とは、特定の候補者等が当選又は投票を得又は得ないように影響を与えること等をいうものであること。

(4)、(三)（略）

まず、イにおいて地方公共団体の執行機関として長以下の各委員会が例示されているが、正確には、地方公共団体の長、教育委員会、選挙管理委員会、人事委員会、公平委員会、監査委員、公安委員会、労働委員会、収用委員会、海区漁業調整委員会、内水面漁場管理委員会、農業委員会および固定資産評価審査委員会をいうものである（自治法一三八の四1、一八〇の五1〜3）。また、共同設置された機関（自治法二五二の七）のうち執行機関であるもの、特別地方公共団体の執行機関、すなわち、特別区の区長（同法二八三1、一四七）その他の執行機関、一部事務組合の執行機関（同法二八七1⑥）なども含まれるものと解する。上記以外の地方公共団体の機関、すなわち、議決機関である議会や補助機関である副知事、副市長村長などの補助機関は含まれず、地方公営企業の管理者（地公企法七）も執行機関ではないので含まれない。財産区管理会（自治法二九六の二）も含まれないものというべきであろう。また、職員が特定の法律の制定に反対すること自体は、特定の政党、内閣などに反対することにはならないと解されている（行実昭二七・七・二九　地自公発第二九九号）。同様に、職員が特定の条例その他の規程の制定改廃を支持したり反対したりすることも、地方公共団体の執行機関に対するものとは考えられないであろう。

次に、ロにおいて、「特定の人」とは、正規の立候補届出または推薦届出により候補者としての地位を有するに至った者をいう旨述べられているが、この見解は判例も肯定しているところである（最高裁大法廷昭三二・一〇・九判決　判例時報一二六号一頁）。立候補制限を受けない職に職員が立候補し、自らを支持する政治的行為を行うことも「特定の人」の支持に該当するとされている（行実昭二六・三・一三　地自公発第七五号）。さらに、ここでは直接請求の署名などが「公の選挙又は投票」に該当しないとされており、職員が条例制定の直接請求代表者または署名収集人となることは一般的に差し支えなく（行実昭四五・一・一四　自治公一第四三号）、また、議会解散請求に署名のみを行うことも可能であるが（行実昭四〇・五・二七　公務員課決定）、市長解職請求の代表者の受任者として署名収集を行うことは、本項第二号の「署名……に積極的に関与すること」に該当すると解されている（行実昭四五・九・二五　自治公一第二九号）。

㈡　政治的行為

次に、本項で禁止されている政治的行為について、「通知」は次のように述べている。

○地方公務員法第三十六条の運用について

地方公務員法第三十六条については、来る地方公共団体の議会の議員及び長の選挙をひかえ、その適正な運用が強く要望されるのであるが、今般「地方公務員法第三十六条の運用について」を別紙のとおり定めたので、参考のため送付する。なお、管下市町村に対しても、連絡をお願いする。

別　紙

地方公務員法第三十六条の運用について

一、二（略）

三　制限される政治的行為

㈠（略）

㈡　第二項関係

(1)〜(3)（略）

(4) 政治的行為

イ　第一号関係

「投票するように、又はしないように」とは、投票の棄権をも含むものであることに注意すること。

ロ　第二号関係

「署名運動」とは、不特定又は多数の者を対象として組織的、計画的に、その共同の意向を表示する手段としてその意向を明示した文書に署名させるよう勧誘する行為をいうものであつて、たんなる「署名」ではないことに注意すること。従つて、たとえば、たんに数人の友人に限定してその署名を求める行為などは、差し支えないものであること。「企画」とは、発起人となり、署名運動の計画を立案し、そのための会合を招集すること等を、「主宰する」とは、実施につき総括的な役割を演ずることをいうものであること。「積極的に関与する」とは、署名運動の企画、主宰の外、企画、主宰する者を助け又はその指示を受けて署名運動において推進的役割を演ずることをいい、たんなる援助は、これに含まれないものであること。なお、本号において制限される政治的行為は、「積極的に関与すること」であるから、たんに署名を行うことは、本号には該当しないものであることに注意すること。

ハ　第三号関係

「募集に関与する」とは、募集計画を企画し、これが実施を主宰し、指導し、具体的に寄附金等の供与、交付を勧誘し、これを受領し又は募集計画の立案に助言を与え、その募集を援助する等の行為をいうものであること。「募集に関与すること」であるから、寄附金等を与えることは差し支えないものであること。

ニ　第四号関係

「文書又は図画」には、新聞、図書、壁新聞、パンフレット、リーフレット、ビラ、ポスター、写真、プラカード、立看板等も含むものであること。「地方公共団体の庁舎又は施設等」とは、地方公共団体が使用し又は管理する建造物及びその附属物をいい、固定設備であることを要せず、たとえば市営住宅等は、これに含まれるものであること。なお、この場合、当該地方公共団体のそれに限られないこと、及び国のそれに掲示すること等は本号では制限されないが公職選挙法第百四十五条の規定による制限があることに注意すること。「資材」とは、備品、消耗品をいうものであること。「利用」とは、たとえば黒板に白墨をもつて記載すること、又は地方公共団体の備品を用いてビラを作成することなどを含むものであること。「掲示させ」又は「利用させ」る行為には、他の者が掲示し又は利用することを地方公共団体の庁舎、施設等の管理の責任を有する者が許容する行為も含まれることに注意すること。

ホ　第五号関係

本号に規定する条例を制定するについては、本条第五項の趣旨を充分考慮の上、慎重を期する必要があること。なお、本号に規定する条例は「政治的行為」に関するものであつて、この条例により新に「目的」を定めることはできないものであることに注意すること。

(三)（略）

まず、イは本項第一号の説明であるが、同号で「公の選挙又は投票」とは前記㈠で記載した通知のロで述べられているところと同じであり、たとえば、土地改良区総代の選挙は含まれないものであり（行実昭四一・四・一八　自治公第一九号）、「勧誘運動」の意味は一で記載した通知のハで述べられているところと同じである。具体的にどのような行為が本号でいう勧誘運動に該当するかということは、個々の場合について判断することになるが、たとえば、職員が選挙事務所で勤務時間外に無給で経理事務の手伝いをすることは該当せず、勤務時間外に無給で候補者のポスターを貼布することは該当するおそれがあるとされ（行実昭二六・四・一二　電文回答）、職員が特定候補の推薦人として選挙公報に氏名を連ねることも該当するとされている（昭三七・七・一一　公務員課決定）。また、職員が公務に全く関係のない少数の友人に特定候補者を推薦する文書を出した場合は、公職選挙法の適用は別として、本号の勧誘運動には該当しないと解されている（行実昭二六・四・一二　電文回答）。

次にニは本項第四号に関するものであるが、本号は後述する区域の制限がなく、全国的に禁止されるものであることに注意を要する。また、職員団体などに庁舎の一部を貸与した場合も、その事務室などを所有し管理していれば「庁舎等」に該当すると解されているので（行実昭二六・五・一　地自公発第一八〇号）、その事務室に職員が特定候補者のポスターを貼布することは本条の違反となろう。また、この通知では「市営住宅」が「施設等」に該当するとされているが「公営住宅」が含まれる旨の行政解釈もある（行実昭三三・八・一　自丁公発第九六号）。この場合、公職選挙法第一四五条第一項但し書では、公営住宅に選挙運動用のポスターを掲示しうる旨定められているが、職員は本条の特別規定の適用があるので掲示することができないことになる。さらに、「施設等」は、「通知」でも固定設備に限らないとされているが、地方公共団体が所有または使用する自動車に候補者のポスターを貼るようなことも本号に該当すると解されよう。

次に、通知のホは本項第五号に関するものであり、そこでは条例で政治的行為をさらに制限することは慎重でなければならないとされているが、実際にこの条例を制定する余地はほとんどないといってよいであろう。これは地方公共団体によって異なる政治的行為の制限をなしうることを認めるものであるが、欠格条項の特例（法一六）および失職の特例（法二八４）を条例で定めうることとされていることと並んで、わが国の実情からみて立法論上問題であるように思われる。これらの規定は、いうまでもなくアメリカ合衆国の制度の影響を受けているものであるが、わが国のように同一性の強い国情の下でに、欠格条項、失職事由、政治的行為の制限などの身分取扱いの基本的事項について異なる取扱いをすることは適さないと考えられるからである。また、政治的行為の制限のような憲法上の自由にかかわる問題を条例に委任することは、国家公務員のそれを人事院規則に委任していることとともに問題であるように思われる。

㈢　政治的行為が制限される地域

職員は一定の地域内でその権限を行使し、または職務を執行するものであるから、本条第二項の制限は原則として一定の地域に限られる。その区域外においては、職員の政治的中立性を損ねるおそれはないと考えられたのであろう。地方公務員法の原案においては、本条第二項の制限は、国家公務員と同様に、全国的に禁止とされていたのであるが、参議院における修正によって一般の職員は原則としてその者が属する地方公共団体の区域内、公立学校の職員はその学校の設置者である地方公共団体の区域内で禁止されることとなった、その後さらに、公立学校の教育公務員は、昭和二九年（一九五四年）の教育公務員特例法の一部を改正する法律（昭二九法一五六）によって国立学校の教育公務員の例（国立学校が独立行政法人とされた以降は「国家公務員の例」）によることとされ（教特法一八1）、全国的に禁止されることになったのである。

また、前述のように、本条第二項第四号の文書、図画の掲示などに限って全国的に禁止されているが、その趣旨は必ずしも明らかではない。地方公共団体の庁舎などの施設管理の見地からは全国的に禁止することも納得できるが、それは財産管理上の規制であり、服務上の問題とは別であると考えられるのである。

さて、政治的行為が制限される地域について、「通知」では次のように述べている。

○地方公務員法第三十六条の運用について

地方公務員法第三十六条については、来る地方公共団体の議会の議員及び長の選挙をひかえ、その適正な運用が強く要望されるのであるが、今般「地方公務員法第三十六条の運用について」を別紙のとおり定めたので、参考のため送付する。なお、管下市町村に対しても、連絡をお願いする。

別　紙

地方公務員法第三十六条の運用について

一、二　（略）

三　制限される政治的行為

㈠　（略）

㈡　第二項関係

(1)　（略）

(2)　本項第一号から第三号まで及び第五号に掲げる政治的行為については、左の区分により一定の区域以外は、これを行うことは自由であること。なお、第四号に掲げる政治的行為については、区域のいかんを問わず制限されるものであることに注意すること。

イ　公立学校に勤務する職員以外の職員は、当該職員の属する地方公共団体の区域以外は自由であること。すなわち都道府県の職員は当該都道府県の区域外、特別区に配属されている都の職員は当該特別区の区域外、市町村の職員は当該市町村の区域外においては、それぞれ自由であること。但し、都道府県の職員で都道府県の支庁又は地方事務所に勤務するものは当該支庁又は地方事務所の所管区域外、五大市〔現行＝一四大市〕の職員で市の区に勤務するものは当該区の所管区域外においては、それぞれ自由であること。こゝに「区の所管区域」とは、区の事務所の所管区域をいい、支庁又は地方事務所の「所管区域」とともに地方自治法（昭和二十二年法律第六十七号）第百五十五条第四項〔現行＝支庁又は地方事務所については、地方自治法第一五五条第二項、区の事務所については、同法第二五二条の二〇第二項〕に規定する条例で定められたものをいうものであること。なお、地方事務所と本庁とに兼ねて勤務する職員及び土木出張所、保健所、労政事務所等の行政機関に勤務する職員は、それぞれ本庁勤務の職員の場合と同様に、当該職員の属する地方公共団体の区域内において、政治的行為の制限を受けるものであることに注意すること。

ロ　公立学校に勤務する職員は、その学校の設置者たる地方公共団体の区域外においては自由であること。但し、その学校が学校教育法（昭和二十二年法律第二十六号）に規定する小学校、中学校又は幼稚園であつて、その設置者が五大市である場合においては、その学校の所在する区の区域外においては自由であること。

「区の区域」とは、地方自治法第百五十五条第二項〔現行＝同法第二五二条の二〇第二項〕に規定する条例で定められたものをいうものであること。なお、こゝに「公立学校」とは、学校教育法第一条にいう学校のみならず、いわゆる各種学校を含むものであり、「職員」とは、同法第七条にいう校長及び教員のみならず事務職員等をも含むものであることに注意すること。〔現行＝公立学校に勤務する職員については、教育公務員特例法第一八条の規定に基づき当分の間、地方公務員法第三六条の規定にかかわらず、国家公務員の例によるとされている。したがつて、公立学校の教育公務員は特定の地域に限らず全国的に禁止されている。〕

(3)、(4)、㈢　（略）

政治的行為の制限に関する具体的な例として、たとえば、地方事務所の職員が所管区域外で署名運動に積極的に関与することに制限されないものであるが（行実昭二九・一・五　自丁公発第二号）、県税事務所や福祉事務所あるいは教育委員会事務局出張所などは地方自治法上の「支庁又は地方事務所」には該当しないので、それぞれの所轄区域ではなく、県下全域で所定の政治的行為の制限を受けるものである（行実昭四二・六・一七　公務員課決定、文部省行実昭二六・四・一七）。また、地方事務所の税務職員は、その所管区域内で本条による政治的行為の制限を受けるほか、公職選挙法第一三六条の規定により選挙運動を行うことを全面的に禁止される（行実昭二六・三・一三　地自公発第八二号）。さらに派遣職員など二以上の地方公共団体の職員の身分を併せ有する者は、そのいずれの地方公共団体においても政治的行為の制限を受けるものである（派遣職員について、自治法施行令一七四の二五2）。また、たとえば地方事務所の職員が本庁の事務に従事させられた場合に、地方事務所の区域内で制限されるのか、全県下で制限されるのか明らかではないが、兼職の場合と異なり通常は一時的なものでもあるので、前者の区域内においてのみ制限されると解してよいであろう。

三　教育公務員に対する政治的行為の制限

公立学校の教育公務員（本書における教職員よりも若干その範囲が狭い。）にも本条は適用されないが、これはむしろその政治的行為の制限を強化するためである。すなわち、教育公務員は、教育を通じて国民全体に奉仕するというその職務と責任の特殊性に基づき（教特法一）、その政治的行為の制限は、当分の間、国家公務員の例によることとされている（教特法一八）。その結果、公立学校の教育公務員は、一般の職員と比較して政治的行為の制限の内容が厳重であり、また、一般の職員の場合は、原則として地域を限定して特定の政治目的の下に行われる一定の政治的行為の制限がなされる（前述二㈢参照）のであるが、教育公務員のそれは全国的に禁止される。ただし、国家公務員については、政治的行為の制限の違反について懲戒処分だけでなく、刑罰の適用もあるが（国公法一一〇1⑲）、公立学校の教育公務員には刑罰の適用はない（教特法一八2）。これらの制限の内容を少し詳しく述べると、まず、公立学校の教育公務員の政治的行為の制限が国家公務員の例によることとされた結果、まず、政党または政治的目的のために寄附金その他の利益を求め、または受領すること、公職の候補者となることおよび政党その他の政治的団体の役員となることが禁止される（国公法一〇二）ほか、人事院規則によって、本条第二項では定められていない政治的目的および政治的行為が追加されることになる。すなわち、政治的目的については、最高裁判所の裁判官の任命に関する国民審査に際し、特定の裁判官を支持しまたはこれに反対すること、政治の方向に影響を与える意図で特定の政策を主張しまたは反対すること、国の機関または公の機関において決定した政策の実施を妨害すること、地方公共団体の条例の制定若しくは改廃または事務監査の請求に関する署名を成立させまたは成立させないこと、および地方公共団体の議会の解散または公務員の解職の請求に関する署名を成立させまたは成立させないことが追加され、また、政治的行為については、職名、職権または公私の影響力を利用すること、寄附金その他の利益を提供しまたは提供しないことなどに対し代償を与えまたは報復をしようとすること、政党などの機関紙などの発行、編集、配布を行いまたはこれを援助すること、示威運動を企画、組織または指導しまたはこれを援助すること、集会などの場所で拡声器、ラジオ等を利用して公に政治的目的を有する意見を述べること、文書図画などを発行し、回覧し、掲示し、配布し、朗読するなどの行為をすること、演劇を演出し、主宰しまたはこれを援助すること、および政治上の主義主張または政党その他の政治的団体の表示に用いられる旗、腕章、記章などを製作し、配布し、または勤務時間中にこれらを着用することが追加されている（人事院規則一四―七（政治的行為））のである。

また、教育基本法第一四条第二項は、法律で定められている学校では特定の政党を支持し、または反対するための政治教育その他の政治的活動をしてはならないとしており、さらに「義務教育諸学校における教育の政治的中立の確保に関する臨時措置法」（昭二九法一五七）では、何人も教育を利用し、特定の政党その他の政治的団体の政治的勢力の伸長または減退に資する目的で学校の職員を主たる構成員とする団体（その団体を主たる構成員とする団体を含む。）の組織または活動を利用し、義務教育諸学校に勤務する教職員に対し、これらの者が、児童または生徒に対し、前記の政治的団体を支持させ、またはこれに反対させる教育を行うことを教唆し、または煽動してはならないこととされており、これに違反した者は一年以下の懲役または三万円以下の罰金に処せられる（同法三、四）。

四　公職選挙法等による職員の政治的行為の制限

公職選挙法（昭二五法一〇〇）および政治資金規正法（昭二三法一九四）は、公務員がその影響力を利用して明るく正しい選挙の実施を妨げることのないよう、立候補制限をはじめとする政治的行為の制限をしているが、これらの法律と本条とは一方が他方の適用を排除し、あるいはてい触する関係に立つものでなく（行実昭二六・二・九　地自公発第二六号）、併せて職員に適用されるものである。

(一)　公職選挙法による政治的行為の制限

1　立候補制限　職員（独法職員を除く。以下本条の解説において同じ。）は在職中、公職の候補者となることができない（公選法八九1）。ただし、職員のうち単純労務職員および地方公営企業等の労働関係に関する法律第三条第四号に規定する職員で、主たる事務所（本庁）の課長または課長相当職以上の者以外のものは、在職のまま立候補することができる（公選法八九1②⑤、公選法施行令九〇13）。在職中立候補することができないこととされている職員が立候補したときは、候補者としての届出があった日に、職員を辞したものとみなされる（公選法九〇）。法定退職であり、失職と同様に法律上はなんらの手続を要しない。また逆に、候補者としての届出があった職員でない者がその届出後に立候補制限を受ける職員の職に任用されたときは、公職の候補者を辞したものとみなされる（公選法九一）。なお、ここで「公職」とは、衆議院議員、参議院議員ならびに地方公共団体の議会の議員および長の職をいうものである。

昭和三九年（一九六四年）九月の臨時行政調査会の「公務員に関する改革意見」では、公務員の地位利用の弊害にかんがみ、「選挙運動に相当の影響力をもちうる地位にある高級公務員は、離職後一定期間（たとえば、離職直後の選挙終了までなど）を経た後でなければ国会議員の選挙に立候補することができないものとするか、または立候補にあたっては人事院の承認を要する等の規制措置がとられるべきである。」と述べられている。また、国家公務員のうち、一般の職員と同じ政治的行為の制限を受けている単純労務職員については、地方公務員である単純労務職員と同様に制限を緩和すべきであるとしている。

2　特定の職員の選挙運動の禁止　職員のうち、選挙管理委員会の職員、警察官および徴税の吏員は、在職中選挙運動をすることができない（公選法一三六）。これらの職員の職務がとりわけ強い影響力をもつことにかんがみ、一切の選挙運動を禁止することとしたものである。この禁止は、その職務が行われる地域にかかわりなく全国的に禁止されるものであり、この禁止に違反した場合は、六カ月以下の拘禁刑または三〇万円以下の罰金に処せられる（公選法二四一②）。

３　地位利用の禁止　公務員は、その職務を通じて公職の選挙に強い影響力を行使しうる場合があることにかんがみ、その地位を利用して選挙運動をすることが禁止されている（公選法一三六の二１）。「地位利用」とは、職員の場合、その地方公共団体の職員としての地位にあるために、とくに選挙運動を効果的に行いうるような影響力または便益を利用する意味であり、職務上の地位と選挙運動などの行為が結びついている場合をいうものとされている（通知昭三八・二・一四　自治丙選発第三号二参照）。また、同じ趣旨から公務員が公職の候補者または公職の候補者となろうとする者（現に公職にある者を含む。）を推薦し、支持し、若しくはこれに反対する目的で、または職員自身が公職の候補者として推薦され、若しくは支持される目的で次のような行為を行うことは、地位利用による選挙運動とみなされる（公選法一三六の二２）。

⑴　その地位を利用して公職の候補者の推薦に関与し、若しくは関与することを援助し、または他人をしてこれらの行為をさせること。

⑵　その地位を利用して、投票の周旋勧誘、演説会の開催その他の選挙運動の企画に関与し、その企画の実施について指示し、若しくは指導し、または他人をしてこれらの行為をさせること。

⑶　その地位を利用して、後援団体を結成し、その結成の準備に関与し、後援団体の構成員となることを勧誘し、若しくはこれらの行為を援助し、または他人をしてこれらの行為をさせること。

⑷　その地位を利用して、新聞その他の刊行物を発行し、文書図画を掲示し、若しくは頒布し、若しくはこれらの行為を援助し、または他人をしてこれらの行為をさせること。

⑸　公職の候補者または公職の候補者となろうとする者（現に公職にある者を含む。）を推薦し、支持し、若しくは反対することを申しいで、または約束した者に対し、その代償として、その職務の執行に当たり、その申しいでまたは約束した者

にかかる利益を供与し、または供与することを約束すること。

職員が公職選挙法第一三六条の二に違反したとき、すなわち地位利用による選挙運動をしたとき（同条1違反）または地位利用とみなされる行為をしたとき（同条2違反）は、二年以下の拘禁刑または三〇万円以下の罰金に処せられる（公選法二三九の二2）。

この地位利用の禁止は、昭和三七年五月の公職選挙法の一部改正前は、公務員の地位利用による事前運動のみが禁止され、その違反については一般の者の事前運動よりも厳しく罰することとされていたのであるが、同改正により、さらに幅広く選挙中の地位利用および選挙運動にまぎらわしい行為についても禁止することとされたのである。

次に、職員のうち、学校教育法に規定する学校の長および教員については、地位利用の選挙運動の禁止についてさらに特例があり、学校の児童、生徒および学生に対する教育上の地位を利用して選挙運動をすることが禁止されている（公選法一三七）。その違反については、一年以下の拘禁刑または三〇万円以下の罰金に処せられる（公選法二三九1①）。

4　衆議院議員または参議院議員となろうとする者の事前運動の禁止　職員で衆議院議員または参議院議員になろうとするものが、次の行為をしたときは、公職選挙法第一二九条の選挙運動の期間の規定に違反して事前運動をしたものとみなされ、二年以下の拘禁刑または三〇万円以下の罰金に処せられる（公選法二三九の二1）。

(1)　職員が候補者となろうとする選挙区（選挙区がないときは、選挙が行われる区域をいう。以下、(2)～(4)において同じ。）において、職務上の旅行または職務上出席した会議その他の集会を利用して、その選挙に関し選挙人に挨拶すること。

(2)　その選挙区において、その地位および氏名（地位または氏名が類推できるような名称を含む。）を表示した文書図画をその選挙に関し、掲示し、または頒布すること。

(3)　その職務の執行に当たり、その選挙区内の者に対し、その選挙に関して特別の利益を供与し、または供与することを約束すること。

(4)　その地位を利用して、その選挙に関し、職員等をして、その職務の執行に当たり、その選挙区内にある者に対し、特別の利益を供与させ、または供与することを約束させること。

５　職員の選挙犯罪による当選無効　職員であった者が、離職後最初に候補者となった衆議院議員または参議院議員の選挙（離職後三年以内に行われたものに限る。）で当選人となった場合、次の者がその当選人のために行った選挙運動等に関し、一定の選挙犯罪を犯し刑に処せられたときは、その当選は無効とされる（公選法二五一の四）。いわゆる公務員の選挙犯罪による連座規定である。

(1)　当選人がかつて在職した職（離職前三年間に在職した職に限られる。以下本項および(2)、(3)において同じ。）と同一の職にある職員またはその当選人が在職した職の所掌にかかる事務に従事する職員で、当選人からその選挙に関し指示または要請を受けたもの。

(2)　当選人が在職した職の所掌にかかる事務に従事する職員で、当選人が占めていた職にある者、または当選人が在職した職の所掌にかかる事務に従事する職員から、その選挙に関し、指示または要請を受けたもの。

(3)　当選人が在職した職の所掌にかかる事務と同種であり、かつ、その処理に関しこれと関係がある事務をその従事する事務の全部または一部とする職員で、当選人、当選人が在職していた職と同一の職にある者、当選人が在職していた職の所掌にかかる事務に従事する職員などから、その選挙に関し、指示または要請を受けたもの。

(二)　政治資金規正法による政治的行為の制限

職員（企業職員および独法職員にあっては、政治的行為の制限を受けるもの（前記一(一)参照）に限り、単純労務職員を除く。）は、その地位を利用して政治活動に関する寄附や政治パーティーの資金集めに関与してはならず、また、第三者は職員に対してこれらの行為を求めてはならない（政資法二二の九、政資法施行令二四２）。この規定に違反した場合は、六カ月以下の拘禁刑または三〇万円以下の罰金に処せられる（同法二六の四）。

（争議行為等の禁止）

第三十七条　職員は、地方公共団体の機関が代表する使用者としての住民に対して同盟罷業、怠業その他の争議行為をし、又は地方公共団体の機関の活動能率を低下させる怠業的行為をしてはならない。又、何人も、このような違法な行為を企て、又はその遂行を共謀し、そそのかし、若しくはあおつてはならない。

2　職員で前項の規定に違反する行為をしたものは、その行為の開始とともに、地方公共団体に対し、法令又は条例、地方公共団体の規則若しくは地方公共団体の機関の定める規程に基いて保有する任命上又は雇用上の権利をもつて対抗することができなくなるものとする。

〔趣　旨〕

一　公務員の労働基本権制限の沿革

本条は、職員の争議行為等（本条一項前段が禁止する行為を総称する。以下同じ。）を禁止している規定であるが、いうまでもなく、争議行為を行う権利は団結権および団体交渉権とともに労働基本権の内容をなすものである。

地方公務員法は、争議行為等については個々の職員に対してこれを禁止する立場から服務（第三章第六節）の中で規定し、職員の団結および交渉については労働運動の観点から職員団体の節（第三章第九節）を設け、別途規定をしている。これらはいずれも労働基本権に結びつく問題であり、それぞれ関連するのであるが、法文の規定が分離しているので、ここで労働基本権全体について述べることとする。

まず、職員の労働基本権の沿革であるが、これに関する戦後の法律制度は昭和二一年（一九四六年）三月一日に施行された労働組合法（旧労働組合法）に始まる。同法では、警察職員および消防職員には団結権が認められていなかったが、その他の職員は労働組合を結成し、団体交渉を行うことが認められていた。そして、同年一〇月一三日に施行された労働関係調整法では、警察職員、消防職員および非現業の職員の争議行為は禁止されていたが（当時の同法三八）、現業の職員の争議行為は禁止されていなかった。

その後、昭和二二年（一九四七年）から昭和二三年（一九四八年）にかけて官公労働組合の労働運動が激化し、当時の占領軍はこれに対処するため、マッカーサー書簡による指示を行い、政府はこれに基づいて昭和二三年（一九四八年）七月三一日、いわゆる「政令二〇一号」を公布した。政令二〇一号が公布されるに至ったいきさつを少し詳しく述べると、戦後暫くの間、社会的、経済的不安から全国的に労働争議が頻発したが、官公労働組合がその先頭に立つことが多く、全官公は昭和二二年（一九四七年）二月一日を期して争議行為が禁止されていた非現業の職員も含めてゼネスト（二・一スト）を実施しようとした。このゼネストは、実施期日の前日に連合国最高司令官であるマッカーサー元帥による中止命令が発せられて回避されたが、全官公は引き続き労働攻勢を強め、翌昭和二三年八月にふたたびゼネストに突入しようとした。この事態を受けて、マッカーサーは、七月二二日、芦田総理大臣あての書簡（「マッカーサー書簡」と称される。）を発し、公務員の争議行為を全面的に禁止することを命令したのである。このマッカーサー書簡ではフランクリン・ルーズベルト大統領の書簡を引用しているが、その趣旨は、公共の信託を受けた公務員が争議行為によって政府の運営を阻害すること、および団体交渉によって使用者である国民を拘束することは許されないということにある。また、マッカーサー書簡では、鉄道および専売について公社制度を採用することを求めており、これが国において三公社五現業の制度を創設する契機となった。

このように、政令二〇一号では、すべての公務員は国または地方公共団体に対して同盟罷業、怠業的行為等を裏付けとする団体交渉権を有しないこととされた（同令一1本文）。この政令二〇一号の趣旨は、国家公務員については昭和二三年（一九四八年）一二月の国家公務員法の一部改正（昭二三法二二二）によって法律化され、また、地方公務員については、一般の職員の場合は昭和二六年（一九五一年）二月一三日に本条が施行され、地方公営企業職員および単純労務職員の場合は昭和二七年（一九五二年）一〇月一日に地方公営企業労働関係法（現地方公営企業等の労働関係に関する法律）第一一条が施行されて、それぞれ法律として確定したのである。

職員の労働基本権とりわけ争議権に関する制度の沿革の概要は以上のとおりであり、以来、今日に至るまで「政令二〇一号」の考え方が維持されているのであるが、現行制度が確立された後も、公務員の労働基本権の問題は、政治的大問題の一つとしてしばしば論議されてきたのであり、団結権や交渉権に関する制度については若干の手直しも行われている。その後の経緯の中でとくに大きな動きはＩＬＯに関係するものであるが、これについては三で若干詳しく述べることとしたい。

二　職員の労働基本権制限の根拠と態様

(一)　労働基本権制限の根拠

前述のようないきさつで、現在、公務員の労働基本権は制限されているのであるが、その法律的根拠が問題となる。

まず明らかにしておかなければならないことは、公務員も憲法第二八条の「勤労者」であることである。戦後、公務員は労働者（憲法は「勤労者」という語を使用しているが、「労働者」という語の方が広く使用され、それが一般的となっているので、本書においてもその用法に従っている。）ではないという意見もあったが（宮沢俊義・昭和二三年政令二〇一号事件　公法研究一号）、今日では公務員が労働者であることは異論のないところであり、最高裁判所の判例も繰返しこれを肯定している（最高裁昭四八・四・二五判決（判例時報六九九号二二頁）ほか）。すなわち、公務員は、国または地方公共団体に一定の勤労を提供し、その反対給付として給与の支給を受け、それによって生計を維持するという点で、民間企業の労働者と異なるところはないとされるのである。戦前の官公吏は、天皇に対して忠実無定量の忠誠を尽くすもので、これに対する給与は勤労の対価ではなく、官公吏としての体面を保つための生活の資として国または地方公共団体から下賜されるものと観念されていたのであり、公務員が労働者であるという観念は、戦後になって意識され、確立されたといってよい。

いずれにしても、公務員が労働者とされる以上、原則として憲法第二八条によって労働基本権が保障される地位にあることになる（前記最高裁判例）。しかし、全面的かつ無条件に労働基本権を認めるについては、公務員の性格からして問題がある。すなわち、公務員は、労働者である点は民間の労働者と同じであるが、全体の奉仕者として公共の利益のために勤務するという点で民間の労働者と異なるものである。そして全体の奉仕者としての性格が民間の労働者とは異なる行為規範を求めることが少なくないが、労働基本権についてもそれによりどのような影響を受けるかということ、換言すれば、その労働基本権がどのような制限を受けるかということが問題となるのである。

結論的には、この問題は公務員の労働者としての立場と、その全体の奉仕者としての使命とを比較考量して、公共の福祉を守るという見地から、立法政策的に判断すべきものと考えられる。学説的にはさまざまな見解があり、労働団体が労働基本権は天賦人権であり、いかなる理由をもってしてもこれを制限することは不可能であると主張することは別としても、たとえば、一方では、制限不可能説として、労働基本権の実現そのものが公共の福祉に合致するものであり、公共の福祉によって制限するというのはナンセンスであるとするもの（沼田稲次郎・団結擁護論上巻一六八頁、勁草書房、一九五二年）、制限可能説には根拠がなく、したがって、制限はできないとするもの（有泉亨・社会科学研究三巻三号　二〇頁、東京大学社会科学研究所、一九五二年）などがある。ただ、いずれの説も公務員については特別の取扱いをする余地があることを認めている。他方、制限可能説としては、基本的人権についてはすべて公共の福祉が優先するので、制限することは可能であるとするもの（尾高朝雄・国家学会雑誌六三巻七・八・九合併号　四三頁、国家学会、一九四九年）、労働基本権は生存権的基本権の一種であり、自由権的基本権と異なり公共の福祉による制限は可能であるとするもの（法学協会編・註解日本国憲法上巻　五四八頁、有斐閣、一九六二年）などがある。

この問題についての有権解釈である最高裁判所の判断は、多少の紆余曲折を経て今日に至っている。まず、戦後はじめての基本的な判決は、昭和二八年四月八日の判決（政令二〇一号事件）である。この判決では、公務員は憲法第二八条の勤労者であるが、その労働基本権は、公共の福祉の見地から、また、公務員が全体の奉仕者としての性格を有することから制限されてもやむを得ないとした。公務員の労働基本権の制限をやや抽象的な判断に基づきとくに条件をつけずに認めたといえよう。ところが昭和四一年一〇月二六日、最高裁判所はいわゆる「全逓中郵事件判決」を下した。この事件は、国の現業職員の争議行為を教唆煽動した者に刑事罰を科すことの是非が問題とされたものであるが、判決ではその争議行為が違法性の強いもの（たとえば、政治ストや暴力を伴うスト）であり、かつ、国民生活に重大な支障を与えるもの（たとえば、長期間にわたるスト）である場合に限り刑罰を科しうるとした。このような二つの条件を課したことにより、「二重しぼり」または「二重しぼり」判決と呼ばれる。要するに教唆煽動に対する刑事罰の面からみて、争議行為はすべて違法ではなく、違法なものとそうでないものがあるとされたのである。その後、昭和四四年（一九六九年）四月二日の最高裁判所「都教組事件」においても同趣旨の判決がなされ、非現業の地方公務員についても同様に取り扱われることが明らかにされた。

しかし、昭和四八年（一九七三年）四月二五日の最高裁判所「全農林警職法事件」の判決（判例時報六九九号二二頁）は、ふたたび判例を変更した。すなわち、国家公務員の労働基本権を制限した現行法は何らの条件なしに合憲とされ、非現業の地方公務員に対する争議行為の禁止についても、最高裁判所は、昭和五一年（一九七六年）五月二一日の「岩教組事件」の判決（判例時報八一四号七三頁）で何らの留保なしに憲法に違反しないと判示したのである。岩教組事件の判決は、全農林警職法事件の判決を前提としたうえで、地方公務員法第三七条第一項の争議行為などの禁止が合憲であることを次の理由をあげて、説いている。

①　地方公務員も憲法第二八条の勤労者として同条による労働基本権の保障を受けるが、地方公共団体の住民全体の奉仕者として、実質的にはこれに対して労務提供義務を負うという特殊な地位を有し、かつ、その労務の内容は、公務の遂行すなわち直接公共の利益のための活動の一環をなすという公共的性質を有するものであって、地方公務員が争議行為に及ぶことは、右のようなその地位の特殊性と職務の公共性と相容れないこと。また、そのために公務の停廃を生じ、地方住民全体ないしは国民全体の共同利益に重大な影響を及ぼすか、又はそのおそれがあること

②　地方公務員の勤務条件が、法律および地方公共団体の議会の制定する条例によって定められ、また、その給与が地方公共団体の税収などの財源によってまかなわれるところから、専ら当該地方公共団体における政治的、財政的、社会的その他諸般の合理的な配慮によって決定されるべきものであること

③　前記②の場合には、私企業における労働者の場合のように団体交渉による労働条件の決定という方式が当然には妥当せず、争議権も、団体交渉の裏づけとしての本来の機能を発揮する余地に乏しく、かえって議会における民主的な手続によってされるべき勤務条件の決定に対して不当な圧力を加え、これをゆがめるおそれがあること

④　前記①から③によって、地方公務員の労働基本権は、地方公務員を含む地方住民全体ないしは国民全体の共同利益の

ために、これと調和するように制限されることも、やむをえないところといわなければならないこと

⑤　全農林警職法事件の判決は、国家公務員の労働基本権が国民全体の共同利益のために制約を受ける場合においても、その間に均衡が保たれる必要があり、したがって右制約に見合う代償措置が講じられなければならないとして、国家公務員の勤務関係における法制上の具体的措置を検討し、国家公務員につき、その身分、任免、服務、給与その他に関する勤務条件についてその利益を保障するような定めがされていること、および公務員による公正かつ妥当な勤務条件の享受を保障する手段としての人事院の存在とその職務権限を指摘し、これを労働基本権制限の合憲性を肯定する一理由としているので、この点を地方公務員の場合についてみると、地方公務員法上、地方公務員にもまた国家公務員の場合とほぼ同様な勤務条件に関する利益を保障する定めがされている（殊に給与については、法二四ないし二六など）ほか、人事院制度に対応するものとして、これと類似の性格をもち、かつ、これと同様の、またはこれに近い職務権限を有する人事委員会または公平委員会の制度（法七ないし一二）が設けられているのである。もっとも、詳細に両者を比較検討すると、人事委員会または公平委員会、とくに後者は、その構成および職務権限上、公務員の勤務条件に関する利益の保護のための機構として、必ずしも常に人事院の場合ほど効果的な機能を実際に発揮しうるものと認められるかどうかにつき問題がないではないけれども、なお中立的な第三者的立場から公務員の勤務条件に関する利益を保障するための機構としての基本的構造をもち、かつ、必要な職務権限を与えられている（法二六、四七、五〇）点においては、人事院制度と本質的に異なるところはなく、その点において、制度上、地方公務員の労働基本権の制約に見合う代償措置としての一般的要件を満たしていること

このように、公務員の争議行為が禁止されるのは、公務員の地位の特殊性と職務の公共性に加えて、勤務条件の決定が議会によってなされることから団体交渉による勤務条件の決定という方式が妥当せず、争議権が団体交渉の裏づけという本来の機能を発揮する余地が乏しいだけでなく、不当な圧力となるおそれがあるためである。この判決も全農林警職法事件の判決と同じく、争議行為が禁止された場合における代償措置について述べているが、それは、代償措置がなければ争議行為を

禁止できないという意味ではなく、争議行為を禁止した場合には適切な代償措置を講ずべきであるという意味で理解されるべきであろう。なお、団体交渉権が認められ、人事委員会や公平委員会の制度のない企業職員および単純労務職員については、それぞれ、北九州市交通局事件（最高裁昭六三・一二・八判決　判例時報一三一四号一二七頁）および北九州市小倉西清掃事務所事件（最高裁昭六三・一二・九判決　判例時報一三一四号一四六頁）で、これらの職員についても、その勤務条件が法律、条例、予算による制約を免れるものではなく、その労使関係には市場原理による抑制力が働かず、その職員が実質的に住民全体にひとしく労務提供の義務を負っていることなどを指摘し、代償措置としては、労働委員会における強制調停（地公労法一四③ないし⑤）や強制仲裁（同法一五③ないし⑤）の制度および仲裁裁定の実施努力義務の規定（同法一六2本文）の存在、予算上または資金上不可能な支出や条例に抵触する内容の仲裁について議会の意思を問うこととされていること（同法一六2但し書、一〇、一六3、八14）から、争議行為の禁止が憲法に違反しないとされている。なお、昭和四二年（一九六七年）から四六年（一九七一年）当時の人事院勧告の不完全実施および昭和五七年（一九八二年）の人事院勧告凍結に際して、その完全実施などを掲げて行った争議行為について、代償措置がその本来の機能を果たしていなかったということはできないとして、代償措置がその本来の機能を果たしていなかったことを前提とする適法性の主張を排斥した判例がある（前者について最高裁平五・四・八判決（労働判例六三九号一二頁）、後者について最高裁平一二・三・一七判決（判例時報一七一〇号一六八頁））。

　これまで述べてきたところを整理すると、公務員の労働基本権については、次のとおり考えるべきであろう。

　まず、公務員の地位を法律的にみた場合、それは義務と権利の複合体であるが、その一面である権利の内容はその性質から次の四つの種類に分類することができる。

(1)　職務執行の権利

(2)　経済的権利

(3)　保障請求権

(4)　労働基本権

(1)の職務執行の権利とは、みだりに公務から排除されないという権利であり、身分保障、分限である。この点について公務員は、民間の労働者に比較して手厚い保障が行われていることは第二七条および第二八条で述べたところである。(2)は、勤労者として生活の資を受ける権利であり、給与の請求権が中心であるが、勤務時間、休日、休暇等に関する権利も含まれる。(3)は、権利の保障を請求する権利であって、地方公務員法においては、勤務条件に関する措置の要求（法四六）と不利益処分に関する審査請求（法四九の二）とが定められている。(4)は、本条で述べている権利である。

ところで、これら四つの権利相互の関係をみると、公務員の職務および生活にとってもっとも基本的な権利が(1)と(2)の権利であることは明らかである。(3)の権利は、(1)および(2)の権利を支える二次的な権利であるといえよう。そして(4)の労働基本権も(2)の経済的権利を支える二次的権利としての性質をもつものであると考えられる。労働基本権の社会的重要性はもとより否定することはできないが、これは、それ自体を究極的な目的とするいわゆる天賦人権ではなく、他の権利を実現するための権利であるといわなければならない。

したがって、労働基本権だけを独立に切り離して論議することは、全体的な視野を欠くものであり、要は公務員の勤務条件の実態がどのような状態にあるかということ、およびその将来の見通しがどうかということがすべての基本である。もし、労働基本権を制限するとした場合には、公務員の勤務条件、経済的権利を十分に維持しうる仕組みが確立されているかどうかをいわゆる代償措置を含めて検討する必要があり、それが確立されているとすれば、政策的に公務員の労働基本権を制限する余地ありと考えることができるのである。一方で公共の利益の見地から勤労基本権を制限すべきであるとする政策的要請があり、他方で、労働基本権を制限しうる勤務条件制度の実態があるとすれば、憲法上の二つの原理、公務による公共の福祉の増進と勤労者の利益の保護の調整を行うことは法理論的にも社会実態からも十分に可能であるというべきであろう。

(二)　労働基本権制限の態様

公務員の労働基本権の制限が可能であるとされていることは前述のとおりであるが、公務員にも勤務内容が異なるさまざまな職種があり、それに応じて労働基本権制限の態様も一様ではない。一般職の職員の場合、労働基本権の制限という観点から分類すると、企業職員および独法職員ならびに単純労務職員のグループ、警察職員および消防職員のグループならびに上記以外の一般職員および教育職員のグループの三に分けることができるが、それぞれの労働基本権の制限の態様のあらましは次のとおりである。なお、労働基本権の内容を団結権、交渉権および争議権に分けることが通例であり、以下この分類に従って説明することとする。

1　企業職員および独法職員ならびに単純労務職員　　企業職員および独法職員ならびに単純労務職員は、民間企業にも類似の事務、事業があることもあり、公共的性格は有するものの、労働基本権の上ではできる限り民間労働者に近い取扱いをすることが望ましいとされている。したがって、全体の奉仕者として公共の利益のために勤務するという見地から、争議行為を行うことは全面的に否定されるが（地公労法一一1、同法附則5）、団結権については民間労働者と同様に労働組合法に基づく労働組合を結成し、加入することができる（地公労法五1、同法附則5）。また、この組合は当局と団体交渉を行って団体協約（労働協約）を締結しうる点でも民間の労働組合と同じである（地公労法七、同法附則5）。ただし、団結権については、公務の平等公開の原則および能力主義に基づく分限の保障という観点から必ずオープン・ショップ制をとらなければならないものであり（地公労法五1、同法附則5）、団体交渉権についていえば、条例または予算と矛盾する団体協約は、権限ある機関によって必要な措置がとられるまではその効力を生じないこととされている（地公労法八、一〇、同法附則5）。

なお、地方公営企業の事務以外の事務に従事する単純労務職員は、労働組合ではない地方公務員法上の職員団体を組織することもできるが（地公労法附則5後段）、その場合の当該職員団体の団結権および交渉権の取扱いは3で述べる場合と同じである。

2　警察職員および消防職員　　警察職員と消防職員は、その職務の性質上、とくに強い服従義務を必要とし、当局と対抗するような組織を結成することは好ましくないものとされている。したがって、団結権そのものが認められておらず、また、団結権を前提とする交渉権も認められていない（法五二5）。さらに、公共の福祉のために勤務するものである以上、争議権も認められていないものである（法三七1）。なお、消防職員には救急業務に従事する都道府県の吏員その他の職員も含まれる（消防法三五の九２後段）。

３　一般の行政事務に従事する職員および教育職員　１および２で述べた職員以外の職員、すなわち、一般の行政事務に従事している職員および教育職員は、全体の奉仕者として公共の利益のために勤務するという性格によって争議権が認められないことは他の職員と全く同じであるが（法三七１）、団結権と交渉権については、地方公務員法に基づき、民間労働者と異なる取扱いが定められている。すなわち、団結権については労働組合法の適用はなく、「職員団体」を組織することができることとされ（法五二１）、交渉権については当局と交渉することはできるが、団体協約を締結することはできないとされている（法五五２）。

以上が職員の種類ごとの労働基本権制限の態様であり、これを簡単に示すと次表のとおりである。

職員の種類	団結権	交渉権	争議権
警察職員および消防職員	×	×	×
一般の行政職員および教育職員	△	△	×
企業職員および独法職員ならびに単純労務職員	○	○	×

（注）×印は認められていない権利、△は民間労働者と同じではないが別途類似の権利が認められているもの、○は民間労働者とほぼ同様の権利が認められているものをそれぞれ示す。

国家公務員の場合は、一般の職員については国家公務員法に基づき「職員団体」を組織し、団体協約締結権を含まない交渉を行うことができ、争議行為が認められておらず（国公法九八２、一〇八の二１、一〇八の五２）、地方公務員法に基づく一般職員の場合と同じ取扱いを受けている。ただ、国家公務員の場合、地方公務員の単純労務職員に相当する者も、もっぱら職員団体のみを組織しうることとされている。また、団結権、交渉権および争議権のすべてが認められない職種として警察職員および海上保安庁および刑事施設に勤務する職員が定められている（国公法一〇八の二５）。次に、行政執行法人の職員は、行政執行法人の労働関係に関する法律の適用を受け、労働組合を組織し、労働協約の締結を含む団体交渉を行うことができるが、争議行為を行うことはできないこととされ（同法四1、八、一七1）、企業職員とほぼ同一の取扱いになっている。

なお、地方公務員である特別職の労働基本権については、必ずしも明らかではない。長や委員会の委員などはもっぱら使用者であって労働者とはいえないであろうから労働基本権を認める余地がない。議会の議員、審議会の委員などは使用者ではないにしても地方公共団体または地方公共団体の当局に従属して労働するとは考えられないので、やはり労働基本権の対象ではないであろう。問題となるのは、これら以外の特別職で従属労働に従事している者の場合である（非常勤の消防団員および水防団員（法三3⑤）を、従属労働とすることには疑義がある。）。この場合、昭和二三年（一九四八年）の政令二〇一号は、すべての公務員の争議行為を禁止していたのであるが、国家公務員については国家公務員法の一部を改正する法律（昭二三法二二二）附則第八条の規定によってすべての国家公務員について同令は効力を失ったものであるのに対し、地方公務員の場合は、昭和二五年（一九五〇年）の地方公務員法の施行によって職員（一般職の職員で企業職員および単純労務職員以外のもの）についてのみ同政令は効力を失い（法附則7および制定当初の附則2021）、ついで昭和二七年（一九五二年）の地方公営企業労働関係法の施行によって企業職員および単純労務職員についてのみ効力を失ったのである（同法附則2）。したがって、形式的には特別職の従属労働に従事する地方公務員には今日でも政令二〇一号の適用があるとする余地がある。

三　ＩＬＯ問題

戦後、国および地方公共団体の公務員制度が制定されて以来、公務員などの公共部門の労働基本権の問題がもっとも大きくとり上げられたのは、いわゆる「ＩＬＯ問題」においてである。

ＩＬＯ問題は、複雑な経過を辿り、また、今日なおその尾を引いているのであるが、政治的にもまた公務員制度の理解の上でもきわめて重要な意義を有している。ここでその概略を述べると次のとおりである。

(一)　ＩＬＯ（国際労働機関）

ＩＬＯ（International Labour Organization）は、一九一九年（大正八年）の第一次世界大戦を終結させるベルサイユ条約において設置することが定められた由緒と伝統のある国際機関である。これが設置された趣旨は、悲惨な世界戦争をもたらした大きな原因の一つに、各国の労働者の労働条件に著しい開きがあることがあり、これが帝国主義的経済競争を激化させ、ひいては世界戦争を惹起させることになるという認識があり、各国の労働者の労働条件の改善と向上を図ることによって戦争の防止に資する必要があるということであった。

こうして設置されたＩＬＯは、第一次世界大戦後の世界平和のための中心的機関として設置された国際連盟とともに活動を開始するのであるが、国際連盟が瓦解した後は独自に活動を続けたのである。そして、第二次大戦後、新たに国際連合が設置されると、これと協定を結んで協力関係を樹立して今日に至っている。

わが国は、一九三八年（昭和一三年）国際連盟脱退と同時にＩＬＯも脱退したが、戦後の国際社会への復帰の一環として、一九五一年（昭和二六年）に再加盟して今日に至っている。

ＩＬＯの組織には、加盟国のすべてが参集して審議する議決機関としての総会があり、これが最高機関である。総会は、毎年一回、通例は六月に開催されている。また、総会の下に執行機関としての理事会があり、五六人の理事によって構成されるが、このうち労使代表各一四人、政府代表二八人であり、政府代表のうち一〇人は一〇大主要産業国の政府代表が常任理事とされる。わが国の政府代表は、再加盟以来常任理事の地位を占め、また、わが国は現在では世界第二の経費分担国となっている。理事会は年に数回開催されている。理事会には数多くの附属機関が設けられ専門的な活動を行っているが、わが国に馴染みのあるものとして、たとえばＩＬＯに対して団結権侵害の訴えがあった場合に、これを受理し、理事会の決定に先立って事前審査を行う「結社の自由委員会」がある。また、同じ問題について実地に調査等を行う「実情調査調停委員会」があり、昭和四〇年一月に来日したいわゆる「ドライヤー委員会」は、この実情調査調停委員会に設けられた小委員会に委員長の名を冠したものである。このほか、各国におけるＩＬＯ条約やＩＬＯ勧告の実施状況を審査する「条約・勧告適用委員会」、この委員会に対し専門的な助言を行う「条約・勧告適用専門家委員会」、産業別に労働条件の検討等を行う産業別委員会の一として、公務員の問題を取り扱う「公務員合同委員会」などがわが国でも話題となることがある。

総会、理事会、各種附属機関を通じ、大きな特色は、いずれも政府、使用者および労働者のそれぞれの代表からなる三者構成をとっていることである（公務員合同委員会のように、政府即使用者であるものは例外的に政・労の二者構成となる。）。ＩＬＯ以外の国際機関はすべて政府代表のみによって組織されていることに比べ、これは大きな特色であるが、このような構成をとっていることから、とりわけ労使あるいは政労間の論議が活発化するともいえよう。

次に、ＩＬＯの総会や理事会の事務を行うために常設のＩＬＯ事務局があり、本部をスイスのジュネーブに置いている。

ＩＬＯのもっとも重要な任務は、ＩＬＯ条約を採択することであり、現在まで約一九〇の条約が採択されている。また、条約のように批准国を拘束するものではないが、労働条件等の基準を示す勧告を国際文書の形式で採択することも行われており、さらに、結社の自由委員会の報告書やさきのドライヤー委員会の報告書、あるいは条約・勧告適用委員会の報告書などもわが国においてはしばしば論議の対象とされている。

ところで、数多くの条約はそれぞれに重要であるが、とくに結社の自由をうたった八七号条約と雇用の面から団結権を保障した九八号条約が重要であるとされている。

ＩＬＯ八七号条約（結社の自由及び団結権の保護に関する条約）は、昭和二三年（一九四八年）七月九日、サンフランシスコで開催された第三一回ＩＬＯ総会で採択された。全文は二一条から成り、労働者および使用者は事前に認可を受けることなく自ら選択する団体を設立することができ、また、いかなる差別もなしにこれに加入することができること（第二条、団体設立自由の原則）、労・使団体は自由にその規約を定め、代表者を選び、活動できること（第三条、団体自主運営の原則）、労・使団体は、行政的権限によって解散させられたり、活動を停止させられたりしないこと（第四条、行政権限による干渉の禁止）、労・使団体は自由に連合体を結成し、あるいは国際団体に加入することができること（第五条、連合体設立自由の原則）などが定められている。わが国は、後述するようないきさつを経て、ＩＬＯ八七号条約を昭和四〇年（一九六五年）六月一四日に批准した。

次に、ＩＬＯ九八号条約（団結権及び団体交渉権についての原則の適用に関する条約）は、昭和二四年（一九四九年）七月一日、第三二回ＩＬＯ総会で採択された。この条約では「黄犬契約」（Yellow Dog Contract）（労働組合に加入しないこと、あるいはこれを脱退することを条件とする雇用契約）の禁止（第一条）、労使の相互不介入（第二条）、自主的交渉手続の発達および利用の奨励（第四条）などを定めている。なお、この条約は職員（地方公営企業職員および単純労務職員を除く。）には適用されない（第六条）。わが国は昭和二八年一〇月二〇日にこの条約を批准している。

わが国のＩＬＯ問題は、わが国の公共部門の問題がＩＬＯに提訴されたことを直接の発端とするが、その背景としてわが国国内の労働事情があり、これをまず説明する必要がある。

㈡　ＩＬＯに対する日本の公務員等の問題の提訴

平成元年（一九八九年）一一月の連合（日本労働組合総連合会）の発足までわが国の労働団体の最大のナショナル・センターであった総評（日本労働組合総評議会）の運動方針の一つに公共部門の労働者のストライキ権を認めさせようとするもの（「スト権奪還闘争」）があった。これは理論的には、戦後一時的に公務員にも全面的に認められた労働基本権を政令二〇一号以来制限していることは不当であると主張するものであり、また、実際的、戦術的には、総評と並ぶナショナル・センターであった同盟（全日本労働総同盟）の場合はその構成員のほとんどすべてがスト権を認められた労働者であったのに対し、総評の構成員の半数以上は公務員または旧公共企業体（国鉄、専売および電々の三公社）の職員でスト権が認められていなかったため、スト権をこれらの者に認めさせることが総評の戦力を強化する上で大変大きな問題であるという事情があった。

このような背景に立ってスト権奪還闘争が多年にわたって繰りひろげられてきたのであるが、その具体的な方法、手段は多方面にわたっている。たとえば、公務員等の違法なストライキに対する処分を争う法廷闘争、国会や公務員制度審議会における主張と論議などはいずれもその一環であり、違法な争議行為を繰り返し行うことも、既成事実の積み重ねによって事実上スト権を認めさせようという狙いがあったといわれている。さらに、国内におけるこれらの動きと並行して、国際的にはＩＬＯに対する提訴を通じてスト権の奪還をはかろうとし、これがＩＬＯ問題となったのである。したがって、わが国の場合、数多い労働者の中でもっぱら公務員の問題がＩＬＯでとり上げられてきたのは、総評のスト権奪還闘争の国際版であったからであるといってよいであろう。ただ、ＩＬＯに対する提訴の具体的内容は、スト権に限らずきわめて多岐にわたっているが、その基本路線はスト権問題を究極の目標としていたと考えられる。

戦後、総評を中心とする労働団体のＩＬＯに対する提訴は数度にわたって行われ、その内容も詳細を極めているが、そのごくあらましを述べると次のとおりである。

１　四八号事件　戦後、日本に関する問題がはじめてとり上げられたのは、「四八号事件」と呼ばれる事件においてである。これは、昭和二五年（一九五〇年）に世界労連をはじめとする三つの国際団体が国際連合の経済社会理事会に提訴したものである。通常は、団結権に関する提訴はＩＬＯの結社の自由委員会に対して行われるのであるが、当時わが国はまだＩＬＯに復帰しておらず、ＩＬＯに加盟していない国の団結権に関する提訴は国際連合の経済社会理事会に対してなされるのである。そして、この事件は、昭和二八年（一九五三年）、わが国のＩＬＯ復帰によって結社の自由委員会に移管された。

提訴の内容は、昭和二五年（一九五〇年）の人民決起大会参加者の逮捕やレッド・パージなどが不当であるとするものである。ここでは、わが国の公務員の問題はとり上げられておらず、結社の自由委員会は、この問題は審査する必要はないという結論を出し、理事会もこれを承認したのであるが、将来公務員問題に重大な関係をもつようになるＩＬＯ八七号条約および九八号条約の批准について日本政府が検討をするよう希望を表明していることが注目される。

２　六〇号事件　昭和二七年（一九五二年）から翌二八年（一九五三年）にかけて世界労連と総評がＩＬＯの結社の自由委員会に申立てを行ったのが六〇号事件である。この申立ての主な内容の一つに日本の国家公務員および地方公務員は団結権、団体交渉権、団体協約締結権および争議権が制限され、さらに不当労働行為制度による保護がない不当な状態に置かれているという主張がある。この事件で初めて総評が提訴団体となったこと、わが国公務員の労働基本権問題が真正面からとり上げられたことが注目される。この問題を審議した結社の自由委員会は、これ以上審議する必要はないという結論を出し、理事会もこれを承認している。

また、この結社の自由委員会の報告の中で、公務員の団結権に関し、わが国が職員団体制度という特別の制度をとっていることを承認したこと、警察職員および消防職員について職務の特殊性からその団結を禁止していることを承認したこと、一般行政職員について団体協約締結権を認めていないことは、ＩＬＯ九八号条約第六条がこれらの公務員に同条約を適用しないこととしており、これは各国で通常認められている原則であるとしていること、法定の勤務条件を享受する公務員の争議権を認めないことは大多数の国で行われていることであるとしていることなどが注目される。

３　一七九号事件　ＩＬＯに対するこれまでの提訴の中で、最大の事件が一七九号事件であり、ＩＬＯで長い間論議されただけでなく、国内の労働問題にも大きな影響を与えた。その内容もきわめて複雑であるが、まず、その発端は次のとおりである。

⑴　提訴のいきさつ　昭和三二年（一九五七年）の春闘で、その三月に国鉄労組および機関車労組（後の「動労」）はベース・アップを要求するストライキを行った。これに対し国鉄当局は、これらの労働者のストライキを禁止した旧公共企業体等労働関係法に基づいて組合幹部の免職を含む処分を五月に実施した。そして同法は、職員でない者が組合員および組合役員となることを認めていなかったため、組合側がこれらの免職された職員を引き続き組合幹部の地位に留めたことにより、当局は組合との団体交渉を拒否することとなった。

この労使紛争について、当時の公共企業体等労働委員会のあっせんや組合からの東京地裁への出訴が行われたが、その結果が組合にとって満足なものではなかったため、昭和三三年（一九五八年）に総評と機関車労組とが役員の解雇やスト権否認などを不当としてＩＬＯに提訴を行った。その後、昭和三六年（一九六一年）までの間に全逓、日教組、国家公務員共闘会議、国労および自治労が相次いで提訴を行った。こうしてわが国の国家公務員、地方公務員および旧公共企業体職員の全国的労働団体の多くが提訴に参加し、その内容も公共部門の労使関係の全般に及ぶぼう大なものとなったのである。

⑵　結社の自由委員会の審議　これらの提訴をＩＬＯは一括して一七九号事件として取り扱い、結社の自由委員会が数次にわたる報告（同委員会第三二、四一、四四、四七、五四、五八、六〇、六四、六六、六八、七〇および七二次の各報告。これらのうち、第五四、五八、六〇および六六次報告が重要）を行った。これらの報告では、一部の問題について結論が示されたが、わが国のＩＬＯ八七号条約の批准が進まなかったこともあり、提訴事項の多くの部分については結論を保留したまま昭和三八年（一九六

三年）にはこの事件はＩＬＯ実情調査調停委員会に付託されることとなった。

結社の自由委員会の報告の中で地方公務員に関して結論が示された見解の概要は次のとおりである。

ア　警察・消防職員の団結権の制限　　六〇号事件で判断済であり、これ以上審査する必要はない。

イ　登録制度　　人事委員会および地方当局から独立した登録機関を設けるよう示唆する。

ウ　交　渉　　一般の職員の団体交渉権ないしは団体協約締結権の否認を不当とする申立てについてはこれ以上審査する必要はない。地方公営企業労働関係法適用の職員の団体交渉権および団体協約締結権の制限については、条例および予算でこれを制限することをやめるべきである。また、地方公共団体の当局および労働者は、いずれも全国段階、地方段階のいずれで交渉するかを選ぶ権利を有する。さらに、日教組の中央交渉に関しては、教育政策の一般的方針は教員団体の意見を聞くことが普通かも知れないが、それは団体交渉事項ではない。

エ　争議行為の禁止および代償措置　　ストライキが禁止される場合には、仲裁機関の設置を考慮すること。人事委員会および公平委員会の委員の選任には、当事者が等しい発言ができるよう考慮すること。

オ　在籍専従制度　　ＩＬＯ八七号条約の批准に伴う法律の改正により、役員選任自由の原則が認められることになるので、使用者は在籍専従を認める義務を負うものではない。

カ　組合費のチェック・オフ　　条例で組合費のチェック・オフを認めることができるとされているので、これ以上審議する必要はない。

結社の自由委員会の報告は、必ずしもわが国の実情を十分に理解しているとは思われない節もあり、また、ＩＬＯで公務員の労働問題が論議された実績も乏しかったため、いささか試行錯誤のようなところもあるが、全体としては健全な労使関係の樹立を目的とした助言であるといえよう。

(3)　実情調査調停委員会の審議　　昭和三八年（一九六三年）一一月のＩＬＯ結社の自由委員会の第七二次報告は、一七九号事件をＩＬＯ実情調査調停委員会に付託するよう述べている。これは同事件が多年にわたって係属し、その間日本のＩ

ＬＯ八七号条約の批准が進捗しなかったためである。実情調査調停委員会に付託するについては、当該国の政府の同意が必要であり、それまで付託を求められたソ連、ベネズエラなどの政府は、すべて付託に応じなかったのであるが、わが国の政府は昭和三九年四月に正式にこれに同意しＩＬＯはじまって以来初めて実情調査調停委員会が活動することになった。

実情調査調停委員会は、九人の学識経験者委員によって構成されたが、実際の審議は三人の委員（委員長エリック・ドライヤー（元デンマーク社会省次官）とデビッド・コール（元アメリカ合衆国連邦調停局長）、アーサー・チンダル（元ニュージーランド仲裁裁判所判事）の両委員）からなる小委員会が行い、この小委員会は委員長の名をとって「ドライヤー委員会」と通称された。ドライヤー委員会は、昭和三九年（一九六四年）九月、ジュネーブで日本側関係者からの証言聴取を行い、さらに翌四〇年（一九六五年）一月に来日して実情を調査し、政府と総評に対して調停案を示した。この調停案はＩＬＯ八七号条約をすみやかに批准することと、政府と労働団体が定期的に会合することを内容とするものであり、政府はこれを受諾したが、総評は日教組の中央交渉が保証されていないとして拒否したため、成立するに至らなかった。

ドライヤー委員会は、同じ昭和四〇年（一九六五年）八月三一日にいわゆる「ドライヤー報告書」（正式には「（日本の公共部門に雇用される者に関する）結社の自由に関する実情調査調停委員会の報告書」といい、原文（英文）で七七一ページ、六篇、四七章、二二五三項にわたるぼう大なものである。）を公表し、同年一一月のＩＬＯ理事会はこれを記録（take note）して一七九号事件のＩＬＯにおける審議は終止符を打った。なお、理事会は、この報告を記録しただけで、具体的な措置をとることをわが国に求めていないので、その実質的影響力はともかく、国際法上わが国を拘束するものではない。

ドライヤー報告書は、そのうち第四七章の「事実認定及び勧告」がもっとも重要であるが、その要旨は次のとおりである（以下の文中の番号はドライヤー・レポートの項番号を示す。）。

まず、一般的に考慮されるべきこととして、この報告書の事実認定および勧告は相互に関連しているので、一体として読まれなければならず（二〇九三）、組合側よりも政府に対する勧告が多いのは、政府の責任に係る事項が多いからであり、労働組合に対する勧告を労働組合側が受け入れない限り、労働組合は政府が勧告を実施することを期待し得ない（二〇九四）。また、日本がＩＬＯ八七号条約を批准したことは高く評価できるが、それは労使関係改善のための最初の措置であり、政府と総評等との定期的会合の意義を重視する（二一一四、二一一五）。さらに日本の公共部門の労働関係の最も重要な問題は、一つは職員の争議権が絶対的に禁止されてきたことであり、いま一つは労働団体が経済的利益と関係のない政治活動を繰り返し行ってきたことである（二一二二、二一二七）。

次に、地方公務員に関する主な勧告、意見等は次のとおりである。

ア　公的企業の争議権　業務の中断が社会的に重大な影響をもたらすものとそうでないものとを区分して争議行為の禁止を緩和することを勧告する（二一四〇）。

イ　争議行為禁止の代償措置　争議行為が禁止される職員には、代償措置である人事委員会および公平委員会を強化する。すなわち、委員の人選につき労働団体の発言を認めること（二一五二）、職員団体に勤務条件に関する措置要求をすることを認めること（二一五三）、委員を常勤化し、委員会を統合すること（二一八〇）、委員の除斥制度を設けること（二一八二）、公平審理の手続を整備すること（二一八二～二一八四）などである。

ウ　条例等の整備　団体協約締結権制限の代償措置である勤務条件に関する条例が整備されていない（二一五〇）。

エ　法令の簡素化による上部団体との交渉の実施　職種ごとに法規制が異なるために地方の単位団体が細分化されており、関係法令を簡素化し、全国的労働団体の地方支部と市町村との交渉を認めるべきである（二一六五、二一六七）。

オ　ＩＬＯ八七号条約の批准に伴う地方公務員法の改正に関する事項　管理職員等の範囲の統一的基準の作成（二二〇二）、登録要件中の「重要な行為」の明示（二二〇七）、独立した登録機関の設置（二二一三）、全国的労働団体に対する法人格の付与（二二二〇）、登録団体と非登録団体の交渉態様の相違の廃止（二二二七）、管理運営事項の範囲の明示（二二三〇）、交渉手続規定の弾力化（二二三四）および在籍専従期間の更新を認めること（二二三八）。

カ　日教組の中央交渉　この問題は法律事項ではないが（二二四二）、勤務条件について中央交渉を選ぶか地方交渉を選ぶかは政策の問題として決定すべきであり、交渉事項を中央交渉に係るものと、地方交渉に係るものとに分けることが適当であろう（二二四五）。

4　その他　一七九号事件の後もわが国の労働団体のＩＬＯに対する提訴が行われている。その一つは、昭和四七年（一九七二年）から四八年（一九七三年）にかけて行われたもので、総評をはじめ自治労、全逓、日教組、全電通、国公共闘、全印刷、全造幣、アルコール専売、全専売、全林野、全農林、日高教、都市交通および全水道が一二件の提訴を行った。提訴の主なものは、公共部門の労働者にストライキが全面的に禁止されていることおよびスト参加者に対して大量の処分が行われたことを不当とするものであるが、結社の自由委員会は昭和四八年（一九七三年）一一月の第一三九次報告で結論を下しており、個別の問題については国内で自主的に解決すべきであるとしていることが注目される。第一三九次報告のうち、主として地方公務員に関するものの要点は次のとおりである。

ア　ストライキ参加者に対する懲戒処分　ストライキの制限は、両当事者を拘束する公平、迅速な調停、仲裁の手続を伴うべきである。政治的ストライキおよび交渉以前の計画的なストライキは結社の自由の原則を逸脱する。ストライキ参加者に給与上の恒久的な不利益を与えることは好ましくない。

イ　反組合的行為について　反組合的差別待遇に関する申立ては国内機関によって審査されるべきである。団体交渉に関する申立てについては、ＩＬＯ九八号条約は一般の公務員については適用されないものである。

ウ　人事委員会および公平委員会について　委員会の構成上、各種の利害関係が公正に反映されるようにすること、また、委員の選任に関係者が平等な発言権をもつよう検討することを示唆する。

エ　登録制度　登録制度は職員の団体を細分化する効果があり、ＩＬＯ八七号条約に照らして問題を生じうる。地方公務員が自ら選択する団体を設立し、これが十分な権利をもつよう必要な改正を検討するよう政府の注意を喚起する。

オ　労働協約について　一般の公務員にはＩＬＯ九八号条約は適用されておらず、この問題についてはこれ以上審査する必要はない。企業職員および単純労務職員については労働協約は遅滞なく実施されるべきであるという原則に政府の注意を喚起する。

カ　消防職員の団結権　ＩＬＯ八七号条約第九条は消防職員（消防は警察に含まれるというのがこの条約を批准する時以来の日本政府の立場である。第五二条の〔趣旨〕二(三)参照）を団結権から除外するものではない。しかし、団結権と争議権は相異なる二つの問題である。

キ　国の現業職員の争議権　造幣局、印刷局、アルコール、塩およびたばこの専売事業が、その業務の停止が公共の困難をひきおこす真に重要な企業であるということを日本政府は明らかにしなかった。これらの職員の争議権を再検討するよう政府の注意を喚起する。

いま一つは、昭和四九年（一九七四年）の春闘における実力行使に関し日教組の委員長が地方公務員法違反で起訴された事件に対する同年六月の提訴である。この事件についてＩＬＯ理事会は、昭和五三年（一九七八年）一一月一六日、法律によってストライキが禁止されている以上、行政上の懲戒処分を行ったり、ストをあおり、そそのかした者を通常の法律に基づいて逮捕し、起訴することは結社の自由の侵害にならないとする結社の自由委員会の報告を承認した。

(三)　ＩＬＯ八七号条約の批准と国内法の改正

一七九号事件と関連してわが国の国内で終始問題とされたのが、ＩＬＯ八七号条約の批准と関係国内法の改正であった。一七九号事件の発端が非職員の組合役員就任の問題であったことは先述のとおりであり、ＩＬＯ八七号条約が批准されて国内法が改正されると、同条約第三条の「代表者選出自由の原則」によって非職員の組合役員就任が可能となるので、ＩＬＯにおける提訴の審査と国内における八七号条約の批准問題とが複雑にからみ合ったまま年月が経過したのである。

ＩＬＯ八七号条約批准案件と関係国内法（国公法、地公法、公労法、地公労法）改正案は、昭和三五年（一九六〇年）四月二八日に、第三四国会に初めて提出された。これが審議未了となったほか、その後、第三八、四〇、四三、四四および四六の各国会に提出されていずれも審議未了、廃案とされた。そして昭和四〇年（一九六五年）に第四八国会で七回目の提案がようやく成立し、同年（一九六五年）五月一八日に公布されたのであるが、これが成立をみるに至ったのは、一つには前年から同年はじめにかけてドライヤー委員会の実情調査調停が行われ、内外にこの問題を解決しようとする機運が盛り上がったためであり、いま一つには昭和三八年（一九六三年）九月頃に自民党の倉石忠雄代議士と社会党の河野密代議士との間で窓口折衝が行われ、いわゆる「倉石修正案」が明らかにされたが、第四八国会に提出された政府案では、この窓口折衝の成果がかなり盛り込まれ、与野党間の歩み寄りが見られたためであるといえる。

ちなみに第四八国会に提出された政府案では、それまでの国会における論議、ＩＬＯにおける審査および倉石修正案を考慮して従来の政府案に対し、おおむね次のような修正が加えられていたのである。

ア　管理職員と一般職員とはいずれも他方が組織する職員団体に加入できないものとしたこと（従来の案は管理職員が一般職員の職員団体に加入できないとする一方交通の禁止であったが、これを双方交通の禁止とした。）。

イ　公立学校の管理職員等の範囲は、国立学校の職員の例に準じて人事委員会または公平委員会の規則で定めるものとしたこと（従来の案は政令で基準を定めるものとしていた。）。

ウ　登録要件中、役員の選挙は投票者の過半数で足りるものとしたこと（従来の案では構成員の過半数とされていた。）、および構成員に役員である非職員を含めてもさしつかえないものとしたこと。

エ　登録職員団体の交渉における地位を明らかにしたこと。

オ　一定の条件の下に在籍専従制度を認めることとしたこと（従来の案では在籍専従制度は廃止することとされていた。）。

以上のほか、中央交渉に関する規定は設けられず、また、国家公務員法の改正案に、公務員の労働基本権の基本問題を審議する総理大臣の諮問機関として、公務員制度審議会を設ける規定が置かれた。

なお、関係国内法は、前述のように昭和四〇年（一九六五年）五月一八日に公布されたのであるが、一部の規定は与野党の共同修正により、新設の公務員制度審議会で検討された後に施行されることとなった。地方公務員法関係では、具体的には、組合費のチェック・オフに関する規定、単純労務職員も職員団体を結成することができる規定などは昭和四〇年（一九六五年）八月一五日に施行され、職員団体の組織、管理職員等と一般職員との区別、職員団体の登録、職員団体の法人格、交渉、職員団体のための職員の行為の制限（在籍専従制度を除く。）などの大部分の規定は、公務員制度審議会の答申に基づいて、ＩＬＯ八七号条約がわが国について効力を生じる日（批准書寄託の一年後の日）である昭和四一年（一九六六年）六月一四日に施行された。また、在籍専従制度の規定は、昭和四一年（一九六六年）一二月一四日に施行されたが、その適用（専従期間の制限の開始）は、二年後の昭和四三年（一九六八年）一二月一四日からとされた。

㈣　ＩＬＯにおける公務員問題の検討

ＩＬＯでは、公務員の労働問題は従来はほとんど問題とされておらず、この分野ではもっぱら日本の問題だけが取り扱われてきたといってよいほどである。しかし、昭和四〇年代に入ってＩＬＯでも漸く公務員の問題に取り組む気運が芽生えてきた。その一つは、昭和四一年（一九六六年）に決定された産業別専門部会としての公務員合同委員会の設置である。その第一回の会合は、五年後の昭和四六年（一九七一年）に開催され、第二回の会合は、昭和五一年（一九七六年）に開催されて公務員の懲戒の手続と地方公務員の勤務条件について決議を行った。さらに、昭和六三年（一九八八年）の第四回の会合では、公務における賃金と雇用条件について結論が採択されている。また、いま一つには、昭和五三年（一九七八年）六月の第六四回ＩＬＯ総会で「公務における団結権の保護及び雇用条件決定のための手続に関する条約（一五一号条約）」が採択されている。この条約は、公的被用者に適用されるが、政策決定または管理に関係する者等に適用する範囲ならびに軍隊および警察に適用する範囲は国内法で定めることとされ（第一条）、具体的には、公的被用者は黄犬契約による差別あるいは組合活動を理由とする差別から保護されるものであり（第四条）、また、公的被用者団体は公の機関からの干渉等を受けることはなく（第五条）、承認された公的被用者団体の代表者は適当な便宜の供与を受けることができ（第六条）、雇用条件についての交渉のための手続または代表者の参加を可能にするための方法の発達および利用が奨励され（第七条）、紛争は公平な手続で解決が図られなければならないものである（第八条）ことなどが定められている。

四　公務員制度審議会等の審議

㈠　公務員制度審議会の審議

前述のように、ＩＬＯ八七号条約の批准に伴う国家公務員法の改正で、内閣総理大臣の諮問機関として「公務員制度審議会」が設置されることとなった。同審議会は、昭和四〇年（一九六五年）七月三日に設置され、国家公務員、地方公務員及び公共企業体の職員の労働関係の基本に関する事項について調査、審議し、建議することとなった。この審議会は、ＩＬＯ八七号条約批准に伴う関係国内法の改正のうち、施行が延期された規定の施行時期、在籍専従期間の延長などについて答申を行ってきたが、その第三次審議会は、昭和四八年（一九七三年）九月八日、「国家公務員、地方公務員及び公共企業体の職員の労働関係の基本に関する事項について」と題する答申を行い、永年の審議に一応の結論を出すに至った。この答申の骨子は次のとおりである。

ア　団 結 権　　消防職員の団結権は当面現行制度によることとし、ＩＬＯの審議状況に留意しつつさらに検討をする。登録制度は存続させるが、非登録団体の交渉も恣意的に拒否しないよう努めるべきである。法人格は登録制度と切り離して付与する。登録の取消しが裁判所に係属中はその効力を生じないものとする。管理職員等については労働組合法第二条の規定に準じてその規定を整備する。

イ　団体交渉権　　給与以外の勤務条件については交渉の促進を図る。交渉に対応する当局側の体制を整備する。交渉不調の場合は適当な機関の調停等による解決方法を考える。国家公務員の給与は当分の間人事院の勧告制度によるが、その基礎調査に職員と当局および地方公共団体の職員と当局の意見をきく制度を設ける。交渉の手続規定は当分の間現行法どおりとする。三公社五現業等については当事者能力の強化をはかる。管理運営事項の処理によって影響を受ける勤務条件は交渉の対象とする。

ウ　争 議 権　　非現業職員の争議権については、現状どおり禁止すべきであるとする意見、行政事務および国民生活にエッセンシャルな事務を担当する職員以外には認めるべきであるとする意見、すべてについて認めるべきであるとする意見とがある。現業職員の争議権については、すべてについて認めるべきでないとする意見と、国民生活に影響の少ない部分についてのみ認めるとする意見と、事前の調停、停止命令等の条件を付した上すべてについて認めるべきであるとする意見とがある。政府としては、これら現業職員の争議権の問題を解決するため、当事者能力の強化の検討とあいまって、三公社五現業のあるべき性格について、立法上、行政上の抜本的検討を加える。

エ　その他　団結権禁止違反に対して刑罰を科する範囲は必要最小限度とする。その他の刑罰も今後検討を加えることが適当である。労使の話し合いを促進するため、中央、地方の労使関係機関を整備する必要がある。

公務員制度審議会の答申を受けた政府は、現業職員については「公共企業体等関係閣僚協議会」を、非現業職員については「公務員問題連絡会議」をそれぞれ設けて検討を進めることとなった。

㈡　公共企業体等関係閣僚協議会、専門委員懇談会および公共企業体等基本問題会議

三公社五現業および地方公営企業の争議権の問題については、前述の公務員制度審議会の答申を受けて、公共企業体等関係閣僚協議会で検討が行われることとなったが、この協議会は昭和四九年にその下に「専門委員懇談会」を設け、そこで実質的な審議が行われた。同懇談会は昭和五〇年（一九七五年）、おおむね次のような意見書を取りまとめて政府に提出した。

「国有・国営形態をとる三公社五現業については、民間における場合と異なり、争議行為は、労使紛争に対する歯止めとして働かず、また、その使用者側の当事者能力が制約されていることなどから、団体交渉の補完的手段としての性格を有する争議権には、その本来の機能を期待し得ない。今後は、それぞれの事業の実態等に応じて、その経営形態はいかにあるべきかの点について検討すべきであり、また、労使関係を円滑ならしめるという観点からも、当事者能力の強化を図る必要がある。」

この意見書を受け、折から公労協の数日にわたるスト権ストが行われていたが、政府は次の五項目を決定した。

ア　法を守ることは、民主主義国家の根幹をなすものであり、本問題の解決には、このことを確認することが必須の前提となる。

イ　専門委員懇談会意見書の趣旨を尊重し、その内容の具現化につき検討を行う。

ウ　三公社五現業等について、経営の在り方および料金法定制度等の改正を含む当事者能力の強化の方途を検討する。

エ　現行の公共企業体等労働関係法はじめ関係法規を全般的に検討し、必要な改正を行う。

オ　以上につき、できるだけ早急に結論をまとめ、行政上の改革および法案の国会提出を行う。

政府は、以上の基本方針を決定するとともに、公共企業体等関係閣僚協議会の下に、新たに「公共企業体等基本問題会議」を設け、経営のあり方、当事者能力の強化および関係諸法令の改正の三点について検討を進めることとした。

同会議は、昭和五三年（一九七八年）六月一九日、おおむね次のような意見書を政府に提出している。

ア　三公社五現業の経営形態については、国鉄の一部、たばこ専売事業およびアルコール専売事業については、民営ないしこれに準ずる経営形態に移行することが適当であり、この場合、公益事業としての制約を受けることはあるとしても、基本的には争議権を認められることになろう。

イ　現行の国有・国営形態を維持することが適当とされる事業の争議権のあり方は、立法政策の問題であるが、その公共性からみて事業を停廃することに問題があり、また、これらの事業には競争が欠如しているため争議行為に対して経済原則による抑制が働くことは困難であり、さらに使用者側の当事者能力については予算統制等その根幹は維持する必要があり、これらの点を総合的に勘案すると、現時点で争議権を認めることは適当ではない。

ウ　なお、労使関係の正常化が本来の課題であり、関係労働組合には法律無視の態度を改めることを、使用者および政府に対しては、相互信頼を基礎とした対話を積み重ねることを要請する。

(三)　公務員問題連絡会議

非現業の公務員の労働基本権の問題については、公務員制度審議会の答申を受けて政府部内に公務員問題連絡会議が設けられて検討が進められ、おおむね次の方針に基づいてそれぞれの問題を処理することとされている。

ア　職員の労働団体との交渉の促進、人事院の給与勧告に際して労使の意見を聞くことなどは、運用上の問題として措置する。

イ　登録職員団体以外の職員の団体に法人格を付与することならびに管理職員等の範囲を労働組合法第二条の規定に倣って整備することおよび職員団体の登録の取消しはその問題が裁判所に係属中は効力を生じないものとすることの諸点

については関係法令を改正整備する。この方針に基づき、「国家公務員法及び地方公務員法の一部を改正する法律案」および「職員団体等に対する法人格の付与に関する法律案」が国会に提出され、両法案は昭和五三年（一九七八年）六月二一日にそれぞれ法律第七九号および第八〇号として公布された。

ウ　消防職員の団結権、団結禁止に対する罰則その他の刑罰規定および給与以外の勤務条件に関する交渉が不調の場合の調整の各問題については、今後引き続き検討することとされている。

五　専門委員会の報告

国および地方公共団体の事務および事業の内容および性質に応じた公務員の労働基本権のあり方その他の公務員に係る制度に関する専門の事項を調査し、行政改革本部に報告することを目的とする行政改革本部専門委員会は、平成一九年（二〇〇七年）一〇月一九日、「公務員の労働基本権のあり方について（報告）」を公表した。

そこでは、従来の労使関係制度などを改革し、責任ある労使関係を構築し、労使が説明責任を果たす仕組みが必要であるとし、改革の方向性として次の項目が掲げられている。

1　労使関係の自律性の確立

①　一定の非現業職員について、協約締結権を新たに付与するとともに第三者機関の勧告制度を廃止して、使用者が主体的に組織パフォーマンス向上の観点から勤務条件を考え、職員の意見を聞いて決定できる機動的かつ柔軟なシステムを確立すべき

②　労使交渉に伴う費用の増大や争議行為の発生に伴う国民生活などへの影響が予想され、長期にわたる準備も必要であり、こうしたコストなどに十分留意し、慎重に決断する必要

2　国における使用者機関の確立

①　使用者として人事行政における十分な権限と責任を持つ機関を確立するとともに、国民に対してその責任者を明確にすべき

②　使用者機関が行政全体の組織パフォーマンスを高める勤務条件を職員の意見を聴きつつ構築し、行政の諸課題に対する対応能力の向上などを図るべき

3　国民・住民に対する説明責任の徹底

①　使用者は、公務員の勤務条件などに関し、国民・住民に対し説明責任を果たすべき

②　労使関係については、その透明性を高め、説明責任を徹底して果たすべき

4　意見の分かれた重要な論点

①　消防職員および刑事施設職員に対し団結権を付与すべきか否かについて意見が分かれた

②　公務員に対し争議権を付与すべきか否かについて意見が分かれた

そして、この報告は、改革において留意すべき点として、現行の労働基本権に対する制約が憲法違反でない旨を判示した全農林警職法事件最高裁判決が判例として定着しているが、その後の環境も大きく変化し、判決の指摘する制約理由を改めて検討すると、現行の制約を緩和する余地があるものの、基本的制約理由はなくなるものではないから、現行の制約緩和に当たっては、制約理由を十分に踏まえ、適切かつ合理的な制度的措置を併せて講じることが必要かつ重要であることを指摘したうえで、「改革の具体化にあたり検討すべき論点」として次の項目を掲げている。

1　基本権付与の前提について

①　労使の理念の共有

②　労使交渉の透明性の向上

③　国における使用者機関の確立

④　交渉当事者の体制の整備

2　協約締結権について

①　付与する職員の範囲

②　交渉事項・協約事項の範囲
③　法律・条例・予算と協約との関係
④　少数組合などの協約締結権の制限
⑤　協約締結権が付与されない職員の取扱い

３　争議権について
①　争議行為の制限など
②　争議行為を行うことのできる事項

４　協約締結権などを支える仕組みについて
①　地方自治体における交渉円滑化のための全国レベルの仕組み
②　交渉不調の場合の調整
③　民間準拠原則の必要性
④　民間給与などの実態調査など
⑤　労使協議制度

〔解　釈〕

一　争議行為等の実行行為

本条で禁止される行為は、争議行為等を直接実行する行為と、職員の争議行為等をあおり、そそのかす等の助長行為とに大別することができる。そして争議行為等の実行行為は、さらに「争議行為」と「怠業的行為」に区別される。「争議行為」とは、一般に地方公共団体の正常な業務の運営を阻害する行為であり、「怠業的行為」とは、本条第一項前段で規定されているように、地方公共団体の機関の活動能率を低下させる行為をいうものである。このように争議行為と怠業的行為とを法文上区別している意味は必ずしも明らかではなく、積極的行為と消極的行為との区別のようにもみえるが、

「怠業」が争議行為の一類型として示されているので、「争議行為」の概念には積極的行為だけでなく、消極的行為も含まれることが明らかになっている。いずれにしても、両者の区別は相対的なものであり、怠業的行為とは地方公共団体の執務能率を低下させるが、正常な業務の運営の阻害、すなわち争議行為には至らないものをいうものと解されよう。

地方公営企業等の労働関係に関する法律では、「同盟罷業、怠業その他の業務の正常な運営を阻害する一切の行為」と表現されており（同法一一1前段）、「争議行為」という言葉は用いられていないが、これは本条の争議行為に相当する概念であると考えられる。したがって、同法では、本条の「怠業的行為」は直接禁止されていないことになるが、同法の適用を受ける職員が本条の怠業的行為に相当する行為を行ったときは、職務専念義務（法三五）に違反したことになる。

争議行為等の実行行為が禁止されているのは、本条では「職員」であり、地方公営企業等の労働関係に関する法律第一一条では「職員及び組合」である。文理上は、個々の職員の争議行為等もあり得るようであるが、個々の職員が独自に業務の正常な運営を阻害したり、あるいは業務の活動能率を低下させるような行為をした場合には、もっぱら職務専念義務違反の問題として対処されるべきであって、複数の職員が共同してそのような行為を行った場合に限り争議行為等として取り扱うべきである。争議行為等は労使関係における労働側の団体的活動として観念することが社会法学上正当であると考えられるからであり、また、法文上「職員」と規定しているのは、それが個々の職員の服務規定である趣旨を明白にするためであると考えられる。もっとも、争議行為等が団体的活動であるといっても、職員団体とか労働組合といった法律上の団体の活動でなければならないということではない。いわゆる「争議団」のような、事実上の団体や、よりゆるやかな結合体、たとえば、職場の話し合いによって合意した職員の集合体であっても争議行為等の主体となり得るものと解される。

次に、争議行為等の相手は、本条では「地方公共団体の機関が代表する使用者としての住民」であり、地方公営企業等の労働関係に関する法律第一一条では「地方公営企業等」（同法附則第五項で単純労務職員に同条を準用する場合には「地方公共団体」と読み替えることになろう。）である。両法の文理上の表現および内容は一致していないが、いずれも職員が職務を提供する相手方を指すものであり、実体的に究極の使用者である住民をとらえるか、使用者を代表する経営主体をとらえるかの表現上の差に過ぎない。

争議行為等の相手方の問題と関連して問題となるのは、争議行為等の目的である。争議行為等の相手方が地方公共団体の使用者であることから、争議行為等は使用者が管理する問題に関するものに限られるという考え方もあり得ようが、争議行為等の概念をこのような目的のものに限定することは現実の労働運動の実態に即さない。争議行為等とは、職員が団体活動として使用者の下から労働力を引き上げ、あるいは使用者に対する労働力の提供を遅滞させる事実をいい、その目的のいかんを問わないというべきであろう。具体的な例としては、他の労働団体の労使紛争を支援する「同情スト」や、立法を求め、あるいは政治的課題の解決を要求する「政治スト」なども争議行為等に該当するものである。むしろ、争議行為等のうちでも政治ストなどは違法性の度合いが一層強く、情状の重いものと一般に考えられている（最高裁昭四一・一〇・二六判決（判例時報四六〇号一〇頁）、ドライヤー報告二一三〇項、結社の自由委員会一三九次報告一二四項）。

次に、争議行為等の具体的な形態は多種多様である。本条では、「同盟罷業、怠業その他の争議行為」と「怠業的行為」とを例示し、地方公営企業等の労働関係に関する法律第一一条第一項では、「同盟罷業、怠業その他の……一切の行為」と規定している。同盟罷業は、積極的争議行為の典型として「ストライキ」と通常呼ばれているが、近来、ストライキの言葉はもっと広汎な意味に用いられているようである（ストライキの本来の語源は、船員労働者の帆を下ろすこと（ストライク）に始まったといわれる。）。同盟罷業は、労働者が組織的に労働力の供給の停止を行う行為である。これに対し、怠業は、消極的争議行為の典型として「サボタージュ」と呼ばれているが、これは職場を占拠したまま意識的に業務の遂行を阻害する行為をいうものである。怠業的行為も同様の行為で若干程度の軽いものということになろう（サボタージュの本来の意味は、積極的な生産阻害行為でサボ（木靴）を機械の歯車に差し込み機械を停止させたことが語源であるという。その後、機械の破壊（ラッダイト）などもサボタージュの一種であるとされた。）。

ストライキは、その目的によって経済スト（給与、勤務時間などの経済的条件を争うもの）、政治スト、同情ストなどに区別され、行為の態様によって坐り込みスト、ハンガー・ストライキ（坐り込みを伴うことが多く、目的の実現まで飲食を断つもの）、ゼネラル・ストライキ（いわゆる「ゼネスト」、全国的あるいはこれに近い規模で行われるもの）、山猫スト（組織の一分派が組織全体の意思に反して行うもの）などに分けられる。また、サボタージュの一種として遵法闘争（法規等を杓子定規に適用して能率を低下させるもの）をあげることができる。

地方公共団体で職員の労働団体が従来しばしば行ってきた争議行為等の類型の主なものと、これに対する考え方を述べると次のとおりである。

１　年次有給休暇闘争　職員の労働団体が、労働力の供給停止を形式的に合法化しようとして、その使途が自由である年次有給休暇の権利の行使と称して行う方法である。しかし、一斉休暇闘争は年次休暇に名を藉りた同盟罷業にほかならず（最高裁昭四八・三・二判決　判例時報六九四号三頁）、適法に承認された年次有給休暇を利用して、違法な争議行為に参加した場合は、その年次有給休暇は制度の趣旨に反して成立しないものであり、賃金カットを行うことができるとされている（最高裁平三・一一・一九判決　判例時報一四三八号一四四頁）。

また、争議行為等に参加しその所属する事業場の正常な運営を阻害する目的で年休の時季指定をした場合は、結果的に当該争議行為等が実施されず、事業場の正常な運営が阻害されなかったとしても、当該年休が成立する余地はないのである（最高裁平一二・七・一七判決　地方公務員制度の展望と課題四三四頁）。

職員から争議行為のための年次有給休暇の申請があったときは、地方公共団体の当局は労働基準法第三九条第五項但し書による「時季変更権」を直ちに行使し、申請を認めないことを明確にしなければならない。

２　時間内職場大会　勤務時間にくい込む職場大会を開催する争議行為であり、地方公共団体でもっともしばしば用いられる方法である。このような方法がとられる理由はいくつかあるが、勤務場所の近辺で会合することにより職員を集合させやすいこと、集団的に情報宣伝活動を行うのに適し、またデモンストレーション効果が大きいこと、始業前あるいは休憩時間中に大会を始め、そのまま時間内にくい込むというやり方を用いることにより、安易に労働力引上げの目的を達成できること、きわめて短時間であれば、直ちに給与減額に結びつくことがないことなどをあげることができる。さらに、平常の勤務時間の管理がルーズである地方公共団体では、違法性の追及があいまいになるかも知れないということもあろう（勤務時間開始後、「出勤簿整理時間」と称する不正規の猶予時間を設けていたような場合も、その時間内に行われた職場集会は違法とされている。最高裁昭六〇・一一・八判決　判例時報一一七八号一五二頁）。

いずれにしても、勤務時間中に職員が組織的に労働力の引上げを行うものである以上、争議行為等に該当することは明白で、個々の職員については職務専念義務（法三五）の違反にもなるものである。さらに職場大会が庁舎内（敷地を含む。）で違法に行われたときは、庁舎管理規則違反（法令違反（法三二））などの問題も生じる。

職員の集会は、団結権の行使であるという意見もあるが、いかなる権利もその濫用あるいは違法な目的のために使用してはならないことは１の場合と同じである。

なお、地方公共団体の当局は、時間内職場大会の違法性を形の上でもより明確にするためにも、日頃の勤務時間の管理を厳格に行っておくべきであり、また、違法な職場大会が行われたときは制止のための措置を直ちに的確に講じなければならない。

３　超勤拒否闘争　当局の業務遂行を妨げる争議行為として、繁忙期などに時間外勤務（超勤）を拒否する方法もしばしば用いられる。時間外勤務は、職務上の必要性に基づき職務命令によって行われるものであり、これが組織的に行われる限り争議行為等に該当することはもちろん（休日出勤拒否闘争が争議行為に該当することについて最高裁平元・一・一九判決　判例地方自治六八号二六頁）、個々の職員としては職務上の命令に従う義務（法三二）および職務専念義務（法三五）にも違反するものである。

超勤拒否闘争に関して注意しなければならないのは、当局が時間外勤務命令の発出と時間外勤務手当の支給を明確かつ厳格に行わなければならないということである。時間外勤務命令の発出が明瞭でなく、職員が自発的に残業するようなことが日頃行われていると、定時退庁、時間外勤務拒否の戦術がとられやすくなる。また、時間外勤務の実績にきちんと見合った手当の支給がなされていないときも同様である。平常の勤務時間の管理がルーズなときは乗ずる隙を与えることになるわけである。

次に、現業（教育職員を除く。第二四条の〔解釈〕五㈡1クおよびケ参照）の事業所の職員の場合、労働基準法に定める正規の勤務時間外に臨時の必要によって勤務させようとするときは、同法第三六条に基づく協定（三六協定）が必要とされており、この協定が締結されていないときに超勤拒否闘争が行われると法律上困難な問題が生じる。三六協定がなくても災害その他避けることのできない事由があるときは、行政官庁の許可を得て時間外勤務を有効に命じることができるが（労基法三三1）、それ以外の事由で時間外勤務を命じても、三六協定がないことが超勤拒否に一応の合法的な理由を与えることになる。この場合、時間外勤務命令は有効であり、三六協定未締結の問題が後に残るだけであるとする見解もあるが（三六協定がない場合の宿日直についての行実昭三二・九・九　自丁公発第一一二号）、いずれにしても平常時において必ず三六協定を締結するよう心がけることが肝要である。また、労働基準法第三二条所定の労働時間を下まわる労働時間を定めている場合、使用者が当該所定時間に達するまで労働時間を延長する場合には三六協定は必要でない（法制意見昭三二・一二・四　一発第二八号）。

なお、職員団体や労働組合が、正当な理由なく三六協定の締結拒否を手段として、地方公共団体の正常な業務の運営を阻害しようとするときは、その行為も争議行為に該当することになる（最高裁昭六三・一二・八判決　判例時報一三一四号一二七頁）。

4　宿日直拒否闘争　宿日直の命令を拒否する方法も争議行為の一手段として用いられることがある。宿日直も職務命令に基づいて行われるものであり、組織的に行われるときは争議行為等に該当することはもとより（大阪高裁昭五四・一二・七判決　判例時報九七二号一〇五頁）、個々の職員について、職務上の命令に従う義務（法三二）および職務専念義務（法三五）の違反の責任が生じることは、超勤拒否闘争の場合と同じである。

宿日直拒否闘争に関して留意すべき第一の点は、宿日直については労働基準法第四一条第三号の「監視又は断続的労働」として行政官庁の許可を要することである。この許可なしに宿日直を命じると、現業職員について三六協定なしに時間外勤務を命じた場合と同様に困難な問題を生じる。宿日直の基準などについては、第二四条の〔解釈〕五㈡6を参照されたい。留意すべき第二点は、宿日直の勤務の性質であり、宿日直は本務でないという理由で拒否闘争が行われることがある。しかし、施設の保全や時間外における外部との連絡の確保は、宿日直を命じられた限りで当該職員の職務となるものであり、職員と無縁の職務ということはできない（熊本地裁昭三七・四・三判決　行政事件裁判例集一三巻四号七〇九頁）。第三点は、逆に本務の不当な延長であるという主張である。しかし、宿日直は先述のように断続的または監視的労働であって、通常の労働の延長ではない。

なお、施設の管理上の問題として、近来、宿日直の廃止が次第に普及しつつある。宿日直を行うか、これを廃止するかについては、緊急時の連絡体制と施設の防犯、防火体制が整備されているかどうか、警備の第三者委託が可能かどうか、経費が増嵩するか節減できるかなどを総合的に勘案して判断すべきものである。

５　遵法闘争　職場から労働力を引き上げることなく、意識的に業務の運営を阻害し、または労働能率を低下させる争議行為等に「遵法（順法）闘争」がある。これはいわゆる怠業（サボタージュ）の一種であり、たとえば、公営交通事業の争議行為で服務規定の遵守や車両点検の徹底などに名を藉りて運行ダイヤを遅滞させるようなやり方がこれに当たる。一般の職員の場合に、「業研（業務研修）闘争」などと称して、業務上の法規、資料などを読みふけり、電話や来客の応対や通常の事務の遂行を怠るやり方もその一つである。

遵法闘争が法規の遵守や研修等の名の下に行われていても、組織的に業務の運営を阻害し、または能率を低下させるものである限り、争議行為に該当するものである。

６　デモンストレーションとピケッティング等　争議行為等として、または争議行為等を助勢する方法として、さまざまなデモンストレーションやピケッティングなどがある。

まず、デモンストレーション（示威行為）としては、集団による行進、シュプレヒコール（異口同音の呼びかけ）、旗や立看板の林立、リボン、はちまき、腕章などの着用などがある。これらの行為が争議行為等その他の違法な行為に該当するかどうかは、ケース・バイ・ケースで判断しなければならないが、たとえば、集団的な示威運動が喧騒にわたり、業務運営に支障を及ぼすときは争議行為等に該当することもあり得る。また、それが庁舎内で行われた場合に庁舎管理規則に違反する場合があることは、先述の職場大会の場合と同じである。また、リボン、はちまき、腕章などの着用については、勤務時間中のリボン着用などはそのこと自体が職務専念義務に違反するのであるが（最高裁昭五二・一二・一三判決（判例時報八七一号三頁）、同昭五七・四・一三判決（判例時報一〇四二号一四〇頁）ほか）、リボンなどの着用は公務遂行の服装、品位の点から不適当であると当局が判断し、その着用を禁ずる職務命令を発してこれに従わなかったとして職務命令違反の責任を問うこともできる（東京地裁昭五二・七・二五判決　判例時報八六〇号一五四頁）。なお、服装に関する規程（訓令など）があり、これに違反するときは法令違反（法三二）にもなるものである。また、服装の問題は個人の自由で、これを制約することは表現の自由の侵害であるという趣旨の反論もあるが、服装は品位、信用の問題として職務に関連があり、勤務関係に基づく身分上の命令によって合理的な範囲内で規制することは可能である。

次に、ピケッティング（ピケ）とは、通常、労働団体の構成員が事務所の入口などで組合員に対して就労しないよう説得したり、その就労を阻止するような行為をいうものである、ピケッティングが庁舎外でもっぱら平穏な説得に終始しているときは服務違反の問題は生じない。しかし、平穏な説得の範囲を逸脱して争議行為をあおり、そそのかすときは争議行為の助長行為（法三七１後段、地公労法一一後段）に該当するものであり、また、庁舎（敷地を含む。）内でピケッティングが行われるときは庁舎管理上の問題を生じることが多い。ピケッティングに当該地方公共団体の職員以外の者が参加することもあるが、それが違法なものである場合、服務上の措置は及ばないが、これを排除しようとするときは、直接強制の権限を有する当局に要請を行うこともありうる。ピケッティングが示威の域を超えた物理的な力で就労を妨害するときは、威力業務妨害罪（刑法二三四）が成立するとされているが（最高裁昭四九・七・一六判決　判例時報七四七号四四頁）、公務執行妨害罪（刑法九五１）あるいは住居侵入罪（刑法一三〇）に該当する場合も多いであろう。

ピケッティングに類似する争議行為として庁舎内の「坐り込み」や「デモ」がある。いずれも正常な業務の運営を阻害するときは、争議行為に該当するものであり、また、庁舎管理上の問題となるものである。これらについては退去を求め、必要に応じて権限ある当局に排除を要請することになろう。退去を命じても従わないときは、住居侵入罪（刑法一三〇）に該当することになる。

7　ビラ貼り　闘争方法の一つとして、庁舎などにポスター、ビラ、ステッカーなどを貼ることが行われる。このような行為は必ずしも直ちに争議行為等には該当しないが（貼付のしかたやその結果が正常な業務の運営を阻害し、または公務の能率を低下させるときは該当する。）、通常は庁舎管理上の問題としての責任を生じることになる。なお、庁舎内の組合掲示板に対する当局の掲示許可は、許可を受けた者に権利を設定するものではなく、禁止の解除に過ぎないとされている（最高裁昭五七・一〇・七判決　判例時報一〇六七号三九頁）。

ビラなどの貼付の態様によっては、建造物または器物損壊罪（刑法二六〇、二六一）に該当することがあり（最高裁昭四三・一・一八決定　判例時報五一二号二〇頁）、また、庁舎に立ち入ってのビラ貼りが住居侵入罪（刑法一三〇）に該当し（最高裁昭五八・四・八判決　判例時報一〇七八号一五三頁）、さらに、ビラなどの内容によっては公然誹謗による名誉毀損罪（刑法二三〇、二三一）に当たる場合もあり得る。

貼付されたビラなどは、すみやかに除去すべきであり、業者にビラ剥がしを請負わせた費用については、職員の労働団体などは共同不法行為による損害賠償責任（民法七〇九）を負うものである（東京地裁昭五〇・七・一五判決　判例時報七八四号二五頁）。なお、組合旗、懸垂幕などある程度の財産的価値のあるものを撤去したときは、暫定的に当局が事務管理（民法六九七）として保管するか、拾得物として処理することが適当であろう。また、庁舎内の組合掲示板に貼られた闘争ビラを当局が撤去することは、庁舎使用の法律的性質が契約ではなく財産管理上の許可処分（自治法二三八の四７９）であるから適法である（東京高裁昭五六・一〇・二六判決　労働裁判例集三二巻五号八一〇頁）。

二　争議行為等の対策

争議行為等は、いうまでもなく違法行為であり、地方公共団体の正常な業務の運営を阻害することはもとより、住民に与える影響も少なくない。地方公共団体の当局、管理者は、このような違法な行為に対して万全の対策を講じなければならないのであるが、その対策としては、争議行為等が現に行われる事前の予防対策と争議行為等が現に行われた場合の対策とに分けることができる。

㈠　争議行為等の予防

人事管理上の見地からすれば、争議行為等が実行されてから対策を講ずるよりも、事前にこれを防止することをより重視すべきである。なぜならば、住民に迷惑を及ぼすことは避けるべきであり、また、違法行為に対しては服務上の処分をせざるを得ないが、これは職員自身にとってもきわめて不幸な事柄だからである。さらに、不利益処分に対する不服申立てや訴訟の提起が行われて紛争が長期にわたって泥沼化するおそれもあるといわなければならない。当局は何よりも争議行為等の予防に万全を尽くすべきである。

争議行為等の防止にはさまざまな方法があるが、とくに重要と思われるのは、次の諸点である。

1　平常時における服務規律の確立　　地方公共団体で全面的かつ長期的なストライキが行われることはまれであり、一で述べた争議行為のうち、年次有給休暇闘争や時間内職場大会などが行われることが多い。このような闘争方法が行われる原因の一つに、日頃の服務規律の管理がルーズであることをあげることができる。たとえば、年次有給休暇の承認がしばしば事後に行われていたり、勤務時間の始期と終期が厳守されていなかったり、職務に専念する規律が確保されていなかったりすると、先に述べたような闘争方法がとられやすい。平生、服務規律が確立されている場合には、違法な組合活動が客観的にも明白となるのであり、また、日頃の規律正しい職場の雰囲気は違法行為に対する抵抗心を植えつけることになる。

2　管理職員の責任体制の確立　　争議行為等の違法な行為を行わないよう説得し、争議行為のための年次有給休暇の申請を拒否するなど、違法行為防止のための措置を率先して講じなければならないのは、管理職全員の責任である。時として人事課など一部の人事担当部課のみが争議行為の防止に奔走している例があるが、部下を監督し、住民に対し地方公共団体の業務の遂行を確保するのはすべての管理職員の職務であり義務である。管理職員は、それぞれの持場で部下職員を説得し、服務規律を確保し、必要な職務命令を発し、場合によっては自らピケに対抗し、窓口事務を確保するなどの措置を講じなければならない。また、人事課など人事担当部課は、各管理者の措置が整合性を保ち、かつ、迅速的確に行われるよう調整を行わなければならない。

３　適切な職務命令の発出　争議行為等が行われる気配があるときは、当局は事前に争議行為等を行うことのないようこれを禁止する命令を発しなければならない。また、万一、争議行為等が行われたときは、法規に照らして厳正な措置をとることをあらかじめ警告する必要がある。事前に当局の厳然たる態度を明示することは、組合側を反省させることにもなり、争議行為等を防止するもっとも効果的な方法であるといえる。さらに職員の中には、組合の方針に対して去就に迷う者も少なくないのであり、当局の意思を明らかにすることによって正しい判断をする機会を与えることもできる。

職務命令を発する前に、違法行為をしないよう文書や口頭で説得することも行われる。これも職員や組合の反省を促す上で有効であるが、争議行為等が行われることが予想される場合には、説得だけでなく必ず職務命令を発しなければならない。職務命令の方法としては、その時々の情況に応じ、口頭、掲示、文書の交付などあらゆる方法を用いる必要がある。

４　庁舎管理の徹底　一で述べた実行行為の多くは庁舎管理上の問題を生じる。本来、労働運動は労働者の権利の維持改善を目的とし、庁舎管理は行政財産を適切に管理することを目的とするものであり、それぞれ目的が異なるのであるが、たまたま多くの争議行為等が庁舎（敷地を含む。）内で行われるため両者にかかわり合いが生じることになる。

地方公共団体の長は、財産を管理する権限を有し（自治法一四九⑥）、また、そのための規則を制定することができるものである（自治法一五）。庁舎は、外部の人たちも利用するものであるから、その保全と秩序維持のために「庁舎管理規則」を定めておくことが適切である。そうすることによって庁舎内で禁止される行為が予め明らかにされ、無用のトラブルを避けることができ、違法な争議行為等に対する予防効果も期待できる。庁舎管理規則には、普通、庁舎内で禁止される行為、庁舎内において許可を要する行為、違反行為に対する中止命令などが規定される。庁舎管理規則でこのような制限を設けることの可否が問題とされるが、普通財産の場合には財産的価値の保全のみが管理権の内容であるのに対し、行政財産の場合には、当該財産の行政目的を実現するために必要な範囲内で規制を行うことができるものである。このことは、道路や公園について使用や占用の許可が行われているのと同じである。ただし、庁舎の管理者は、庁舎内において直接強制を加えることはできないものであり、その必要があるときは、権限ある機関による警察権の発動をまたなければならない。

５　人間関係管理の充実　地方公共団体で突然のように争議行為等が行われる原因の一つに、労使間の意思疎通が欠けていることがあげられる。ささいな問題がこじれて実力行使が行われるのは日頃の人間関係管理（ヒューマン・リレーションズ）が不十分だからである。職員の不平不満が蓄積されることのないよう、人間関係管理の改善、充実をはかり、労使間のパイプの風通しをよくしておかなければならない。労使間の意思疎通は交渉だけでは不十分で、それ以外の方法を併せ用いる、いわゆる「ツー・ウェイ・システム」を確立しておくことが望ましい。人間関係管理の方法としては、職場協議会の設置や庁内広報紙の活用、部内の会議などさまざまな方法があるが、部内におけるＰＲを重視し、少なくとも労働団体の情報宣伝活動だけが一方的に職員の耳に入るようなことのないようにする必要がある。

６　住民の理解と協力　争議行為等が行われると、多かれ少なかれ住民に迷惑を及ぼすことになる。また、労使の紛争の是非を最終的に判断するのも住民である。当局としては、紛争の内容をキャンペーンして住民の理解と協力を求めなければならない。もとより当局に対する批判もあろうが、住民の世論が当局を支持するならば、争議行為を予防するもっとも有効な支えになるといえよう。なお、住民の代表である議会の理解と協力を得なければならないことはもちろんであり、必要に応じ、各種団体や町内会等のオピニオン・リーダーに対してもキャンペーンする必要があろう。

(二)　争議行為等の実行時の対策

万一、争議行為等が実行されるに至ったときは、当局は違法状態を排除するとともに、業務の正常な運営を確保するため、あらゆる手段を講じなければならない。争議行為等の内容いかんによってとるべき対策は異なり、時宜に応じて弾力的に対処しなければならないのであるが、とくに留意する必要があると思われるのは次の諸点である。

１　違法行為の確認と職務復帰命令　争議行為等の実態を把握してこれに対する対策の万全を期し、かつ、事後の懲戒処分等の確実な資料とするため、どの職員が、何時、何処で、どのような行為をしたかを正確に記録しなければならない。この確認は、管理職員全員を動員して行う必要があろう。

また、管理職員は、争議行為等に参加して職場を離脱している職員に対し、直ちに職務に復帰するよう命令を発しなければならない（職場にあって作業能率を低下させている職員に対しては、職務を遂行すべきことを具体的に命じなければならない。）。命令は、その時々の情況に応じて、口頭、掲示、文書の交付等の方法で明確に行う必要があるが、もし、職員が自宅に居るようなときは、電話などによって職務命令を伝達することもありうる。

違法行為の確認あるいは職務命令の伝達の具体的方法は、人事担当部課が、統一的な基準を定めておくべきである。

2　業務の確保　争議行為等によって地方公共団体の業務が中断することは、極力避けなければならない。各管理者は、人事担当部課の計画と指示に従い、争議行為等に参加している職員の職務復帰を命じ、また、争議行為等に参加していない職員を職務に就かせ、さらに自ら率先して業務の遂行を確保しなければならない。場合によっては自ら逆ピケッティングを行って争議行為非参加職員の庁舎への導入を図ったり、自ら窓口業務を行う必要もあろう。住民に迷惑をかけることを最小限にとどめるため、外部からの応援、たとえば、臨時職員の雇用を行うことや、現業部門の業務を民間企業に委託することなども考慮する必要があろう。

3　住民に対するキャンペーン　争議行為等が行われる事前に、住民の理解と協力を求めるべきことは(一)で述べたが、現実にそれが実行された場合も、当局は事態を率直に説明し、争議行為等の内容、当局の対策を明らかにし、さらに住民として当局に協力してもらいたいことなどを周知徹底すべきである。住民からの批判も予想されるが、不必要な混乱を回避し、正当な世論を喚起するためには是非とも行わなければならないことである。

4　職員の責任を明らかにすること　争議行為等を行った職員は、明らかに違法行為を行ったものであるから、法規に照らしてその責任を明らかにしなければならない。職員に対して必要な処分を行うことにより、信賞必罰が明らかにされ、公務の秩序が確保されるとともに、将来、違法行為が行われることを予防することにもなろう。もし、適切な処分が行われないときは、それが悪しき前例となって、将来にわたり綱紀を維持することが困難になるといえよう。

争議行為等を行った職員などの責任としては、具体的な行為の内容によって次のとおり行政責任（懲戒処分）、民事責任（損害賠償）および刑事責任の全部または一部が追及されることになる。

(1)　行政責任　ア　懲戒処分の根拠と手続　争議行為等を行った職員は、一般の職員の場合は本条に、企業職員および単純労務職員ならびに独法職員の場合は地方公営企業等の労働関係に関する法律第一一条にそれぞれ違反するが、争議行為等の方法いかんによっては、法令等および上司の職務上の命令に従う義務（法三二）、職務専念義務（法三五）などにも違反することになる。これらの服務規定違反については、地方公務員法第二九条第一項の規定に基づいて懲戒処分が行われることになるが、争議行為等は同項第一号および第二号、すなわち、法令違反と職務上の義務違反に該当することは当然として、同項第三号の全体の奉仕者たるにふさわしくない非行に該当することも多いであろう。懲戒処分の内容は、任命権者の裁量によるものであるが、情状に応じて適切な処分を行う必要がある。職員の責任が軽微で情状酌量すべきときは、懲戒処分を見合わせ、訓告などの行政上の措置がとられることもあり得よう。ちなみに、争議行為に参加して三〇分以上職場を離脱した一万二五五一人に対して一律に戒告の処分をするとともに、勤勉手当を減額し、昇給を延伸したことに違法はないとした判決（札幌高裁平二七・二・二六判決（労働判例一一三六号一三八頁）最高裁平二八・六・一七決定で確定）がある。なお、この事案においては、三〇分未満の職場離脱者（四一人）に対しては文書訓告がなされている。

懲戒処分を行うときは、地方公務員法第二九条第四項の規定に基づく条例により、処分の辞令を交付するなどの手続をとらなければならず、処分を受けた職員は、地方公務員法第四九条の二に基づき審査請求を行うことができる。職員は、本条第二項の規定によって審査請求をすることはできないとする意見もあるが妥当ではない。このことについては、同項の解釈として後述する。企業職員および単純労務職員ならびに独法職員については、審査請求の規定は適用されないが、地方公営企業等の労働関係に関する法律第一二条の規定によって解雇された職員は、不当労働行為の申立て（労組法二七）を行うことができ、その申立ては解雇の日から二カ月以内に行わなければならず、労働委員会は申立ての日から二カ月以内に審査を行わなければならない（地公労法一六の三）。申立ておよび審査の期限が比較的短期に限定されているのは、公共部門の労使紛争を早期に安定させる趣旨である。

イ　地方公営企業等の労働関係に関する法律による解雇と懲戒処分の関係　企業職員または単純労務職員並びに独法職

員が争議行為等を行ったときは、地方公営企業等の労働関係に関する法律第一二条の規定によって「解雇」することができるとされている。この解雇の性質については論議があり、それは懲戒処分ではなく、労働契約の解除にとどまるものであり、また、同条に違反した場合、任命権者は解雇するかしないかの二者択一の判断をなし得るだけで、その他の懲戒処分を行うことはできないとする意見がある（峯村光郎・公共企業体等労働関係法（法律学全集四八―二）一一二頁、有斐閣、一九七四年）。しかし、同法は、地方公務員法第五七条にいう「この法律に対する特例」を定めた法律であり、その争議行為の禁止の規定は服務に関する規定であることは明らかで、その違反は地方公務員法第二九条第一項第一号の「第五十七条に規定する特例を定めた法律……に違反した場合」に該当し、懲戒処分の事由に当たると解される。したがって、戒告、減給および停職の各処分を行うことができるほか、理論的には同条同項同号の規定により懲戒免職処分を行うことも可能である。ただし、地方公営企業等の労働関係に関する法律第一二条の解雇も服務規定違反に対する制裁として懲戒免職と同じ趣旨の処分であると解されるので、処分を行うときは、実際の運用としては同法を適用し、解雇を行うことがより適切であろう。なお、解雇の効果は、懲戒免職と同様であると解されるが（恩給受給資格の喪失について、法制意見昭二八・三・四　法制局一発第二四号）、解雇の場合には任用の欠格条項（法一六②）に該当しないとする見解もある。

ウ　機関責任　山猫ストの場合を除き、争議行為等は、組合の役員の指令によって実行される。そこで、一旦争議行為等が実行されたときは、組合の執行部にある職員は、役員であることのみを理由としてその責任、すなわち「機関責任」を負うかどうかという問題がある。これについて組合の役員は、対外的には共同して責任を負うものであり、リーダーの地位にある以上、当然に責任を負わなければならないという考え方もある。しかしながら、争議行為等の禁止は、個々の職員に対する服務規定として定められており、組合役員の地位にあることのみをもって責任を追及することは困難であろう。それぞれの役員が争議行為を実行した事実、あるいはそれを計画し助長したであろうことを推定することは、とくに反証がない限り合理的であるといえよう。また、役員は、指導者としての地位にある以上、一般の組合員よりも情状が重いことは当然であるといえる。このように、情状が重いという意味で「機関責任」の問題が生じるといってよい。

(2)　民事責任　民間企業の労働者が正当な争議行為を行うことはその権利であり、使用者に経済的損失を与えても不法行為として損害賠償を行う必要はない。これを争議行為に関する「民事上の免責」と呼ぶ（労組法八）。公務員の労働団体は、争議行為等が禁止されているので、その争議行為等に民事上の免責はなく、労働組合法第八条は適用除外されている（法五八１、地公労法四）。したがって、争議行為等により地方公共団体や住民に損害を与えた職員団体、職員の労働組合または個々の職員は、民法第七〇九条に基づき不法行為の賠償責任を負うものである。職員以外の者が役員または組合員として職員の労働団体に加入し、争議行為等を行った場合も同様である。地方公共団体等が民事責任を追及する方法は、争議行為等による損害（経済的損失）を具体的な金額として算出し、裁判所に職員団体等を被告とする給付の訴を提起することになる。

(3)　刑事責任　本条の適用を受ける一般の職員の争議行為等を計画助長した者は、職員であると職員以外の者であるとをとわず三年以下の拘禁刑または一〇〇万円以下の罰金に処せられる（法六一④）。このことについては、本条第二項との関係で後述する。なお、刑事責任は、司法当局が措置するものであるが、地方公共団体の当局は、刑事責任を負うべき者を告発（刑訴法二三九）することがあり、また、職員が起訴された場合に、その職員を起訴休職処分（法二八２②）に付することがあり得る。

㈢　ロック・アウトの禁止

争議行為に関して述べておかなければならないのは「ロック・アウト」の禁止である。ロック・アウトは「作業所閉鎖」とも呼ばれ、広義の争議行為の一つであるが、他の争議行為は労働者が行うものであるのに対し、これは使用者が行う争議行為であり、多くの場合労働者側の争議行為に対抗して使用者が事業所、作業所などを閉鎖し、労働者の就労を拒否する戦術である。

地方公営企業の当局および単純労務職員ならびに独法職員の使用者については、ロック・アウトを行ってはならないことが法律上明記されている（地公労法一一2、同法附則５）。地方公営企業などのサービスは住民のためのものであり、当局が業務を中断することはその公共性から認められないとする趣旨である。地方公務員法にはこれに類する規定はないが、一般の職員の使用者が公共の業務を自ら中断することが許されないことは当然であり、あえて明文の規定をまつまでもない条理として規定されていないものであろう。

三　争議行為等の計画、助長等の行為の禁止

本条第一項後段は、職員の争議行為等を企て、またはその遂行を共謀し、そそのかし、もしくはあおることを何人に対しても禁止しており、また、地方公営企業等の労働関係に関する法律第一一条後段も職員ならびに組合員および役員が争議行為を共謀し、そそのかし、またはあおることを禁止している。

まず、「企てる」とは、争議行為等を実行する計画の作成、そのための会議の開催などをいうものであり、「共謀する」とは、二人以上の者が共同で争議行為等を実行するための謀議をすること、その計画を作成することなどをいうものである。次に、「そそのかす」とは、いわゆる教唆であり、人に対し争議行為等を実行する決意をあらたに生じさせるに足りる慫慂行為をすることである（最高裁昭四四・四・二判決　判例時報五五〇号二一頁）。また、「あおる」とは、いわゆる煽動であり、文書もしくは図画または言動によって職員に対し争議行為等を実行する決意を生ぜしめるような、またはすでに生じている決意を助長させるような勢いのある刺戟を与えることである（最高裁昭四八・四・二五判決（判例時報六九九号二二頁）、最高裁昭五一・五・二一判決（判例時報八一四号七三頁））。

以上の争議行為等の計画、助長などの行為が違法とされるには、それらの行為の結果として現実に争議行為等が行われたことを要するかどうかが問題となる。たとえば、刑法上の教唆犯および従犯、すなわち、共犯が成立するためには正犯の実行行為が要件であるとされている。しかし、本条および地方公営企業等の労働関係に関する法律第一一条の計画、助長などの行為は、その行為自体が独立して違法となるものであり、争議行為等が実行されたことを要件としないとされている（最高裁昭二九・四・二七判決　判例時報二五号一三頁）。

本条に違反して争議行為等を計画し、助長するなどの行為をした者は、職員であると職員以外の者であるとをとわず、三年以下の拘禁刑または一〇〇万円以下の罰金に処せられる（法六一④）。争議行為等の実行行為については刑罰の適用がないのに対し、その計画、助長などの行為についてのみ刑罰を科することとされているのは、公共の福祉に反する争議行為等を未然に防止する趣旨であるとともに、計画、助長などの行為は主として争議行為等の指導者が関与する核心的な行為であることを重視したものと思われる。

地方公営企業等の労働関係に関する法律第一一条の規定に違反して争議行為の計画、助長などの行為を行った組合員、役員などについては、罰則の適用はなく、行政罰および民事責任の対象となるだけである。刑罰の適用がない理由は、必ずしも明らかではないが、同法の適用を受ける職員の業務が民間の事業に近いものがあり、民間との均衡を考慮したこと、特定独立行政法人等の労働関係に関する法律（旧国営企業労働関係法）にもこれらの行為に対する罰則規定がないことなどがその理由であろう。

四　争議行為等を行った職員の身分取扱い

本条第二項は、本条第一項の規定に違反した職員は地方公共団体に対し任命上または雇用上の権利をもって対抗することができない旨を定めている。

この規定は、「公務員でありながら前項の規定に違反する行為〔争議行為等〕をした者は、国または地方公共団体に対し、その保有する任命または雇用上の権利をもつて対抗することができない」旨を定めた政令二〇一号第二条第二項の規定を引き継いだものである。そして、政令第二〇一号のその文言は、その原因となったマッカーサー書簡の言葉を用いたものである。

本項の規定が法律的にどのような効力を有するのか必ずしも明らかではない。また、本項と同様の規定は、国家公務員法には規定されているが（国公法九八３）、地方公営企業等の労働関係に関する法律および特定独立行政法人等の労働関係に関する法律にはこの種の規定は定められていない。結論的には、本項は公務員の争議行為等の禁止の精神を説明する規定であり、争議行為等を行うことが職員の身分取扱いの上で重大な結果を生ぜしめることを明らかにしたものと考えられるのであるが、本項から直接に特定の法律的効果をもたらすことを意図したものとは思われない。

争議行為等を行った職員の身分取扱いのうち、これに対して懲戒処分、民事上の賠償請求および刑事訴追がなされることがあることは二の(二)4で述べたところであり、それぞれの手続に関する規定に従って措置されることになる。本項を根拠として、争議行為等を行った職員は、法令等に基づく任命上または雇用上の権利をもって対抗することができなくなるのであるから、争議行為等の開始と同時に、かつ、なんらの手続を要せず、当該職員は給与の支給を請求することをはじめ、身分上の各種の権利を行使することは一切できなくなるのであるとする考え方や、さらに当該職員が任命上、雇用上の権利を主張できなくなるということは当然失職するものであるという考え方もあり得るが、職員は基本的にその身分が保障されており、争議行為などを行うことは一般にきわめて情状が重いものであるが、それもやはり服務規定違反の一つである以上、他の服務規定違反と同じ手続によって措置すべきものと考えられる。したがって、たとえば、懲戒処分を行う場合には、懲戒の手続に関する条例（法二九4）によって処分の辞令を交付し、また、処分理由の説明書（法四九）を交付する必要がある。処分を受けた職員は、不利益処分に関する審査請求（法四九の二）を人事委員会または公平委員会に対して行うことができる（行実昭三四・二・一九　自丁公発第二六号）。ただし、この行政実例は、地方公務員法第三七条違反の事実が確定した段階で不適法な審査請求として却下すべきであるとしており、「不適法」、「却下」という限りで本項の法律的効力を認めているといえよう。しかし、争議行為等を行った職員の審査請求も本項が公務員としての権利を剝奪する規定ではないと解する以上、適法なものというべきであろうし、実体審理を行った上、棄却、修正、取消しの判定もあり得ると考える（もっとも、本項が争議行為等を行った職員の責任がきわめて重大であることを明らかにしているので、当該職員の情状が重視されて、裁量によって職員に有利な審査結果となることは相対的に少ないであろう。）。また、懲戒処分を受けた職員が所定の手続を経て、行政事件訴訟法に基づき出訴することも可能であり、その場合も本項は裁判所の判断を法律的に拘束するものではない。さらに、争議行為等を行った職員の給与上の取扱い（たとえば、普通昇給期間の延伸、勤勉手当の成績率の査定など）も他の職員と同じ取扱いによって行われることになる。公務災害補償や共済組合の給付も同様である。

（営利企業への従事等の制限）

第三十八条　職員は、任命権者の許可を受けなければ、商業、工業又は金融業その他営利を目的とする私企業（以下この項及び次条第一項において「営利企業」という。）を営むことを目的とする会社その他の団体の役員その他人事委員会規則（人事委員会を置かない地方公共団体においては、地方公共団体の規則）で定める地位を兼ね、若しくは自ら営利企業を営み、又は報酬を得ていかなる事業若しくは事務にも従事してはならない。ただし、非常勤職員（短時間勤務の職を占める職員及び第二十二条の二第一項第二号に掲げる職員を除く。）については、この限りでない。

２　人事委員会は、人事委員会規則により前項の場合における任命権者の許可の基準を定めることができる。

〔趣　旨〕

一　職務専念義務との関係

職員は、職務の遂行に当たっては全力をあげてこれに専念しなければならないものであり（法三〇）、また、その勤務時間および職務上の注意力のすべてをその職務遂行のために用い、当該地方公共団体がなすべき責を有する職務にのみ従事しなければならないものである（法三五）。

これらの義務は、職員にとってもっとも基本的な義務であり、このような基本的義務が十分に遂行されることを保障するため、これに直接、間接に悪影響を及ぼすような行為を職員が行うことを勤務時間の内外を問わず制限する必要がある。こうした観点から職員に制限される行為は少なくないが、第一には、それは職員自身の自覚と自制にまつべきものであるといえよう。たとえば、自らの健康の維持に留意し、常に良好な健康状態で職務に従事することはその一例であろう。第二は、職員個々の趣味や性格に基づく行為が職務に悪影響を及ぼすような場合で、本人の自制が十分ではないときは、個々の職務命令　身分上の命令によってこれを抑制することになろう。第三は、職員全体を通じて職務に悪影響を及ぼすおそれが強い行為であり、これは画一的に規制することがあり得る。本条の営利企業への従事制限は、法律によってこの画一的な規制を行ったものである。

すなわち、職員が公務以外の事業など、特に営利性のある事業に従事したり、報酬を伴う仕事を行ったりするときは、人間の性としてとかくそのことに注意と関心を奪われ、知らずのうちに職務に対する集中心が欠けることとなるおそれがある。そこで本条は、原則的かつ画一的にこのような行為を行うことを禁止し、もって職員の職務専念義務が損なわれることを未然に防止しようとしたものであり、そのおそれならびに後述の**二**および**三**のおそれがない場合に限って、許可を要件として例外を認めることとしているのである。本条第一項ただし書は、短時間勤務職員及び会計年度フルタイム職員以外の非常勤について、その職務の性質（第二二条の三の〔**解釈**〕二、第二二条の四の〔**解釈**〕二参照）と勤務時間を考慮して、兼職の禁止を解除するものであり、平成二九年（二〇一七年）の改正によって追加されたものである。これは、当時の政府が推進する働き方改革の方針に従ったものであるが、後記**三**で述べる品位の確保という観点からは、たとえこれらの職員であっても、無条件で兼業を認めることには問題があるように思われる。

二　職務の公正の確保

職員は、全体の奉仕者として公共の利益のために勤務するものであり（憲法一五2、法三〇）、職務の遂行に当たっては特定の利益に偏することなく、常に中立かつ公正でなければならない。このような見地からすると、職員が特定の会社の役員などを兼ねていたり、また報酬を伴う事務、事業に従事していたりすると、その利益を念頭に置いて職務の公正を害するおそれがあるといえる。とくに、地方公共団体との間で取引関係を生じるときはなおさらである。

本条は、職務の公正を確保することをその目的の一つとするものであり、これを害するおそれがなく、かつ、職務に対する集中心が欠けたり（前記**一**参照）、職員の品位をおとしめたり（後記**三**参照）するおそれがないときは、例外的に営利企業に従事することなどの許可を受けることができるものである。同様の趣旨の立法例として地方公共団体の議会の議員の兼業禁止（自治法九二の二）およびその長の兼業禁止（自治法一四二）がある。地方公共団体の議会の議員や長は、特別職であり、他に職をもつことを原則として認められているものであるが、その職務の公正を確保するため、その属する地方公共団体との間で請負をすることや主として同じ行為をする法人の役員となることなどが禁止されており、これに違反したときは所定の手続により失職することとされている（自治法一二七１、一四三）。この場合は、特別職としての性格ともっぱら職務の公正を確保することを目的としていることにより、兼業禁止の範囲はかなり限定的である。これに対し、本条の場合は、職務の公正の確保だけでなく、職務専念義務の確保などをも目的としているため、兼業禁止の範囲は広汎である。しかし、議員や長の禁止の場合のように絶対的でしかも失職という厳しい制裁を伴うものでなく、許可を受けて例外が認められるものであり、また、その違反に対する制裁は服務規律違反としての懲戒処分に限られる。

国家公務員についても、地方公務員と同様に営利企業の役員となること、自ら営利企業を営むことおよび報酬を得て他の事務、事業に従事することは原則として禁止されている（国公法一〇三１、一〇四）。そして、人事院は、株式所有などの関係により、企業の経営に参加しうる地位にある職員から株式所有などの関係について報告を求め、職員と企業との関係の存続が職務遂行上適当でないと判断したときはその旨を通知し、その結果、職員は企業との関係を絶つか、退職するかのいずれかを選ばなければならないこともあり得る（国公法一〇三３４７）。これも職務の公正を確保するための服務上の規制であるが、地方公務員についてこのような規制が制度化されていないのは、その職務権限による影響力が相対的に限定されていることによるものといってよいであろう。

さらに職務の公正を確保するための服務上の措置として、外国では高級公務員に所有する株式を処分させたり、民間会社の役職を辞任させたりする制度や慣行もある。いずれにしても、地方公共団体の事務、事業が拡大の一途を辿り、民間企業等との間でさまざまな利害関係が増大している今日、職務の公正を確保する必要性は、服務上も倫理上も一層高まっているといえよう。

三　職員の品位の維持

職員は、職の信用を保持し、職全体の名誉を維持しなければならない（法三三）。公務員が住民の負託を受けて職務を遂行するものである以上、広く住民の信頼を得なければならないことは当然であるといえよう。しかし、一口に信頼を得るといっても、それにはさまざまな行為や態度の裏付けが必要である。的確で迅速な事務の遂行、厳正な服務規律の確保など、職務について信頼を獲得しなければならないことはもちろんであるが、直接には職務に関係しない私行、私生活の上でも信頼に応えなければならないものである。

このような観点から、職員が公私をとわず、その品位を保持することも住民の信頼を確保する要件の一つであるといえよう。本条が営利企業に従事することを職員に対して制限している目的の一つは、この品位の保持にあるということができる。すなわち、職員が世上とかくの風評があるような職業に従事する場合、たとえば、性風俗関係の営業を行うような場合には職員の品位にかかわる問題として、ひいては職全体の信頼性にかかわる場合もあり得るといわなければならないであろう。また、職員が自己の担当する職務はもとより、その属する地方公共団体の事務や事業と関係の深い営利企業などに従事している場合は、住民から、当該職員だけでなく、公務全体の公正性、妥当性が疑われることになる。したがって、任命権者が、営利企業への従事制限の特例の許可を与える場合には、職員の品位を保持しうるものであるかどうか、さらに公務に対する信頼の確保に悪い影響を与えないものであるかどうかということを判断の要素としなければならない。その意味で、短時間勤務の職員および会計年度フルタイム職員以外の非常勤職員について本条一項を適用除外した平成二九年法律第二九号による改正の妥当性は疑問である。

〔解　釈〕

一　制限される行為

本条第一項により営利企業への従事制限として職員に対し禁止されている行為は、商業、工業または金融業その他営利を目的とする私企業（これを「営利企業」という。）を営むことを目的とする会社その他の団体の役員などに就任すること、営利企業を営むことおよび報酬を得て他の事務、事業に従事することの三つである。それぞれの内容は、以下に述べるとおりである。

(一)　営利企業を営むことを目的とする会社その他の団体の役員その他人事委員会規則（人事委員会を置かない地方公共団体においては地方公共団体の規則）で定める地位を兼ねること。

ここで「営利企業を営むことを目的とする会社その他の団体」には、会社法に基づいて設立される株式会社、合名会社、合資会社および合同会社、特例有限会社、その他営利行為を業とする社団も含まれる。しかし、農業協同組合、水産業協同組合、森林組合、消費生活協同組合などは、実質的には営利企業類似の行為も行っているのであるが、それぞれを規制する法律で営利を目的とはしないものとされているため、ここでいう「その他の団体」には該当しないものと解されている（行実昭二六・五・一四　地自公発第二〇三号）。もっとも、これらの団体から報酬を受けるときは、後記(三)で述べる場合に該当する。

次に、「役員」とは、株式会社の場合でいえば、取締役、監査役のような業務の執行または業務の監査について責任を有する地位にある者およびこれらの者と同等の権限または支配力を有する地位にある者をいう。また、「人事委員会規則（人事委員会を置かない地方公共団体においては地方公共団体の規則）で定める地位」とは、営利を目的とする私企業を営むことを目的とする会社その他の団体における地位に限られるものであり、営利を目的としない団体の地位について定めることはできないものとされている（行実昭二六・九・一二　地自公発第四〇一号）。また、「地方公共団体の規則」とは、地方公共団体の長の規則（自治法一五１）をさすものである。人事委員会規則および地方公共団体の規則で定める地位としては、営利団体の顧問、評議員、清算人などが考えられる。会社の発起人を定めることもさしつかえないであろう。

(二)　自ら営利企業を営むこと。

「営利企業」とは、工業、商業、金融業などの業態のいかんをとわないものである。営利を目的とする限り、農業も含まれる（行実昭二六・五・一四　地自公発第二〇四号）。自家用の飯米や野菜を生産する程度の兼業農家などは、営利企業というより生業であると考えられるので該当しないといってよいであろう。小規模の山林地主で冠婚葬祭の費用のために立木を伐採するようなことも同様である。

職員の家族が営利企業を営むことは、職員本人の服務上の問題ではないので本条の関知するところではない。旧官吏服務紀律第一一条は、官吏の家族も許可を受けないで商業を営むことはできないものとされていた。これは官吏の品位の保持のための規制であったといえようが、このような規制が行われていたのは、家族主義的社会が前提であったと考えられる。個人の尊重（憲法一三）を基本とする現在の社会制度および法律制度の下においてはこのような制限をすることができないことは当然である。もっとも、家族などの名義を利用して実質的に職員が私企業を営むことは、本条の脱法行為であり、服務規律違反として懲戒処分の対象になる。

㈢　報酬を得て事業または事務に従事すること。

報酬を得て事業または事務に従事することは、それがいかなるものであれ、たとえば、営利を目的としないものであっても、禁止される。ここで「報酬」とは、給料、手当などの名称のいかんをとわず、労務、労働の対価として支給あるいは給付されるものをいうものである。しかし、収入がすべて報酬であるとされるのではなく、労務、労働の対価ではない給付、たとえば、講演料や原稿料などの謝金や、あるいは実費弁償としての車代は報酬には該当しないものと解されている（国家公務員が講演した場合の謝金が該当しないことについて（人事院行実昭二七・一〇・二　給実甲第五七号）、職員が寺院の住職として受ける布施が該当しないことについて（行実昭二六・六・二〇　地自公発第二五五号））。

職員が報酬を得て他の事業または事務に従事することに関し、しばしば問題となるのは、他の地方公務員の職または国家公務員の職を兼ねる場合である。まず、職員が他の一般職の職（他の地方公共団体の一般職の職を含むという解釈があることについて法第二四条の【解釈】四参照。）を兼ねる場合は、これに対して給与を受けてはならないとされているので（法二四3）、本条の問題は生じないように一応は思われる。しかしながら、この重複給与支給禁止の規定は、立法論として問題がある。というのは、国家公務員の場合には、官職を兼ねることを原則として禁止していることに対応して、重複給与支給禁止の規定が設けられているのであるが（国公法一〇一1）、地方公務員の一般職については兼職禁止の規定はなく、兼職をさせるかどうかは地方公共団体の自主的運用に委ねられている（行実昭二六・八・二七　地自公発第三六六号）にもかかわらず、重複給与支給禁止の規定のみが設けられているのである。兼職が禁止されていない以上、兼職が行われる場合の給与の支給についてはより実態に即した措置をとるべきであり、同一の時間について二重に給与を支給することは禁止すべきであるが、それぞれの職に従事した勤務時間に応じてそれぞれの職務に対応した給与を支給するよう調整を行うことが妥当である。解釈上、また運用上、このような措置をとることは可能であると考えられるが、もし、この措置をとる場合には、同一地方公共団体内の兼職については、次に述べる同一地方公共団体内の特別職との兼職の場合と同様に、本条の営利企業等の従事制限には該当しないと解すべきであろう。次に、職員が特別職の職を兼ね報酬を得る場合、同一地方公共団体の内外をとわず、本条第一項による許可が必要であるとされている（特別職一般との兼職について（行実昭二六・三・一二　地自公発第七一号）、税務課長が同一地方公共団体の固定資産評価員を兼ねることについて（行実昭二六・三・三　地自公発第五六号）、職員が同一地方公共団体の農業委員会の委員となることについて（行実昭二六・八・二七　地自公発第三六六号））。しかし、職員が他の地方公共団体の特別職（たとえば審議会の委員）を兼ねて報酬を受ける場合は本条第一項の許可を要するが、同一地方公共団体の特別職の職を兼ねる場合は、本条の適用はないというべきであろう。同一地方公共団体内の兼職である限り、一般職相互間、一般職と特別職との間のいずれの兼職であっても、また、同一の任命権者の下の職の兼職であっても、異なる任命権者の下の兼職であっても、本条の許可および職務専念義務の免除（法三五）は不要というべきである。なぜならば、職員の勤務関係はその属する地方公共団体との間に存するのであり本条の趣旨が当該地方公共団体の公務の品位と信頼を維持することにあるからである。勤務時間および職務の対価をどのように配分するかは、内部調整の問題に過ぎないのである。本条第一項が、報酬を得て「いかなる」事業もしくは事務にも従事してはならないと規定しているため、文理上の解釈として同一地方公共団体内で報酬を得ることも禁止されていると解することも理由がないわけではないが、それは本条の趣旨を正しく理解しているものとはいえないであろう。職員が国家公務員の職を兼ね、給与またはそれに相当する給付を受ける場合は、本条第一項の許可が必要である。

なお、職員が国家公務員や地方公務員である一般職または特別職の職を兼ねた場合は、報酬を受けることなく実費弁償のみが支給されることが普通であるが、その場合には本条の問題は生じない。

二　営利企業等に従事することの許可

職員は、例外的に任命権者の許可を受けることによって営利企業に従事することができ（本条1）、また、人事委員会を置く地方公共団体の職員については、人事委員会はその規則で任命権者のこの許可の基準を定めることができる（本条2）。

まず、許可を与えるのは任命権者であり、任命権の一部の委任を受け（法六2）、本条の許可の権限が委任された場合には、その委任を受けた上級の地方公務員が許可権者となる。兼職により一の職員について複数の任命権者が存在する場合には、そのすべての許可を要するものと解する。ただし、異なる地方公共団体に派遣された職員で（自治法二五二の一七）、協議により一方の地方公共団体における本条の適用をしないこととした場合（自治法施行令一七四の二五3）には、本条が適用される地方公共団体の任命権者の許可で足りるものである。

次に、人事委員会が規則で定める許可の基準は、任命権者間に不均衡が生じないよう調整をとる趣旨のものであり、一般的基準を定めるべきもので、個々具体的に可否を定めるものではない。人事委員会を置かない地方公共団体で、地方公共団体の長がこのような基準を設けることは本法に基づくものではないが、内規を定めておくことが適切な場合があろう。なお、地方公共団体の委員会および委員は、営利企業に従事することの許可の基準を定めるときは、地方公共団体の長と協議しなければならないこととされており（自治法一八〇の四2、自治法施行令一三二⑦）、人事委員会とは別に、地方公共団体の長による調整も行われるので注意を要する。

ところで、人事委員会が許可の基準を定める場合、あるいは任命権者が許可をする場合には、一で述べた、営利企業への従事制限が行われている趣旨を十分に考慮して行わなければならないものである。すなわち、職員が当該営利企業に従事しても、職務遂行上、能率の低下を来すおそれがないこと、当該営利企業と職員が属する地方公共団体との間に相反する利害関係を生じるおそれがなく、かつ、その他職務の公正を妨げるおそれがないこと、ならびに職員および職務の品位を損ねるおそれがないことの三点を確認することを主旨とすべきである。任命権者の許可は、裁量行為であると解されるが、以上の三点のいずれかについて相当の懸念が実在するにもかかわらず許可を与えるようなことは、裁量の範囲を逸脱するものといえよう。

営利企業に従事することの許可に関し、しばしば問題となるのは、職務専念義務の免除（法三五）との関係である。まず、職員が営利企業に従事しようとするときは、その従事する時間が勤務時間の内であれ外であれ、本条の許可が必要である。そして、それが勤務時間中であるときは、本条の許可とは別に第三五条に基づく職務専念義務の免除または年次有給休暇の承認を受けなければならない。営利企業従事の許可と職務専念義務免除の許可または年次有給休暇の承認とはそれぞれ目的を異にするものであるから、一方の許可または承認が当然に他方の許可あるいは承認を義務づけるものではない。たとえば、営利企業に従事する許可を得ても、職務専念義務の免除が与えられないことも十分ありうることである。具体的な例としては、職員が国家公務員の職を兼ねることにより、国から給与を受け、また勤務時間の一部を割くときは、それぞれ別個に職務専念義務の免除および営利企業の従事の許可を受ける必要があるとされており（行実昭二七・一〇・一〇　自行公発第八四号）、また、職員が刑事事件に関して起訴されたことにより休職処分を受けた場合（法二八２②）、あるいは懲戒処分により停職させられた場合（法二九１）には職務専念義務は強制的に免除されるが、これらの期間中に報酬を得て他の事務、事業に従事しようとするときは、別途、任命権者の許可が必要であると解される。職員が在籍専従の許可（法五五の二１但し書）を受けた場合は、休職者としての身分取扱いを受け職務専念義務は免除される（法五五の二５）。そしていかなる給与も支給されないものであり（法五五の二５）、専従する登録職員団体から報酬を受けることが普通である。そこで、任命権者が在籍専従の許可を与えたときは、登録職員団体から受ける報酬に限り、同時に営利企業の従事の許可を得たものとみなすとされているが（行実昭四三・一二　公務員一課決定）、理論的には営利企業に従事することの許可は、在籍専従の許可とは別個のものであることはこれまで述べてきたとおりであり、在籍専従の許可申請書に登録職員団体から報酬を受けることの許可も併せて申請させる様式とするなど、運用上の工夫によって措置することが妥当であろう。労働組合の専従職員の場合、および組合休暇を得た職員で給与を支給されない職員が（法五五の二６）、職員の団体からその給与に相当する補償を受ける場合も同様であろう。また、職員が営利企業に従事する許可を受けた場合、たとえば、地方公社の役員を兼ねて所定の報酬を受けるような場合、勤務時間中にその役員会に出席するときは、職務専念義務の免除を得ることが必要である。

三　教育公務員の特例

教育公務員は、教育に関する他の職を兼ね、または教育に関する他の事業若しくは事務に従事することが、本務の遂行に支障がないと任命権者が認めるときは、給与を受けまたは受けないで、その職を兼ね、またはその事業若しくは事務に従事することができる（教特法一七１）。この場合、地方公務員である教育公務員については、本条第二項の規定による人事委員会が定める許可の基準によることを要しない（教特法一七２）。

教育公務員についてこのような特例が設けられている趣旨は、教育公務員の職務内容からみて、学校の設置者が誰であるかを問わず、職員を融通し合うことが望ましい場合があり、また、教育公務員の勤務時間の実態がそのことを可能にする余地があると考えられていることであろう。しかし、教育公務員とくに地方公共団体のそれについては、授業時間以外においても自らの事務および自己研修に精励すべきであるという声が強く、逆に教師のアルバイトや塾の経営が批判されていることからみて、このような特例は立法論としては問題があろう。職員の融通の必要が例外的に生じたときは、地方公務員法の規定によって措置することで十分足りるはずである。

第六節の二　退職管理

（再就職者による依頼等の規制）

第三十八条の二　職員（臨時的に任用された職員、条件付採用期間中の職員及び非常勤職員（短時間勤務の職を占める職員を除く。）を除く。以下この節、第六十条及び第六十三条において同じ。）であつた者であつて離職後に営利企業等（営利企業及び営利企業以外の法人（国、国際機関、地方公共団体、独立行政法人通則法（平成十一年法律第百三号）第二条第四項に規定する行政執行法人及び特定地方独立行政法人を除く。）をいう。以下同じ。）の地位に就いている者（退職手当通算予定職員であつた者であつて引き続いて退職手当通算法人の地位に就いている者及び公益的法人等への一般職の地方公務員の派遣等に関する法律（平成十二年法律第五十号）第十条第二項に規定する退職派遣者を除く。以下「再就職者」という。）は、離職前五年間に在職していた地方公共団体の執行機関の組織（当該執行機関（当該執行機関の附属機関を含む。）の補助機関及び当該執行機関の管理に属する機関の総体をいう。第三十八条の七において同じ。）若しくは議会の事務局（事務局を置かない場合には、これに準ずる組織。同条において同じ。）若しくは特定地方独立行政法人（以下「地方公共団体の執行機関の組織等」という。）の職員若しくは特定地方独立行政法人の役員（以下「役職員」という。）又はこれらに類する者として人事委員会規則（人事委員会を置かない地方公共団体においては、地方公共団体の規則。以下この条（第七項を除く。）、第三十八条の七、第六十条及び第六十四条において同じ。）で定めるものに対し、当該地方公共団体若しくは当該特定地方独立行政法人と当該営利企業等若しくはその子法人（国家公務員法第百六条の二第一項に規定する子法人の例を基準として人事委員会規則で定めるものをいう。以下同じ。）との間で締結される売買、賃借、請負その他の契約又は当該営利企業等若しくはその子法人に対して行われる行政手続法（平成五年法律第八十八号）第二条第二号に規定する処分に関する事務（以下「契約等事務」という。）であつて離職前五年間の職務に属するものに関し、離職後二年間、職務上の行為をするように、又はしないように要求し、又は依頼してはならない。

２　前項の「退職手当通算法人」とは、地方独立行政法人法第二条第一項に規定する地方独立行政法人その他その業務が地方公共団体又は国の事務又は事業と密接な関連を有する法人のうち人事委員会規則で定めるもの（退職手当（これに相当する給付を含む。）に関する規程において、職員が任命権者又はその委任を受けた者の要請に応じ、引き続いて当該法人の役員又は当該法人に使用される者となつた場合に、職員としての勤続期間を当該法人の役員又は当該法人に使用される者としての勤続期間に通算することと定められており、かつ、当該地方公共団体の条例において、当該法人の役員又は当該法人に使用される者として在職した後引き続いて再び職員となつた者の当該法人の役員又は当該法人に使用される者としての勤続期間を当該職員となつた者の職員としての勤続期間に通算することと定められている法人に限る。）をいう。

３　第一項の「退職手当通算予定職員」とは、任命権者又はその委任を受けた者の要請に応じ、引き続いて退職手当通算法人（前項に規定する退職手当通算法人をいう。以下同じ。）の役員又は退職手当通算法人に使用される者となるため退職することとなる職員であつて、当該退職手当通算法人に在職した後、特別の事情がない限り引き続いて選考による採用が予定されている者のうち人事委員会規則で定めるものをいう。

４　第一項の規定によるもののほか、再就職者のうち、地方自治法第百五十八条第一項に規定する普通地方公共団体の長の直近下位の内部組織の長又はこれに準ずる職であつて人事委員会規則で定めるものに離職した日の五年前の日より前に就いていた者は、当該職に就いていた時に在職していた地方公共団体の執行機関の組織等の役職員又はこれに類する者として人事委員会規則で定めるものに対し、契約等事務であつて離職した日の五年前の日より前の職務（当該職に就いていたときの職務に限る。）に属するものに関し、離職後二年間、職務上の行為をするように、又はしないように要求し、又は依頼してはならない。

5　第一項及び前項の規定によるもののほか、再就職者は、在職していた地方公共団体の執行機関の組織等の役職員又はこれに類する者として人事委員会規則で定めるものに対し、当該地方公共団体若しくは当該特定地方独立行政法人と営利企業等（当該再就職者が現にその地位に就いているものに限る。）若しくはその子法人との間の契約であつて当該地方公共団体若しくは当該特定地方独立行政法人においてその締結について自らが決定したもの又は当該地方公共団体若しくは当該特定地方独立行政法人による当該営利企業等若しくはその子法人に対する行政手続法第二条第二号に規定する処分であつて自らが決定したものに関し、職務上の行為をするように、又はしないように要求し、又は依頼してはならない。

6　第一項及び前二項の規定（第八項の規定に基づく条例が定められているときは、当該条例の規定を含む。）は、次に掲げる場合には適用しない。

一　試験、検査、検定その他の行政上の事務であつて、法律の規定に基づく行政庁による指定若しくは登録その他の処分（以下「指定等」という。）を受けた者が行う当該指定等に係るもの若しくは行政庁から委託を受けた者が行う当該委託に係るものを遂行するために必要な場合、又は地方公共団体若しくは国の事務若しくは事業と密接な関連を有する業務として人事委員会規則で定めるものを行うために必要な場合

二　行政庁に対する権利若しくは義務を定めている法令の規定若しくは地方公共団体若しくは特定地方独立行政法人との間で締結された契約に基づき、権利を行使し、若しくは義務を履行する場合、行政庁の処分により課された義務を履行する場合又はこれらに類する場合として人事委員会規則で定める場合

三　行政手続法第二条第三号に規定する申請又は同条第七号に規定する届出を行う場合

四　地方自治法第二百三十四条第一項に規定する一般競争入札若しくはせり売りの手続又は特定地方独立行政法

人が公告して申込みをさせることによる競争の手続に従い、売買、貸借、請負その他の契約を締結するために必要な場合

五　法令の規定により又は慣行として公にされ、又は公にすることが予定されている情報の提供を求める場合（一定の日以降に公にすることが予定されている情報を同日前に開示するよう求める場合を除く。）

六　再就職者が役職員（これに類する者を含む。以下この号において同じ。）に対し、契約等事務に関し、職務上の行為をするように、又はしないように要求し、又は依頼することにより公務の公正性の確保に支障が生じないと認められる場合として人事委員会規則で定める場合において、人事委員会規則で定める手続により任命権者の承認を得て、再就職者が当該承認に係る役職員に対し、当該承認に係る契約等事務に関し、職務上の行為をするように、又はしないように要求し、又は依頼する場合

7　職員は、前項各号に掲げる場合を除き、再就職者から第一項、第四項又は第五項の規定（次項の規定に基づく条例が定められているときは、当該条例の規定を含む。）により禁止される要求又は依頼を受けたとき（地方独立行政法人法第五十条の二において準用する第一項、第四項又は第五項の規定（同条において準用する次項の規定に基づく条例が定められているときは、当該条例の規定を含む。）により禁止される要求又は依頼を受けたときを含む。）は、人事委員会規則又は公平委員会規則で定めるところにより、人事委員会又は公平委員会にその旨を届け出なければならない。

8　地方公共団体は、その組織の規模その他の事情に照らして必要があると認めるときは、再就職者のうち、国家行政組織法（昭和二十三年法律第百二十号）第二十一条第一項に規定する部長又は課長の職に相当する職として人事委員会規則で定めるものに離職した日の五年前の日より前に就いていた者について、当該職に就いていた時に在職していた地方公共団体の執行機関の組織等の役職員又はこれに類する者として人事委員会規則で定めるものに対し、契約等事務であつて離職した日の五年前の日より前の職務（当該職に就いていたときの職務に限る。）

に属するものに関し、離職後二年間、職務上の行為をするように、又はしないように要求し、又は依頼してはならないことを条例により定めることができる。

〔趣　旨〕

国においては、平成一一年（一九九九年）には法律第一二九号として国家公務員倫理法が制定され、法律によって与えられた権限の行為に当たっては当該権限の行使の対象となる者からの贈与などを受けるなどの国民の疑惑や不信を招くような行為をしてはならないことが明文で定められたが（第三二条の〔趣旨〕および第三三条の〔解釈〕参照）、それだけでは国民の行政に対する不信を払拭することができないなどとして、平成一九年法律第一〇八号によって国家公務員法の一部が改正され、再就職者を受け入れることの依頼、在職中の求職、再就職者による元の職務に関する依頼の規制がなされるとともに、再就職等監視委員会の設置などに関する規定（国公法一〇六の二から一〇六の二七）が整備された。本条以下の退職管理に関する規定は、国におけるこの動きを受けたものであるが、国家公務員法が規制している離職前の職員による再就職者を受け入れることの依頼および在職中の求職の規制は採用されず（職務上不正な行為をすることもしくはしたこと、または相当の行為をしないこともしくはしなかったことに関し、本条第一項が定める営利企業等に対し、離職後に当該営利企業等もしくはその子法人の地位に就くこと、または他の役職員をその離職後に、もしくは役職員であった者を、当該営利企業等もしくはその子法人の地位に就かせることを要求した者などに対する刑事罰が定められている（法六三）が、これは服務上の義務違反に対する制裁ではない。）、再就職等監視委員会の制度も、その一部の権能を人事委員会または公平委員会が行使するとしただけで、特別の組織を設置するものとはされていないが、これは、地方公共団体の実情を考慮したものであろう。

なお、警察職員のうち警視正以上の職にある者は国家公務員とされているが（警察法五六１）、警察法第五六条の三は、特定地方警務官（警察法五六の二参照）を地方公務員法第四条第一項の職員とみなして、所用の読み替えをしたうえで、退職管理に関する地方公務員法の規定（八１④、三章六節の二（三八の二2および三を除く。）、六〇（④から⑧に係る部分に限る。）、六三から六五まで）を適用するものとしている。

〔解　釈〕

一　退職管理の対象となる職員

本条以下の退職管理について定める規定の対象となる職員は、地方公共団体または地方独立行政法人において臨時的に任用された職員、条件付採用期間中の職員および非常勤職員（短時間勤務の職に採用された職員を除く。）以外の全ての職員である。これは国家公務員法の規定にならったものであるが、再任用職員、地方公共団体の一般職の任期付職員の採用に関する法律に基づいて任期を定めて採用された職員および地方公共団体の一般職の任期付研究員の採用に関する法律に基づいて任期を定めて採用された職員は、本条以下の「職員」に含まれるが、会計年度任用職員には地方公務員法第二二条の四第四項が適用になる（短時間勤務の職につくことができないことを意味する）ので、会計年度任用職員は本条以下の「職員」には含まれないことになる。なお、本条第一項において、「地方公共団体の執行機関の組織（当該執行機関（当該執行機関の附属機関を含む。）の補助機関及び当該執行機関の管理に属する機関の総体をいう。第三十八条の七において同じ。）若しくは議会の事務局（事務局を置かない場合にあっては、これに準ずる組織。同条において同じ。）若しくは特定地方独立行政法人」を「地方公共団体の執行機関の組織等」と定義し、その「職員若しくは特定地方独立行政法人の役員」を「役職員」と定義しているので、第四項、第五項および第八項における「地方公共団体の執行機関の組織等の役職員」という表現はミスリーディングである（第六項第六号では単に「役職員」と表記されている。）。

また、本条以下の退職管理について定める規定が地方独立行政法人の役員または役員であった者に準用されることに伴い、人事委員会は特定地方独立行政法人の役員の退職管理に関して設立団体の任命権者に勧告することができることとされている（地方独法法五〇の二による法八1④の読み替え）。

二　再就職後の行為が規制される職員

本条第一項は、営利企業および営利企業以外の法人（国、国際機関、地方公共団体、独立行政法人通則法第二条第一項に規定する行政執行法人および特定地方独立行政法人を除く。）に再就職した元職員（以下、「再就職者」という。）の現職の職員に対する職務上の行為に関する要求や依頼を禁止しているが、これは、再就職者が在職時の地位や人間関係を利用して行政に影響力を行使することを防ぐためのものである。しかし、定型的にそのようなおそれがない、または極めて少ないと考えられる場合や、再就職者と現職の職員との意見や情報の交換が有益である場合にまで、このような厳しい規制をすることは適切ではないことから、退職手当通算予定職員であった者であって引き続いて退職手当通算法人の地位に就いている者および公益的法人等への一般職の地方公務員の派遣等に関する法律第一〇条第二項に規定する退職派遣者は再就職者には含まれないものとされている。

ここで「退職手当通算法人」というのは、地方独立行政法人法第二条第一項に規定する地方独立行政法人その他その業務が地方公共団体または国の事務または事業と密接な関連を有する法人のうち人事委員会規則（人事委員会を置かない地方公共団体においては地方公共団体の規則、地方独立行政法人においては設立団体の人事委員会規則または設立団体の規則）で定めるもののことであるが、規則で退職手当通算法人として定めるためには、当該法人の退職手当（これに相当する給付を含む。）に関する規程において、職員が当該地方公共団体の任命権者またはその委任を受けた者の要請に応じ、引き続いて当該法人の役員または当該法人に使用される者となった場合に、職員としての勤続期間を当該法人の役員または当該法人に使用される者としての勤続期間に通算することと定められており、かつ、当該地方公共団体の条例において、当該法人の役員または当該法人に使用される者として在職した後引き続いて再び職員となった者の当該法人の役員または当該法人に使用される者としての勤続期間を当該職員となった者の職員としての勤続期間に通算することと定められている法人に限るものとされている（本条二）。すなわち、退職手当通算法人として定めるためには、当該法人と当該地方公共団体の双方において、再就職者の退職手当の算出基礎となる勤続期間を通算することとされていることが必要とされるのである。また、ここで「退職手当通算予定職員」というのは、任命権者またはその委任を受けた者の要請に応じ、引き続いて退職手当通算法人の役員または退職手当通算法人に使用される者となるため退職することとなる職員であって、当該退職手当通算法人に在職した後、特別の事情がない限り引き続いて選考による採用が予定されている者のうち人事委員会規則（人事委員会を置かない地方公共団体においては、地方公共団体の規則、地方独立行政法人においては設立団体の人事委員会規則または設立団体の規則）で定めるものをいう。

なお、公益的法人等への一般職の地方公務員の派遣等に関する法律が定める退職派遣者（同法一〇2）が再採用された場合については、派遣先での在職期間も勤続期間に通算する旨が条例に定められているのが通例であるが（第二五条の【解釈】四(二六) 4(1)参照）、この退職派遣者については、その派遣先が退職手当通算法人として定められるまでもなく、再就職者の定義によってそこから除外されているし、同法に基づく派遣職員は、派遣をした地方公共団体の職員の職を保有する（同法四2）ので、再就職者に該当しないから、結局、同法の適用の対象となる職員は全て本条による規制を受けないことになる。

三　規制される再就職後の行為およびその相手方ならびに期間

(一)　原　則

再就職者は、離職前五年間に在職していた地方公共団体の執行機関の組織（当該執行機関（当該執行機関の附属機関を含む。）の補助機関および当該執行機関の管理に属する機関の総体をいう。）もしくは議会の事務局（事務局を置かない場合にあっては、これに準ずる組織。）もしくは特定地方独立行政法人（これらは「地方公共団体の執行機関の組織等」と称される。）の職員もしくは特定地方独立行政法人の役員（「役職員」と総称される。）またはこれらに類する者として人事委員会規則（人事委員会を置かない地方公共団体においては地方公共団体の規則、地方独立行政法人においては設立団体の人事委員会規則または設立団体の規則）で定めるものに対し、職務上の行為をするように、またはしないように要求し、または依頼してはならない（本条1）。

ここで離職前五年間というのは、離職の発令を受けた日（失職の場合はその効果が生じた日）の翌日から起算して五年間という意味であり、具体的には退職発令の日の五年後の対応日が満了するまでの期間（民法一四〇条本文）であるが、これは、再就職者の離職前の職場に対する影響力が残るであろう期間を考量して定められたものであろう。この期間中に禁止される働きかけの相手方は、離職前五年間に在職していた地方公共団体の執行機関の組織等の職員もしくは特定地方独立行政法人の役員であり、本条第一項はこれに該当する者を「役職員」と定義している。地方公共団体の執行機関としては、全ての普通地方公共団体に置かれるものとして、長のほか、教育委員会、選挙管理委員会、人事委員会（人事委員会を置かない普通地方公共団体にあっては公平委員会）および監査委員が、都道府県におかれるものとして公安委員会（北海道における方面公安委員会を含む。）、労働委員会、収用委員会、海区漁業調整委員会、および内水面漁場管理委員会が、市町村に置かれるものとして農業委員会および固定資産評価審査委員会があり、公安委員会の管理に属する機関として警視総監、道府県警察本部長、方面本部長（警察法四八２、五一３）がある。なお、学校その他の教育機関のうち、大学または条例で定めるものは長の（地教行法三二）、それ以外のものは教育委員会の管理に属する機関（地教行法三三１本文）に該当すると解される。なお、ここで附属機関の補助機関が「地方公共団体の執行機関の組織等」に含まれるとされているが、「附属機関の庶務は、法律またはこれに基く政令に特別の定があるものを除く外、その属する執行機関において掌るものとする。」（自治法二〇二の三３）とされており、付属機関の補助機関が独立して存在することはほとんどない。本条第一項における地方公共団体の執行機関の組織等は前記の執行機関、その管理に属する機関もしくは議会の事務局（事務局を置かない場合にあっては、これに準ずる組織。）または特定地方独立行政法人を意味するのであるから、再就職者が離職前に在職していた地方公共団体の執行機関の組織等というのは、これらを単位として判断され、そこの職員であった者が再就職者となった場合に、その組織等に属する役職員への働きかけが禁止されることになる。ところで、地方公共団体の執行機関の組織というのは、「当該執行機関（当該執行機関の附属機関を含む。）の補助機関および当該執行機関の管理に属する機関の総体」を意味し、そこには、執行機関を構成する者（長や委員）が含まれず、本条第一項の職員には特別職に属する者は含まれない（法四１）から、地方公共団体の特別職であった者から、または特別職である者に対しての働きかけについては本条は適用されないことになる（特定地方独立行政法人の役員に適用されることとは法文から明らかである。）。なお、本条第一項の役職員に該当しない者であっても、これらに類する者として人事委員会規則（人事委員会を置かない地方公共団体においては、地方公共団体の規則、地方独立行政法人においては設立団体の人事委員会規則または設立団体の規則）で定めるものに対する働きかけも禁止されるが、これは、組織変更や事務分掌の変更によって、従前の事務が新たな組織に承継されることとなった場合に、その新たな組織を指定することを想定したものである。

本条第一項によって禁止されるのは、離職後二年（離職の発令を受けた日（失職の場合はその効果が生じた日）の翌日から起算して二年を経過した日）までの間に、再就職者が当該地方公共団体もしくは当該特定地方独立行政法人と当該営利企業等もしくは人事委員会規則（人事委員会を置かない地方公共団体においては地方公共団体の規則、地方独立行政法人においては設立団体の人事委員会規則または設立団体の規則）で定めるその子法人との間で締結される売買、貸借、請負その他の契約または当該営利企業等もしくはその子法人に対して行われる処分その他公権力の行使に当たる行為（行手法二②）に関する事務（「契約等事務」という。）であって離職前五年間（離職の発令を受けた日（失職の場合はその効果が生じた日）を初日として五年遡った日までの期間）の職務に属するものに関し、職務上の行為をするように、またはしないように要求し、または依頼することである。なお、この要求または依頼は、それが職務上不正な行為をするように、または相当の行為をしないようにとのものである場合はもちろん（この場合は罰則（法六〇④）が適用される。後記㈡の上乗せ規制についても同じ。）、職務上の秘密に該当しない情報の提供のような適法かつ妥当なものであっても、後記㈢の例外に該当しない限り、禁止の対象となることに注意が必要である。

人事委員会規則などで子会社の範囲を定めるについては、国家公務員法第一〇六条の二第一項に規定する子法人の例を基準とするものとされているが、そうするときは再就職先である営利企業等が議決権の総数の一〇〇分の五〇を超える数の議決権を保有する法人を定めることになる。

㈡　規制の上乗せ

1　在職時の職制上の段階が上位であったことによる上乗せ規制

本条による離職後の行為の規制は、離職前五年間の職務に関するものであるのが原則であるが、再就職者のうち、普通地方公共団体の長の直近下位の内部組織（自治法一五八1）の長またはこれに準ずる職であって人事委員会規則（人事委員会を置かない地方公共団体においては地方公共団体の規則、特定地方独立行政法人においては設立団体の人事委員会規則または設立団体の規則）で定めるものに離職した日の五年前の日より前に就いていた者については、当該職に就いていた時に在職していた地方公共団体の執行機関の組織等の役職員（その意味については〔解釈〕一参照）またはこれに類する者として人事委員会規則（人事委員会を置かない地方公共団体においては、地方公共団体の規則とされ、地方独立行政法人においては、設立団体の人事委員会規則または設立団体の規則とされる。）で定めるものに対し、契約等事務（売買、貸借、請負その他の契約または処分その他公権力の行使に当たる行為をいう。）であって離職した日の五年前の日より前の職務（当該職に就いていたときの職務に限る。）に属するものに関し、離職後二年間、職務上の行為をするように、またはしないように要求し、または依頼してはならないとされる（本条４）。人事委員会規則などで定める職としては、長以外の執行機関（前記㈠参照）の直近下位の内部組織の長、執行機関の管理に属する機関の直近下位の内部組織の長（警察官にあっては地方公務員である者に限る。）、地方公営企業の管理者の権限に属する事務を処理するための組織の長、議会の事務局長、地方独立行政法人にあっては部門の長などが考えられる。なお、管理者および教育長は、特別職であるから、この規制の対象とはならない。

なお、本条第八項は、地方公共団体（特定地方独立法人にあっては設置団体）は、その組織（特定地方独立行政法人の組織）の規模その他の事情に照らして必要があると認めるときは、再就職者のうち、国家行政組織法第二一条第一項に規定する部長または課長の職に相当する職として人事委員会規則（人事委員会を置かない地方公共団体においては地方公共団体の規則、地方独立行政法人においては設立団体の人事委員会規則または設立団体の規則）で定めるものに離職した日の五年前の日より前に就いていた者について、当該職に就いていた時に在職していた地方公共団体の執行機関の組織等の役職員（その意味については〔解釈〕一参照）またはこれに類する者として人事委員会規則（人事委員会を置かない地方公共団体においては地方公共団体の規則、特定地方独立行政法人においては設立団体の人事委員会規則または設立団体の規則）で定めるものに対し、契約等事務であって離職した日の五年前の日より前の職務（当該職に就いていたときの職務に限る。）に属するものに関し、離職後二年間、職務上の行為をするように、またはしないように要求し、または依頼してはならないことを条例により定めることができるとしている。これは、本条第四項の規制の対象とならないが、離職前に就いていた職の重要性に照らして、同項によると同じ規制をすることが必要であると認められる者に対して、条例でその旨を定めることができるとするものである。地方公共団体の規模は、職員数が一〇万人を超えるものから数十人のものまで千差万別であり、大規模な地方公共団体にあっては長の直近下位の内部組織の長またはこれに準ずる職にあった者についての規制だけでは不十分な場合があるので、それに対処できるようにしたものであり、国家公務員法第一〇六条の四第二項に倣ったものである。なお、この規制は条例で定めなければならないとされているが、それは、この規定に違反して職務上不正な行為をするように要求または依頼をしたときは刑罰の対象となる（法六〇⑧）ことから、人事委員会（人事委員会を置かない地方公共団体においては地方公共団体の長）の判断だけでなく、議会の判断も必要であると考えられたことによるものであろう。

２　在職時に関与した職務による上乗せ規制

在職時に上位の職制上の段階にあったことによる規制の上乗せは人的影響力を考慮したものであるが、在職時に関与した職務については、職制上の段階の上下を問わず離職後も影響力が残るというのが社会通念であろう。そこで、本条第五項は、前記の各規制のほか、再就職者は、在職していた地方公共団体の執行機関の組織等の役職員（その意味については【解釈】一参照）またはこれに類する者として人事委員会規則（人事委員会を置かない地方公共団体においては地方公共団体の規則、地方独立行政法人においては設立団体の人事委員会規則または設立団体の規則）で定めるものに対し、当該地方公共団体もしくは当該特定地方独立行政法人と営利企業等（当該再就職者が現にその地位に就いているものに限る。）もしくはその子法人との間の契約であって当該地方公共団体もしくは当該特定地方独立行政法人においてその締結について自らが決定したものまたは当該地方公共団体もしくは当該特定地方独立行政法人による当該営利企業等もしくはその子法人に対する処分その他公権力の行使に当たる行為（行手法二②）であって自らが決定したものに関し、職務上の行為をするように、またはしないように要求し、または依頼してはならないとしている。これらに類する者として人事委員会規則などで定めるものに対する働きかけも禁止されるが、これは、組織変更や事務分掌の変更によって、従前の事務が新たな組織に承継されることとなった場合に、その新たな組織を指定することを可能にしたものである。また、本条第五項によって要求または依頼が禁止される「自らが決定したもの」というのは、単に当該事案についての検討や決裁に関与した（行服法九２①参照）だけではなく、最終的な決定権者として決裁をした者と解すべきであろう。

㈢　例　外

本条第六項は、第一項、第四項および第五項並びに第八項の規定に基づく条例が定める働きかけ規制の適用除外について定める。これは、働きかけを認めても、公務の公正およびそれに対する住民の信頼を損なうおそれがない場合や、その働きかけがやむを得ないあるいは公務の円滑な遂行上必要とされる場合を類型化し、それに該当する場合を働きかけ規制の対象としないとするものであり、次の場合が列記されている。

① 試験、検査、検定その他の行政上の事務であって、法律の規定に基づく行政庁による指定もしくは登録その他の処分（「指定等」と総称される。）を受けた者が行う当該指定等に係るものもしくは行政庁から委託を受けた者が行う当該委託に係るものを遂行するために必要な場合、または地方公共団体もしくは国の事務もしくは事業と密接な関連を有する業務として人事委員会規則（人事委員会を置かない地方公共団体においては地方公共団体の規則、地方独立行政法人においては設立団体の人事委員会規則または設立団体の規則をいう。以下この解説において同じ。）で定めるものを行うために必要な場合。ここで人事委員会規則で定めることが想定されているのは、地方独立行政法人または退職手当通算法人が行う業務である。

② 行政庁に対する権利もしくは義務を定めている法令の規定もしくは地方公共団体もしくは特定地方独立行政法人との間で締結された契約に基づき、権利を行使し、もしくは義務を履行する場合、行政庁の処分により課された義務を履行する場合またはこれらに類する場合として人事委員会規則で定める場合。ここで人事委員会規則で定めることが想定されるのは、法令違反の事案を発見した場合に取り締まりを求めるような場合である。

③ 行政手続法第二条第三号に規定する申請または同条第七号に規定する届出を行う場合

④ 地方自治法第二三四条第一項に規定する一般競争入札もしくはせり売りの手続または特定地方独立行政法人が公告して申込みをさせることによる競争の手続に従い、売買、貸借、請負その他の契約を締結するために必要な場合

⑤ 法令の規定によりまたは慣行として公にされ、または公にすることが予定されている情報の提供を求める場合（一定の日以降に公にすることが予定されている情報を同日前に開示するよう求める場合を除く。）

⑥　再就職者が役職員（これに類する者を含む。以下この解説において同じ。）に対し、契約等事務に関し、職務上の行為をするように、またはしないように要求し、または依頼することにより公務の公正性の確保に支障が生じないと認められる場合として人事委員会規則で定める場合において、人事委員会規則で定める手続により任命権者の承認を得て、再就職者が当該承認に係る役職員に対し、当該承認に係る契約等事務に関し、職務上の行為をするように、またはしないように要求し、または依頼する場合。ここで人事委員会規則で定めることが想定されるのは、再就職者の依頼などに係る職務上の行為が、価格などの条件設定に裁量の余地がなく、一般の利用者と同じ条件で締結する契約に係る職務に関するものなどである。

㈣　人事委員会または公平委員会への届け出

本条第七項は、禁止されている要求または依頼（本条８に基づく条例の規定によるものを含む。）を受けた職員に対し、それを受けたことを人事委員会または公平委員会（特定地方独立行政法人にあっては設立団体の人事委員会または公平委員会）に届け出ることを義務付けている。これは、人事委員会および公平委員会が任命権者に対する規制違反の行為に関する調査を行うよう求めることができること（法三八の五１）を踏まえたものであり、このような要求または依頼を受けた職員は、この届出をすることによって、適切に職務を行わなかったのではないかという疑問や疑惑を受けないで済むという効果も期待される反面、この届出をしなかったときは、地方公務員法違反として懲戒処分の対象となること（法二九１①）もあり得る。なお、この届出は、人事委員会規則または公平委員会規則で定めるところによることとされており、そこでは届出の書式や期限などが定められることになる。

（違反行為の疑いに係る任命権者の報告）

第三十八条の三　任命権者は、職員又は職員であつた者に前条の規定（同条第八項の規定に基づく条例の規定を含む。）に違反する行為（以下「規制違反行為」という。）を行つた疑いがあると思料するときは、その旨を人事委員会又は公平委員会に報告しなければならない。

〔趣　旨〕

人事委員会は、自己が属する地方公共団体の職員だけでなく、当該地方公共団体が設立した特定地方独立行政法人の役員または役員であった者の退職管理について勧告する権限を有し（地方独法法五〇条の二による法八1④の読み替え）、人事委員会または公平委員会（特定地方独立行政法人にあっては設立団体の人事委員会または公平委員会）は、前条（同条第八項の規定に基づく条例を含む。）の規定に違反する行為（「規制違反行為」と称される。）について、任命権者に調査を要求し、調査の経過について報告を求め、または意見を述べることができるとされており（法三八の四2、三八の五1、地方独法法五〇条の二）、本条はそのことを受けたものである。前条第七項による職員からの届出と併せて、規制違反行為に関する情報はすべて人事委員会または公平委員会に集まることになる。

〔解　釈〕

前条は、その第一項で、再就職者は、役職員またはこれらに類する者として人事委員会規則（人事委員会を置かない地方公共団体においては、地方公共団体の規則）で定めるものに対し、当該地方公共団体若しくは当該特定地方独立行政法人と当該営利企業等若しくはその子法人との間で行われる契約等事務であって離職前五年間の職務に属するものに関し、離職後二年間、職務上の行為をするように、又はしないように要求し、又は依頼してはならないことを、第四項および第八項で、在職時の職制上の段階が上位であったことによる上乗せ規制を、第五項で在職時に関与した職務による上乗せ規制を定め、第六項でこれらの例外を定めているので、本条の規制違反行為というのは、前条第一項、第四項、第八項または第五項の規定に該当する行為であって、第六項の規定に該当しないものを意味することになる。また、本条は、規制違反行為を行った疑いがあると思料するときについてのものであるところ、前条第七項は届出義務を定めるものであって、行為を規制するものではないし、それを怠るという不作為をもって作為を意味する「行った」と評価することはできないから、この届出義務違反は規制違反行為に該当しないことになる。このように、本条がいう規制違反行為は再就職者についてのみ成立し得る（法六三は一定の行為をした職員に対する刑事罰を定めているが、その行為は規制違反行為に該当しない。）ので、本条の「職員又は職員であつた者」というのは再就職者を意味するものと解される（国家公務員法は職員の行為についての規制も定めている（同法一〇六条の二および一〇六条の三）が、前条の〔趣旨〕で述べたように地方公務員法にはそれに相当する規定がない。）。

（任命権者による調査）

第三十八条の四　任命権者は、職員又は職員であつた者に規制違反行為を行つた疑いがあると思料して当該規制違反行為に関して調査を行おうとするときは、人事委員会又は公平委員会にその旨を通知しなければならない。

2　人事委員会又は公平委員会は、任命権者が行う前項の調査の経過について、報告を求め、又は意見を述べることができる。

3　任命権者は、第一項の調査を終了したときは、遅滞なく、人事委員会又は公平委員会に対し、当該調査の結果を報告しなければならない。

〔趣　旨〕

行政の執行が適法かつ妥当に行われるよう配慮するのは各執行機関（議会の議長、特定地方独立行政法人の理事長、副理事長および理事を含む。）の責任であるが、規制違反行為の相手方となるのは役職員であり、役職員の服務などの人事管理について責任を有するは任命権者である。本条は、任命権者が規制違反行為に関する調査を行うことを前提として、当該調査に対する人事委員会または公平委員会（特定地方独立法人にあっては設立団体の人事委員会または公平委員会）の関与について定める。人事委員会などは、調査の開始から終了まで、任命権者による調査をモニターすることになるが、これは、規制違反行為についての調査の透明性を確保し、それが中途半端なものになったり、うやむやになったりすることがないようにするためである。また、調査の結果を報告しなければならないとするのは、調査にけじめをつけ、調査の結果に応じて速やかに適切な対応をとることを促す効果を期待してのものと思われる。

〔解　釈〕

「職員又は職員であった者」というのは、前条の〔解釈〕で述べたとおり、具体的には再就職者を意味する。本条が定める調査については、任命権者にも人事委員会および公平委員会に特別な権限（法八6参照）は認められていないので、任命権者は職務上の命令（法三二）によって職員に事情聴取などに応ずべきことを命ずることになる。任命権者は、規制違反行為がなされた旨の情報を得たときは、その情報の信憑性を判断して、調査の要否を判断することになるのであり、「規制違反行為を行った疑いがあると思料して」というのは、調査をすることが必要であると判断したときはという意味であると解される。

調査を行う旨の通知を受けた人事委員会または公平委員会は、調査が行われている期間、随時、途中経過の報告を求め、調査の方法や内容について意見を述べることができる。これは、調査が開始されて相当期間が経過しているにもかかわらず、進捗がみられないとか、関係者から苦情がよせられるとかいう場合を想定したものであり、調査が順調に進行しているにもかかわらず、特段の事情もなしに、調査の方法や内容に口出しすることを認めたものではないであろう。

（任命権者に対する調査の要求等）

第三十八条の五　人事委員会又は公平委員会は、第三十八条の二第七項の届出、第三十八条の三の報告又はその他の事由により職員又は職員であつた者に規制違反行為を行つた疑いがあると思料するときは、任命権者に対し、当該規制違反行為に関する調査を行うよう求めることができる。

2　前条第二項及び第三項の規定は、前項の規定により行われる調査について準用する。

〔趣　旨〕

職員が再就職者から規制違反行為を受けたときは、人事委員会または公平委員会（特定地方独立法人にあっては設立団体の人事委員会または公平委員会）に届け出なければならないとされるが（法三八の二7）、人事委員会または公平委員会に対する内部告発などによって規制違反行為が行われているとの情報がもたらされることもある。また、任命権者が規制違反行為が行われた疑いがあると思料しながら（法三八の三参照）、調査を開始しないことも考えられる。このような場合に、人事委員会または公平委員会が任命権者に対して調査を行うよう求め、調査が行われている期間、随時、途中経過の報告を求め、調査の方法や内容について意見を述べることができるとするのが本条の趣旨である。

〔解　釈〕

「規制違反行為を行った疑いがあると思料するとき」の意味は前条におけると同じであるが、本条に基づく調査の求めが任命権者が消極的であることによる場合は、調査の経過を厳しくモニターし、調査の方法や内容について意見を述べることが必要になることが多いであろう。なお、任命権者がこの求めに応じないとか、任命権者の調査が不十分であると認めた場合は、人事委員会または公平委員会は、毎年行う業務の状況の報告（法五八の二2）でその旨を明らかにし、地方公共団体の長は、その報告を公表しなければならない（法五八の二3）ことになる。

（地方公共団体の講ずる措置）

第三十八条の六　地方公共団体は、国家公務員法中退職管理に関する規定の趣旨及び当該地方公共団体の職員の離職後の就職の状況を勘案し、退職管理の適正を確保するために必要と認められる措置を講ずるものとする。

2　地方公共団体は、第三十八条の二の規定の円滑な実施を図り、又は前項の規定による措置を講ずるため必要と認めるときは、条例で定めるところにより、職員であつた者で条例で定めるものが、条例で定める法人の役員その他の地位であつて条例で定めるものに就こうとする場合又は就いた場合には、離職後条例で定める期間、条例で定める事項を条例で定める者に届け出させることができる。

〔趣　旨〕

国家公務員法は、国がその任用した職員について適用すべき各般の根本基準を定めるものである（同法一１）が、地方公務員法は、地方自治の本旨に基づいて（憲法九二参照）、地方公共団体の固有の事務（自治事務）である職員の取扱いについて定める枠の法律（法一条の〔趣旨〕四参照）である。本条は、このことを踏まえて、地方公共団体が自主的に講ずべき措置について定めるものである。

〔解　釈〕

国家公務員法に定められている退職管理に関する規定で地方公務員法中に相当する規定がないものの主なものとしては、再就職等監視委員会に関するもの（国公法一〇六の五から一〇六の二二）のほか、次のものがある。

①　他の役職員についての依頼等の規制（国公法一〇六の二）

職員は、営利企業等に対し、自己以外の役職員をその離職後に、もしくは役職員であった者を、当該営利企業等もしくはその子法人の地位に就かせることを目的として、当該役職員もしくは役職員であった者に関する情報を提供し、もしくは当該地位に関する情報の提供を依頼し、または当該役職員をその離職後に、もしくは役職員であった者を、当該営利企業等もしくはその子法人の地位に就かせることを要求し、もしくは依頼してはならない。ただし、この規定は、職業安定法、船員職業安定法その他の法令の定める職業の安定に関する事務として行う場合、退職手当通算予定職員を退職手当通算法人の地位に就かせることを目的として行う場合および官民人材交流センターの職員が、その職務として行う場合には適用されない。

②　在職中の求職の規制（国公法一〇六の三）

職員は、利害関係企業等に対し、離職後に当該利害関係企業等もしくはその子法人の地位に就くことを目的として、自己に関する情報を提供し、もしくは当該地位に関する情報の提供を依頼し、または当該地位に就くことを要求し、もしくは約束してはならない。ただし、この規定は、退職手当通算予定職員が退職手当通算法人に対して行う場合、在職する局など組織の意思決定の権限を実質的に有しない官職として政令で定めるものに就いている職員が行う場合、官民人材交流センターから紹介された利害関係企業等との間で、当該利害関係企業等またはその子法人の地位に就くことに関して職員が行う場合および職員が利害関係企業等に対し、当該利害関係企業等もしくはその子法人の地位に就くことを目的として、自己に関する情報を提供し、もしくは当該地位に関する情報の提供を依頼し、または当該地位に就くことを要求し、もしくは約束することにより公務の公正性の確保に支障が生じないと認められる場合として政令で定める場合において、政令で定める手続により再就職等監視委員会の承認を得た職員が当該承認に係る利害関係企業等に対して行う場合には適用しない。

③　任命権者への届出（国公法一〇六の二三）

職員（退職手当通算予定職員を除く。）は、離職後に営利企業等の地位に就くことを約束した場合には、速やかに、政令で定めるところにより、任命権者に政令で定める事項を届け出なければならず、届出を受けた任命権者は、国家公務員法第一〇六条の三第一項の規定の趣旨を踏まえ、当該届出を行った職員の任用を行うとともに、その職員が管理または監督の地位にある職員の官職として政令で定めるものに就いている職員（「管理職職員」という。）である場合には、速やかに、当該届出に係る事項を内閣総理大臣に通知するものとする。

④　内閣総理大臣への届出（国公法一〇六の二四）

管理職職員であった者（退職手当通算離職者を除く。）は、離職後二年間、次に掲げる法人の役員その他の地位であって政令で定めるものに就こうとする場合（国公法第一〇六条の二三第一項の規定により政令で定める事項を届け出た場合を除く。）には、あらかじめ、政令で定めるところにより、内閣総理大臣に政令で定める事項を届け出なければならない。

ⅰ　行政執行法人以外の独立行政法人

ⅱ　特殊法人（法律により直接に設立された法人および特別の法律により特別の設立行為をもって設立された法人（独立行政法人に該当するものを除く。）のうち政令で定めるものをいう。）

iii　認可法人（特別の法律により設立され、かつ、その設立に関し行政庁の認可を要する法人のうち政令で定めるものをいう。）

iv　公益社団法人または公益財団法人（国と特に密接な関係があるものとして政令で定めるものに限る。）

また、管理職職員であった者は、離職後二年間、営利企業以外の事業の団体の地位に就き、もしくは事業に従事し、もしくは事務を行うこととなった場合（報酬を得る場合に限る。）または営利企業（前記 ii または iii に掲げる法人を除く。）の地位に就いた場合は、前条第一項または前項の規定による届出を行った場合、日々雇い入れられる者となった場合その他政令で定める場合を除き、政令で定めるところにより、速やかに、内閣総理大臣に政令で定める事項を届け出なければならない。

⑤　内閣総理大臣による報告および公表（国公法一〇六の二五）

内閣総理大臣は、前記③による通知および④による届出を受けた事項について、遅滞なく、政令で定めるところにより、内閣に報告しなければならず、内閣は、毎年度、その報告を取りまとめ、政令で定める事項を公表するものとする。

⑥　退職管理基本方針（国公法一〇六の二六）

内閣総理大臣は、あらかじめ、任命権者と協議して職員の退職管理に関する基本的な方針（以下「退職管理基本方針」という。）の案を作成し、閣議の決定を求め、閣議の決定があったときは、遅滞なく、退職管理基本方針を公表しなければならず、任命権者は、退職管理基本方針に沿って、職員の退職管理を行わなければならない。

⑦　再就職後の公表（国公法一〇六の二七）

管理職職員が前記②の就職等監視委員会の承認を得て当該承認に係る利害関係企業等の地位に就いた場合には、当該管理職職員が離職時に在職していた府省その他の政令で定める国の機関、行政執行法人または都道府県警察（「在職機関」という。）は、政令で定めるところにより、その者の離職後二年間（その者が当該営利企業等の地位に就いている間に限る。）、次に掲げる事項を公表しなければならない。

i　その者の氏名

ii　在職機関が当該営利企業等に対して交付した補助金等（補助金等に係る予算の執行の適正化に関する法律第二条第一項に規定する

補助金等をいう。）の総額

iii　在職機関と当該営利企業等との間の売買、貸借、請負その他の契約の総額

iv　その他政令で定める事項

地方公共団体は、これらの国家公務員法の規定の趣旨および職員が離職した後の就業の状況、営利企業等へ再就職の方法、再就職者の就職先での活動状況などを勘案して、離職した職員と公務との関わりによって、公務の適正な執行および住民の信頼の確保に支障がでないようにするために必要な措置を講ずることが義務づけられている。

本条第二項は、前記④の内閣総理大臣への届出を意識したものであるが、「条例で定める」ところにより、職員であった者で「条例で定める」ものが、「条例で定める」法人の役員その他の地位であって「条例で定める」ものに就こうとする場合または就いた場合には、離職後「条例で定める」期間、「条例で定める」事項を「条例で定める」者に対して届出をさせることができるとして、実質的な要件の全てを条例で定めることとし、この条例には、これに違反した者に対し一〇万以下の過料を科する旨の規定を設けることができるとされている（法六五）。各地方公共団体においては、前記④の規制の趣旨と自らの実情に照らして、必要性と妥当性を判断し、条例を制定することになる（条例を制定しないという選択もあり得るであろう。）。

（廃置分合に係る特例）

第三十八条の七　職員であつた者が在職していた地方公共団体（この条の規定により当該職員であつた者が在職していた地方公共団体とみなされる地方公共団体を含む。）の廃置分合により当該職員であつた者が在職していた地方公共団体（以下この条において「元在職団体」という。）の事務が他の地方公共団体に承継された場合には、当該他の地方公共団体を当該元在職団体と、当該他の地方公共団体の執行機関の組織若しくは議会の事務局で当該元在職団体の執行機関の組織若しくは議会の事務局に相当するものの職員又はこれに類する者として当該他の地方公共団体の人事委員会規則で定めるものを当該元在職団体の執行機関の組織若しくは議会の事務局の職員又は

これに類する者として当該元在職団体の人事委員会規則で定めるものと、それぞれみなして、第三十八条の二から前条までの規定（第三十八条の二第八項の規定に基づく条例が定められているときは当該条例の規定を含み、これらの規定に係る罰則を含む。）並びに第六十条第四号から第八号まで及び第六十三条の規定を適用する。

〔趣　旨〕

地方公共団体は、国の領土の一部をその基礎たる区域とし、その区域内において、その区域に属する公共事務を行うことを目的とし、その目的を実行するために、法律の範囲内で財産を管理する能力を有し、住民に対し、課税権その他の統治権的な支配権を有する団体である（宮沢俊義「日本国憲法」コンメンタールⅠ七五八頁）。したがって、その区域が変動するときは、当該変動した区域に係る事務を処理すべき地方公共団体にも変動が生ずる。一方、地方公共団体は法人であり（自治法二1）、当該法人の機関である任命権者による採用行為によって、当該法人と職員との法律関係が成立する（第二条の〔趣旨〕二(三)参照）のであるから、廃置分合によって地方公共団体に変動が生じ、それに伴って事務（権利義務）の承継が行われる場合は、従前の地方公共団体で当該事務を担当している職員は当該事務を承継した地方公共団体とは関係がないことになる。しかし、当該事務に関する限り、それを処理する地方公共団体が代わったとしても、従前当該事務を担当していた者の影響力がなくなるとは限らないので、事務が他の地方公共団体に承継された場合にあっても、その者による当該他の地方公共団体の職員に対する働きかけを規制するということを定めたのが本条である。

〔解　釈〕

地方公共団体の廃置分合（自治法六1、七1）には、分割、分立、合体および編入の四つの種類がある。分割というのは、一の地方公共団体を廃止し、その区域を分けて複数の地方公共団体を置くことであり、分立というのは、一の地方公共団体の一部の区域を分けて、その分けた区域をもって新たに地方公共団体を置くことであり、合体というのは二以上の地方公共団体を廃止して一の地方公共団体を置くことであり、編入というのは地方公共団体を廃止して、その区域を他の地方公共団体の区域に加えることである。本条における「元在職団体」というのは、分割、合体および編入において廃止された地方公共団体および分立において存続する地方公共団体のことであり、元在職団体の職員であった者については、当該事務を承継した地方公共団体の職員に対する働きかけが禁止されることになり、罰則も適用されることになる。

第七節　研　修

（研修）

第三十九条　職員には、その勤務能率の発揮及び増進のために、研修を受ける機会が与えられなければならない。

２　前項の研修は、任命権者が行うものとする。

３　地方公共団体は、研修の目標、研修に関する計画の指針となるべき事項その他研修に関する基本的な方針を定めるものとする。

４　人事委員会は、研修に関する計画の立案その他研修の方法について任命権者に勧告することができる。

〔趣　旨〕

一　能力開発の意義

地方公務員法の基本理念の一つに能力主義（成績主義――メリット・システム）がある。このことは、任用の根本基準として第一五条の**〔趣旨〕二**で述べたところである。

能力主義が地方公務員法の基本理念とされる理由の第一は、地方公共団体の能率の維持増進のためである。地方公共団体が住民の負担によって、住民の福祉のために運営される行政主体である以上、最少の経費によって最大の能率をあげること、すなわち、いわゆるチープ・ガヴァメントを実現することはその恒久的な責務である。このためにはさまざまな措置なり努力が必要であり、たとえば、行政需要を的確に把握し、その優先度に従って着実、迅速に事務、事業を遂行することや経費を合理的に使用すること、財産の有効活用を図ることなどが大切である。しかし、とりわけ大事なことは、職員が最大限に能力を発揮することであり、これは能力主義を徹底することによって可能となるものである。

さらに最近の社会情勢は、能力主義の実現を一段と強く要請しているといえよう。一つには財政の一層の効率化を図るためにさらに能率を向上させることを迫られているからであり、いま一つには一人当たりの人件費の増大に伴い、少数精鋭主義の徹底を図らなければならないからである。さらに、社会、経済および国民生活の複雑多様化に伴い、行政の内容も一段と錯綜し困難の度を増しているのであるが、これに対応するには職員の能力の向上をもってしなければならないのである。

能力主義が基本理念とされている理由の第二は、人事管理における正義の実現であり、職員の志気の向上である。すべて人事は公正でなければならないが、いわゆる「年功序列主義」による人事は機械的平等主義にほかならないのであって、真の均分的正義は能力に応じ、また、職務を通じての住民福祉への貢献度に応じて処遇することによって得られるものである。そして均分的正義に基づく人事管理が行われることにより、職員の努力が正当に酬いられることになり、旺盛な勤労意欲と志気を維持することができるのである。

能力主義の意義は以上のとおりであるが、能力主義を確立するためとりわけ重視しなければならないいくつかの問題がある。その一つは、人材を確保することであり、職員の採用に当たって公務にふさわしい知識、経験、人柄を有する人物を任用し、また、適材適所の配置を行うことである。その二は、能力に応じた処遇を徹底させることである。職員の昇進や昇給は能力の実証、勤務の実績のみに基づいて行うべきであり、また、人事配置に当たっては適材適所を旨とすべきである。人事管理全体を通じていわゆる信賞必罰の原則を貫かなければならないのである。その三は、職員の能力開発である。いかに優秀な人材を採用しても、その職員の能力を開発することなく放置しておけば、日進月歩の行政の推移に対応できなくなることは当然である。職員の能力開発を絶えず行うことによって、職員の能力の陳腐化を防ぎ、また、職員に昇進の機会が与えられることになるのである。職員の能力開発の意義は、能力主義、成績主義を支える柱の一つとなることであり、能力開発によって能力を高め、ひいては公務能率を増進して住民の負託に応えるとともに、職員自身が仕事を通じての自信や生き甲斐を確立することが大切である。さらに最近の行政の流れの変化は、地方公務員の能力開発を一層強く求めている。すなわち、従来は国全体の均衡のとれた行政水準の向上、いわゆるナショナル・ミニマムの向上が国、地方公共団体を通じる行政の大きな部分を占め、国の企画や基準が重視されていたが、それがある程度充足された今日では、地域ごとの特性に応じた行政、いわゆるシビル・ミニマムの行政に対する要請が高まっており、これに対応するためには地方公務員の自主的かつ創造性のある能力の開発、なかんずく、政策形成能力の向上が必要とされるようになっているのである。

二　能力開発と研修

職員の能力開発の方法は、自律的なものと他律的なものとに分けることができる。

本来、能力開発は職員自身の責任であるといえよう。絶えず、職務に関する自己の能力を向上させ、知識を啓発させることは職業に携わる者の倫理というべきであり、自己の能力の開発によって充足と満足を得、さらには一層やり甲斐のある地位に就くこともできることとなるのであるから、それは職員自身に有形、無形の利益をもたらすことになるものである。したがって、能力開発の基本は自律的な研究、研鑽、修養（自己研修）でなければならないのであるが、このことは、職員自身の内面的、倫理的な発意と意欲にかかわる問題であるため、とくに法律で規定されていない。かりに努力義務として規定してみても、そのことによって格別の効果は期待しえないであろう。

本条で規定されているのは、他律的な能力開発としての研修である。すなわち、職員の能力開発が行われることは、能率の向上をもたらし、地方公共団体の利益となるものであるから、地方公共団体の当局としても、直接、間接に研修を奨励し、実施することが必要であるとされているのである。先述のように、職員の能力開発は、一義的には職員自身の問題ではあるが、本条ではこれを補完する当局の研修に関する責務についてのみ規定しているものであり、このことは職員自身の努力義務を否定するものでないことはもとより、それをおろそかにすることさえも許すものではないことに留意する必要がある。

三　研修に関する基本的な方針

職員の能力の開発育成の重要性と必要性、それについての職員の自発的な努力に対する期待は前述したところであるが、それを実現するための具体的な方策がとられなければ、精神論で終わることになりかねない。また、能力の開発育成を効率的に行い、実効あらしめるためには、その目標を明確にし、任命権者が行うべきこと、職員が自ら努力すべきこと、職員が自ら行う研修に対して任命権者を含む地方公共団体が供与する便宜などを明らかにすることが必要である。さらに、修学部分休業（法二六の二）についても、職員の自発性に期待するだけでなく、任命権者などがその活用の方法を示すことも考えなければならない。また、研修の方法についても、地方公共団体が単独で行う方法、複数の地方公共団体が協力して行う方法、地方公共団体が民間企業と共同して行う方法、外部の研修機関などを利用する方法など、種々のことがあり得る。

このようなことから、本条は、地方公共団体に対して研修に関する基本的な方針を策定することを求め、人事委員会に対しては、研修に関する計画の立案その他研修の方法について任命権者に勧告する権限を与えている。

〔解　釈〕

一　研修の目的と種類

職員に対して行われる本条の研修の目的は勤務能率の発揮および増進である（本条1）。

まず、「研修」という言葉の意味であるが、研究、研鑽および修練、修養ということを一括したものと思われる。国家公務員については「研修は、職員に現在就いている官職又は将来就くことが見込まれる官職の職務の遂行に必要な知識及び技能を習得させ、並びに職員の能力及び資質を向上させることを目的とするものでなければならない。」（国公法七〇の五1）とされ、教育公務員については「研究」と「修養」および「研修」の語が用いられ（教特法二一）、自治大学校については「研修」の語が（総務省設置法四㉝イ）、警察大学校については「教育訓練」と「研修」の語が（警察法二七2）、消防学校については「教育訓練」の語が（消組法五）それぞれ用いられているが、いずれも同義語と解してよいであろう。広義の研修には職員が独自に行う自己研修も含まれるが、本条の研修は地方公共団体が措置する研修を対象としているものである。

本条の研修は、「勤務能率の発揮及び増進」を目的とするものであり、「勤務能率」とは「公務能率」と同義で、職員の労働生産性をいうものである。能率は社会の進歩や職員の体力、知力などとの相対的な関係によって定まるものであり、研修を行わない限りそれが低下するおそれが大であるため、研修によって能率を最低限「維持」し、さらに進んで「増進」する必要があるとされるのである。本条の研修は、勤務能率の維持増進を目的とするものであるから、これに寄与しない教育や訓練はここでいう研修には該当しない。しかし、研修は必ずしも直接に勤務能率の維持増進に役立つものに限られることはなく、一般教養の研修のように、長期的に能率や見識の向上に役立つものも含まれる。

このような見地から、地方公共団体は職員に対して研修の機会を与えなければならないのであるが、研修にはきわめて多くの種類のものがあり、地方公共団体は研修を必要とする事情、研修の目的、財政事情などに応じて適切な種類の研修を選択しなければならない。研修の種類は、その対象、実施主体、内容、研修の場所などによって分類することができるが、その主なものを例示すると次のとおりである。

(1)　研修の対象となる職員の種類による区別　研修の対象となる職員の職位等に応じて、新任者研修、現任者研修、管理監督者研修、課長研修、係長研修などに分けることができる。

(2)　研修の実施主体による区別　任命権者が自らの研修施設で行う研修、市町村が都道府県に委託して行う研修、地方公共団体が国の自治大学校、警察大学校、消防大学校などに派遣して行う研修、国立大学法人や民間の研究機関等に委託して行う研修、通信教育による研修などに分けることができる。

(3)　研修の内容による区別　一般教養に関する研修と特定の職務に関する研修、たとえば、税務、会計、農業、土木、接遇、広報などの専門研修とに分けることができる。

(4)　研修の場所による区別　職場において職務を通じて行われる研修（On the Job Training――OJT）と職場以外の場所で行われる研修（Off the Job Training――Off JT）とに分けることができる。

以上のほか、研修期間の長短によって長期研修と短期研修、研修内容の性質によって理論研修と実地研修、研修の技法によって講義式研修と討論方式の研修などに分けることができる。

これらの研修にはそれぞれ特色があり、先述のように研修の目的や必要性に応じて適切な種類の研修方法を選択しなければばならないが、実際には前記分類のうちのいくつかが組み合わされた形で実施される。たとえば、職員研修所における係長を対象とした労務管理に関する講義形式の短期研修という具合である。比較的重要と思われる具体的な研修形式については、三で述べることとする。

二　研修の実施機関

研修は、任命権者が行うものとされている（本条2）。しかし、これは、任命権者が研修を行う責務を負うことを明らかにし、また、もっとも代表的な研修の実施主体を例示したものといえよう。本条の規定による研修は、任命権者が自ら主催して行う場合に限られず、他の機関に委託して行う場合や特定の教育機関へ入所を命じた場合を含むものとされている（行実昭三〇・一〇・六　自丁公発第一八四号）。この実例は、「任命権者が行うものとする」とされていることの意味を、自らの機関において直接行う場合のほか、任命権者の命令その他の措置により他の機関や施設で実施する場合も「行うもの」に該当すると解しているが、本条第二項は任命権者が直接自らの機関で行うものに限られ、その他の研修は本条とかかわりなく行われるものと解することもできよう。前者のように幅広く解する場合でも、職員が休職処分や職務専念義務の免除を受けて研修するような場合は、本条とはかかわりない研修であるといわなければならないであろう。要するに、本条の研修以外にも職員の研修はあるといってよいのである。ただし、研修、研究などの名称の下に行われるものであっても、地方公共団体の勤務能率の発揮と増進を本来の目的としないものや、任命権者の意図、研修計画などに添わないものは、本条の研修でないことはもとより、本条以外の地方公共団体の研修にも該当しないものである。なお、県費負担教職員の研修は、任命権者ではない市町村の教育委員会も行うことができるとされている（地教行法四五）。

職員を研修に参加させる場合の身分取扱いが問題となるが、研修の内容および地方公共団体の当該研修に対する評価に応じて異なる取扱いの仕方がある。その一は、研修を職務の一環として取り扱う方法である。職務命令によって研修に参加させる場合がこれに該当し、職員の身分、給与、服務などの取扱いは通常の職務に従事している場合と同じである。そして職員は、研修中も上司の職務上の監督に服することとなる。その二は、研修中の職務専念義務を免除するやり方である（法三

五、職務に専念する義務の特例に関する条例案二①参照）。この場合、上司の職務上の命令に従う義務は免除されるが、身分上の服務義務は負うものである。給与の取扱いは給与条例の定めるところによるが、給料の全額を支給することが多いであろう。研修期間中の事故については、公務災害補償法の適用はない。その三は、研修期間中の職員を休職処分に付する方法である。この場合、条例で休職事由を定めておく必要がある（法二七２。国家公務員の場合は、人事院規則一一—四（職員の身分保障）第三条第一項第一号および第二号の規定により、一般職の国家公務員が学校、研究所、その他特定の公共的施設で職務に関連する学術に関する調査、研究若しくは指導に従事し、または特定の国際事情の調査等の業務若しくは、国際的な貢献に資する業務に従事する場合、あるいは科学技術に関する共同研究、委託研究で職務に関連するものに特定の施設で従事する場合には休職にすることができるとされている。）。休職の場合、職務専念義務は免除され、給与は一定割合の休職給（国家公務員の場合は、人事院規則九—一三（休職者の給与）第一条第一号の規定により、一〇〇分の七〇以内）が支給される。そのほか、きわめて短期間の研修については、年次有給休暇による場合もあり得よう。以上の各方法のうち、いずれによるかは、研修の内容と当該研修に対する地方公共団体の評価によって定められるものであることは先述のとおりであるが、研修を行うことは任命権者の責務であり、また、研修の効果は必ずしも直ちには生じないが、長期的に地方公共団体にとっても職員にとっても大きな資産となるものであることにかんがみ、できる限り、職員の便宜を図ることが適切である。したがって、地方公共団体が自ら計画し、また必要性が高い研修については、任命権者の命令により研修に参加させることが望ましく、その場合には当然に必要な旅費も支給しなければならず、滞在旅費などについても適切な配慮をすることが望ましい。

三　研修に関する基本的な方針

本条第三項は、地方公共団体が研修の目標、研修に関する計画の指針となるべき事項その他研修に関する基本的な方針を定めるものとしている。研修は任命権者が行うものであるが（本条２）、研修に関する基本的な方針は地方公共団体が定めることになっている。これは、任命権者が実施する研修が地方公共団体として統一的な方針の下に行われるべきことを意味している。人事権は各任命権者にあるのであるが、この方針の策定については、組織などに関する総合調整権を有し（自治法一八〇の四）、予算の調製および執行を担任する（自治法一四九②）地方公共団体の長がリーダーシップをとって、各任命権者と協議すべきであろう。

研修の目標というのは、当該研修において習得することが期待される知識や経験などのことである。たとえば、初任者研修であれば地方自治法、地方公務員法、財務会計などに関する基礎的な知識が、管理監督者研修であれば人事管理、議会対応、住民参加などに関する知識とノウハウなどが、専門研修であれば税務、コンピューター、都市計画、産業振興などに関する理論的および現実的な知識、技術、ノウハウなどを挙げることができよう。

研修に関する計画というのは、まず、職員が勤務する職場で行われるものと職場外で行われるものとに分けて考える必要がある。職場で行われるものはオン・ザ・ジョブ・トレーニング（On the Job Training）と、職場外で行われるものはオフ・ザ・ジョブ・トレーニング（Off the Job Training）とも称され、前者は、職員が担当している職務の遂行を通じて知識経験を身につけていく方法であり、後者は普段担当している職務を離れて、多くの場合は集団で、専門家による研修に専念する方法である。職場における研修というのは、上司や先輩が自覚的に部下や新人を指導することであり、日常の事務処理を通じて行うことに特徴があるが、それだけに時間的な制約があり、指導者の能力や意欲によって差が生ずることがあり得る。職場外での研修は、適当な指導者や場所を選ぶことができる反面、特別に時間を割く必要があり、小規模職場などでは採用することが難しいという問題がある。このようなことを考慮したうえで、両者をどのように組み合わせるのか、職場研修の指導体制をどのようにするのか、職場外の研修の日程をどのように組むのかなどが計画の内容となるものと思われる。そして、この研修の日程については、年間の計画としてどのように設定するのかを決めなければならないが、それ以上に重要なのは、職員のキャリアの各段階において必要とされる能力を把握し、その能力を身につけるためには、いかなる時期に、どのような研修を行うのかが適当であるかについての方針を決めることである。

具体的な研修の目標や計画は任命権者が策定するものであるが、このようなことについて基本的な方針を定めることによって、任命権者間の調整が図られ、効率的な計画を立てることができ、職員にとっても、自己啓発の目標が立てやすくなるものと思われる。

四　人事委員会の勧告と研修計画

人事委員会を置く地方公共団体においては、人事委員会は研修に関する計画の立案その他研修の方法について任命権者に勧告することができることとされている（本条４）。人事委員会を置く地方公共団体は比較的規模が大きく、職員数も多いので、人事委員会が各任命権者間の調整を行うことが適当であるとされたものである。

人事委員会は、まず自ら研修に関する総合的企画を樹立しなければならないものであり、各任命権者はこれに準拠して本条第二項の規定によって研修を実施するものであるが、人事委員会は任命権者の研修の実施に参考となるような助言、勧告を専門的立場から随時、かつ、必要に応じて行うわけである。人事委員会がどのような勧告を行うかということは一概にはいえず、また、任命権者がどのような計画の下に研修を実施するかということも一律ではないが、研修計画の作成と研修の方法について留意する必要があると思われるのは次の諸点である。

㈠　研修計画の作成

前述のように研修には多くの種類があり、実際にはどのような研修を行うか選択しなければならない。すなわち、どのような研修が必要であるか、研修に要する費用や手間をどうするかなどを判断して研修計画を樹立し、その計画に従って効果的に計画を進めなければならない。

研修計画の作成に当たり、通常決定しなければならない主な項目は、次のとおりである。

(1)　研修の必要性の判断および研修の目標の設定
(2)　研修対象者の決定
(3)　研修場所ならびに期間および期日の決定
(4)　研修課目および講師の選定
(5)　研修技法の決定

(6)　研修に要する資料の準備

随時研修の場合は、その都度研修計画を作成することになるが、常設の研修施設においては、年度を通じる研修計画を年度開始前に作成し、あらかじめ資料の作成や講師の選定を準備しておく必要がある。

(7)　研修効果の測定方法

研修計画を作成する場合にもっとも大事なことは、いかなる研修がとくに必要とされているかということの判断である。このことを「研修必要点（training needs）の発見」と呼ぶ。研修必要点の発見のための資料としては、人事当局および管理監督者の職員の能率や志気の現状に関する観察結果、モラール・サーベイ（志気調査）、勤務成績の評定結果などのほか、行政施策の方針などを総合的に考慮する必要があろう。

各種の研修の中で、研修必要点の高いものとしては、一般的にみて次のようなものがあろう。

1　新任者研修　　新たに採用された職員は、職務に対し新鮮な意欲をもっている反面、実務の知識に乏しいので、これに対する研修は公務能率の増進の上で大きな効果をあげることが期待できる。鉄は熱いうちに打てといわれるゆえんである。執務の基本的な事項、地方自治法、地方公務員法、財務会計などの研修は必須である。事務の手引（マニュアル）が作成されているときはこれを資料とすることが適切である。また、新任の職員は事務全体の中のごく一部分を担当するに過ぎないが、志気の面からみて、当該地方公共団体の政策課題なども概説しておくことが望ましい。

2　管理監督者研修　　地方公共団体の仕事の成果は、長と管理監督者の判断および事務、事業遂行の手際の良否によって大きく左右される。なかんずく、地方公共団体が自主性と主体性を発揮し、地方自治の真価を発揮しようとするときは、管理監督者の資質いかんに負うところ大である。また、管理監督者の良否は、その部下の仕事の成果を左右するものであるから、多数の職員を生かすも殺すも管理監督者次第であるといっても過言ではない。管理監督者の研修としては、政策科学に属する諸科目、目標管理をはじめとする管理技術などが重要であろう。また、管理監督者は部下職員の管理を行う責任者として、人事管理、労務管理の知識に通ずる必要があり、この面での研修も必須である。

３　その他　地方公共団体は住民に対するサービス機関であり、今後、住民自治を拡充強化することがとりわけ重要であると考えられる。このような見地から、広報公聴に関する研修、接遇研修なども重視しなければならないといえよう。

㈡　研修の技法

研修の実施方法には各種のやり方があり、研修の目的、研修を受ける職員の能力等に応じて適切な技法を選択する必要がある。次に代表的な技法とその特徴を述べると次のとおりである。

１　講　義　職員研修では、この方法がもっとも多く用いられる。この方法の長所としては学校教育の場合も多く用いられており、職員にとって馴染みやすい方法であること、一度に多数の職員を対象とすることができること、体系的な知識を提供できること、職員が経験しないことについても理解させうることなどをあげることができる。反面、その短所として、一般に講師の一方的、概念的説明が多く、職員の自発的学習意欲を呼び起こす動機づけが乏しいといわれる。この短所を補うため、映画、スライドなど視聴覚教育の方法を併用したり、なるべく黒板に図解すること、質問時間を設けること、テストを実施することなどが有効であるとされている。

２　討　議　討議は、研修生がこれへの参加を通じて考え方を練る方法であり、職員が自ら努力して結論に到達するものであるので、知識や技能が身につくといえよう。いわゆる研修効果の定着度が深いのである。そのほか、職員の自発性、創造性および現実の問題に即した判断力を養うことができることが長所であるとされている。この方法の短所としては、研修参加者の人数が制限されること、リーダーと参加者にある程度の熟練が必要で、初心者向きでないことなどがあげられる。この短所を補うために、討議に先立って事前の説明や資料の準備など討議への導入に配慮する必要がある。

討議による研修は、リーダーなり司会者が所定の計画の下に討議を進める指導討議の方法と、参加者が自由に討議する自由討議の方法とがある。しかし、いずれの場合も、討議の趣旨の理解、議題の説明、討論、とりまとめの順を追うことが必要である。討論にはさまざまな類型があり、その主なものは次のとおりである。

⑴　バズ・セッション　比較的少数の者が自由討議をする方式である（蜂がうなるように討議することからぶんぶん（バズ）

会議（セッション）という。）。多数の参加者を小人数のグループに分けてバズ・セッションを行い、それぞれの結果を持ち寄ってさらに全体で質疑討論する方式がよく用いられる。バズ・セッションと似た方式に「フィリップス・6×6」と呼ばれる方法がある。これは原則として六人の者が六分間ずつ意見を述べ、その後討論を行い集約する方法である。各人が必ず自らの意見を発表することを義務づけられる点に特徴がある。

(2)　パネル・ディスカッション　一定の議題について、数人の専門家、学識経験者等が意見を発表し、その後でそれをめぐって一般の参加者が質疑や意見を述べる方法である。多数の者が参加して行う討論に適しており、しばしば用いられる方法である。すぐれた意見発表者と司会者を得るならば、広い範囲で知識、経験の交流が行われ、参加者の啓発に有益である。

(3)　ゼミナール（セミナー）　比較的小人数が参加し、特定の者が報告を行い、これをめぐって討論をする方式である。参加者も同じ問題について事前に十分に研究した上、参集する必要があるが、専門的に掘り下げた討論を行うことが可能である。

(4)　フォーラム　一人の講師が講義を行い、司会者の進行によって参加者が質疑討論を行う方式である。講義の後、小人数のグループに分かれて討論した上で質疑討論する方法も用いられる。講義の後に必ず質疑と討論が予定されているので、講義の内容を参加者全員が掘り下げ、理解を深めることができる。

3　実　習　事務または技術を実地に行わせて習得させる方法である。初歩的、定型的な実習を基本実習、より高度の創意と工夫を要する実習を応用実習などと呼ぶ。実習は、実務上の能力や技術を養成するためにもっとも適した方法であるが、実習場や教材の準備が必要であり、また、相当の時間をかける必要がある。

4　見　学　職務に関する研究機関、作業場、施設等を見学することは、座学では得られない経験を与える。百聞は一見にしかずといわれるゆえんである。見学先はなるべく参加者の多くの者に有益であるよう選定することが大切であり、また、見学は散漫な見聞に終わるおそれがあるので、見学結果の報告を求めることが適当であろう。

５　事例研究　事例研究は、特定の問題事例をとり上げて研修生が研究を進める方法である。普通、討議の一方法として前述のゼミナールなどの方式で行われることが多いが、必ずしも討議の方法だけによるものではなく、講義、実習等の方法によっても行いうるものであり、通信教育によることも可能である。

事例研究の方法には、実際に起こった問題を素材として解決策を検討するインシデント・プロセス、アイデアを開発するためのブレーン・ストーミング、グループごとの経営体を想定した上、経営競争を行わせるビジネス・ゲーム、模擬裁判や模擬団体交渉など研修生に一定の役割を演じさせるロール・プレーイング、一定の職を想定し、所定の時間内に数件の懸案を処理させるイン・バスケット・トレーニング（未決箱法）などさまざまな方法が開発されている。事例研究として比較的多用されている方法は次の二つである。

⑴　ケース・スタディ（Case Study）　通常行われている事例研究は、ケース・スタディと呼ばれており、次に説明するケース・メソッドとは区別されている。ケース・スタディの進め方は、実務に即した事例の作成に始まり、事例の提示、討論、解決案の検討、以上を通じて得られた原理の一般化といった順序である。判例研究もケース・スタディの一つである。ケース・スタディは実際的な判断力を養い、自主的研究を助長するという長所を有しており、実務上の能力の向上を目的とした研修に適している。なお、事例研究が個々の問題の解決のみで終わることのないよう、講義などによって体系的な知識を与えることにより研修効果を一層高めることができる。

⑵　ケース・メソッド（Case Method）　ハーバード大学で開発された事例研究の方法をケース・メソッドと呼ぶ。ケース・メソッドは相当難しい事例を、小人数がそれぞれ十分に調査研究し、結論を出すことなく討論のみを行い、さらにリーダーの司会の下に全体会議で討議を行って解決策を検討するという方法である。上級管理者の政策判断のための研修など比較的高度の研修に適している。

６　職場研修　これまで述べてきた研修は、いずれも職場の外で行われるものである。これに対してそれぞれの職員の執務場所で職務を通じて行われる研修が職場研修（On the Job Training, OJT）である。職場外の研修（Off the Job Training, Off JT）

では一度に多数の職員を研修することができること、統一的、計画的な教育ができること、充実した教育施設で効果的な研修を行うことができること、専門的な講師が得られることなどの長所があるが、職場研修には職場外研修では得がたい次のような長所がある。

(ア)　個々の職員に適した訓練を行いうること。

(イ)　業務を中断することなく、必要なときに教育できること。

(ウ)　人間関係の改善にも役立つこと。

(エ)　経費がほとんどかからないこと。

職場研修は、管理監督者が指揮命令者としてだけでなく、教育訓練者としての立場も兼ね備えて実施するものであり、管理監督者は教育訓練についての自覚と知識が必要である。また、人事担当部課は、段階的、計画的に職場訓練が行われるよう管理監督者全体を総合調整しなければならない。

職場研修は、通常、次の各段階の順で行われるものである。

(1)　個々の職員の研修必要点の発見　管理監督者は、部下職員の日常の職務遂行状況の観察を通じて、また、勤務成績の評定結果に基づいて、個々の職員の職務遂行に関する長所と欠点を把握しなければならない。これが職場研修のための研修必要点の発見である。

(2)　職務遂行目標の設定　管理監督者は、個々の職員ごとにその能力と性格に応じた職務遂行目標すなわち研修目標を設ける。これは「目標による管理」（ドラッガー）を実施するものであるとともに、地方公共団体の政策を組織の系列に応じて細分化し、究極的には個々の職員ごとの職務遂行目標を設定することでもある。この場合の目標の設定は、職場研修の観点から職員の能力の向上を考慮したものでなければならない。

(3)　職務遂行の監督　職務の遂行過程を監督することは、職務遂行上欠くことのできない手段であると同時に、職場研修を具体的に実施する方法でもある。管理監督者が部下に指示を与え、起案を命じ、報告を求め、打ち合わせをするような場合、部下の特性を考慮した教育的見地からの配慮の下に行わなければならない。管理監督者は職務を通じて部下を啓発し、相互の人間関係を深め、その創意工夫を育てなければならないのである。

⑷　研修結果の検討とフィード・バック　職場研修の遂行状況である職務の状態を管理監督者は常時チェックしなければならない。そしてその結果を評価し、さらに今後の職場研修のあり方へとフィード・バックする必要がある。職場研修の結果の評価は、今後の職場研修の目標設定へとつながるものである。また、人事担当部課は、各管理監督者の職場研修の遂行状況をフォロー・アップし、職場研修の全体計画の改定や具体的方法の調整を行うことになろう。

㈢　研修評価

研修の実施は、それ自体が目的ではなく、職員の能力開発のための手段であるので、その手段が能力開発のために有効適切であったかどうかを評価し、将来の研修のために役立てる必要がある。しかし、技術や技能に関する研修は比較的直ちにその効果を確認しやすいが、一般の行政事務等に関する研修は短期間に効果を測定し明認することが困難な場合が少なくない。それでも今後の研修に備え、ある程度客観的な研修評価を行っておくことが必要で、そのためには通常次のような方法が用いられる。

１　観　察　管理監督者が研修を終了した職員の執務、態度を観察して研修効果を測定する方法である。印象的、主観的判断となるおそれもあるが、比較的容易な方法であり、所定の様式により評価方法、評価項目をあらかじめ定めた上で判定することにより、かなりの客観性を確保することができよう。また、同じく評価を客観化した観察方法として、研修前と研修後の勤務成績の評定を比較する方法もある。なお、観察結果は、勤務成績評定書に一定欄を設けて記載しておくことが、職員の指導上便宜である。

２　テスト　研修を受けた職員のテストを行い、研修内容の理解度や能力開発の成果を判定する方法である。この方法は、組織的、かつ、大量に実施することが可能であり、研修効果を量的に把握し、研修を受けた職員相互間の比較を行うことができる。テストの方法には、面接や実技の検査などもあるが、ペーパー・テストを行うことが普通である。テストの結果は、研修機関、人事当局および管理監督者の参考資料として用いることは当然であるが、研修を受けた職員に公表するか否かは、職員の志気に与える影響がプラスであるかマイナスであるかを慎重に見きわめて決定しなければならない。なお、テストを研修前と研修後にそれぞれ行うことにより、研修効果を一層よく確認することができるとともに、研修前のテスト結果は、研修そのものの重要な参考資料とすることもできる。

3　意見聴取　研修実施機関が研修を受けた職員から研修内容の難易、講師の適否、研修施設や研修課目の良否などに関して意見を聴き、将来の研修実施上の参考とする方法である。意見聴取は、面接による場合もあるが、所定の用紙を配布して一定の項目をチェックさせる方法または自由に意見を記述させる方法を用いることが多い。研修の効果は、必ずしも研修生の意見どおりではないので、テストを併用することが適当である。用紙配布による意見聴取を記名とするか無記名とするかは一長一短があり、記名の場合は自由な意見の表明を妨げるおそれがあり、無記名の場合は無責任な意見が混入するおそれがある。随時両者を使い分けてその結果を比較する必要があろう。

五　教育公務員の研修の特例

教育公務員については、その職務の特殊性に基づき、研修に関する若干の規定が設けられている。

まず、教育公務員は、その職責を遂行するため、絶えず研究と修養に努めなければならないものであり、教育公務員の研修実施者はその研修についてそれに要する施設、研修を奨励するための方途その他研修に関する計画を樹立し、その実施に努めなければならない（教特法二一）。また、教育公務員には研修を受ける機会が与えられなければならず、教員は授業に支障がない限り本属長の承認を得て勤務場所を離れて研修を行うことができる（この承認を与えなかったことに裁量権の逸脱または濫用はないとした判例（最高裁平五・一一・二判決　判例時報一五一八号一二五頁）がある。）ものであり、任命権者の定めるところにより現職のままで長期にわたる研修を受けることもできる（教特法二二）。さらに、公立の小学校、中学校、義務教育学校、高等学校、中等教育学校、特別支援学校、幼稚園および幼保連携型認定こども園の教諭、助教諭、保育教諭、助保育教諭、保育教諭、助保育教諭および講師（臨時的に任用された者など一定の者を除く。）については、採用の日から一年間、指導教員による実践的な初任者研修を実施することとされている（教特法二三、同法施行令二）。また、上記の教育公務員（「教諭等」という。）については、個々の能力、適性等に応じて、中堅教諭等としての職務を遂行する上で必要とされる資質の向上を図るために必要な事項に関する研修（「中堅教諭等資質向上研修」という。）を実施しなければならない（教特法二四1）とされるほか、児童、生徒又は幼児に対する指導が不適切であると認定した者に対して、その能力、適性等に応じて、当該指導の改善を図るために必要な事項に関する研修（「指導改善研修」という。）をしなければならない（教特法二五1）とされる。そして、「指導改善研修の終了時になされる児童等に対する指導の改善の程度に関する認定において指導の改善が不十分でなお児童等に対する指導を適切に行うことができないと認める教諭等については、免職その他の必要な措置を講ずるものとされている（教特法二五の二）。なお、教育公務員には夏季をはじめとして相当期間の児童、生徒の休みがあり、その間に「自宅研修」がなされることがあるが、これは職務専念義務の免除を受ける事由が自宅における研修であることを意味するものであるから、条例に根拠があることと条例に定められた手続がとられていることが必要であることは当然のことである。外国ではこのような期間中の給与を支給しない例もあるが、わが国の場合は給与も完全に支給されており、教育公務員にとって研修がとりわけ重要であることにもかんがみ、任命権者は計画的な研修を課す必要があろう。

次に、県費負担教職員の任命権者は、都道府県の教育委員会であるので、その研修は都道府県教育委員会が行うことが建前であるが、市町村の教育委員会も研修を行うことができるものであり、また、市町村の教育委員会は都道府県の教育委員会が行う県費負担教職員の研修に協力すべきものとされている（地教行法四五2）。なお、中核市の県費負担教職員の研修は、中核市の教育委員会が行うのが原則であるが、都道府県の教育委員会も行うことができる（地教行法五九）。

六　国が行う地方公務員の研修

地方公務員の研修は、地方公共団体が自ら行うことが原則であるが、国が地方公務員の研修に協力し、地方公共団体の公務能率の増進に資することとし、かつ、国政全体の円滑な遂行にも寄与するため、地方公務員を研修するための常設機関を国が設けている。

そのもっとも代表的なものが自治大学校である。自治大学校は、自治大学校設置法（昭二八法九九）によって設置され（現在は総務省組織令（平一二政令二四六）を設置根拠としている。）、地方公務員に対して高度の研修を行うことを目的とする機関である。自治大学校の研修内容は、発足以来、地方行財政にかかる法制度を中心としてきたが、法制度全体が創成期から安定期へと成熟し、また、各地方公共団体の研修所の研修内容が相当程度充実するに至った今日、自治大学校のカリキュラムをより政策科学中心のものへと移行させることが適切であるように思われる。

自治大学校のほか、国の地方公務員のための研修機関として、上級幹部として必要な教育訓練を警察職員に対して行う警察大学校（警察法二七）および同じ職員に対して幹部として必要な教育訓練を行う管区警察学校（警察法三二）、消防職員、消防団員等に対して幹部として必要な教育訓練を行う消防大学校（消組法五）などがある。また、国が行う研修ではないが、財団法人全国市町村振興協会（現公益財団法人 全国市町村研修財団）が昭和六二年（一九八七年）四月に市町村職員中央研修所（市町村アカデミー）、平成五年（一九九三年）四月に全国市町村国際文化研修所（国際文化アカデミー）をそれぞれ設置し、市町村の職員を対象に主として専門的、実務的な研修を行っている。

第四十条　削除

第八節　福祉及び利益の保護

（福祉及び利益の保護の根本基準）

第四十一条　職員の福祉及び利益の保護は、適切であり、且つ、公正でなければならない。

〔趣　旨〕

一　職員の福祉および利益

地方公務員法第三章第八節は、職員の福祉と利益の保護を標題としている。本来、職員の福祉と利益という概念はきわめて広範囲な事項を包含している。たとえば、職員の給与その他の勤務条件を法律、条例で定めることも職員の福祉を経済的に保障するゆえんであり、職員住宅の供給、互助会の設置なども同様である。また、分限および懲戒の事由を法定していることは職員の身分上の利益を保護するものである。

しかし、この第八節でいう職員の福祉と利益とは、一定の事項に限定されたものであると考えられる。すなわち、本節第一款から第四款までに規定されている四つの事項、すなわち厚生福利制度、公務災害補償制度、勤務条件に関する措置要求の制度および不利益処分に関する審査請求制度が、ここでいう職員の福祉および利益なのである。このほかに地方公共団体が適宜定めている福祉施設があるが、それは、地方公務員法とは直接かかわりのない固有の人事管理制度におけるものであると考えられる。

二　職員の福祉を受ける権利

職員に対する福祉および利益の保護は、厚生福利制度および公務災害補償の「福祉の保護」と勤務条件に関する措置要求および不利益処分の審査請求の「利益の保護」とに分けることができるが、福祉、すなわち厚生福利の制度は給与制度などとともに職員の生活を安定させることを目的とするものであり、職員が安んじて公務に専念することにより、公務能率を増進させることを究極的な目的とする制度である。

福祉の保護の制度は、世界的にみても比較的最近になって発達したものである。使用者と労働者の関係は、長い間、労働の提供とこれに対する賃金の支給の関係にとどまってきた。古典的な自由労働契約の観念の下では、それで必要かつ十分であると考えられてきたのである。しかし、この観念は、時代の推移とともに次第に修正され、給料以外の諸手当（フリンジ・ベネフィット）の支給や勤労者住宅の整備、保健、衛生施設の整備、災害補償制度、年金制度の創設などが次々と行われるようになった。このように厚生福利制度が充実されるようになったことについては、いろいろと理由があると思われるが、とくに次の二つの理由が重要である。その一は、使用者が労働者の福祉と利益を保護することが長期的にみて使用者あるいは経営全体からみて有利であることが次第に自覚されるようになったことである。労働者の生活を多角的に安定させることが能率を恒常的に向上させ経営の業績を高めることとなるからである。その二は、近代国家が国民の生活福祉の増進をもっとも重要な政策課題としてとり上げるようになるに伴って、労働者の福祉の確保と向上は単に使用者だけの問題でなくなり、公共的な課題となったことによるものである。たとえば、今日、公務員の共済制度や民間企業の厚生年金制度や健康保険制度などが国の社会福祉の一環としてとらえられているのは、このような趣旨に基づくものといってよい。

次に、労働者の福祉の保護の制度は、使用者の恩恵として発足したといわれている。欧米諸国においては、資本主義の発達と工場生産の発展につれて、労働力を確保し、企業に対する帰属意識を高めるため、逐次、使用者の側から各種の福祉の保護の制度が設けられるようになったということである。わが国の場合、若干時期はずれるが、明治時代中期以降、重工業の導入に伴って熟練労働者の確保のために、年功序列型の賃金制度の採用と並んで、長期在職者に対する退職金の制度を採用するようになったのが近代的な福祉の保護の制度の端緒であるといわれている。このように福祉の保護の制度のそもそもの初めは、使用者から提供される任意的、恩恵的制度として発足したものである。

しかし、前述の二つの理由で福祉の保護の制度が一般化し、しかもその公共的性格が強調されるようになるにつれて、福祉の保護の制度は使用者の恩恵的給付から、勤労者の権利へと転化するようになった。今日、共済制度や公務災害補償制度のように福祉の中心となる制度は、職員の権利として確立されたものであることを認識する必要がある。

三　職員の利益の保護

職員の利益の保護、すなわち、勤務条件に関する措置要求制度と不利益処分に関する審査請求制度は、二で述べた福祉の保護と同様に、職員の生活、身分を安定させることにより公務能率の維持増進に寄与することを目的とするものであるが、福祉の保護とは若干観点を異にするものである。すなわち、勤務条件に関する措置要求の制度は、職員の労働基本権の制限、なかんずく、団体協約締結権の制限に対応するものである。民間企業の労働者の場合は、団結権と争議権を背景にして団体協約を使用者と結び、自己の経済的権利を擁護することができるが、一般の職員の場合は財政民主主義に基づき団体協約の締結を認めることは不適当であるとされ、また公共の利益のために争議行為を行うことは禁止されている。そこで、職員の勤労者としての経済的利益を確立するとともに財政民主主義の原則を貫くために「勤務条件法定主義」（法二四）をとることとされ、さらに職員の経済的不利益を是正するために「情勢適応の原則」（法一四）が明らかにされるとともに、これを具体化する方法として個々の職員が独立かつ公平な行政機関である人事委員会または公平委員会に勤務条件に関する措置をとることを求める権利を認めたのである。このような仕組みを設けることで、職員の経済的権利を保護することとしたのであるが、換言すればこの勤務条件に関する措置要求の制度は、団体協約締結権が認められないことに対する勤務条件法定主義と並ぶ代償措置の一つであるといってよいのである。したがって、実定法上、団体協約の締結権が認められている企業職員および単純労務職員ならびに独法職員については、勤務条件法定主義は大幅に緩和されており（地公企法三八４、三九１、地公労法一七１、附則５、地方独法法五三１）、また、勤務条件に関する措置要求の制度は適用されていないのである（地公企法三九

1、地公労法一七1、附則5、地方独法法五三1）。

また、不利益処分に関する審査請求の制度は、職員の分限、すなわち身分保障（法二七、二八）に対応するものである。民間企業の労働者は、契約自由の原則に基づいて、法律的には使用者がこれを解雇することは自由であるが、公務員の場合は、行政の中立性と安定をはかるため、その身分が強く保障されている。そしてこの保障を実効あらしめるため、不利益な身分取扱いを受けた職員は、行政上の救済制度である審査請求を人事委員会または公平委員会に対して行うことが認められているのである。

このように、勤務条件に関する措置要求制度と不利益処分に関する審査請求制度は、それぞれ職員の経済的利益と身分上の利益を保護し保障するために認められた権利で、これらをあわせて「保障請求権」と称する。二で述べた職員の福祉の保護とこの保障請求権とは、いずれも職員の生活なり身分の安定を通じて公務能率の増進を図るものであり、また、保障請求権はもちろんのこと、福祉の保護も多くは職員の権利であり、権利性についての共通点をもつものであるが、それにもかかわらず、両者の間の権利の性格には相違がある。すなわち、法律に基づく職員の権利は、その性質に応じて、⑴身分保障（分限、職務を行う権利）、⑵経済的権利、⑶保障請求権、および⑷労働基本権に大別できるが、これらのうち、⑴と⑵が職員の基本的な利益であり一次的な権利である。そして⑶および⑷はいずれも重要な権利であるが、それ自体が目的ではなく、それぞれ⑴または⑵を支える権利、二次的な権利であるということができる。職員に対する厚生福利制度は、⑵の経済的権利の延長でありその一部であるといってよい。すなわち、厚生福利制度は、一次的権利であるが、⑶の保障請求権は二次的権利であるという権利の性質の違いがあるのである。

〔解　釈〕

福祉および利益の保護の根本基準

本条は、職員の福祉と利益の保護は適正なものでなければならないことおよび公正に実施されなければならないことを定めている。本条は、本節の通則であり、第一款から第四款までの諸制度、すなわち厚生福利制度、公務災害補償、勤務条件に関する措置の要求および不利益処分に関する審査請求の諸制度の設定と実施とが適切、公正の原則に基づいて行われなければならないことを明らかにしたものである。それぞれの制度の具体的な内容は、第四二条から第五一条の二までの各規定およびこれらの規定に基づく他の法律、たとえば、地方公務員等共済組合法や地方公務員災害補償法、条例、規則などによって定まるものであり、本条はいわば精神規定であって、職員に対して直接に請求権を付与したり、特定の権利を設定したりするものではない。このような意味で、職員の福祉および利益の保護に関して地方公務員法第五条第一項（職員に関する条例の制定）および本条の規定によって条例で定めることができるとされているが（行実昭三〇・二・一五　自治丁公発第一六号）、第五条第一項はともかく、本条は条例の制定の根拠となるものとはいえないであろう。なお、第五条第一項の職員に関する条例の制定の規定は、法律によって必ず条例で規定しなければならないとされている事項は別として、職員に関する事項のすべてを必ず条例で規定しなければならないとするものではなく、任命権を侵害しない限度で、固有事務に関する条例を定めることができるとするものである。したがって、職員の福祉および利益の保護に関する事項についても、たとえば、互助会の設置を条例で定めることは任意であるが、これを規則その他の規程で定めることもさしつかえないものであり、他の福祉および利益の保護についても同様である。

まず、職員の「福祉」および「利益」の意味は、**〔趣旨〕**で述べたとおりであり、ここでは前者は具体的には厚生福利制度および公務災害補償制度をさす。また、後者は、勤務条件に関する措置要求の制度および不利益処分に関する審査請求制度をさすものである。

次に、「適切」および「公正」の意義であるが、個々の制度およびその運用について諸般の事情を勘案して具体的に判断するほかかない。福祉および利益の保護の制度の多くが職員の権利として設定されるものであるので、その内容は客観的であり均衡のとれたものとなっていることが普通であるが、これらの制度が均分的正義を実現しているものであるかどうか時宜に応じて点検し、また、運用において恣意や偏りがないよう常に戒心し、公正を確保すべきであろう。なお、「適切」であるかどうかは、主として福祉について問題とされるものであり、第一条の目的、すなわち地方公共団体の行政の民主的かつ能率的な運営をはかることに資するものであるかどうかに照らして判断するとともに、これは狭義の「勤務条件」ではないが、情勢適応の原則（法一四）および均衡の原則（法二四４）の趣旨に準拠して判断することが望ましい。福祉の制度は、ひろく国民全体に対する社会保障制度の一環でもあるので、公務員の特殊性に配慮しつつ民間の労働者との均衡をはかる必要があると思われる。たとえば、年金制度における官民格差の問題がしばしば論議されるが、給付の支給開始の年齢、給付の算定方法などについて、民間の労働者と同一の原則に立ちながら、公務員に関する制度の沿革や公務の特殊性を配慮して制度を定めることが「適切」な措置であるといえよう。

第一款　厚生福利制度

（厚生制度）

第四十二条　地方公共団体は、職員の保健、元気回復その他厚生に関する事項について計画を樹立し、これを実施しなければならない。

〔趣　旨〕

厚生制度の意義

広義の厚生制度の範囲はきわめて広く、国民一般に対する厚生というときは、およそ人間の生活を健康で豊かなものにすることの一切をいうものであり、医療、健康保険はもとより、レクリエーション、スポーツ、あるいは老人対策、青少年対策、さらには上下水道の供給や環境浄化の問題もこれに包含される場合がある。

しかし、本条の厚生制度は、もっと狭義のものであり、職員の保健、元気回復（レクリエーション）が典型的なものとして例示されている。また、社会保障制度である共済制度および公務災害補償制度は次条および第四五条に規定されているので、本条の「厚生に関する事項」ではないといわなければならない。

しかしながら、厚生制度は、共済制度および公務災害補償制度とともに職員に対する福祉施策の重要な柱の一つであり、前条の〔**趣旨**〕で述べたように、労働者に対する福祉施策が恩恵的なものから義務的なもの、労働者の側からみると権利へと転化してきており、また、福祉国家において勤労者の福祉を充実させることが重要な政策課題となっている今日においては、地方公共団体においても、職員管理上の重点の一つとして、民間との均衡、財政負担などを考慮しつつ、職員に対する厚生制度の充実強化をはからなければならないものである。また、厚生制度は、本条で例示されている保健と元気回復に限定されるものでないことはもちろんであり、「その他厚生に関する事項」については、前条の規定に従い、適切かつ公正な制度を任意に、かつ、独自に計画し実施しうるものであり、人事管理上地方公共団体の創意工夫にまつところが多い分野であるといえよう。

〔解　釈〕

職員の厚生に関する計画の樹立と実施

本条は、地方公共団体が、職員の保健、元気回復その他厚生に関する事項について計画を樹立し、これを実施しなければならないことを定めた訓示規定である。地方公共団体が努力義務を負うものであるから、任命権者はもとより、議会にもその責任があるわけであるが、職員の身分取扱いは、法律に特別の定めがある場合以外は、任命権者の権限であり責任であるので（法六1）、厚生制度を企画し実施する責任は原則として任命権者が負うことになる。議会は、厚生制度に関する条例、たとえば、互助会設置条例などが提案されたときに、本条の趣旨を考慮して審議し自らの責任で判断することになろう。また、人事委員会は、職員の厚生福利制度について絶えず研究を行い、その成果を地方公共団体の議会若しくは長または任命権者に提出する責任を負うものであり（法八1②）、さらに職員に関する条例の制定改廃について長および議会に意見を申し出る権限（法五2、八1③）並びに人事行政の運営に関し任命権者に勧告する権限（法八1④）を有している。人事委員会は、専門機関として厚生制度に関する情報を収集し、必要に応じて厚生制度の計画の基本となる事項について勧告、助言を行い、任命権者の厚生計画がより適切なものとなるよう、また、各任命権者間の厚生計画の内容と実施とが均衡のとれたものとなるよう調整を行うことが期待されているものである。

厚生制度に関する計画は、任命権者が適宜の方法で定めれば足りるものであり、規則、訓令あるいは伺決裁によればよいであろう。また、その実施については、任命権者が主宰し、費用も地方公共団体の負担とすることが原則である。しかし、たとえばレクリエーションを職員団体と共催することや互助会に冠婚葬祭などにかかる給付を行わせ、これに助成をすること、団体生命保険料の徴収を会計機関が行うなどの便宜を供与すること、あるいは職員の自発的なサークル活動に助成や施設の無償貸与などの便宜を与えることなど、適宜実情に応じた方法をとることももとよりさしつかえないものであり、これも広い意味で地方公共団体が実施する厚生制度ということになろう。

厚生制度を保健、元気回復およびその他のものに分けて、その主なものを述べると次のとおりである。

㈠　保　健

職員の保健、すなわち健康管理にはさまざまな方法がある。広義にはスポーツの奨励やレクリエーションの実施も保健の一部であるが、狭義の保健としては病気の予防のための措置をいう。

保健のための措置としては、健康診断を定期的にまたは随時行うことが代表的である。一般的な問診、内診のほか、特定のものとしては結核予防検査、胃ガン予防検査、成人病検査などがあり、簡易な人間ドックの利用も行われるようになっている。さらに最近は職務の管理化等による精神不安定あるいは職場不適応の状態の職員が増加する傾向にあるため、これに対処する心理学的カウンセリングを行うこともある。健康診断と共に一般的な措置として、診療所の設置があり、診療を公立病院や私立病院に委託することも行われている。

広義の保健の一つとして、職場の執務環境を保健衛生の見地から整備することも必要で、職場の通風、採光の改善、冷暖房機器の設置、害虫の駆除、宿日直施設の改善などが行われている。また、職場における疾病や傷害の発生を防止するための労働安全衛生の確保の問題がある。この点については、労働安全衛生法（昭四七法五七）が原則として職員に適用されているが（法五八2）、これは厚生制度というよりも使用者が遵守すべき最低の労働基準としての性格をもつようになっている。

㈡　元気回復

職員が職務によって蓄積した疲労を解消し、気分を転換して明日の活力を養うことが元気回復であり、一般に「レクリエーション」と呼ばれている。職場におけるレクリエーションとしては、運動会や小旅行の実施、趣味や文化の同好者の会合（サークル活動）、保養施設の設置などが一般的であったが、最近、人々の価値観や好みが多元化するにつれて元気回復の方法もますます多彩となってきている。反面、全職員を対象として同一の元気回復の方法を用いることが困難となっているといえよう。したがって、地方公共団体が関与して行うレクリエーションについては、職員の意向を十分に把握してバラエティをもたせ、また、すべての職員に公平に行きわたるよう、さらにレクリエーションとしての実効があがるよう、周到な計画を立てる必要があろう。

㈢　その他の厚生制度

保健および元気回復以外の厚生制度の内容は一段と多様なものが考えられる。すでにふれた互助会の設置、団体生命保険に対する便宜の供与、サークル活動に対する奨励や助成のほか、職員食堂の経営、職員の生活協同組合に対する便宜の供与、理髪、美容など職員の利用施設の設置ないしは助成、さらには公務員住宅の設置などさまざまな厚生制度がそれぞれの地方公共団体の実情に応じて実施されている。また、地方公共団体の福祉施設として実施されるもののほか、次条で述べる地方公務員共済組合が実施する医療機関の経営、保養施設の設置、住宅資金や生活資金の貸付などの福利厚生事業も加えると、職員に対する広義の福祉施設はまことに多彩であるということができよう。

地方公共団体が実施する厚生事業のうち、若干説明を要するものとして次の諸点がある。

１　互助会　職員のための任意的な互助組織として、「職員互助会」などという名称の組織が設置されている。互助会の事業内容は必ずしも一定していないが、職員の冠婚葬祭に際しての給付、生活物資の販売やあっせんなどをはじめ、レクリエーションの共催、文化事業の実施などが行われることが多い。互助会の事業に要する経費は、職員の掛金のほか地方公共団体が福利厚生費として予算から支出する助成金が充てられることが多い。

互助会の設置については、地方公共団体の条例を根拠とすることが普通であるが、それは一つには地方公共団体の重要な厚生制度であるため団体意思として確定することのほか、条例で設置した場合には互助会に対する職員の掛金が社会保険料として課税所得から控除されるからである（所得税法七四２、同法施行令二〇八②）。なお、この場合、それが共済組合の短期給付類似の給付に対する掛金であること、互助会の費用は主として職員の掛金と地方公共団体の補助金をもって充てられていること、および加入資格を有する者の全員が加入していることの三つが要件であり、税務署長の承認が必要である。互助会に関してしばしば問題となるのは、互助会が職員に対して支給する給付が給与の脱法行為となることである。たとえば、地方公共団体が互助会に対して補助金や貸付金を支出し、これに基づいて互助会から職員に貸付金を交付した上、その返済を免除するようなことである。このような形で支給された給付が実質的に地方公共団体の給付となるときは、その名目や支給方法のいかんをとわず、プラス・アルファーであり、地方自治法第二〇四条の二違反として同法第二四二条および第二四二条の二の住民監査請求および住民訴訟の対象となるものである（京都地裁昭六二・七・一三判決（判例時報一二六三号一〇頁）、最高裁令元・一〇・一七判決（ウェストロー・ジャパン））。

２　職員の福祉事業に対する便宜供与　地方公共団体が、職員のための福祉事業に協力したり便宜供与をするという形で行う厚生制度がある。たとえば、掛金などが職員に有利な団体生命保険の加入勧誘に協力し、その保険料の徴収について出納機関が給料から天引きの上一括して納金することや、同じく財産形成貯蓄や職員のための販売事業の購買代金を天引きして納付すること、あるいは職員の福利厚生施設に庁舎等の財産を無償で貸与することなどである。このような便宜供与については、それが職員のための厚生事業である限り、地方公共団体は本条の規定に基づいてできるだけ協力を惜しんではならないが、これらの便宜供与は当然かつ自動的に与えられるものでなく、それぞれの措置について正規の手続をとらなければならない。たとえば、給料からの天引きについては、財産形成貯蓄のように直接法律に基づいて天引きすることができるものは別として（勤労者財産形成促進法一五1）、地方公務員法第二五条第二項に基づく条例でこれを定めて行わなければならないものである。また、福祉事業に庁舎を貸与する場合は、地方自治法第二三八条の四第七項の規定に基づき行政財産の使用の許可を受けなければならない。

３　職員宿舎（公舎）の貸与　地方公共団体の負担で職員の居住用宿舎を設置することが広く行われているが、このような宿舎のうち、たとえば公営発電施設に附属して職員が居住を義務づけられているようなものは、もっぱら業務遂行のために設けられるものであって厚生事業とはいえない（この義務公舎に寝具やテレビなどを地方公共団体の負担で整備することは厚生事業である。）。しかし、大多数の職員宿舎は、主として職員の住宅難に対処すること、すなわち、職員の私的生活の便宜を図ることを目的とするものであり、その設置は民間の社宅と同様に厚生事業であるといってよい。国家公務員の場合、人事院は国家公務員宿舎法（昭二四法一一七）第二一条の規定によって宿舎の設置を勧告することが認められているが、この勧告は職員の広義の勤務条件（厚生）に関するものと考えられる。

職員宿舎については、最近の通勤の遠距離化、単身赴任者の増加、新規学卒者の採用、非常災害時の要員確保などの諸事情にかんがみ、その整備と改善を検討する必要があると思われる。なお、職員宿舎の利用の対価は、公法上の使用料であり条例でその額を定めなければならないが（自治法二二五、二二八）、それを決定する場合には、公有財産管理上の見地ならびに民間企業の社宅の賃貸料および民間賃貸住宅の家賃等に配慮するとともに、職員に対する厚生事業であることを十分勘案する必要があろう。

（共済制度）

第四十三条　職員の病気、負傷、出産、休業、災害、退職、障害若しくは死亡又はその被扶養者の病気、負傷、出産、死亡若しくは災害に関して適切な給付を行なうための相互救済を目的とする共済制度が、実施されなければならない。

２　前項の共済制度には、職員が相当年限忠実に勤務して退職した場合又は公務に基づく病気若しくは負傷により退職し、若しくは死亡した場合におけるその者又はその遺族に対する退職年金に関する制度が含まれていなければならない。

３　前項の退職年金に関する制度は、退職又は死亡の時の条件を考慮して、本人及びその退職又は死亡の当時その者が直接扶養する者のその後における適当な生活の維持を図ることを目的とするものでなければならない。

４　第一項の共済制度については、国の制度との間に権衡を失しないように適当な考慮が払われなければならない。

５　第一項の共済制度は、健全な保険数理を基礎として定めなければならない。

６　第一項の共済制度は、法律によつてこれを定める。

第四十四条　削除

〔**趣　旨**〕

一　共済制度の意義

本条に基づく共済制度は、職員に対する厚生福利制度の中心をなすものである。本来、共済制度は、勤労者の相互扶助、相互救済を目的として自主的な組織により発足したもので、欧米では一七世紀後半から発達してきたといわれ、イギリスではフレンドリー・ソサエティー（Friendly Society）、アメリカではベネフィット・ソサエティー（Benefit Society）と呼ばれた。わが国では明治時代後期から大正時代にかけて急速に普及し、官庁ではまず日本国有鉄道など現業官庁でとり入れられ、漸次、非現業の官庁にも普及した。

ところで、近代国家が国民の福祉の向上のための諸施策を積極的にとり上げるようになるにつれて、各種の社会保障制度が整備されるようになり、共済制度も社会保障制度の一環として位置づけられるに至った。職員に対する福利制度は、医療給付や休業給付などは相互扶助として出発したものであり、年金や一時金の支給は永年勤続に対する功労報償としての恩給制度が源であるが、これらが社会保障としての共済制度に統合され今日に至っているのである。しかし、社会保障制度であるといっても、それは国や公共団体の一方的な負担によって賄われるものではない。社会保障のうち生活扶助のような社会的弱者に対する制度は、もっぱら公費によって措置されるものであるが、一般国民を対象とする社会保障は国民が連帯して応分の負担をし、相互救済の型で行われるものが少なくない。国民年金または厚生年金のような年金制度、国民健康保険または組合管掌の健康保険のような医療給付の制度はいずれも重要な社会保障制度であるが、掛金による保険制度として運営され、その公共的性格にかんがみ公費も原資の一部として投入することとされているのである。

職員の共済制度も公的な社会保障制度であるが、その運営の基本は社会保険として行われるものであり、職員が納付する一定の掛金と、地方公共団体が使用者として、また公的主体として支出する負担金とを原資として運用される。

二　現行共済制度の沿革

現在、職員に対して適用されている共済制度は、本条に基づいて定められた地方公務員等共済組合法（昭三七法一五二）によって具体的に定められているが、同法が制定されるまでの職員の共済制度はきわめて複雑な様相を呈しており、同法が施行される直前の共済制度の概要は次のとおりであった。

まず、職員の退職年金制度（現在の長期給付）としては、恩給法の準用を受けるもの（都道府県の職員のうち、地方自治法施行の際官吏であった者、教育公務員特例法施行の際公立学校の職員であった者および警察官）、地方自治法に基づく退職年金及び退職一時金条例の適用を受けるもの（都道府県の職員のうち、地方自治法施行の際吏員であった者および地方自治法施行後吏員となった者並びに市町村の職員のうち市の吏員および一部の市の雇用人）および町村職員恩給組合法の適用を受けるもの（町村の吏員および町村合併により市となった市の吏員）、すなわち恩給法系統の各制度の下にあるものと、国家公務員共済組合法の適用を受けるもの（都道府県の職員のうち、雇用人および国家公務員共済組合法施行（昭三四・一）後吏員となった者で長期給付を選択したもの）、市町村職員共済組合法の適用を受けるもの（市町村の雇用人）、共済条例の適用を受けるもの（市町村職員共済組合法の適用を除外される市町村の雇用人）および船員保険法の適用を受けるもの（船員である職員）、すなわち共済組合法系統の各制度の下にあるものとがあった。

次に、職員の公務外の負傷、疾病等に対する給付の制度（現在の短期給付）としては、旧地方職員共済組合（都道府県の一般職員）、旧公立学校共済組合、旧警察共済組合および旧市町村職員共済組合がそれぞれ給付を行っていたほか、健康保険法または船員保険法の被保険者である職員もあった。

このように職員に対する退職年金制度と医療給付等の制度は複雑多岐であり、とくに退職年金については、永年勤続に対する報償的性格を有する恩給系統の制度と、社会保険的性格の共済制度との系統に分かれていて、このような区別をする合理的理由が乏しいだけでなく、相互の通算もなされず、給付の内容もアンバランスであった。したがって、職員の異動や人事交流にも支障があり、統一的な退職年金制度を設けることが急務とされていたのである。制定当初の地方公務員法第四四条第一項が「……退職年金又は退職一時金の制度は、すみやかに実施されなければならない」と定めていたのは、このような趣旨であるといえよう。

一方、国家公務員については、すでに昭和三三年（一九五八年）五月に国家公務員共済組合法の全面改正が行われて、恩給制度と共済制度を統合した新しい社会保険制度が発足し、昭和三四年（一九五九年）一月一日から五現業の職員と非現業の雇用人に適用され、同年一〇月一日から他の非現業の職員に適用された。なお、この新しい制度は昭和三四年（一九五九年）一月一日から地方公務員の中の都道府県、公立学校および地方警察の雇用人に適用され、同年一〇月一日には地方事務官にも適用されたので、地方公務員全体を通じる新しい共済制度の確立が一層急がれることとなった。

このような事情にかんがみ、地方制度調査会は昭和三四年（一九五九年）二月二八日、地方公務員の退職年金の改正について、国家公務員と均衡のとれた地方公務員の退職年金制度をすみやかに実施すべきである旨の答申を行った。政府は、これを受けて地方公務員共済制度の立案に入ったが、主として長期給付に要する費用の一部と事務費を国庫負担とすることについて政府部内の調整がつかず、結局、地方交付税率を引き上げた上、地方公共団体がこれを負担することとして、ようやく昭和三七年（一九六二年）三月、地方公務員共済組合法が第四〇国会に提案された。同法案は、同国会では継続審議となったが、同年（一九六二年）八月三一日第四一臨時国会で可決成立し、同年（一九六二年）一二月一日から施行された。

同法はその後頻繁に部分的な改正が行われたが、基本的な制度は変わることなく昭和六〇年度（一九八五年度）まで維持された。ところが昭和五〇年代にはすでにわが国の急速な高齢化の現象が顕著になっており、そのことは共済制度を含む公的年金制度の長期的安定を脅かすこととなった。すなわち、年金受給者と年金総額が増大する一方で、掛金を支払う勤労者の負担はその限界を超えるようになることが確実に予測されるようになったのである。また、年金に関する官民格差の解消と国民全体を通じる公的年金制度の一元化を求める世論が高まり、そのための具体的な方策の検討が始められたのである。

このような事情を背景として昭和六〇年（一九八五年）一二月に地方公務員等共済組合法の長期給付に関する大幅な改正（昭和六〇年法律第一〇八号）が行われ、昭和六一年（一九八六年）四月一日から施行されることになった。この改正によって、それまではもっぱら共済制度に基づいて支給されていた公務員の年金は、改正後は全国民共通の国民年金と公務員に対する共済年金の二本立てで支給されることになった。さらに後者は、民間の労働者に適用される厚生年金に相当する部分と公務員独自の給付である職域年金部分とに区分されることとなったのである。さらに、年金財政全体の事情を考慮して、退職共済年金の満額支給開始年齢をそれまでずっと行われてきた六〇歳から満六五歳に段階的に近づける改正が平成六年（一九九四年）一一月に法律第九九号によって行われている（なお、第二八条の六の〔**趣旨**〕**四**参照）。

三　被用者年金の一元化

従来、公務員の共済年金については、厚生年金に比較して保険料率が低いこと、厚生年金にはない職域部分（いわゆる三階部分）の給付や遺族年金の転給などの制度があることなどが指摘され、公務員優遇であるとの批判が絶えなかった。この批判を解消し、厚生年金、国家公務員共済年金、地方公務員共済年金および私立学校教職員共済年金の四つに分かれている被用者年金制度を一元化することを主たる目的とする被用者年金制度の一元化等を図るための厚生年金保険法等の一部を改正する法律が平成二四年（二〇一二年）八月二二日に公布され、同二七年（二〇一五年）一〇月一日から、公務員および私学教職員も厚生年金に加入することとなった。

具体的には、共済年金が廃止されることによって、保険料率が厚生年金のそれに統一され（現在想定されている上限一八・三％

に達するのは民間よりも一年遅れの平成三〇年（二〇一八年）になった。）、公的年金としての職域部分が廃止され、遺族年金の転給制度などは基本的に厚生年金制度に揃えられている（廃止された。）ことになるが、これらは地方公務員等共済組合法の改正を通じて実現されることとなっている。また、今回の一元化は、長期給付についてのものであり、短期給付および福祉事業を含めて一体的にかつ効率的に行うという共済制度の基本的枠組みは維持されている。

このようなことを踏まえて、改正後の地方公務員等共済組合法第一四五条は、「この法律の定めるところにより行われる短期給付及び長期給付の制度は、一般職に属する職員については、地方公務員法第四十三条に規定する共済制度とする。」と規定し、長期給付についても、地方公務員制度の一環であることに変化のないことが明らかにされている。

〔解　釈〕

本条と共済組合法との関係

本条は、地方公務員等共済組合法の根拠規定であり、昭和三七年（一九六二年）の地方公務員等共済組合法の制定に伴って全文改正されたものである。改正前の本条は、職員の公務によらない死亡、負傷、疾病等および被扶養者のこれらの事故に関する共済制度がすみやかに実施されなければならないこと（第一項）、その共済制度は国および他の地方公共団体との間で均衡のとれたものでなければならないこと（第二項）ならびに共済制度は健全な保険数理を基礎としなければならないこと（第三項）を定めていた。そして第四四条で、職員が退職した場合の職員または遺族に対する退職年金または退職一時金の制度がすみやかに実施されなければならないこと（第一項）、公務上の事故による死亡または退職についても公務災害補償と調整の上、退職年金または退職一時金の制度を実施することができること（第二項および第三項）、これらの退職年金または退職一時金の制度は、国および他の地方公共団体の間で均衡のとれたものでなければならないこと（第四項）ならびにこれらの退職年金または退職一時金の制度は健全な保険数理に基づかなければならないことが定められていた。要するに、改正前の本条は短期給付について、第四四条は長期給付についてそれぞれ定めていたのである。なお、改正前の「共済制度」とは、短期給付のみを意味していたのであり、退職年金および退職一時金は共済制度とは別の制度とされていたのである。地方公務員共済組合法制定後の共済制度は、長期給付と短期給付を包括したものとなったので、本条に両者を含む共済制度の根拠の規定を置き、これに伴って第四四条は削除されることとなった。

この改正後の本条では、職員およびその被扶養者の病気、負傷等に関し、相互救済を目的とする共済制度を実施しなければならないこと（本条１）、この共済制度には、職員または遺族に対する退職年金および退職一時金の制度が含まれていなければならないこと（本条２）、退職年金および退職一時金の制度は、退職した職員またはその被扶養者の適当な生活の維持を図ることを目的とするものであること（本条３）、共済制度は、国の制度との間で権衡のとれたものでなければならないこと（本条４）、共済制度は健全な保険数理に基づかなければならないこと（本条５）並びに共済制度は法律でこれを定めること（本条６）がそれぞれ規定された。

地方公務員等共済組合法は、本条第六項に規定されている法律であり、共済制度の具体的な内容はすべてこの法律の定めるところによるわけである。また、本条は共済制度全体を概括した規定であり、制度の基本的な考え方を明らかにした規定である。なお、昭和六〇年（一九八五年）の改正に際しては、本条第二項および第三項の「退職一時金」の字句を削るという技術的な改正だけが行われたのであるが、前述のように平成二四年（二〇一二年）の改正に伴って地方公務員にも国民年金制度が適用されるようになったので、本条の「退職年金」とは地方公務員の公的年金のすべてではなく、国民年金法に基づく基礎年金部分を除いた厚生年金相当部分と職域年金部分だけを指すことになったのである。

法律に基づく共済制度を運用し、実施する主体は共済組合である。共済組合は、常時勤務することを要する地方公務員（特別職を含む（地共済法二１①））を組合員として組織される団体で、公法人である（地共済法四１）。職員は、職員となった日から共済組合の組合員となり、職員が死亡または退職したときには、その翌日から組合員の資格を失う（地共済法三九１２）。共済組合は、法律上設置された団体であり、その組合員資格の得喪は一定の事実に基づいて自動的かつ強制的に行われるのである。

第二款　公務災害補償

（公務災害補償）

第四十五条　職員が公務に因り死亡し、負傷し、若しくは疾病にかかり、若しくは公務に因る負傷若しくは疾病により死亡し、若しくは障害の状態となり、又は船員である職員が公務に因り行方不明となつた場合においてその者又はその者の遺族若しくは被扶養者がこれらの原因によつて受ける損害は、補償されなければならない。

2　前項の規定による補償の迅速かつ公正な実施を確保するため必要な補償に関する制度が実施されなければならない。

3　前項の補償に関する制度には、次に掲げる事項が定められなければならない。

一　職員の公務上の負傷又は疾病に対する必要な療養又は療養の費用の負担に関する事項

二　職員の公務上の負傷又は疾病に起因する療養の期間又は船員である職員の公務による行方不明の期間におけるその職員の所得の喪失に対する補償に関する事項

三　職員の公務上の負傷又は疾病に起因して、永久に、又は長期に所得能力を害された場合におけるその職員の受ける損害に対する補償に関する事項

四　職員の公務上の負傷又は疾病に起因する死亡の場合におけるその遺族又は職員の死亡の当時その収入によつて生計を維持した者の受ける損害に対する補償に関する事項

4　第二項の補償に関する制度は、法律によつて定めるものとし、当該制度については、国の制度との間に権衡を失しないように適当な考慮が払われなければならない。

〔趣　旨〕

一　公務災害の防止

本条は職員が公務上または公務のための通勤途上において負傷、疾病、死亡などの災害を受けた場合に、これに対して補償を行うための根拠規定であるが、このような災害に対する補償は、公務員だけでなく、労働者災害補償保険法（昭二二法五〇）により、ひろく労働者全体について行われているところである。すなわち、いわゆる業務上の災害について補償を行うことは、労働者に対する福祉制度の一つであり、また、社会保障制度の一環をなすものとされているのである。

ところで、この業務上の災害に対する補償制度が整備されるとともに、さらに一歩進んで労働災害を防止し、業務に関する安全と衛生を確保することが重視されることとなった。従来、労働者の安全および衛生については、労働基準法で規定されていたのであり、職員にもその規定が適用されていたのであるが、昭和四七年（一九七二年）にさらに詳細な労働安全衛生法（昭四七法五七）が制定され、職員にもこれが適用されることとなった（法五八２）。労働に関する安全と衛生の問題は、業務上の災害に対する補償と一連の体系をなすものであり、職員の福祉を確保する上できわめて重要な問題であるので、ここで労働安全衛生法による規制を簡単に述べておくこととする。

まず、職員の使用者は、労働安全衛生法で定める労働災害防止のための最低基準を守ることはもちろん、積極的に快適な職場環境の実現と労働条件の改善を通じて職場における労働者の安全と健康を確保するよう努めなければならないものである（労安法三１）。そして、使用者が職場の安全衛生管理のための体制を確立するため、それぞれ所定の事業規模または業種に応じて、総括安全衛生管理者、安全管理者、衛生管理者、産業医、安全委員会、衛生委員会、安全衛生委員会などを設けることとされている（同法一〇～一九）。

また、使用者は自らまたは前記の安全衛生管理体制を通じて、職員の危険または健康障害を防止するための措置を講じ、安全および衛生のための教育を実施し、健康診断の実施その他の健康管理を行い、労働災害の原因の調査と再発防止対策を実施するなど適切な措置を行うこととされている。

そのほか、同法および同法施行規則では、危険または健康障害を防止するための措置、機械や有害物に関する規制、健康管理などについて具体的かつ詳細な規制を行っているが、一般的な事項としては、使用者は安全または衛生のための教育を行わなければならないこと（同法五九）、中高年齢者その他労働災害防止上とくに配慮を必要とする者については、心身の条件に応じて適切な配置を行うよう努めなければならないこと（同法六二）、作業環境を測定し、健康診断を行わなければならないこと（同法六五、六六）、伝染性の疾病その他一定の疾病にかかった者の就業を禁止しなければならないこと（同法六八）、健康の保持増進を図るため体育活動、レクリエーション等に便宜を供与するよう努めなければならないこと（同法七〇）などが規定されていることに留意する必要がある。なお、病者の就業禁止（同法六八）は法律に基づく強制的な職務専念義務の免除（法三五）である。また、使用者が就業禁止を命じなかったときは六月以下の拘禁刑または五〇万円以下の罰金に処せられる（労安法一一九①）。さらに、健康診断の実施の事務に従事した者が、その実施に関して知り得た職員の心身の欠陥その他の秘密を漏らしたときも同様の刑罰に処せられる（同法一〇五、一一九①）。

二　地方公務員災害補償法の制定経過

現在、職員に対する公務災害補償は、昭和四二年（一九六七年）に制定された地方公務員災害補償法（昭四二法一二一）に基づいて実施されているのであるが、同法制定前は本条に公務災害補償の根拠規定はあったが、それは公務災害補償を実施しなければならない旨を定めるにとどまり、職員に対して具体的に適用されていた公務災害補償の規定は不統一であった。たとえば、一般の行政事務に従事する職員については労働基準法が、労働者災害補償保険法第三条第一項の規定により同法が強制適用されていた現業職員には同法が、船員である職員には船員法がそれぞれ適用され、給付の内容も必ずしも同一ではなかった。その一方、国家公務員についてはすでに昭和二六年（一九五一年）に国家公務員災害補償法（昭二六法一九一）が制定されており、統一的な公務災害補償法が実施されていたので、地方公務員の統一的な公務災害補償制度を確立することは早くからの懸案事項であった。さらに、労働者災害補償保険法は、昭和四〇年（一九六五年）八月から翌年二月にかけて施行された同法の改正によって大幅に改善されて、年金制度が導入されたのであり、これを受けて国家公務員災害補償法も昭和四一年（一九六六年）七月から同様の改善が実施された。その結果、地方公務員のうち、労働者災害補償保険法の適用を受ける現業職員と一般の非現業職員との間の補償内容に大きな差異が生じることとなり、国家公務員との均衡も大きな問題となるに至ったのである。このような状況にかんがみ、政府は地方公務員災害補償法の制定を急ぎ、昭和四二年（一九六七年）の第五五国会に同法案を提出し、同年（一九六七年）七月一四日に可決成立したのである。

なお、前述のように、昭和二五年（一九五〇年）に制定された当初の本条は、単に職員に対して公務災害補償を実施しなければならないことのみを規定していたのであるが、昭和二七年（一九五二年）の地方公務員法の一部改正で、公務上の災害の認定、療養の方法、補償金額の決定等に異議のある者は都道府県の人事委員会に審査の請求をすることができる旨の規定が設けられた。これは職員の公務災害補償に関する不服を専門機関により迅速に措置することを目的とした改正であったが、それはまた、市町村の職員もすべて都道府県の人事委員会に審査請求させることとしていた点に特色があった。これは同じ改正で人事委員会および公平委員会の組織について若干の改正が行われたこととならんで、人事委員会および公平委員会の制度および運用の合理化と能率化をはかる規定であったということができる。しかし、この規定も昭和四二年（一九六七年）の改正で姿を消した。

〔解　釈〕

本条と地方公務員災害補償法の関係

本条は、地方公務員災害補償法の根拠規定である。本条第一項は、職員の公務による死亡、負傷、疾病などによる損害を補償しなければならないことを明記しており、この基本的な考え方は従来からなんら変わるものではないので、地方公務員災害補償法制定に際して本項は改められていない。第二項以下は、同法の制定とともに全面的に改められたのであるが、そこではまず、公務災害補償の迅速かつ公正な実施を確保するための制度を実施しなければならないことが定められている（本条２）。これは第四項とともに地方公務員災害補償法の制定施行を予定した規定であり、ここで実施主体に関する文言、すなわち主語が規定されていないのは、地方公務員災害補償法で地方公務員災害補償基金が実施主体となることが予想されていたからであるといえよう。次に、職員の公務災害補償制度で定めなければならない基本的事項として、公務上の負傷または疾病に対する療養または療養費の給付（本条３①）、公務災害に起因する休業補償の給付（本条３②）、公務災害に起因する障害補償の給付（本条３③）および公務災害に起因する遺族補償の給付（本条３④）が規定されている。そして公務災害補償制度は法律で定めることとして地方公務員災害補償法を制定することを明らかにし、それは国の制度、すなわち国家公務員の公務災害補償制度と権衡のとれたものであるよう考慮すべきものとしている（本条４）。

これらは、いずれも地方公務員災害補償制度の基本的な事項であるが、いずれにしても具体的な事項は地方公務員災害補償法で定められているところである。

第三款　勤務条件に関する措置の要求

（勤務条件に関する措置の要求）

第四十六条　職員は、給与、勤務時間その他の勤務条件に関し、人事委員会又は公平委員会に対して、地方公共団体の当局により適当な措置が執られるべきことを要求することができる。

〔趣　旨〕

一　保障請求権の意義

職員は、公務員としての地位に基づく基本的な権利として、その身分を保障され職務を執行する権利、すなわち分限と、その生活を維持するための経済的権利とを有する。そしてこれらの権利を維持し確保するためにさらに労働基本権と保障請求権を有する。労働基本権は、第三七条で述べたように経済的権利を支えるための権利であるが、保障請求権は具体的には経済的権利を支える勤務条件に関する措置要求権と、身分保障を支える不利益処分に対する審査請求の権利とに分けられる。勤務条件に関する措置要求権と不利益処分に対する審査請求の権利とをあわせて保障請求権と呼ぶのは、そのいずれもが職員の基本的な権利を「保障する」ものであるからであると同時に、この二つの権利を保障する機関が人事委員会または公平委員会という中立的で専門的な行政委員会だからである。保障請求権は人事委員会または公平委員会の職権によって実現されるものということができよう。

人事委員会または公平委員会はそれぞれ準司法的、準立法的および行政的権限を有するが（法八）、とくに準司法的権限を有することがこの行政委員会の特徴であり、専門的な立場と同時に中立的な立場で職員の権利を保護することを任務としている。民間企業の労働者の場合にはこのような保障の手続はないのであるが、職員についてとくにこのような行政手続による保障が法定されているのは、職員の身分と経済条件を手厚く保障することによって職員が安心して職務に精励しうるようにし、もって公務能率を増進することを目的とするものである。

二　勤務条件の措置要求と勤務条件の決定方式などとの関係

勤務条件に関する措置要求制度が設けられているのは、一つには職員の公務員としての特殊性にかんがみ、その経済条件の安定と保障をはかるためであるが、いま一つには、職員の勤務条件の決定方式が、民間企業のそれとは異なることによるものである。民間企業の勤労者の労働条件は、私的自治の原則に基づいて労使間の話し合いと契約（団体協約を含む。）によって決定されるが、職員の勤務条件は、それを公的な手続によって保障するため、かつ、給与等の財政的な側面を民主的にコントロールするため、議会の議決による条例で決定することとされている（法二四5）。そしてこのような勤務条件の決定方式を基本としながら、一つには職員団体との交渉によって職員の意見を十分に聞くこととしてこれを補完し、いま一つには勤務条件の措置要求制度を設けることによって保障を強めているのである。民間の勤労者は労働契約およびその背後にある団体行動権によって労働条件の維持改善を図るが、職員の場合は条例（法定）保障を基礎とし、交渉と措置要求権によって裏打ちを行っているのであり、その反面、民間の勤労者に認められているストライキを行う権利は、職員にはその勤務条件の決定方式にそぐわないこともあり、かつ、公務員の性格からして認められていないのである。この意味で勤務条件に関する措置要求制度は職員の勤労基本権制限の代償措置であるが、より厳密にいうならば、勤務条件の法定制度がストライキ権制限の代償であり、措置要求制度は団体協約の締結権が認められていないことの代償であるということができよう。企業職員および単純労務職員並びに独法職員に勤務条件に関する措置要求制度が適用されていないのは（地公企法三九1、地公労法一七1、附則5、地方独法法五三1）、これらの職員には団体協約の締結権が認められているからである。

〔解　釈〕

一　措置要求権者

本条の規定により勤務条件に関する措置要求を行うことができる者、すなわち、措置要求をする権利を有するのは「職員」である。この「職員」には正式に任用された一般職の職員（法一七）はもとより、臨時的任用職員（法二二の三）および条件付採用期間中の職員（法二二1）も含まれる。しかし、本条は一般職についてのみ適用される規定で特別職には適用されないから、一般職の職員が特別職の職を兼ねている場合には、特別職の職にかかる勤務条件については措置要求をすることはできない。たとえば、人事委員会の委員が事務局長の職を兼ねている場合（法一二2）、事務局長にかかる勤務条件については措置要求できるが、人事委員会の委員の勤務条件（たとえば、委員報酬が支給される場合のその報酬）については措置要求することはできない。次に、一般職の職員のうち、一般の行政事務に従事する職員をはじめ、教職員、警察職員、消防職員などは措置要求することができるが、企業職員および単純労務職員ならびに独法職員は本条の**〔趣旨〕**で述べたように勤務条件の決定方式が異なり、また、労使間の紛争について労働委員会によるあっせん、調停および仲裁の制度が認められているので措置要求することは認められていない（地公企法三九1、地公労法一四～一六、一七1、附則5、地方独法法五三1）。

措置要求は個々の職員が行うことはもとより、職員が共同して行うこともできる（行実昭二六・一一・二一　地自公発第五一六号）。また、職員が他の職員から民法上の委任による代理権を授与されて措置要求を行うことも、人事委員会または公平委員会の措置要求の手続に関する規則（法四八）に特別の定めがない場合でも可能であるとされている（行実昭三二・三・一　自丁公発第三二号）。しかし、措置要求の審査に際して本人以外の者が代理人として審理に参加することは考えられるが、審査の申立てをはじめ一切の行為を全面的に委任し、本人が直接参加することなく審理を行うことは適切ではないと考える。

次に、職員団体は職員ではないから措置要求することはできない（行実昭二六・一〇・九　地自公発第四四四号ほか）。職員団体以外の団体名義で行うことも同様である。職員団体の措置要求について、国家公務員の場合は人事院規則一三―一（勤務条件に関する行政措置の要求）第一条第一項で「職員団体……を通じてその代表者により団体的に」措置要求することを認めているが、国家公務員法第八六条が「職員は……」と規定していることからして人事院規則でこのように規定することは疑問である。また、トライヤー報告書では、職員団体が措置要求権を持つべきことを勧告している（同報告書二一五三項）。措置要求制度を交渉を補完する制度として位置づけることは立法論としては検討する余地はあろうが、現行制度では措置要求は交渉と並んで職員の勤務条件の決定を補完する制度であって、一方が他方の従たる制度ではない。また、実質的にも職員団体の代表者が本人の名で、または職員団体の構成員たる職員が共同で措置要求すれば目的を達することができるものであり、職員団体に措置要求権を与えなければならない絶対的必要性はないといってよいであろう。

職員は、当該地方公共団体の職員の地位を有する限り、ひろく当該地方公共団体の勤務条件について措置要求をすることができるものであり、転勤などにより当該職員にとっては過去のものとなった勤務条件であっても、また、他の職員にかかる勤務条件であっても措置要求することを妨げるものではない（行実昭二六・八・一五　地自公発第三三二号）。しかし、退職した職員は、もはや職員たる地位を有しないので、措置要求することはできず（行実昭二七・七・三　地自公発第二三三号）、したがって、退職者が退職手当について措置要求することはできない（行実昭二九・一一・一九　自丁公発第一九五号）。退職者の遺族や扶養親族などについても同様である。このような場合には、地方自治法第二〇六条に基づいて審査の請求を行うか、民事上の給付の訴えを提起することになろう。

二　措置要求の内容

職員が要求することができるのは、「給与、勤務時間その他の勤務条件に関し」てである。ここで「勤務条件」とは給与および勤務時間によって代表される経済条件の一切であり、職員団体の交渉の対象となる勤務条件（法五五1）と同義であると解される（名古屋地裁昭六〇・一・三〇判決（判例時報一一五五号二五三頁）、東京地裁昭六三・九・二九判決（判例時報一二九〇号一四九頁）、東京地裁平二・一二・七判決（労働判例五七九号一七頁））。また、法制意見や行政実例では、勤務条件とは職員が地方公共団体に対し勤労を提供するについて存する諸条件で、職員が自己の勤務を提供し、またはその提供を継続するかどうかの決心をするに当たり一般的に当然考慮の対象となるべき利害関係事項であるとされている（法制意見昭二六・四・一八　法務府法意一発第二〇号、同三三・七・三　法制局一発第一九号、行実昭三五・九・一九　自治丁公発第四〇号）。この定義による勤務条件の範囲は広きに過ぎると思われるが、いずれにしても給与（諸手当を含む。）、旅費、勤務時間、休日、休暇、部分休業などをはじめ、執務環境、当局が実施する福利厚生、安全衛生などその範囲はかなり広いものである。そのほか、たとえば、専従許可を与えるべきことも措置要求の対象となるとされている（行実昭三七・五・四　自治丁公発第三八号）。専従の許可や職務専念義務の免除（法三五）は服務上の問題であり、勤務条件とすることは疑問であるが、休暇と類似しているためこのように解されたものであろう。また、公務災害補償については、公務災害補償の内容を現在よりも一層充実させることについて措置要求をすることができるとされているが（行実昭二九・一二・二八　自丁公発第三〇一号）、公務災害補償が勤務条件の一つであるにしても公務災害の認定、療養の方法、補償金額の決定等については地方公務員災害補償基金が実施するもので、人事委員会や公平委員会の勧告の権限が及ばず、またこれらについては別途審査請求をすることもできるので（地公災法五一）、措置要求することはできないというべきである。地方公共団体が独自に公務災害補償の積み増しをすることについて措置要求することは可能であろうが、このような制度を設けることは均衡の原則（法二四４）からみて不適当である。地方公務員共済組合の給付に関する措置要求についても同様に考えてよい。なお、いずれの場合も、法定の給付に積み増しをすることは地方自治法第二〇四条の二（給与等の支給制限）に違反する可能性が大である。

職員が自分以外の者の勤務条件、あるいは当該職員にとっては過去のものである勤務条件について措置要求しうることは一で述べたとおりであるが、職員が現在の勤務条件を変更しないように求める措置要求を行うことも可能である（行実昭三三・一一・一七　自丁公発第一六七号）。

職員の勤務条件ではない事項の措置要求を行うことができないことは当然であり、たとえば、職員定数の増減について措置要求することはできないものであり（行実昭三三・一〇・二三　自丁公発第一四九号）、また、予算の増額自体は措置要求の対象とはならない（行実昭三四・九・九　自丁公発第一一二号）。行政機構の改廃や条例の提案、具体的な人事権の行使も同様である。人事異動に伴う宿舎の設置や手当の支給は措置要求の対象である。問題となるのは勤務評定の実施やその改廃であるが、勤務評定（現行の人事評価に相当する制度）は人事の公正な基礎とするために、職員の勤務について職員に割り当てられた職務と責任を遂行した実績を評定し、記録するとともに、執務に関連してみられた職員の性格、能力および適性を記録するものであり、職員の勤務実績を記録するものであるから、それ自体は勤務条件ではなく、措置要求することはできないとされている（行実昭三三・五・八（自丁公発第六二号）、東京地裁昭三六・一〇・五判決（行政裁判例集一二巻一〇号二〇七二頁））。なお、条例で定められた事項であっても、勤務条件である限り、措置要求の対象となる（行実昭二八・八・一五　自行公発第一七一号）。給与や勤務時間などがその例である。

次に、勤務条件の措置要求と不利益処分の審査請求の関係については、両者が競合することもあり得るとされている（行実昭二七・一・九　地自公発第一号）。不利益処分とは分限処分、懲戒処分などの行政行為であって、これらに対する審査請求は行政不服審査の一環とされており、経済的な要求の一つである勤務条件の措置要求とは性質を異にしており、両者が競合することは一般的にはあり得ない。しかし、きわめて例外的であるが、たとえば、違法な政治的行為をしなかったために、あるいは反組合的な差別行為として、給与上の不利益な取扱いを受けたような場合（法三六4、五六）には、その不利益な取扱いについては審査請求を行うとともに、給与の是正を求めて措置要求をすることもできると解される。

三　措置要求の審査機関

勤務条件に関する措置要求を審査する機関は、人事委員会を置く地方公共団体の職員にあっては人事委員会、公平委員会を置く地方公共団体の職員にあっては公平委員会である。また、人事委員会に公平委員会の事務を委託した地方公共団体の職員の場合はその委託を受けた人事委員会、公平委員会を共同設置した場合はその共同設置された公平委員会である（法七4）。派遣職員など異なる地方公共団体の職を兼職している職員の場合は、措置を求める勤務条件を管理している地方公共団体の人事委員会または公平委員会である。

県費負担教職員の勤務条件に関する措置要求の審査機関については特例があり、それは任命権者の属する地方公共団体の人事委員会とされている（地教行法施行令七による本条の読み替え）。県費負担教職員というのは、市町村立学校職員給与負担法

第一条及び第二条に定める教職員のことであり、その任命権は都道府県の教育委員会に属し（地教行法三七1）、その勤務条件が都道府県の条例で定められている（地教行法四三2）ことから、このような特例が設けられているのであるが、政令指定都市が設立した小学校、中学校、義務教育学校、中等教育学校の前期課程及び特別支援学校の教職員は県費負担教職員に含まれない（市町村立学校職員給与負担法一）ので、この特例は適用されず、原則に従ってそれぞれの政令指定都市の人事委員会が措置要求を受けることとなる。また、都道府県の条例で定める勤務条件のほかに、学校施設の管理に伴う執務環境などのように市町村が管理責任を負う県費負担教職員の勤務条件もある。人事委員会は他の地方公共団体の機関に勧告することもできることと解されているが（行実昭三二・二・一　自丁公発第一二号）、その実効は期待しがたい。県費負担教職員の場合は、異なる地方公共団体の兼職の場合と同じく、当該勤務条件を管理する権限を有する機関が属する地方公共団体の人事委員会または公平委員会に措置要求するものとすることが立法論としては適切であろう。

なお、本条では、職員が人事委員会または公平委員会に対し、地方公共団体の当局により適当な措置が執られるべきことを要求することができるとしており、人事委員会または公平委員会がどのような行為をするのか、適当な措置とは何かということが問題となるが、これらについては次条の定めによることとなる。

（審査及び審査の結果執るべき措置）

第四十七条　前条に規定する要求があつたときは、人事委員会又は公平委員会は、事案について口頭審理その他の方法による審査を行い、事案を判定し、その結果に基いて、その権限に属する事項については、自らこれを実行し、その他の事項については、当該事項に関し権限を有する地方公共団体の機関に対し、必要な勧告をしなければならない。

〔趣　旨〕

一　審査の意義

勤務条件に関する措置要求の制度が職員の経済的条件を保障するためのものであることは前条で述べたところであるが、この措置要求を人事委員会または公平委員会という行政委員会に審査させることとしているのは、一つには職員の勤務条件の内容がかなり専門的であることにかんがみ、人事に関する専門機関であるこれらの委員会によって審査されることが職員の利益の保護のためにより適切であると考えられたためである。職員が自らの勤務条件の決定内容に法律上の不服があるときは、裁判所に対して給付の訴えの提起をすることも可能であるが、地方公共団体の委員会であり、人事行政や勤務条件の内容を熟知している人事委員会または公平委員会に審査させ、是正させることの方がより実情に合った解決が図られるといってよいであろう。とくに人事委員会または公平委員会は、審査に当たり法律上の適否だけでなく、当不当の問題、さらには条例や規則の改廃についても勧告しうるという点で、職員の経済的利益を弾力的に保護し、改善することができるわけである。

第二には、人事委員会および公平委員会が審査することにより迅速な解決を図ることができるからである。この審査は行政手続であるから、簡易でかつ敏速に措置要求に対応することが可能であり、この点でも職員の利益の保障に有効であるということが期待されている。もっとも、現状ではこの利点は必ずしも十分に生かされていない。それにはいくつかの理由があるが、委員が審理に不馴れで適切な審理の進行を図ることができないこと、職員の側では個々の職員の利用が少なく、職員団体が戦術的に利用していることなどをあげることができる。このことは不利益処分の審査請求についても同様の事情があるが、本来であれば、措置要求制度は苦情処理のために手軽に利用されるところに意義があるのであって、審査については運用上の改善が必要であろう。

第三は、人事委員会または公平委員会が審査することにより、公正中立な判断を行うことが期待できるからである。人事委員会および公平委員会は、任命権者の判断に拘束されることなく、自らの判断によってもっとも適切と思われる措置を実施し、または勧告する権限を与えられているのであって、行政委員会としての独立性が裁判所と同様の機能を果たすことを可能にしているのである。ただし、二で述べるように、その判断は法律および条理に適ったものでなければならないことは当然である。

二　審査の基準

人事委員会または公平委員会が勤務条件に関する措置要求を審査する際の基準は、何が職員にとって適正な勤務条件であるかということを発見することである。人事委員会および公平委員会は、地方公共団体の行政機関の一つであって、法治主義に基づき法律の範囲内において権限を有し、法律に基づいて判断を行うものである。民事上の裁判では、私的自治の下に当事者の合意による解決が図られることがあるが、措置要求の審査においては、このような意味の当事者主義によることはできない。人事委員会および公平委員会は、職員の意見と当局の意見にそれぞれ十分耳を傾けて審理を行わなければならないが、両者の攻撃、防御の巧拙によって判断したり、両者の主張を単純に折衷して判断するようなことはできないのである。人事委員会および公平委員会の判断は、常に法律に照らして適正な勤務条件は何かということを決定するものでなければならないのである。

具体的には職員の勤務条件を決定する法律上の原則として、平等取扱いの原則（法一三）、情勢適応の原則（法一四）、職務給の原則（法二四1）、均衡の原則（法二四4）、条例主義（法二四5）などがあり、人事委員会および公平委員会は、勤務条件に関する措置要求の審査に当たり、その対象となっている勤務条件がこれらの原則に照らして適正であるかどうかを判断して判定を行わなければならず、もし、これらの原則に従わない判定がなされたときは、その判定は瑕疵のあるものといわなければならないのである。

〔解　釈〕

措置要求の審査と判定等

職員から勤務条件に関する措置要求があったときは、人事委員会または公平委員会は事案について口頭審理その他の方法による審査を行わなければならないものであり、さらにその事案を判定し、その結果に基づいて自らの権限に属する事項については自らこれを実行し、その他の事項については当該事項に関し権限を有する地方公共団体の機関に対して必要な勧告を行うものである。そしてこれらの手続等に必要な事項は、次条の規定により、人事委員会または公平委員会の規則で定めることとされている。この規則の案は次条で示すこととし、ここでは、措置要求の方法、措置要求の調査、審査の手続、判定の内容および判定の結果に基づく勧告等について述べることとする。

㈠　措置要求の方法

職員が措置要求を行うには、人事委員会または公平委員会の規則により、書面によることとされる。書面によること、すなわち、要式行為とすることは法律上の要件ではないが、措置要求の内容を明確にし、審査に際して無用の紛議を避けるため文書によることとされるのである。書面の記載事項も規則で定められるが、通常、措置要求書には、措置要求をする職員の職、所属部局および氏名、要求する措置の内容およびその理由などを記載し、記名押印（規則案では「署名押印」）することとされる。

㈡　措置要求の調査

措置要求書が提出されたときは、人事委員会または公平委員会は、審査に先立ってその記載事項、添付書類、要求の内容などについて調査を行う。調査を行うべき事項としては、たとえば、要求者が措置要求することができる者であるかどうか、措置要求することができる内容であるかどうか、要求書に補正を命ずべき瑕疵がないかどうかなどである。調査の結果、適法な措置要求でないことが判明し、しかも補正の余地がないときは、審査に入るまでもなく要求を却下しなければならない。たとえば、企業職員、単純労務職員や退職した職員の措置要求である場合、共済組合や公務災害補償基金の決定に対する措置要求である場合、職員定数や予算の改廃を求める措置要求である場合などは補正の余地がないので却下すべきものである。これに対して時間外勤務手当で措置すべき事項を特殊勤務手当の改善という形で措置要求してきたような場合には、一定期間内に補正すべきことを命じ、補正後の要求を審査することが適当である。

人事委員会または公平委員会が措置要求の適否を調査している段階で、その内容が軽微な是正で足り、職員と当局の話し合いで解決することが可能な場合には、事実上のあっせんによって処理することもさしつかえない。この場合、解決をみたときは、審査中の問題解決の場合と同様に、職員は措置要求を取り下げることになろう。

㈢　人事委員会または公平委員会の審査

前述の調査の結果、措置要求が適法なものと認められたときは、人事委員会または公平委員会はその内容を審査しなければならない。審査は「口頭審理その他の方法」により行うこととされているが、実際には書面審理若しくは口頭審理のいずれかの方法により、または両者を併用して行われることになろう。これらの審理の具体的な方法は次条の規則で定められるが、いずれにしても人事委員会または公平委員会は自らの責任で職権によって審理を行わなければならないものであり、いわゆる当事者主義的な運用を行ってはならないものである。審理を行うときには、必要に応じて証人を喚問し、または書類若しくはその写の提出を求めることができる（法八６）。もし、これに応じなかったことがあったとしても、不利益処分の審査請求の審査の場合の証人喚問や書類などの提出の不当な拒否のように罰則の適用はない（法六一①参照）。また、審査を行う上で必要と認めるときは、数個の措置要求を併合し、または一個の措置要求を分離して審査することも可能である（行実昭三三・一一・一八　自丁公発第一六九号）。たとえば、同一若しくは相関連する数個の措置要求を併合して審査すること、あるいは同一人の数個の措置要求を併合することが可能であり、また、一の措置要求がいくつかの内容に分かれており、簡易に審理しうるものと相当の時間をかけなければ審理しがたいものとがある場合に両者を分離して審理し、前者についてまず判定を行うことも可能である。

㈣　要求の取下げおよび審査の打切り

一旦、措置要求が行われた後であっても、人事委員会または公平委員会が判定を行うまでの間に、措置要求をした者はいつでもそれを取り下げることができる。たとえば、前述の調査の際のあっせんで事案が解決した場合、審査中にこれと並行して当事者の話し合いが行われて解決した場合などのほか、措置要求をした者が考え方を変えた場合など、任意に取り下げることができる。前二者の場合で取り下げがなされなかったときは、人事委員会または公平委員会は次に述べる審査の打切りを行うことができる。措置要求が取り下げられたときは、それがなされなかったと同様の状態になり、人事委員会または公平委員会は審査を続行し、判定を行うことはできなくなるので、審査の打切りを手続上文書または宣告で明示しておくことが適当であろう。職員は一旦、取り下げた措置要求についてその取下げを撤回することはできないものであるが、同じ内容のあらたな措置要求を行うことはもとより可能である。

次に、措置要求をした職員が死亡したり、その他の事由で離職したり、あるいは長期間所在不明となった場合、さらには当事者の話し合いで問題が解決した場合、あるいは要求事項が消滅した場合など審査を継続することができなくなったとき、またはその実益がなくなったときは、人事委員会または公平委員会は職権で審査を打ち切るべきである。

㈤　判　定

人事委員会または公平委員会が事案の審理を終了したときは、判定を行わなければならない。判定は正確を期するため、書面によって措置要求者に示達することが適当である。判定の内容は、要求を認めるかどうかという点からみて、要求の全部または一部を認める判定と要求をすべて認めない判定に分けることができる。要求事項を分離して審査したときは、先述のように一部の要求事項についてまず判定することもあり得る。

人事委員会または公平委員会の判定に不服がある要求者が再審の手続をとることは認められていない（行実昭三三・一二・一八　自丁公発第一九三号）。しかし、措置要求にはいわゆる「一事不再理」の原則の適用はないので（行実昭三四・三・五　自丁公発第三二号）、同一職員が同一事項について改めて措置要求することは可能である。

次に、判定を不服とする職員が判定の取消しなどを求める行政訴訟を提起することができるかどうかが問題となるが、判例は、職員が人事委員会または公平委員会に判定を求めることはその権利ないしは法的利益であるので、違法に措置要求を却下したときは権利の侵害となることはもとより、審査の手続が違法であるときも権利の侵害となり、さらに審査の手続が適法になされても裁量権の権限を超えた判定は職員の権利または法的利益の侵害となり、いずれも取消訴訟の対象となる行政処分であるとしている（最高裁昭三六・三・二八判決　判例時報二五七号一三頁）。

㈥　判定に基づく勧告など

人事委員会または公平委員会は、判定の結果に基づいて、その権限に属する事項については自らこれを実行し、その他の事項については当該事項について権限を有する地方公共団体の機関に対して必要な勧告を行う。自ら措置を行い、または勧告を行うのは、措置要求の全部または一部を認める判定を行った場合に限られることは当然である。

人事委員会または公平委員会が自ら措置する場合としては、たとえば、人事委員会の場合は、その規則で定めている初任給、昇格および昇給の基準を自ら改めるようなことがあり得る。公平委員会の場合は、勤務条件を直接に所掌していないので自ら措置する事項はほとんどあり得ないが、例外的に公平委員会事務局の職員の勤務条件を任命権者として措置することが考えられる。次に、他の機関の権限に属する事項については、適切な措置をとるよう勧告することになるが、この勧告には法律上の拘束力はない。しかし、措置要求制度の意義にかんがみ、勧告を受けた機関がこれを可能な限り尊重すべき政治的、道義的責任を負うことは当然である。なお、勤務条件に関する措置要求自体は認められない旨の判定を行ったが、他方、その要求に関連して人事行政上改善する余地があると認められる場合に、人事委員会は別途勧告を行うことも実際の運用上はあり得るであろう（法八１④）。

ところで、県費負担教職員の措置要求は都道府県の人事委員会に対してなされるが（地教行法施行令七による法四六の読み替え）、これらの職員の勤務条件の管理の一部、たとえば、学校などの執務環境や宿日直の管理などは市町村の教育委員会が管理するものである。そこでこれらの勤務条件について措置要求があり、その内容が妥当と認められるときは、都道府県の人事委員会が別の地方公共団体の機関である市町村の教育委員会に勧告を行うことも可能であるとされている（行実昭三二・二・一　自丁公発第一二号）。立法論としては、措置要求の対象となった勤務条件を管理する地方公共団体の人事委員会または公平委員会に対し措置要求をさせることが適切であり、そうでなければ実効を期し難いと考えるが、現行法令の下では前述のように解することもやむを得ないであろう。

（要求及び審査、判定の手続等）

第四十八条　前二条の規定による要求及び審査、判定の手続並びに審査、判定の結果執るべき措置に関し必要な事項は、人事委員会規則又は公平委員会規則で定めなければならない。

〔趣　旨〕

審査、判定の手続等に関する規則

勤務条件に関する措置要求制度は、職員の経済的利益を保障するための重要な制度の一つであり、したがって、その運用は厳正かつ公平に行われなければならない。このような趣旨から、措置要求および審査、判定の手続並びに審査、判定の結果とるべき措置に関して必要な事項は、本条により人事委員会または公平委員会の規則で定めなければならないこととされている。すなわち、措置要求に関する行政手続を、地方公共団体の自主立法の一つである人事委員会または公平委員会の規則で必ず定めなければならないものとして、正当な行政手続を保障することとしているのである。

規則で措置要求の手続を定めるいま一つの趣旨は、その手続をルール化することによって、この手続の目的の一つである迅速な審理を実現しようとすることにある。措置要求の方法、様式を明示して措置要求をしようとする職員の便宜を図り、調査、審査の手順を定めて遅滞なく手続が進められるようにし、判定の結果とるべき措置を明らかにして、関係機関による敏速な是正措置を期待しているのである。そして、以上の全体を通じ、規則に従って適切、迅速な解決が図られ、もって勤務条件に関する紛議が公務能率に悪影響を及ぼさないよう未然に防止されることを目的としているのである。

〔解　釈〕

措置要求に関する規則は、人事委員会または公平委員会が設置された後、できるだけすみやかに制定されなければならない。この制定の手続は、人事委員会または公平委員会の通常の議事の手続によるものであり、委員の全員（特別の理由があるときは二人の委員）が出席して、その過半数で決定するものである（法一一1～3）。また、この規則は、地方自治法第一六条第五項の規定に基づいて公告式条例により公表すべきものである。

勤務条件の措置要求の審査に関する人事委員会の規則については、次のような案（昭二六・七・二六　地自乙発第二七八号別紙二）が示されている。

○勤務条件に関する措置の要求に関する規則(案)

（この規則の目的）

第一条　この規則は地方公務員法（昭和二十五年法律第二百六十一号。以下「法」という。）第四十八条の規定に基き、職員の勤務条件に関する措置の要求及び審査、判定の手続並びに審査、判定の結果執るべき措置に関し必要な事項を定めることを目的とする。

（勤務条件に関する措置の要求）

第二条　職員が法第四十六条の規定により勤務条件に関する措置の要求（以下「措置の要求」という。）をしようとするときは、これを書面でしなければならない。

2　前項の書面（以下「措置要求書」という。）には、左の各号に掲げる事項を記載し、措置の要求をしようとする職員が署名押印して正副各一通を適切な資料とともに人事委員会に提出しなければならない。

一　措置の要求をしようとする職員の職及び所属部局並びにその氏名

二　要求すべき措置

三　措置の要求をしようとする理由

四　措置の要求をしようとする職員又はその者の属する職員団体が要求すべき措置についてすでに当局と交渉（法第五十五条第十一項の不満の表明及び意見の申出を含む。以下同じ。）を行つた場合には、その交渉経過の概要

（措置の要求の調査等）

第三条　措置要求書が提出されたときは、人事委員会は、その記載事項及び添付資料並びに要求すべき措置等について調査しなければならない。この場合において適当と認めるときは、人事委員会は、関係当事者に対し要求すべき措置について交渉を行うようすすめるものとする。

（審査）

第四条　人事委員会は、事案の審査のため必要があると認めるときは、措置の要求を行う職員（以下「要求者」という。）その他事案に関係がある者を喚問してその陳述を求め、これらの者に対し書類若しくはその写の提出を求め、その他事実調査を行うものとする。

（要求の取下）

第五条　要求者は、人事委員会が事案について判定を行うまでの間は、何時でも措置の要求の全部又は一部を取り下げることができる。

（審査の打切）

第六条　人事委員会は、要求者の死亡、所在不明等に因り事案の審査を継続することができなくなつたと認める場合又は関係当事者における交渉による事案の解決、要求の事由の消滅等に因り事案の審査を継続する必要がなくなつたと認める場合においては、事案の審査を打ち切ることができる。

（判定）
第七条　人事委員会は、審査を終了したときは、すみやかに判定を行い、これを書面に作成して要求者に送達しなければならない。
（勧告）
第八条　人事委員会は、判定の結果必要があると認める場合においては、当局に対し書面で必要な勧告をしなければならない。この場合においては、その書面の写を同時に要求者に送達するものとする。
（細則）
第九条　この規定に定めるものの外、措置の要求の審査の手続等に関し必要な事項は、人事委員会が定める。

附　則

この規則は、昭和二十六年八月十三日から施行する。

公平委員会の規則もこれに準じて定めればよい。また、この規則に関して問題となる点については、前条の〔**解釈**〕を参照されたい。

第四款　不利益処分に関する審査請求

（不利益処分に関する説明書の交付）

第四十九条　任命権者は、職員に対し、懲戒その他その意に反すると認める不利益な処分を行う場合においては、その際、当該職員に対し処分の事由を記載した説明書を交付しなければならない。ただし、他の職への降任等に該当する降任をする場合又は他の職への降任等に伴い降給をする場合は、この限りではない。

２　職員は、その意に反して不利益な処分を受けたと思うときは、任命権者に対し処分の事由を記載した説明書の交付を請求することができる。

３　前項の規定による請求を受けた任命権者は、その日から十五日以内に、同項の説明書を交付しなければならない。

４　第一項又は第二項の説明書には、当該処分につき、人事委員会又は公平委員会に対して審査請求をすることができる旨及び審査請求をすることができる期間を記載しなければならない。

〔**趣　旨**〕

一　審査請求制度の意義

職員の身分が保障されていることは、第二七条および第二八条の分限に関する記述で述べたとおりである。そしてこの身分保障を実効あらしめるために、行政上の救済手続として不利益処分に関する審査請求の制度が設けられている。

職員の身分が強く保障されているのは、そのことによって職員が安定した地位を保持し、安心して職務に精励することを得さしめ、もって公務能率を増進することを目的とするものであるが、この身分保障が法定され、かつ、審査請求制度によって担保されていることが民間の労働者と対照的に異なる点である。すなわち、民間の労働者の場合には、その地位は私法上の契約によって定まり、その保障は法律上は解雇制限および解雇予告制度（労基法一九、二〇）など若干の規定があるだけで、あとは民事上の訴訟を提起しうるのみである。それはあくまでも私法上の問題であるから、行政手続としての審査請求制度は適用される余地はなく、ただ、問題が団体交渉その他労働団体に関する労使間の紛争になった場合に、労働委員会による調整が行われることがあるだけである。

このように、不利益処分に関する審査請求の制度は、公務員独自のものであり、またそれは公務員の身分の特殊性である強い身分保障を実質的に担保する制度である。したがって、この制度が公務員制度中に占める意義はきわめて特徴的であり、かつ、大きいものがあるといわなければならないのである。

二　不服申立て制度の沿革

不服申立て制度は、懲戒処分や分限処分などの職員にとって不利益な処分が適正に行われることを保障するための制度の一つであるといってよいが、現行制度前においても処分の適正を図るための措置がとられていた。すなわち、旧地方制度の下および現行自治制度施行後の地方公務員法施行前の期間においては、必ずしも同一の制度ではないが、職員の分限や懲戒に際しては懲戒審査会などが処分の適否を事前に審査することとされていたのであり（市町村の一定の吏員を府県知事が懲戒解雇する場合（市制一七〇、町村制一五〇））、現在でも一定の特別職の懲戒または分限については都道府県では都道府県職員委員会が、市町村では市町村職員懲戒審査委員会が、特別区では特別区職員懲戒審査委員会が、それぞれ事前審査することとされている（自治法施行規程一二、一五）。現行の不服申立て制度は事後審査制度であるが、世界各国では公務員の処分につき事前審査または事前の聴聞を行うものが比較的多いようである（昭五一・四　ＩＬＯ公務合同委員会報告書参照）。

職員については地方公務員法の施行によって不服申立ての方法として処分庁に対する異議申立てと第三者機関である人事委員会または公平委員会に対する審査請求の制度が適用されるようになり、従前の事前審査が事後審査に切り換えられることとなったが、それは任命権者の任命権を尊重しつつも、あらたに設けられた人事委員会および公平委員会のチェック機能を発揮させるためには、事後審査の方が順序からみてより適切であるとされたためであろう。

ところで、制定当初の異議申立ておよび審査請求の制度は、公務員関係に独特の制度であったということができる。しかし、昭和三七年（一九六二年）に従来の行政事件訴訟特例法および訴願法に代わってあらたに行政事件訴訟法（昭三七法一三九）および行政不服審査法（昭三七法一六〇）が制定されるに伴い、これらの制度は、第四九条の二で明記されているように、行政不服審査法に基づく制度として位置づけられ、平成二八年（二〇一六年）四月一日から施行された新しい行政不服審査法において異議申立てという用語は廃止され、処分庁に対する不服申立てを含めて審査請求という用語に統一されている。

行政事件訴訟法および行政不服審査法は、従来の訴願法が行政庁に異議を申し立てうる事項を限定し、また、行政事件訴訟特例法が行政訴訟の提起について訴願しうるときは必ず訴願を経た後に行うべきこと（訴願前置主義）を定めていたのを全面的に改め、ひろく国民に行政上の不服申立てと訴訟の提起を認めることとした画期的な法律であるといってよい。そして職員の不服申立て制度もその一環とされたことによって、開かれた行政救済制度としての性格が明らかにされたといってよいであろう。

しかしながら、法理論的には、職員の不服申立て制度を行政不服審査法の一環とすることには大きな問題があるといわなければならない。なぜならば、行政不服審査法は「国民が簡易迅速かつ公正な手続の下で広く行政庁に対する不服申立てをすることができるための」（同法一１）ものであり、行政庁と国民の間の関係における行政救済を目的とするものである。これに対し、職員の不服申立て制度は、行政庁内部の問題であり、これを一般的な制度の一部とすることには法理上無理があると思われるのである。単に行政上の救済という見地からすれば、両者を一体化することも考えられようが、行政庁の内部問題にはそれなりの特殊性もあり、結局、職員の不服申立て制度も法形式上は行政不服審査法の一環とされながら、実定法上、後述するようにいわゆる訴願前置を原則とすること、不服申立て事項を不利益処分に限定することなど、一般の不服審査と異なる取扱いをせざるを得ないこととなっているのである。同じことは共済組合や公務員災害補償基金の決定や給付に対する不服審査についてもいいうることであり、これらが行政不服審査法の一環とされていることは法理論上問題であろう。

〔解　釈〕

一　不利益処分の意義

本条は、不利益処分を行うに際して職員に対し、その事由を記載した説明書を交付しなければならないことを定めているが、この説明書について述べる前に、「不利益処分」の意義を明らかにしておかなければならない。

不利益処分とは、「懲戒その他その意に反すると認める不利益な処分」と規定されており、懲戒処分、すなわち、免職、停職、減給および戒告の各処分が不利益処分となることは明らかである。また、分限処分、すなわち、免職、休職、降任および降給の各処分が不利益処分に該当することもまず問題はない。職員の意思に反しない、あるいは職員の同意の下に行われる免職、休職や降任がここでいう不利益処分に該当するかどうかについては、本条が「その意に反すると認める」……処分と規定している以上、不利益処分には該当しないというべきである。なお、意に反しない免職、休職、降任などは、「分限処分」にも該当しないといってよいであろう。もっとも、形式的には依願免職処分であっても、退職の意思表示が真正なものでない場合には、不利益処分の不服申立てを行うことができるものと解されている（行実昭二七・一二・二三　自行公発第一二二号）。詐欺や脅迫による退職願は本人の意思に反するものであり、それによってなされた退職処分も結局本人の意思に反するものであるので不利益処分に該当することになる。ここで問題になるのは、地方公務員法第二八条の二第一項に基づく管理監督職勤務上限年齢による降任等であり、これも当該職員の意に反する場合は本条の不利益処分に該当し、本来は同法四九の二第一項に基づく審査請求ができるはずであるが、その事由が当該年齢に達したことによる法律の規定によるものであることが明らかであることから説明書の交付は必要ないとされている。

本条第一項は、任命権者が職員の意に反すると「認める」不利益な処分について説明書を交付しなければならないとするとともに、同時に本条第二項は職員が不利益な処分を受けたと「思う」ときは説明書の交付を請求することができるものとしている。そして行政解釈では、不服申立てを行うことができるのは、任命権者が不利益処分と認めたものだけでなく、職員が不利益処分と思うものも含むとされている（行実昭三九・二・一〇　自治公第五号）。このように不利益処分の範囲は、あたかも任命権者と被処分者である職員の双方がそれぞれ主観的に認定するかのように規定され解釈されているのであるが、不利益処分の範囲は、権利の救済制度を公平に適用するという観点からして、客観的に定められなければならない。

懲戒処分および分限処分以外に不利益処分に該当する場合としては、平等取扱いの原則（法一三）、違法な政治的行為を行わなかったことに対する不利益取扱いの禁止（法三六４）に反する身分取扱いおよび職員団体活動に関する不利益取扱いの禁止（法五六）に反する身分取扱いの三つが考えられる。また、育児休業を理由とする不利益取扱いも同様に考えてよいであろう（地公育児休業法九）。なお、職務命令の法的性質が行政処分であることは第三二条の〔解釈〕二㈤で述べたが、それは具体的な業務について、それをなすべきこと若しくはそれをなさないことまたはその方法などを命ずるものであり、それ自体が職員の法的地位に影響を及ぼすことはなく、本条の審査請求の対象にならないのが原則である。しかし、その職務命令が地位を利用した嫌がらせであるような場合であって、それに従わないことを理由とする懲戒処分の可能性があるときは、その取消しを求める法律上の利益が認められることもあり得るであろう。ただ、法律解釈や事実認識、政策判断や必要性の判断などについての意見の違いを理由とする不服は、事実上の不満にすぎず、法律上の不利益をもたらすものではないので、不利益処分に対する不服申し立てを認める余地はない。

問題となるのは、職員の転任が不利益処分に該当するかどうかということである。法制意見は、降任または降給を伴う転任が不利益処分となることはもとより、降任、降給を伴わない転任であっても、不利益処分となる場合があり得るとし、たとえば、公立学校の校長および教員の転任の場合、職務の性質、学校の規模、当該学校に対する社会的評価の程度も不利益処分に該当するかどうかを判断する一要素であるとしている（昭二六・七・二〇　法務府法意一発第四四号）。しかし、転任の発令は、行政上の必要によってなされる職務命令であり、これを不利益処分とすることは問題である。また、この法制意見のような抽象的な基準では不利益処分の範囲をあいまいにするもので、転任の行政手続を混乱させるおそれがあるといえよう。判例は、法律上の地位に何ら不利益な変更を及ぼすことのない転任処分を受けた職員は、処分の取消しを求める訴えの利益を有しないとしている（最高裁昭六一・一〇・二三判決　判例時報一二一九号一二七頁）。転任そのものではなく、転任に伴う降任や降給は、それ自体として不利益処分となるものであり、それが争われるときにあわせて転任が論議されることになるものである。また、転任が明らかに平等取扱いの原則に反するようなときには法定の不利益取扱いの禁止違反の問題として不利益処分に該当することもあり得るであろう。

昇給についても問題となる場合がある。昇給がなされたが職員が不満足である場合、職員の期待に反して昇給がなされなかったときなどに審査請求を行うことができるかどうかが問題となる。これについては、昇給発令が職員の意に満たないものであった場合でも、その昇給自体は職員に不利益を与えているものではなく、また、昇給が行われなかった（昇給が延伸された）場合は、具体的処分があったとはいえないので、いずれも不服申立ての対象とはならないと解されている（行実昭二九・七・一九（自丁公発第一二二号）、最高裁昭五五・七・一〇判決（判例時報九八七号三〇頁））。また、勤勉手当の減額または給与の減額は不利益処分に該当せず、勤務条件の措置要求の対象であるとされている（行実昭三八・一〇・二四（自治丁公発第二九二号）、同昭四一・五・二六（自治公第四一号））。このように一般的には、給与上の取扱いは審査請求の対象ではないといってよいが、例外として、一の措置が勤務条件に関する措置要求の対象となると同時に審査請求の対象となる場合もあり得るとされている（行実昭二七・一・九　地自公発第一号）。この問題については、第四六条の〔解釈〕二を参照されたいが、たとえば、正当な職員団体活動に対して昇給延伸が行われたような場合がこれに該当するであろう。

二　不利益処分の説明書の交付

任命権者は職員の意に反すると認める不利益処分を行う場合においては、その際、その職員に対し、処分の事由を記載した説明書を交付しなければならない（本条1）。また、職員は、その意に反する不利益処分を受けたと思うときは、任命権者に対して処分説明書の交付を請求することができ、この請求を受けた任命権者は、その日から一五日以内に、処分説明書を交付しなければならない（本条２３）。

処分説明書は、処分を受けた職員にその理由を明示するものであり、当該職員に処分が行われた理由を明確に理解させ、納得させることを目的とするものであるが、同時に、それは後述の教示としての機能を果たすもので、もし、当該職員に不服があるときは、救済の道が開かれていることを念のために通知する制度でもある。任命権者は、自らが不利益処分であると認める処分を行うときは、職員の請求をまつまでもなく、当然に処分説明書を交付すべきものであり、「処分を行う場合においては、その際」交付しなければならないものであるから、処分辞令と同時に交付することが原則である。しかし、同時に交付せず、若干時期が遅れて交付がなされてもその効力には影響はない。また、交付がなされたかどうかの事実認定は、辞令の交付の場合と同じであり、直接本人に交付されたとき、または本人が了知しうべき状態に置かれたときに交付の効力が発生する。次に、任命権者が不利益処分でないと判断しても、職員が不利益処分であると思い処分説明書の交付を請求してきたときは、その請求の日の翌日から起算して一五日以内に処分説明書を交付しなければならない（本条23、民法一四〇）。この場合にあっても、処分そのものの効力には関係はない。また、一五日以降に処分説明書が交付されても説明書の効力に影響はない。しかし、職員の主張が全く主観的で、不利益処分ではないことが客観的に明白であるときは、処分説明書を交付する必要はないであろう。このような場合には、文書または口頭で不利益処分ではないことを説明することが適当である。一で述べたように、不利益処分の概念は、当事者の主観によってではなく、客観的に定まっているものであるから、客観的に不利益処分でないことが明白であるものに処分説明書を交付する必要はなく、かりに任命権者が自らあるいは職員の請求によって交付したとしても、それは法律上の意味を持たないものであり、処分説明書を交付したことによって不利益処分でないものが不利益処分となることはあり得ない。

処分説明書の記載事項については、次の教示との関係で述べることとするが、ここで問題となるのは、処分説明書の交付と処分の効力の関係である。この点については、処分説明書の交付は処分の要件ではなく（行実昭二七・九・二〇　自行公発第五四号）、また処分説明書の記載内容あるいは処分説明書のけん欠は処分の効力に影響を及ぼすものではないとされている（行実昭三九・四・一五　自治公発第二一号）。処分説明書の交付は、処分から審査請求に至る行政手続の一部であり、これを欠くことは手続上の瑕疵であるという考えもあろうが、これは行政不服審査のための審査請求者に対する便宜供与的措置であり、行政不服審査法でも教示は処分の効力に影響はないと解されているので、処分の効力とはかかわりのない、別個の手続であると解することが妥当であろう。したがって、処分説明書の交付が遅れた場合においても、処分がなされると同時にすでに処分の効力は発生しているものであり、処分説明書の交付前に審査請求をすること、あるいは処分説明書の交付を請求することなく審査請求を行うこともともとより可能である。行政不服審査法の制定に伴う改正前の不服申立て制度では、説明書の交付または不交付を条件として、それから三〇日以内に審査の請求をすることができるとされていたが（改正前の四九、改正により削除）、改正後は不利益処分そのものについて審査請求期間が計算されることになった（法四九の三）。しかし、処分説明書の交付がなされなかったときは、審査請求に関する教示もなかったことになるので、処分を受けた者は処分庁に対しても審査請求をすることができることになる。処分を受けた職員の場合、任命権者に対しても、また人事委員会または公平委員会に対しても審査請求ができるわけであり、任命権者に対してなされたときは、任命権者がこれを不適法なものとして取り扱うことはできず、人事委員会または公平委員会にこれを送付しなければならない。そして、任命権者に審査請求がなされたときから法令に基づく審査請求がなされていたものとみなされる（行服法八三１３～５）。

三　処分事由の明示と教示

処分説明書には処分の事由、人事委員会または公平委員会に審査請求をすることができる旨および審査請求期間を記載しなければならない（本条１２４）。

まず、処分事由の明示であるが、通常は処分の対象となった行為その他の事実の簡明な指摘と処分の根拠となった法条を引用すれば必要にしてかつ十分である。たとえば、懲戒処分の場合には職員が「○月○日に行った……の行為は○○法第○条に違反するものであり、地方公務員法第二九条第一項第一号の規定に基づき免職処分に付したものである。」、分限処分の場合には職員が「（……の状態）であるので、地方公務員法第二八条第一項第一号の規定に基づき降任させたものである。」というように記述することになろう。この場合、処分辞令書においても適用条文を記述するような場合には、それと斉一のものを記載する必要がある。

不利益処分の審査に当たって、処分者が処分説明書に記載された事由以外の事由を処分の根拠として追加することができるかどうかが問題となるが、これについては積極に解されている（行実昭二六・一一・二〇（地自公発第五一四号）、同昭三四・一二・二五（自丁公発第一五四号））。しかし、この問題は、単純な問題ではなく、まず、分限処分の場合と懲戒処分の場合に分けて考える必要がある。刑事休職以外の分限処分の場合は、職員の「状態」に対する処分であるから、その状態を示す事実の追加は原則として可能であろう。ただし、適格性を欠くことを根拠としていた場合に心身の特定の故障を追加するようなことは、不可能ではないと思うが適当とはいえないであろう。しかし、懲戒処分の場合は、具体的な行為の責任を問う処分であるので、明示された行為以外の行為を追加することは問題である。処分者が処分当時把握しており、その責任を問う意思であった事実以外の事実が後になって判明したときは、これについて別途懲戒処分を行うべきであり、追加理由とすることは消極に解すべきである。もっとも、処分は処分辞令によって行われ、処分説明書は処分の効力とは直接にかかわりのないものであるから、不利益処分の審査請求の審査に当たっては、処分辞令の根拠となった行為または事実をまず確定し、後になってそれ以外の行為または事実の追加を認めないことが妥当な措置であろう。そして処分説明書に記載された処分事由は、処分事由を確定するためのもっとも有力な資料として取り扱うことが適当である。

次に、処分説明書には審査庁の明示が必要である。審査庁は次条第一項の規定により、職員の属する地方公共団体の人事委員会または公平委員会であるが、詳細は次条の〔**解釈**〕を参照されたい。また、処分説明書には審査請求期間を明示しなければならないが、これについては第四九条の三で述べることとする。

ところで、行政不服審査法では、行政庁は審査請求をすることができる処分を書面でする場合には「教示」を行わなければならず、この教示は審査請求をすることができる旨、審査庁および審査請求期間を示し、書面で行わなければならないこととされている（行服法八二）。不利益処分の審査請求制度が行政不服審査法の一環とされていることはこれまで述べてきたとおりであり、したがって、不利益処分についても処分者は教示を行う必要がある。そして、教示について定めた行政不服審査法第八二条の規定は不利益処分に関する審査請求制度については適用除外が明示されていないのであるが、本条第四項が同条の特則であると解されている。したがって、不利益処分に際しては本条第四項の規定によって処分説明書に審査庁および審査請求期間を記載して交付すればよい。処分説明書には、本条第一項および第二項の規定に基づいて処分事由を記載しなければならないが、これは教示の内容ではない。また、行政不服審査法第五七条の教示では審査請求をすることができる旨を記載しなければならないのであるが、本条第四項はそれを要件とはしていない。しかし、審査庁と審査請求期間を記載するのであるから、実質的には同じことであろう。もし、教示がなされなかったとしても、処分の効力に影響がないことは前記の処分説明書の場合と全く同じであり、被処分者は処分庁に対して不服申立書を提出することができる（行服法八三）。

なお、平成一七年（二〇〇五年）四月一日から施行された行政事件訴訟法の一部を改正する法律により、任命権者は、不利益処分を行う場合は、相手方たる職員に対し、当該処分に係る取消訴訟の被告とすべき者、当該取消訴訟の出訴期間および当該処分についての審査請求に対する裁決を経た後でなければ処分の取消しの訴えを提起することができない旨を書面で教示しなければならないこととなっている（行訴法四六１）。また、審査請求があった日から三月を経過しても採決がないときは出訴できることとされている（行訴法八２①）ので、その旨も教示すべきであろう（行訴法四六１２参照）。

（審査請求）

第四十九条の二　前条第一項に規定する処分を受けた職員は、人事委員会又は公平委員会に対してのみ審査請求をすることができる。

２　前条第一項に規定する処分を除くほか、職員に対する処分については、審査請求をすることができない。職員がした申請に対する不作為についても、同様とする。

３　第一項に規定する審査請求については、行政不服審査法第二章の規定を適用しない。

〔趣　旨〕

平成二六年（二〇一四年）法律六一号により行政不服審査法が全部改正され、平成二八年（二〇一六年）四月一日から施行された。これによる改正前の行政不服審査法においては、処分庁に対する不服申立てを異議申立てと、処分庁の上級行政庁などに対する不服申立てを審査請求と称していたが、改正後の同法においては両者の区別を廃し、すべてを審査請求と称することとし、処分庁以外の行政庁に対して審査請求をすることができる場合に、処分庁に対して行う不服申立てを再調査の請求と称することとされている。本条は、人事委員会または公平委員会が自ら行った処分およびそれ以外の任命権者が行った処分のいずれに対する不服についても人事委員会または公平委員会に対してのみ審査請求をすることができることとしているが、審査請求を受ける機関をこの両者に限定したのは、人事の専門的機関であり、第三者機関による公正・妥当な解決を期待するとともに、判断の統一が図られることを期待したものである。なお、職員に対する不利益処分は行政処分であるから、それに不服がある者は、行政不服審査法第四条および第五条第二項の定めるところによって審査請求をすることができる（同法二）のが原則であるが、その勤務の特殊性に鑑み、企業職員および単純労務職員並びに独法職員には同法は適用されないこととされており（地公企法三九１、地公労法一七１、附則５、地方独法法五三１）、条件付採用期間中の職員および臨時的に任用された職員についても行政不服審査法を適用しないとされている（法二九の二１）ので、これらの職員は本条に基づく審査請求をすることはできない。

〔解　釈〕

一　審査請求権者

審査請求を行うことができるのは、「前条第一項に規定する処分を受けた職員」である。前条第一項に規定する処分とは不利益処分であり、その解釈は前条の〔解釈〕の一で述べたところである。「職員」とは、不利益処分を受けた後、現に職員であるものはもとより、職員としての地位にあることを主張している免職された職員も含まれる（行実昭二六・一一・二七地自公発第五二二号、同昭三五・三・二　自丁公発第三五号）。しかし、不利益処分の審査請求は、労働基本権が制限されている職員に対して、任命権者の特定の処分に対する救済として認められた権利であるから、退職手当の支給制限を受けた懲戒免職された職員や職員の相続人などの職員以外の者からの審査請求を認めることはできない。これらの利害関係者の経済的権利については、当事者訴訟の給付の訴えによって解決を図るべきであり、その際に前提となった不利益処分の効力が争われることとなろう。

また、職員の代理人によって審査請求を行うことは可能であるとされているが（行実昭二八・六・二九　自行公発第一二六号）、この実例は、精神疾患のため入院加療中の職員にかかるものであり、このような格別の事情がある場合はやむを得ない措置であろうが、一般的には法律上は可能であるとしても適当な方法であるとはいえない。審査請求は職員本人が行い、審理に際して代理人（法第五一条の人事委員会規則または公平委員会規則に基づく代理人）を選任すれば足りるといえよう。

次に、職員であっても審査請求をすることが認められない場合としては、まず、条件付採用期間中の職員および臨時的任用職員がある（法二九の二1）。条件付採用期間中の職員は、いわゆる試用期間中であり、また、臨時的に任用された職員は短期間の雇用であり、正規の能力の実証もなされていないので、いずれも身分保障をする必要はないものとされているものである。この点についてドライヤー報告書では、臨時職員が不利益処分について不服申立てを提起できないとされていることを公務員制度審議会で検討するよう示唆している（同報告書二一八六項）。ただし、これはいわゆる常勤的非常勤職員に関する示唆であると考えられるので、このような地位の職員をなくすことが先決問題であり、これによって自然に解決されるはずである。この問題は別としても、条件付採用期間中の職員および臨時的任用職員には、分限の規定は適用されないが懲戒の規定は適用されているのであり、懲戒処分を受けたときには身分上、精神上の損失を受けることは避けられないのであるから、立法論としては、これらの職員の懲戒処分に限って審査請求を認めることを検討する余地はあるように思われる。なお、これらの職員が勤務条件に関する措置要求をすることは認められており、また、これらの職員の分限について条例を定め、その限りで身分保障をすることができるので（法二九の二2）、この身分保障に反するときは、審査請求はできないが、地位保全を求める訴えを裁判所に提起することは可能である。

二　審査機関

職員からの審査請求を審査する機関は、職員が属する地方公共団体の人事委員会または公平委員会のみであり、これ以外の機関が審査を行うことはできない（本条１）。公平委員会の事務を人事委員会に委託している市町村の職員または公平委員会を共同設置している地方公共団体の職員の場合は（法七４）、それぞれの人事委員会または公平委員会に対して行うことになる。異なる地方公共団体の職員の職を兼ねている場合には、不利益処分を行った任命権者の属する地方公共団体の人事委員会または公平委員会に対して審査請求を行うべきである。

次に、県費負担教職員（この定義については第四六条の〔解釈〕三参照）の場合には特例があり、この場合の審査請求の審査機関は任命権者の属する地方公共団体の人事委員会とされる（地教行法四七２、地教行法施行令七）。審査請求の審査の場合は、任命権者が懲戒処分または分限処分を行うものであるので、勤務条件の措置要求の審査の場合のように、異なる地方公共団体に勤務条件の管理権者があるというような管理者と審査機関の所属する地方公共団体が異なるといった問題は生じない。

三　行政不服審査法と職員からの審査請求

職員は、人事委員会または公平委員会に対してのみ審査請求をすることができるのであるが、この審査請求には、人事委員会または公平委員会の事務部局の職員が人事委員会または公平委員会によって不利益処分を受けた場合の審査請求およびそれ以外の職員が行う審査請求がある。

次に、行政不服審査法では、広く行政庁の処分および不作為に対して審査請求をすることが認められており（同法二、三）、いわゆる審査請求の対象は一般的概括主義をとり、旧訴願法のような制限列挙主義はとっていない。しかし、職員からの審査請求は、不利益処分に対してのみ認められ、その他の処分および職員がした申請に対する不作為については、行政不服審査法による審査請求をすることができない（本条２）。これは、これらの処分または不作為は当該地方公共団体の組織内部の問題であって、その本来の性質が一般の行政処分とは異なることによるものであり、不利益処分は、職員の利益の保護の観点から、とくに重大な事柄であるので、例外的に審査請求が認められたものであるといってよい。ここでまず、不利益処分自体の範囲について問題があることは前条の〔解釈〕一で述べたところであり、そこで不利益処分に該当しないとされたもの、たとえば、一般的な転任の発令や給与上の措置は、審査請求の対象とならないことは当然である。

また、本条第二項は、不利益処分以外の処分（特定の業務を行うべしとする職務命令など）および職員がした申請（各種の休業の申請など）に対する不作為については審査請求をすることができないとしているが、審査請求は、本来、行政庁の作為や不作為についての国民の不服を解決するのが目的であることから、不利益処分に対する救済以外の場面にまで、職員の利益の確保のために向けられた特別の制度を拡適用するのは適当ではないとの考え方によるものであろう（前条の〔趣旨〕二参照）。

さらに、本条第三項は、行政不服審査法第二章の規定を適用しないとしているが、再調査の請求について定める同法第三章も、不利益処分について再調査の請求を認める法律はないので適用されず（行服法五四1本文）、再審査請求について定める行政不服審査法第四章も、人事委員会または公平委員会の裁決に対する再審査請求は「人事委員会規則又は公平委員会規則で定める手続により、人事委員会規則または公平委員会によつてのみ審査される」（法八8）ので適用され余地がない。さらに、行政不服審査会等について定める第五章のうち、第一節は国の機関に関する規定であり、第二節は審査庁が地方公共団体の長である場合における諮問先（行服法四三1柱書）に関する規定であるから、人事委員会または公平委員会が審査庁である不利益処分についての審査請求に同章が適用されることはない。

（審査請求期間）

第四十九条の三　前条第一項に規定する審査請求は、処分があつたことを知つた日の翌日から起算して三月以内にしなければならず、処分があつた日の翌日から起算して一年を経過したときは、することができない。

〔趣　旨〕

審査請求期間と行政の安定の確保

不利益処分についての審査請求は、処分があったことを知った日の翌日から起算して三月以内または処分があった日の翌日から起算して一年以内にしなければならない。この三月および一年という期間は行政不服審査法による審査請求の場合と同じであるが、同法とは異なり、正当な理由がある場合の宥恕の規定（同法一八参照）は設けられていない。それは職員は一般国民の場合と異なり、公務に従事する者である以上、当然に審査請求制度やその期間を熟知しているべきであり、また、審査請求は行政庁内部の問題であるので、できる限り早期に行政処分の効果を安定させる必要があるとされたからである。行政不服審査一般の場合にも行政秩序の安定をはかる必要はあるが、その対象はひろく国民一般であり、可能な限り国民の権利の救済をはかる必要があると考えられるので宥恕すべき場合もありうるが、職員に対する不利益処分の場合は、相対的に行政秩序の安定が重視されているといえよう。

〔解　釈〕

審査請求期間

職員が不利益処分について人事委員会または公平委員会に対して審査請求を行うことができるのは、原則として、職員が処分があったことを知った日の翌日から起算して三月以内である。「処分があつたことを知つた日」とは、職員に処分が通知された日であり、分限処分や懲戒処分の場合には、それぞれの手続を定める条例（法二八３、二九４）によって辞令を交付して行うこととされているので、通常は当該辞令が交付された日である。その他の不利益処分、たとえば、平等取扱いの原則（法一三）に反する身分取扱いの場合には、それを知った日である。職員が辞令受領のために出頭しなかったり、所在不明であるような場合には、本人が了知しうべき状態に置かれたときに処分の効力は発生するものであり（最高裁昭三〇・四・一二判決　刑集九巻四号八三八頁）、このような場合には内容証明、配達証明の郵送をすることが多いが、その際は辞令が配達されたときが処分があったことを知った日ということになる。また、職員に対し、先日付の辞令が交付されることがあるが、この場合は処分の効力の発生する日をもって処分があったことを知った日であると解すべきである（反対、行実昭四四・六・二四　自治公二第一八号）。たとえば、四月一日付で効力を生じる処分の辞令を三月二六日に交付した場合、三月二七日と四月二日のいずれを審査請求の起算日とすべきかということであるが、先日付の辞令については処分の効力が発生する何日前までに発しなければならないという限度が法律上も条理上もないものであり、もし、処分発効のかなり以前に辞令が交付されるようなことがあるときは、処分発効前に審査請求期間が経過することにもなりかねない。また、処分発効前は当該処分を撤回することも考えられ、処分自体がまだ不安定な状態にあるということもできる。そして、「処分があつた」とは、処分が確定し、現実にこれを争いうる状態に達したときと解することが職員の救済を的確に行う見地からみて条理上妥当であり、文理上の解釈で「処分があつた」とは即ち「辞令の交付があつた」であると単純に解することは形式的解釈に過ぎるであろう。

審査請求は処分があったことを知った日の翌日から起算して三月以内に行うことが原則であるが、かりに、職員が処分のあったことを知らなかった場合、あるいは処分のあったことをずっと後になって知った場合においても、処分があった日の翌日から起算して一年を経過したときは審査請求をすることができない。職員の審査請求期間については、本条に行政不服審査法第一八条第一項および第二項ただし書のような宥恕の規定は定められていないので、本条の審査請求期間を経過したときは、審査請求の権利は絶対的に消滅し、人事委員会または公平委員会は、その申立てを受理することはできず（行実昭三九・七・一七　自治公発第四〇号）、もし、これを受理し、審査してもそれは無効であると解される。なお、審査請求期間の計算は、民法の規定（一三八〜一四三）によって行うものである。

審査請求期間を徒過したため、審査請求をすることができなくなったときは、当該処分の取消しの訴えを裁判所に提起することはできない（法五一の二）。しかし、無効な処分の場合はその無効確認を求める訴えを提起することができる。

（審査及び審査の結果執るべき措置）

第五十条　第四十九条の二第一項に規定する審査請求を受理したときは、人事委員会又は公平委員会は、直ちにその事案を審査しなければならない。この場合において、処分を受けた職員から請求があつたときは、口頭審理を行わなければならない。口頭審理は、その職員から請求があつたときは、公開して行わなければならない。

２　人事委員会又は公平委員会は、必要があると認めるときは、当該審査請求に対する裁決を除き、審査に関する事務の一部を委員又は事務局長に委任することができる。

３　人事委員会又は公平委員会は、第一項に規定する審査の結果に基いて、その処分を承認し、修正し、又は取り消し、及び必要がある場合においては、任命権者にその職員の受けるべきであつた給与その他の給付を回復するため必要で且つ適切な措置をさせる等その職員がその処分によつて受けた不当な取扱を是正するための指示をしなければならない。

〔趣　旨〕

一　審査請求の審査の意義

職員は、不利益処分についてのみ審査請求をすることができるものであり、また、その審査請求はもっぱら人事委員会または公平委員会によってのみ審査されるものである（法四九の二１２）。その趣旨については、第四九条の二ですでに述べたところである。これを要約すれば、職員の身分の保障という見地からみてもっとも重要な処分である不利益処分について、中立、公正かつ専門的な行政委員会によって救済をはかることを趣旨とするものである。

このような行政上の救済手続が定められ、また、それが行政不服審査法に基づくものとされているのは、「簡易迅速な手続」によって職員の権利利益の救済を図り、あわせて行政の適正な運営を確保することを目的とするものである（行服法一

1）。人事委員会または公平委員会が審査請求を審査するに当たっては、簡便な方法で速やかに職員の権利を保護することと、当該地方公共団体の人事行政の適正化をはかることを基本としなければならないものである。

簡易迅速な審理という点に関しては、二で述べる職権審理主義を確立し、裁判で往々見られるような長期にわたる審理を避け、行政秩序を早急に安定させるという見地から敏速に審査し、明確な判断を示さなければならないものである。

また、適正な人事行政の確保という観点からは、人事委員会または公平委員会は、裁判所のように適法、違法の判断のみに限定されるものではなく、運用上の当、不当についても判断しうるものであり、専門機関としての見識を十分に発揮することが期待されているものである。しかしながら、人事委員会および公平委員会といえども、全く自由に独自の見解に基づいて判断しうるものではない。人事委員会および公平委員会は、行政機関として、法律に基づきその範囲内で審査を行わなければならないものであり、具体的には不利益処分が本法その他の人事管理に関する法令に適合して運営されているか否かを判断しなければならない。

二　職権審理主義

人事委員会および公平委員会が不利益処分の審査請求を審査するに当たって、もっとも留意しなければならないのは、職権審理主義の確立である。

審査請求の審査に口頭審理が多く用いられ、民事裁判における法廷技術が利用されることにより、実際の審査請求の審理においては、当事者主義的審理の色彩がきわめて強くなっている状況がみられる。民事事件における当事者主義の審理では、いわゆる「不告不理の原則」によって、当事者の主張に基づいて判断することを建前としており、当事者の主張以外のことについては原則として判断をしないこととされている。

しかしながら、審査請求の審査は、職員の権利の救済とあわせて適正な行政運営の確保をはかることを目的としており、とくに後者の目的を実現するためには、何が法であるか、または何が法の趣旨に適合しているかを判断しなければならないものである。人事委員会および公平委員会は、かりに当事者の主張がなかった事実についても、審理の上で必要な場合には、自らの職権によって積極的に調査を行い、判断をしなければならない。審査請求の審査における職権主義とは、人事委員会および公平委員会が、自らの自主的な権限と責任で判断を行うことを意味する。

職権審理主義を確立しなければならないいま一つの面は、審理の運営に関してである。審査請求については、当事者の主張に左右される誤った「当事者主義」による審理がしばしば見られるところであり、とくに職員団体活動に関連する大量の審査請求の審理、いわゆる「マンモス審理」においては、この当事者主義的審理によって審理が著しく遅延し、審査請求制度の目的の一つである簡易迅速な救済の実を欠いているものが少なくない。簡易にして迅速な権利の救済をはかるためには、人事委員会または公平委員会が職権審理主義に基づいて的確な審理指揮を行い、審理を促進する必要があるといえよう。

職権審理主義の確立に関連して付言しておきたいのは、人事委員会および公平委員会の委員の人事である。委員の選任については、人格、識見などに関する抽象的な資格要件が定められており（法九の二２）、それはきわめて重要な要件であるが、それ以外の実務的な要件の一つとして、公平審理を的確に行うための知識と実行力とをあげる必要がある。人事関係法規に精通するとともに、自らの判断で迅速かつ適正に審理指揮を行う力量を備えていることが公平審理を円滑に行うためには欠くことのできない要件であるといってよい。とくに口頭審理に際しては、裁判官と同様に、事務当局の補助を期待しえないことが少なくないので、委員の選任に当たっては、こうした要件にも適合しているかどうかを十分に検討する必要があろう。

〔解　釈〕

一　審査請求の審査の手続

地方公務員法第四九条の二第一項の規定に基づいて職員から審査請求があり、人事委員会または公平委員会がこれを受理したときは、これらの委員会は直ちにその事案を審査しなければならない（本条１）。また、審査の結果に基づいて、不利益処分の承認、修正、取消しなどの措置を講じなければならない（本条３）。この審査請求の審査の手続およびその結果とるべき措置については、本条に規定されているほか、次条の規定により、人事委員会規則または公平委員会規則で定めることとされている。この規則に関しては、次条で案を示すが、審査の手続の概要と解釈上の問題点は以下のとおりである。

（一）　審査請求の方法

不利益処分を受けた者が審査請求をするときは書面で行わなければならないこととされる。正確を期するため要式行為とされるのである。

審査請求書には、審査請求人の住所、氏名、生年月日、処分を受けた当時の職および所属部局、処分者の職および氏名、処分の内容および処分を受けた年月日、処分があったことを知った年月日、処分に対する不服の理由、口頭審理を請求する場合はその旨および公開、非公開の別、処分説明書の交付を受けたときはその年月日、審査請求の年月日などを記載するものとされ、審査請求人の記名押印が必要である。また、処分説明書が交付されているときは、その写を添付する必要があり、審査請求書の記載事項に変更が生じたときは、そのつど、その旨を人事委員会または公平委員会に届け出なければならない。

（二）　審査請求の調査

審査請求書が提出されたときは、人事委員会または公平委員会は、審理に入るに先立って、その記載事項および添付書類ならびに処分の内容、審査請求人の資格および審査請求の期限などを調査し、これらが審査請求の要件に適合しているかどうか、すなわち、その審査請求を受理すべきか否かを決定する。この場合、審査請求書に不備があり、それがきわめて軽微であって事案の内容に影響がないと認められるとき、たとえば、記載事項のうち日付に単なる誤記があったようなときは、人事委員会または公平委員会は職権でこれを補正することができ、その他の不備で補正が可能であるとき、たとえば、処分説明書の写の添付を忘失したようなときは、一定の期間を定めて、審査請求人に補正を命ずることができる。

調査の結果、任命権者の処分が不利益処分でないことが明らかとなったとき、審査請求人が審査請求をすることができない者であるとき、命じた期間内に補正をしなかったときなどにおいては、人事委員会または公平委員会はその審査請求を却下しなければならない。審査請求を却下するときは教示をする必要はない（行実昭三八・一〇・一四　自治丁公発第二八九号）。また、審査請求期間（法四九の三）を経過してなされた審査請求は、これを宥恕して受理することはできず、却下しなければならない（行実昭三九・七・一七　自治公発第四〇号）。

人事委員会または公平委員会は、調査の結果、審査請求を受理すべきものと決定したときは、審査請求人および処分者にその旨を通知するとともに、処分者に審査請求書の写を送付しなければならない。審査請求を却下するときは、審査請求人にその旨を通知すれば足りる。

㈢　審査の併合と分離

人事委員会または公平委員会は、同一または相互に関連する事案に関する数個の審査請求を併合して審査することが適当と認められるときは、職権で、または審査請求人の申請に基づき、これを併合して審査することができる。たとえば、一の集団的行為によって二人以上の者が処分を受け、二人以上の者が審査請求をしたような場合は、証拠調べその他の点で経済的であるので、これらを併合して審査することが適当である。審査を併合して行うことを決定した場合には、審査請求人および処分者にその旨を通知しなければならない。二人以上の審査請求を併合して審査するときは、審査請求人のうちから代表者一人を選任することができ、その場合、代表者の氏名を人事委員会または公平委員会に通知しなければならない。また、代表者が選任されたときは、審査請求人に対する通知その他の行為は代表者に対して行えば足りるものである。

次に、人事委員会または公平委員会は、併合した審査を分離することができる。規則案には規定されていないが、同一人からなされた一の審査請求を、事案の審査の便宜から事項別に分離して審査し判定することも可能であろう。たとえば、同一の職員からなされた転任処分と懲戒処分の審査請求を事案の難易に応じて分離し、軽易な事項については早期に決着をつけることなどである。また、一旦、分離した審査を事情により改めて併合することも可能であろう。審査を分離した場合も、併合の場合と同様に、審査請求人および処分者に通知しなければならない。

審査の併合または分離に関連して、実際にしばしば問題となるのは、いわゆる「マンモス審理」である。たとえば、争議行為等が行われて大量の処分が行われ、これに対して審査請求が行われたような場合には、同一の事件によって提起された事案であるため、大量の職員を対象とする審理――マンモス審理――が行われることが多い。しかし、このような審理は、対象者が一定の限界を超えると審理の能率を著しく低下させることが多く、また、事案の性質上、審理の秩序を保持する上でも問題が生じがちである。このような場合には、同一事案であっても、当初から、あるいは一旦併合した後、分離して適正な規模で審理を行うことが適切である。こうした場合の審査の併合と分離とは、民事裁判における弁論の分離、併合（民訴法一五二1）にならって、人事委員会または公平委員会が弾力的に実施すべきものといえよう。

なお、マンモス審理に関連してしばしば問題となるのは、多勢の職員が審査請求のために職務専念義務の免除を申請し、公務に支障が生じる場合があることである。職員の権利の行使のための職免と公務遂行の必要性との調整が必要となるが、このような場合に審査の分離を行うことも一つの方法であり、また、審理を勤務を要しない日に行うなどの工夫をする必要があろう。

㈣　審査の委任

人事委員会または公平委員会が審査請求の審査を行う場合には、最終的な裁決を行うことを除き、委員または事務局長に、審査の権限を委任することができる（本条２）。人事委員会は、人事行政に関する事項についての調査など一定の事務で人事委員会規則で定めるものを当該地方公共団体の他の機関または人事委員会の事務局長に対して委任することができ（法八３）、人事委員会または公平委員会は職員の苦情を処理する事務を委員または事務局長に委任することができる（法八４）とされているが（それぞれの詳細については第八条の**【解釈】三**および**四**を参照されたい。）、本条第二項は、不利益処分に対する審査請求の重要性と現実の必要性を考慮して、それについての最終判断である裁決は必ず人事委員会または公平委員会が自ら行うことを前提として、その審査の一部を委員または事務局長に委任することができるものとしたのである。昭和三七年（一九六二年）の行政不服審査法の制定に伴う地方公務員法の一部改正が行われるまでは、明文の規定はないままに、同法第八条第六項の証人喚問、書類提出などの権限の委任や代理を行うことが行政解釈（法制意見昭三五・一一・二一　一発第一九号）によって認められていた。この改正でこれを法律上明確にして審査の弾力的な運用をはかり、簡易迅速な救済手続としての実を挙げることとされたものである。

この委任は、委員または事務局長の一人または二人に対して行われるもので、本来、委員会は合議制の行政委員会として委員全員が一体となって審理すべきものであるから、規則などであらかじめ包括的に委任を定めておくことは妥当でない。事案が係属するつど、当該事案の内容に応じて、個々の審査案件ごとに決定すべきである。委任の方法は、人事委員会または公平委員会が、その他の議事と同様に決すべきものである（法一一）。

㈤　当事者の代理人

審査請求人および処分者は、審理のための代理人を選任することができる。これはあくまでも審理のための代理人であって、審査請求自体の代理人ではない。代理人が選任されたときは、その氏名、住所および職業を人事委員会または公平委員会に届け出なければならない。代理人は、それぞれ審査請求人または処分者に代わって審理に関する行為をすることができ、その行為の効果は、それぞれの本人に帰属する。また、その法律上の性質は、民法上の代理（民法九九）または委任（民法六四三）であると解されるが、審理の便宜と促進の上から、審理に関する一部の権限のみの委任は認めるべきではないと考える。地方公共団体の長が処分者である場合に、吏員以外の者に代理させることができるかどうか問題があり、かつては地方自治法第一五三条第一項の反対解釈として、吏員以外の者に代理させることはできず、弁護士を代理人としようとするときは、その弁護士を吏員相当の嘱託に任命しなければならないとされていたこともあった。しかし、地方自治法第一五三条は、地方公共団体の長の権限として法定されている権限を再分配するための法律上の根拠規定であり、公平審理の代理人のように私法上の代理または委任は公法上の権限の分配とは関係がないといわなければならない。現在、弁護士を代理人として選任する場合は吏員でなくてもさしつかえないとされているが（行実昭三九・一二・二二　自治公発第六八号）、弁護士以外の者であっても自由に選任してさしつかえないであろう。

次に、必要以上に多数の代理人が選任される事例があるが、このような場合に人事委員会または公平委員会がこれを制限できるかどうかが問題となる。代理人の選任自体は当事者と代理人の間の実体的な法律行為であり、これを取り消すためには、法律上の根拠が必要であると考えられる。したがって、法律上の根拠がない現在、それは不可能と考えられるが、人事委員会または公平委員会が公平審理の規則で定めるところにより、あるいは審理指揮により、審理に出席できる代理人の数を制限することは可能であると解される。この場合の制限は「数」についてであり、具体的な人物について制限することはできないというべきであろう。人事委員会または公平委員会は、当事者がこの制限に従わないときは当日の審理を行わず、あるいは打ち切ることができる。

また、審査請求人の代理人に職員が選任された場合、当該職員に職務専念義務を免除すること（法三五）ができるかどうかが問題となる。審査請求人と当該代理人である職員との関係は、私的な関係に過ぎないのであるから、審査請求人自体に職務専念義務の免除を認めることは格別、代理人である職員に職務専念義務の免除を認めることは、私的な事由を公務に優先させることになり、適当ではない。このような場合は、年次有給休暇によって措置すべきである。なお、処分者の代理人である職員は、職務そのものとして審理に参加するものであり、職務専念義務免除の問題が生じる余地はない。

㈥　審査の方法

人事委員会または公平委員会が審査請求を審査する方法は、原則としてその裁量に任されており、書面審理、口頭審理のいずれによることも、また両者を併用することもできる。しかし、処分を受けた職員から口頭審理の請求があったときは、必ず口頭審理を行わなければならず、また、口頭審理は職員から公開して行うべき旨の請求があったときは、必ず公開して行わなければならない（本条１後段）。審査の方法に関して問題となるものの一つに、審査に当たる委員または事務局長の忌避の問題がある。委員の忌避は認められないとされているが（行実昭二七・六・六　地自公発第一八六号）、当該職員の処分者であった者が委員に就任している場合など全く問題がないわけではない。しかし、忌避は委員などの法律上の権限を制限することになるものであるから、法律上の根拠が必要であろうし、また、かりにそのようなことを認めるとすれば予備委員などの制度を考慮する必要があろう。現行法の下では、認められないものといわざるを得ない。

次に、審理の場所であるが、人事委員会または公平委員会が所在する庁舎内で行うことが普通であろう。しかし、多人数の審理の場合に別途、会場の借上げを行うこともあろうし、審理の必要上、いわゆる出張審理を行うこともあり得よう。公平委員会の事務の委託（法七４）を受けた人事委員会が、当該市町村に出張して審理することが便宜である場合もあり得よう。しかし、いずれの場合においても、人事委員会または公平委員会が職権で決定すべき事柄である。

書面審理および口頭審理の概要は、以下に述べるとおりである。

１　書面審理　書面審理を行う場合には、人事委員会または公平委員会は審査請求人に対して必要な証拠の提出を求め、他方、処分者に対しては期日を定めて答弁書および必要な証拠の提出を求める。人事委員会または公平委員会は、答弁書が提出されたときは審査請求人にその写を送付し、必要があると認めるときは期日を定めて審査請求人から反論書の提出を求める。このように書面審理においては、当事者双方から書面による主張と証拠の提出を求め、人事委員会または公平委員会の心証を形成し、判定を行うものである。書面審理の場合も、人事委員会または公平委員会は事実を発見するために必要なときは、証人を喚問し、または書類若しくはその写の提出を求めることができる（法八６）。人事委員会または公平委員会は、原則として何人でも証人として喚問することができるが、当事者およびその職務上当事者の権限に属する事務の処理に関係し当事者に準ずる地位にある者は、証人たり得ないものと解されている（行実昭三四・五・一二　自丁公発第六一号）。後述するように、証人が偽証すれば罰則の適用があり、本人に不利な供述を強いることは許されないからである（憲法三八１）。この場合、「当事者に準ずる地位にある者」とは、たとえば、教育委員会が処分庁である場合の教育委員などである。人事委員会または公平委員会が証人を喚問しようとするときは、その者の氏名、住所および職業、出頭すべき日時および場所ならびに陳述を求めようとする事項を記載した呼出状によって行う。場合によっては、証人の口頭による陳述に代えて、呼出状と同様の事項を記載した書面により、口述書の提出を求めることもできる。また、人事委員会または公平委員会が必要であると認めるときは、証人相互の対質を求めることも可能である。証人が証言を行う場合には、それに先立って宣誓をしなければならないものである。

次に、人事委員会または公平委員会は、審理に必要な証拠となる書類を所持する者に対し、その書類または写の提出を求めることができる。その提出命令は、提出すべき者の氏名、住所および職業、それを提出すべき日時および場所ならびに提出すべき書類またはその写の各事項を記載した書面によって行う。

人事委員会または公平委員会から書面審理のため証人として喚問を受け、正当な理由がなくこれに応ぜず、若しくは虚偽の陳述をした者、または書類若しくはその写の提出を求められ、正当な理由なくこれに応ぜず、若しくは虚偽の事項を記載した書類若しくはその写を提出した者は、三年以下の拘禁刑または一〇〇万円以下の罰金に処せられる（法六一①）。職員の身分上の権利を保障するため、真実の発見を刑罰によって保障することとしているのであり、勤務条件の措置要求の審査についてはは刑罰の保障がないことと対照的である。なお、職員が証人として喚問され、職務上の秘密に属する事項を証言するときは、任命権者の許可が必要である（法三四２）。任命権者がその許可を求められた場合には、法律に特別の定めがない限り、これを与えなければならない（法三四３）が、本条の審査についての特別の定めはない。

人事委員会または公平委員会は、書面審理を実施したときは、そのつどその要領を記載した審理調書を事務職員に作成させ、審理を担当した人事委員会の委員若しくは事務局長または公平委員会の委員が記名押印しなければならない。

２　口頭審理　人事委員会または公平委員会が行う口頭審理は、当事者の口頭の陳述を中心に置いて審理を進めるものであり、当事者の発言を直接に聞くことによって、より具体的な心証を形成することができるといわれている。書面審理は当事者の主張を文書で明確、確実に理解できるという長所があるのに対し、口頭審理は印象が具体的で弾力的な審理が可能であるという長所があるといえよう。

口頭審理は当事者の口頭による陳述を主体として審理を進めるものではあるが、それは決して当事者主義的な審理を意味するものではない。〔**趣旨**〕で述べたように、人事委員会または公平委員会は、職権主義によって審理を進めなければならないものである。もし、当事者の立証が不十分であるときは、人事委員会または公平委員会は自ら職権で真実を発見しなければならないのである。

人事委員会または公平委員会は、口頭審理を能率的かつ効果的に行うために、それに先立って準備手続を行う必要がある。準備手続は、人事委員会の委員または事務局の職員が主宰し、口頭審理の期日、当事者の主張および証拠の提出方法などについて当事者と協議を行うものである。準備手続は、口頭審理全体のはじめだけでなく、その中途においても必要に応じて開催し、次回以降の審理の促進をはかることが適当である。準備手続を行ったときは、そのつど準備手続調書を作成し、担当の委員または事務職員が記名押印しておくべきである。

準備手続に基づいて口頭審理を行うときは、人事委員会または公平委員会は、各口頭審理のつど、その日時および場所を当事者に通知しなければならない。

口頭審理に当たり、当事者はいつでも証拠の提出を申し出ることができるが、証拠として取り調べるか否かは人事委員会または公平委員会が判断するところによる。人事委員会または公平委員会が証人を喚問する場合、一定事項を記載した呼出状によること、証人に宣誓を行わせること、証人に対し陳述に代えて口述書の提出を求めうることなどは書面審理の場合と同じである。また、証人相互の対質を求めることができることも同様であり、そのほか口頭審理の場合には、人事委員会または公平委員会は、自ら当事者に質問し、あるいは立証を求めることができるものであり、さらに、当事者相互または当事者と証人との間で対質（これらの者を相対させて質問すること）を求めることもできるものである。

次に、人事委員会または公平委員会が書類またはその写を所持している者に対して、当該書類またはその写の提出を求める場合に、一定の事項を記載した書面を交付して行うべきことは書面審理の場合と同じである。そして虚偽の証言をした証人、書類またはその写を提出しなかった者などについて罰則の適用があること（法六一①）も同様である。

人事委員会または公平委員会が口頭審理を進めるに当たって職権審理主義によるべきことはこれまでも述べてきたところであるが、具体的には、人事委員会または公平委員会は自ら当事者または証人に質問を行い、これらの者が発言しようとするときは許可を与え、審理指揮に従わない者の発言を禁止し、審理を妨害し、職務の執行を妨げる者あるいは不当な行為をする者を退席させ、口頭審理が混乱したときはこれを打ち切るなど、秩序ある口頭審理を維持するための措置を積極的に行使しなければならないものである。公開の口頭審理に当たって傍聴人などの取締りを行うことも人事委員会または公平委員会の権限であり、そのための規則を制定することも可能であるとされている（行実昭二六・一一・二〇　地自公発第五一二号）。この場合、人事委員会または公平委員会は、審理指揮権の一部として取締りを行うものであり、財産管理権に基づく措置は地方自治法に基づいて行使すべきものである（同法一四九⑥）。また直接強制を行わざるを得ないときは権限ある司法当局に依頼することになる。

人事委員会または公平委員会は、口頭審理を行ったつど、その要領を記載した審理調書を事務職員をして作成させ、審理を担当した委員または事務局長および審理調書を作成した事務職員が記名押印すべきものである。この場合、審理調書は速記であっても要点筆記であってもさしつかえない。審理調書は、人事委員会または公平委員会が作成しなければならない議事録（法二一4）の一つである。審査請求を行った者は当然にその閲覧請求権を持つものではないが（最高裁昭三九・一〇・一三判決　判例時報三九四号六四頁）、閲覧の便宜を与えることはもとよりさしつかえない。

二　審査請求の取下げおよび審査の打切り

㈠　審査請求の取下げ

審査請求人は、処分の理由を納得したとき、処分の無効を処分庁が確認したときなど、審査請求を維持する必要がないと考えるに至ったときは、人事委員会または公平委員会が裁決または決定を行うまでの間は、いつでも審査請求の全部または一部を取り下げることができる。審査請求の一部の取下げとは、たとえば、数個の処分の取消しを求めているような場合に、一部の処分についての取消しを取り下げるような場合である。審査請求の取下げは、人事委員会または公平委員会に対して書面で行わなければならない。審査請求の取下げがあったときは、当初から審査請求がなかったものとみなされる。一旦、審査請求を取り下げた後に、再度同一事案について審査請求を行うことは、前述の審査請求の期間内（原則として処分があったことを知った日の翌日から起算して三月以内）であればさしつかえないが、前回の審査請求によってこの期間が中断することはない。

㈡　審査の打切り

人事委員会または公平委員会は、審査請求人が相当の期間所在不明である場合、処分庁が処分の無効を確認した場合など、審査を継続することができないと判断した場合、または審査を継続する実益がなくなったと認める場合には、審査を打ち切ることができる。審査請求人が審査の継続中に死亡したときは、それにより審査を継続することができなくなったと認める場合においては審査を打ち切ることが適当であるとされているが（行実昭二六・九・四　地自公発第三八八号）、この場合には審査を打ち切ることが適当とか不適当とかいう問題ではなく、打ち切るべきものと解する。審査請求人の死亡によって勤務関係は絶対的に消滅するものであり、審査請求の相続ということは考えられず、さらに審査請求人の死亡によりその後は本人の主張や弁明の機会が失われ審査を継続しても不公平な取扱いとなるからである。退職金その他の遺族の経済的利益の問題は残るが、この場合には、裁判所に給付の訴えを提起すべきであろう。また、死亡者の名誉も問題となるが、審査請求、裁判のいずれにおいてもその回復をはかることは当事者適格の点から困難であるといわざるを得ない。しかし、審査請求をした職員がその後退職した場合には、その請求の利益が失われることがないものについては審査を継続すべきものとされている（行実昭三七・二・六　自治丁公発第一〇号）。免職された職員であっても審査請求をすることができる以上、退職者については審査請求の継続を認めるべきであり、職員であったことによる本人の利益を保護する実益があるといえよう。

三　審査の結果とるべき措置

人事委員会または公平委員会は、審査を終了したときは、その結果に基づいて、不利益処分を承認し、修正し、または取り消し、また必要があるときは、任命権者に給与その他の給付の回復などの適切な措置を講じるよう指示をしなければならない（本条3）。このような人事委員会または公平委員会の処分の承認、修正若しくは取消しまたは指示は、次条の人事委員会規則または公平委員会規則の定めるところにより、「裁決」という形式で行われる。

人事委員会または公平委員会は、裁決にあたり、違法、適法の判断だけでなく、当、不当の判断も行うことが裁判と異なる特色であるが、この判断は、まず、処分権者が職員に一定の処分事由が存在するとして処分権限を発動したことの適法性及び妥当性についてなされ、次に当該処分事由に基づき職員に対しいかなる法律効果を伴う処分を課するかという処分の種類及び量定の選択、決定に関する適法性及び妥当性についてなされる。そして、この判断の結果は、本条第三項に定められている次の三種類のいずれかになる。

(一)　処分の承認

人事委員会または公平委員会が処分権者の処分を適法かつ妥当と認めたときは、これを承認する裁決を行う。この裁決は、不服申立人に対する応答という形で行われ、申立てを「棄却」するという形式をとる。

(二)　処分の修正

任命権者が処分を行ったことに理由はあるが、処分の量定が不適当であると判断したときは、人事委員会または公平委員会は処分を修正する裁決を行う。処分の量定が不適当であるとして行う修正には二種類あり、一つは処分の種類を変更すること、たとえば、懲戒処分の場合に減給処分を戒告処分に改めるようなことであり、他の一つは処分の種類は同一のままでその量定を軽減すること、たとえば、同じく懲戒処分の場合に停職三カ月を停職二カ月に修正するようなことである。これらのいずれの場合にあっても、原処分が一体として取り消されて消滅し、人事委員会または公平委員会が新たな内容の懲戒処分をしたものと解するのではなく、修正裁決は、原処分を行った懲戒権者の懲戒権の発動に関する意思決定を承認し、これに基づく原処分の存在を前提としたうえで、原処分の法律効果の内容を一定の限度のものに変更する効果を生ぜしめるにすぎず、修正裁決によって、原処分は、当初から修正裁決による修正どおりの法律効果を伴う懲戒処分として存在していたものとみなされる（最高裁昭六二・四・二一判決　判例時報一二四〇号一三六頁）。

人事委員会または公平委員会は、これらのいずれの方法によって処分を修正する場合においても、処分をより重く修正することはできない。すなわち、処分権者の処分を上限として、その範囲内で修正しなければならない。人事委員会または公平委員会は、職員の利益を保護するための機関であり、不服申立てはその救済手続であるので、職員の利益のためにのみ修正を行うべきものと考えられるからである。

また、人事委員会または公平委員会は、分限処分を懲戒処分に改めることはもちろん、懲戒処分を分限処分に改めることもできない（行実昭二七・一一・一一　自行公発第九三号、法制意見昭三三・八・二五　法制局一発第二五号）。分限処分と懲戒処分とは、処分の基礎が異なるので、このようなことは処分の「修正」ではなく「変更」となるものだからである。

㈢　処分の取消し

任命権者の処分が違法または著しく不適当であるときは、人事委員会または公平委員会は処分の取消しの裁決を行う。処分の瑕疵が取り消しうべき瑕疵以上に重大であるとき、すなわち、重大かつ明白な瑕疵があるときは、本来、処分の無効を宣告する判定を行うべきであろうが、本条第三項ではその種の判定は規定されていないので、処分の無効を確認し、かつ、宣言する趣旨を判定書の理由で明らかにした上、「取消し」の判定が行われることになろう。

以上のほか、公平審理に先立つ調査の結果、審査請求が不適法な場合に、これを却下すべきことは一㈡で述べたところであるが、却下は厳密な意味での本条第三項に基づく決定ではなく、ここでいう決定は棄却、修正および取消しに限られる。しかし、却下の場合も実際には決定と同じ形式で行われることになろう。また、地方公務員法第三七条第一項の規定に違反して争議行為等の実行行為またはその助長行為を行ったときは、同条第二項の規定により、その行為の開始とともに法令などに基づく「任命上又は雇用上の権利をもつて対抗することができなくなる」ので、同条違反の処分に対する審査請求の審査に当たり、同条違反が明らかになった時点でその申立てを却下すべきであるとする意見もあるが、同条第二項の規定は同条で説明したように沿革的、精神的規定であり、また、同条違反の事実は実質審査によってはじめて判明するものであるから、「却下」ではなく「棄却」の決定をすべきものと解される。

処分の修正または取消しの決定が行われたときは、その決定は形成的効力を有し、任命権者の何らの処分をまつことなく裁決に従った効力を生ずる（行実昭二七・九・二〇　自行公発第五三号）。たとえば、免職処分が取り消されたときは、その裁決により被処分者は処分の時に遡ってその身分を回復し、地方公共団体は原則としてその間の給与を支給しなければならない（行実昭二八・八・一五　自行公発第一八〇号）。

本条第三項では、人事委員会または公平委員会は、審査の結果必要があると認める場合には、審査請求人が受けるべきであった給与その他の給付を回復させるなどの不当な取扱いを是正するための指示をしなければならないと規定されている。

不利益処分が行政処分であるときは、処分の取消しまたは修正によって給与上の是正措置を講ずる義務が自動的に生ずるので、これについてあえて指示する必要はないであろう。また、処分が承認された場合に、この指示だけが行われることはあり得ないと解される。不利益処分が厳格な意味での行政処分でない場合、たとえば、正当な組合活動を理由とする給与上の差別的取扱いのような場合には、これを是正すべきときは処分の修正または取消しではなく、給与上の是正を指示するだけの裁決も行われることがあり得るであろう。そもそも、本条第三項の後半の規定は、不利益処分の本体である処分が修正または取り消され、これに付随する不当な取扱いの是正措置が必要な場合に、そのことを裁決であわせて指示すべき旨の念のための規定であり、このような形で指示をしなければならない実際上の必要性はほとんどないように思われる。この指示は、法律上形成的な効力を持つものとは解されないが、任命権者はその指示に従う義務を負い、この義務に故意に違反したときは、一年以下の拘禁刑または五〇万円以下の罰金に処せられる（法六〇③）。

次に、判定の形式であるが、裁決は、裁決（主文）、理由および裁決の日附を記載し、人事委員会または公平委員会の委員全員が記名押印した書面（裁決書）によって行われる。裁決書は、その写を当事者の双方に送達しなければならない。また、当事者には、人事委員会または公平委員会の規則で定めるところにより、これらの委員会に対して再審の請求ができる旨をあわせて通知すべきである。しかし、この通知は、行政不服審査法に基づく教示ではなく、後述するようにもっぱら地方公務員法に基づく再審制度上の措置である。

人事委員会または公平委員会が裁決を行うべき期限についての法律の定めはないが、裁決の時期がいたずらに遷延するようなことは簡易迅速な行政救済の趣旨にもとることは明らかである。また、処分の取消しの審査請求の場合、それが行われた日から三カ月経過しても判定がなされないときは、地方公務員法第五一条の二の審査請求前置の規定にかかわらず出訴しうるものとされていること（行訴法八２①）からして、審査請求の審査は少なくとも審査請求があった日から三カ月以内に決定を行うよう運用上の努力を払うべきものといえよう。

四　再　審

　通常の行政不服審査においては、審査の結果を不服とする一定の場合に再審査請求の道が開かれている（行服法六、第四章）。しかし、人事委員会または公平委員会の裁決については、行政不服審査法による再審査請求は適用する余地がないものであり、これに対しては、もっぱら地方公務員法の規定によって再審が行われる。そしてその再審は、同法第三章第八節第四款の不利益処分に関する審査請求の規定に直接基づくものでなく、同法第二章人事機関の規定中、人事委員会および公平委員会の権限に基づいて行われるものである。すなわち、同法第八条第八項は、人事委員会および公平委員会の勤務条件に関する措置要求または不利益処分の審査請求に対する判定または裁決は、これらの委員会の規則で定めるところにより、これらの委員会によってのみ審査されることを規定しており、審査請求の裁決の再審はもっぱらこの規定に基づいて行われるものである。また、勤務条件の措置要求に対する判定について再審を申し立てることは、勤務条件に関しては何度でも同一の要求をすることが可能であり、判定そのものが法律的な拘束力をもたないので、実際にはあり得ないといってよく、同法第八条第八項の規定による再審は、もっぱら審査請求に対する裁決についてのみ行われるものである。なお、立法技術として、再審の規定は、本条中に規定しておくことがより適切であるといえよう。

　再審の事由および具体的な手続は、同法第八条第八項の規定に基づき、次条の規定に基づく人事委員会または公平委員会の規則中に定めるのであるが、その要点は次のとおりである。

㈠　再審の事由

再審を行うことができるのは、次の事由がある場合に限られる。

⑴　裁決の基礎となった証拠が虚偽のものであることが判明した場合

⑵　事案の審査の際提出されなかった新たな、かつ、重大な証拠が発見された場合

⑶　裁決に影響を及ぼすような事実について判断の遺漏が認められた場合

行政不服審査法の再審査請求は、審査請求の裁決に不服がある場合にこれを行うことができるものであり（同法六１）、そ

の事由について特別の限定はないが、職員の再審の事由が前記のように限定されているのは、同一審査庁による審査であるためであり、また、処分や判定を裁判所で争うことはなんら妨げられていないので（法八9）、とくに人事委員会または公平委員会が、自らの裁決を再検討することが当然である場合に限定されたものであると考えられる。

㈡　再審の手続

人事委員会または公平委員会は裁決が㈠のいずれかの事由に該当すると認めたときは、当事者の申立てにより、あるいは自らの職権で審査を開始することになる。当事者が申立てを行うときは、規則案では裁決のあった日の翌日から起算して六月以内に書面で行わなければならないものとされている。その書面には、再審請求者の氏名、住所および生年月日、裁決の内容および時期ならびに再審を請求する理由を記載し、請求者が記名押印しなければならない。この場合、不利益処分を行った処分庁も、裁決に不服があり前記㈠の事由に該当するときは、再審の請求を行うことができるのが特色である。第五一条の二で述べるように、裁決を不服とする出訴は、被処分者のみが行うことができるのと対照的である。そして、被処分者は、再審の請求をすることなく、直ちに裁決または原処分について出訴することができることはもとより、再審の請求と出訴とを同時に、あるいは並行して行うことも可能である。

当事者から再審の請求がなされたときは、人事委員会または公平委員会は、再審請求書の記載事項、請求者の資格、請求の期限、請求の事由等について再審に先立って調査を行う。調査の結果、請求が適法でないときはこれを却下してその旨を請求者に通知し、それが適法になされているときはこれを受理して請求者にその旨を通知するとともに、他方の当事者に再審請求書の写を送付しなければならない。

次に、再審の手続については、審査請求に関する書面審理の規定が準用される。規則案では、口頭審理の規定は準用されていないが、再審の理由が事理明白なものに限定されており、また、審査請求の審理の際に口頭審理の機会がすでに与えられているのでもっぱら書面審理を用いることとされたのであろう。再審の審理における証拠の提出、答弁書または反論書の提出、証人の喚問、書類またはその写の提出命令などは、すべて前記一㈥1で述べたところと同じである。ただし、正当な理由なく証人としての喚問に応じなかったり、書類またはその写等を提出しなかったりした者に対する罰則（法六一①）については、「第五十条第一項に規定する権限の行使に関し……」と規定されており、再審は前述のように地方公務員法第八条第八項の規定に基づく権限の行使であるので、再審に関して罰則を適用することは疑問である。罪刑法定主義を厳格に解するならば、否定的に考えるべきであろう。

人事委員会または公平委員会は、再審の結果、次のいずれかの措置をとることになる。

１　裁決の承認　裁決が妥当であると認めた場合にこれを確認するものである。

２　裁決の修正　裁決の内容が不適当であると認めたときは、裁決の修正が行われる。裁決が修正されたときは、処分がなされたときに遡って修正後の裁決の効力が生じることになる。

３　新たな裁決の決定　当初の裁決を維持すべきではないことが明らかとなったときは、新しい裁決を行う。新しい裁決が処分の修正または処分の取消しの場合は、当初の裁決は取り消され、処分がなされたときに遡って新しい裁決の効力が生じる。新しい裁決が原処分の承認であるときは、問題はやや複雑である。まず、その前提として当初の裁決よりも厳しい新たな裁決を行うことができるかどうかが問題であるが、処分庁にも再審を認めている以上、審査請求に対する裁決のように被処分者に原処分よりも不利な裁決を行うことができないとすることは不合理であり、これを積極に解すべきであろう。そして、当初の裁決を取り消して原処分を承認する新たな裁決を行うことは、原則として被処分者にとって不利な変更になるものである。そこで、その不利な変更の効力がいつから発生するかが問題となる。当初の裁決により、原処分のときに遡って有利な状態が生じているのであるが、新たな裁決の効力も原処分のときに遡って発生させるべきであるという考え方もあり得る。たとえば、停職三カ月の原処分が当初の裁決で同二カ月に修正され、さらに再審の結果の裁決で原処分が承認されたような場合には、時期的に遅延していないときは、原処分のときに遡って効力を発生せしめてよいであろう。しかし、たとえば停職の原処分が当初の裁決で減給に修正されたり、原処分が当初の裁決で取り消されたような場合で、再審の判定で原処分を承認したようなときは、過去に遡ることが実際問題として困難なので、新たな裁決のときから原処分の効力が生じると解さざるを得ないであろう。要するに、再審の結果、原処分を承認する新たな裁決がなされたときの原処分の効力の発生の時期に、個々の処分および裁決の事案について事理に即して判断するほかない。なお、当初の裁決を取り消すという形式で再審の裁決を行うことは、通常は原処分を承認したものと理解してよいであろうが、処分自体の結果が不明確となるおそれがあるので、原処分を承認するという形で裁決を行うことが運用上適切である。

再審の結果、人事委員会または公平委員会が裁決を行ったときは、不服申立てに対する裁決の場合の裁決書の例により裁決書を作成しなければならない。また、その裁決においては、裁決の承認、裁決の修正または新たな裁決を行うほか、必要な場合には給与の回復その他の不当な取扱いを是正するための指示を行うことができるが、審査請求の審査の場合と同様に実際にはほとんどこれを行う必要はないであろう。

五　審査および再審に要する費用

次条の規則案においては、審査請求に関する審査または再審に要する費用のうち、次のものは地方公共団体が負担するものとされている。

(1)　人事委員会または公平委員会が職権で喚問した証人のうち、当事者が申請した証人以外のものの宿泊料、旅費および日当

(2)　人事委員会または公平委員会が職権で行った証拠調に要した費用

(3)　人事委員会または公平委員会が文書の送達に要した費用

以上のうち、問題となるのは(1)であり、これによると当事者が申請した証人の費用は、処分庁が申請したものは処分庁が証人に対して支払い、審査請求人が申請したものは審査請求人が直接証人に支払うことになる（行実昭三六・三・一〇　自治丁公発第一七号）。このように当事者が申請した証人の費用を、それぞれの当事者が負担することとされているのは、当事者があまりに多数の証人の喚問申請をすることを費用の面からセーブする趣旨であると考えられる。しかし、審査請求および再審の審理はすべて職権主義に基づいて行われ、当事者が申請した証人であっても人事委員会または公平委員会が審理のため

に必要であると判断して、その職権で喚問するものであるから、それは地方公共団体の職務の遂行のために喚問されるものであり、その費用は地方公共団体が負担することとすべきであろう（自治法二〇七参照）。もし、多数の証人の喚問申請がなされても、人事委員会または公平委員会は、真実の発見に必要と考えられる場合には相当数の証人を喚問すべきであるし、不必要と認められる証人申請は、いかに当事者が主張しても躊躇なく却下すべきものである。

（審査請求の手続等）

第五十一条　審査請求の手続及び審査の結果執るべき措置に関し必要な事項は、人事委員会規則又は公平委員会規則で定めなければならない。

職員の審査請求制度は、行政組織の内部の制度であるが、職員の身分保障という公務員制度の基本にかかわる重要な制度であり、その運用は厳正かつ公平に行われなければならないものである。このような趣旨から、審査請求の手続および審査の結果とるべき措置に関して必要な事項は、本条によって人事委員会規則または公平委員会規則で定めることとされている。

また、地方公務員法の審査請求制度は、行政不服審査法の一環であることはこれまで再三にわたって述べてきたところであるが、職員の審査請求については審査の手続などについて定める同法第二章の規定は適用されない（法四九の二3）。それは、職員の審査請求については、地方公務員法上の特別の制度でもあることにかんがみ、人事委員会または公平委員会の規則でその手続を定めることが予定されているからである。このような行政不服審査法との関連を考慮して、本条の規則においては、同法の手続規定に相当する権利の保護に必要にしてかつ十分な規定が定められなければならないといえよう。

規則で審査請求の手続を定めるいま一つの趣旨は、その手続のルールを明確に定めることによって、簡易迅速な救済手続としての実をあげることにある。不利益処分の処分者にとっても被処分者にとっても、審査請求の手続や審査の手順が明示されていることにより、攻撃防禦の経済がはかられ、ひいては職員の権利が適切に保護されることが期待されているのである。
この点に関して留意しなければならないのは、余りに煩雑な規定を設けることは、かえって審査請求の審理の目的を阻害するおそれがあるということである。国の人事院規則一三―一（不利益処分についての審査請求）をそのままなぞることは、多少煩雑に過ぎることになるように思われる。本来、審査請求制度は、行政上の救済制度であり、他の行政救済の手続、たとえば、課税処分や許認可に対する異議申立てなどと本質的に同一のものである。このような行政救済は、簡易、迅速であること、弾力的に運用されることがその特色である。人事委員会または公平委員会の審理においても、この特色が発揮されなければならないものであり、詳細な手続規定にかかずらうことはこの特色を減殺させるものである。本条の人事委員会または公平委員会の規則においては、手続の基本に関する事項のみを規定し、人事委員会または公平委員会は職権を十分に活用して弾力的に審査を進めることによって、裁判とは異なる行政救済の成果を収めることができよう。

（審査請求と訴訟との関係）

第五十一条の二　第四十九条第一項に規定する処分であつて人事委員会又は公平委員会に対して審査請求をすることができるものの取消しの訴えは、審査請求に対する人事委員会又は公平委員会の裁決を経た後でなければ、提起することができない。

〔趣　旨〕

一　訴願前置主義

本条は昭和三七年（一九六二年）の行政事件訴訟法（昭三七法一三九）の制定に伴い新設された規定である。同法の制定前の行政訴訟は、行政事件訴訟特例法（昭二三法八一）の定めるところによっていたのであるが、この特例法では、いわゆる「訴願前置」を原則としていた（同法二）。すなわち、行政庁の違法な処分の取消しまたは変更を求める訴えは、その処分に対し法令の規定により訴願、審査の請求、異議の申立てその他行政庁に対する審査請求のできる場合には、これに対する裁決、決定その他の処分を経た後でなければ、これを提起することができないとされていた。

ところが行政事件訴訟法では、原則として訴願前置主義を排し、処分の取消しの訴えは、その処分について法令の規定により審査請求をすることができる場合においても直ちに提起しうることとされた（同法八1本文）。このように改められた理由は、当時のわが国の場合はアメリカ合衆国のように行政手続法が確立されておらず、また西ドイツのように行政裁判所の制度も用いられておらず、裁判と行政とが截然と区別されて対立する姿にあるため、訴願と司法裁判とを並行させることとしたものであるといわれている。

しかし、職員の審査請求の場合について後述するように、行政処分によっては審査請求前置を依然として維持することが望ましいものがある。行政事件訴訟法においても、法律に当該処分についての審査請求に対する裁決を経た後でなければ処分の取消しの訴えを提起することができない旨の定めがあるときに限り、審査請求前置制度を維持することができるものとされている（同法八1但し書）。本条はこの「法律……の定め」に該当し、行政事件訴訟法の原則に対して審査請求前置の特例を定めた規定である。

本条が、職員に対する不利益処分について審査請求前置主義をとることとした趣旨は、任命権者の職員に対する不利益処分については、正すべきことは行政自らがまず正すことが適切であるとされたからである。また、人事行政はかなり専門化された行政であり、その専門機関である人事委員会または公平委員会をしてまず審査させることが実情を的確に把握するために有意義であり、事後の訴訟の審理の適正を期する上でも有効であると考えられたからである。

二　国の訴訟援助

本条と直接の関係はないが、地方公務員に関する訴訟については、国の援助を受けられる場合がある。すなわち、国の利害に関係のある訴訟についての法務大臣の権限等に関する法律（昭二二法一九四）に基づき、地方公共団体はその事務に関する訴訟について法務大臣にその所部の職員をして当該訴訟を行わせることを求めることができるものであり、法務大臣は国の利害を考慮して必要があると認めるときは、総務大臣の意見を求めた上、所部の職員をしてその訴訟を行わせることができることとされている（同法七1 3）。そして法務大臣が、国の利害を考慮して所部の職員をして訴訟を実施させることを必要と認める事件の基準の一つとして、「地方公務員に係るものその他の当該地方公共団体のみならず他と共通する重要な問題に関する事件」があげられている（通知昭三七・一二・二八　法務省訟一第一三三一号、自治乙文発第二八号、第一、三参照）。職員の不利益処分の取消しや無効確認の訴えは、それが他の地方公共団体の人事行政や国家公務員の類似の問題に共通するもので重要な影響を与えるものについては、この規定に基づいて国の援助を受けることができるものである。

〔解　釈〕

一　審査請求前置を要する場合とそうではない場合

地方公務員法第四九条第一項に規定する処分、すなわち、職員に対する不利益処分であって、人事委員会または公平委員会に対して審査請求をすることができるものの取消しの訴えは、行政事件訴訟法第八条第一項本文の規定にかかわらず、同項ただし書の規定により、審査請求に対する人事委員会または公平委員会の裁決を経た後でなければ、提起することができないものである（本条）。

まず、審査請求前置を必要とするのは「第四十九条第一項に規定する処分」、すなわち不利益処分であり、その意味は第四九条の〔解釈〕で述べたとおりである。職員に対する処分あるいは身分取扱いであっても、不利益処分でないものは審査請求前置を要しない。たとえば、営利企業等に従事すること（法三八）の申請に対する不許可処分、職務専念義務の免除の申請（法三五）に対する不許可処分に対する取消しの訴えは審査請求前置の必要はないし、地方公務員法上、審査請求も認められていない（法四九の二2）。給与上の措置に対する給付の訴えも、それが不利益処分ではないと同時に取消しの訴えでもないので審査請求前置の必要はない。逆に、分限処分または懲戒処分以外のものであっても、それが不利益処分に該当する身分取扱いである場合、たとえば、正当な職員団体活動を理由とする不利益取扱い（法五六）として有給休暇の申請を拒否したような場合のその取消しの訴えは、審査請求前置が必要である。

次に、審査請求前置が必要とされる不利益処分の取消しの訴えは、「人事委員会又は公平委員会に対して審査請求をすることができるもの」であり、それが不可能とされているもの、たとえば、条件付採用期間中の職員または臨時的任用職員に対する不利益処分の取消しの訴えは、審査請求前置の必要もなく、地方公務員法上、審査請求も認められていない（法二九の二1）。なお、企業職員および単純労務職員ならびに独法職員には、同法の審査請求に関する規定が適用されていないので（第四九条および行政不服審査法の適用除外による不服申立制度の不適用、地公企法三九1、地公労法一七1、附則5、地方独法法五三1）、これらの職員に対する不利益処分については、直ちにその取消しの訴えを提起することができる。

本条により審査請求前置が必要とされるのは、「取消しの訴え」であり、無効等の確認の訴えまたは不作為の違法確認の訴え（行訴法三4 5）については審査請求前置の適用はない。たとえば、重大かつ明白な瑕疵のある懲戒処分の無効確認を求める場合、あるいは専従休暇の申請に対しなんら許可、不許可の回答がないことに対し不作為の違法確認の訴えを提起するような場合には、直ちに訴訟を提起することができる。

また、不利益処分の取消しの訴えは、人事委員会または公平委員会の裁決がなされた後に行うことができるものであるから、地方公務員法第八条第八項の規定に基づく再審を求める場合には、同時に処分の取消しの訴えを提起することができる。

次に、本条の審査請求前置の原則に対しては、次の場合に例外が認められる（行訴法八2）。

(1)　審査請求があった日から三カ月を経過しても裁決がないとき。

(2)　処分、処分の執行または手続の続行により生ずる著しい損害を避けるため緊急の必要があるとき。

(3)　その他裁決を経ないことにつき正当な理由があるとき。

以上の場合には、審査請求に対する人事委員会または公平委員会の裁決を経ることなく処分の取消しの訴えを提起することができるものである。しかし、(2)および(3)に該当する不利益処分は、実際にはほとんどないように思われる。たとえば、新たに設置された地方公共団体で人事委員会または公平委員会が設置されていなかったり、また、人事委員会または公平委員会が設置されていても、委員が選任されていない場合、二人以上欠員があるような場合は(3)に該当することになろう。実際にしばしば問題となるのは⑴の場合である。人事委員会または公平委員会は、このような規定があることにかんがみ、三カ月以内に裁決または決定を行うよう審理を促進すべきものであるが、もし、三カ月以内に裁決または決定がなされなかったときは、被処分者は直ちに処分の取消しの訴えを提起することも可能であるし、裁決の結果をみてから処分の取消しの訴えを提起することもできる。処分の取消しの訴えと審査請求の審査とが並行して行われた場合で、審査請求に対する裁決が先に行われたときは、その裁決の内容が却下または棄却であればその判断に拘束力は生じないので訴訟の遂行に影響を与えず、処分取消しの裁決であれば処分はなかったことになり、拘束力が生じるので、訴訟を継続する根拠が失われ、原告が提訴を取り下げない場合には棄却の判決が行われることになる。処分修正の判定であるときは、修正後の処分の拘束力が生じるが、被処分者がその修正後の処分にいぜんとして不満であれば請求を変更して訴訟を継続することになろう（民訴法一四三）。

次に、審査請求の審理中に裁判の判決がなされた場合には、判決が処分の取消しであれば、審査請求を継続する必要がなくなり、審査請求人が取下げをしないときは、棄却の判定が行われることになる。処分の取消しの請求を棄却する判決であれば既判力を生じないので、審査請求の審査は継続することになる。なお、処分を修正することは、新しい処分を行うことになるものであり、裁判所が行政庁に代わって行政処分を行うことはできないものであるから、このような判決が行われることはない。

二　原処分取消しの訴えと裁決の取消しの訴え

被処分者が不利益処分を裁判で争う場合は、審査請求の裁決がなされた後であっても、その裁決の取消しではなく、原則として処分の取消しについて訴えを提起しなければならない（行訴法一〇2）。これを「原処分主義」という。しかし、裁決の手続の瑕疵を理由として裁決の取消しの訴えを行うことは可能である。裁決が取り消されたときは、人事委員会または公平委員会は改めて審査と裁決をやり直さなければならない。また、人事委員会または公平委員会が原処分を修正する裁決を行った場合には、同じ種類の処分の範囲内で修正を行ったとき、たとえば、減給三カ月を減給二カ月に修正したときは、任命権者が行った処分の同一性は維持されていると考えられるので、取消しの訴えは原処分主義によるべきことは当然であるが、異なる種類の処分に修正したとき、たとえば、停職処分を減給処分に修正したようなときも、当該修正によって原処分が当初から修正裁決による修正どおりの法律効果を有する処分として存在していたものとみなされるので、原処分庁を被告として提起すべきものである（最高裁昭六二・四・二一判決　判例時報一二四〇号一三六頁）。

三　裁決または決定と機関訴訟

人事委員会または公平委員会の処分の修正の裁決または処分の取消しの裁決については、これを不服として出訴することができるのは被処分者に限られる。処分庁は、これらの裁決にいかに不服であっても出訴することはできない（行実昭二七・一・九　地自公発第一号）。このような訴訟は、行政機関相互の争い、すなわち機関訴訟であり、機関訴訟は法律に特別の定めがなければこれを行うことはできないからである（行訴法四二）。また、審査請求の裁決は、行政機関による行政処分に関する判断であり、審査庁たる行政機関の判断を処分庁のそれよりも優越させることによって公正な行政を確保することが建前だからである。なお、被処分者が出訴し、これに対する判決については、処分庁に不服があるときは、対等の当事者主義による訴訟であり、また、裁判と行政の問題でもあるので、処分庁が控訴などの上訴を行うことが可能である。

四　裁決または決定に際しての教示

人事委員会または公平委員会は、不利益処分に対する審査請求について裁決をする場合には、その相手方たる職員に対し、当該処分に係る取消訴訟の被告とすべき者、当該取消訴訟の出訴期間を書面で教示しなければならない（行訴法四六1）。具体的には、被告とすべき者は当該地方公共団体であり（行訴法一一1）、出訴期間は、当該裁決があったことを知った日から六月、当該裁決があった日から一年であること（行訴法一四1 2）であるが、これとあわせて、被告の代表者となるべき者が、原処分の取消しを求めるときはそれを行った任命権者、裁決の取消しを求めるときはそれを行った人事委員会または公平委員会であることを教示することが適当である（第八条の二の〔**趣旨**〕および〔**解釈**〕参照）。

第九節　職員団体

（職員団体）

第五十二条　この法律において「職員団体」とは、職員がその勤務条件の維持改善を図ることを目的として組織する団体又はその連合体をいう。

２　前項の「職員」とは、第五項に規定する職員以外の職員をいう。

３　職員は、職員団体を結成し、若しくは結成せず、又はこれに加入し、若しくは加入しないことができる。ただし、重要な行政上の決定を行う職員、重要な行政上の決定に参画する管理的地位にある職員、職員の任免に関して直接の権限を持つ監督的地位にある職員、職員の任免、分限、懲戒若しくは服務、職員の給与その他の勤務条件又は職員団体との関係についての当局の計画及び方針に関する機密の事項に接し、そのためにその職務上の義務と責任とが職員団体の構成員としての誠意と責任とに直接に抵触すると認められる監督的地位にある職員その他職員団体との関係において当局の立場に立つて遂行すべき職務を担当する職員（以下「管理職員等」という。）と管理職員等以外の職員とは、同一の職員団体を組織することができず、管理職員等と管理職員等以外の職員とが組織する団体は、この法律にいう「職員団体」ではない。

４　前項ただし書に規定する管理職員等の範囲は、人事委員会規則又は公平委員会規則で定める。

５　警察職員及び消防職員は、職員の勤務条件の維持改善を図ることを目的とし、かつ、地方公共団体の当局と交渉する団体を結成し、又はこれに加入してはならない。

〔趣　旨〕

一　職員の団結権の意義

団結権はいうまでもなく労働基本権の一部であり、その具体的一態様である。職員の労働基本権については、きわめて重大な問題があり、今日なお内外で論議が続けられていることは第三七条の〔趣旨〕で詳述したところである。

職員の団結権の態様については、本条〔趣旨〕二で改めて述べることとするが、職員に団結権が認められているそもそもの意義は、職員の経済的権利を擁護するためである。このことは民間の労働者の場合も同じであり、本来、労使間の経済的条件は、使用者と個々の労働者との間で定められるべきものであるが、資本主義経済の発展につれて一方の当事者である使用者の力が強大となったため、その反射として労働者の立場が不利となったことにかんがみ、両者の均衡をとるために労働者の団結を促し、対等の立場で交渉させることとしたものである。それは、いわば労使間の実質的な正義と均衡を図るための社会的権利であるといってよい。このように、職員の団結権も民間の労働者の団結権もその基礎は同一であり、実定法上はいずれも日本国憲法第二八条に基づくものであるが、これを具体化するに当たり、民間の労働者は労働組合法により、職員のうちもっとも標準的な一般職員の場合は地方公務員法によるなどの差異があるのは、次の二つの理由に基づくものである。

第一は、勤務条件（経済的条件、労働条件）の決定の仕組み、方式の相違である。民間企業の労働者の場合は、労働条件の決定は私的自治の原則に基づき、もっぱら労使間の交渉で具体的内容が決定される。したがって、その団結権は相対的に強力で、不当労働行為制度などによる保障を受け、その交渉も団体協約の締結によって強い実効性が与えられているのである。これに対し、一般の職員の場合は、その勤務条件は、行政に対する民主統制の原則に基づいて、最終的には条例で決定されるものである。そしてこの決定を補強し、公正、適切なものたらしめるために、人事委員会を置く地方公共団体における人事委員会の給与勧告および人事委員会または公平委員会に対する勤務条件に関する措置要求の制度があり、さらに地方公務員法に基づく団結権と交渉によって重ねて適切な勤務条件を保障しようとしているのである。これを要約すると、民間企業の労働者の場合は、団結権と団体交渉権が労働条件決定の中心的役割を果たしているのに対し、一般の職員の場合の団結権と交渉は、勤務条件決定の補強的役割を果たしているのである。このような両者の役割の相違が根拠法規を別にするゆえんであり、団結権および交渉の機能を異にする理由であるといってよい。

第二は、職員が公務員として特殊な地位を有することである。職員は、民間企業の労働者と異なり、行政の安定を図る見地からその身分は分限によって保障され、また、民間の労働者にはない不利益処分の審査請求制度によって行政的な保障が認められているなど、特別の地位が与えられているのであるが、このような地位はひとえに行政の公益性に基づくものである。他面、その職務の公共的性格によって厳しい服務規律に服することとされている。こうした職員の特殊な地位は、その団結権についても当然に影響を及ぼすものであり、地方公務員法による職員団体は職員を主たる構成員としなければならないこと、職務の性質上とりわけ上命下服が厳しく要求される警察職員および消防職員には団結権が認められないこと、反面、公務員としての特殊性が相対的に稀薄な企業職員および単純労務職員ならびに独法職員については、民間の労働者と同じ労働組合を組織することが認められていることなど、それぞれ異なる取扱いがなされる根拠になるものである。なお、企業職員、単純労務職員ならびに独法職員がそれ以外の一般職の職員と一緒になって結成している組合（「混合組合」と称される。）に関する問題については第五八条の〔**解釈**〕一で述べる。

以上が職員の団結権について、地方公務員法あるいは地方公営企業等の労働関係に関する法律で特別の規定が設けられている理由であり、職員の団結権の意義は、このような相違を前提として理解されなければならない。世上、職員の団結権を民間企業の労働者のそれと全く同一視した議論や、団結権の目的を経済的利益の保障以上に拡大した主張がしばしばなされているが、こうした論議は職員の団結権の意義を誤解しているものであるように思われる。

二　職員の団結権の態様

職員の団結権の態様については、第三七条の〔**趣旨**〕二の労働基本権の態様の中で概説したところであるが、これをさらに詳しく述べれば次のとおりである。

まず、職員の団結権は、個々の法律に基づく団結権の行使と憲法上の団結権とに分けることができる。前者については後述するが、後者は個々の法律には適合しない団結であり、また、実定法上違法とされるものではない団体である。たとえば、本条の〔解釈〕で述べるが、職員団体と労働組合の連合体は地方公務員法上の職員団体にも労働組合法上の労働組合にも該当しない。しかし、それは事実上の労働団体であり、そのような労働団体を組織することは自由で、法律上なんら禁止されているものではない。管理職員が加入している一般職員の団体も同様である。このような事実上の労働団体の根拠をあえて求めるならば、それは日本国憲法第二八条の労働基本権の保障であるという意味で、「憲法上の団結権」とか「憲法上の労働団体」などと呼ばれるのである。地方公務員法や労働組合法に基づく労働団体ももとより憲法に基づくものであり、「憲法上の労働団体」とは、憲法にのみ根拠を有する労働団体という趣旨である。憲法上の労働団体は地方公務員法または労働組合法によって積極的な保護、利益を受けることはない。たとえば、不当労働行為制度による保障はないし、職員団体の登録を受けて専従職員を置くこともできない。ただ、そのような団体を組織することは自由であるという消極的保障を受けているのである。例外として、混合連合体である憲法上の労働団体（法人格付与法二4②）が一定の場合に法人格を付与されることがあるのみである。また、実際問題として憲法上の労働団体も、労働者の団結であり、その意思を反映するものであるので、その実態に応じて使用者の側もその意見なり行動を自主的な判断に基づいて尊重することが予想されるといえよう。

次に、法律に基づく職員の団結権は、職員の職種、すなわち職員の職責に応じて次のように区別される。

㈠　企業職員および単純労務職員ならびに独法職員

公営企業の職員および単純労務職員ならびに独法職員は、労働組合法に基づき労働組合を組織することができることとされている。この点は民間の労働者と同じ取扱いを受けるものであるが、その理由は、これらの職員の職務の内容が民間の類似の業務にほぼ等しいので、労働関係についてはできる限り民間の労働者と同じ取扱いをすることとしたためであるとされる。このような団結権のあり方、ひいては団体協約締結権も認められていることに対応し、これらの職員の勤務条件に関する条例主義の原則は大幅に緩和されており、また、勤務条件に関する措置要求制度や人事委員会の給与勧告制度も適用されていない。そしてまた、これらの職員の団結権ないしは団体交渉権と地方公務員行政に対する民主的統制、議会によるコントロールとの関係については、地方公営企業等の労働関係に関する法律によって調整を図ることとされているのである。

㈡　一般の行政職員および教育職員の団結権

一般の行政事務に従事する職員および教育職員は、地方公務員法に基づく職員団体を組織することができるものとされ、労働組合法の適用はないので労働組合を組織することはできない。このように、民間企業の勤労者とは異なる取扱いを受けることとされているのは、前記一で述べた趣旨によるものであり、勤務条件の決定方式の相違および公務員としての地位の特殊性に基づくものである。なお、㈠の職員のうち、単純労務職員については、㈠によって労働組合を組織することができるとされるとともに、地方公務員法に基づく職員団体を組織することもできることとされている。その理由は、単純労務職員の多くは、とくに小規模の地方公共団体においては、一般の職員と共に勤務しているという実態があり、共通の勤務条件を有するからであるとされている。しかし、職員団体の制度は、特定の勤務条件の決定方式を前提とするものであり、勤務条件の決定方式またはその決定機構が異なる単純労務職員などにこうした例外を認めることは論理的にはおかしいといわざるを得ない。労働団体の組織の現状を意識した政策的な規定であるといえよう。

㈢　警察職員および消防職員

警察職員および消防職員には、団結権が認められていない。その理由は、主として前記一で述べた第二の理由によるものである。すなわち、これらの職員はその職責上、国民の生命、財産を守るため、一身の危険を顧みず職務を遂行する義務を負うものであり、これらの職員の組織が一糸乱れず任務を達成するためには、とりわけ厳しい服務規律、上命下服の規律を維持することが必要である。ところが、労使関係における団結権は、勤務条件をめぐって労使の対抗関係をもたらすものであり、労使の対抗関係は実体的には上司と部下の対抗関係にほかならないのである。こうした関係を生ずることはとりわけ厳格な服務規律を確保する警察職員および消防職員にとって望ましいことではないとされ、団結権が認められていないのである。なお、この消防職員には、常勤の消防団員（消組法二三）も含まれる（行実昭四一・六・一〇　公務員課決定）。

これらの職員のうち、消防職員の団結権については、多年にわたって論議が続けられてきた。その論議の中心は、昭和四八年（一九七三年）のＩＬＯの条約勧告適用委員会において、消防職員の団結権を認めないことはＩＬＯ八七号条約との関係で問題がある旨の見解が示されたことにある。職員の労働団体をはじめ、わが国の労働団体は当然のことながらこの見解に同調し、消防職員の団結権を認めるべきことを主張した。一方、政府は、消防職員の職務の性質上、団結権を認めることはできないとし、ＩＬＯ八七号条約においてもその第九条は、軍隊および警察については同条約の団結の保障を適用除外しており、わが国の消防がこの警察に準ずるものであることはＩＬＯ結社の自由委員会がその六〇号事件ですでに判断しているところであるとした。そして労働関係の基本問題を審議する公務員制度審議会は、昭和四八年（一九七三年）九月の第三次答申で、消防職員の団結権の問題は、当面、現行制度によることとし、ＩＬＯの審議状況に留意しつつ、さらに検討をする旨の意見を述べた。その後も、ＩＬＯにおいて政府と労働側との応酬が続けられたが、平成七年（一九九五年）五月に至って両者の間で消防組織法を改正して当局と消防職員の意思疎通を図るための「消防職員委員会」を設けることが合意され、ＩＬＯも同年六月の総会でこの措置を評価した。消防職員委員会の設置に関する消防組織法改正は、同年一〇月に成立し、この問題はようやく一応の解決をみるに至った。なお、この改正に伴い、平成八年（一九九六年）消防庁告示第五号として消防職員委員会の組織及び運営の基準が定められ、委員の定数、委員の指名の方法・任期などの基準が明らかにされていたが、平成一七年（二〇〇五年）の同告示の改正により、消防職員から提出された意見を取りまとめて委員会に提出する「意見取りまとめ者」の制度が設けられるとともに、委員会の複数回の開催や委員会の審議の結果などの周知についても規定された。

〔解　釈〕

一　職員団体の目的

職員団体とは、職員が勤務条件の維持改善を図ることを目的として組織する団体またはその連合体である（本条１）。より具体的には、職員の経済的地位の維持または向上を目的として、地方公共団体の当局と交渉を行う団体である。経済的地位の改善という目的と交渉という行動とが一体となって職員団体としての実質が備わるといってよいであろう（昭和四〇年（一九六五年）の改正前の本条第一項では、職員団体は勤務条件について当局と交渉するための団体であることが明記されていた。）。したがって、目的は有するが行動を行わない団体、あるいは交渉は行うが経済的条件の改善という目的を有しない団体は、いずれも職員団体には該当しない。

職員団体は、勤務条件の維持改善を目的としなければならないが、その目的をこれのみに限定する必要はなく、勤務条件の維持改善を主たる目的としていれば、他の目的を併せ有してもさしつかえない。本条第一項の規定の文理からは、このことは必ずしも明らかではないが、民間企業の労働組合の場合には法律上「……経済的地位の向上を図ることを主たる目的として組織する団体……」と明記されており（労組法二）、職員団体の場合も同様に理解すべきであろう。なお、昭和四〇年（一九六五年）の地方公務員法改正に際し、「主たる」という語を加えようとする意見もあったが、このことは従来から解釈上確立されており、また交渉の規定（法五五Ⅰ）で社交的、厚生的事項まで交渉事項としていることからも明らかであり、さらに、こと改めて「主たる」を加えることで政治目的を持つことを積極的に認めるものと誤解されるおそれもあったので、これは法文化されなかったのである。

主たる目的である勤務条件の維持改善についてであるが、ここで「勤務条件」とは、第四六条の勤務条件に関する措置の要求で述べた「勤務条件」と同義で、その範囲はかなり広く、第二四条第五項の条例で定める「勤務条件」よりも広い。そしてこの勤務条件は、事柄の性質上、第五五条第一項の交渉の対象となる「勤務条件」と同一範囲のものである。具体的には、職員の労働組合の団体交渉事項を定めた地方公営企業等の労働関係に関する法律第七条各号に列記されている事項が参考となる。職員団体は、構成員のための利益団体であるから、勤務条件を少なくとも現状のとおり「維持」し、さらに進んで「改善」することを目的とすることは当然であるが、「維持改善」とは目的の方向を示したにとどまり、職員団体が勤務条件の切り下げに応じられないことを意味するものではない。

次に、勤務条件の維持改善以外の目的、すなわち従たる目的としては、社会的目的、文化的目的などがある。たとえば、運動会その他のレクリエーションを催したり、文化祭を行ったりすることである。職員団体が行う福利厚生事業や文化的行事に公費の助成を行うこともさしつかえないとされているが（行実昭二六・三・一三　地自公発第八二号）、この場合には、いわゆる経理上の援助として労使相互不介入の原則に反しないよう留意すべきものである。問題となるのは政治的目的をもつことである。労働団体が政治目的のために活動することは、一九五二年（昭和二七年）のＩＬＯ総会で採択された「労働組合運動の独立性に関する決議」においても政治的中立性を確保することがその経済的、社会的使命を推進する上で大切なことであると述べられているように、一般的には望ましいこととはいえないであろう。しかし、法律的には、職員団体が政治的目的を従たる目的としてもつことは地方公務員法の関知するところではない（行実昭二六・三・一三　地自公発第八三号）。なお、職員が職員団体活動の一環として政治活動を行う場合であっても政治的行為の制限（法三六）にふれることがあり、また、職員団体が政治活動を行うことにより、政治資金規正法との関係で問題を生じる場合があり得るので、注意を要する。

二　職員団体の組織

㈠　職員団体を組織する職員

職員団体は、「職員」が組織する団体であるが（本条1）、この「職員」には本条第五項に規定する職員、すなわち、警察職員と消防職員は含まれない（本条2）。警察職員と消防職員は、勤務条件の維持改善を図ることを目的とし、かつ、地方公共団体の当局と交渉する団体を結成し、または加入することができないものであり（本条5）、これは後述のように服務規定である。これらの職員が単に親睦や厚生を目的とする団体を組織することはさしつかえない。また、企業職員および独法職員については本条の適用はないので（地公企法三九1、地公労法一七1、地方独法法五三1①）、これらは第一項の職員ではない。一般職に属する単純労務職員は、その労働関係その他身分取扱いに関し特別の法律が制定施行されるまでの間は、地方公営企業法第三八条および第三九条の企業職員の身分取扱いの規定が準用され（地公労法附則5前段）、労働組合を組織できるが、同法第三九条第一項の本条から第五六条までを適用除外する旨の規定は準用されない（地公労法附則5後段）ので、単純労務職員も本条第一項の職員に該当し、職員団体を組織することもできる。

以上を要約すると、一般の行政事務に従事する職員、教職員および単純労務職員が本条第一項の職員であり、一般職の職員であっても警察職員、消防職員および企業職員ならびに独法職員は本条第一項の職員ではないということになる。条件付採用職員（法二二）および会計年度任用職員（法二二の二1）はもちろん、臨時的任用職員もこの区分に従う（法二二の三6）。

(二)　職員団体の構成員と職員との関係

本条第一項の職員は、職員団体の構成員（いわゆる「組合員」）となることができるものであるが、逆に職員団体の構成員のすべてが必ず職員でなければならないとされるものではない。このことは、本条の規定だけからは必ずしも明らかではないが、地方公務員法第五三条第四項が職員団体の登録の要件として「同一の地方公共団体に属する……職員のみをもつて組織されていること」ときわめて限定的に規定していることとの対比からも、また、昭和四〇年（一九六五年）の改正前の本条には現行の第一項に相当する規定はなく、現行の第三項本文に類似した規定が第一項とされていたが、その解釈として職員団体は職員のみで組織されなければならないとされており（改正前の行実昭二六・三・一三（地自公発第七三号）ほか。また、通知昭四〇・八・一二（自治公発第三五号）第三2(2)参照。従前は国の三公社五現業等の労働組合についてそのように明記されていたことからしても当然のこととされていたのである。）、これがＩＬＯ八七号条約の批准に伴い、職員の団結権をより広汎に認めるために本条第一項が設けられたいきさつからしても、当然のことと解されている。しかし、職員団体は職員が組織する職員の利益のための団体である以上、構成員の主体が職員でなければならないことも当然であり、構成員のうち、どの程度の割合の者が職員であれば職員が主体であるといえるかということについては、別段明確な数量的限定があるわけではないが、少なくとも過半数の者が職員でなければならないというのが常識的な考え方であろう。また、この職員は同一の地方公共団体の職員である必要はなく、異なる地方公共団体の職員が単一の職員団体を組織することも可能である。教育公務員特例法第二九条第一項が「一の都道府県内の公立学校の職員のみをもつて組織する地方公務員法第五二条第一項に規定する職員団体」について定めているのは、このことを前提とするものであり、次条の登録の問題を別にすれば、複数の都道府県内の公立学校の職員をもって職員団体を結成することも可能である。また、どの範囲の職員をもって一の職員団体を結成するかは、職員や職員団体が自主的に決めることであり、本条の関知するところではない（後記㈣参照）。

次に、職員団体に加入しうる非職員についてはとくに限定はない。民間企業の勤労者、企業職員なども非職員として職員団体に加入しうる。ただし、非職員が加入した職員団体は、次条第四項の規定により登録資格がないものであることに注意を要する。警察職員または消防職員が非職員として職員団体に加入した場合、それによって職員団体の性格に影響を与えるものではないが、本条第五項の規定は服務規定でもあると解されるので当該加入した警察職員または消防職員は服務義務違反として懲戒処分の対象になるものと解される。また、非職員である特別職の長や委員会の委員など管理監督の立場にある者が加入した場合は、たとえ一人であってもその団体は職員団体たる資格を失うものである（本条３但し書）。しかし、管理監督職員ではない特別職、たとえば、非常勤の顧問や附属機関の委員などが加入することはさしつかえない。

㈢　職員団体の役員選出の自由

地方公務員法に明文の規定はないが、職員団体の組織にかかる基本的事項の一つとして、職員団体は自由に役員を選出することができるものと解されている。昭和四〇年（一九六五年）の改正以前は、職員でなければ構成員はもとより役員にもなり得ないものと解されており、国の公共企業体の職員の組合である国鉄の労働組合について同じ解釈がとられていたことが、ＩＬＯ八七号条約批准問題の端緒となったのであるが、ＩＬＯ八七号条約を批准した現在では、同条約第三条が「代表者選出自由の原則」を規定しているので、役員選出の自由は当然のこととされている。なお、職員団体の登録の要件に関し、非職員の役員就任を認めている職員団体は、その故をもって登録要件を欠くものと解してはならない旨の規定がなされており（法五三５後段）、非登録職員団体の非職員の役員就任については、これとの対比からしても明文の規定をまつまでもなく、当然に可能であると解される。役員に就任できるのは、職員、非職員のすべてであり、民間の労働運動の専門家、企業職員、単純労務職員、議会の議員など誰でもさしつかえない。消防職員や警察職員の場合も理論上は役員に就任しうるものであるが、同時に構成員となった場合は、本条第五項の「結成」または「加入」に該当し、懲戒処分の対象となるものである。また、管理職員等が一般職員の職員団体の役員となること、あるいはその逆の場合に、本条第三項の管理職員等と一般職員とが同一の職員団体を組織できない旨の規定に抵触するかどうかが問題となるが、役員としてのみ就任することは、代表者選出自由の原則からして法律上はさしつかえないものと解される。しかし、当否の問題としては、労使関係における利害関係を異にする者が役員となることは望ましいとはいえないであろう。そしてこのような役員が同時に構成員となった場合は、本条第三項の規定に違反することとなり、当該団体は職員団体ではなくなるものである。なお、職員団体の役員とは、職員団体において執行権限をもつ機関の構成員および監督権限をもつ機関の構成員をいうものであり、通常は、その執行委員長、副委員長および書記長の三役、執行委員ならびに監事をいい、職員団体の登録の際の申請書に記載する役員（法五三1）および交渉の代表者となりうる役員（法五五5）と一致するものである。

㈣　職員団体のオープン・ショップ制

職員は、職員団体を結成し、もしくは結成せず、またはこれに加入し、もしくは加入しないことができる（本条3）。「結成」とは、あらたに合同行為として職員団体を作ることであり、「加入」とは、既成の職員団体の構成員として参加することである。職員が職員団体の構成員となることもならないことも任意であることが保障されており、この加入、脱退の自由、とくに脱退の自由は、職員団体の規約をもってしても制約することはできない（行実昭三五・一二・二七　自治丁公発第八四号）。これはいわゆるオープン・ショップ制の保障であり、職員として採用されたときは必ず職員団体の構成員となり、職員団体の構成員でなくなったときは職員の身分を失うというユニオン・ショップ制、あるいは職員は必ず職員団体の構成員の中から採用しなければならないとするクローズド・ショップ制を採用することはできない。これは職員の任用は、公務能率の維持向上の見地からもっぱら能力の実証に基づいて行われなければならないこと（法一五）、公務は平等に公開されなければならないこと（法一三、一九1）および職員の意に反する退職は地方公務員法に定める事由に該当する場合に限られること（法二七2）からして、ユニオン・ショップ制およびクローズド・ショップ制をとる余地がないからである。なお、労働団体の組織原則としては、以上の三つが典型的であるが、そのほか組合に加入せず組織外で組合費のみを納入する者が存在するエージェンシー・ショップ制がある。職員団体がエージェンシー・ショップ制をとることは、法律上は可能であろう。

㈤　管理職員等と一般職員の区別

１　区別の意義　重要な行政上の決定を行う職員、重要な行政上の決定に参画する管理的地位にある職員、職員の任免に関して直接の権限を持つ監督的地位にある職員、職員の任免、分限、懲戒若しくは服務、職員の給与その他の勤務条件または職員団体との関係についての当局の計画および方針に関する機密の事項に接し、そのためにその職務上の義務と責任とが職員団体の構成員としての誠意と責任とに直接に抵触すると認められる監督的地位にある職員その他職員団体との関係において当局の立場に立って職務を遂行すべき職員（「管理職員等」と称される。）は、管理職員等以外の職員（いわゆる「一般職員」）と同一の職員団体を組織することはできず、もし、管理職員等と一般職員とが同一の団体を組織したときは、地方公務員法上の「職員団体」として取り扱われない（本条３但し書）。この管理職員等の定義の規定は昭和五三年（一九七八年）の国家公務員法及び地方公務員法の一部を改正する法律によってこのように詳細に規定されたもので、改正前の定義は、「管理若しくは監督の地位にある職員又は機密の事務を取り扱う職員」とされていた。こうした改正が行われたのは、ドライヤー報告書で管理職員等の範囲の統一的基準を作成することについて示唆があり（同報告書二二〇二項）、また、昭和四八年（一九七三年）九月の第三次公務員制度審議会の答申で管理職員等については労働組合法第二条の規定に準じてその規定を整備すべき旨の意見が述べられていたためであり、改正の前後を通じて規定自体の趣旨はなんら変更されたものではなく、したがって、管理職員等の範囲がこの改正によって拡大されたり、縮小したりするものではない（通知昭五三・六・二一　自治公一第二六号１）。

管理職員等と一般職員とが職員団体の組織原理上区別されている趣旨は、両者は労使関係における立場が異質であり、両者が混在する団体は職員の利益を適正に代表するための健全な基礎を欠くと考えられたからである。具体的には、両者が混在することを認めると、一般職員の職員団体の御用組合化や、一般職員の団結の切り崩しが行われるおそれがあるのである。この管理職員等と一般職員の区別は、昭和四〇年（一九六五年）の改正でとり入れられたのであるが、その改正の当初の法律案では管理職員等が一般職員の職員団体に加入することのみが禁止されていた（いわゆる「一方交通の禁止」）。しかし、最終の政府提出案では、その逆も禁止されることとなった（いわゆる「双方交通の禁止」）。これは管理職員等の職員団体に一般職員の加入を慫慂することによって、一般職員の切り崩し、支配が行われるおそれもあるからである。

このような使用者側の職員と被使用者側の職員とを区別することは、民間の労働団体についても規定されており、使用者側の利益を代表する者の参加を認める団体は労働組合ではないとされている（労組法二①）。ただ、地方公務員法における使用者側と被使用者側の区別は絶対的区別で、職員はいずれか一方に必ず区分されるが、労働組合法における使用者側と被使用者側の区別は相対的であると解されており、たとえば、民間企業の課長は一般の従業員に対しては使用者の立場に立つが、部長や重役に対しては被使用者の立場に立つものとされる。したがって、労働組合を組織する場合は、絶対的な二分法でなく、相対的、重畳的組織としなければならないのである。なお、この管理職員等と一般職員の区別の規定は、管理職員等の団結権を否定するものでなく、いわゆる管理職員組合を組織することは当然に可能である。また、㈢で述べたように、管理職員等が一般職員の職員団体の役員に就任すること、およびその逆も法律上は可能である。なお、一般職員の職員団体と管理職員等の職員団体との連合体が職員団体であるかどうかであるが、本条第三項但し書の文理からは必ずしも明白ではない。しかし、この規定の趣旨にかんがみ、否定的に解すべきであろう。

次に、管理職員等と一般職員との区別は、同一の地方公共団体内についてのみ行われるものではなく、すべての地方公共団体を通じるものであり、Ａ市の管理職員がＢ市の一般職員の職員団体の構成員となることも認められない。また、県の一般職員が地方自治法第二五二条の一七の規定によって市町村に派遣され、当該市町村において管理職員等となったときは、当該県の一般職員の職員団体の構成員となり、あるいは構成員としてとどまることはできない（行実昭四〇・一二・二七　自治公第五〇号）。これは、職員団体は異なる地方公共団体の職員の間でも結成できるものであり、管理職員等はその属する地方公共団体であるなしにかかわらず、地方公共団体の使用者側の利益のために行動すべきものであるからであり、さらに、本条第三項但し書の文理からも一の地方公共団体内部の問題として限定されていないからである。

２　管理職員等の範囲の概念　具体的にどのような職員が管理職員等に該当するかについては、まず、基本的にはそれは地方公共団体の労使関係に基づく区別であるから、その労使関係で使用者側の立場に立って行動すべき職責を有する職員であるということができる。それは個々の職員の職責によって定まるものであり、個々の地方公共団体における法令その他（たとえば職務命令）による職制および権限分配の実態に基づき客観的に定まるものである。単に職名のみによって定まるものでなく、また、地方公共団体によって異なることもありうる。たとえば、労使関係における権限の分配の実態により、Ａ市では課長以上が管理職員等であるのに対し、Ｂ市では係長以上が管理職員等であることもあり得る。

また、ここでいう管理職員等は、労使関係上の概念であるから、勤務の実態に基づいて支給される管理職手当の支給対象となる職員、あるいは同じく勤務実態によって労働時間などに関する規定が適用除外される「監督若しくは管理の地位にある者又は機密の事務を取り扱う者」（労基法四一②）の範囲とは一致しない。ごく一般的にいうと、これらの職員よりも本条の管理職員等の範囲の方が広いということができよう。たとえば、一般的に課長補佐は課長の人事管理権を補佐する職責を有するので、本条の管理職員等に該当するが、管理職手当の支給はなされず、労働基準法の労働時間などに関する規制を受けるのが通例である。

次に、本条第三項但し書の管理職員等の範囲は、具体的な職制と権限の分配によって個々にかつ客観的に定まるものであり、具体的には次の３で示す規則案が参考となるが、一般的には、「重要な行政上の決定を行う職員」としては部長や課長などが、「重要な行政上の決定に参画する管理的地位にある職員」としては部次長や上席の課長補佐などが、「職員の任免に関して直接の権限を持つ監督的地位にある職員」としては人事担当の部長や課長などが、「職員の任免、分限、懲戒若しくは服務、職員の給与その他の勤務条件又は職員団体との関係についての当局の計画及び方針に関する機密の事項に接し、そのためにその職務上の義務と責任とが職員団体の構成員としての誠意と責任とに直接に抵触すると認められる監督的地位にある職員」としては人事、服務、予算などを担当する課長補佐や係長などが、「その他職員団体との関係において当局の立場に立つて遂行すべき職務を担当する職員」としては秘書や人事、服務、予算などを担当する係員などが、それぞれ該当するものと考えられる。なお、この説明からわかるように、一つの職が複数の観点から管理職員等に該当することもある。

３　管理職員等の範囲の決定　管理職員等の範囲は、人事委員会または公平委員会が規則で定めることとされている（本条４）。これは、それぞれの地方公共団体のこれらの委員会が、それぞれの地方公共団体の職員の職について定めることが原則であるが、市町村の公平委員会の事務を人事委員会に委託しているときはその人事委員会が、複数の市町村が公平委員会を共同設置しているときはその公平委員会が定めるものであり（法七４）、この場合、事柄の性質上、個々の市町村ごとに管理職員等の範囲を定めなければならないものである（行実昭四〇・五・二六　公務員一課決定）。

管理職員等の範囲を人事委員会または公平委員会の規則で定めることとした趣旨は、その範囲は前述のように客観的に定まるものであるが、労使間で紛議を生じがちな問題であるので、中立公正な、かつ、専門的な機関によってあらかじめこれを確認し、公示しておくことにある。したがって、この範囲を労使間の話し合いによって決定したり変更したりすることができないことはもとより、これはもっぱら人事委員会または公平委員会の責任と判断で確認するものであり、またそれは規則の制定で処分ではないから、これについて職員団体が人事委員会や公平委員会に交渉を求めたり、その確認を不服として不服申立てを行ったり、訴訟を提起することはできない。なお、市町村合併に際して、職員間の処遇の均衡を図るためとして、従前管理職員等とされていなかった旧市の職員について、その職務内容に変化がないにもかかわらず、新市における管理職員等に該当するとした公平委員会規則の制定が違法であるとして、職員団体からの損害賠償請求を認容した判決（さいたま地裁平一九・七・一三判決　判例タイムズ一二六〇号二七六頁）がある。

管理職員等の範囲を定める人事委員会規則および公平委員会規則については、次のとおり都道府県、市、町村の別に参考例（通知昭四一・七・九　自治公第五〇号別紙）が示されている。ただし、これは、繰り返し述べているように、具体的な範囲は個々の地方公共団体における職制と権限の分配によって異なるので、「参考例」とされている（なお、平成一八年の地方自治法の一部改正によって、出納長、副出納長、収入役、副収入役が廃止され、会計管理者が置かれることとなったので、この参考例の関係部分は適宜この改正に応じて読み替えられるべきものである。）。

管理職員等の範囲を定める規則（参考例）（都道府県）

（目的）

第一条　この規則は、地方公務員法（昭和二十五年法律第二百六十一号。以下「法」という。）第五十二条第四項及び教育公務員特例法（昭和二十四年法律第一号）第二十一条の四第三項［筆者注：現行法には本項に相当する規定は存在しない］の規定に基づき、法第五十二条第三項ただし書に規定する管理職員等の範囲を定めることを目的とする。

（管理職員等の範囲）

第二条　本庁に勤務する職員のうち管理職員等は、別表第一の上欄に掲げる機関についてそれぞれ同表の下欄に掲げる職を有する者とする。

2　出先機関に勤務する職員のうち管理職員等は、別表第二の上欄に掲げる機関についてそれぞれ同表の下欄に掲げる職を有する者とする。

附　則

この規則は、公布の日から施行する。

別表第一

本庁

機関	職
議会事務局	局長　次長　課長　秘書又は庶務担当の係長
知事部局	部長　次長　課長　課長補佐　秘書、人事、給与、服務、職員団体、予算、庁中取締り又は法規審査担当の係長　部の主管課又は出先機関を統轄する課の庶務担当の係長　人事、給与又は服務担当の主事（企画に関する事務を行なうものに限る。）　法規審査担当の主事　職員団体担当の主事及び主事補　守衛長
出納局	副出納長　課長　課長補佐　支出負担行為の確認又は歳計現金の管理担当の係長
教育委員会事務局	教育長　教育次長　課長　課長補佐　管理主事　人事、給与、服務又は職員団体担当の係長　出先機関を統轄する課の庶務担当の係長　人事、給与又は服務担当の主事（企画に関する事務を行なうものに限る。）　職員団体担当の主事及び主事補
選挙管理委員会事務局	書記長
人事委員会事務局	局長　次長　課長　係長
監査委員事務局	局長　次長　課長
地方労働委員会事務局	局長　次長　課長

備考

1　この表中「知事部局」とは、〇〇県行政組織規程（昭和　年〇〇県規則第　号。以下「組織規程」という。）第　条に規定する機関をいう。

2　知事部局の項中「課長補佐」とは、その職務が労働関係に関する事務以外の事務又は技術に限られるものを除いたものをいい、「法規審査担当の係長」及び「法規審査担当の主事」とは、法令の実質審査を担当するものをいう。

3　この表中「出納局」とは、組織規程第　条に規定する機関をいう。

4　この表中「教育委員会事務局」とは、〇〇県教育委員会事務局組織規程（昭和　年〇〇県教育委員会規則第　号）第　条に規定する機関をいう。

5　この表中「選挙管理委員会事務局」とは、地方自治法（昭和二十二年法律第六十七号）第百九十一条第一項に規定する職員により構成される機関をいう。

(6) ……………

別表第二

出先機関

機関	職
県事務所	所長　次長　課長
県税事務所	所長　課長
福祉事務所 児童相談所	所長　庶務担当の課長
保健所	所長　次長　課長
繭検定所	所長　庶務担当の課長
計量検定所	所長　庶務担当の課長
職員研修所	所長　次長
消防学校	校長　次長
東京事務所	所長　次長　課長
衛生研究所	所長　庶務担当の課長
試験場	場長　課長
農業改良普及所	所長
農林事務所	所長　庶務担当の課長
労政事務所	所長
土木事務所	所長　課長
地方出納事務所	所長　庶務担当の課長
地方教育事務所	所長　次長

図書館	館長　副館長　課長
教育研究所	所長　次長

備　考（機関および職について別表第一に準じ必要な定義をするものとする。）

（注）　課長で、その職務が労働関係に関する事務以外の事務に限られるものは除かれる。

○管理職員等の範囲を定める規則（参考例）（市）

（目的）

第一条　この規則は、地方公務員法（昭和二十五年法律第二百六十一号。以下「法」という。）第五十二条第四項及び教育公務員特例法（昭和二十四年法律第一号）第二十一条の四第三項〔筆者注：現行法には本項に相当する規定は存在しない〕の規定に基づき、法第五十二条第三項ただし書に規定する管理職員等の範囲を定めることを目的とする。

（管理職員等の範囲）

第二条　本庁に勤務する職員のうち管理職員等は、別表第一の上欄に掲げる機関についてそれぞれ同表の下欄に掲げる職を有する者とする。

2　出先機関に勤務する職員のうち管理職員等は、別表第二の上欄に掲げる機関についてそれぞれ同表の下欄に掲げる職を有する者とする。

附　則

この規則は、公布の日から施行する。

別表第一

本庁

機関	職
議会事務局	局長　人事担当の係長
市長部局	部長　課長　秘書、人事、予算、文書又は庁中取締り担当の係長　出先機関を統轄する課の庶務担当の係長　人事担当の主事（厚生福利、研修又は職員団体に関する事務を行なうものを除き、かつ、企画に関する事務を行なうものに限る。）　職員団体担当の主事及び主事補　守衛長
収入役室	課長　出納担当の係長
教育委員会事務局	教育長　課長　人事又は庶務担当の係長
選挙管理委員会事務局	書記長
公平委員会事務局	局長
監査委員事務局	局長
農業委員会事務局	局長

備考

1　この表中「市長部局」とは、○○市行政組織規程（昭和　年○○市規則第　号）第　条に規定する機関をいう。

2　この表中「選挙管理委員会事務局」とは、地方自治法（昭和二十二年法律第六十七号）第百九十一条第一項に規定する職員により構成される機関をいう。

3　この表中「公平委員会事務局」とは、法第十二条第五項に規定する事務職員により構成される機関をいう。

4　公平委員会事務局の項中「局長」とは、上席の事務職員をいう。

5　この表中「農業委員会事務局」とは、農業委員会等に関する法律（昭和二十六年法律第八十八号）第二十条第一項に規定する職員により構成される組織をいう。

6　農業委員会事務局の項中「局長」とは、上席の職員をいう。

7　…………

別表第二

出先機関

機関	職
出張所	所長
福祉事務所	所長
保育所	所長
診療所	所長
公民館	館長
図書館	館長

備考（機関および職について別表第一に準じ必要な定義をするものとする。）

（注）所長および館長で、その職務が労働関係に関する事務以外の事務に限られるものは除かれる。

管理職員等の範囲を定める規則（参考例）（町村）

（目的）

第一条　この規則は、地方公務員法（昭和二十五年法律第二百六十一号。以下「法」という。）第五十二条第四項及び教育公務員特例法（昭和二十四年法律第一号）第二十一条の四第三項［筆者注：現行法には本項に相当する規定は存在しない］の規定に基づき、法第五十二条第三項ただし書に規定する管理職員等の範囲を定めることを目的とする。

（管理職員等の範囲）

第二条　本庁に勤務する職員のうち管理職員等は、別表第一の上欄に掲げる機関についてそれぞれ同表の下欄に掲げる職を有する者とする。

2　出先機関に勤務する職員のうち管理職員等は、別表第二の上欄に掲げる機関についてそれぞれ同表の下欄に掲げる職を有する者とする。

附　則

この規則は、公布の日から施行する。

別表第一

本庁

機関	職
議会事務局	局長
町（村）長部局長	課長　秘書、人事、予算、文書又は庁中取締り担当の係長　出先機関を統轄する課の庶務担当の係長　人事担当の主事（厚生福利又は研修に関する事務を行なうものを除き、かつ、企画に関する事務を行なうものに限る。）
収入役室	出納担当の係長
教育委員会事務局	教育長　人事又は庶務担当の係長
農業委員会事務局	局長

備考

1　この表中「町（村）長部局」とは、○○町（村）行政組織規程（昭和　年○○町（村）規則第　号）第　条に規定する機関をいう。

2　この表中「農業委員会事務局」とは、農業委員会等に関する法律（昭和二十六年法律第八十八号）第二十条第一項に規定する職員により構成される機関をいう。

3　農業委員会事務局の項中「局長」とは、上席の職員をいう。

4　…………

別表第二

出先機関

機関	職
出張所	所長
保育所	所長
診療所	所長
公民館	館長

備考（機関および職について別表第一に準じ必要な定義をするものとする。）

（注）所長および館長で、その職務が労働関係に関する事務以外の事務に限られるものは除かれる。

この規則の制定に関し、具体的な職についていろいろと問題が生じるが、一般的には、次のとおり解されている（行実昭四一・六・二一　公務員課決定）。

(1)　技　監　もっぱら技術に関する事項のみを処理する場合は含まれないが、技術とともに人事、給与、服務等に関する事項を所掌したり、労働関係の計画と方針の決定に参与するような場合は含まれる。

(2)　参事、専門員、主幹、主査等　通常は人事に関与していないので含まれない。しかし、管理監督職員と一体となって労働関係、人事に関与する者は含まれる。

(3)　課長補佐　技術のみを補佐する者、処遇上の補佐に過ぎない者など、人事に全く関与しないもの以外は含まれる。

(4)　庶務係長　本庁の部（これに相当する組織を含む。）または出先機関の人事について監督職員を助け、これと一体となって職員を管理する者は含まれる。

(5)　人事課の人事担当職員　履歴書の整理保管や文書の浄書のみを担当する係員以外の者は含まれる。

(6)　人事課の職員団体関係担当職員　当然に含まれる。

(7)　人事課の厚生福利担当職員　職員の厚生福利に関する計画の策定およびその実施について一定の責任を有する担当係長は含まれる。

(8)　人事課の共済組合事務担当職員　地方公共団体と職員の間の労働関係を取り扱うものではないので含まれない。

(9)　秘　書　長その他の任命権者と行動を共にし、その行動計画の作成または整理について責任のある者は含まれる。

(10)　予算担当職員　職員の給料、手当、旅費等の予算編成作業について一定の責任を有する地位にある者、たとえば、県の場合の財政課予算担当係長以上、市町村の総務課の予算担当係長以上は含まれる。

(11)　出納局の職員　会計担当部課などにおいて資金繰りについて責任を有する職員、たとえば、県の場合の歳計現金を管理する係長以上の職員は含まれる。

(12)　法規審査事務担当職員　労使関係に関する条例、規則その他令達案について、直接その内容の実質審査を行う職員は含まれる。

(13)　文書事務担当職員　一般的には含まれないが、(12)の事務を担当する職員であれば含まれる。

(14)　守　衛　守衛を統轄する守衛長、庁舎、構内を警備するに当たり職員を取り締る権限を有する者は含まれる。

(15)　出先機関の課長　労使関係の実態によって判断すべきもので、当該課長が本庁では係長以下の職に相当するものであっても、所長を助け、一体となって所属の職員を指揮監督するものであれば含まれることになり、単に技術のみを掌理して労使関係上の権限を有しないものは含まれない。

(16)　出先機関の支所長、分場長等　監督機関としての権限を有する場合、監督職員と一体となって所属の職員を指揮監督する場合は含まれる。町村の小規模な出先機関の長についても同様である。

(17)　人事委員会事務局の職員　局長、次長、課長のほか、公平審理、給与勧告、任用等の事務について責任を有する係長が含まれる。

(18)　監査委員の補助職員　監査の事務に従事しているというだけでは含まれない。事務部局内の労使関係の見地から決定することになる。

(19)　県費負担教職員の人事を担当する都道府県教育委員会の教職員課の職員　都道府県の教育委員会は、県費負担教職員に対して使用者の立場に立つものであり、管理主事など、これらの教職員の人事または労働関係について責任を有する教職員課の職員は含まれる。

(20)　公立学校の教職員　校長、副校長および教頭が含まれる。定時制主事等で教頭に準ずるもの、高等学校事務長で校長と一体となって職員を指揮監督するものも含まれる。より具体的には、人事院規則で定める国立学校の職員の管理職員等の範囲に準じて判断すべきものである。

(21)　公印取扱主任者、文書取扱主任者　これらの者は、積極的に原議文の内容の是非に介入する権限がないので含まれない。

(22)　電話交換手　一般的に労使関係の機密を取り扱うものではなく、管理監督者と密接不可分の関係にある者ではないので含まれない。

(23)　知事、市長の自動車運転手　かりに労使関係の機密にふれるとしても職務上のものではないので含まれない。

(24)　現業職員（清掃員、道路工事員等）を掌理する係長　このような事務の性格上、人事管理の権限が係長に与えられている場合があり、その場合は含まれる。

(25)　地方公営企業職員を指揮監督する職員および消防職員を指揮監督する職員　地方公営企業等の労働関係に関する法律の適用を受ける職員および消防職員には地方公務員法第五二条第三項および第四項は適用されていないので、管理職員等と一般職員の区別をすることはない。

(26)　市町村課の行政係（公務員係）および財政係の職員　これらの職員は市町村の職員との間に労使関係を有するものではないので、含まれない。

(27)　雇員、単純労務職員　原則として含まれないが、職員団体の事務を担当する場合には含まれる。

民間の労働組合の場合、この管理職員等の範囲の決定に類似する制度として、使用者の利益を代表する者の範囲の認定（労働組合法に適合する労働組合であることの証明の一環として行われる。労組法二①、五1、一一参照）があり、労働組合を組織することができる職員、すなわち、企業職員および単純労務職員ならびに独法職員についてもその適用があるが、この認定は、不当労働行為の救済（労組法七、二七）または法人格の取得（労組法一一）に際して、そのつど行うものであり、本条のように、事前に、また、職員団体が現に存在するか否かにかかわらず行うものではない。なお、職員の労働組合については、本条の〔解釈〕**四**で述べるように労働委員会による認定および告示の制度がある。ただし、いずれの制度も、労使関係において使用者側の利益を代表する立場にある者を客観的に認定することにより、御用組合化や労使相互の不当介入を未然に防止しようとする趣旨は同じである。

三　連合体である職員団体

「職員団体」とは、職員が勤務条件の維持改善のために組織する団体またはその連合体のいずれをもいうものであり（本条1）、前者を通常、単位職員団体（単位団体、いわゆる単組）といい、後者を連合体である職員団体（連合団体、いわゆる連合職組）という。

単位団体については、すでに本条の〔解釈〕一で述べたので、ここでは連合団体について述べることとする。連合団体は「その連合体」、すなわち単位団体の連合体である。単位団体が連合したものであれば、それぞれの単位団体が異なる地方公共団体のものであっても、同一の地方公共団体のものであってもさしつかえない。また、たとえば、教職員の単位団体と一般職員の単位団体とが連合団体を結成すること、単純労務職員の単位団体と一般職員の単位団体とが連合団体を組織することももとより可能である。次条の登録職員団体と非登録職員団体とが連合団体を組織することもできる。また、本条第一項の文理からは必ずしも明らかではないが、連合団体と連合団体がさらに上級の連合団体を結成しうることはいうまでもないとされている（行実昭二七・四・二　地自公発第九五号）。単位団体と連合団体とがさらに上級の連合団体を結成することができるかどうか明らかではないが、団結自由の原則からこれも肯定的に解すべきであろう。そして、一の単位団体が異なる二以上の連合団体に加入することも可能である（行実昭二八・一・六　自行公発第三号）。しかし、連合団体は、あくまでも職員団体が組織するものであるから、職員個人が連合団体である職員団体に加入することはできない（行実昭三四・九・九　自丁公発第一一三号）。

次に、連合団体である職員団体は、職員団体の連合組織であるので、職員団体と職員団体以外の団体との連合組織は、ここでいう連合団体、すなわち職員団体ではない（地方公務員法の関知するところではないとする行実昭三三・七・一〇（自丁公発第八七号）がある。）。したがって、いずれも職員が組織する労働団体であっても、職員団体と職員の労働組合とが混在する連合組織（○○市労連のごときもの）は職員団体ではない。また、このような団体は、労働組合法上の労働組合にも該当しないものとされている。単純労務職員の場合には、地方公務員法に基づく職員団体と労働組合法に基づく労働組合のいずれをも組織することができるものとされており、単純労務職員が組織する労働団体と職員団体との連合組織が職員団体であるためには、当該単純労務職員の団体が職員団体であることを規約などによって明らかにしなければならない。なお、単純労務職員の組織（いわゆる「現業評議会」）が、職員団体の中の一支部に過ぎないこともあるが、この場合も職員団体や当該団体の規約などによってその実態を確認する必要がある。

四　職員の労働組合の組織

職員のうち、企業職員および単純労務職員ならびに独法職員は、本条の規定によらず、労働組合法に基づく労働組合を組織することができる（地公企法三九1、地公労法四、一七1、附則5、地方独法法五三1①）。これらの職員の労働組合の目的、組織などは、原則的には民間企業の労働組合と同じく労働組合法の一般原則によるものであるが、職員の身分上、あるいは地方公共団体の行財政上の特殊性に基づき、若干の特例が地方公営企業等の労働関係に関する法律で定められている。職員の労働組合の組織の概要は次のとおりである。

㈠　目　的

職員が組織する労働組合は、職員の労働条件の維持改善その他経済的地位の向上を図ることを主たる目的とするものでなければならない（労組法二）。主たる目的のほかに従たる目的として、文化的、社会的、あるいは政治的目的等をもつことができる。目的については、民間の労働組合および職員団体の場合と同じである。

㈡　職員の労働組合の組織

職員の労働組合の組合員は、職員を含む労働者が主体となって組織されていれば足りるものである。職員の労働組合というためには、少なくとも企業職員および単純労務職員ならびに独法職員が構成員の過半数を占めていなければならないであろう。若干の労働者以外の者が加入していてもさしつかえない。異なる地方公共団体の企業職員若しくは単純労務職員または独法職員が単一の労働組合を組織すること、企業職員と単純労務職員あるいは独法職員が単一の労働組合を作ることも可能である。また、「労働組合」とは、単位団体である労働組合だけでなく、単位団体の労働組合の連合体も含まれる。しかし、労働組合と職員団体あるいは事実上の労働団体との連合体は労働組合ではない。

次に、職員が組織する労働組合は、その役員を自由に選任することができる。ＩＬＯ八七号条約第三条に基づく代表者選出自由の原則によるものである。ここで「役員」とは、職員団体の場合と同様に、労働組合を代表して執行権限をもつ機関の構成員および監査権限をもつ構成員、すなわち、委員長、副委員長、書記長、中央執行委員、監事などをいうものである。これらの者には職員はもとより、職員以外の者も就任することができる。

次に、職員が組織する労働組合は、オープン・ショップ制をとらなければならない。すなわち、職員は労働組合を結成し、若しくは結成せず、またはこれに加入し、若しくは加入しないことができるものである（地公労法五1、附則5）。職員団体の場合と同様に、職員の任用は能力の実証によって行われるものであり、法定事由以外にその意に反する退職をさせることはできないので、ユニオン・ショップ制またはクローズド・ショップ制をとる余地はないからである。したがって、職員の労働組合の場合は、これに対する加入を強制することはできないことはもとより、脱退をその意に反して規制することもできない。

㈢　当局の利益代表者と一般職員の区別

労働組合法では、労使関係において使用者の利益を代表する者の参加を認める団体は、同法上、労働組合として認められないこととされている（同法二①）。その趣旨は、職員団体における管理職員等と一般職員との区別と同様に、労働組合の御用組合化を避け、労使相互不介入の立場に立って労働組合の自主性を確保することにある。

使用者の利益を代表するもの、すなわち、当局側に立つべきものの範囲は、一般の民間労働組合の場合は、不当労働行為の救済を受ける場合、または法人格を取得する場合に、そのつど証明しなければならないとされているが（労組法五1、一一1）、職員の労働組合の場合は、労働委員会が認定して告示することとされている（地公労法五2）。ところで職員団体にかかる管理職員等の範囲は、職員団体が現に存在するか否かにかかわらず、あらかじめ規則で定めておくものであるが、職員の労働組合にかかる当局の利益代表者の範囲は、職員が結成しまたは加入した現に存在する労働組合についてなされるものと解されている。また、職員団体の場合は、管理職員等として規則で定められた者が一体となって職員団体を作ること、たとえば、部長と課長が一の職員団体を組織することができるが、労働組合にかかる当局の利益代表者は相対的、かつ、重畳的に定まるもので、たとえば、部長は課長に対して当局の利益を代表するものであり、課長が組織する労働組合に部長は加入することができない。

職員の労働組合について当局の利益代表者の認定および告示を行う労働委員会は、職員が勤務する地方公営企業または特定地方独立行政法人の主たる事務所の所在地を管轄する都道府県労働委員会である（地公労法施行令一1）。また、この認定、告示に関する事務の処理は、労働委員会の公益委員のみが参与するものである（地公労法施行令六1、労組法施行令二六）。さらに、告示の方式は、都道府県の規則の公布の例によることとされている（地公労法施行令一2）。

なお、昭和四〇年（一九六五年）の地方公営企業労働関係法の一部改正前は、職員の労働組合の当局の利益を代表する者の範囲は、政令で定める基準に従い、条例で定めることとされていた。そこで、この改正の際の経過措置として、従来条例で定められていた使用者の利益代表者の範囲は、そのまま労働委員会が認定したものとみなすこととされている（改正法附則二）。改正法の施行後に職制などの改正が行われたときは、労働委員会がこれに伴う認定と告示を行わなければならない。

（職員団体の登録）

第五十三条　職員団体は、条例で定めるところにより、理事その他の役員の氏名及び条例で定める事項を記載した申請書に規約を添えて人事委員会又は公平委員会に登録を申請することができる。

２　前項に規定する職員団体の規約には、少くとも左に掲げる事項を記載するものとする。

一　名称

二　目的及び業務

三　主たる事務所の所在地

四　構成員の範囲及びその資格の得喪に関する規定

五　理事その他の役員に関する規定
六　第三項に規定する事項を含む業務執行、会議及び投票に関する規定
七　経費及び会計に関する規定
八　他の職員団体との連合に関する規定
九　規約の変更に関する規定
十　解散に関する規定

3　職員団体が登録される資格を有し、及び引き続き登録されているためには、規約の作成又は変更、役員の選挙その他これらに準ずる重要な行為が、すべての構成員が平等に参加する機会を有する直接且つ秘密の投票による全員の過半数（役員の選挙については、投票者の過半数）によつて決定される旨の手続を定め、且つ、現実に、その手続によりこれらの重要な行為が決定されることを必要とする。但し、連合体である職員団体にあつては、すべての構成員が平等に参加する機会を有する構成団体ごとの直接且つ秘密の投票による投票者の過半数で代議員を選挙し、すべての代議員が平等に参加する機会を有する直接且つ秘密の投票によるその全員の過半数（役員の選挙については、投票者の過半数）によつて決定される旨の手続を定め、且つ、現実に、その手続により決定されることをもつて足りるものとする。

4　前項に定めるもののほか、職員団体が登録される資格を有し、及び引き続き登録されているためには、当該職員団体が同一の地方公共団体に属する前条第五項に規定する職員以外の職員のみをもつて組織されていることを必要とする。ただし、同項に規定する職員以外の職員であつた者でその意に反して免職され、若しくは懲戒処分としての免職の処分を受け、当該処分を受けた日の翌日から起算して一年以内のもの又はその期間内に当該処分について法律の定めるところにより審査請求をし、若しくは訴えを提起し、これに対する裁決若しくは裁判が確定するに至らないものを構成員にとどめていること、及び当該職員団体の役員である者を構成員としていること

を妨げない。

5　人事委員会又は公平委員会は、登録を申請した職員団体が前三項の規定に適合するものであるときは、条例で定めるところにより、規約及び第一項に規定する申請書の記載事項を登録し、当該職員団体にその旨を通知しなければならない。この場合において、職員でない者の役員就任を認めている職員団体を、そのゆえをもつて登録の要件に適合しないものと解してはならない。

6　登録を受けた職員団体が職員団体でなくなつたとき、登録を受けた職員団体について第二項から第四項までの規定に適合しない事実があつたとき、又は登録を受けた職員団体が第九項の規定による届出をしなかつたときは、人事委員会又は公平委員会は、条例で定めるところにより、六十日を超えない範囲内で当該職員団体の登録の効力を停止し、又は当該職員団体の登録を取り消すことができる。

7　前項の規定による登録の取消しに係る聴聞の期日における審理は、当該職員団体から請求があつたときは、公開により行わなければならない。

8　第六項の規定による登録の取消しは、当該処分の取消しの訴えを提起することができる期間内及び当該処分の取消しの訴えの提起があつたときは当該訴訟が裁判所に係属する間は、その効力を生じない。

9　登録を受けた職員団体は、その規約又は第一項に規定する申請書の記載事項に変更があつたときは、条例で定めるところにより、人事委員会又は公平委員会にその旨を届け出なければならない。この場合においては、第五項の規定を準用する。

10　登録を受けた職員団体は、解散したときは、条例で定めるところにより、人事委員会又は公平委員会にその旨を届け出なければならない。

〔趣　旨〕

一　登録制度の意義

職員団体には登録という独特の制度がある。諸外国においても、たとえば、アメリカの連邦職員の労働団体については当局がこれを承認するという制度があるが、わが国の職員団体の登録は、登録機関である人事委員会または公平委員会が、当該職員団体が一定の要件に適合していることを確認し、公証する制度である。

登録の目的は、登録の要件と密接な関係があるが、地方公共団体の労使関係の特殊性を考慮して、もっとも望ましい正常な交渉と労使関係を確立しようとすることにある。すなわち、登録の要件は〔解釈〕で述べるが、その特色は、職員団体そのものは職員が主体となって組織されていれば足り、職員が所属する地方公共団体がどこであるかは問わないのであるが、登録を受けることができる職員団体は同一の地方公共団体の職員のみで組織されていなければならないとされていることである。職員団体の結成は、最大限自由にかつ弾力的に認められているのであるが、登録職員団体は当該地方公共団体にとってもっとも純粋なものに限定されている。このように限定されているのは、職員の勤務条件は、個々の地方公共団体ごとにそれぞれの条例で定められており、その地方公共団体の職員のみで組織されている職員団体が存在するならば、それがその地方公共団体との間でもっとも深い利害関係を有する職員団体であり、このような団体と交渉を行い、その意見を聞くことが、もっとも効果的であり、しかも切実に意見の交換を行うことができると考えられたのである。すなわち、第二四条の〔趣旨〕三㈠3で述べたように、職員の勤務条件は、民間企業の勤労者のように労使間の団体協約を含む任意の契約で定まるものではなく、行財政に対する民主的統制の原則に基づいて、住民の代表である議会の議決によって定まるものである。このような勤務条件の決定方式を前提として考えるならば、当該地方公共団体の職員またはその職員団体が当局と交渉し、その結果を議会の議決に反映させることが行政的にみてももっとも自主的、主体的で受け入れやすい方式であるといえよう。

地方公務員法は、登録職員団体による当局との交渉が行われることを期待して、次の三つの便宜を登録職員団体に認めることとしている。なお、㈠および㈡は登録職員団体に限って認められるものである。

㈠　交渉における地位

地方公共団体の当局は、登録職員団体から交渉の申入れを受けたときはこれに応ずべき地位に立つことが法定されている。詳細は第五五条で述べるが、登録職員団体に対しては広義の応諾義務を当局に課することにより、交渉におけるその優先的地位を確保し、もって登録職員団体と当局との交渉が促進されることを期待するものである。

㈡　在籍専従職員設置の許可

登録職員団体については、当局は職員の身分を保有したまま、職務専念義務を免除してその役員の業務に専従することを認めることができるものとされている。詳細は第五五条の二で述べるが、登録職員団体についてのみ、このような便宜を認めているものである。

㈢　法人格の取得

職員団体は、法人格を取得することができる。詳細は第五四条で述べるが、職員団体が法人格を取得すると職員団体自身の名義で不動産を取得したり、契約を締結したりすることができることとなり、経済活動の面で有利となる。ところで、この法人格については、地方公務員法の制定以来、職員の労働団体のうち、登録職員団体についてのみ法人格を認めることとされていたのであるが、これに対しては種々論議の存するところであった。とくに職員の労働団体の全国的組織、いわゆるナショナル・センターは、地方公共団体の区域を超えていることなどにより登録職員団体とはなり得なかったので、事務所の取得その他について不便であるとして、ＩＬＯ一七九号事件の提訴事項の一つとしていた。この問題についてドライヤー報告書では、交渉とは別問題であるとしながら全国的労働団体に法人格を付与することを検討するよう示唆したのであり（同報告書二二二〇項）、さらに昭和四八年（一九七三年）九月の第三次公務員制度審議会の答申では、登録制度と切り離して法人格を付与すべき旨の意見が述べられたのである。政府は、この答申を検討した結果、国家公務員法および地方公務員法とは別個の法律によって一定の職員の労働団体に法人格を与えることとし、昭和五三年（一九七八年）に、職員団体等に対する法人格の付与に関する法律が制定された。これによって登録職員団体以外の職員の労働団体にも一定の要件の下に法人格が認められることとなり、登録職員団体に限って法人格を付与するという利便は薄れ、平成二〇年（二〇〇八年）一二月一日の一般社団法人及び一般財団法人に関する法律及び公益社団法人及び公益財団法人の認定等に関する法律の施行に伴う関係法律の整備等に関する法律（平一八法五〇）の施行により、法人格の付与の問題と登録の有無の問題は完全に切り離されることとなった。

二　登録制度と職員の団結権

登録制度は、地方公共団体の当局と職員の労働団体の間で望ましい交渉が行われるよう、また、望ましい労使関係が確立されるよう期待し、配慮された制度であるが、登録の要件が同一の地方公共団体の職員のみで組織することとされており、また、登録職員団体に限って本条の〔**趣旨**〕一で述べたような便宜が与えられているため、登録制度が職員の自由な団結を阻害するのではないかという議論がある。

まず、ＩＬＯ一七九号事件で自治労（全日本自治団体労働組合）は、地方公務員制度に関する結社の自由委員会に対する提訴の中で、登録制度はＩＬＯ八七号条約第二条で禁止されている行政官庁による労働団体の「事前の認可」であり、登録職員団体と非登録の労働団体とを差別するものであると主張した。これについて結社の自由委員会は第五八次報告で、人事委員会または地方公共団体の当局から独立した登録機関を設けるよう示唆した。また、ドライヤー報告書では、登録制度に関しては、登録要件の中で特別の議決を要する「重要な事項」の内容を明示すべきこと（同報告書二二〇七項）、独立した登録機関を設置すべきこと（同二二一三項）、全国的な労働団体に法人格を付与すべきこと（同二二二〇項）、登録職員団体と非登録職員団体の交渉に関する相違をなくすこと（同二二二七項）などの意見を述べている。さらに、七三七号事件に関する昭和四八年（一九七三年）一一月の結社の自由委員会の第一三九次報告では、登録制度は職員の団体を細分化する効果があり、八七号条約に照らして問題を生じうるものである、地方公務員が自ら選択する団体を設立し、これが十分な権利をもつよう必要な改正を検討するよう政府の注意を喚起すると述べている。

次に、国内では昭和四八年（一九七三年）九月の第三次公務員制度審議会の答申では、登録制度は存続させるが、非登録職員団体の交渉も当局が恣意的に拒否しないよう努めるべきであり、法人格は登録制度と切り離して付与するものとし、さらに、登録の取消しが裁判所に係属中はその効力を生じないものとするとしている。

以上のとおり、登録制度については内外でさまざまな意見が述べられているが、このうち、公務員制度審議会の答申の内容は、非登録職員団体の交渉については運用で、非登録団体の法人格および裁判係属中の登録取消しの効力の不発効については昭和五三年（一九七八年）の職員団体等に対する法人格の付与に関する法律および国家公務員法及び地方公務員法の一部を改正する法律の制定で、それぞれ改善ないしは実現を見たところである。ＩＬＯの結社の自由委員会あるいはドライヤー・レポートの意見については、結社の自由委員会の第五八次報告の第三八六項が、登録要件中、組合役員の選挙の議決は投票の過半数で足りるというのが通常の原則であると述べているのを受けて、昭和四〇年（一九六五年）の地方公務員法改正法の原案にとり入れられた程度であり、そのほとんどは制度化されていない。それは、ＩＬＯにおける意見を勘案しながら、公務員制度審議会がわが国の実態をふまえて前述のように登録制度を評価したからであるといえよう。そして理論的に登録制度が問題となるのは、登録制度が登録職員団体とそれ以外の職員の労働団体との間に本質的あるいは決定的な差別をもたらすものであるか否かという点にあるといってよい。登録職員団体を含めて職員の労働団体の本質は、勤務条件について当局と交渉を行うという行為能力を持つことであり、この点は職員のいかなる労働団体も同じ能力を有するものである。また、職員が、登録職員団体、非登録職員団体または職員団体以外の労働団体のいずれを組織することも全く自由であって、これを制約するなにものもないのである。確かに登録職員団体と非登録職員団体との間には、交渉に当局が応ずべき旨の規定が後者についてはないことおよび在籍専従職員が後者については認められないという差はある。しかし、これは団結権の自由と交渉の能力には決定的な影響を与えるものではない。これらの差は、登録職員団体に対して労働団体の本質とはかかわりのない点で付加的利便を与えたに過ぎないものであり、これに類する差は登録職員団体と非登録職員団体との間だけでなく、職員団体と非職員団体との間にも、民間の労働組合法上の労働組合とそれ以外の労働団体との間にも多かれ少なかれ存在する。また、たとえば、アメリカの連邦政府職員の場合には、当局によって排他的独占的な承認を得た労働団体とそれ以外の労働団体との間では交渉について当局の対応の仕方に大きな差があるところである。

要するに登録制度の趣旨が未だ十分に理解されていない向きもあるが、それは職員の労働団体の間に決定的な差別をもたらすものではないのであり、これをもってＩＬＯ八七号条約第二条で禁止している行政官庁による労働団体の設立の事前の認可であるとするのは当たらないといわなければならない。登録制度は、あくまでも数ある職員の労働団体の中で、もっとも当該地方公共団体の勤務条件に密接な利害関係をもつ労働団体の結成を期待しているに過ぎないといってよいであろう。

〔解　釈〕

一　登録の申請

職員団体の登録は、後述するように職員団体が一定の要件を備えていること、そして**〔趣旨〕**で述べたようにその職員団体が民主的に組織されていることを、所定の登録機関が確認し、公証する制度である。そして登録の効果は、これも**〔趣旨〕**で述べたように、当局が登録職員団体の交渉の申入れには積極的に応ずべき地位に立つこと（法五五１）、および登録職員団体には在籍専従職員を認めることができること（法五五の二）の二つの附加的利便が与えられることである。

職員団体がこのような公証を受け、附加的利便を与えられることを希望して登録をしようとするときは、条例で定めるところにより、理事その他の役員の氏名および条例で定める事項を記載した申請書に、職員団体の規約を添えて、人事委員会または公平委員会に申請をすることになる（本条１）。昭和四〇年（一九六五年）の地方公務員法改正前の登録機関は、人事委員会および人事委員会を置かない地方公共団体はその長であったが、長は労使関係の一方の当事者であることから、公平委員会に改められたものである。この改正経緯からも分かるように、本条における人事委員会または公平委員会というのは、当該職員団体の職員が所属する地方公共団体の人事委員会または公平委員会を意味するものであり、一の都道府県内の公立学校の職員による職員団体の登録先を当該都道府県の人事委員会とする教育公務員特例法第二九条第一項はこの特例である。

登録の申請の手続は、条例によって定められる。手続一般（本条１）だけでなく、申請書の記載事項（本条１）、登録事項の登録の手続（本条５）、登録の効力の停止および取消し（本条６）、規約または申請書の記載事項の変更の届出（本条９）および登録職員団体の解散の届出（本条10）もそれぞれ条例で定めるものであり、これらの事項をまとめて「職員団体の登録に関する条例」が定められている。職員団体の登録に関する条例は、各地方公共団体ごとに制定すべきものであるが、公平委員会の事務を人事委員会に委託した市町村または公平委員会を共同で設置した市町村（法七4）については、それぞれ委託を受けた人事委員会の属する地方公共団体または共同設置の際に規約で定めた地方公共団体の条例で定めるものである。たとえば、公平委員会の事務の委託を受けた人事委員会が属する地方公共団体は、委託にかかる登録事務についての条例をとくに定めることもできるが、条例の定め方により当該地方公共団体の職員団体の条例をそのまま適用してもさしつかえない。また、事務委託をした市町村の条例により登録されていた職員団体は、委託と同時に、当然に委託を受けた地方公共団体の条例によって登録を受けたものとみなすこともできよう（行実昭四二・七・三一　自治公第四〇号）。

職員団体の登録に関する条例については、次のとおり人事委員会にかかる案（通知昭四一・六・二一　自治公第四八号別紙(三)）が示されている。公平委員会を置く地方公共団体の場合もこれに準じて定めることになろう。

○職員団体の登録に関する条例（案）

（この条例の目的）

第一条　この条例は、地方公務員法（昭和二十五年法律第二百六十一号。以下「法」という。）第五十三条第一項及び第五項から第八項〔現行第十項〕までの規定に基づき、職員団体の登録に関し必要な事項を定めることを目的とする。

（登録の申請）

第二条　職員団体が人事委員会に登録を申請する場合には、その代表者を通じて、次の各号に掲げる事項を記載した正副二通の申請書にそれぞれ規約を添付して、提出しなければならない。

一　理事その他の役員の氏名、住所及び職名（職員でない者にあつてはその職業）

二　すべての事務所の所在地

三　連合体である職員団体にあつては、その構成団体の名称

2　前項の規定による申請書には、次の各号に掲げる書類を添付しなければならない。

一　規約の作成又は変更、役員の選挙その他これらに準ずる重要な行為が、法第五十三条第三項の規定に従い決定されたこと並びにその投票の日、場所及び結果を証明する書類

二　法第五十三条第四項の規定に従つて組織されていることを証明する書類

（登録の通知）

第三条　人事委員会は、登録の申請を受けた日から三十日以内に、登録をした旨又はしない旨を、申請をした職員団体に通知しなければなら

ない。

（規約等の変更又は解散の届出）

第四条　登録を受けた職員団体は、その規約若しくは第二条第一項に規定する申請書の記載事項に変更があつたとき、又は解散したときは、その事由を生じた日から十日以内に、人事委員会に書面をもつてその旨を届け出なければならない。

2　職員団体が前項の規定により届出をする場合には、その代表者を通じて、正副一通の届出書を提出しなければならない。

3　第一項の規定による届出が規約の変更、役員の選挙その他これらに準ずる重要な行為に係るときは、それらの行為が法第五十三条第三項の規定に従い決定されたこと並びにその投票の日、場所及び結果を証明する書類を添付しなければならない。

4　前条の規定は、規約又は第二条第一項に規定する申請書の記載事項の変更の届出の場合に準用する。

（登録の効力停止及び取消しの通知）

第五条　人事委員会は、法第五十三条第六項前段の規定により職員団体の登録の効力を停止し、又は登録を取り消すときは、その旨を記載した書面をもつて当該職員団体に通知しなければならない。

（人事委員会規則への委任）

第六条　この条例に定めるもののほか、職員団体の登録に関し必要な事項は、人事委員会規則で定める。

附　則

この条例は、公布の日から施行する。

登録の申請は、このような条例に基づいて行われるものであるが、申請書においては、条例案第二条に定められているように、本条第一項で定められている理事その他の役員の氏名のほか、その住所および職名（職員以外の者の場合はその職業）、すべての事務所の所在地ならびに連合体である場合はその構成団体の名称を記載することとされている。地方公務員法では、職員団体の役員を「理事その他の役員」としているが、通常、中央執行委員、委員長、副委員長、書記長、監事などと称される。当該団体を代表して業務の執行または監査に当たる者がこれに当たる。申請書の様式は、条例案第六条に基づいて人事委員会または公平委員会の規則で定められることになろう。申請書には、法律に基づき規約を添付するほか、条例によって、規約の作成や役員の選挙が適法になされたことを証明する書類および当該地方公共団体の職員のみによって組織されていることを証明する書類を添付する必要がある（条例案二）。

二　登録の要件

職員団体が登録を受けるためには、本条で定める三つの実質的要件に適合していなければならない。その一は、職員団体の規約で一定の事項が定められていることであり（本条２）、その二は、職員団体の重要な事項が民主的な手続で決定されていることであり（本条３）、その三は、職員団体の構成員が同一の地方公共団体の職員のみで組織されていることである（本条４）。以下、それぞれについて述べることとする。

㈠　登録職員団体の規約の必要的記載事項

職員団体が登録を受けるためには、その規約に少なくとも次の事項が記載されていなければならない（本条２）。

(1)　名称

(2)　目的および業務

(3)　主たる事務所の所在地

(4)　構成員の範囲およびその資格の得喪に関する規定

(5)　理事その他の役員に関する規定

(6)　職員団体の重要事項を含む業務執行、会議および投票に関する規定

(7)　経費および会計に関する規定

(8)　他の職員団体との連合に関する規定

(9)　規約の変更に関する規定

(10)　解散に関する規定

以上は、登録を受けるための規約の必要的記載事項であり、かつ、最少限の記載事項であるから、これ以外の事項を規約で定めても、それが適法である限り、登録を受けることに影響を与えるものではない。

まず、職員団体の「名称」であるが、これについてはとくに問題はない。略称や英文による名称、略称をあわせて規約に定めることもありうるであろう。(2)の「目的および業務」については、第五二条の**〔解釈〕**一において述べたとおり、その主たる目的が勤務条件の維持改善を図ることであれば足り、従たる目的を規定することもさしつかえない。また、規約に定

める目的外の活動を行ったからといって登録が取り消されるものでもない（行実昭四一・六・二一　公務員課決定）。当該事項について交渉はできないが「人事の適正化」をその行う事業の一つとして規約に掲げていても登録することができるとする実例（行実昭二六・八・三　地自公発第三二一号）があるが、補正しない限り登録すべきではない。また、明らかに違法な目的または業務を規定している場合、たとえば、争議行為を行うことを明記しているような場合には、登録をすることはできないものと解される。⑶の「主たる事務所」については、その所在地のほか、従たる事務所の所在地も条例によって申請書の記載事項とされている（条例案二1②）ので、結局、すべての事務所の所在地が届け出られることになる。⑷の「構成員の範囲およびその資格の得喪」についてはいろいろな問題がある。まず、構成員は、本条第四項の規定により、当該地方公共団体の職員のみで組織されていなければならないものであり、警察職員または消防職員以外の職員で組織されていなければならないが、分限免職もしくは懲戒免職の処分により職員としての地位を失った者であっても、当該処分を受けた日の翌日から起算して一年以内のものまたは適法に提起した審査請求もしくは訴えが継続中のものを構成員にとどめていることは差し支えなく、当該地方公共団体の職員でない当該職員団体の役員である者を構成員とすることも認められている。なお、ここで「構成員」とは、役員以外の職員団体加入者、いわゆる一般組合員を指すものである。単純労務職員には職員団体の規定が適用されるので（地公労法附則５）、それが構成員となっていても登録をすることはできるが、小規模の市町村における水道事業のように、ごく少数の者であっても、企業職員が加入している職員団体は登録をすることができない。これは勤務条件の決定方式が異なり、職員団体の規定が適用されていないからである（地公企法三九1、行実昭四一・六・二一　公務員課決定）。管理職員等と一般職員とが混在している団体は、そもそも職員団体ではないので（法五二3但し書）、登録をする余地がないことはいうまでもない。なお、一般職員の職員団体は、管理職員等を構成員としない旨定めておくことが望ましいとされている（行実昭四一・六・二一　公務員課決定）。このように、登録に当たっては、構成員の実態を詳細に把握する必要があるが、人事委員会または公平委員会がその実態を確認する場合、一般的には、組合員名簿により形式的に明らかになるが、それによっても必ずしも明確ではないときは、組合費の徴収の有無、組合における投票権、選挙権の有無または組合での活動のいかん等によって判断すべきものとされている（行実昭四一・六・二一　公務員課決定）。なお、職員団体は、人事委員会または公平委員会の求めに応じて組合員名簿等の提出に協力すべきものであり、もし、協力が得られないときは、登録が行われないこともあり得る。次に、構成員の「資格の得喪」については、職員団体はオープン・ショップ制でなければならないものであるから（法五二３本文）、これに反するような規約、たとえば、職員の自由な脱退を規制するような規約を登録することはできない。また、規約で所定の違反があった者を除名する旨を定めることは、職員団体の団体自律の問題であるのでさしつかえない（行実昭二六・五・一七　地自公発第二一二号）。ただし、労働団体のその構成員に対する統制については、構成員の合法的な権利を侵害するような統制処分は違法であるとされている（最高裁昭四三・一二・四判決　判例時報五三七号一八頁）。(5)の理事その他の役員については、「役員」の考え方は前記一および第五二条の〔解釈〕二㈢において述べたところである。役員に関しては、その選挙についていろいろと問題があるが、これについては後記㈡で詳説する。(6)の職員団体の重要事項についても同じく㈡で述べるが、その他の業務執行、会議および投票については、大会の開催、中央執行委員会および監事の権限、三役の権限、その他の内部機関の設置、これらの機関における票決その他の意思決定の方法などが規約に定められることになろう。もっとも、こうした事項のどれを規定するかは職員団体の自律の問題であり、中央執行委員会の議決要件を規定しなかったからといって、登録要件を欠くことにはならない（行実昭二六・八・三　地自公発第三三一号）。(7)の「経費および会計」については、予算、決算の決定方法、監査などを定めるものである。(8)の「他の職員団体との連合」については、これは後記㈡で述べるように本条第三項の「重要な行為」に該当するものであり、これを決定する手続を定めるものである。また、現にその職員団体が連合体に加入していない場合であっても、これは必要的記載事項であるので、連合する場合を想定して規約に定めておく必要がある（行実昭二六・五・一　地自公発第一八〇号）。連合に関しては、大会付議事項であるとのみ規定していても足りるものとされている（行実昭二六・八・三　地自公発第三三一号）。(9)の「規約の変更」も後記㈡で述べる「重要な行為」の一つである。さらに(10)の「解散」も同じく「重要な行為」である。

以上が規約の必要的記載事項の概要であるが、人事委員会または公平委員会は、登録に当たり、規約に記載されている事項が形式的要件を具備していれば、登録の申請を受理し審査すべきものとされている（行実昭四二・一二・二五　自治公一第六〇号）。しかし、登録を行うためには、実質的な要件に合致していなければならないものであり、たとえば、役員の選出は別に定める選挙規程によるとのみ規約に定めているときは、当該選挙規程が、本条第三項の要件に合致しているかどうかを確認する必要がある（行実昭二六・八・三　自治公発第三二一号）。

(二)　重要行為の決定についての民主的手続の具備

職員団体が登録される資格を有し、および引き続き登録されているためには、その重要な行為の決定が一定の民主的な手続によって行われることが定められ、かつ、現にその手続によって決定されていることが必要である（本条3）。

まず、職員団体の「重要な行為」としては、組織の基本である「規約の作成又は変更」と「役員の選挙」が法定されている。職員団体の規約の必要的記載事項については、本条第二項で明記されており、その概要は(一)で述べたとおりであるが、これを新たに定め、あるいは改正する場合には、形式的にも実質的にも後述の手続によらなければならないのである。また、一旦、規約に定めることとした以上、任意的記載事項であっても、これを定め、あるいは変更するときは、後述のように全員の過半数の賛成によらなければならない（行実昭三一・七・四　自丁公発第七七号）。また、役員の選挙については、きわめて問題が多いが、それはもっぱら選出方法の問題であるので、後に重要事項の決定方法の中で述べることとする。

「重要な行為」としては、以上のほか、「その他これらに準ずる重要な行為」が規定されているが、これに該当するのは、職員団体の上部団体への加入、脱退または提携、その解散など、職員団体の存立および運営の基本的事項であり、役員の信任、不信任、役員の解職請求、組合財産の取得または処分、組合費の賦課徴収、予算または決算の承認、運動方針や当局に対する要求事項の決定は必ずしもこれに該当しないと解されている（行実昭二六・一一・一六　地自公発第五〇一号、同昭四一・六・二一　公務員課決定）。

次に、これら重要な行為を決定する民主的手続であるが、単位団体と連合団体とで若干異なり、単位団体の場合は、「すべての構成員が平等に参加する機会を有する直接且つ秘密の投票による全員の過半数（役員の選挙については、投票者の過半数）」によって決するものとされている（本条３本文）。「構成員の全員」とは役員以外の加入者の全員であり、「平等」とは選挙で投票する構成員の立場がすべて量質ともに等しいことを意味する。ただし、組合費の未納者や組合が定める規律に反する者の選挙権を停止することは、この平等には違反しないであろう。また、「直接」投票には委任投票は含まれず、「秘密」かつ「投票」であるから挙手や起立による賛否の決定は認められない。しかし、郵送による投票は、選挙管理が厳密に行われるならば「秘密」投票である。さらに、「全員の過半数」とは、職員団体の構成員全員の過半数、すなわち組合員として在籍する者の過半数で、いわゆる絶対過半数である（行実昭二六・七・二四　地自公発第三〇六号、同昭三六・五・一　自治丁公発第三二号、これらはいずれも昭和四〇年の本法改正前の役員選挙に関する実例で、現在の役員選挙には妥当しないが、規約の作成、変更とその他の重要な行為については妥当する。）。また、「過半数」とは、白票数、無効票数のいかんにかかわらず、賛成票が全構成員の半数以上なければ、有効な決定とはなり得ないものである（行実昭二七・五・一三　地自公発第一五〇号）。重要な事項のうち、役員の選挙については投票者の過半数で足りる旨緩和されているが、これは、昭和四〇年（一九六五年）の改正前は他の重要事項と同じく絶対多数が必要とされていたものである。しかし、ＩＬＯ結社の自由委員会第五八次報告で組合役員の選挙は投票の過半数で足りるというのが通常承認された原則である旨の指摘がなされたため、役員選出の議決に限って投票者の過半数で足りるよう前記改正の際に改められたものである。ところで、この役員の選挙についてはさまざまな問題がある。まず、役員を職域単位で選挙する方法は、登録要件に適合しない（行実昭二六・三・一三　地自公発第七三号、法制意見昭二六・四・一〇　法務府法意一発第一六号）。しかし、職域別に予備選挙を行い、投票者の過半数の信任投票で役員を選出することは登録要件に合致する（行実昭二七・二・二三　地自公発第四九号）。また、役員の選挙の方法にもいろいろなやり方があるが、構成員が多数の場合であっても、役員候補の一人一人について投票を行う場合においては、それぞれが投票者の過半数の得票を得なければならないものである（行実昭二六・七・一三　地自公発第二九六号）。単記無記名で複数の役員を選出することは困難であり（行実昭二六・八・二七　地自公発第三六四号）、より効率的に投票を行うため、全候補者の氏名を投票用紙に印刷し、これに○×等の記号を付することによって、投票者の過半数を得た者を高点順に役員に選出することも可能である（行実昭二九・五・二七　自丁公発第八六号）。また、第一回の投票で投票者の過半数を得た者がいない場合に、比較多数の得票者について投票者の過半数による信任投票を行うことも可能であり（行実昭四一・六・二一　公務員課決定）、先述のとおり、予備選挙その他の方法で定員内の役員候補を定め、投票者の過半数による信任投票を行うこともできる。ただし、立候補者が定員以下であったからといって、そのまま無投票当選とすることはできず、このような場合も信任投票を行わなければならないものである（行実昭二六・七・二四　地自公発第三〇六号）。ところで、投票者全員の過半数が登録要件とされているのは、役員の「選挙」についてであり、役員の解任については自主的に適宜の方法を定めることができる（行実昭二六・五・一一　地自公発第一九四号）。また、役員の互選により職員団体の代表者（執行委員長）を選出することも、「役員の選挙」ではなく、内部的な自律に委ねるべき問題であるので、登録要件には関係がない（行実昭三二・五・一一　自丁公発第五四号）。

次に、連合体である職員団体が登録要件に適った「重要な事項を決定する方法」は、すべての構成員が平等に参加する機会を有する構成団体ごとの直接かつ秘密の投票による投票者の過半数で代議員を選挙し、すべての代議員が平等に参加する機会を有する直接かつ秘密の投票によるその全員の過半数（役員の選挙については、投票者の過半数）によって決定される旨の手続を定め、かつ現実に、その手続により決定されることをもって足りるものとされている（本条3但し書）。すなわち、連合体における重要事項の決定は、代議員の選出と、その代議員による決定という二段階の手続をとるものである。「足りるものとする。」と規定されているため、これ以外の厳格な方法、たとえば、連合体の構成団体の全構成員による直接の投票でもさしつかえないようにも見えるが、これは消極的に解すべきで、登録要件としては、二段階の手続を要求しているものと解すべきであろう。

まず、代議員の選出であるが、これは単位団体の役員の選挙とほぼ同様であり、また、投票者の過半数で足りることもその選挙と同じである。「平等参加」、「直接投票」および「秘密投票」の意義も同じである。代議員の選出は、連合体が重要事項を決定するつど行うこともできるが、あらかじめ任期を定めて選出し、任期中はその者が重要事項の決定に参加することとしてもさしつかえない。ここで「構成団体」とは単位団体を予想して規定されているが、連合体には連合体相互の連合体や連合体と単位団体との連合体もあり得る。このような場合に当該連合体の構成員たる連合体については、「すべての構成員」とは「すべての代議員」の意であると理解すべきものである。代議員の数は「構成団体ごと」に選挙するとされているので、構成団体ごとに最低一人の代議員が選出されることが法律上の要件であり、この要件を満たす限り、たとえば、各構成団体の組合員数に応じて代議員の数が異なることとされていてもさしつかえない（行実昭二七・六・九　地自公発第一九六号）。

次に、代議員による重要事項の決定であるが、連合体の「重要な事項」も単位団体のそれと同じである。すなわち、連合体の規約の作成、変更、およびその役員の選挙ならびに連合体への加入、解散などの「その他の重要な事項」である。これらを決定するには、原則として「すべての代議員」の過半数、すなわち、絶対的過半数が必要である。ただし、役員の選挙は、単位団体の場合と同じ理由から投票者の過半数とされている。過半数の意味も単位団体の場合と同じであり、投票者全員の過半数が賛成しない限り、有効な決定はなし得ない。反対票および無効票ならびに白票が過半数のときは、議案は成立しないのである。この投票は、「直接」かつ「秘密」のものでなければならず、その意味は単位団体の場合と同じである。委任状による代議員の出席（投票）は認められないとされているが（行実昭二七・五・一三　地自公発第一五〇号）、単位団体の投票の場合も同じであろう。

㈢　構成員の限定

職員団体の登録要件の第三は、構成員が一定の範囲に限定されていることである。すなわち、職員団体が登録される資格を有し、および引き続き登録されているためには、当該職員団体が同一の地方公共団体に属する警察職員または消防職員以外の職員のみをもって組織されていなければならない（本条４本文）。これには後述のように若干の例外があるが、原則として同一地方公共団体の職員のみの団体に登録要件を限定した意義は、本条の**〔趣旨〕**一で述べたとおりである。また、登録要件の「構成員の範囲」については、本条の**〔解釈〕**の二㈠で述べたところである。

登録要件である構成員の範囲の原則については、次のような例外がある。すなわち、警察職員または消防職員以外の職員であった者で、その意に反して免職され、若しくは懲戒処分としての免職の処分を受け、当該処分を受けた日の翌日から起算して一年以内のものまたはその期間内に当該処分について法律の定めるところにより審査請求をし、若しくは訴えを提起し、これに対する裁決または裁判が確定するに至らないものを構成員にとどめていること、および当該職員団体の役員である者を構成員としていることを妨げないものである（本条４但し書、教特法二九２）。このような例外が設けられた理由であるが、分限免職処分または懲戒免職処分を争っている者の場合は、不服審査または裁判の結果、処分が取り消され、あるいはその無効が確認されて、処分のときに遡って職員としての地位を回復し、職員団体の構成員としての地位も復活することがあり、職員団体にとっても大きな関心事である場合があるので、現に職員の身分がないとはいいながら、暫定的に構成員としてとどまることを認め、係争の確定をまつこととしたのである。また、職員団体の役員が構成員であってもさしつかえないとされているのは、職員団体は前条で述べたように、自由にその代表者を選出できるものであり、非職員が役員に就任することも十分に考えられるのである。そして、わが国のようにいわゆる企業内組合が一般的である場合には、役員が同時に構成員（組合員）の資格を持つことが普通であると考えられたため、役員である非職員が構成員となる例外が認められているのである。もっとも本条第四項但し書末尾の文理は正確さを欠いており、職員である役員が同時に構成員となること、または職員である構成員が役員に選出されることははじめから問題がないのであって、但し書でわざわざ規定する必要がない。したがって、この規定はもっぱら非職員である役員のみに関するものであり、文理的にはその旨を正確に規定すべきであるといえよう。

　本条第四項の解釈としては、まず、職員団体が登録を受けるためには「同一の地方公共団体」に属する職員で組織されていなければならない。普通地方公共団体の場合は、都道府県および市町村のそれぞれごとに組織されていなければならず、特別地方公共団体である一部事務組合の場合は、各組合が一の地方公共団体であり、特別区も同様である。財産区には職員は置かれないので職員団体を設置することはあり得ない。また、異なる地方公共団体を兼職する職員は、それぞれの地方公共団体について「一の地方公共団体」に属するものである。この同一の地方公共団体の原則に対する例外として、一の都道府県内の公立学校の職員は、職員のみで職員団体を組織したときは都道府県の人事委員会の登録を受けることができる（教特法二九1）とされている。県費負担教職員についてはその勤務条件が都道府県の条例で定められており（地教行法四二）、都道府県の教育委員会を当局として交渉することが適切だからである。しかし、教育公務員特例法は、県費負担教職員に限定せず、ひろく「公立学校の職員」に特例を認めているので、公立の小・中学校の県費負担教職員および政令市の教職員のほか、公立高校や公立大学の職員も一体となって都道府県単位の職員団体を組織し、都道府県の人事委員会の登録を受けることができるし、個別の職員団体の連合体としてでもさしつかえない。また、同一市町村の公立学校の職員は、市町村単位で職員団体を組織し、当該市町村の公平委員会（政令指定都市にあっては人事委員会）の登録を受けることができるのは当然であるが、この場合には都道府県人事委員会の登録を受けることはできない（教特法二九1括弧書）。ただ、このことは、都道府県の人事委員会に登録された職員団体の中に、一の地方公共団体の公立学校の教職員のみをもって組織する部会、分会などの内部組織を置くことを否定するものではなく、当該内部組織がその要件を備える限り、当該市町村の人事委員会または公平委員会の登録を受けることも可能である。

次に、職員団体が登録を受けるためには、同一の地方公共団体の「職員のみ」で組織されていることが必要であり、ここで「職員」とは、地方公務員法第五二条第五項の職員、すなわち団結が認められない警察職員および消防職員を除いた職員である。また、企業職員および独法職員にも本条は適用されていないので（地公企法三九1、地公労法一七1、地方独法法五三1）、それは「職員」ではなく、これらが加入した職員団体は登録を受けることができない。しかし、単純労務職員には労働組合法とともに本条が適用されているので（地公労法附則5）、これらの者はここでいう「職員」に該当する。次に、管理職員等と一般職員とが混在する職員の団体は、職員団体ではないので（法五二3但し書）、登録資格がないことは当然である。そして、同一の地方公共団体の職員のみをもって組織されていることは、登録の申請の際に充足すべき要件であるだけでなく、「引き続き登録されているため」の要件でもあるので、たとえば、免職処分が争訟の結果、確定した者を引き続いて構成員としているときは、登録の停止または取消し（本条6）が行われることになり、また、一般職員から新しく管理職員等となった職員を引き続き構成員としてとどめているものも同様である（行実昭四五・三・二四　自治公一第五号）。さらに、管理職員が降任処分により一般職員となり、審査請求を行って引き続き管理職組合にとどまっているときも同じである（行実昭四一・六・二一　公務員課決定）。

次に、「その意に反して免職され」とは、分限処分による免職（法二八1）をいうものであり、失職（法二八4）や定年退職（法二八の六1）は含まれない。また、「懲戒処分としての免職」とは、地方公務員法第二九条に基づく免職処分のほか、一般の行政事務に従事する職員と企業職員とを兼ねている者の場合には地方公営企業等の労働関係に関する法律第一二条に基づく「解雇」も含まれるものと解する。これらの処分を受けた日の翌日から起算して「一年以内」のものを構成員としてとどめていてもさしつかえないとされているのは、その期間中は処分が争われる余地があるからである（法四九の三、行訴法一四3）。「法律の定めるところにより審査請求をし」とは、第四九条の二による人事委員会または公平委員会に対する審査請求である。また、「訴えを提起」とは、審査請求に対する裁決を不服として処分の取消しの訴えを提起する場合（法五一の二）はもとより、所定の事由により、審査請求の裁決を経ることなく処分の取消しの訴えを提起する場合（行訴法八2）、さらには処分の無効確認の訴え（行訴法三六）をも含むものである。これらの審査請求または訴えの提起はもっぱら分限または懲戒による免職処分に対するものに限られることは当然で、たとえば、停職処分を受けた職員が争訟の係属中に退職したような場合、その者を構成員としてとどめている職員団体は登録資格がない。次に、「裁決」の確定とは、審査請求、すなわち、一般の職員の審査請求に対する裁決を意味する。裁決が行われ、出訴期間（取消訴訟については原則として処分または裁決があったことを知った日から六カ月または処分若しくは裁決の日から一年（行訴法一四1 2）。）を出訴することなく経過したときにその裁決は確定する。「裁判の確定」は、民事訴訟法により第一審の判決があった場合、控訴することなく控訴期間（民訴法二八五、判決の送達を受けた日から二週間）を経過したときに第一審の判決は確定し、第二審の判決については上告または上告受理申立て期間（同法二八五、三一三、三一八5）を経過したときに確定（同法一一六）し、上告をしたときは判決の言渡しによって確定する。判決に対する再審の申し立て（同法三三八）は判決の確定に影響を与えるものではない。次に、係争中の者を構成員に「とどめていること」を妨げないのであるから、職員団体の構成員でない者が免職処分を受けた後に職員団体に加入したときは、登録要件に適合しない。

構成員の例外の第二は、「当該職員団体の役員である者」である。これはもっぱら非職員である役員に関する規定であるが、「役員である者」であるから、すでに役員の地位を失った非職員を構成員としているときは登録資格を失う。また、一般職員が組織する職員団体の役員に管理職員等が就任することも、理論的には可能であることは前条第三項に関して述べたが、その場合でも当該管理職員である役員が同時に構成員となったときは登録資格を失う。管理職員等と一般職員が混在する団体は職員団体ではないとする組織原理が優先するからである。しかし、警察職員または消防職員が職員団体の役員となり、同時にその構成員となった場合、その構成員となったことについては地方公務員法第五二条第五項違反として懲戒処分の対象となるが、その職員団体自体は本条第四項ただし書の規定により登録資格を有するものである。

以上が、本条第二項から第四項までに定められている職員団体が登録を受けるための三つの要件の内容である。そのほか、これまでも随所で述べてきたが、管理職員等と一般職員とが混在する団体は職員団体ではないので、登録できないことは当然である。また、当該地方公共団体の職員のみで組織する労働組合と職員団体の連合体も職員団体ではない以上、登録することはできない。連合体である職員団体の登録については、そのすべての構成団体の構成員が同一の地方公共団体の職員である場合に可能であるが、この場合、構成団体である職員団体が登録団体である必要はない（行実昭二六・五・一一　地自公発第一九五号、同昭二七・九・三　自行公発第二五号）。この場合、連合体の登録要件に関し、その構成団体について検討すべき事項は、本条第三項および第四項の二要件を充足しているか否かということであるとされている（行実昭四一・六・二一　公務員課決定）。そのほか、本条第二項の規定をも充足していることも必要であると考えられ、要するに実際に登録されていなくても、実質的に登録資格を有しなければならないというべきであろう。

三　登録の実施と非職員の役員就任

職員団体の登録機関である人事委員会または公平委員会は、登録を申請した職員団体が本条第二項から第四項までの規定に適合するとき、すなわち二で述べた三要件に適合するときは、一で述べた登録条例の定めるところにより、規約および登録申請書の記載事項を登録し、当該職員団体にその旨を通知しなければならない（本条５前段）。登録機関は、申請にかかる職員団体が本条第二項から第四項までの要件に適合しているかどうかを客観的に認定し、要件に適合していると判断したときはこれを登録しなければならず、適合していないときは登録してはならないものであり、登録、非登録のいずれについても客観的事実によって拘束を受けるものである。また、登録機関はその認定に当たり、形式的審査にとどまらず、必要に応じて実質審査をなし得る。たとえば、組合員名簿の提出を求め、大会の議事を議事録によって立証させるなどである。登録の手続は本条の〔解釈〕一で述べた登録条例によって定められるものであり、そこに掲げた条例案を参照されたい。登録機関は、登録のための台帳を作成し、規約と申請書を綴り、委員会としての認証を行うことになろう。登録が完了したときはその職員団体に通知しなければならない。通知は、法律上は要式行為とされていないが、文書によるべきであろう。登録の効力の発生は、意思表示の原則に従い、職員団体に現に通知がなされたときからと解され、それ以降、在籍専従の許可申請や法人格取得の効力が発生する。登録の効果については、〔趣旨〕一の㈠から㈢を参照されたい。登録の申請が認められなかったときは、行政不服審査法による審査請求ができない登録の取消しの場合（本条６、行手法二七）と異なり、人事委員会または公平委員会は登録をしない理由を提示し（行手法一四）、職員団体はこれに対して行政不服審査法第六条に基づく審査請求をすることができる。審査請求をせずに、あるいは審査請求と並行して行政訴訟を提起しうることも当然である。

次に、登録機関が登録を行うことについて、職員でない者の役員就任を認めている職員団体をそのゆえをもって登録の要件に適合しないものと解してはならないとされている（本条５後段）。ＩＬＯ八七号条約第三条が、代表者選出の自由の原則を定めているので当然のことであるが、本条第四項で登録を受けることができる職員団体の構成員は、原則として職員のみでなければならないと規定されているので、念のために非職員の役員就任が登録要件に合致することを明らかにしたものである。

四　登録の効力の停止と取消し

登録職員団体が一定の要件に該当することとなったときは、その資格を失い、登録機関である人事委員会または公平委員会は、条例で定めるところにより、その登録職員団体の登録の効力の停止または登録の取消しをすることができる（本条６）。

(一)　登録の効力の停止および取消しの要件

その一定の要件とは次の三つの場合である。

１　登録を受けた職員団体が職員団体でなくなったとき　職員団体が主たる目的を勤務条件の維持改善以外のものに変更したとき（法五二１）、管理職員等と一般職員とが混在することとなったとき（法五二３但し書）、連合体である職員団体に労働組合が加入してきたときなどである。

２　登録職員団体に本条第二項から第四項までの規定に適合しない事実があったとき　さまざまな場合があり得るが、職員団体の規約が変更され、違法な行為を目的として掲げるようになったとき、役員の選挙その他の重要な行為が所定の過半数を得ないで行われたとき、非職員が構成員となったとき、連合体である職員団体に他の地方公共団体の職員団体が加入したときなどである。

３　登録を受けた職員団体が本条第九項の規定による規約または申請書の記載事項の変更の届出をしなかったとき　たとえば、組合大会で規約改正の議決がなされたにもかかわらず届出がなかったとき、従たる事務所を新設したのに届出がなかったときなどである。

以上の要件のうち、１および２の要件は、登録を受けるための要件であると同時に登録職員団体として存続するための要件でもあり、これが是正されないときは後述の登録の取消しに至ることになるが、３は手続上の瑕疵であり、登録の取消しに至る場合もないわけではないが、手続上の是正をまず促すことになろう。

いずれにしても、これらの要件に該当したときに、登録機関が登録の効力を停止するか、あるいは登録を取り消すかはそれぞれの事情に応じて判断するものであり、登録要件の欠缺（けんけつ）が容易に是正しうるときは登録の効力を停止してその是正を待ち、容易に補正し得ないと判断したときは取消しを行うことになる。登録職員団体が前述の三つの要件のいずれかに該当したときは、登録機関は効力の停止か取消しのいずれかをすることが法文上は「できる。」と規定されているが、これは登録機関の権限を示すための表現であり、実際にはいずれか一つを選択的に行わなければならない拘束を受ける羈束的行為であり、これを放置することは登録機関としての義務違反となる。ただし、瑕疵がきわめて軽微であるときは、登録の効力の停止や取消しに先立って事実上の注意を促し、是正させることもあり得よう。

㈡　登録の効力の停止

登録の効力の停止は、昭和四〇年（一九六五年）の改正であらたに取り入れられた制度で、それ以前は登録の取消しに限定されていたものである。なお、国家公務員の登録職員団体については、それ以前から人事院規則で登録の停止の制度が設けられていたものである。

登録の停止の制度が設けられた趣旨は、登録職員団体が登録資格を失う事由が生じたときに、その軽重により、直ちに登録を取り消すことをせず、当該団体が必要な要件を補完するなどの措置をとることを期待して、一時的にこれを登録を受けない職員団体と同様の地位に置くこととするものである。登録の効力の停止の手続は条例で定めることとされているが（本条の〔解釈〕一の登録条例案参照）、人事委員会または公平委員会が登録の効力の停止をしようとするときは、その理由を提示する必要があり（行手法一四）、また、弁明の機会を与えなければならない（行手法一三１②、二九）。登録の効力を停止しうる期間は六〇日を超えない期間とされており（本条６）、欠格事由の軽重によってその期間内で任意に定めうる。また、その期間内であれば、停止期間を更新することも可能であると解されるが、六〇日は不変期間であり、これを超えることはいかなる事情があってもできないものである。登録の効力の停止期間中に瑕疵が補完されたと認められるときは、登録機関はその停止を解除すべきものである。解除されたときは当然に登録職員団体として取り扱われることになる。登録の効力の停止期間中に瑕疵が補完されないときは、前述の六〇日の範囲内で停止期間の更新がなされない限り、登録機関はあらためて登録の取消しの手続をとらなければならない。

登録の効力の停止の効果であるが、登録の効力が停止されている期間中は、原則として登録を受けない職員団体あるいは職員の労働団体として取り扱われることになる。ただし、登録に基づいてなされた既成の事実は、登録が取り消されるまでは、とくに影響を受けないものと解される。具体的には、その期間中は、地方公共団体の当局はその交渉の申入れに応ずべき地位に立つものではなく（法五五１）、また、その期間中は在籍専従の申請に許可を与えることもできない（法五五の二１）。しかし、効力の停止前に取得した法人格は、効力の停止によって消滅するものでなく、また、その前に許可された在籍専従職員もその地位を失うものではないと解される（行実昭四一・六・二一　公務員課決定）。

登録の効力の停止については、当該職員団体は審査請求（行服法六）および行政訴訟のいずれかまたは両方を行うことができる。ただし、この訴訟の提起は停止の効力に影響を及ぼすものではない（行訴法二五１）。

㈢　登録の取消し

登録職員団体が登録要件を欠き、あるいは規約や申請書の変更届出を怠るという重大な義務違反が行われ、いずれも補正されるに至らないときは、結局は登録の取消しが行われなければならない。登録の取消しは、職員団体に重大な影響を与える処分であるので、その手続に慎重を期するため、あらかじめ理由を提示して聴聞を行わなければならず（行手法一三１①、一四）、さらに当該職員団体から請求があったときはその聴聞の期日の審理は公開して行わなければならない（本条７）。職員団体が聴聞に応じないときは、それを実際に行わずに登録を取り消すことも可能であろう（行実昭二七・九・二〇　自行公発第五三号）。登録の取消しに当たり聴聞を行わなければならないとしているのは、職員団体に弁明の機会を与える趣旨であり、職員団体の請求により公開して行わなければならないとされているのは、公開の席上で弁明を明らかにする機会を与え、審議の公正を期する趣旨である。聴聞の手続は、公開の場合も含めて、地方公務員法第八条第五項の規定に基づき、人事委員会規則または公平委員会規則で定められる。この規則については、国家公務員の職員団体に関する人事院規則一七―一（職員団体の登録）に準じて定めることが適当であろう。登録の取消しが決定されたときは、法律上の規定はないが、登録機関が通常は文書で通知することになろう。しかし、登録の取消しは、この決定によって直ちに効力を生じるものではなく、当該処分の取消しの訴えを提起できる期間内および処分の取消しの訴えの提起があったときは、当該訴訟が裁判所に係属する間はその効力を生じない（本条８）。昭和五三年（一九七八年）の改正前は、登録機関の取消しの決定は直ちに効力を生じることとされていたのであるが、昭和四八年（一九七三年）九月の第三次公務員制度審議会の答申に基づき、このように改められたものである。登録取消しの決定に対し取消しの訴えを提起しうる期間は、原則として処分があったことを知った日から六カ月以内または処分の日から一年以内であるから（行訴法一四）、通常は登録取消しの決定の通知がなされた日から六カ月以内となる。「訴訟が裁判所に係属する間」の意味は、本条第四項の「裁判が確定」するまでの間と同じであり、本条の〔解釈〕二の㈢を参照されたい。登録機関の登録取消しの決定があっても、出訴しうる期間中または訴訟係属中は、当該職員団体は登録を受けた職員団体としての地位を有するものであり、交渉の地位、専従職員およびその法人格について影響を受けるものではない。

登録機関による登録取消しの決定が確定し、あるいは裁判によって取消処分が維持されたときは、当該団体はその確定の日から登録を受けないものとして取り扱われる。まず、当局との交渉については、当局は交渉の申入れに応ずる地位に立たないことになる（法五五１）。そして登録取消しの理由が非職員が構成員となった場合のように、取消し後も登録されない職員団体として存続するときは、当局はこれとの交渉を応諾する義務はないものの、地方公務員法第五五条第二項以下の規定による交渉を行うことができるが、管理職員等と一般職員とが混在したことが登録取消しの理由であるような場合には、その団体は職員団体ではなく（法五二３但し書）、その団体との話し合いは地方公務員法の関知するところではない。次に、在籍専従職員であるが、登録が取り消されたときは、「登録を受けた職員団体の役員としてもっぱら従事する者」ではなくなるので（法五五の二１但し書）、任命権者はその許可を取り消さなければならない（行実昭四一・六・二一　公務員課決定）。この場合、職員団体の登録の取消しの発効と同時に在籍専従の許可も自動的に取り消されるという考え方もあり得ようが、在籍専従の許可は当該本人に対するものであるので、任命権者は別途すみやかにその許可の取消しの処分を行うべきものであり、それがなされるまでの間は、在籍専従職員としての地位を保有し、職務専念義務も免除されていると解される。

職員団体の登録の取消しについては、行政不服審査法による審査請求をすることができない（行手法二七）。前述のように、登録の取消しに際しては聴聞を行うことが要件とされ、また、職員団体から請求があったときは公開もしなければならないなど、行政不服審査法の手続よりも手厚い保障がなされているからである。したがって、登録機関が登録の取消しを行うときは、教示（行服法五七）を行う必要はない。

五　規約若しくは申請書の変更または解散の届出

登録を受けた職員団体は、その規約または本条第一項に規定する申請書の記載事項に変更があったときは、条例で定めるところにより、人事委員会または公平委員会にその旨を届け出なければならない（本条９前段）。規約の変更とは、本条第二項に定める必要的記載事項の変更のほか、任意的記載事項の新設または変更を含むものである。たとえば、名称の変更、あらたな業務の追加、主たる事務所の所在地の変更、役員の定員の増加、業務執行の方法の変更などである。また、たとえば、役員の選挙規程が形式的には規約とは別に定められていても、規約と一体をなすものとして登録されているときは、当該選挙規程の変更も規約の変更の一部として届出を要するものと解される。申請書の記載事項の変更とは、役員の交替による氏名の変更、その職業の変更、従たる事務所の新設、廃止などである。規約または申請書の記載事項の変更の手続は条例で定めることとされているが、その内容は本条の〔解釈〕一で掲げた条例案を参照されたい。この変更については、本条第五項の規定が準用される（本条９後段）。すなわち、登録機関は規約または申請書の記載事項の変更が本条第二項から第四項までの規定に適合しているかどうかを審査し、適合していると認めたときは、変更にかかる事項を登録台帳に登録し、当該職員団体に登録した旨の通知をしなければならないものである。

次に、登録を受けた職員団体が解散をしたときは、条例で定めるところにより、登録機関にその旨を届け出なければならない（本条⑩）。解散の届出の手続は、条例で定めるものであるが、その内容は本条の〔解釈〕一で掲げた条例案を参照されたい。登録職員団体の解散に関する事項は、規約の必要的記載事項であり（本条２⑩）、また、解散の手続としては、本条第三項の重要な行為としての手続を経なければならないものである。

第五十四条　削除

一　経過

本条は、登録を受けた職員団体が法人となるための手続を定めた条文であったが、平成二〇年（二〇〇八年）一二月一日から一般社団法人及び一般財団法人に関する法律（平一八法四八）および公益社団法人及び公益財団法人の認定等に関する法律（平一八法四九）が施行され、法人制度の抜本的な改革がなされることになったことに伴い、削除された（一般社団法人及び一般財団法人に関する法律及び公益社団法人及び公益財団法人の認定等に関する法律の施行に伴う関係法律の整備等に関する法律（平一八法五〇）二〇七）。また、これとともに、職員団体等に対する法人格の付与に関する法律の一部改正がなされ、以後の職員団体の法人化は、すべて同法によることとなった。そもそも、法人格の有無と勤務条件について交渉する能力とは関係のないものであるが、法人格を取得することによる利便をめぐって、従来から論議が行われ、昭和四〇年（一九六五年）一一月にＩＬＯ理事会に提出されたドライヤー報告書では、交渉の問題とは別個のものであるとしながら、全国的な労働団体に法人格の取得を認めるよう法律を改正することを考慮するよう勧告を行った（同報告書二二二〇項）。さらに、昭和四八年（一九七三年）の第三次公務員制度審議会の答申においても、非登録団体に法人格を付与することを認める方向で政府が措置をとるべきであると述べられている。いかなる団体に法人格を認めるかということは、本来は労働政策とは別の問題で、国によって取扱いも異なるのであるが、このようないきさつにかんがみ、政府は国家公務員法および地方公務員法とは別の単独法によって、一定の職員の労働団体に法人格を認める方向で検討を進めることとなった。その結果、「職員団体等に対する法人格の付与に関する法律案」がとりまとめられ、昭和五〇年（一九七五年）に第七五通常国会に提案されたが、以来、継続審議、審議未了を重ね、昭和五三年（一九七八年）の第八四国会でようやく成立し、法律第八〇号として公布され、同年（一九七八年）九月八日から施行されている。

職員団体等に対する法人格の付与に関する法律の目的は、職員団体等が財産を所有し、これを維持運用し、その他その目的を達成するための業務を運営することに資するため、職員団体等に法律上の能力を与えることにある（同法一）。ただ、「法律上の能力を与える」といっても、登録職員団体のように当局をして交渉の申出に応じさせる地位に立たせるものでなく、また、在籍専従職員の許可を受けることもできないのは当然である。

二　法人格付与法による法人格の付与

㈠　職員団体等

職員団体等に対する法人格の付与に関する法律によって法人格を取得することができる団体は、「職員団体等」と総称されているが、それには次の三つの種類がある。

1　国家公務員職員団体　国家公務員法上の職員団体をいうものである（法人格付与法二2）。

2　地方公務員職員団体　地方公務員法上の職員団体（法五二1）をいうものである（法人格付与法二3）。

3　混合連合団体　構成員の勤務条件の維持改善を図ることを目的とする団体で次のいずれかに該当するものである（法人格付与法二4）。

(1)　国家公務員職員団体または地方公務員職員団体の連合体で国家公務員職員団体または地方公務員職員団体に該当しないもの。

(2)　国家公務員職員団体または地方公務員職員団体および国会職員法による国会職員の組合または労働組合法による労働組合の連合体で、国家公務員（警察職員および海上保安庁または刑事施設において勤務する職員を除く。以下法人格付与法の解説において同じ。）、裁判所職員（裁判官および裁判官の秘書官を除く。以下法人格付与法の解説において同じ。）および地方公務員（警察職員および消防職員を除く。以下法人格付与法の解説において同じ。）の数の合計数が構成員の総員の過半数を占めているもの。

1および2には、非職員が構成員となっている職員団体（単位団体および連合体）、あるいは異なる地方公共団体の職員が組織する職員団体や規約に必要的記載事項を欠いているもの、役員の選挙や重要事項の決定方法が地方公務員法第五三条第三項の手続によっていないものなども含まれる。３の⑴の例としては、国家公務員職員団体と地方公務員職員団体の連合体があり、３の⑵の例としては、地方公務員の職員団体と小規模な地方公営企業の企業職員の労働組合の連合組織（いわゆる「市労連」等）などがある。混合連合団体について「勤務条件の維持改善を図ることを目的とする」ことを要件としているのは、この法律が職員の勤務条件の維持改善を図る団体に限ってとくに法人格を付与する趣旨で制定された法律だからであり、他の目的を主目的とする団体にまで法人格を与えることは同法の関知するところではないからである。また、３の⑵の団体の場合、職員団体に加入できる職員が過半数を占めていることを要件としているのも同じ趣旨からである。なお、混合連合団体の目的も職員団体と同じく、勤務条件の維持改善を主たる目的としていれば足りるもので、他の従たる目的、たとえば、相互共済、文化活動、研究活動などを併せ持つことを妨げるものではない。

登録を受けた職員団体は、その登録を受けた地方公共団体の人事委員会または公平委員会に申し出ることによって、登録を受けていない職員団体または混合連合団体は規約について認証を受けて設立登記をすることによって、それぞれ法人となることができる（同法三）が、その手続などの概要は次のとおりである。

㈡　規約の認証の申請および認証機関

職員団体等は、規約の認証を受けようとするときは、職員団体等に対する法人格の付与に関する法律施行規則第一条で定める事項（名称、主たる事務所の所在地、理事その他の役員の氏名および住所、構成員の総数とその内訳、法人格付与法に基づく職員団体等であること等）を記載した申請書および規約を認証機関に提出しなければならない（法人格付与法四、同法施行則一）。

この申請書を提出する認証機関は、職員団体等の区分に応じて次のとおりとされている。

⑴　国家公務員職員団体　　人事院または最高裁判所（法人格付与法九①②）

⑵　混合連合団体のうち、国家公務員と裁判所職員の合計数が地方公務員の数以上であるもの、および全国的な組織を有する混合連合団体で、これを直接または間接に構成する団体に国家公務員職員団体を含むもの　　国家公務員と裁判所職員のいずれが多数であるかによって人事院または最高裁判所（法人格付与法九⑤⑥）。

(3)　地方公務員職員団体で、一の地方公共団体に属する地方公務員が組織するもの　当該地方公共団体の人事委員会または公平委員会（法人格付与法九③）

(4)　前記(3)以外の地方公務員職員団体および前記(2)以外の混合連合団体

ア　都道府県の地方公務員を構成員としているもの　原則としてその主たる事務所の所在地の属する都道府県の人事委員会（法人格付与法九④⑦、職員団体等に対する法人格の付与に関する法律第九条第四号及び第七号の人事委員会又は公平委員会を定める政令）

イ　ア以外の地方公務員職員団体および混合連合団体で、公立学校の地方公務員のみを構成員としているもの　原則としてその主たる事務所の所在地の属する都道府県の人事委員会（法人格付与法九④⑦、職員団体等に対する法人格の付与に関する法律第九条第四号及び第七号の人事委員会又は公平委員会を定める政令）

ウ　アおよびイ以外の地方公務員職員団体および混合連合団体　原則としてその主たる事務所の所在地の属する市町村または特別区の人事委員会または公平委員会（法人格付与法九④⑦、職員団体等に対する法人格の付与に関する法律第九条第四号及び第七号の人事委員会又は公平委員会を定める政令）

㈢　認証の実施と登記

認証機関は、後述記㈤の認証の拒否事由がある場合を除き、当該規約が後記㈣で述べる要件を備えているときは、その規約を認証し、職員団体等にその旨を書面で通知する（法人格付与法五、同法施行則二）。

㈣　規約認証の要件

規約を認証する要件は、法人格付与法第五条に規定されているが、それは次の三点である。

(1)　規約に次の事項が記載されていること

ア　名称

イ　目的および業務

ウ　主たる事務所の所在地

エ　構成員の範囲およびその資格の得喪に関する事項

オ　重要な財産の得喪その他資産に関する事項

カ　理事その他の役員に関する事項

キ　業務執行、会議および投票に関する事項

ク　経費および会計に関する事項

ケ　規約の変更に関する事項

コ　解散に関する事項

(2)　規約に、規約の変更、役員の選挙および解散が所定の民主的な手続によって決定される旨規定されていること

これらの事項がすべての構成員が平等に参加する機会を有する直接かつ秘密の投票による全員の過半数（役員の選挙については投票者の過半数）によって決定される旨の手続が定められていることが必要である。そして連合団体でない全国的規模の職員団体等または連合団体である職員団体等の場合は、すべての構成員が平等に参加する機会を有する地域若しくは職域ごとまたは構成団体ごとの直接かつ秘密の投票による投票者の過半数で代議員を選挙し、この代議員の全員が平等に参加する機会を有する直接かつ秘密の投票による全員の過半数（役員の選挙については投票者の過半数）によって決定される旨の手続が定められていることで足りるものである。ここで「すべての構成員」、「平等に参加」、「直接かつ秘密の投票」、「投票者の過半数」などの意義は、登録職員団体の場合（法五三3）と同じであり、その〔解釈〕を参照されたい。また、代議員選挙の単位となる「地域」は、地方公共団体を単位とすることが普通であろうし、「職域」は、公立学校、地方公営企業、出先機関と本庁等、さまざまな横断的、縦断的単位が考えられる。

(3)　規約に会計報告が構成員によって委嘱された公認会計士等の監査証明とともに、少なくとも毎年一回構成員に公表される旨定められていること

登録職員団体の場合には、このような会計報告は登録の要件とされていないが、法人格付

与法の職員団体等は、財産の所有と維持運用などが目的であることから、会計報告を厳正に行うことがとくに要件とされたのである。

㈤　認証の拒否

認証機関は、規約に法令の規定に違反する事項が記載されているとき、または当該職員団体等が職員団体等に対する法人格の付与に関する法律第八条の規定により認証を取り消され、その取消しの効力が生じた日から三年を経過しないものであるときは、認証を拒否しなければならない（法人格付与法六）。規約に法令違反事項を記載しているような団体が法人格を付与するに適当でないことは当然であり、たとえば、争議行為等を行うことを掲げているような場合がこれに該当する。また、わが国の法制では、一般に法人格の付与については準則主義をとっており、要件に適合すれば直ちに法人格を与えるのであるが、認証の取消しの効力が発生した団体が手直しによって直ちに法人格を再取得するようなことは好ましくないので、三年間の期間を置くこととしたものと思われる。認証を拒否する場合は、その理由を提示しなければならず（行手法一四）、当該職員団体等はこれに対して審査請求（行服法六）、行政訴訟のいずれかまたは両者をあわせて行うことができる。

㈥　規約変更の届出

規約の認証を受けた職員団体等が規約の記載事項を変更したときは、認証機関に対し、遅滞なくその旨を届け出なければならない（法人格付与法七）。この場合、職員団体等は、変更事項を記載した書面に当該規約の変更が認証を受けた規約の規定に従って行われたことを証明する書類を添付しなければならない（法人格付与法施行則三）。登録職員団体の規約または申請書の記載事項の変更は、届出に基づく登録事項であるが（法五三⑨）、この規約の変更は、届出事項に過ぎない。なお、規約の変更の結果、認証の要件に反するような場合は、認証取消しの事由に該当する場合もあり得る。

㈦　認証の取消し

認証機関は、次のいずれかの場合には職員団体等の認証を取り消さなければならない（法人格付与法八１）。法文上は取り消すことが「できる。」と規定されているが、これは認証機関の権能を示すもので、これらの事由に該当するときは取消しを行う羈束を受けるものである。認証を取り消す場合は、認証機関はその旨を当該職員団体等に書面で通知しなければならない（法人格付与法施行則四）。

１　国家公務員職員団体または地方公務員職員団体が国家公務員、裁判所職員または地方公務員が組織する団体またはその連合体でなくなったとき（混合連合団体となった場合を除く。）。

２　混合連合団体の構成員の総員中、国家公務員の数、裁判所職員の数および地方公務員の数の合計数が過半数を占めなくなったとき。

３　規約に、構成員の勤務条件の維持改善を図ることを目的とする旨を定めた規定が存しなくなったとき（団体の活動として規約に定める目的を著しく逸脱する行為等を継続し、または反覆することにより、構成員の勤務条件の維持改善を図ることを目的としていると認められなくなったときを含む。）。

４　その他当該職員団体等が職員団体等でなくなったとき。

５　規約がこの法律第五条各号に掲げる要件（認証の要件）に該当しないものとなったとき、または規約に法令の規定に違反する事項が記載されるに至ったとき。

６　当該職員団体等について規約の規定中、この法律第五条第二号（規約変更等の民主的手続）または第三号（会計報告）に規定する手続等にかかる部分に適合しない事実があったとき。

　１から４までは、当該団体が職員団体等でなくなった場合である。３の団体の活動からみて本来の目的を逸脱したと認める場合は、実態的、実証的判断が必要であり、政治活動等が主たる目的となったと客観的に認められる場合である。

　認証機関が認証の取消しを行う場合は、その瑕疵が軽微で容易に補正しうるときは、期間を定めて事実上その補正を促すなどの運用上の配慮をすることも可能であるが、瑕疵が重大であったり、職員団体等が容易に是正しようとしないときは、直ちに取消しの手続を進める必要がある。取消しを行う場合には、あらかじめ理由を提示して聴聞を行わなければならず（行手法一三１①、一四）、職員団体等から請求があったときはこれを公開で行わなければならない（法人格付与法八２）。また、認証機関による認証の取消しは、それについて取消しの訴えを提起することができる期間内およびその取消しの訴えが提起されたときは訴訟が裁判所に係属している間は効力を生じない（法人格付与法八３）。なお、認証の取消しに対しては、行政不服審査法に基づく審査請求をすることができない（行手法二七）。聴聞、公開の請求、取消し処分は係争中は効力を生じないこと、および取消し処分について審査請求が認められないことの趣旨あるいは意義は、登録職員団体に関するもの（法五三7・8）と同じである。

(八)　職員団体等に対する報告の要求等

認証機関は、この法律に基づく事務を行う上で必要な限度で、職員団体等に対して報告や資料の提出を求めることができ、また同法に基づく事務のため必要があるときは、国または地方公共団体の関係機関に対し、事実の証明、資料の提供等の協力を求めることができる（法人格付与法一〇）。

(九)　法人である職員団体等の機関など

以上に述べた事項のほか、この法律は、法人である職員団体等について、財産目録および構成員名簿の備え置き（同法一二）、理事の設置（同法一三）、監事の設置（同法一八）、総会の開催（同法二〇～二六）、解散および清算（同法二七～四四）、登記（同法四五～五五）などを定めるほか、各種の手続の懈怠などについての罰則（同法六〇）を置いている。

三　職員の労働組合の法人格の取得

職員の労働組合は、労働組合法の規定に適合する旨の労働委員会の証明を受けた上、その主たる事務所の所在地において登記をすることにより、法人格を取得することができる（労組法一一1）。労働組合の登記に必要な事項は、労働組合法施行令第二条から第一一条で規定されており、労働組合法に適合する旨の証明を行う労働委員会、登記事項、登記事項の変更、管轄登記所、解散の登記、商業登記法の規定の準用等が定められている。なお、労働組合に関して登記すべき事項は、登記した後でなければ第三者に対して対抗することができない（労組法一一3）。

（交渉）

第五十五条　地方公共団体の当局は、登録を受けた職員団体から、職員の給与、勤務時間その他の勤務条件に関し、及びこれに附帯して、社交的又は厚生的活動を含む適法な活動に係る事項に関し、適法な交渉の申入れがあつた場合においては、その申入れに応ずべき地位に立つものとする。

2　職員団体と地方公共団体の当局との交渉は、団体協約を締結する権利を含まないものとする。

3　地方公共団体の事務の管理及び運営に関する事項は、交渉の対象とすることができない。

4　職員団体が交渉することのできる地方公共団体の当局は、交渉事項について適法に管理し、又は決定することのできる地方公共団体の当局とする。

5　交渉は、職員団体と地方公共団体の当局があらかじめ取り決めた員数の範囲内で、職員団体がその役員の中から指名する者と地方公共団体の当局の指名する者との間において行なわなければならない。交渉に当たつては、職員団体と地方公共団体の当局との間において、議題、時間、場所その他必要な事項をあらかじめ取り決めて行なうものとする。

6　前項の場合において、特別の事情があるときは、職員団体は、役員以外の者を指名することができるものとする。ただし、その指名する者は、当該交渉の対象である特定の事項について交渉する適法な委任を当該職員団体の執行機関から受けたことを文書によつて証明できる者でなければならない。

7　交渉は、前二項の規定に適合しないこととなつたとき、又は他の職員の職務の遂行を妨げ、若しくは地方公共団体の事務の正常な運営を阻害することとなつたときは、これを打ち切ることができる。

8　本条に規定する適法な交渉は、勤務時間中においても行なうことができる。

9　職員団体は、法令、条例、地方公共団体の規則及び地方公共団体の機関の定める規程にてい触しない限りにおいて、当該地方公共団体の当局と書面による協定を結ぶことができる。
10　前項の協定は、当該地方公共団体の当局及び職員団体の双方において、誠意と責任をもつて履行しなければならない。
11　職員は、職員団体に属していないという理由で、第一項に規定する事項に関し、不満を表明し、又は意見を申し出る自由を否定されてはならない。

〔趣　旨〕

一　交渉の意義

職員団体は職員の勤務条件（経済的条件）の維持改善を図ることを目的として組織される団体であり（法五二１）、その団結は地方公共団体の当局との話し合い、交渉を通じて目的を達成するものである。したがって、勤労者の団結と交渉とは表裏一体の関係に立つものといってよい。そして使用者と勤労者の間には、福利厚生や社交などさまざまな関係が成り立つものであるが、なんといってもその中心は勤務条件をめぐる話し合いであり、交渉はいわば労使関係の最大の接点なのである。ところで、労使間の交渉は、両者が対立関係に立ち、また、実際問題としてしばしば紛議を招き易いものである。こうした対抗関係や紛争を前提として、とくに当局の側に交渉はいわば必要悪であるとする考え方もないわけではないが、労使が正常な交渉を積み重ねることは、両者間の意思疎通を円滑にするものであり、そのことによって相互の理解が深まり、職員の志気が高まり、さらに公務能率が増進することに資するものである。

労使間の意思疎通にはさまざまな方法があり、自己申告、部内の広報、会議の開催、苦情処理などが実際にひろく用いられているが、交渉はその意思疎通のためのもっとも有力な方法である。というのは、職員は、交渉の場合には、個々の職員の場合と異なり、団結を背景として自由にかつ集約された意見を述べ得るからである。他方、当局としても交渉によって職員の多数を代表する労働団体の理解が得られるならば、当局が業務を遂行するためにきわめて有力な支持が得られることになるものといえよう。

交渉が持つこのような積極的な意義を理解するならば、地方公共団体の当局は交渉を通じて職員の理解と協力を求めるよう努力すべきものであり、そのような態度を基本とすることによって、職員の労働基本権の尊重と人事管理の民主化とが実現されることになるのである。なお、本条に基づく「交渉」ではないが、地方公共団体の消防本部ごとに置かれる消防職員委員会は、消防の機械器具、装備などとともに消防職員の給与、勤務条件および厚生福利について消防職員から提出された意見を審議して消防長に具申することとされており（消組法一七）、管理者と職員の意思疎通を図ることによって消防事務の円滑な運営を行うことを目的とする点では、本条の交渉と同様の機能を果たすことが期待されているといってよい。

二　秩序ある交渉の確保

交渉の本質は労使の話し合いであり、他の話し合いと同様に、平穏に秩序正しく行われなければならないことは当然である。しかし、労働運動をイデオロギー的対決の手段と誤って考える者もないわけでなく、交渉を闘争の一つと観念していたずらに紛争を拡大させる場合もあり、また、そのような観念を持たない場合でも、現在、わが国の交渉が持つ一般的な雰囲気の中で、とかくエキサイトするような場合がないわけではない。地方公共団体もその例外ではなく、とくに戦後暫くの間と、全国的な闘争が行われるようになった昭和三〇年代後半には、各地で不正常な交渉が行われた。このような実態にかんがみ、本来のあり方である秩序正しい交渉を確保するため、昭和四〇年（一九六五年）の改正で、本条が大幅に改められ、法律によって交渉のルールを確保することとされたのである。すなわち、この改正前の本条第一項は、「登録を受けた職員団体は、条例で定める条件又は事情の下において、職員の給与、勤務時間その他の勤務条件に関し、当該地方公共団体の当局と交渉することができる。……」と規定していたのであり、交渉のルールはあげて条例に委ねられていた。この改正により、現行法では、本条〔解釈〕で述べるように、交渉に応ずる当局の義務をはじめ、交渉の対象とならない事項、交渉の当局、予備交渉、交渉の打切り等について本条中に詳細な規定を置き、法律によって交渉のルールを確立することとされた。交渉のルールは、本来、労使間の健全な労使慣行によって確立すべきものであり、あえて法律事項とすべきではないという見解もありえよう。現に民間企業の労使関係においては、団体協約で交渉のルールを定めているところもあり、労働組合法の体系では地方公務員法や国家公務員法におけるような交渉のルールの規定は設けられていない。しかし、現行の規定が設けられたいきさつからして、一般職の地方公務員および国家公務員の職員団体には交渉のルールの法定化が必要であるとするのが現実的な政策判断であったのであり、現在はこの法定のルールを遵守することが地方公共団体の労使の責務であるといってよいであろう。

〔解　釈〕

一　登録職員団体または非登録団体との交渉

(一)　登録職員団体の交渉の地位

登録を受けた職員団体から、適法な交渉事項について適法な交渉の申入れがあったときは、地方公共団体の当局はその申入れに応ずべき地位に立つものである（本条１）。登録職員団体に対して法律上このような地位を認めたのは、第五三条で述べたように、登録職員団体は同一地方公共団体の職員のみで構成され、当該団体における勤務条件にもっとも深い利害関係を有する純粋な団体であり、かつ、その民主性が登録機関である人事委員会または公平委員会によって公証されているので、法律上これを交渉の相手とすべきことを定めたものである。在籍専従職員を認めることと並ぶ付加的利便の一つであるといってよい。登録職員団体のこのような地位は、当該団体が登録職員団体である限り保障されるものであり、たとえば、登録職員団体の役員の改選が行われ、役員の変更の届出が登録機関に提出され、その変更登録がなされる前に新役員による交渉の申入れがあった場合でも、当該団体が登録職員団体たる地位を失っているものではない以上、当局はその申入れに応ずべき地位に立つものである（行実昭四三・二・二二　公務員第一課電文回答）。そのほかの場合であっても、実質的な情況のいかんにかかわらず、登録の取消しの効力が発生し、または解散が行われるまでの間は、登録職員団体たる地位を失わないものと解される。なお、教育公務員特例法第二九条第一項の規定に基づき都道府県の人事委員会に登録された職員団体は、都道府県教育委員会に対しては登録職員団体としての地位を有するが、市町村教育委員会においては非登録職員団体として取り扱われるものと解される。すなわち、職員団体の登録の制度は、「職員の給与、勤務時間その他の勤務条件に関し、及びこれに附帯して、社交的又は厚生的活動を含む適法な活動に係る事項に関」する交渉をスムーズに開始するためのものであり（本条１）、地方公共団体の当局が当該職員団体の構成員である職員の勤務条件などの決定についての権限を有していることを予め確認しておくためのものであるから、その構成員が当該市町村の職員であるか否かが不明な都道府県の人事委員会に登録された職員団体に対して、市町村の当局が交渉の申し入れに応ずべき地位に立つということはできないし、市町村の人事委員会または公平委員会に登録されているということだけでは、その構成員が県費負担教職員であるか否かが不明であるから、都道府県の教育委員会が市町村の人事委員会または公平委員会に登録されている職員団体からの交渉の申し入れに応ずべき地位に立つとも言えないのである。

ところで、交渉の申入れに応ずべき地位に立つ当局が交渉に応ずべきことは当然であるが、交渉の議題、人数、時間、場所などについて労使の意見が対立して、事実上交渉に入ることができないことがある。このような場合に、職員団体が交渉を求める法律的な方法の有無が問題となり、損害賠償請求や仮処分の申立てがなされ、いくつかの裁判所の判断が示されているが、職員団体側の請求を否定しているものがほとんどである（静岡地裁昭五一・一一・二七決定（判例時報八四三号一一八頁）、東京高裁昭五五・三・二六判決（労働判例三四九号五五頁）、名古屋高裁平六・一一・二五判決（労働関係民事裁判例集四五巻五・六号四〇八頁）など）。その理由として、共通してあげられているのは、職員の給与その他の勤務条件は、私企業の場合のように労使間の自由な交渉に基づく団体協約などによる合意によって定められるものではなく、実質上の使用者である地方公共団体の住民の代表者により構成される議会において政治的、財政的、社会的その他諸般の事情を配慮して決定されるものであり（第二四条の【趣旨】参照）、地方公共団体の当局は職員の勤務条件を決定する権限を有しないことなどから、職員団体が交渉を求めることを法律上の権利として認めることができないということである。ただし、登録を受けた職員団体が複数あって、そのうちの特定のものとは交渉を行いながら、特別の理由がないにもかかわらず、他のものとの交渉を拒否しているような場合にあっては、本条を持ち出すまでもなく、平等取扱いの原則に違反するものと評価されることがある（神戸地裁昭六三・二・一九

判決　判例時報一二九〇号六三頁参照）。

㈡　非登録団体との交渉など

非登録である職員の団体のうち、まず非登録職員団体については、本条第一項の規定の適用はない。したがって、当局はその交渉の申入れについては本条第一項の規定によってこれに応ずべき地位に立つものでなく、その義務を負うことはない。しかし、非登録職員団体も地方公務員法に基づく職員団体（法五二）であり、当局と交渉を行う地位、能力を有するものであるので、当局はその適切な判断により、必要に応じて交渉を行うことが望ましいといえよう。本条の規定も、昭和四〇年（一九六五年）の改正前は全文が登録職員団体との交渉に関する規定で、非登録職員団体との交渉に関する規定は存在しなかったのであるが、この改正後の本条は、第一項が登録職員団体のみに関する規定で、第二項以下第一〇項までは登録職員団体と非登録職員団体を通じてその交渉に適用される規定となっており、このことからみても、非登録職員団体との交渉は地方公務員法上予定されている事柄であるといえる。なお、昭和四八年（一九七三年）九月の第三次公務員制度審議会の答申も、非登録団体との交渉も当局は恣意的にこれを拒否しないよう努めるべきであるとしており、地方公共団体の当局は運用上そのような方向で対処すべきである。

なお、企業職員および単純労務職員ならびに独法職員が職員団体に加入している場合において、これらの職員の労働条件その他の待遇や当該団体的労使関係の運営に関する事項であって、当局に処分可能なものについての団体交渉を拒否したときは、労働組合法第七条第二号の不当労働行為に該当するとされている（東京高裁平二六・三・一八判決（労働判例一一二三号一五九頁）、平二七・三・三一最高裁決定で確定）ので注意が必要である。

ところで、職員団体ではない職員の労働団体（職員の労働組合を除く。）と地方公共団体との関係であるが、その話し合いについては地方公務員法の関知するところではない。これらの団体もいわゆる憲法上の労働団体であり、労使間の話し合いを行いうる地位、能力を否定されないことはもちろんであるが、同法がその話し合いを予定しているものではなく、まして本条第一項の適用はない。これら労働団体との間の話し合いは、地方公共団体の各機関の時宜に応じた判断により、事実上行われることがあり得るというにとどまる。もし、そのような話し合いが行われる場合には、事柄の性質上、公の交渉の手続を類推して措置することが適当であろう。

㈢　職員団体との交渉事項

職員団体との交渉事項は、「職員の給与、勤務時間その他の勤務条件に関し、及びこれに附帯して、社交的又は厚生的活動を含む適法な活動に係る事項」（本条１）である。第一項は、登録職員団体の交渉事項として規定しているが、非登録職員団体の交渉事項も全く同じであると解してよい。まず、「勤務条件」については、「労働関係法規において一般の雇用関係についていう「労働条件」に相当するもの、すなわち、同条項（注、法二四５）に例示されている給与および勤務時間のような、職員が地方公共団体に対し勤務を提供するについて存する諸条件で、職員が自己の勤務を提供し、またはその提供を継続するかどうかの決心をするに当たり一般的に当然考慮の対象となるべき利害関係事項であるもの」とする行政解釈（法制意見昭二六・四・一八　法務府法意一発第二〇号）があるが、第一項でいう勤務条件は、地方公務員法第二四条第五項の条例で規定すべき勤務条件よりも広く、同法第四六条に基づいて措置要求しうる勤務条件とほぼ同じ範囲であるといってよいであろう。より具体的には、職員の労働組合の団体交渉事項として規定されている地方公営企業等の労働関係に関する法律第七条各号に掲げられている事項が勤務条件に相当するといえよう。すなわち、給与（給料および諸手当）、勤務時間、休憩、休日ならびに休暇、昇任、降任、転任、免職、休職、先任権および懲戒の基準、労働安全衛生などであり、その他の勤務条件として旅費、執務環境などがある。職員団体との交渉事項は、この勤務条件のほか、「これに附帯して、社交的又は厚生的活動を含む適法な活動に係る事項」があるとされている。「これに附帯して」の意味は必ずしも明らかではないが、必ず勤務条件に附随して交渉しなければならないという意味でなく、勤務条件の周辺の問題である、あるいは勤務条件を主とすれば従たる関係にあるという程度の意味であろう。また、勤務条件の範囲が広いため、「社交的事項」および「厚生的事項」には多くのものを予想できないが、職員団体主催の文化祭や運動会に当局の祝辞や財政援助を要望することなどがこれに該当しよう。なお、「適法な活動」に限定されているが、社交的、厚生的活動に限らず、勤務条件についても適法な活動についてのみ交渉事項となりうるものであることは当然である。

ところで、労働組合法第七条第二号が定める団体交渉の対象（義務的団交事項）について、それは使用者に処分可能なものでなければならないが、特別職である非常勤職員についての会計年度を超えた継続的な任用、更新は法律上も認められておらず、常に新たな任用であるとされる場合においても、任用が繰り返されて実質的に勤務が継続されている実態を踏まえて、翌年度における新たな任用を求める交渉は、その内容が当局において処分可能なものであるから、義務的団交事項に属するとの判決（東京高裁平二六・三・一八判決（労働判例一一二三号一五九頁）、平二七・三・三一最高裁決定で確定）があり、この論旨は一般職である会計年度職員にもあてはまるものと思われる。

㈣　適法な交渉の申入れ

地方公共団体の当局が交渉に応ずべき地位に立つのは「適法な交渉の申入れ」があった場合である（本条1）。登録職員団体についてそのように規定されているが、非登録職員団体の場合も同様に解すべきである。交渉の申入れが適法であるというためには、まず、交渉の申入れ自体が平穏なものであり、しかも社会一般の常識に適合していなければならない。また、交渉の申入れが後述する本条第三項から第六項までの条件または手続の下に行われなければならない。したがって、交渉の対象とはならない事項について申入れがあった場合、当局以外の機関に対して申入れがあった場合、予備交渉を行わずになされた申入れなどはいずれも適法な交渉の申入れではない。

二　団体協約締結権の制限と書面協定

職員団体と地方公共団体の当局との交渉は、団体協約を締結する権利を含まない（本条2）。団体協約締結権が認められないことの沿革はいわゆる政令二〇一号で公務員は「拘束的性質を帯びた、いわゆる団体交渉権を有しない。」とされたことに由来するが（第三七条の【趣旨】一参照）、その趣旨は、一般の職員の勤務条件は民主的統制の原則に基づいて法令で定めることとされており、また、このことが勤務条件の保障措置となっているので、拘束的な団体協約（労働協約）の締結を認める必要はなく、また、これを認めることにより民主的統制と矛盾を生じるおそれがあるからである。したがって、職員団体との交渉の性格は、民間の労働組合が行う契約の交渉（Bargaining）ではなく、協議、意見の交換（Negotiation）であるというべきである。地方公共団体の当局は、職員団体との間で拘束力のある約束をすることはできないが、交渉を通じて意見を交換し、意思を疎通して自ら勤務条件を改善し、また、そこで合意に達した事項については紳士的、道義的な約束としてその実現に努めることが団体協約締結権のない交渉の役割であるといってよいであろう。

団体協約の締結権はないが、職員団体は、法令、条例、地方公共団体の規則および地方公共団体の機関の定める規程にてい触しない限りにおいて、当該地方公共団体の当局と書面による協定を結ぶことができる（本条９）。国家公務員法にはこのような職員団体との書面協定に関する規定は設けられていない。しかし、それより後に制定された地方公務員法では制定当時、政府原案で「書面による申合せを結ぶことができる。」とされており、参議院で国民民主党と緑風会の共同提案でその申合せが「協定」と修正されるとともに、現行の第一〇項として「前項の協定は、当該地方公共団体の当局及び職員団体の双方において、誠意と責任をもつて履行しなければならない。」という規定が追加されたのである。

書面協定（「書面による協定」は通常「書面協定」と略称される。）は、職員団体と当局との間で、交渉の結果合意に達したときに結ばれるものであるが、合意に達したときは必ず書面協定を結ばなければならないというものではなく、口頭の約束でももとよりさしつかえない。要するに、交渉の結果、合意に達した事項を書面によって明らかにしておくということは、合意内容を確認するための手段に過ぎず、書面によるかどうかは全く任意である。書面協定の内容となる事項は、本条第九項の規定だけからでは必ずしも明らかではないが、書面協定は交渉の結果結ばれるものであるから、交渉の対象となる事項、すなわち、職員の勤務条件とこれに附帯する社交的、厚生的事項に限られることは当然である。また、これらの事項であれば、職員団体の提案にかかる事項だけでなく、当局の提案にかかる事項についても書面協定を結ぶことができる。また、書面協定の内容は法令、条例、地方公共団体の規則および地方公共団体の機関の定める規程にてい触してはならないものであり、これらに反する書面協定はその限りで無効である。ここで「法令」とは法律、政令のほか、これらに基づく府省令も含むものと解され、「地方公共団体の規則」とは地方自治法第一五条に規定する地方公共団体の長が定める規則であり、「地方公共団体の機関の定める規程」とは同法第一三八条の四第二項で定める委員会の規則その他の規程をはじめ、個別法に基づくもの、たとえば、地方公務員法第八条第五項に基づく人事委員会規則や公平委員会規則、あるいは教育委員会規則（地教行法一五１）など地方公共団体の機関がその権限に基づいて定めた法文形式をとる一切の諸規程をいうものである。

書面協定は、地方公共団体の当局と職員団体の双方において誠意と責任をもって履行しなければならない（本条10）。当局と職員団体との関係は、相互の信頼に基づかなければならないことはいうまでもないところであるから、このことは、書面協定を結んだ場合であろうと口頭の約束である場合とを問わず、すべての合意に妥当する事柄である。書面協定の効力は、原則として道義的責任を生ずるにとどまるものであり、たとえば、給与改定や手当の改善について書面協定をした場合、当局はそれを実現するために条例の改正案を議会に提案するよう努力すべき信義上の責任を負うが、それが議会で否決されたときは、書面協定の内容が実現されなくともその道義的責任は果たされたことになる。しかし、条例、規則その他の規程上、問題を生じる余地がなく、しかも予算措置もなされているような場合には、その範囲内の事項についての書面協定は、法律上の効力を有すると考えてよいであろう。

書面協定の様式は、適宜の方式でさしつかえないが、通常は合意事項と日付を記載し、双方の代表者（地方公共団体の当局またはその委任を受けた者と職員団体の代表者、あるいは交渉の結果、書面協定が結ばれるのであるから交渉のそれぞれの代表者でもよい。）が記名押印したものをそれぞれ一通ずつ保管することになろう。合意事項は、将来、疑義を生じることのないよう明確に表現しておかなければならないが、その際とくに注意しなければならないことは、当局限りで処置し得ない事項、たとえば、条例の改正を要する事項や予算措置を要する事項については、「……のように改定（改善）する」と明確に断言してはならないことである。このような場合には「改定するよう努力する」あるいは「改定するよう必要な措置をとる」というように、当局の権限の範囲内でなしうることを明らかにしておくべきである。議会の議決などを必要とする事項について当局が約束できるのは努力することだけだからである。

三　交渉の対象とすることができない事項

地方公共団体の事務の管理および運営に関する事項は、交渉の対象とすることができない（本条3）。地方公共団体の当局が自らの責任と権限によって執行すべき行政上の管理および運営に関する事項（「管理運営事項」と略するのが通常である。）について、職員団体と交渉してはならないとされているのは、管理運営事項は地方公共団体の当局が国民、住民の負託を受けてもっぱらその責任において執行すべきもので、職員団体と交渉をしてこれを遂行することになると、行政上の責任を職員団体と分かち合うことになりかねないからである。もしそのような形で行政が行われるようなことがあれば、行政責任の原則や法治主義に基づく行政権限の分配の原則を紊（みだ）すことになり、また、職員団体が行政に介入するという本来の使命を逸脱した行動となるからである。このような公務における管理運営事項に類似したものに、民間企業における「経営権」の問題がある。経営権は、法律上の概念ではないが、一般に民間企業において、たとえば、経営方針の決定や株式の発行など経営者がもっぱら管理する事項があり、これを管理する権限が経営権であって労働組合もこれには介入できないものと主張されている。しかし、他方で「経営参加」の名の下に、経営協議会などの場を通じて労働者が経営上の問題について発言することも行われるようになってきている。この経営権に属する事項が、地方公共団体の管理運営事項と同性質のものであるかどうかについてであるが、両者は法律的には区別して考える必要がある。すなわち、経営権に属する事項は、私的自治の範囲内の問題であるので、かりに労働組合と協議をしてこれを決定しても法律上の問題とはなり得ず、あくまでも当事者間の合意の問題にとどまるが、地方公共団体の管理運営事項は、法令に基づき、地方公共団体の機関が自らの判断と責任において処理するよう定められている（自治法一三八の二参照）ものであり、これを職員団体と交渉して決めるようなことは法治主義に基づく行政の本質に反するといわなければならない。職員団体は、構成員の経済的利益の維持改善を目的とする私的利益のための団体であり、このような団体が公的な行政に介入することは許されないのである。このことについて、札幌高裁平成二〇年八月二九日判決（裁判所ウェブサイト）は次のように述べる。

「管理運営事項は、私企業における「経営権事項」のように使用者が任意に応ずる限り団体交渉の対象としてよい任意的団交事項ではなく、その性質上、団体交渉の対象となし得ない違法団交事項である。これらの事項は、地方公共団体当局が、法令の定めに従って自らの権限と責任において判断し処理すべき事項であって、職員団体と共同決定したり取引の用に供されてはならないことから、団体交渉の対象から外されている。もっとも、その趣旨は、当局がこれによって拘束を受けるような合意を目指す交渉を排除する趣旨であって、当局がかかる事項につき任意に職員団体と意見を交換し、その成果を同事項の適切・円滑な処理に役立てることは妨げられない。」

上記のように、一般的には、地方公共団体の機関がその職務、権限として行う地方公共団体の事務の処理に関する事項であって、法令、条例、規則その他の規程および議会の議決に基づき、地方公共団体の機関が自らの判断と責任において処理すべき事項をいうものであるが、具体的に特定の事項が管理運営事項に該当するかどうかは、それぞれの場合について判断しなければならない。地方公共団体の組織に関する事項、行政の企画、立案および執行に関する事項、職員定数およびその配置に関する事項、地方税、使用料、手数料などの賦課徴収に関する事項、地方公共団体またはその機関が当事者である不服申立ておよび訴訟に関する事項、財産または公の施設の取得、管理および処分に関する事項などは、いずれも管理運営事項である。

そのほか、予算の編成に関する事項、条例の企画、立案および提案に関する事項、懲戒処分、分限処分、職員の採用、退職、配置換など具体的な任命権の行使に関する事項、勤務成績の評定制度の企画、立案および実施に関する事項、管理職員等の範囲の決定に関する事項、職制の制定、改廃等に関する事項、職務命令に関する事項なども管理運営事項である。服務規程の改正に伴い、進行管理などのために、事務処理簿を設けることも管理運営事項であるとされている（行実昭四四・三・一二　自治公一第六号）。

管理運営事項に関してとくに問題となるのは、懲戒処分との関係および交渉事項である勤務条件との関連である。以下項目を分けて説明することとする。

㈠　懲戒処分と管理運営事項

懲戒処分自体は、前述のように具体的な任命権の行使であり、任命権者が自らの判断と責任に基づいて行う管理運営事項である。しかし、地方公営企業等の労働関係に関する法律第七条第二号は、「懲戒の基準に関する事項」を団体交渉事項として定めている。もっとも、同法の下においても地方公務員法の下においても、懲戒の基準を設定するかどうかは管理運営事項であると解される。そして基準を設定することとした場合に、一定の要件に該当した場合に一定の懲戒処分に処するというような基準（第二九条の〔解釈〕三参照）が勤務条件であって、その基準の設定、変更は交渉の対象となるものである。

ただし、具体的な懲戒処分における量定、たとえば、減給処分とするか戒告処分とするかということは管理運営事項である。この点について判例は、「公務員に対する懲戒処分は、当該公務員に職務上の義務違反、その他、単なる労使関係の見地においてではなく、国民全体の奉仕者として公共の利益のために勤務することをその本質的な内容とする勤務関係の見地において、公務員としてふさわしくない非行がある場合に、その責任を確認し、公務員関係の秩序を維持するため、科される制裁である。ところで、国公法は、同法所定の懲戒事由がある場合に、懲戒権者が、懲戒処分をすべきかどうか、また、懲戒処分をするときにいかなる処分を選択すべきかを決するについては、公正であるべきこと（国公法七四1）を定め、平等取扱いの原則（同法二七）及び不利益取扱いの禁止（同法旧九八3〔一〇八条の七〕）に違反してはならないことを定めている以外に、具体的な基準を設けていない。したがつて、懲戒権者は、懲戒事由に該当すると認められる行為の原因、動機、性質、態様、結果、影響等のほか、当該公務員の右行為の前後における態度、懲戒処分等の処分歴、選択する処分が他の公務員及び社会に与える影響等、諸般の事情を考慮して、懲戒処分をすべきかどうか、また、懲戒処分をする場合にいかなる処分を選択すべきか、を決定することができるものと考えられるのであるが、その判断は、右のような広範な事情を総合的に考慮してされるものである以上、平素から庁内の事情に通暁し、部下職員の指揮監督の衝にあたる者の裁量に任せるのでなければ、とうてい適切な結果を期待することができないものといわなければならない。それ故、公務員につき、国公法に定められた懲戒事由がある場合に、懲戒処分を行うかどうか、懲戒処分を行うときにいかなる処分を選ぶかは、懲戒権者の裁量に任されているものと解すべきである」（最高裁昭五二・一二・二〇判決　判例時報八七四号三頁）としており、懲戒処分は任命権者の権限に専属するものであることを明らかにしている。

また、懲戒基準に該当する事実の存否も管理運営事項であるかどうか、すなわち交渉の対象となるかどうかが問題となる。たとえば、懲戒処分の処分説明書（法四九１）に記載されている事実が全く無根であるような場合は、法令で定める懲戒基準とは異なる基準によって懲戒処分を受けたに等しいので、このような場合に懲戒基準の正しい適用を求めることは、当該処分によって直接影響を受けた勤務条件に関する事項として、交渉の対象となることがあり得ようが、懲戒処分の撤回のみを求めることは、具体的な任免権の行使である懲戒処分に介入するものであり、交渉の対象とはならない。

(二)　管理運営事項と勤務条件とが密接な関連を有する場合

管理運営事項が勤務条件と密接に関連する場合に、交渉の対象となるかどうかが問題である。たとえば、給与の改善は予算の編成と関連することが多く、職員に対する転任の命令が職員住宅の支給と関係する場合がある。この場合、予算の編成や転任命令は管理運営事項であり、その事務の処理自体は交渉の対象とすることはできない。しかし、給与の改善または職員住宅の支給は勤務条件であり、これについて交渉できることは当然である。要するに、管理運営事項の処理の結果、影響を受けることがある勤務条件については、それが勤務条件である以上、交渉の対象となるものであり、また、勤務条件に関する交渉の結果、管理運営事項について措置をする場合もあり得るのである。職員団体は、勤務条件について交渉を行えば必要かつ十分であって、それと関連があるからといって管理運営事項に介入することはできず（東京高裁平二〇・二・二七判決（判例集未登載）参照）、その処理はもっぱら地方公共団体の責任において処理しなければならない。

四　交渉に当たる当局

職員団体の交渉の相手方は、交渉事項について適法に管理し、または決定することができる地方公共団体の当局である（本条４）。これを一般に「当局」と呼ぶが、法律上、当局の意義を規定した趣旨は、まぎらわしい交渉を避けるとともに、使用者である地方公共団体側の責任体制を明らかにすることにある。

本条第四項の「当局」であるためには、まず、その機関が当該職員団体を組織する職員に対し使用者である地方公共団体の機関でなければならない。ある地方公共団体の職員のみで組織する職員団体については、他の地方公共団体の機関は当局たり得ない。しかし複数の地方公共団体の職員が組織する職員団体に対しては、それぞれの地方公共団体の機関は、当該職員団体に属する各自の職員の勤務条件に関して当局の地位に立つものである。

次に、当局たる要件の二は、交渉事項を「適法に管理し、又は決定することのできる」機関でなければならない。「適法に管理し、又は決定する」とは、当該事項について調査研究し、企画し、立案することが、法令、条例、規則その他の規程に照らし、当該当局の任務の範囲内にあると解され、または当該事項について、法令等の規定により、当該当局がなんらかの決定をすることが認められていることをいうものである。たとえば、職員の退職手当に関する事務を一元的に処理するために退職手当組合を設置したときは、退職手当に関する交渉の当局は、職員の属する地方公共団体の人事機関ではなく、退職手当組合の権限を有する機関である（行実昭四五・一一・二九　公務員第一課決定）。また、地方公共団体の内部においては、法令、条例などで各機関の所掌事務が定められており、その定めに従って当局も定まるものである。たとえば、教職員の勤務条件は、原則として教育委員会が所管するものであるから（地教行法二一）、それについての交渉は教育委員会が当局であり、企業職員の勤務条件は、企業管理者の権限であるので（地公企法九②）、労働組合法上のその当局は企業管理者であり、いずれの場合にも地方公共団体の長は原則的に交渉を適法に管理し、決定しうる当局ではないといってよい。ただし、ある職員団体に知事部局の職員と教育委員会の職員とが混在している場合、当該職員団体は知事部局職員の勤務条件については知事を当局とし、教育委員会事務局職員の勤務条件については教育委員会を当局とすることになる（行実昭二七・三・二〇　地自公発第八五号）。しばしば問題となるのは、いわゆる「市労連交渉」と呼ばれる方式である。これは職員団体や職員の労働組合が連合して話し合いを求めるやり方であるが、これは当局が混乱し、また、書面協定や団体協約の締結方法にも問題が生じるおそれがある。いずれにしてもこの方式は、地方公務員法に基づく交渉にも、労働組合法に基づく団体交渉にも該当しない事実上の話し合いであり、混乱を生じるおそれがあるときは、できるだけ避けることが適当であろう。

次に、勤務条件に関する権限が委任されているときは、その限りで受任者が当局となる。たとえば、出先機関の長に庁舎の営繕に関する権限が委任されているときは、庁舎の執務環境の改善に関する交渉はその出先機関の長が当局となる。専決権、代決権を与えられている場合も同様であろう。しかし、正当な権限を有する当局に勤務条件の改善の要求を取り次ぐことを当局の部下に求めることは本条の交渉ではない。あくまでも権限を有する者に直接交渉を求めるべきである。

ここで「決定する」ということの意味であるが、必ずしも最終的決定権を有することを意味しない。たとえば、職員団体がある事項について条例、規則などの制定改廃によってのみ実現できる内容について交渉する場合には、地方公共団体のある機関の所掌事務の範囲内にその事項が含まれているという事実またはある機関が当該条例、規則などの制定改廃に係る原案を確定する権限を持っている事実が存在することは、いずれもその機関が当該事項について当局であることを示すものである。また、勤務条件に関する条例は、地方公共団体の議会が議決することによって最終的に確定するが、それだからといって議会は当局とはならない。議会は地方公共団体の意思決定機関ではあるが、外部に対して地方公共団体を代表するのは執行機関およびこれに属する機関だからである。条例の制定改廃を要する場合であっても、その提案権または議決権を有することが当局の資格を与えるものではなく、職員の勤務条件を管理する権限を与えられた機関が当局であり、条例の提案や議決は地方公共団体内部で機関相互で調整し処理すべき問題である。なお、議会事務局の職員に対しては原則として任命権者である議長が当局となる。また、人事委員会は、たとえば、給与条例に基づいて初任給、昇格および昇給の基準を規則で定める権限を有し、その限りで当該規則の適用を受ける職員を構成員とする職員団体に対する当局となるものである。

本条第四項は、地方公務員法に基づく「交渉」の当局を明らかにしたものであるが、同項は当局以外の地方公共団体の機関が職員団体あるいは職員の労働団体と勤務条件その他の事項について、事実上の話し合いをすることを禁じたものではない。それは本法とは関係のない話し合い、陳情、意見の具申などとして取り扱えば足りるものである。

五　交渉に当たる者

交渉は所定の員数の範囲内で、職員団体がその役員の中から指名する者と、地方公共団体の当局が指名する者との間で行わなければならない（本条５前段）。また、所定の要件の下に、職員団体は役員以外の者を交渉に当たる者として指名することができる（本条６本文）。実際に交渉に当たる者を本条で規定したのは、後述の予備交渉とともに、交渉が無秩序に行われることのないよう、とくに交渉の代表者を明らかにすることによって、両者の意思が正当に表明されるよう、また、第三者が介入することのないよう配慮したものである。交渉の代表者を職員団体の場合と、当局の場合とに分けて述べると次のとおりである。

㈠　職員団体の交渉の代表者

職員団体を代表して交渉に当たる者は、原則として「職員団体がその役員の中から指名する者」である。「役員」とは執行権を持つ機関の構成員および監査権限を持つ機関の構成員をいうものであり、職員団体の登録要件の一つである投票者の過半数によって選出することを要する役員（法五三３）および在籍専従の許可の対象となる役員（法五五の二１）と同じ範囲である。通常は委員長、副委員長および書記長の三役と中央執行委員および監事がこれに当たる。また、通常は、支部長や分会長、職場委員などは役員ではなく、「その役員」であるから、上部団体の役員や他の地方公共団体の職員が組織する職員団体の役員は含まれない。職員団体が役員の中から交渉の代表者を選ぶことが「指名」であるが、後述の役員以外の者を代表者として選ぶのは「委任」である。役員の場合は職員団体を代表する権限を有することが当然であるので指名で足りるが、役員以外の場合は代理権を与える行為が必要であるという趣旨で「委任」としたのであろう。職員団体の指名は、組合大会で議決を行う必要はないが、一般的には中央執行委員会の決議に基づくことが必要であろう。また、指名は包括的、抽象的に行うべきものでなく、それぞれの交渉のつど、交渉の議題に応じて役員を特定すべきである。また、指名の時期は、必ずしも予備交渉の前に行う必要はないが、本交渉の前までに指名し、あらかじめ当局に通知すべきであり、その旨予備交渉で定めることが望ましい。

職員団体を代表して交渉に当たる者として特別の事情があるときは、役員以外の者を指名することができる（本条６本文）。「特別の事情」とは、交渉事項が専門的な事項であるとか、特定の職員、特定の部署の勤務条件にかかる場合などであり、弁護士などの専門家あるいは当該勤務条件に直接の利害関係を有する者を代表者とすることが交渉を円滑に行う上で適切であるような場合である。特別の事情があるかどうかは、第一次的には職員団体側で判断することになるが、客観的な事情またはは正当な理由がある場合でなければならない。

特別の事情に基づいて、職員団体が役員以外の者を代表者に指名したときは、その者は当該交渉の対象である特定の事項について交渉する適法な委任を当該職員団体の執行機関から受けたことを文書によって証明しなければならない（本条６但し書）。特別の事情によって代表者の例外を認めるものであり、後日、代表権の有無について紛議が生じることを避けるため、要式行為とされたものである。この文書によって証明しなければならないのは、交渉の対象である特定の事項について委任を受けていること、および職員団体の執行機関から委任を受けていることの二点である。「交渉の対象」事項であるから、予備交渉によって交渉の議題とされた事項についての委任でなければならず、「特定の事項」であるから、個々具体的な事項、たとえば、○○出先機関の執務環境とか○○の事務に従事する職員の特殊勤務手当というように特定されなければならず、議題全般についてというような包括的な委任は事項が特定されているものとは解されない。この委任は、「職員団体の執行機関」によってなされなければならないものであるので、原則的には中央執行委員会の決議によるべきものであろうが、職員団体の規約の定め方によっては、中央執行委員長が執行機関を代表して委任をすることもあり得よう。また、委任を受けたことを証明する文書の委任者名義は、中央執行委員会の決議による場合であっても、職員団体の代表者である中央執行委員長の記名押印で足りるものと解される。文書による証明は、地方公共団体の当局に対してなされるものである以上、本交渉の開始前に当局に提示することが適当である。職員団体の執行機関から委任を受けた者が、さらにその委任された事項を他の者に再委任することは認められない。職員団体の執行機関の委任は、特定の者の知識なり経験を前提としてその者に限って行われるものであり、また、法律上再委任を認める規定はないからである。次に、一の特定の事項について複数の者に委任できるか。一の特定事項につき二人以上の者が関係を有し、または知識を有することはあり得るものであり、また、この委任は公法上の委任のように委任者の権限が無くなるものでなく、私法上の委任の一つと考えられ、委任者と受任者とが共に権限を行使しうるものと解されるので、予備交渉で取り決められた員数の範囲内であれば、複数の者に同一事項を委任することはできると考えられる。なお、職員団体の役員以外の者を交渉に参加させた場合、本条第六項によってその者が正当な委任を受けた者である場合以外は、当局は交渉に応ずる義務はない（行実昭三八・一〇・一八　自治丁公発第二九〇号）。

(二)　当局の交渉の代表者

地方公共団体を代表して交渉に当たる者は、「当局の指名する者」である。「当局」の意義については本条の〔解釈〕**四**で述べたが、その当局が交渉に当たる者を指名する。当局の指名は、要式行為ではないので、当局が口頭または文書で指示し、あるいは当局またはその代決、専決権者に対する伺いによって決定するなど適宜の方法によればよい。この指名を部下に対して行うときは、それは職務命令であり、指名された者はその命令に忠実に従わなければならない（法三二）。これは職務命令であって権限の委任ないしは委譲（長の場合の委任、自治法一五三Ⅰ）ではないと解されるので、複数の者に対し同一事項につき同時に交渉に当たらせることができる。当局が指名する者は、通常は交渉事項を職掌とする部下職員であるが、法律上は職員以外の者、たとえば、専門的な法律事項について弁護士を指名することもできる（国会答弁昭四〇・五・一二　第四八国会参院特別委員会会議録第六号）。この場合も私法上の委任であり、公法上の権限の分配ではないので地方自治法第一五三条第一項とは無関係であるというべきである（反対、行実昭二六・一二・二二　自治行発第四二六号）。

次に、当局である者が自ら交渉に当たることができるか。本条第五項は「当局の指名する者」とのみ規定しているが、当局自ら出席することを禁ずる趣旨ではない。労使関係において当局が自ら交渉することは当然あり得るからである。しかし、法律上は当局の指名する者が出席することにより当局側の交渉の要件は充足するものであって、当局、たとえば、地方公共団体の長が必ず交渉に出席しなければならないというものではない。当局が指名する者、たとえば、地方公共団体の長が指名する副知事、副市町村長、総務部長、人事課長などのいずれかが出席すれば当局の交渉における責任は果たされるといってよい。

六　予備交渉

交渉に当たっては、職員団体と地方公共団体の当局との間において、議題、時間、場所その他必要な事項をあらかじめ取り決めて行わなければならない（本条５後段）。また、交渉は、職員団体と当局との間であらかじめ取り決めた員数の範囲内で行わなければならない（本条５前段）。交渉に先立ってこれらの事項を取り決める準備手続を通常「予備交渉」と呼んでいる。予備交渉は、本条〔**趣旨**〕でも述べたように法律的な問題というより実際的な配慮から地方公務員法に規定されたものである。交渉も広い意味での話し合いである以上、あらかじめ話し合いの筋道について約束をし、その約束に従って話し合いを進めることが常識であり礼儀であることはいうまでもない。しかし、わが国の労働運動、とりわけ地方公共団体のそれの未成熟な面が不正常な交渉をもたらす傾向にあったため、交渉のルールを法定し、予備交渉を義務づけて秩序と節度のある交渉を確立し、正常な労使関係を確保することとされたのである。

本条第五項の規定により、地方公共団体の当局と職員団体が交渉を行う場合には、必ず予備交渉を行わなければならない。予備交渉は、本法の「交渉」（本交渉）ではないが、予備交渉を経ないでなされた交渉の申入れは、これを拒否しても正当であり、交渉を行わないことについて正当な理由がある場合に該当する。また、職員団体が予備交渉を行わず、または予備交渉を平穏静粛に行わず、あるいは客観的にみて不当な条件にこだわるなどのために予備交渉で取り決める事項の合意が得られなかった場合には、そのため本交渉に入れなくとも当局が本交渉を拒否したことにはならないものである。ただし、地方公共団体の当局が不当な条件、たとえば、職員団体の代表を一人に限るなどの条件にこだわり、その結果、予備交渉が不成立であるときは、本交渉を行わないことの責任は当局にあるというべきである。

予備交渉を行う時期については別段の定めはないが、議題によっては資料の準備や内部の意見調整を行う必要もあるので、それに必要な時間を見込んで予備交渉を行い、あるいは本交渉の時期を定めることになる。予備交渉の担当者についても法律上の定めはないが、通常は当局と職員団体のそれぞれのいわゆる「窓口」、すなわち、当局側は人事担当の部課長や課長補佐などが、職員団体側は交渉事項担当の執行委員や書記長などが行うことになろう。また、予備交渉の手続についてもとくに定めはないが、労使関係が十分に成熟し安定していれば随時の面談で足り、場合によっては電話連絡によることもあり得よう。しかし、労使間に紛議が生じるおそれがあるときは、文書を取りかわして明確に合意事項を定めておくべきである。

法律上、予備交渉で取り決めなければならないとされているのは、交渉に当たる者の員数、議題、時間、場所およびその他必要な事項の五点であり、それぞれの内容は次のとおりである。

１　交渉に当たる者の員数　当局、職員団体の双方について何人でなければならないということは法定されていないが、正常で能率的な交渉を行うためには、自ら一定の限界があり、常識的には双方それぞれが五ないし一〇人以内というところであろう。職員団体側が多数の者を出席させ、集団によって圧力をかける例もみられるが、交渉は話し合いであって強要ではない以上、このようなやり方は正常な交渉とはいえない。また、労働組合の場合、「団体交渉」という言葉が用いられ、これが「集団交渉」であると誤解されている嫌いもないわけではないが、団体交渉とは団体を代表する者による交渉(Collective Bargaining, Organized Bargaining)の意であり、集団交渉を意味するものではない（労働省通知昭三二・一・一四発労第一号）。予備交渉で取り決めなければならないのは「員数」であり、具体的な代表者の氏名まで取り決めることは求められていないが、本交渉前にその氏名も相互に連絡されることが望ましい。また、この員数は出席者のすべての員数であり、職員団体が役員以外の者に交渉を委任する場合（本条６）、その委任を受けた者も当然この員数に含まれる。

２　交渉の議題　交渉の議題はいうまでもなく職員の勤務条件およびこれに附帯する社交的または厚生的事項である。これらの内容については本条の〔解釈〕一で述べたとおりである。また、地方公共団体の管理運営事項は議題としてはならないものであり、その内容については、本条の〔解釈〕三の記述を参照されたい。勤務条件以外の事項が交渉の議題とならないことは当然であり、たとえば、政治的な問題や国際問題、民間企業にかかる事項などは交渉することができない。また、広い意味における職員の勤務条件であっても、当局が適法に管理していない事項は交渉の議題とはならない。たとえば、退職年金制度や公務外傷病に対する給付などは共済組合が管理しているものであり、また、公務災害に対する給付も地方公務員災害補償基金が管理しているところであるので、地方公共団体の当局との間の交渉の議題とはなり得ない。なお、退職手当支給のために一部事務組合を設置しているときは、その一部事務組合の当局との交渉では退職手当の問題を議題とすることができるが、当該組合の構成団体の当局との間では、一部事務組合が所掌している事項については交渉の議題とはなり得ない。

予備交渉で議題を定めるに当たり、運用上留意しなければならないことは、能率的な交渉を行うことを目的として議題の整理を行うことである。たとえば、いわゆる「職場要求」と称して職場ごとの細かい議題が一度に多数提示されることがあるが、このような場合には内容の軽重や難易等に応じて議題のふり分けを行い、上級レベルの交渉では重要問題のみを議題とし、その他は段階に応じた交渉で処理することとするなど交通整理をしなければならない。場合によっては、予備交渉の中で問題を処理しうる場合もあるであろう。また、本交渉に漠然とした抽象的な議題を提示することも、焦点がボケたり無駄な論議をすることになりやすいので、予備交渉で議題の内容を明確にしておく必要がある。

３　交渉の時間　交渉の時間とは、交渉日時の確定と交渉時間の長さの二つを意味する。交渉の日時について、本条第八項は勤務時間中においても交渉を行い得る旨定めている。その趣旨については、本条の〔**解釈**〕**八**で述べる。交渉時間の長さについて法律上格別の定めはなく、交渉の議題の内容いかんによって長短があることは当然であるが、その長さには自ら限界があるといわなければならない。長時間の交渉、深夜に及ぶ交渉、徹夜交渉などは心身に有害であるのみならず、他の執務にも悪影響を及ぼす。交渉は肉体的な苦痛を強いるものでなく、理解を得るための手段であるから、交渉の時間の長さは通常説得に要する時間の長さとすべきであり、常識的には長くとも二、三時間を限度とすべきであろう。この程度の時間をかけても相互に納得するに至らないときは、冷却期間を置いて再度の交渉を、予備交渉を経た上、もつべきである（多数の者が事前の連絡もなく、夜を徹して一五時間にわたり、退出を妨害して要求を行った行為は監禁罪、強要未遂罪に該当する。最高裁昭六一・一〇・二八決定　最高裁判所裁判集刑事二四四号一一七頁、判例タイムズ六二九号五二頁）。長時間の交渉を避けるため、予備交渉で時間を定めるときは、交渉時間の始期と終期、またはその長さを明示しておくべきである。たとえば、「何月何日午後五時から同七時まで」、あるいは「何月何日午後五時から三〇分間」というように定める必要がある。終期を定めない交渉は漫然と延長され、長時間の交渉となるおそれがある。予備交渉で定められた時間の終期が到来したときは、たとえ議題が残されていても交渉は当然に打切りとなる。もし交渉時間を引き続き延長しようとするときは、労使双方の合意が必要であり、延長は短時間の延長で問題が解決する見込みがあるときに限って行うことが適当である。交渉にさらに時間を要する見込みであるときは、あらためて予備交渉を行った上、本交渉に臨むこととすべきである。なお、交渉の日時は、当局側の公務の都合を勘案して定められるべきことは当然である。

４　交渉の場所　　交渉の場所についても法律上特定されていないが、いわゆる企業内組合との交渉では庁舎内で行うことが一般的であるといえよう。庁舎内で適当な場所を確保し得ないとき、その他公務に支障があるときは、庁舎外の場所を定めてももちろんさしつかえない。実際に交渉を行う場を「バーゲニング・テーブル」などと呼ぶが、円満な交渉が行われるよう雰囲気に配慮するとともに、不正常な交渉を避けるための措置も場合によっては必要となろう。

５　その他必要な事項　　以上述べてきた事項のほか、交渉の実態に応じて必要な事項を予備交渉で取り決めておく必要がある。たとえば、書面協定を締結する場合の手続、予備交渉で決定したことを事前に変更しなければならないときの連絡方法などがあるが、とくに重要なことは次の二点である。

(1)　第三者の出席　　交渉の場に、オブザーバーなどと称して交渉の当事者以外の第三者が出席してくるようなことがあるときは、その出席を認めない旨、予備交渉で取り決めておくべきである。たとえば、議会の議員や上部団体のオルガナイザー（オルグ）、あるいは役員ではない構成員などが出席しようとする例がある。第三者が出席することによって不正常な交渉となるおそれがあるだけでなく、第三者の出席自体が自由な交渉を牽制するおそれがあり、当事者相互の円滑な意思疎通の支障となるため、必要に応じて予備交渉で第三者の出席を認めない旨明確にしておかなければならない。

(2)　交渉の記録　　交渉場所で写真を撮影したり、テープレコーダーで記録するようなことが行われる場合がある。このようなこともできるだけ避けることが望ましく、必要に応じて予備交渉でこのようなことは認めない旨確認しておくべきである。組合側の宣伝のために多少の写真を撮影するようなことは、当局側が許容すれば認められる場合もあろうが、交渉のやりとりを記録するようなことは避けることが望ましい。交渉における一言一句を後になってあげ足とりするおそれがあるからであり、交渉はその経過においてはあらゆる角度から自由に論議が行われて結論に至ることが望ましく、問題は合意に達した事項を信義誠実の原則に則って当事者が措置することにあるのであって、論議を一々記録にとどめることは利よりも害が多いと思われる。

七　交渉の打切り

本条第七項は、一定の場合に交渉を打ち切ることができることを定めている。交渉が本来の目的を達し得ないことが明らかであるときは、これを打ち切ることができるのは当然といえようが、このことを法律上明記することによって、交渉のけじめをつけることを期待したものと考えられる。

本条第七項により交渉を打ち切ることができるのは、次の三つの場合であり、いずれも客観的に認定できる場合でなければならない。

1　本条第五項または第六項の規定に適合しないこととなったとき　第五項前段および第六項により、地方公共団体の当局および職員団体を代表して交渉に当たる者の定めに適合しないこととなったとき、ならびに第五項後段の予備交渉で定めた事項に適合しないこととなったときを指すものである。前者の例としては、交渉の席上に第三者が出席してきたとき、職員団体が指名した役員でない者が適法な委任を受けたことを文書で証明しなかったとき、予備交渉で取り決めた員数を超える者が出席してきたときなどがあり、後者の例としては、あらかじめ取り決めた議題以外の議題が持ち出されたとき、予備交渉で取り決めた時間の終期が来たときなどがある。前述のように、あらかじめ取り決めた時間の終期が来たときは、たとえ交渉の議題のすべてについて交渉が終わっていなくても、また、意見の一致がみられないときでも、終期の到来とともに交渉を打ち切ることになる。

2　他の職員の職務の遂行を妨げたとき　たとえば、本条第八項の規定によって交渉を勤務時間中に行っている場合に、交渉が喧騒にわたるときや、交渉が行われている庁舎の内外で労働歌を高唱したり、シュプレヒコールを行ったり、あるいは坐り込みやピケッティングが行われるなどの行為によって他の職員の職務遂行に支障を与えることとなったときは、交渉を打ち切ることができる。勤務時間外であっても残業中や深夜業に就いている職員の執務を妨げるような場合には交渉を打ち切ることができるものである。

３　地方公共団体の事務の正常な運営を阻害することとなったとき　たとえば、交渉の場所の内外で坐り込みやピケッティングが行われたようなときには、他の職員の職務の遂行を妨げることがなくとも、庁舎管理上の支障が生じ、業務の正常な運営を妨げることになる。また、２に該当するときは、常に地方公共団体の事務の正常な運営を阻害することになるものである。

以上、三つの場合が法定の交渉を打ち切ることができる場合であるが、これら以外にも条理上当然に交渉を打ち切ることができる場合がある。その一は、交渉が完全にデッド・ロックに陥ったことが明らかとなった場合であり、この場合はそれ以上交渉を継続しても無益であるのであらかじめ取り決めた時間内であっても交渉を打ち切ることができる。その二は、交渉が平穏に行われなくなったときである。たとえば、暴力がふるわれたり、相手方の人格の尊厳を傷つける言辞が弄されたような場合には直ちに交渉を打ち切ることができる。

次に、交渉の打切りは、それを行うことができる状態になったときは、当局、職員団体のいずれの側からも一方的にこれを行うことができ、その旨を宣言すれば足りるものである。正当に行われた交渉の打切り後は、相手方の交渉の継続の要求に応えなくとも不当に交渉を拒否したことにはならない。また、交渉が打ち切られたときには、勤務時間中であれば、在籍専従職員以外の職員はそれぞれの職務に復帰しなければならないものである。

八　勤務時間中の交渉

適法な交渉は、勤務時間中に行うことができるものである（本条８）。職員団体と当局の交渉は、必ず勤務時間中に行わなければならないとするものでないことはもちろんであり、むしろ、勤務時間外に行うことこそ原則であるといってよいであろうが、職員の団結権と交渉権を尊重する趣旨で、勤務時間中に交渉を行う便宜を認めたものといえよう。この便宜は、登録職員団体だけでなく、非登録職員団体に対しても認められるものである。勤務時間中に行う交渉は、「本条に規定する適法な交渉」、すなわち、予備交渉で必要かつ適法な事項を取り決め、それに従って適法になされる交渉でなければならないが、このことは勤務時間外の交渉にも当然に妥当するものである。「勤務時間」とは、通常は地方公共団体の開庁時間と一致するが、職員によっては開庁時間外に勤務時間を定められるものもあり、要するに個々の職員にとって勤務時間内であっても交渉のための職務専念義務（法三五）の特例を認めることができるという趣旨である。すなわち、第八項は、第三五条の特則であり、同条中の「法律……に特別の定がある場合」に該当するものである。勤務時間中に交渉を行った場合の職員団体を代表する職員の給与はどうなるか。在籍専従職員である代表者に対しては、いかなる給与も支給してはならないが（法五五の二⑤）、それ以外の職員の場合には給与条例の定めるところによる。法律的にはノーワーク・ノーペイの原則によって交渉時間中の給与を減額することも可能であるが、適法な交渉が保障されていることにもかんがみ、給与を支給することができるよう、第五五条の二第六項の規定に基づき、給与条例中に規定することが適当であろう。なお、当局側を代表する職員は、職務として交渉を行うものであるから、勤務時間中の交渉について給与を減額すべきでないことはもちろん、勤務時間外の交渉については、管理職手当の支給を受けている者を除き、時間外勤務手当を支給しなければならないものである。

九　不満の表明および意見の申出

職員は、職員団体に属していないという理由で本条第一項に規定する勤務条件に関する事項または社交的、厚生的事項について不満を表明し、または意見を申し出る自由を否定されるものではない（本条11）。職員が勤務条件に限らず、職務に関しても意見を具申しうること、あるいは勤務条件について苦情の申立てをすることができることは、円滑かつ適正な職務遂行のための基本的条件であり、法律の規定をまつまでもなく、当然の自由であるといわなければならない。したがって、このことはそもそも交渉とは直接関係のないことであり、職員団体制度とも理論的には関係のない事柄である。しかし、このような規定が本条中に設けられた沿革は、昭和二三年（一九四八年）の政令第二〇一号第一条第一項但し書で「公務員又はその團体は、この政令の制限内において、個別的に又は団体的にその代表を通じて、苦情、意見、希望又は不満を表明し、且つこれについて十分な話合をなし、証拠を提出することができるという意味において、国又は地方公共団体の当局と交渉する自由を否認されるものではない」と規定されていたことによるものであり、このうち、団体に関する部分が職員団体の交渉に関する規定となり、個人に関する部分が本条第一一項の規定となったことによるものである。いずれにしても、職員団体はオープン・ショップ制をとらなければならず、職員は職員団体に加入しない自由も保障されているのであるが（法五二3本文）、職員団体に加入していないために、職員が勤務条件等について不満を表明し、意見を申し出ることができないと誤って理解されることがないように、とくに念のために明らかにしたものといえよう。また、不満を表明し、意見を申し出る自由は、すべての職員に保障されているものであり、職員団体に加入している職員も個人としてこれらの行為をすることができるものである。不満の表明や意見の申出についてはとくに方式は定められておらず、口頭で行うことも、文書で行うことも自由である。また、不満の表明や意見の申出をする相手方も直接の上司でもよく、また、人事担当部課や任命権者でもよいが、問題を適切に処理する権限を有する機関に対して行うことが適当であり、上司を経由して行うこともさしつかえない。

勤務条件に関して具体的な措置を求める制度としては、勤務条件に関する措置要求の制度（法四六）があり、職員の苦情については人事委員会または公平委員会が処理することとされている（法八1⑪2③）が、これとは別に当局が苦情処理のための制度を任意に設けることもさしつかえない。企業職員若しくは単純労務職員または独法職員の労働組合については、これら職員の苦情を適当に解決するため、団体交渉で定めるところにより、当局を代表する者と職員を代表する者各同数をもって組織する「苦情処理共同調整会議」を設けることが法律上義務づけられているが（地公労法一三、附則5）、一般の職員の場合も、任意にこのような会議を設けたり、苦情相談の窓口を設けたりすることが、労使間の意思疎通を円滑にするために望ましい場合があり得る。

また、消防職員の場合は、消防の装備などのほか、その勤務条件や厚生福利等について消防長に具申する消防職員委員会を設置することが法律で定められ（消組法一七）、消防長が指名する消防長に準ずる職員の委員長と消防長がその他の消防職員のなかから指名する委員で構成し、組織内の意思疎通を図ることとされている。

一〇　職員の労働組合との団体交渉

地方公営企業の職員および単純労務職員ならびに独法職員は、労働組合法に基づく労働組合を組織することができるものであり（第五二条の〔趣旨〕二㈠参照）、これら職員の労働組合と地方公共団体の当局との団体交渉の概要は次のとおりである。

㈠　団体交渉の応諾義務

地方公共団体の当局は、職員の労働組合から団体交渉の申入れがあったときは、これに応ずる義務、すなわち応諾義務を負うものであり、もし、正当な理由がないにもかかわらず、これに応じないときは、不当労働行為となるものである（労組法七②）。このような不当労働行為があったときは、労働委員会は労働組合の申立てに基づき、必要な救済命令を行うことができ（労組法二七1、二七の一二1）、この労働委員会の命令が確定判決によって支持された場合においてその違反があったときは一年以下の拘禁刑若しくは一〇〇万円以下の罰金に処され、または両者が併科される（労組法二八）。要するに、職員の労働組合の団体交渉の申入れに対しては、地方公共団体の当局は、民間企業の使用者と同様に、拘束的な地位に立たされるものである。

㈡　団体交渉の代表者など

団体交渉の当事者である地方公共団体の当局の意義、地方公共団体の当局を代表して交渉に当たる者および労働組合を代表して交渉に当たる者などについては、法律上特別の規定はないが、本条で職員団体について述べたところに準じて考えればよい。労働組合は、第三者に交渉を委任することは全く自由であると規定されているが（労組法六）、当局側の交渉の委任については法律上規定はない。しかし、法律で禁止されていないので、民法上の委任または準委任（民法六四三、六五六）の規定により、職員以外の者を交渉に当たらせることも可能であると解される。なお、当局が部下職員を職務命令によって交渉の代表者とすることができるのは当然のことである。

㈢　団体交渉の議題

団体交渉の議題となる事項は次のものである（地公労法七）。

(1)　賃金その他の給与、労働時間、休憩、休日および休暇に関する事項
(2)　昇職、降職、転職、免職、休職、先任権および懲戒の基準に関する事項
(3)　労働に関する安全、衛生および災害補償に関する事項
(4)　以上のほか労働条件に関する事項

また、地方公営企業等の労働関係に関する法律第一三条第二項の規定により、当局と労働組合とが日常の作業条件から生じる苦情を処理するため設置する苦情処理共同調整会議の組織その他苦情処理に関する事項も団体交渉事項とされている。

ここで(1)の「賃金その他の給与」というのは地方自治法第二〇三条の二第一項の報酬、同条第三項の費用弁償および同条第四項の期末手当または勤勉手当並びに同法第二〇四条第一項の給料および同条第二項の手当のことであり、「労働時間」とは勤務時間のことである。(2)の「昇職」とは昇任、「降職」とは降任、「転職」とは転任のことであり、「先任権」とは地方公務員法上にはない概念であるが、解雇や再雇用に際して先任者（古参者）を有利に取り扱う制度である。アメリカで広く発達している制度であるが、わが国では行われていない。(2)については昇職、懲戒等の「基準」が団体交渉事項とされているが、職員の昇任、転任等の任用については地方公務員法で成績主義の原則（法一五）や平等取扱いの原則（法一三）といった基準が定められており、降任や休職、分限免職は分限処分として基準が定められ（法二七、二八）、さらに懲戒免職その他の懲戒処分についても地方公務員法中に基準が定められているので（法二九）、これらについて団体交渉であらためて基準を定める実際上の必要性はあまりないように思われるが、もしも基準を定めるとすれば、昇任の一つである給料上の昇格の基準、先任権の基準、懲戒処分の基準などであろう。次に(3)の「労働に関する安全、衛生」については、労働安全衛生法、労働安全衛生規則等に詳細な定めがあるので、団体交渉の対象となるのはその補完的な問題に限られるであろう。また、「災害補償」とは公務災害補償のことであるが、第四五条で述べたように、職員の公務災害補償は、地方公務員災害補償法に基づいて地方公務員災害補償基金が実施するものであり、その限りで労働組合と当局との団体交渉事項ではない。(4)の以上のほかの「労働条件に関する事項」としては、たとえば、執務場所の通風、採光の問題や被服の貸与などの問題がある。ま

た、職員団体の交渉事項である職員の社交的、厚生的事項も団体交渉の対象としてさしつかえないものと考えられる。

他方、職員の労働組合は、「地方公営企業等の管理及び運営に関する事項」は団体交渉の対象とすることができない（地公労法七但し書）。単純労務職員の労働組合の場合は、「地方公営企業」を「地方公共団体」の意味で理解すべきである。「管理運営事項」が交渉の対象とはならない意義、およびその具体的内容については、職員団体について述べた本条の〔解釈〕三の記述を参照されたい。

㈣　団体協約の締結とその有効期間

地方公共団体の当局と職員の労働組合とが団体交渉の結果、合意に達したときは団体協約（労働協約）を締結することができる（地公労法七本文）。前述のように、労働組合との団体交渉の議題には各種のものがあり、とくに、一般の職員と異なり、企業職員および単純労務職員の給与、勤務時間などについては給与の種類と基準だけが条例で定められるので（地公企法三八4、地公労法一七1、附則5）、給料表をはじめ各種手当の具体的内容、勤務時間、休日、休暇など、これら職員の勤務条件の重要な部分を団体協約で決定することが可能であり、その意義は実質的に大きいものがある。次に、団体協約は、書面を作成し、労使双方が署名または記名押印することによって効力を生じる（労組法一四、最高裁平一三・三・一三判決　判例タイムズ一〇六〇号一六六頁）。団体協約は一定の要式行為とされているものである。団体協約に有効期間の定めをするときは、三年以内の期間を定めなければならず、もし、三年を超える有効期間の定めをしたときは、三年の有効期間を定めた団体協約として取り扱われる。あまり長期間の協約は、社会情勢の変化によって実情に即さないものとなるからである。また、有効期間の定めのない協約は、労使の一方が署名または記名押印した文書により、九〇日前に予告することによって解約することができ、有効期間経過後も期限を定めず引き続き効力を有する旨の定めのある団体協約についても、有効期間経過後は、同じ方法によって解約することができるものである（労組法一五）。

㈤　団体協約の効力

地方公共団体の当局と職員の労働組合が締結した団体協約の効力については、次の諸点に留意しなければならない。

1　労働契約との関係および一般的拘束力　　団体協約と労働契約との関係については、団体協約で定めた労働条件の基準に対し、個々の労働契約中にこれに反する部分があるときは、当該部分は無効とされ、団体協約の内容が優先して適用される（労組法一六）。しかし、企業職員および単純労務職員ならびに独法職員の身分取扱いは、実際に個々の労働契約によって定まっているのではなく、条例、企業管理規程、規則などで画一的に定められているため、団体協約と個々の労働契約との関係が問題となることはまずないといってよいであろう。なお、企業職員および単純労務職員ならびに独法職員の任用が労働契約であるか、行政行為であるかという基本問題があり、団体協約の締結を認めていることから類推すると労働契約であるようにも思われるし、公務員として服務の規定が適用され、懲戒処分や分限処分が行われることからすれば、行政行為であるようにも見える。実定法上の基本的な考え方が混乱しているというのが実情であろうが、これらの職員には労使対等の原則（労基法二）の適用があり、実際に労働協約で勤務条件の大部分が決定されていることなどを総合的に勘案すると、そのような勤務条件に関する限りは労働契約が存在すると考えることにならざるを得ないであろう。

次に、一の事業場に常時使用されている企業職員および単純労務職員または独法職員の四分の三以上のものが、一の団体協約の適用を受けるに至ったときは、その事業場の他の同種の職員にもその団体協約が全面的に適用されることになるものである（労組法一七）。このような団体協約の効力を「一般的拘束力」と呼んでいる。しかし、これも前述と同じ理由、すなわち、これらの職員には条例、規則などで画一的に勤務条件が適用されるしくみとなっているので、実際にはまず適用される余地はない。なお、民間企業の労働者の場合、一の地域の同種の労働者の大部分に同一の団体協約が適用されることとなったときは、労使の当事者の申立てまたは労働委員会の決議に基づき、厚生労働大臣または都道府県知事は、当該地域内の他の同種の労働者にもその団体協約を適用することができることとされており（労組法一八Ⅰ）、これを「地域的の一般的拘束力」と呼んでいるが、企業職員および単純労務職員の労働条件はそれぞれの地方公共団体ごとに定めることが建前であるため、この規定は適用されないものである（地公労法四）。なお、労使紛争の結果、労働委員会が仲裁裁定を行う場合があるが（地公労法一五、一六）、この仲裁裁定は団体協約と同一の効力を有する（労調法三四）。

２　条例との関係　地方公共団体の当局または特定地方独立行政法人と職員の労働組合との間で条例に抵触する団体協約が締結されたときは、地方公共団体の長は、その締結の日または特定地方独立法人の理事長（以下単に「理事長」という。）から要請を受けた日から一〇日以内にその団体協約が条例に抵触しなくなるため必要な条例の改廃の議案を議会に付議し、議決を求めなければならない。ただし、地方公共団体の議会が団体協約締結の日から起算して一〇日を経過した日に閉会しているときは、次の議会にすみやかにその議案を付議しなければならない（地公労法八１～３）。また、団体協約は、条例の改廃が行われなければ、条例に抵触する限度でその効力を生じない（地公労法八４）。条例は、地方公共団体の住民の最高の意思決定であり、団体協約といえどもこれに優先するものではないが、労使間の合意を尊重するため、地方公共団体の長に団体協約に適合させるための条例改廃の議案を提案する義務を課し、最終的には住民の代表である議会の判断をまつこととしたのである。議会は、賛否いずれの判断を行うことも可能であることはいうまでもない。地方公共団体の当局が長以外の機関である場合、たとえば、教育委員会や公営企業管理者との間に締結された団体協約であっても条例案の提案はその提案権者である長の義務である。また、長の義務は議案を議会に付議したとき、理事長の義務は長に該当の議案の議会への付議とその議決を求めるように要請したときに解除される。条例に抵触する仲裁裁定が行われたときも、以上述べたところに準じて措置しなければならない（地公労法一六３）。

３　規則その他の規程との関係　地方公共団体の当局と職員の労働組合が締結した団体協約が、地方公共団体の長その他の機関が定めた規則その他の規程に抵触するときは、これらの機関は、団体協約が規則その他の規程に抵触しなくなるために必要な規則その他の規程の改正または廃止のための措置をとらなければならない（地公労法九）。地方公共団体の機関が定める諸規程も広義の法令に含まれるが、条例のように最高の意思決定機関である議会が定めるものでなく、機関限りで定めるものであるので、この場合はその機関が合意した事柄を実施するための措置をとる義務を課したのである。企業職員および単純労務職員の労働条件のうち、給料表、諸手当の具体的内容、勤務時間、休日、休暇などは、企業管理規程または規則で定められており、これが労働条件の重要な部分であることから、規則その他の規程の改正または廃止の義務があるということはきわめて重要な意義を持っているといえる。なお、仲裁裁定も同様な効力が認められている（地公労法一六３）。

4　予算などとの関係　地方公共団体の当局と職員の労働組合との間で、予算上または資金上不可能な資金の支出を内容とする団体協約が締結されたときは、地方公共団体の長は、その締結後一〇日以内に事由を附して議会に付議し、その承認を求めなければならない。その締結の日から起算して一〇日を経過した日に議会が閉会しているときは、次の議会にすみやかにその議案を付議しなければならない（地公労法一〇２）。条例と抵触する団体協約の場合と同様に、住民の代表である議会の意思を優先させながらも労使間の合意を尊重し、両者の調整を図ったものである。また、このような協定は、議会によって必要な予算措置などがなされるまでの間は地方公共団体を拘束せず、いかなる資金もそれまでは支出することができない（地公労法一〇１）。さらに、団体協約について議会の承認があったときは、その団体協約はそれに記載された日付にさかのぼって効力を生じるものとされている（地公労法一〇３）。団体協約の承認を求める議案が否決されたときは、団体協約の効力は消滅し、また、継続審査の議決がなされずに、審議未了となったときも同様であると解される。

ところで、団体協約と予算などとの関係については、解釈上若干の問題がある。まず、「予算上……不可能な資金の支出」とは、既定の予算額を上回る給与改訂を約したような団体協約のことをいうものであり、「資金上、不可能な資金の支出」の意味は必ずしも明らかではないが、予算上は必要額が計上されており、あるいは他の費目からの流用が可能な場合であっても、歳計現金が不足し、一時借入の目途もつかないような状態をいうのであろう。もっとも、このような場合には、議会が所定の行為をする余地はないものといわなければならない。次に、地方公営企業等の労働関係に関する法律第一〇条第一項と第二項を併せ読んだ場合、予算上、資金上不可能な支出を内容とする団体協約が締結されたときは、まず、第二項の規定により団体協約自体の承認を議会に求め、それが得られたときに第一項によって必要な予算の議決を求めるという二段構えの方法を想定しているものと考えられる。しかし、議会の意思は二途に分かれるべきものではないから、団体協約と予算とを一の議案として提案することが妥当であり、また、予算の議案に参考資料として団体協約を付して議決を求めることでも足りるというべきであろう。さらに補正予算のみが提案され、それが成立したことにより予算上、資金上の支出が可能となったときも、団体協約の議決をする必要はなくなるとの解釈も広く行われているが、それは、本条が本来予定していたものとは異なるものであろう。次に、同法第一〇条第三項は、団体協約が議会によって承認されたときは、それに記載された日付にさかのぼって効力を生じるとしているが、もしも団体協約のみが承認され、それを実施するための予算が議決されないときは、当該団体協約を実施するための経費は、義務費（自治法一七七１①、２）に該当することになるものと解される。なお、予算上、資金上支出不可能な仲裁裁定が行われたときも、以上に述べたところに準じて取り扱われる（地公労法一六２）。

㈥　団体交渉のルールなど

地方公共団体の当局と職員の労働組合との団体交渉については、職員団体との交渉のような予備交渉の規定はない。しかし、団体交渉も平穏かつ秩序正しく行われなければならないことは当然であり、団体協約で職員団体の場合と同様に予備交渉を行うことを定めることが望ましく、あるいは健全な労使慣行として予備交渉を行うことをルール化すべきであろう。また、団体交渉を打ち切ることができる場合についても法律上別段の定めはないが、職員団体の場合と同じように解してよい。なお、職員が勤務時間中に時間または賃金を失うことなく団体交渉を行うことを使用者が認めても、経理上の援助、すなわち不当労働行為には該当しないものとされている（労組法七③）。しかし、この規定が団体交渉は必ず勤務時間中に行わなければならないとするものではないことは当然であり、当局の都合によって勤務時間外に団体交渉を行うこともともとよりさしつかえない。

（職員団体のための職員の行為の制限）

第五十五条の二　職員は、職員団体の業務にもつぱら従事することができない。ただし、任命権者の許可を受けて、登録を受けた職員団体の役員としてもつぱら従事する場合は、この限りでない。

２　前項ただし書の許可は、任命権者が相当と認める場合に与えることができるものとし、これを与える場合においては、任命権者は、その許可の有効期間を定めるものとする。

３　第一項ただし書の規定により登録を受けた職員団体の役員として専ら従事する期間は、職員としての在職期間を通じて五年（地方公営企業等の労働関係に関する法律（昭和二十七年法律第二百八十九号）第六条第一項ただし書（同法附則第五項において準用する場合を含む。）の規定により労働組合の業務に専ら従事したことがある職員については、五年からその専ら従事した期間を控除した期間）を超えることができない。

４　第一項ただし書の許可は、当該許可を受けた職員が登録を受けた職員団体の役員として当該職員団体の業務にもつぱら従事する者でなくなつたときは、取り消されるものとする。

５　第一項ただし書の許可を受けた職員は、その許可が効力を有する間は、休職者とし、いかなる給与も支給されず、また、その期間は、退職手当の算定の基礎となる勤続期間に算入されないものとする。

６　職員は、条例で定める場合を除き、給与を受けながら、職員団体のためその業務を行ない、又は活動してはならない。

〔趣　旨〕

一　職員団体活動と公務との関係

職員が職員団体を組織し、勤務条件の維持改善のために活動することは、日本国憲法第二八条および地方公務員法によって認められた権利であり、これを保障するため、職員が職員団体の構成員であること、職員団体を結成しようとしたこと、若しくはこれに加入しようとしたこと、または職員団体のために正当な行為をしたことを理由として、その職員に対して不利益な取扱いをすることは地方公務員法第五六条で禁止されている。

しかしながら、職員は、労働者としての権利を有すると同時に、日本国憲法および地方公務員法に基づき、全体の奉仕者として公共の利益のために勤務し、職務の遂行に当たっては全力をあげて職務に専念する義務を負うものである。したがって、職員が勤務時間中に職員団体活動を行う場合には、公務と職員団体活動との関係をどのように考えるべきかという問題が生じる。

両者の関係については、地方公務員法第五五条第八項で交渉は勤務時間中にも行うことができることを定めているほか、本条で在籍専従制度および職員団体活動と給与の関係を規定している。これらの規定は、職員の労働基本権を尊重し、地方公共団体の当局が職員団体活動のために便宜を提供しうることを定めたのであるが、ここでとくに銘記しておかなければならないことは、公務と職員団体活動との関係は、基本的に公務優先主義に基づかなければならないということである。いわゆる組合活動といえども公務に優先するものではなく、勤務時間中の交渉や在籍専従制度などは、職員の労働基本権を尊重する趣旨で、とくに、かつ、限定的に認められた例外であるということである。

いうまでもなく公務は、国民や住民の負託に基づいて公共の福祉の増進のために行われるものであり、その公益性、公共性からして最も優先的に処理されなければならないものである。このような特殊性のゆえに行政権限の行使については公定力が認められ、一定の場合には強制力も認められているほか、これに従事する公務員の身分に強い保障が行われるなど、私法上の問題とは異なる取扱いがなされているのである。これに対し、職員団体活動は、社会的正義を実現するための一つの手段として重視されている国民の権利の一つであるが、その本質は労使関係における労働者の経済的権利――私益を確保することを目的とするものであり、その社会的意義に照らして国家も使用者も十分にこれを尊重しなければならないものであるが、公務のもつ公共性を凌駕することはできないものであるといわなければならないのである。

職員団体活動と公務との関係については、具体的なそれぞれの問題について、常に以上述べてきたような基本的な考え方に立脚して判断し、解釈しなければならないものである。職員団体活動が労働基本権に基づくものであるという点のみに注目して、公務の分野においても、みだりに組合活動を優先するような取扱いをすることは、公務と職員団体活動の関係の基本原則を踏み誤ったものといわなければならないのである。

二　在籍専従制度の沿革

昭和四〇年（一九六五年）の改正前の地方公務員法においては、在籍専従制度を具体的に明示する規定は存在しなかった。

当時は、改正前の第五二条第五項の「職員は、地方公共団体から給与を受けながら、職員団体のためその事務を行い、又は活動してはならない」という規定が在籍専従制度に関係するものであると解されており、制度そのものの根拠は、地方公務員法第三五条に基づく職務専念義務の特例を定める条例によるものとされていたのである。このような専従制度は、「休暇専従」と呼ばれていたが、法律上一見して明確な根拠規定がないにもかかわらず、休暇専従を認める解釈がなされていた実質的な根拠は、職員団体の役員および構成員は職員の身分を有する者に限ると解されていたため、正常な職員団体活動が支障なく行われるよう配慮する必要があることにあった。

昭和四〇年（一九六五年）の改正後は、ＩＬＯ八七号条約第三条の代表者選出自由の原則に基づき、職員団体の役員は、職員の中からだけでなく、非職員からも自由に選任することができるものとされたものであり、そのことは登録要件にも合致するものとされている（法五三5後段）。したがって、この改正後は、職員団体のためにもっぱら活動する役員を職員以外の者から選任し、公務に支障なく活動することもできることとなったのである。このような事情の変更を背景として、この改正の際には在籍専従制度を全廃するという意見もあり、そのような内容を含む法律案が提案されたこともあったのであるが、国会における与野党の折衝の結果、成立した法律では、在籍専従制度の内容を明確に限定して法定し、引き続きこの制度を存続させることとなったのである。なお、在籍専従制度を認めるべきか否かは、ＩＬＯの結社の自由委員会においても検討の対象となったのであるが、同委員会は、第五四次の報告で、「労働組合がそれが設けられている組合員の職業に従事していない者をフル・タイムの役員に選任する権利を有するとすれば、本委員会は、関係使用者がかかる職業に従事する者に対して、フル・タイムの組合役員として行動するため、長期間にわたり、給与は支払わないが、身分の保有を認めて、休暇を与える義務を負うものとはもはや認めることはできない。」と述べている。

在籍専従制度は、理論的には職員団体に対して絶対に認めなければならないものとはいいえないであろう。しかし、職員団体を含めてわが国の単位労働団体は、いわゆる企業別組合が多く、当該事務、事業所の勤労者が構成員であり、役員であるものが圧倒的に多い。このような労働団体の実態にかんがみ、また、公務優先の原則を考慮し、本条では一定の条件の下に、登録職員団体についてのみ在籍専従制度の便宜を認めることとしたのである。

三　職員団体活動と給与

職員団体活動と公務との関係は、公務優先の原則を基本としなければならないことは本条の〔趣旨〕一で述べたとおりであるが、例外的に勤務時間中に組合活動を認めた場合、その間の給与をどうするかという問題が生じる。この場合、在籍専従職員については本条第五項に給与を支給してはならない旨の規定があるが、在籍専従職員以外の職員の勤務時間中の組合活動についても、本条第六項で原則として給与を支給してはならないことを定めている。また、本条は、第一項から第五項まではもっぱら在籍専従職員に関する規定であるが、第六項は在籍専従制度とは別の組合活動と給与の関係の規定であり、本条には二つの制度が規定されているといえる。

ところで、組合活動と給与の関係を考える場合、二つの観点から検討する必要がある。第一の観点は、ノーワーク・ノーペイの原則である。給与は原則として勤務に対して支払われるものであり、勤務しなかったときは当然に給与を減額すべきものといえよう。これをノーワーク・ノーペイの原則というが、組合活動はいうまでもなく勤務外の活動であり、勤務時間中に組合活動を行ったときは給与を支給しないことが建前であるといってよい。在籍専従職員の場合には、ノーワーク・ノーペイの原則が完全に適用されることが法定され、その他の職員の場合には、ノーワーク・ノーペイを原則としつつ、条例で特別の定めをしたときに限って例外を認めることとされているのである。

第二の観点は、組合活動に対する経理上の援助は組合活動に対する使用者の不当介入を惹起するおそれがあるということである。すなわち、組合活動に使用者が財政的な助成をすることは、一見労使関係を円滑にするように見えるが、その助成の増減などにより、使用者側の意図に即して組合活動がコントロールされるおそれがあり、労使関係における労使相互不介入の原則に反することになるのである。労働組合については、使用者が労働組合の運営のための経費の支払いにつき経理上の援助を与えることは、団体交渉時間中の賃金を支給すること、厚生や福利などの基金に寄附をすることおよび最小限の広さの事務所を供与することを除いて、不当労働行為として禁止されている（労組法七③）。職員団体には不当労働行為の定めはないが、その活動に対して給与を支給することは一般的に財政的な助成に相当するものであり、労使相互の介入の見地から、これを禁ずることが原則であるといわなければならない。

次に、昭和四〇年（一九六五年）の改正前は、地方公務員法第五二条第五項に、現行の本条第六項にほぼ類似する規定が設けられていた。しかし、その規定は、「職員団体の業務にもっぱら従事する職員（専従職員）に関する規定であって、それ以外の職員団体に関する職員の行為については何ら関知するところではない」（行実昭二六・五・一　地自公発第一七九号）と解されていたのである。したがって、この規定は、現行の本条第六項に非常に類似していたのであるが、両者はそれぞれ異なる対象にかかるものであり、本条第六項は、前記改正によって全く新しい内容を定めたものである。なお、前記行政実例では、「職員が勤務時間中に代議員として委員会に出席する等、専従以外の職員団体に関する行為をした場合の給与については、給与の本質にかんがみ、これを減額すべきものと解する。」とされ、もっぱら解釈上の問題として扱われていたのである。

〔解　釈〕

一　在籍専従の原則的禁止とその特例

本条第一項は、在籍専従を原則として禁止するという建前を明らかにしている。このような建前を明らかにしたのは、職員は全体の奉仕者として公共の利益のために勤務し、かつ、職務の遂行に当たっては、全力をあげて専念しなければならない義務を負うものであるため、公務ではない職員団体の業務に長期にわたりもっぱら従事することは、公務員の基本的な義務に照らして問題があることを示したものといえよう。時には任命権者の許可を受けないで職員団体の業務にもっぱら従事する職員があるといわれるが、このようないわゆる「ヤミ専従職員」は、第一項本文の規定および第三五条の職務専念義務の規定に反するものであり、ヤミ専従期間の給与を受けたときは、第六項にも反するものである。このような事態が生ずることのないよう、任命権者は職員の服務の監督を厳正に行うことはもちろんであるが、人事委員会の給与の支払の監理（法八1⑧）および監査委員の監査（自治法一九九）においても十分に留意すべきである。

在籍専従は、原則として禁止されているのであるが、一定の場合に限り、例外として認められる場合がある（本条一ただし書)。その例外が認められる場合とは、次の四つの条件を満たす場合である。

１　登録団体に対するものであること　「登録を受けた職員団体」とは、地方公務員法第五三条に規定する各登録要件を具備した職員団体で、人事委員会または公平委員会によって登録を受けているものである。登録の要件の詳細は、同条の〔解釈〕を参照されたい。登録を受けていればこの要件は充足するものであり、法人格（法人格付与法三）の有無は関係ない。

登録の効力の停止（法五三⑥）を受けている職員団体については、その停止前に許可を受けた在籍専従職員の地位は影響を受けないが、停止期間中に申請があった在籍専従は当該停止が解除されるまではこれを受理することおよび許可することはできない。登録の取消しの決定（法五三⑥）を受けた職員団体の在籍専従職員は、それだけではその地位を失うことにはならないが、その取消しが効力を生じたとき（法五三⑧参照）に、任命権者は直ちに在籍専従の許可を取り消さなければならない。人事委員会または公平委員会が登録の取消しを決定した後になされた在籍専従の許可の申請は、これを受理すべきではないと解する。

職員がその属する職員団体の上部団体の役員となった場合に、在籍専従が許可されるかどうかが問題となる。上部団体が登録職員団体であれば問題はないが、非登録団体であればその役員として専従するための許可をすることはできない。登録を受けた職員団体の専従職員が、上部団体の役員の地位を兼ねることはさしつかえないが、上部団体の役員の業務に専念する結果、登録職員団体の役員の業務に専念できなくなったときは、在籍専従の許可は取り消されなければならない（本条④）。

登録職員団体に限って在籍専従を認めることとした趣旨は、第五三条で述べたように、登録職員団体は当該地方公共団体の職員のみによって組織され、その自主性が公証されているものであるので、これに付加的利便を供与することとしたものである。

２　役員となる場合であること　「役員」とは、職員団体において執行権限をもつ機関の構成員および監査権限を持つ機関の構成員をいうものであり、職員団体の登録の申請書に記載される役員（法五三①）と同じ範囲の者である。それはまた、すべての構成員が平等に参加する機会を有する直接かつ秘密の投票によって、投票者の過半数（連合体で代議員による選任の場合は、すべての代議員が平等に参加する機会を有する直接かつ秘密の投票による投票者の過半数）によって選任された者である（法五三3）。さらに、それは当局の交渉の相手方である役員（法五五5）の範囲とも一致する。具体的には委員長、副委員長、書記長、中央執行委員などがこれに該当し、書記、支部長、支部委員、代議員などは通常は該当しない。これらの者が役員であるというためには、組合規約、役員選挙、登録申請書などによって所定の手続によって選任されたことを立証しなければならない。

3　登録職員団体の業務にもっぱら従事するものであること　「もっぱら従事する」とは、登録職員団体の業務に役員としてもっぱら従事することであり、相当長期間従事することが前提である。専従期間の最長期が七年とされている（法附則20）ことからして、少なくとも一年以上従事することが常態であろう。数日とか数週間といった在籍専従は許可すべきではない。ただし、専従許可を受けた役員が任期中に事故があり、補欠の役員として専従許可が求められたような場合には、比較的短期間の許可を与えることもやむを得ないであろう。また、もっぱら従事とは、本来の職務を全面的に免除されて、職員団体の業務にのみ従事することであり、一日のうちの一定時間を限って職員団体の業務に従事すること、すなわち、いわゆるパート・タイム専従は本条による在籍専従ではない。

本条の規定は、相当長期にわたって職員団体の業務にもっぱら従事することを予定したものであり、一日とか数日間といった短期間、職員団体の業務を遂行するために職務に専念する義務を免除することは、本条第一項とは関係がなく、このような職務専念義務の免除、いわゆる組合休暇を認めるべき法律上の根拠はない。

4　任命権者の許可を受けること　在籍専従が認められる四番目の条件は、任命権者の許可を受けることであるが、これについては本条第二項および第三項で許可の性質と期間が具体的に定められており、次項で改めて述べることとする。

二　在籍専従の許可の性質およびその期間

まず、在籍専従の許可の性質については、本条第二項は「任命権者が相当と認める場合に与えることができる」と定めており、「相当と認める」とは許可が任命権者の自由裁量処分であることを明らかにしているものである。昭和四〇年（一九六五年）に本条が設けられる以前の休暇専従の場合には、その承認は羈束裁量である旨判示した判例（最高裁昭四〇・七・一四判決　判例時報四一四号八頁）があったが、これは当時の職員団体の役員が職員に限られていたこともあって、当局の裁量をある程度限定せざるを得なかったものと考えられる。しかし、現行法の下では、職員団体の役員を職員以外の者から選任することは自由であり、本条第二項に「相当と認める」場合に許可することができる旨規定された以上、任命権者の自由裁量であることが明確にされたのである。したがって、職員から在籍専従の許可の申請があった場合、任命権者が許可を与えるべき拘束を受けるものでないことはもちろんであり、任命権者は自由な立場で、事務管理上の見地から許可をするかどうかを判断すればよいものである。任命権者が判断する場合、地方公共団体の事務の繁閑、当該職員を職務に従事させないことによって生じる事務上の便、不便等が斟酌されることになろう。ただし、任命権者の自由裁量であるからといって、職員団体の運営に干渉する意図をもって許可、不許可を行うことは裁量権の濫用になる（大阪地裁平四・一〇・二判決　判例タイムズ八一五号一九三頁）。

次に、分限による休職処分を受けた者あるいは懲戒による停職処分を受けた者について在籍専従の許可をすることができるかどうか問題となる。まず、分限による療養のための休職処分を受けている職員の場合は、病気を治療するために職務専念義務が免除されているのであるから、その目的に反する在籍専従を許可する余地はない。刑事事件に関して起訴されたことにより休職処分を受けた者の場合、裁判に出席するため職務に専念できないことも処分の理由であるが、同時に当該職員を謹慎させる趣旨も含まれているので、このような職員に対し在籍専従の許可を与えないことにはそれなりに理由はあるといってよい。もっとも、刑事休職処分と在籍専従の許可とは別個の目的をもつ処分であり、職務専念義務の免除という効果が共通であるに過ぎないのであるから、法律的には刑事休職処分を受けた者が職員団体の役員に選任されて在籍専従の許可を申請した場合、これを認めることは不可能ではない。ただし、この許可が与えられたときは、本条第五項の規定により、休職給は支給されないことになる。懲戒により停職処分を受けた職員の場合も刑事休職中の職員の場合と同様に考えてよい。この場合、停職中の職員に対しては給与は支給されないので、在籍専従の許可を受けたことによる給与上の取扱いの変更はない。

在籍専従の許可権を有するのは、当該職員の任命権者である。この任命権者には、地方公務員法第六条第二項の規定により任命権を委任された上級の地方公務員を含むものである。当該職員が同一の地方公共団体の異なる任命権者に属する職を兼ねているときは、兼務を解いて一の任命権者が許可を行うか、それぞれの任命権者が許可を与えることが必要である。異なる地方公共団体の職を兼ねているときは、兼務を解いてから許可を与えるべきである。

教育公務員のうち、県費負担教職員の任命権者は都道府県教育委員会であり（地教行法三七1）、したがって、これらの職員にかかる在籍専従の許可は都道府県教育委員会が行うものである。この場合、県費負担教職員が都道府県単位で結成し、都道府県の人事委員会によって登録された職員団体（教特法二九1）の在籍専従職員となる場合はもとより、一の市町村内で結成し、市町村の公平委員会によって登録された職員団体の在籍専従職員となる場合も、その許可権者は都道府県教育委員会である。

在籍専従の許可の具体的手続は、まず、当該職員から申請ないしは申出がなされる。その形式については、法律上の定めはないが、文書によってなさしめるべきであろう。これを受けて任命権者が許可を与える場合、しいて発令形式を要するものではないとされているが（行実昭二六・五・一　地自公発第一八〇号）、文書を交付して許可の内容を明らかにしておくべきであろう。すなわち、発令の年月日、許可の有効期間、任命権者名、発令を受けた者の氏名などを記載することが適切である。この文書に許可の有効期間以外の条件を付しておくことは可能であろうか。条件の内容にもよるが、違法な行為を行ったときは許可を取り消す旨の条件を付することは可能であろう（通知昭四三・一〇・一五　自治公一第三五号第一1、行実昭四三・一二一　公務員一課決定）。なお、在籍専従を許可したときは、人事記録（履歴書）にその旨と期間を登載しておくべきである。在籍専従の期間は退職手当算定の基礎から除算されるものであり（本条5）、また、その期間は、当分の間、職員としての在職期間を通じて七年以下の範囲内で人事委員会規則または公平委員会規則で定める期間（法附則20。企業職員および労働組合を組織する単純労務職員ならびに独法職員の場合は、七年以下の範囲内で労働協約で定める期間（地公労法六、同法附則４５））に限られるので、明確な記録を残しておく必要があるからである。

次に、任命権者が在籍専従の許可を与える場合は、必ずその許可の有効期間を定めなければならない（本条２）。任命権者は、許可に当たり、行政法学上の附款である期間を付する義務を負うものである。その期間は、職員としての在職期間を通じて前記の人事委員会規則または公平委員会規則で定める期間を超えてはならないものであるから、これを超える期間を定めてはならないことは当然であり、もし、超える期間を定めたときはその超える部分は無効である。本条の〔趣旨〕一で述べたように、専従職員は「もっぱら」職員団体の業務に従事するものであるから、数日とか数週間といった短期の専従を認めることは原則としてできない。職員団体の役員の任期を考慮して一年単位で許可することが通常であろう（通知昭四三・一〇・一五　自治公一第三五号第一２）。

在籍専従の期間は、本条第三項により五年を超えてはならないものとされているが、昭和四〇年（一九六五年）の改正で本条が新設されたときは、この期間は三年とされ、このように限定することの効力は本条施行の日（昭和四一年一二月一四日）の二年後、すなわち昭和四三年（一九六八年）一二月一四日以降生ずるものとされた（昭和四〇年の改正法附則二５）。そして、昭和四六年（一九七一年）一〇月一一日の第三次公務員制度審議会の答申に基づき、国家公務員法等の一部を改正する法律（昭四六法一一七）によって本条第三項が改正され、三年が五年に改められて同年一二月一一日から施行された。さらに、平成九年（一九九七年）三月の地方公務員法の一部を改正する法律によって、地方公務員法附則に現行の二〇項が追加され、本条の適用については、当分の間、本条第三項中「五年」とあるのは「七年以下の範囲内で人事委員会規則又は公平委員会規則で定める期間」とすることとされたのである。その間、平成三年（一九九一年）四月の地方自治法の一部を改正する法律の附則で、それまでに改正が行われていた国の現業職員にならって、地方公営企業労働関係法（現行の地方公営企業等の労働関係に関する法律）の附則が改正されて、企業職員と単純労務職員の労働組合の場合は、当分の間、七年以下の範囲内で、労働協約で定める期間まで在籍専従が認められることとされた（地公労法附則４５）。

ここで「職員としての在職期間を通じて」とは、およそ地方公務員法の適用を受ける職員としての在職期間の一切をいうものである。たとえば、ある地方公共団体の職員が退職して一定期間を経た後に地方公共団体の職員となった場合に、前の在職期間中に在籍専従職員となった期間があるときは、後の在職期間においては、五年（当分の間、七年以内で人事委員会規則または公平委員会規則で定める期間。以下同じ。）から前の在籍専従期間を差し引いた期間を超えて在籍専従の許可を受けることはできない。また、ある地方公共団体の在籍専従職員であった者が、他の地方公共団体で在籍専従職員となろうとするときは、それぞれの地方公共団体の在籍専従期間を合算した期間が五年を超えてはならないものである。また、この期間からは、地方公営企業等の労働関係に関する法律第六条第一項但し書（同法附則第五項により単純労務職員に準用される場合を含む。）の規定により労働組合の業務にもっぱら従事した期間が控除されるので（本条３括弧書）、企業職員若しくは単純労務職員または独法職員の労働組合の在籍専従であった期間と本条に基づく在籍専従期間を合算して五年を超えることはできないものである。

本条第三項はこのことを本条の適用を受ける職員の側から規定したものであるが、地方公営企業等の労働関係に関する法律第六条第三項には、企業職員および独法職員（同法附則第五項の規定により同条が準用される単純労務職員を含む。）の側からみて通算五年をこえてはならないことが規定されている。このように、異なる勤続期間中の在籍専従であれ、異なる地方公共団体におけるものであれ、あるいは職員団体と労働組合のものであれ、これを合算して五年を超えることができないとされたのは、地方公共団体を異にし、あるいは勤務の時期なり行政の主体を異にしているといっても、いずれも地方公務員法に基づく統一的な身分取扱いの下にあり、公務に専心すべき基本的地位は同一かつ一体であるからといえよう。

三　在籍専従の許可の取消し

在籍専従の許可は、その有効期間中といえども所定の要件を欠くに至ったときは取り消されるものである（本条４）。在籍専従は職務専念義務の特例であり、一定の条件の下に認められるものであるから、その条件が満たされなくなったときは、その許可が取り消されることは当然であり、その旨を法律上明らかにしたものである。法定されているのは次の各場合である。

１　当該職員がその業務に従事している職員団体が登録を受けた職員団体でなくなったとき　地方公務員法第五三条に定める登録要件を具備した職員団体は、人事委員会または公平委員会によって登録を受けることにより登録職員団体となるものであるが、この登録職員団体は、一定の要件を欠くときは所定の手続を経てその登録を取り消されることになる（法五三6）。登録の取消しの効力が生じたときは、その職員団体の在籍専従職員は、自動的に在籍専従職員の地位を失うとする考え方もあり得るが、本条第四項は別途、在籍専従の許可の取消しを行うべきことを定めている。しかし、非登録団体に在籍専従職員を認めるべきでないことは本条第一項但し書によって明らかであるから、任命権者は登録の取消しの効力が生じたときは直ちにその許可を取り消さなければならないものである。登録の効力が停止されたときは（法五三6）、新たに在籍専従を許可することができないことは第五三条〔解釈〕四(二)で述べたところであるが、すでになされた在籍専従の許可は、そのことによって取り消すことはできない。

２　役員でなくなったとき　在籍専従の許可を受けた職員が登録職員団体の役員でなくなったときも、本条第一項但し書で定める在籍専従の許可の要件を欠くことになるので、その許可は取り消されなければならない。「役員でなくなったとき」とは、役員を辞任したとき、役員改選において再選されなかったときをはじめ、職員団体を除名されたときも含まれる。「役員」の意義と範囲は本条の〔解釈〕一の説明を参照されたい。

３　もっぱら従事する者でなくなったとき　在籍専従の許可を受けた者が職員団体の業務にもっぱら従事するものではなくなったときは、在籍専従の意義が失われたものであり、その許可は取り消されなければならない。「もつぱら従事する者でなくなったとき」に該当する場合としては、たとえば、登録職員団体以外の上部団体等の業務に従事して登録職員団体の役員の業務に専心しないこととなった場合、病気その他の事由により登録職員団体の役員の業務に専念できなくなった場合などが考えられる。なお、上部団体の役員の地位を兼ねても、登録職員団体の役員の業務にもっぱら従事していると認められる限りはその許可を取り消されることはない。

以上、１から３までのいずれかの事由が生じたときは、任命権者は在籍専従の許可を取り消すべき法律上の義務を負うものである。また、在籍専従の許可が取り消されると同時に当該職員は職務に専念する義務を負うことになり、職務に復帰しなければならないものである。もし、職務に復帰しないことがあれば、任命権者は職務復帰の職務命令を発することが適切である。

ところで、前述の三つの事由は、在籍専従の許可を取り消すべき法定の事由であるが、その取消しまたは失効はこの法定事由に限られるものではない。法定事由以外に在籍専従の許可が効力を失う場合として、次のような場合がある。

1　在籍専従職員の申出による許可の取消し　在籍専従職員が個人的理由、たとえば、職員団体が専従職員を必要としなくなった場合、長期療養を必要とする病気に患った場合、職員団体の役員を辞任しようとする場合などの理由で本人から申出があったときは、任命権者は在籍専従の許可を取り消すことができる。本人の申出がなく、これらの事由が生じたときは、任命権者は前述の法定事由のいずれかに該当するものとして一方的に許可を取り消すことになる。

2　在籍専従の許可の失効　行政処分の客体がなくなった場合には、その行政処分は失効することになるが、在籍専従の許可も当該職員が死亡したとき、退職したとき、分限または懲戒免職されたとき、あるいは失職したときは当然にその効力を失うものである。

そのほか、許可に際して適法な条件を付し、在籍専従職員がこの条件に違反したとき、たとえば、違法な組合活動を行わないことを条件として許可したにもかかわらず、違法な組合活動を行ったときは、許可を取り消すことができるものと解される。

四　在籍専従の許可の効果

在籍専従の許可の効果としては、休職者として取り扱われること、いかなる給与も支給されないこと、およびその期間は退職手当の算定の基礎となる勤続期間に算入されないことが定められている（本条5）。

まず、「休職者とし」とは、地方公務員法第二八条に基づく分限による休職者と原則として同じ身分取扱いを受けるという意味である。しかし、その法律上の性格は、分限処分による休職は職員の意に反する不利益処分であるのに対し、在籍専従の許可は本人の申出、意思に基づく処分で不利益処分とはならないものであり、全く別のものである。要するに、「休職者とする」とは、「職を保有するが、職務に従事しない」こと（第一五条の〔趣旨〕一(二)参照）、すなわち、地方公務員法第三五条の職務専念義務を免除することを意味するのである。在籍専従の許可の効果で問題となるのは、第三八条の営利企業への従事等の制限の規定との関係である。専従の許可と営利企業に従事すること等の許可とはそれぞれ別個の目的に基づいてなされるものであるが、後述するように在籍専従職員には一切の給与が支給されないものであって、職員団体から報酬が支給されることは当然に予定されているものといえる。また、この二つの許可は同じ任命権者によってなされるものであるから、専従許可の申請書に当該職員団体の報酬にかかる第三八条の許可の申請をあわせて記載し、任命権者は両者をそれぞれ許可する旨の文書を交付することが、もっとも適切な措置である。なお、当該職員団体以外から報酬を得るときは、別途、第三八条に基づく営利企業等に従事することの許可を受けなければならないことはいうまでもない。

以上のほか、「休職者」としての身分取扱いの主な点は次のとおりである。

(1)　昇任試験の受験など　職員について昇任試験（吏員昇任試験、係長昇任試験等）が行われる場合、在籍専従職員も職を保有する以上、これを受験することができる。なお、その試験に合格したときは、在籍専従期間終了後に昇任発令をすることになろう。

(2)　分限処分　在籍専従職員が、地方公務員法第二八条第二項各号に該当したことにより、任命権者が病気休職または刑事休職処分に付す場合は、在籍専従の許可を取り消した上、当該処分を行うことが適切である。在籍専従のまま分限処分を行うことも法律上は不可能ではないと解されるが、そうした場合には給与は一切支給されず、退職手当の勤続期間にも算入されないが、分限処分のみであれば、退職手当の勤続期間については二分の一が算入され、また、病気休職になる場合であれば、その前に療養休暇を受けることもあり得る。さらに、給料も刑事休職の場合も一〇〇分の六〇以内の額の支給を受けることができ、本人にとって有利だからである。

(3)　懲戒処分　在籍専従職員の許可を受けた職員も職員たる身分を失わないものであるから、地方公務員法上の義務違反をした場合には当然に懲戒処分の対象となる。しかし、懲戒処分の効果との関係で問題が生じる場合がある。懲戒処分のうち、戒告処分については問題はなく、また、免職処分もそれによって職員の身分を失い、在籍専従の許可の効力が当然に失効するのであって、そのほか格別の問題はない。しかし、停職処分と減給処分を行うことについては問題があり、昭和四〇年の改正前の休暇専従については国家公務員法と地方公務員法とで解釈が分かれていた。当時、人事院の解釈は、「休職中においても給与を受けている職員に対しては、減給の処分をすることができるが、休職中給与を受けていない職員に対しては、その職員を復職させた後でなければ減給の処分をすることはできないものと解する。また休職を命ぜられて職務に従事しない職員に対しては、停職の処分を行う余地がないものと解されるので、その職員を復職させた後でなければ停職の処分をすることはできないものと解する」（昭二六・五・一四　七一―四五法制局長）とされており、これに対し当時の自治省は「職員団体の業務にもっぱら従事するための休暇を与えられた職員に対し停職処分または減給処分を行った場合でも、当該懲戒処分の効果は減殺されないものと解する」（行実昭三四・二・一九　自丁公発第二七号）としていた。また、分限処分と懲戒処分との関係について、「例えば給与を受けていない職員に対して減給の処分を行うことはできないし、職務に従事していない職員に対して、停職の処分を行うことはできない。」とする学説もある（鵜飼信成・公務員法（新版）二九五頁、有斐閣、一九八〇年）。現行の在籍専従職員も、職務専念義務が免除され、いかなる給与も支給されないのであり、停職または減給の処分を行っても直ちに職務に従事させない効果または給与を支給せずあるいはこれを減ずる効果が生じないことは従来と同じである。しかし、在籍専従の許可と停職処分または減給処分とは法律上別個の処分であり、それぞれの目的も別個のものである。たまたま、その効果が重複する場合があるに過ぎないのであり、もし、在籍専従の許可の期限が到来し、あるいはその許可が取り消された後に停職または減給処分の効力が及ぶときは、その後は懲戒処分の効果が具体的に生じることになるものである。また、両者の効果は必ずしも全く同一ではなく、たとえば、在籍専従の許可を受けた期間は退職手当の算定基礎となる勤続期間に算入されないのに対し、減給の期間は算入される。また、在籍専従の期間は共済年金期間にすべて算定されるが、停職の処分を受けたときはその一部を減じられることがある（地共済法一一一1、同法施行令二七1 2）。以上、要するに、在籍専従の許可と懲戒処分とは、一部の効果が重複するにしても、別個の処分であり、在籍専従職員に停職処分または減給処分が重ねて行われることはありうるものといわなければならない。

(4)　措置要求権など　在籍専従職員は、その職を保有するものであるから、地方公務員法第四六条に基づく勤務条件に関する措置要求、同法第四九条の二に基づく不利益処分に関する審査請求を行うことができることは当然である。ただし、単純労務職員である在籍専従職員および地方社会保険事務局等の職員である在籍専従職員はこの限りでない。

(5)　条例定数の取扱い　在籍専従の許可を与えられた職員の条例定数上の取扱いについては、一般に分限処分による休職者は条例定数上、定数外とすることができるものとされているので（行実昭二七・二・二三　地自公発第五〇号）、同様の取扱いをすることができるものと解される。定数条例上、在籍専従職員も定数外とする旨を明記しておくことが望ましい。

次に、在籍専従職員の給与の取扱いであるが、その許可が効力を有する間はいかなる給与も支給することができないものである。これに違反して給与を支給したときは不当支出に該当し、これを支出した職員は公法上の賠償責任を負い（自治法二四三の二の二①）、支給を受けた在籍専従職員は公法上の不当利得を得たものとして地方公共団体にこれを返還する義務を負う。

「いかなる給与」とは、地方自治法第二〇三条の二および第二〇四条に基づく条例に基づく一切の給与その他の給付をいうものである。すなわち、給料および各種手当の一切であり、給料には給料の調整額、休職給なども含まれる。また、「許可が効力を有する間」はいかなる給与も支給されないのであるから、たとえば、六月一日に許可が与えられたときは、六月一五日に支給される期末、勤勉手当は、六月一日までの勤務期間にかかわらず、支給することができない。なお、在籍専従期間は復職後当該職員に支給される期末、勤勉手当の計算の基礎となる期間に算入すべきではない。また、給与条例主義（法二四⑤）に基づき、給与条例中に在籍専従職員に対しては、その許可を受けた期間中は一切の給与を支給しない旨規定しておくことが適当である。ただし、在籍専従職員に給与を支給しないこととするのは、本条第五項に直接基づく法律効果である。

在籍専従期間中に昇給をさせること、または復職時に給料の決定額の調整をすることができるであろうか。まず、昇給は、昇給の日の前の一年間の勤務成績に応じてなされるもの（給与法八6）であり、在籍専従期間中のように職務に従事しないときは、勤務成績の良否は判定できないので（法制意見昭三四・五・四　法制局一発第一五号）、昇給をさせることはできない（通知昭四三・一〇・一五　自治公一第三五号第一3）ことになる。さらに、在籍専従職員が職務に復帰したときに昇給を行うことも、勤務成績の判定ができない以上、不可能であるといわなければならない。次に、復職時の給料の調整であるが、一般に休職または休暇のため勤務しなかった職員が、復職しまたはふたたび勤務するに至った場合において、部内の他の職員との均衡上必要があると認めるときは、給料の調整をすることができることとされており、専従許可を受けた職員が復職したときも同様の取扱いとなっている（国家公務員について、人事院規則九―八（初任給、昇格、昇給等の基準）四四）。そして、具体的には、専従期間は、その三分の二以下の期間を勤務したものとみなして、復職後の昇給期に給料月額を調整することができることとされており、通常の病気休職期間の三分の一換算よりも有利な取扱いとなっている（国家公務員について、前記人事院規則別表八）。なお、専従期間中に懲戒処分などを受けたときは、一般職員が同様の処分を受けた場合と均衡がとれるよう調整すべきである（通知昭四三・一〇・一五　自治公第三五号）。

次に、第五項は、退職手当についても在籍専従期間はその算定の基礎となる勤続期間に算入してはならないことを定めている。昭和四〇年（一九六五年）の改正前の休暇専従については、条例上、特別の規定がなく、退職手当の算定基礎となる期間に算入する取扱いとされていたのであるが、改正後は法律によって算入することが禁じられたのである。退職手当の性格については、第二五条の**〔解釈〕四**㈢で述べたように、勤続報償説、賃金後払説、生活保障説などがあるが、いずれにしても勤続期間を前提とする経済的な給付であり、給与支給の場合と同様に、その勤続期間を通算することはいわゆる経理上の援助に該当すると考えられるので、労使相互不介入の原則に基づいて、これを禁止することとされたのである。在籍専従期間を退職手当の算定の基礎となる勤続期間に算入しないことについては、給与条例主義（法二四5）に基づき、退職手当条例中にその旨を規定することが適当である（退手法七4参照）。

退職手当については、以上のような取扱いがなされるが、地方公務員等共済組合法に基づく退職年金または退職一時金については、在籍専従期間はその算定の基礎となる期間に算入される。共済組合の給付は、社会保障制度としての給付だからである。しかし、在籍専従職員は掛金を共済組合に納付しなければならず、また、使用者としての共済組合に対する負担金は職員団体が負担しなければならない（地共済法一一三５）。

五　労働組合の在籍専従職員

地方公営企業の職員若しくは単純労務職員ならびに独法職員は、これらの職員が組織する労働組合の業務にもっぱら従事することが原則として禁止されるが（地公労法六１本文、同法附則５）、例外として地方公営企業等の許可を受けたときは在籍専従職員となることが認められる（地公労法六１但し書、同法附則４５）。在籍専従が認められるのは、労働組合の「役員」としてその業務に「専ら従事する」場合であり、「地方公営企業等が相当と認める場合」である。それぞれの意義は、職員団体について述べたところと全く同じである。ただ、職員団体の場合は人事委員会または公平委員会に登録されたものに限って在籍専従が認められるのに対し、労働組合の場合は職員の労働組合であれば足り、職員のみで組織されていること、あるいは労働委員会が認定したものであることなどの要件はない。

労働組合の在籍専従の許可の期間は、職員団体の場合と同じく、職員としての在籍期間を通じて五年（当分の間は、七年以下の範囲内で労働協約で定める期間。以下同じ。）を超えることはできない。その趣旨も職員団体の場合と同じであり、また、職員団体の業務に従事した期間と通算して五年を超えてはならないものである（地公労法六３括弧書）。労働組合の在籍専従の許可の取消しは、法律上は組合の役員としてもっぱらその業務に従事しなくなったときに行われるものとされている（地公労法六４）。職員団体の場合には当該団体が登録職員団体でなくなったときも取消し要件とされているが、労働組合の場合は登録制度がないので、組合の「役員」でなくなったとき、および「もっぱら」その業務に従事するものでなくなったときの二つが法定の取消し事由である。法定外の取消し事由として本人の都合により申出があったとき、許可の条件に違反したときなどがあることは職員団体の場合と同じである。労働組合の在籍専従職員の身分取扱いについては、法律上、休職者として取り扱われること、いかなる給与も支給されないことおよび退職手当の算定の基礎となる勤続期間に算入されないことが規定されており（地公労法六5）、その内容は職員団体について述べたところと同じである。その他の身分取扱いについても職員団体の場合とほぼ同様であるが、本条の〔解釈〕四で述べたもののうち、(4)で述べた勤務条件に関する措置要求および不利益処分に関する審査請求は、労働組合を組織する職員には適用除外されているので（地公企法三九1、地公労法一七1、同法附則5、地方独法法五三1）、これを行うことはできない。

六　給与と組合休暇との関係

職員のうち、在籍専従職員については、これまで述べてきたように、職務専念義務が免除され、給与の支給を受けずに、職員団体活動または労働組合活動に従事することが認められているが、在籍専従職員以外の職員が勤務時間中に条例の定めるところに従って職務専念義務の免除を得て職員団体活動または労働組合活動に一時的に従事することを「組合休暇」と呼んでおり、この組合休暇と給与の支給との関係が問題となる。

この場合、まず問題となるのは、在籍専従職員以外の職員に対し、組合活動のための休暇を認めることの可否であるが、組合活動は公務に優先するものではないので、組合休暇を認めることは原則として適当な措置であるとはいえない。職員の組合活動は、勤務時間外に行うことを建前とすべきであり、管理者は職員が年次有給休暇を利用する場合以外は職務専念義務の免除または特別休暇を与えることについては厳格な運用を行うべきである。すなわち、在籍専従が例外的に認められるように、法律的には、組合休暇もこれを認めることは不可能ではないが、公務優先の原則を建前としつつ、真にやむを得ない場合に限って組合休暇を認めることとすべきである。行政指導として、登録職員団体または職員の労働組合のために不可欠な業務ないし活動のため、たとえば、これらの団体またはその上部団体の正規の機関の業務に従事するために必要とする場合には、三〇日以内の必要最少限の期間の組合休暇を認めることはさしつかえないとされている（通知昭四三・一〇・一五自治公第三五号）。これは、国家公務員についていわゆる短期従事の制度があり（人事院規則一七―二（職員団体のための職員の行為）六）、登録職員団体の役員または登録職員団体の規約に基づいて設置された議決機関（代議員制の場合に限る。）、投票管理機関若しくは諮問機関の構成員として業務に従事する場合に、一年を通じて三〇日以内に限り認められていることに対応するものであろう。しかし、組合休暇は職員の権利ではなく、任命権者の裁量によって認められるものであって、それはできる限り厳格に運用すべきものであり、具体的には、地方公共団体の区域が広く、出先機関が散在している場合、相当多数の構成員を擁しているにもかかわらず在籍専従職員が設けられていない場合などであって、かつ、登録職員団体または職員の労働組合の組合大会、役員会などの正規の会合について、年間一定の回数を限って認めるべきであろう（行実昭四一・六・二一　公務員課決定）。

一定の場合に限って組合休暇が認められるとした場合、次に問題となるのは給与の取扱いである。職員団体については、例外的に条例で定める場合を除き、給与を受けながらそのために業務を行い、または活動をしてはならないとされている（本条６）。したがって、組合休暇は無給であることが原則である。職員団体活動に従事している職員に給与を支給することは、組合活動に対する財政上の援助であり、労使相互不介入の原則に反するからである。職員の労働組合に関しては、第六項に相当する規定は設けられていないが、労働組合法により、原則として経理上の援助を受ける団体は労働組合ではないものとされ（労組法二②）、また、経理上の援助をすることは不当労働行為として禁止されているところである（労組法七③）。

職員団体に関する場合、条例（この条例を「ながら条例」ということがある。）でとくに認められた場合には給与を受けながら組合活動を行うことができるものとされているが、以上述べた趣旨にかんがみ、それは特別の合理的理由がある場合に限られるべきである。この特例については、次のような案（通知昭四一・六・二一　自治公発第四八号別紙四）が示されている。なお、県費負担教職員に関する特例条例は、それが勤務条件に関するものであるので、都道府県の条例で定めるべきである（地教行法四二、行実昭四一・六・二一　公務員課決定）。

〇職員団体のための職員の行為の制限の特例に関する条例（案）

（この条例の目的）

第一条　この条例は、地方公務員法（昭和二十五年法律第二百六十一号。以下「法」という。）第五十五条の二第六項の規定に基づき、職員が給与を受けながら、職員団体のためその業務を行ない、又は活動することができる場合を定めることを目的とする。

（職員団体のための職員の行為の制限の特例）

第二条　職員は、次の各号に掲げる場合又は期間に限り、給与を受けながら、職員団体のためその業務を行ない、又は活動することができる。

一　法第五十五条第八項の規定に基づき、適法な交渉を行なう場合

二　時間外勤務代休時間、休日及び休日の代休日（特に勤務を命ぜられた場合を除く。）並びに年次有給休暇並びに休職の期間

附　則

この条例は、公布の日から施行する。

この案について若干説明を加えると、特例の一は適法な交渉を勤務時間中に行う場合である。勤務時間中に適法な交渉を行うことができることは、職員団体の本来的活動として地方公務員法中で規定されているところであり（法五五8）、在籍専従職員が交渉の当事者であるときは本条第五項の規定が優先して適用されるので一切の給与を支給することができないが、その他の職員が交渉の代表者となったときは給与を支給してもさしつかえないこととされたのである。いわゆる予備交渉は、本来の交渉ではないが、適法な交渉に付随する行為は条例上、給与減額の対象としない「適法な交渉」に含まれると解してさしつかえなく、必要最少限の予備交渉の時間および交渉に入る前の二〇～三〇分間程度は給与を減額しないこともできるとされている（行実昭四一・六・二二　公務員課決定）。職員の労働組合の場合も、職員が時間または賃金を失うことなく団体交渉に参加することを許すことは不当労働行為にはならないものとされている（労組法七③但し書）。特例のその二は、休日および年次有給休暇中の組合活動であり、これらの日の正規の勤務時間に相当する時間については給与支給の対象となっており、しかも特別に勤務が割り当てられている職員以外は勤務をせず自由に使用してもよいこととされている。したがって、これらの時間を組合活動に利用することは本来さしつかえないものであるが、本条第六項との関係で問題が生じることを避けるため、条例で規定しておくべきである。この条例中、週休日（通常は日曜日および土曜日）、休憩時間および停職の期間が規定されていないのは、これらの時間は給与支給の対象ではないので、本条第六項との関係は生じないからである（行

実昭四一・六・二一　公務員課決定）。なお、超過勤務を命じられた場合および休日勤務を命じられた場合は、勤務することの特別の必要性があるわけであるから、その時間中、組合活動を行うことはできないのは当然である。特例条例で定める時間以外の勤務時間中に組合休暇を得て組合活動を行ったときは、その間の給与を減額しなければならないものであり（行実昭四一・六・二一　公務員課決定）、たとえ福利厚生活動であっても勤務時間中の組合活動として行われる場合は減額しなければならない（行実昭四一・六・二一　公務員課決定）。組合休暇について給与を減額することは、本条第六項に直接基づいて行ってもよいが、給与条例中にその旨を規定しておくことが適当である（通知昭四三・一〇・一七　自治公一第三七号　別紙中、組合休暇に関する改正条例案参照）。

（不利益取扱の禁止）

第五十六条　職員は、職員団体の構成員であること、職員団体を結成しようとしたこと、若しくはこれに加入しようとしたこと又は職員団体のために正当な行為をしたことの故をもつて不利益な取扱を受けることはない。

〔**趣　旨**〕

一　職員団体活動の保障

職員が職員団体活動を行うことは、労働基本権（憲法二八）によって保障された権利であり、当局がこれを妨害するようなことがあってはならないことは当然である。このことは、あえて法律の規定をまつまでもないことであるが、本条に明文をもって規定されたのは、次の理由によるものといえよう。

その一は、不当労働行為制度との関係である。労働組合については本条〔**趣旨**〕二で述べるように不当労働行為の制度が法律で定められ、使用者が労働組合活動に不当な干渉を行うことを禁止しているところである。労働組合も職員団体も同じ勤労者の団結権の行使であり、職員団体についても不当労働行為の禁止と同じ趣旨で、職員団体の結成権を保護するために法律で明文の規定が定められたものといえよう（通知昭二六・一・一〇　地自乙発第三号）。

その二は、職員の経済的権利を職員団体の面からさらに強く保障することである。職員の経済的権利は法令によって保障され、また、勤務条件の措置要求制度で保障されているが、さらに職員が団結して当局と交渉することで重ねて保障されているものであり、このうち、措置要求制度は、これを妨害した者に罰則を科することによってその保障の裏打ちをしている（法六一⑤）。同様に職員団体活動についても、本条を設けることによって一層強くその保障の裏打ちを行い、職員の経済的権利を保護することとしているのである。

その三は、労使関係に関する実際的な考慮である。使用者が勤労者の団結に不当な干渉を行ってはならないことは、近代国家における基本的原則であり、まして地方公共団体の当局は法令を実施し、公益を実現する立場にある者であるから、なおさらそのようなことがあってはならないものである。本条について、不当労働行為制度のように所定の機関による行政命令や罰則の制度がないのは、地方公共団体の当局は悪を為さずという前提があるからであるといってよいであろう。しかしながら、公共部門を含め、労使関係全体において、使用者が時として勤労者が団結し行動することを嫌い、これを妨害しようとする傾向も絶無とはいえない。法律があえて明文の規定を設けたのは、こうしたことの絶無を期するようさらに当局を戒めたものといってよいであろう。

ところで、本条は、当局の職員団体活動に対する不当な干渉を禁止した消極的な規定である。当局と職員団体との関係は、このような消極的禁止の範囲にとどまるべきものでなく、当局は進んで職員団体の持つ意義を積極的に評価しなければならないものである。従来、一方的に勤務条件を処理してきた当局が、職員団体が組織されたため、勤務条件について逐一交渉するようになることは、一見して煩瑣なことのようにも思われるであろう。しかし、職員は団体活動を通じて、あるいは団体の力を背景として従来よりも自由かつ率直にその意見を表明するようになり、当局はその意見を知ることによって相互の意思疎通が一層円滑に行われることとなるのであって、このことが職場の民主化と公務能率の増進に少なからず寄与することは疑いないところである。成熟した労使関係の下においては、正常な労働運動とともに使用者の労働団体に対する積極的な姿勢が確立されており、地方公共団体においてもこうした関係が樹立されるよう労使双方が努力すべきものといえよう。

二　労働組合活動の保障

職員が組織する労働組合のための正当な活動に対しても、当局が不当な干渉を行うことは、法律によって禁止されているところである。すなわち、職員が組織する労働組合については労働組合法が適用され、その第七条第一号は、「労働者が労働組合の組合員であること、労働組合に加入し、若しくはこれを結成しようとしたこと若しくは労働組合の正当な行為をしたことの故をもつて、その労働者を解雇し、その他これに対して不利益な取扱いをすること又は労働者が労働組合に加入せず、若しくは労働組合から脱退することを雇用条件とすること」を使用者に禁止している。労働組合の団結権を保護することにより、労働者の労働条件の維持改善を図ろうとする趣旨であり、これをさらに実効あらしめるため、不当労働行為があった旨の申立てを労働委員会に対して行うことを認め、労働委員会は必要に応じて救済命令を発するものとし（労組法二七1、二七の一二1）、その命令が裁判によって支持された場合において、その命令に違反したときは一年以下の拘禁刑若しくは一〇〇万円以下の罰金に処することとしている（労組法二八）。

不当労働行為制度による労働組合の団結に関する権利の保障の趣旨は、本条と同じであるが、前述のように、不当労働行為制度には労働委員会の命令および罰則の適用がある点が異なる。

〔解　釈〕

一　職員団体の団結権および正当な組合活動の保障

職員は、現に職員団体の構成員であること、あらたに職員団体を結成しようとしたこと、すでにある職員団体に加入しようとしたこと、または職員団体のために正当な行為をしたことの故をもって不利益な取扱いを受けることはないものである（本条）。これらの保障のうち、前の三点は職員団体の団結権に関するものであり、最後のものは正当な組合活動の保障である。

まず、「職員」とは職員団体を組織することができる職員であり、企業職員および独法職員については本条の適用はないので（地公企法三九1、地公労法一七1、地方独法法五三1）、職員には含まれない。本条の文理上は明確にされていないが（地方公務員法第四条で「職員」の定義を行っている以上、立法技術的には本条の職員の範囲が異なるとすればそのことを規定上明確にすべきである。）、警察職員および消防職員も本条の「職員」には含まれないと解すべきであり、これらの職員が職員団体を結成したり、加入しようとするときは、本条の保障はなく、かえって地方公務員法第五二条第五項に違反するものとして懲戒処分の対象となるものである。単純労務職員には本条の適用があり、単純労務職員が職員団体を組織することに関して当局が不当な干渉をすれば本条違反となるものである。ただし、本条違反を理由として不服申立てをすることはできないものである（地公企法三九1、地公労法附則5）。単純労務職員は労働組合を組織することもできるが、これについて不当な干渉をするときは労働組合法上の不当労働行為制度の適用を受けることになる。

次に、「職員団体」とは、地方公務員法第五二条第一項の職員団体をいうものであり、登録の有無、法人格の有無を問わない。職員団体の「構成員」とは、職員団体の組織の一員となることで、同法第五三条第二項ないし第四項で規定されている「構成員」はいわゆる一般の組合員のみを指すものと解されるが、本条では一般組合員のほか役員も含むものと解される。役員となることについても、不当な干渉を排除しなければならないからである。職員団体の「結成」とは、あらたに職員団体を設立することで、具体的にはそのための協議をすること、趣意書を作成すること、発起人となること、設立が予定されている職員団体への加入を呼びかけることなどである。また、職員団体に「加入」しようとするとは、すでに設立されている職員団体に個々の職員が参加し、役員または一般の組合員となろうとすることである。具体的には、加入の申込みをすること、勧誘を受けて決意をすることなどである。

「職員団体のために正当な行為をしたこと」とは、法令に違反しない職員団体活動の一切である。たとえば、職員団体を代表して交渉を行うこと、組合大会その他の会合に出席すること、組合費を納めることをはじめ、情報宣伝活動をすること、他の団体に働きかけること、組合員のための福利厚生活動を行うことなどであり、さらに、職員団体の主たる目的以外の従たる目的のための活動をすること、たとえば、文化事業を行うことなども含まれる。このように職員団体のための「行為」の範囲はきわめて広いが、それはあくまでも「正当な」行為に限られる。地方公務員法に違反して争議行為等を行うこと（法三七）や禁止された政治的行為を行うこと（法三六）、職務専念義務に違反すること（法三五）などは、職員団体のために行うものであっても正当なものではなく、不利益処分である懲戒処分の対象となるものであり、本条によって保障を受けるものではない。また、他の法令に違反する行為、たとえば、職員団体活動としてピケを張ったことが公務執行妨害罪（刑法九五）や住居侵入罪（刑法一三〇）に該当し、あるいは庁舎管理規則に違反するような場合も正当な行為といえないことはもちろんである。要するに「正当な行為」とは、法令に違反しない行為と解してよいであろう。法令に違反しないが、社会的、道徳的に非難に値する行為も正当な行為ではないとする考え方もあろうが、このような行為も、はなはだしい程度のものであれば信用失墜行為（法三三）あるいは全体の奉仕者たるにふさわしくない非行（法二九１③）となり、結局、法令違反の行為となるので、本条の法律的解釈としては、法令違反の行為のみが正当ではない行為であると解してよいであろう。

次に、「不利益な取扱」の範囲が問題となる。正当な職員団体活動を理由とする不利益処分、すなわち、懲戒処分および分限処分がこれに該当することについては問題はない。しかし、労働運動に対する使用者の不当な干渉はさまざまな形で行われる可能性があり、「不利益な取扱」を「不利益処分」に限定すべきものではない。したがって、不利益な取扱いの中には、懲戒処分には該当しない訓告や厳重注意などの措置、転任処分などをはじめ、昇給をさせないことなどの不作為も含まれるものと解する。不利益な「取扱」としているのであるから、職員の身分取扱いのうち、正当な職員団体活動を阻害する目的で行われるものはおおむね該当するといってよいであろう。たとえば、職員団体から脱退するよう、あるいは加入しないよう当局が働きかけること自体も、ここでいう不利益な取扱いに当たると考えてよいであろう。

二　不利益な取扱いをした場合の措置

本条に違反する不利益な取扱いが行われた場合の措置については、地方公務員法上具体的な規定が設けられていない。

〔趣旨〕で述べたように、労働組合の団結権またはその活動に対して不当な干渉が行われたときは、不当労働行為制度と労働委員会による救済命令および罰則によって具体的な措置が行われることが規定されているが、本条にはそのような規定はなく、まず、本条に違反することのないよう地方公共団体の当局が自らを戒めることが期待されているといってよいであろう。

第四章　補　則

（特例）

第五十七条　職員のうち、公立学校（学校教育法（昭和二十二年法律第二十六号）第一条に規定する学校及び就学前の子どもに関する教育、保育等の総合的な提供の推進に関する法律（平成十八年法律第七十七号）第二条第七項に規定する幼保連携型認定こども園であつて地方公共団体の設置するものをいう。）の教職員（学校教育法第七条（就学前の子どもに関する教育、保育等の総合的な提供の推進に関する法律第二十六条において準用する場合を含む。）に規定する校長及び教員並びに学校教育法第二十七条第二項（同法第八十二条において準用する場合を含む。）、第三十七条第一項（同法第四十九条及び第八十二条において準用する場合を含む。）、第六十条第一項（同法第八十二条において準用する場合を含む。）、第六十九条第一項、第九十二条第一項及び第百二十条第一項並びに就学前の子どもに関する教育、保育等の総合的な提供の推進に関する法律第十四条第二項に規定する事務職員をいう。）、単純な労務に雇用される者その他その職務と責任の特殊性に基づいてこの法律に対する特例を必要とするものについては、別に法律で定める。ただし、その特例は、第一条の精神に反するものであつてはならない。

〔趣　旨〕

一　基本法と特例法

一般職の地方公務員の身分取扱いについては、地方公務員法が基本法であり、そのことは第一章総則の各規定に示されている（法一、二、四1）。このことは、同法が一般職の地方公務員に関する初めての統一法として制定されたいきさつからしても当然のことであり、一般職の地方公務員は同法の定める人事行政の根本基準に従ってその身分が取り扱われ、そのことによって地方公共団体の民主的かつ能率的な行政の運営を確保し、究極的には日本国憲法第九二条の地方自治の本旨が実現されることになるものである（法一）。しかし、このことは同法が一般職の地方公務員の身分取扱いに関する唯一の法律であることを意味するものではない。その身分取扱いの一部については同法とは別の目的に基づく別個の法律が制定されることを否定されるものではないし、また、その身分取扱いはそれぞれ独立の法人格を有する地方公共団体の内部管理の問題であるから、その自主立法である条例や規則などによって、同法の精神に即して具体的な規定が定められることは当然である。同法中にもそのことを予定する規定が随所に定められている。

このように、基本法である地方公務員法に対する特例の法律を定めることは当然に可能であり、また、現にさまざまな特例法が存在するが、本条は同法に対する特例法として、その職員の職務と責任の特殊性に基づいて特例を定める場合があることを明らかにした規定、すなわち、職務内容に応ずる公務員としての身分取扱いに関する特例法を予定した規定であるといってよい。したがって、地方公務員等共済組合法や地方公務員災害補償法などは職員の身分取扱いに関する特例法ではあるが、職務の特殊性に基づく特例法ではないので、本条で予定する特例法ではない。また、職員は労働者として民間の労働者とひとしく各種の労働法規の適用を受け、それは地方公務員法の特例となるものであるが、これも職務の特殊性に基づくものではないので本条の予定する特例法ではない。この労働法規の職員に対する適用および適用除外の関係については、次条で定められている。

本条が予定する職務の特殊性に基づく特例法には、後に〔**解釈**〕で詳述するが、教職員に関するもの、企業職員に関するもの、単純労務職員に関するもの、警察職員に関するものおよび消防職員に関するものがある。

ところで、その第四七条で「特定地方独立行政法人の役員及び職員は、地方公務員とする。」と定める地方独立行政法人法が平成一六年（二〇〇四年）四月一日から施行された。そして、この規定を受けて地方公務員法第三条以下の「地方公務員」には、特定地方独立行政法人の役員および職員が含まれ、その役員が特別職とされている（法三１３⑥）。本条が設けられた当時に、このような形の地方公務員が誕生することが予定されていなかったことは当然であるが、この職員にも地方公務員法が適用され、「その職務と責任」に一般の地方公務員に対する特殊性（地方独法法二参照）があることから、一般職の職員である独法職員についても特例が定められている。

二　本条に基づく特例法制定の意義

本条が特例法を予定しているのは、一口に一般職の地方公務員といってもさまざまな職種が包含されているからである。地方公務員法では、「地方公務員」とは地方公共団体および特定地方独立行政法人のすべての公務員をいうものとされ（法三１括弧書）、地方公務員そのものの範囲をきわめて広くとらえている。また、地方公共団体の事務、事業の多様化に対応して、職員の職務内容も一般の行政事務から教育、警察、消防、交通、水道、病院、清掃など多種類にわたっている。これらの事務に従事する者はいずれも地方公務員である以上、共通の身分取扱いをすることが基本である。とくに服務とか分限、懲戒、福利厚生などは、ひとしく公共の福祉の増進のために勤務するという立場に着目して、できる限り同じ取扱いをすることが建前であろう。しかし、職務内容の特殊性に応じて他の職員と異なる取扱いをしなければならないことも事実であり、もし、しいて画一的な取扱いをするならば、職務の特殊性を無視し、身分取扱い上かえって支障が生じるおそれもある。要するに基本法が定める原則と職務の内容に基づく特例とをそれぞれの職種ごとにどのように調整するかということが、立法上の課題となるのである。

地方公務員法の制定に際し、政府の原案は、職員のうち、その職務と責任の特殊性に基づいて同法の特例を必要とするものについては別に法律で定めるとしており、職種は具体的に明示されていなかったが、国会における論議でとくに単純労務職員について政治的行為の制限（法三六）を緩和ないし解除すべきであるとの論議があり、その特例を定めることを前提として参議院の緑風会および民主党の修正で単純労務職員が例示され、あわせて政府が特例を定めることとしていた教職員が例示されたのである。このように、制定の当初から、本条に基づいて特例を定める職種については論議があったのであり、また、どのような範囲の特例を定めるかということも今日なお立法上の課題の一つであるといえよう。具体的な問題としては、地方公務員については国会における論議の結果、単純労務職員の身分取扱いは一般の職員とは異なるものとされたが、国家公務員については単純な労務に従事する職員が存在するにもかかわらず、職種に応ずる特例は設けられておらず、それぞれの法体系の間の均衡がとれていないことは今後の検討課題であるといえよう。また、国においては日本国有鉄道などの旧三公社の職員は公務員ではなかったが、地方公営企業の職員は一貫して公務員とされているなど、特例法の定め方についても、立法政策として検討する問題が残されている。

しかしながら、本条に基づき、地方公務員法に対するいかなる特例法を定めるにしても、その内容は同法第一条の精神に反するものであってはならないとされている。これは、基本法と特例法との関係においては、特例法は法体系上常に基本法の精神を具体化すべきものでなければならない以上、当然のことであるといわなければならない。

〔解　釈〕

一　公立学校の教職員に関する特例

本条が職務の特殊性に基づき本法に対する特例法の制定を予定している職種として、はじめに例示しているのは公立学校の教職員である。教育は人格の完成をめざし、心身ともに健康な国民の育成を期して行われるものであり（教育基本法一）、教育公務員はこのような教育を通じて国民全体に奉仕するという職務とその責任の特殊性を有するものであるため（教特法一）、教職員に関する特例法が設けられているのである。

本条では、地方公共団体の設置する幼稚園、小学校、中学校、義務教育学校、高等学校、中等教育学校、特別支援学校、大学および高等専門学校（学校教育法一、二2）並びに地方公共団体が設置する幼保連携型認定こども園（就学前の子どもに関する教育、保育等の総合的な提供の推進に関する法律二7）の教職員について特例を設けることを定めている。学校教育法第七条（就学前の子どもに関する教育、保育等の総合的な提供の推進に関する法律二六で幼保連携型認定こども園に準用されている。）では学校に校長と教員を置かなければならないことを定めており、同法第三七条第一項は小学校に校長、教頭、教諭、養護教諭および事務職員を置かなければならないとし、第二項はこれらのほかに副校長、主幹教諭、指導教諭、栄養教諭その他必要な職員を置くことができるとしている。さらに、同条第一八項は、特別の事情があるときは、教諭に代えて助教諭または講師を、養護教諭に代えて養護助教諭を置くことができるものとしている。中学校にはこれらの規定が準用され（同法四九）、義務教育学校には同法第四九条の八が準用され、高等学校には同法第六〇条により、校長、教頭、教諭および事務職員を置かなければならず（特別の事情のあるときは、教諭に代えて助教諭または講師を置くことができる。）、副校長、主幹教諭、指導教諭、養護教諭、栄養教諭、養護助教諭、実習助手、技術職員その他必要な職員を置くことができることとされている。また、中等教育学校には、同法第六九条により、校長、教頭、教諭、養護教諭および事務職員を置かなければならず（特別の事情があるときは、教諭に代えて助教諭または講師を、養護教諭に代えて養護助教諭を置くことができる。）、副校長、主幹教諭、指導教諭、栄養教諭、実習助手、技術職員その他必要な職員を置くことができることとされている。さらに大学には、同法第九二条により、学長、教授、准教授、助教、助手および事務職員を置かなければならず（教育研究上の組織編制として適切と認められる場合には准教授、助教または助手を置かないことができる。）、副学長、学部長、講師、技術職員その他必要な職員を置くことができることとされている。高等専門学校の場合は、同法第一二〇条の規定により、校長、教授、准教授、助教、助手および事務職員を置かなければならず（教育上の組織編制として適切と認められる場合には准教授、助教または助手を置かないことができる。）、講師、技術職員その他必要な職員を置くことができることとされている。さらに、幼稚園については、同法第二七条の規定により、園長、教頭および教諭を置かなければならず（特別の事情のあるときは、教諭に代えて助教諭または講師を置くことができる。）、副園長、主幹教諭、指導教諭、養護教諭、栄養教諭、事務職員、養護助教諭その他必要な職員を置くことができることとされている。また、特別支援学校には、小学部、中学部、幼稚部または高等部の別により、それぞれ小学校、中学校、幼稚園または高等学校の教職員の設置の規定が準用される（同法八二）ほか、同法第七九条の規定により、寄宿舎を設けるこれらの学校には寄宿舎指導員を置かなければならないこととされている。さらに、就学前の子どもに関する教育、保育等の総合的な提供の推進に関する法律第一四条第二項は幼保連携型認定こども園に事務職員を置くことを定めている。以上述べてきたそれぞれの学校の職員のすべてが本条の「教職員」に該当する。

本条に基づく教職員に関する特例法の概要は次のとおりである。

㈠　教育公務員特例法

教育公務員特例法は、公立学校の学長、校長、園長、教員（教授、准教授、助教、副校長、副園長、教頭、主幹教諭（幼保連携型認定こども園の主幹養護教諭及び主幹栄養教諭を含む。）、指導教諭、教諭、助教諭、養護教諭、養護助教諭、栄養教諭、主幹保育教諭、指導保育教諭、保育教諭、助保育教諭および講師）、部局長（大学の副学長、学部長など）、教育委員会の専門的教育職員（指導主事および社会教育主事）の職務と責任の特殊性に基づいて、その任免、人事評価、給与、分限、懲戒、服務および研修について規定するものである（教特法一、二）。その要旨は次のとおりである（なお、本条の【趣旨】三参照）。

1　大学の学長、教員等の特例　公立大学の学長および部局長ならびに教員の採用および昇任は、競争試験によることなく、もっぱら選考によるものであり、学長の採用については、人格が高潔で、学識が優れ、かつ、教育行政に関し識見を有する者について、評議会（評議会を置かない大学にあっては教授会）の議に基づき学長の定める基準により評議会が、学部長の採用については、当該学部の教授会の議に基づき学長が、学部長以外の部局長の採用については、評議会の議に基づき学長の定める基準により学長が、教員の採用および昇任については、評議会の議に基づき学長の定める基準により教授会の議に基づき学長が、それぞれ選考を行うものとされている（同法三２～５）。また、学長および教員は評議会、部局長は学長の審査の結果によるのでなければ、その意に反して転任（現に学長の職に任命されている者を当該学長の職以外の職に任命する場合、現に教員の職に任命されている者を当該教員の職が置かれる部局に置かれる教員の職以外の職に任命する場合および現に部局長の職に任命されている者を当該部局長の職以外の職に任命する場合をいう。）、免職または降任させられることはない（同法四１、五１）。さらに懲戒処分についても、学長および教員は評議会、部局長は学長の審査の結果によらなければならないこととされている（同法九）。その心身の故障による休職の期間は個々の場合について評議会の議に基づき学長が定めるものであり（同法六）、学長および部局長の任期および教員の定年による退職の日も評議会の議に基づき学長が定める（同法七、八１）のであるが、特例定年についての地方公務員法第二八条の六第三項および定年による退職についての同法第二八条の七は適用しないこととされている（同法八２）。そして、学長、教員および部局長の任用、免職、休職、復職、退職および懲戒処分は学長の申出に基づいて公立大学を設置する地方公共団体の長（任命権者）が行う（同法一〇１）。また、公立大学の学長、教員および部局長の服務について、地方公務員法第三〇条の根本基準の実施に関し必要な事項は、政治的行為の制限、服務の宣誓、法令および職務命令に従う義務、信用失墜行為の禁止、秘密を守る義務、職務専念義務、争議行為等の禁止および営利企業等への従事制限について同法で定めるもの以外は評議会の議に基づき学長が定めるものである（同法一九）。そして、大学の学長、教員および部局長の人事評価およびその結果に基づく措置は、学長にあっては評議会が、教員および学部長にあっては教授会の議に基づき学長が、学部長以外の部局長にあっては学長が、それぞれ行い（同法五の二）、人事評価の基準および方法に関する事項その他人事評価に関し必要な事項は、評議会の議に基づき学長が定め（同法五の二２）、標準職務遂行能力は、評議会の議に基づく学長の申出に基づいて、任命権者が定める（同法一〇２）ことになっている。

２　大学以外の学校の校長および教員の特例　　校長の採用ならびに教員の採用および昇任は、これらの者が教員免許（教育職員免許法）を得ているものであるので、競争試験によることなく、もっぱら選考によって行われ、その選考は、大学附置の学校では学長が、それ以外の学校ではその校長および教員の任命権者である教育委員会の教育長（幼保連携型認定こども園にあっては任命権者である地方公共団体の長）が行う（教特法一一）。公立の小、中、高校などの教諭などの条件付採用期間は一年とされ（教特法一二１）、また、県費負担教職員の条件付任用については、公立の小、中、高校等の校長または教員で地方公務員法第二二条の規定により正式任用となっている者が引き続き同一都道府県内の公立学校の校長または教員に任用されたときは、同条の規定は適用されない（教特法一二２）。同一都道府県内の人事交流を促進する趣旨である。また、校長および教員の結核性疾患のための休職の期間は満二年までであり、とくに必要があるときは、予算の範囲内で、満三年まで延長することができ、この休職については、その期間中、給与の全額が支給される（教特法一四）。校長および教員の結核による休職の期間および給与が、それが条例で定められている一般の職員よりも、とくに優遇することを法律で定めているのは、これらの校長および教員が児童、生徒に接触することにより結核に感染することを避ける趣旨である。

3　教育長および専門的教育職員の特例　指導主事および社会教育主事の採用および昇任は教育長が選考で行う（教特法一五）。これらの職員の職務内容にかんがみ、競争試験によることがふさわしくないと考えられたからである。

4　研　修　教育公務員は、その職責を遂行するために、絶えず研究と修養に努めなければならず、その研修実施者は、教育公務員の研修について、それに要する施設、研修を奨励するための方途その他研修に関する計画を樹立し、その実施に努めなければならない（教特法二一）。そして、教育公務員には研修を受ける機会が与えられなければならず、任命権者（市町村が設置する中等教育学校の校長および教員である県費負担教職員である者については当該市町村の教育委員会）の定めるところにより、現職のままで、長期にわたる研修を受けることができる（教特法二二13）とされている。また、教育公務員のうちの教員（教特法二12参照）は、授業に支障のない限り、本属長（校長）の承認を受けて、勤務場所を離れて研修を行うことができる（教特法二二2）とされているが、校務の円滑な執行に対する支障および勤務場所を離れて研修を行うことの特別の必要性の有無の判断が本属長の裁量によるものであるとされている（最高裁平五・一一・二判決　判例時報一五一八号一二五頁）。

文部科学大臣は、公立の小学校、中学校、義務教育学校、高等学校、中等教育学校、特別支援学校および幼稚園および幼保連携型認定こども園（以下「小学校等」という。）の校長および教員の計画的かつ効果的な資質の向上を図るために、指標の策定に関する指針（「指針」という。）を定めなければならないとされ（教特法二二の二1）、公立の小学校等の校長および教員の任命権者は、指針を参酌して、その地域の実情に応じ、当該校長および教員の職責、経験および適性に応じて向上を図るべき校長および教員としての資質に関する指標（「指標」という。）を作成するものとされている（教特法二二の三1）。そして、公立の小学校等の校長および教員の研修実施者は、この指標を踏まえて、当該校長および教員の研修について、毎年度、体系的かつ効果的に実施するための計画（「教員研修計画」という。）を定めるものとされ（教特法二二の四1）、指標の策定に関する協議並びに当該指標に基づく当該校長および教員の資質の向上に関して必要な事項についての協議を行うための協議会を組織することになっている（教特法二二の七1。ただし、指定都市以外の市町村の教育委員会および長については、当分の間、協議会に関する規定は適用しない（同法附則四）とされている）。

さらに、令和四年（二〇二二年）法律第四〇号によって教育公務員特例法の一部が改正され、次のように「研修実施者」および「指導助言者」が定義され（同法二〇）、従来任命権者が行うこととされていた研修についての役割が、それぞれに分けられた。

「研修実施者」

一　市町村が設置する中等教育学校（後期課程に学校教育法第四条第一項に規定する定時制の課程のみを置くものを除く。次号において同じ。）の校長および教員のうち県費負担教職員である者　当該市町村の教育委員会

二　地方自治法第二五二条の二二第一項の中核市（以下この号および「指導助言者」の第二号において「中核市」という。）が設置する小学校等（中等教育学校を除く。）の校長および教員のうち県費負担教職員である者　当該中核市の教育委員会

三　前二号に掲げる者以外の教育公務員　当該教育公務員の任命権者

「指導助言者」

一　「研修実践者」の第一号に掲げる者　同号に定める市町村の教育委員会

二　「研修実践者」の第二号に掲げる者　同号に定める中核市の教育委員会

三　公立の小学校等の校長および教員のうち県費負担教職員である者（前二号に掲げる者を除く。）　当該校長および教員の属する市町村の教育委員会

四　公立の小学校等の校長および教員のうち県費負担教職員以外の者　当該校長および教員の任命権者

そして、公立の小学校等の校長および教員の指導助言者は、当該校長および教員がその職責、経験および適性に応じた資

質の向上のための取組を行うことを促進するため、当該校長および教員からの相談に応じ、研修、認定講習等その他の資質の向上のための機会に関する情報を提供し、または資質の向上に関する指導および助言を行うものとし、それを行うに当たっては、当該校長および教員に係る指標および教員研修計画を踏まえ、当該校長および教員の研修等に関する記録に係る情報を活用するものとするが、指導助言者は、資質の向上に関する指導助言等を行うため必要があると認めるときは、独立行政法人教職員支援機構、認定講習等を開設する大学その他の関係者に対し、これらの者が行う研修、認定講習等その他の資質の向上のための機会に関する情報の提供その他の必要な協力を求めることができることとされている（教特法二二の六）。

小学校等の研修実施者は、教諭、助教諭、保育教諭、助保育教諭および講師（臨時的任用職員、会計年度任用職員、任期付採用職員を除く。教特法施行令二）に対して、その採用の日から一年間の教諭または保育教諭の職務の遂行に必要な事項に関する実践的な研修（初任者研修）を実施しなければならず、その研修を受ける者（初任者）に対する指導および助言は、当該初任者が所属する学校の副校長、教頭、主幹教諭、指導教諭、教諭、主幹保育教諭、指導保育教諭、保育教諭または講師のうちから指導助言者が命じたものが行うこととされている（教特法二三）。さらに、研修実施者は、上記の教諭等について、個々の能力、適性等に応じて、公立の小学校等における教育に関し相当の経験を有し、その教育活動その他の学校運営の円滑かつ効果的な実施において中核的な役割を果たすことが期待される中堅教諭等としての職務を遂行する上で必要とされる資質の向上を図るために必要な事項に関する研修（「中堅教諭等資質向上研修」という。）を実施しなければならない（教特法二四１）とされる。また、特殊なものに、児童、生徒又は幼児に対する指導が不適切であると認定した者に対して、その能力、適性等に応じて、当該指導の改善を図るために必要な事項に関して行なされる研修（「指導改善研修」という。）がある（教特法二五１）。この研修においては、その終了時になされる児童等に対する指導の改善の程度に関する認定において指導の改善が不十分でなお児童等に対する指導を適切に行うことができないと認める教諭等については、免職その他の必要な措置を講ずるものとされている（教特法二五の二）。

公立の小学校、中学校、義務教育学校、高等学校、中等教育学校、特別支援学校、幼稚園及び幼保連携型認定こども園の主幹教諭、指導教諭、教諭、養護教諭、栄養教諭、主幹保育教諭、指導保育教諭、保育教諭または講師で一定の免許状の取得を目的とするなど一定の要件を満たすものは、任命権者（市町村が設置する中等教育学校（後期課程に学校教育法第四条第一項に規定する定時制の課程のみを置くものを除く。）の校長及び教員のうち県費負担教職員である者については当該市町村の教育委員会）の許可を受けて、三年を超えない範囲内で、年を単位として定める期間、大学（短期大学を除く。）の大学院の課程若しくは専攻科の課程またはこれらの課程に相当する外国の大学の課程に在学してその課程を履修するための休業（大学院修学休業）をすることができるが（教特法二六1、同法施行令六）、この休業をしている期間は地方公務員としての身分を保有するが職務には従事せず、給与も支給されない（教特法二七）。そして、この休業をしている教諭などが休職または停職の処分を受けたときは、その許可は効力を失い、その許可に係る大学院の課程を退学するなど一定の場合には、任命権者がその許可を取り消すものとされている（教特法二八、同法施行令八）。なお、この休業をしている教諭などが退職したときは、保有していた身分がなくなり、その者が所属する地方公共団体との間における地方公務員としての法律関係が消滅することから、当該許可には法律上の意味がなくなるが、このことは、在学中の大学等との関係に影響を及ぼすことがないのが原則である。

5　その他　(1)　兼職、兼業および営利企業等の従事　教育公務員（短時間勤務職員および会計年度フルタイム職員以外の非常勤の講師を除く。）は、教育に関する他の職、他の事業または事務に従事することが本務の遂行に支障がないと任命権者（県費負担教職員については市町村の教育委員会）が認める場合には、給与を受け、または受けないで、これらの兼職または兼業をすることができ、この場合、地方公務員法第三八条第二項の規定による人事委員会の許可の基準によることを要しない（教特法一七）。教育公務員の場合、教育の事業について兼職、兼業を積極的に認めることが、人材を活用するゆえんであり、当該教員の能力の向上の上で有益であると考えられたからであろう。しかし、この規定は教員の進学塾の経営や家庭教師などのアルバイトを積極的に認める趣旨であるとは考えられない。

(2)　政治的行為の制限　公立学校の教育公務員の政治的行為の制限については、地方公務員法第三六条を適用せず、当分の間、国家公務員の例によることとされている（教特法一八1）。この結果、教育公務員はその政治的中立性がとくに強く求められることとなり、全国的にその制限を受けることとなる（国公法一〇二）。より詳しくは第三六条の〔解釈〕を参照されたい。教育と政治活動の関係については、教育基本法第一四条第二項は、各学校においては特定の政党を支持し、または反対するための政治教育、その他の政治的活動をしてはならない旨を規定しており、さらに、「義務教育諸学校における教育の政治的中立の確保に関する臨時措置法」では、何人も教育を利用し、特定の政党その他の政治的団体の政治的勢力の伸長または減退に資する目的で、学校の職員を主たる構成員とする団体の組織または活動を利用し、義務教育諸学校に勤務する教育職員に対し、児童または生徒に対して前記の特定の政党などを支持させ、または反対させる教育を行うことを教唆し、またはせん動してはならないことが定められており、これに違反した者は一年以下の拘禁刑または三万円以下の罰金に処せられる（義務教育政治的中立確保法三、四）。なお、国家公務員が国家公務員法の政治的行為の制限の規定に違反したときは罰則の適用があるが（国公法一一〇1⑱）、公立学校の教育公務員が政治的行為の制限（法三六）に違反しても、懲戒処分の対象となるにとどまり、刑罰の適用はない（教特法一八2）。

(3)　職員団体　一の都道府県内の公立学校の職員のみをもって組織する職員団体は、当該都道府県内の一の地方公共団体の公立学校の職員のみをもって組織するものを除き、当該都道府県の職員をもって組織する職員団体とみなされ（教特法二九1）、都道府県の人事委員会によって登録を受けることができ、また登録職員団体として法人格を取得することができる。このような特例が認められたのは、県費負担教職員が身分は市町村に属しながら、任命権は都道府県の教育委員会にあり、給与も都道府県が負担することから勤務条件に関する条例は都道府県が制定するものであるため、都道府県の教育委員会を交渉相手とすることを予定したものといえよう。したがって、都道府県の教育委員会との交渉を一般的に予定していない都道府県内の一の地方公共団体の職員の職員団体、すなわち、一の市町村または一部事務組合内の教職員の職員団体はこの特例の適用を受けず、原則通り、もっぱら当該市町村または一部事務組合の公平委員会（政令指定都市にあっては人事委員会）の登録を受けることになるものである。この特例は、以上の趣旨からすれば、県費負担教職員にのみ適用すれば足りるのであるが、法律上はすべての公立学校の職員に適用される。したがって、公立大学の職員、公立高校の職員、県費負担教職員、政令指定都市の教職員などが一体となって組織した職員団体もこの特例の適用を受けることができる（なお、この特例によって都道府県の人事委員会の登録を受けた職員団体の内部において特定の一の市町村または一部事務組合の職員だけをもって分会や支部などを結成した場合には、当該分会や支部などが独立して要件を満たしているときに限り、原則に従って、当該一の市町村または一部事務組合の人事委員会または公平委員会の登録を受けることができる。）。この特例を受ける職員団体が登録を受ける場合、免職処分を受けて係争中のもの、役員である者などを構成員としていてもさしつかえないとされているが（教特法二九２）、その趣旨は地方公務員法第五三条第四項但し書と同じである。

㈡　地方教育行政の組織及び運営に関する法律

地方教育行政の組織及び運営に関する法律は、教育委員会の設置、教育機関の職員の身分取扱い等、地方公共団体における教育行政の組織および運営の基本を定めることを目的としているが、本条に基づく地方公務員法の特例は、教育長、教育委員会の職員および教育機関の職員の任命にかかるもののほか、県費負担教職員の身分取扱いに関する事項であり、その概要は次のとおりである。

１　教育委員会の職員および教育機関の職員の任命　都道府県教育委員会の事務局の指導主事、事務職員、技術職員その他の所要の職員および市町村教育委員会の事務局のこれに準ずる所要の職員は、それぞれの教育委員会が任命する（同法一八１２７）。また、教育委員会の所管に属する学校その他の教育機関の校長、園長、教員、事務職員、技術職員その他の職員は、別段の定めがある場合を除き、教育委員会が任命する（同法三四）。さらに、学校その他の教育機関の長は、その所属の職員の任命その他の進退に関する意見を任命権者に対して申し出ることができる（同法三六）。特別な定めをまつまでもなく、いかなる所属長もこのような申出をすることを否定されるものではないので、この規定を特例というには当たらないが、あえてこの規定を設けたのは、教育機関の長の人事に関する具申を尊重する趣旨であろう。

２　県費負担教職員の身分取扱い　⑴　任命権者　県費負担教職員（市町村立学校職員給与負担法第一条および第二条の規定により、都道府県がその給与を負担する市町村立小・中学校等の教職員）の任命権は、都道府県の教育委員会（中等教育学校（後記課程に定時制の課程のみを置くものを除く。）を設置する市町村においては当該市町村の教育委員会）が行使する（地教行法三七1、六一1）。県費負担教職員の給与を都道府県が負担し、勤務条件に関する条例を都道府県が制定していることに対応するものであり、また、小・中学校等の教職員の都道府県内における人事交流を円滑に行うため、任命権を都道府県教員委員会に属せしめたのである。

⑵　市町村教育委員会の内申　県費負担教職員の任免その他の進退は、市町村教育委員会の内申をまって都道府県教育委員会が行うものとされている（地教行法三八1）。県費負担教職員は市町村の身分を有し、また、その服務も市町村の教育委員会が監督を行うこととされているので（同法四三1）、市町村教育委員会の内申をまつこととしたものである。市町村教育委員会が内申を不当に行わない場合には、内申をまたず懲戒処分などを行うことができるとする見解がある。法律解釈として微妙な問題があるが、内申を行わないことに明らかに正当な理由がないときはやむを得ない措置であろう（最高裁昭六一・三・一三判決　判例時報一一八七号二四頁）。なお、市町村教育委員会の内申が必要なのは常勤の職員の場合に限られ、非常勤講師については必要ないとする判決（神戸地裁平二・六・二〇判決　判例地方自治七七号三二頁）がある。

⑶　校長の意見の申出　県費負担教職員の上司である校長は、所属の県費負担教職員の任免その他の進退に関する意見を市町村の教育委員会に申し出ることができる（地教行法三九）。意見の申出は、任命権者たる都道府県教育委員会に対してではなく、学校の設置者である市町村の教育委員会に対して行うものであり、市町村の教育委員会は、この意見を参考として⑵で述べた内申を行うことになる。また、⑵の内申に際して、校長の意見の申出があるときは、その意見を付することとされている（同法三八3）。

⑷　同一都道府県内における県費負担教職員の任免　都道府県の教育委員会は、当該都道府県のある市町村の県費負担教職員を、その意思のいかんにかかわらず、一方的に免職し、引き続き同一都道府県内の他の市町村の県費負担教職員として採用することができる。この場合、当該職員がすでに正式任用されている者であるときは、そのあらたな採用について条件付採用の規定は適用せず、直ちに正式任用となるものである（地教行法四〇）。県費負担教職員を同一都道府県内で自由に人事交流させるためであり、都道府県教育委員会が任命権者であることに対応する規定である。なお、実際に例は少ない

であろうが、条件付採用期間中の県費負担教職員には身分保障がなされないので（法二九の二１）、都道府県教育委員会は自由に他の市町村に配置換え（免職および採用）することができ、この場合、法定の条件付採用期間（法二二１、教特法一二１）は前後を通算されるものと解する。

⑸　県費負担教職員の勤務条件に関する条例　県費負担教職員の給与、勤務時間その他の勤務条件に関する条例は、都道府県の条例で定める（地教行法四二）。これらの職員の給与を都道府県が負担することに対応するものである。なお、県費負担教職員の定数も都道府県の条例で定めることとされているが（同法四一１２）、これは地方公務員法の特例ではなく、地方自治法に対する特例である（自治法一八〇の八）。

⑹　県費負担教職員の服務の監督　県費負担教職員の服務は市町村の教育委員会が監督するものであり、県費負担教職員は職務の遂行に当たり、法令、市町村の条例、規則など、若しくは都道府県の勤務条件または分限、懲戒に関する条例などに従い、かつ、市町村の教育委員会および上司の職務上の命令に忠実に従わなければならない（地教行法四三１２）。県費負担教職員は市町村の職員であり、任命権や給与条例の制定等は都道府県の権限とされたのであるが、服務の監督は全面的に市町村の教育委員会が行使することとされたのである。

次に、県費負担教職員の任免、分限または懲戒に関して条例で定めるべき事項は都道府県の条例で定めることとされている（同法四三３）。任命権が都道府県の教育委員会に属することに対応するものである。なお、都道府県の教育委員会は、市町村の教育委員会が行う県費負担教職員の服務の監督、勤務条件に関する条例の実施などについて、技術的な基準を設けることができる（同法四三４）。県費負担教職員の身分取扱いの均衡と適正を確保するための規定である。なお、「技術的な基準」であるから、個別の人事権の行使について指示するようなことはできない。

⑺　県費負担教職員の免職と都道府県の職への採用　都道府県の教育委員会は、県費負担教職員のうち、教諭、養護教諭、栄養教諭、助教諭及び養護助教諭ならびに講師（会計年度任用職員を除く。）で、①児童または生徒に対する指導が不適切であることおよび②研修等必要な措置が講じられたとしてもなお児童または生徒に対する指導を適切に行うことができな

いと認められることの二つの要件に該当することとなったものを免職し、引き続いて当該都道府県の常時勤務を要する職（指導主事ならびに校長、園長および教員の職を除く。）に採用することができる（地教行法四七の二1）。これは、県費負担教職員が市町村の職員であることから、それを都道府県の職員にするためには、一旦市町村の職員を免職しなければならないために設けられたものであり、地方公務員法に定める事由でなければ免職されないことを定める同法第二七条第二項および第二八条第一項の規定に対する特例である。したがって、地方公務員法の規定によって分限免職とされるべき者については、この特例は適用されない。なお、この特例によって都道府県の職員として採用するにあたっては、「公務の能率的な運営を確保する見地から」、その職員の「適性、知識等について十分に考慮するものとする」とされている（地教行法四七の二3）。

(8)　人事評価　県費負担教職員の人事評価は、任命権者である都道府県教育委員会の計画の下に、服務の監督者である市町村の教育委員会が行う（同法四四）。

(9)　研　修　県費負担教職員の研修は、任命権者である都道府県教育委員会だけでなく、市町村教育委員会もこれを行うことができ、また、市町村の教育委員会は都道府県教育委員会が行う県費負担教職員の研修に協力しなければならない（同法四五）。

(10)　その他の特例　以上のほか、同法では地方公務員法に対する特例を次のとおり規定しており（地教行法四七1）、また、地方公務員法を適用する場合の技術的読み替えをすることとしている（地教行法四七2、地教行法施行令七）。

ア　欠格条項　一般の職員の場合は、懲戒免職処分を受けたときは、当該地方公共団体においてその処分の日から二年間、職員となることができないものであるが、県費負担教職員の場合は、当該都道府県の教育委員会の任命権の下に属する職員および当該県費負担教職員の身分が属していた市町村の職員に、その処分の日から二年間はなることができないものとされている。都道府県の教育委員会に任命権が与えられたことにより、欠格とされる範囲が拡大されたものである。

イ　法令違反による懲戒処分　一般の職員は、地方公務員法および本条に基づく特例法ならびに条例、規則その他の規程に違反したときは懲戒処分の対象となるが（法二九1①）、県費負担教職員の場合は、以上のほか地方教育行政の組織及び運営に関する法律に違反した場合も懲戒処分の対象であるとされている。しかし、地方教育行政の組織及び運営に関する法律も地方公務員法の特例を定めた部分は、本条に基づく特例法であると解されるので、このことをあえて規定する意味は明らかではない。念のために規定したものといってもよいであろう。

ウ　秘密事項の発表の許可　法令による証人、鑑定人等となり、職務上の秘密に属する事項を発表する場合、一般の職員は任命権者の許可が必要であるが（法三四２）、県費負担教職員にあっては、任命権者である都道府県教育委員会ではなく、市町村教育委員会の許可が必要であるとされる。守秘義務は服務規定であるから、これに関する許可は服務監督者である市町村教育委員会の権限としたものである。

エ　争議行為等の相手方　一般の職員は、その者が属する地方公共団体の機関を相手方として争議行為等の実行行為および助長行為をすることを禁じられているが（法三七）、県費負担教職員は、その任命権者が属する都道府県の機関およびその身分が属する市町村の機関の双方に対して争議行為等の実行行為および助長行為を行うことが禁止される。県費負担教職員の身分取扱いがこの双方からなされるからである。

オ　営利企業等に従事することの許可　一般の職員が営利企業等に従事する場合には任命権者の許可が必要であるが（法三八）、県費負担教職員については、ウと同じ理由により市町村教育委員会の許可によるものとされている。

カ　その他　以上のほか、同法施行令第七条に技術的読み替えが規定されているが、それは主として、地方公務員法中「人事委員会」と規定されているのを「任命権者の属する地方公共団体（都道府県または政令指定都市）の人事委員会」と読み替えるものである。この読み替えによって、県費負担教職員の勤務条件の措置要求および不利益処分に関する審査請求は、任命権者の属する地方公共団体（都道府県または政令指定都市）の人事委員会に対して行うものとされるので注意を要する。勤務条件は都道府県の条例で定められるものであり、分限処分および懲戒処分は都道府県または政令指定都市の教育委員会が行うからである。

㈢　女子教職員の出産に際しての補助教職員の確保に関する法律

公立の小学校、中学校、義務教育学校、高等学校、中等教育学校、特別支援学校、幼稚園及び幼保連携型認定こども園の女子教職員が出産することとなる場合は、任命権者はその産前産後の期間（原則として産前の六週間および産後の八週間）を任用の期間として、校長以外の教職員を臨時的に任用するものとされる（補助教職員確保法三1）。学校給食施設に勤務する学校栄養職員についても同様の取扱いとされる（同法三3）。そしてこれらの臨時的任用については、地方公務員法第二二条の三第一項から第四項までの臨時的任用に関する規定は適用されない。これらの規定による臨時的任用の要件などを適用する必要性がないからである。

㈣　公立の学校の事務職員の休職の特例に関する法律

公立学校の事務職員が結核性疾患のため休職にされたときは、その休職期間および休職期間中の給与については、教育公務員特例法第一四条の規定が準用される。すなわち、その休職期間は原則として満二年、とくに必要がある場合は満三年までであり、その期間の給与は全額が支給される。その趣旨は、児童、生徒に結核を感染させることのないようにするため、および校長および教員との処遇上の均衡を図るためである。

㈤　学校教育の水準の維持向上のための義務教育諸学校の教育職員の人材確保に関する特別措置法

義務教育諸学校（小学校、中学校、義務教育学校、中等教育学校の前期課程、特別支援学校の小学部および中学部）の教育職員（校長、副校長、教頭および教員）の給与は、一般の公務員の給与水準に比較して必要な優遇措置が講じられなければならず、そのため、国は財政上、計画的にその実現に努めるものとされている（人材確保法三、附則2）。この法律は昭和四九年（一九七四年）に教育職員の給与を引上げるために制定されたものであり、一般に「人材確保法」、「人確法」などと呼ばれているように、教育職員の給与について特別の措置を定めることにより、すぐれた人材を確保し、学校教育の水準の維持向上に資することを目的としているが（同法一）、他の公務員と給与上異なる取扱いをする趣旨が必ずしも明確でないため、均衡上の問題があり、また、人材の確保のために給与のみを手段として強調していることにも疑問があるといわざるを得ない。

㈥　公立の義務教育諸学校等の教育職員の給与等に関する特別措置法

公立の小学校、中学校、義務教育学校、高等学校、中等教育学校、特別支援学校または幼稚園の校長（園長を含む。）、副校長、（副園長を含む。）、教頭、主幹教諭、指導教諭、教諭、養護教諭、栄養教諭、助教諭、養護助教諭、講師（常時勤務の者および再任用短時間勤務の職を占める者に限る。）、実習助手および寄宿舎指導員（これらの者が「教育職員」と称される。）のうち、校長、副校長および教頭以外のものに対しては、その者の給料月額の百分の四に相当する額を基準として、条例で定めるところにより、教職調整額を支給しなければならないが、時間外勤務手当および休日勤務手当は支給しないとされ、教職調整額を支給する場合は、条例で定めるところにより、地域手当（平成一八年三月一三日までは調整手当）、特地勤務手当（これに準ずる手当を含む。）、期末手当、勤勉手当、定時制通信教育手当、産業教育手当または退職手当について算定の基礎となる給料の額に教職調整額の額を加え、休職の期間中に支給される給料の額に教職調整額の額を加え、外国の地方公共団体の機関などに派遣された者に支給される給料の額に教職調整額の額を加え、公益法人などに派遣された者に支給される給料の額に教職調整額の額を加えるものとされ、教職調整額は、地方自治法、市町村立学校職員給与負担法、へき地教育振興法、地方公務員等共済組合法、地方公務員等共済組合法の長期給付等に関する施行法、地方公務員災害補償法の規定およびこれらに基づく命令の規定の適用については、給料とみなされることとなっている（義務教育職員給与等特別措置法二～四）。

また、労働基準法第三三条第三項が「公務のために臨時の必要がある場合においては、第一項の規定にかかわらず、別表第一第十二号に掲げる事業に従事する国家公務員及び地方公務員については、第三十二条から前条までもしくは第四十条の労働時間を延長し、または第三十五条の休日に労働させることができる。この場合において、公務員の健康及び福祉を害しないように考慮しなければならない」と読み替えて教育職員に適用され、割増賃金に関する労働基準法第三七条並びに船員法第六六条（それを準用するものを含む。）および第七三条に基づく命令で同法第六六条に係るものが教育職員に適用されないこととされているが（義務教育職員給与等特別措置法二・三1、五、法五八3本文）、労働基準法別表第一第一二号においては、「教育、研究又は調査の事業」が定められているので、この読替えおよび適用除外規定により、教育職員にも、公務のための臨時の必要がある場合には時間外勤務を命ずることができることになっている。そして、教育職員（管理職手当を受ける者を除く。以下同じ。）を正規の勤務時間を超えてまたは祝日法による休日及び年末年始の休日に相当する日（休日勤務手当が一般の職員に対して支給される日）に勤務させる場合は、政令で定める基準に従い条例で定める場合に限るものとされ、この政令を定める場合においては、教育職員の健康と福祉を害することとならないよう勤務の実情について十分な配慮がされなければならないとされている（義務教育職員給与等特別措置法六）。

なお、令和元年（二〇一九年）一二月、公立の義務教育諸学校等における働き方改革を推進するためとして、公立の義務教育諸学校等の教育職員の給与等に関する特別措置法第五条が改正され（令和元年法律第七二号）、地方公務員法第五八条第三項によって職員に関して適用しないとされている変形労働時間制を定める労働基準法第三二条の四の規定が、次のように読み替えられて教育職員に適用されることとなり、令和三年（二〇二一年）四月一日から施行されている。

1　使用者は、次に掲げる事項について条例に特別の定めがある場合は、第三二条の規定にかかわらず、その条例で第二号の対象期間として定められた期間を平均し一週間当たりの労働時間が四〇時間を超えない範囲内において、当該条例（次項の規定による定めをした場合においては、その定めを含む。）で定めるところにより、特定された週において同条第一項の労働時間又は特定された日において同条第二項の労働時間を超えて、労働させることができる。

一　この条の規定による労働時間により労働させることができることとされる労働者の範囲

二　対象期間（その期間を平均し一週間当たりの労働時間が四〇時間を超えない範囲内において労働させる期間をいい、一箇月を超え一年以内の期間に限るものとする。以下この条及び次条において同じ。）

三　特定期間（対象期間中の特に業務が繁忙な期間をいう。第三項において同じ。）

四　対象期間における労働日及び当該労働日ごとの労働時間（対象期間を一箇月以上の期間ごとに区分することとした場合においては、当該区分による各期間のうち当該対象期間の初日の属する期間（以下この条において「最初の期間」という。）における労働日及び当該労働日ごとの労働時間並びに当該最初の期間を除く各期間における労働日数及び総労働時間）

五　その他文部科学省令で定める事項

2　使用者は、前項第四号の区分並びに当該区分による各期間のうち最初の期間を除く各期間における労働日数及び総労働時間について条例に特別の定めがある場合は、当該各期間の初日の少なくとも三〇日前に、文部科学省令で定めるところにより、当該労働日数を超えない範囲内において当該各期間における労働日及び当該総労働時間を超えない範囲内において当該各期間における労働日ごとの労働時間を定めなければならない。

3　文部科学大臣は、審議会等（国家行政組織法（昭和二三年法律第百二〇号）第八条に規定する機関をいう。）で政令で定めるものの意見を聴いて、文部科学省令で、対象期間における労働日数の限度並びに一日及び一週間の労働時間の限度並びに対象期間（第一項の条例で特定期間として定められた期間を除く。）及び同項の条例で特定期間として定められた期間における連続して労働させる日数の限度を定めることができる。

上記の教育職員についての変形労働時間の制度の導入と併せて、公立の義務教育諸学校等の教育職員の給与等に関する特別措置法に「教育職員の業務量の適切な管理等に関する指針の策定等」として第七条が追加され、そこでは、「文部科学大臣は、教育職員の健康及び福祉の確保を図ることにより学校教育の水準の維持向上に資するため、教育職員が正規の勤務時間及びそれ以外の時間において行う業務の量の適切な管理その他教育職員の服務を監督する教育委員会が教育職員の健康及び福祉の確保を図るために講ずべき措置に関する指針」（「指針」という。）を定め、又はこれを変更したときは、遅滞なく、これを公表しなければならないとされている（この追加された第七条が施行されたのは、令和二年（二〇二〇年）四月一日である。）。

二　単純労務職員に関する特例

(一)　趣旨

本条では単純労務職員についても地方公務員法の特例法を定めることを明記している。同法制定当時、政府が提出した法律案では単純労務職員について特例法を定めることを予定していなかったのであるが、国会における本条の修正により、これら職員について特例法を定めることとされ、同時に附則に第二一項が追加されて、この特例法が制定されるまでの間は、その身分取扱いは従前の例によることとされた。したがって、同法制定当初は、これら職員については、引き続き政令二〇一号の適用があり、その制限内で労働組合法、労働関係調整法、労働基準法などが適用されていた。そして、昭和二六年（一九五一年）に「単純な労務に雇用される一般職に属する地方公務員の範囲を定める政令」（昭二六政令二五）が制定され、単純労務職員の範囲がおおむね明らかにされた。その後、昭和二七年（一九五二年）の地方公営企業労働関係法（現行地方公営企業等の労働関係に関する法律）の制定により、その附則で単純労務職員に対する政令二〇一号の適用を排除し、また、地方公務員法附則第二一項を削除した。この附則第二一項の削除は、地方公営企業労働関係法およびそれによって準用される地方公営企業法の規定が、とりあえずの間は単純労務職員に関する本条の特例法の役割を果たすことを意味するものである。なお、後述するように、この附則第二一項の削除により、これを根拠とする前記の範囲を定める政令も自動的に失効することとなった。

単純労務職員について特例法を定めることとされた趣旨は、制定当時修正案を提出した参議院の民主党および緑風会の提案理由説明によれば、地方公務員法第三六条による政治的行為の制限を緩和ないし解除することにあった。そして地方公営企業労働関係法の制定により、労働関係についても特例が定められた結果、この二点が特例の中心をなすものであり、勤務条件の決定方式の特例は労働関係の特例に対応するものである。このように特例が設けられたさらに基本的な理由は、これらの職員は公務員ではあるが、民間の類似の職種の勤労者と職務内容が実質的に共通しているので、公務員として欠くことのできない規制は別として、できる限り民間の勤労者と同じような取扱いをすることとされたためである。この点は、公営企業の職員の場合と同じ理由によるものである。

次に、地方公営企業等の労働関係に関する法律附則第五項で単純労務職員として同項に基づく特例が適用されるのは、同法「第三条第四号の職員以外のもの」であるから、企業職員である単純労務職員は、ここでいう単純労務職員には含まれず、後述の企業職員として特例法の適用を受けるものである。それ以外の単純な労務に従事する職員は、一般職である限り、本条の特例法の適用を受けるものであり、会計年度任用職員（法二二の二1）および臨時的任用職員（法二二の三1、4）であるものも例外ではない。また、警察職員または消防職員である単純労務職員も特例法の適用を受けるが、団結権の禁止（法五二5）については、警察または消防の業務の一体性を前提とした規定であると解されるので、この禁止規定が優先的に適用され、これと抵触しない限りで特例法が適用されると解すべきであろう。

単純労務職員の範囲についての具体的な問題には、次のようなものがある。まず単純労務職員に該当するとされたものには、公立病院（地公労法の適用を受けないもの）の手術用刃物や医療器械の研磨補修を行う磨工手および白衣等の補修、縫製等を行う裁縫手（行実昭二六・六・四　地自公発第二三二号）、競輪場内の警備に従事する職員（行実昭二八・六・八　自行公発第一一三号）、県営印刷所に勤務する印刷機械工、製本工、文選工、植字工および活字鋳造工（行実昭二八・八・一二　自行公発第一六〇号）、タイピスト、キーパンチャー、幻燈機映写技師および庁内有線電話装置の保守管理を行う職員（行実昭三三・八・一四　自丁公発第一一〇号）、高度の技能を要しない自動車整備工（行実昭三七・三・二三　自治丁公発第三〇号）などがある。次に、該当しないとされたのは、公立病院（地公労法の適用を受けないもの）の物療レントゲン科の撮影作業従事者（レントゲン技師以外のもの）およびワクチン培養検査、血液検査、検便等の作業従事者（臨床検査技師以外のもの）（行実昭二六・六・四　地自公発第二三二号）などである。なお、自動車整備工の資格は単純労務職員であるか否かの判断の基準となるものではなく、具体的な職責によって判断すべきものとされている（行実昭三七・三・二三　自治丁公発第三〇号）。

(二)　単純労務職員の身分取扱い

単純労務職員の特例の根拠規定は、地方公営企業等の労働関係に関する法律附則第五項であるが、同項では地方公営企業法の企業職員の身分取扱いに関する規定を原則として単純労務職員に準用することとしている。具体的には次のとおりである。

1　給　与　　単純労務職員の給与は給料および手当であるが、それは職務の内容と責任に応ずるものであり、かつ、職員が発揮した能率が充分に考慮されるものでなければならない。またそれは、生計費、同一または類似の職種の国および地方公共団体の職員ならびに民間事業の従事者の給与、事業の経営状況などを考慮して定めなければならないものであり、さらにその給与についてはその種類と基準のみを条例で定めることとされている（地公企法三八）。これは地方公務員法第二四条、第二五条および第二六条ならびに地方自治法第二〇三条の二、第二〇四条および第二〇四条の二の特例である。

まず、単純労務職員の給与が給料および手当によって構成されることは一般職員の場合と同じである。しかし、それは給与の種類と基準のみが議会の議決事項、すなわち条例で定めることとされ、給料表や手当の額は地方公共団体の長の規則などによって定められるものであり、しかも後述するように、規則制定事項よりも団体協約が優先するので、一般の職員のように給与条例主義によって給与が決定されるのではなく、労使間の当事者主義によるところが大きいといえよう。次に、単純労務職員の給与の決定に当たって職務給の原則に基づかなければならないことは一般の職員と同じであるが、それはさらに能率給でなければならないことが明定されている。一般の職員の給与も能率給でなければならないが、地方公営企業法第三八条第二項がこれを明記しているのは、同条が本来公営企業にかかるものであり、能率性を強調しなければならないからである。また、単純労務職員の給与の決定に当たり、均衡の原則に基づかなければならないことも一般職員の場合と同じである。ただ、地方公営企業法第三八条第三項に「経営の状況」を考慮しなければならないとされているが、これも同条がそもそも地方公営企業を対象とした規定だからである。もっとも単純労務職員の給与についても、その従事する業務によっては、清掃事業のように、業務の管理の状況を考慮することが適切と思われる場合があり得る。単純労務職員の給与に関する条例は、一般職の給与に関する条例中に規定しても別個の条例に規定してもいずれでもよいが、一般的には前者の形式によることが適当であるとされている（行実昭二八・九・二四　自行公発第二四四号）。しかし、単純労務職員の給与の種類と基準を定める条例は、団体協約との関係で議会に付議されることがあるなど、一般の給与条例と取扱いを異にする場合があり、また、給料表などが規則で定められるなど法形式も異なるので、別個の条例とすることがより適当であろう。この給与条例と団体協約との関係については後述する。

２　職員に関する条例ならびにこれに関する人事委員会の意見などに関する規定の適用除外　単純労務職員については、地方公務員法第五条、第八条（第一項第四号および第六号、第三項ならびに第五項を除く。）および第一四条第二項は適用されない（地公企法三九１）。第五条は人事委員会または公平委員会の設置、職員に適用される基準の実施、その他職員に関する事項は条例で定めること、および職員に関する条例は人事委員会を置く地方公共団体では議会で人事委員会の意見を聞かなければならないことを定めている。この規定が適用されないのは、勤務条件の条例主義および人事委員会または公平委員会の設置は、一般職員の場合には団体協約締結権が制限されていることの代替措置であり、団体協約締結権を有する単純労務職員には条例主義は原則として適用されないことによるのである。次に、第八条は人事委員会および公平委員会の権限の規定であるから、この規定も原則として適用されないが、その第一項第四号が適用されるのは退職管理についての人事委員会の勧告権を単純労務職員にも及ぼすためであり（地公企法三九４によって法八１④中の「人事行政の運営」は「退職管理」と読み替えられる。）、第六号が適用されるのは単純労務職員の競争試験および選考を人事委員会に行わせるためである。同条第三項および第五項が適用されるのは、その競争試験または選考についての権限を他の機関または人事委員会の事務局長に委任したり、その実施について人事委員会規則を制定することが必要であるためである。また、公平委員会は、単純労務職員について権限を有しない（企業職員について、行実昭四〇・九・三〇　自治公第四二号）のが原則であるが、競争試験等を行う公平委員会は競争試験および選考について人事委員会と同様の権限を有する（法九１、一七２括弧書）。なお、第八条を適用除外とすることの問題点については同条の〔趣旨〕八で詳しく述べた。また、単純労務職員は団体交渉をし、労働協約を締結することができるので、その勤務条件について、人事委員会が勧告するのは適当ではないことから、地方公務員法第一四条第二項は適用されないことになっている。

３　給与、服務、人事評価および研修についての人事委員会の勧告に関する規定の適用除外　地方公務員法第二三条の四から第二六条の三まで、第二六条の五第三項（同法二六の六11で準用する場合を含む。）、第三七条および第三九条第四項の規定も単純労務職員には適用されない（地公企法三九１）。第二四条から第二六条までは給与に関する規定であるが、これらの規定が適用されないのは１および２で述べたとおり、地方公営企業法第三八条に特例規定があるからである。次に地方公務員法第三七条は争議行為等の禁止に関する規定であり、単純労務職員の争議行為等の禁止については、地方公営企業等の労働関係に関する法律第一一条に特例規定が定められている。第二三条の四は人事評価に関する、第三九条第四項は研修に関する、それぞれ人事委員会の勧告の権限であり、人事委員会制度の一環であるので適用除外とされたのである。なお、単純労務職員は、政令で定める者のほか、地方公務員法第三六条の政治的行為の制限は受けず（地公企法三九２）、また、公務員としての立候補制限の適用はない（公選法八九１⑤、公選法施行令九〇１）。なお、この政令は、単純労務職員についてはその政治的影響力が乏しいことにかんがみ、制定されていない。

４　勤務条件に関する措置要求および不利益処分に関する審査請求の規定の適用除外　地方公務員法第四六条から第四九条までの規定および行政不服審査法は、単純労務職員には適用されない（地公企法三九１３）。第四六条から第四八条までは勤務条件に関する措置の要求の規定であり、第四九条は不利益処分の説明書の規定で、第四九条の二から第五一条の二までの規定および行政不服審査法と一体となって不利益処分に関する審査請求制度を形成しているものである。単純労務職員は民間の勤労者とほぼ同様の取扱いとされるものであるため、人事委員会および公平委員会の管轄の下になく、また、労働組合の結成権および団体協約の締結権によって勤務条件が保障されることもあって、勤務条件の措置要求制度および不利益処分に関する審査請求の制度が適用されないこととされているのである。したがって、単純労務職員が不利益処分を受けたときは、それが不当労働行為に該当するときは労働組合法第二七条の規定によって救済を求めることになり（行実昭二八・八・一二　自行公発第一六〇号、同昭二九・四・八　自丁公発第四九号）、そのほか苦情処理共同調整会議（地公労法一三）で解決すること、あるいは当該処分が違法であるときは行政事件訴訟法に基づいて出訴することによって解決することもありうる（行実昭二九・六・一四　自丁公発第一〇〇号）。勤務条件について不服があるときは、団体交渉によるほか、日常の作業条件に関する場合は前記の苦情処理共同調整会議によって解決する場合もあり、また、当該勤務条件に関する問題が法律上の権利の侵害であるときは、給付の訴を提起する場合もあり得るであろう。

５　単純労務職員の労使関係　単純労務職員の労使関係は、地方公営企業等の労働関係に関する法律の適用を受けると同時に地方公務員法中の職員団体の規定の適用をも受けるものである（地公労法附則５）。すなわち、地方公営企業等の労働関係に関する法律附則第五項では、単純労務職員に職員団体の規定を適用除外する地方公営企業法第三九条の規定を準用しているが、職員団体の規定が適用されるよう同条中の「第四十九条まで、第五十二条から第五十六条まで」という文言が「第四十九条まで」と読み替えられている。

単純労務職員の労使関係については、これまでも職員団体の規定に関連して述べてきたところであるが、その概要は次のとおりである。

⑴　単純労務職員の労働組合　単純労務職員の労働関係は、地方公営企業等の労働関係に関する法律に定めるもののほか、労働組合法および労働関係調整法の定めるところによるが、地方公営企業等の労働関係に関する法律では次の諸点が定められている。

ア　職員の団結権　職員は労働組合を結成し、もしくは結成せず、またはこれに加入し、もしくは加入しないことができる（地公労法五１）。職員の労働組合はオープン・ショップ制でなければならないものであり、能力主義によって任用される以上、クローズド・ショップ制およびユニオン・ショップ制をとる余地はない。また、職員のうち、労働組合法第二条第一号に規定する使用者の利益を代表する者の範囲は労働委員会が認定して告示する（地公労法五２）。民間の労働組合については労働組合法に基づく救済を受けようとする際にはじめて使用者側の利益代表者が加入していないことを証明することとされているが（労組法五１）、職員の労働組合については、あらかじめ使用者の利益を代表する者を明らかにし、適正な団結権の行使に資することとされているのである。この認定および告示は、現実に結成された労働組合ごとに行うものとされている。なお、この範囲の認定と告示は、労働委員会の公益委員のみが参与して処理される（地公労法一六の二）。

イ　組合のための職員の行為の制限　職員は、原則として組合の業務のためにもっぱら従事することができないが、許可を受けて組合の役員として従事する場合は例外的に在籍専従が認められる場合がある（地公労法六１）。この在籍専従の許可の要件、許可の有効期間、許可の取消し、在籍専従職員の身分取扱い、その給与等（地公労法六２～５）については、職員団体の在籍専従職員の場合と同じであり、第五五条の二の〔**解釈**〕を参照されたい。

ウ　団体交渉の範囲　　職員の労働組合は、賃金、労働時間等の労働条件に関して団体交渉を行い、労働協約を締結することができる（地公労法七本文）。団体協約締結権を有することが職員団体の交渉との大きな違いであり、後述のように予算や条例との調整の問題を生じる。しかし、この団体交渉は地方公共団体の管理運営に関する事項を対象とすることはできない（地公労法七但し書）。その趣旨および管理運営事項の内容は職員団体の場合と同じであり、第五五条の〔解釈〕を参照されたい。

エ　労働協約の効力　　地方公共団体の当局と職員の労働組合とが締結した労働協約が条例と抵触するときは、地方公共団体の長はその抵触を解消するため必要な条例を議会に付議しなければならない。予算上資金上不可能な支出を内容とする労働協約が締結されたときも必要な予算案を議会に付議しなければならない（地公労法八、一〇）。これらの解釈については、第五五条で述べたところを参照されたい。また、労働協約に抵触する規則その他の規程は、すみやかにその改廃を行わなければならない（地公労法九）。

オ　争議行為等の禁止　　職員および組合は、争議行為等を行うことはできず、地方公共団体の任命権者は争議行為等を行った職員を解雇することができる（地公労法一一1、一二）。争議行為については第三七条の〔解釈〕一を、解雇については第二九条の〔解釈〕一をそれぞれ参照されたい。また、地方公共団体の当局は作業所閉鎖をしてはならないとされている（地公労法一一2）。地方公務員法にはこのような規定は設けられていないが、地方公共団体が自ら住民サービスを停止してはならないことは条理上当然である。

職員が争議行為等を行ったことによって解雇され、これに対して不当労働行為の申立て（労組法二七1）をしようとするときは、解雇の日から二カ月以内に行わなければならず、この申立てまたは労働組合法第二七条の一五第一項もしくは第二項の再審の申立てを受けた労働委員会は、申立ての日から二カ月以内に命令を発するようにしなければならない（地公労法一六の三）。地方公共団体の労使関係をすみやかに安定させる趣旨の規定である。

カ　苦情処理共同調整会議　　地方公共団体の当局と職員の労働組合は、労使各同数の代表者からなる苦情処理共同調整会議を設置しなければならないものであり、その組織等は団体交渉で決定する（地公労法一三）。これは日常の作業条件から生ずる苦情を適切に処理するための機関であり、団体交渉と並んで労使間の意思疎通を円滑にする役割を果たすものである。

キ　労使間の紛争の調整　　労使間の紛争の調整は原則として労働関係調整法の定めるところによるが、労働委員会の調停および仲裁については、職員の労働組合の場合はひろく職権による調停または仲裁が認められ、厚生労働大臣または都道府県知事も別段の限定を受けることなく調停または仲裁の請求をすることができるものとされている（地公労法一四、一五、なお労調法一八、三〇参照）。地方公共団体の事務、事業はすべて公共性を有するからである。なお、仲裁裁定が条例または予算に抵触するときはエで述べたことが準用される（地公労法一六）。

(2)　単純労務職員の職員団体　　単純労務職員については、地方公務員法第五二条から第五六条までの規定が適用されるので（地公労法附則5後段）、これらの職員は(1)で述べた労働組合のほか、同法に基づく職員団体を結成しまたは加入することもできる。いわゆる「二枚看板」、すなわち、労働組合と職員団体の両方を同時に組織し、または加入することも可能である。単純労務職員のみで組織されている労働団体が職員団体または労働組合のいずれであるかは、その団体の規約により、規約でも不明確であるときは当該団体の意思によって決定すべきであろう。また、二枚看板の労働団体が交渉を求めてきたときは、それが職員団体としての交渉か、労働組合としての団体交渉かあらかじめ確認しておくべきである。後日、不当労働行為の申立てや書面協定か労働協約かといったことで紛議が生じることを避けるためである。

単純労務職員の職員団体の組織、登録、交渉等については、第五二条から第五六条までの〔解釈〕を参照されたいが、単純労務職員が職員団体に関し地方公務員法第五六条に反する不利益な取扱いを受けたときは、これらの職員には同法第四九条および行政不服審査法の適用はないので、人事委員会または公平委員会に対して不利益処分に関する審査請求をすることはできない。

なお、単純労務職員に職員団体を組織することを認めたのは、小規模な地方公共団体などでは、少数の単純労務職員が一般の職員と一緒に職員団体を組織することを認めることが実際的であると考えられたのであろうが、結果的には法体系を混乱させるものであり、立法論として検討を要するものと考えられる。

6　その他　一般の職員の場合は、第五八条の規定により、労働組合法、労働関係調整法および最低賃金法は全面的に適用されず、労働安全衛生法第二章（労働災害防止計画）および船員災害防止活動の促進に関する法律は非現業の職員に適用されず、また、労働基準法および船員法の一部は職員に適用されないこととされているが、地方公営企業等の労働関係に関する法律附則第五項で単純労務職員にはこの第五八条を適用しないとしているので、結果として、前記の法律はすべて適用されることになる。ただし、地方公務員災害補償法の適用を受ける職員については労働基準法および船員法の労働災害補償の規定（労基法七五～八八、船員法八九～九六）を適用する必要がないので適用除外とされる。また、地方公務員の育児休業等に関する法律中、育児休業期間中は給与を支給しない規定、育児休業中の期末手当などの支給に関する規定、職務復帰後の給与等の措置、育児短時間勤務職員の給与などの取扱いに関する規定、育児短時間勤務をした職員の退職手当の取扱いに関する規定および部分休業に関する規定（同法四2、七、八、一四、一五、一九）は適用されない（地公企法三九1）。これは単純労務職員については給与の種類と基準のみを条例で定めることとされ、その他は規則ないしは団体交渉事項であるためである。

以上1から6まで述べてきた特例以外の事項については、単純労務職員には地方公務員法が全面的に適用される。すなわち、その任用は能力主義に基づかなければならず、政治的行為の制限以外の服務義務に従わなければならない。服務に違反したときは懲戒処分を受けることとなり、また、一定の事由により分限処分の対象にもなるものである。そのほか、同法以外の身分取扱いに関する法律、たとえば、地方公務員等共済組合法、地方公務員災害補償法についても一般の職員と同様にその全面的な適用を受けるものである。

三　企業職員に関する特例

本条に基づいて特例が認められるものに企業職員がある。企業職員に特例を定めることは本条では明示されなかったのであるが、地方公務員法制定当時の附則第二〇項で「地方財政法（昭和二十三年法律第百九号）第六條に規定する公営企業に従事する職員の身分取扱については、別に公営企業の組織、会計経理及び職員の身分取扱に関して規定する法律が制定実施されるまでの間は、なお、従前の例による。」と規定され、特例法の制定が予定されていた。その後、昭和二七年（一九五二年）に地方公営企業法および地方公営企業労働関係法（平成一五年の地方独立行政法人法の制定に伴って「地方公営企業等の労働関係に関する法律」と題名が改められている。）が制定され、企業職員の身分取扱いの特例が定められたため、前記附則第二〇項は削除された。企業職員の身分取扱いに関する規定は、同年（一九五二年）一〇月一日から施行されている。なお、地方公営企業法と地方公営企業等の労働関係に関する法律とでは、地方公営企業の範囲に若干の違いがあり、地方公営企業法にいう企業職員（「管理者の権限に属する事務の執行を補助する職員」をいう。（地公企法一五１））よりも地方公営企業等の労働関係に関する法律第三条第一号の地方公営企業に勤務する職員の方が範囲が広くなっているのであるが、前者には地方公営企業等の労働関係に関する法律が全面的に適用され、後者のうちの地方公営企業法が適用されない職員についても、同法第四章が定める職員の身分取扱に関する規定が準用されることとなっている（地公労法一七１）結果、労働関係に関する限りは両者を区別する実益はないので、本書においては、範囲がより広い地方公営企業等の労働関係に関する法律第三条第一号の地方公営企業に勤務する一般職に属する職員を意味するものとして企業職員という言葉を使用している（第三条の〔**趣旨**〕**二**㈡2参照）。

企業職員について本法の特例が認められるのは、その職務内容が民間の同種の事業に類似しており、公務員としての基本的な服務以外は、とくにその労働関係は、できる限り民間の勤労者と同様の取扱いとするためである。

企業職員に対する特例は、**二**で述べた単純労務職員のそれとほぼ同じである。すなわち、給与については**二**㈡2とほぼ同様であるが、企業職員の場合はとりわけ、能率に応じた給与の支給および企業の経営状況を考慮した給与の決定を重視しなければならないといえよう。次に、職員に関する条例およびこれに対する人事委員会の意見等に関し第五条および第八条（第一項第四号および第六号、第三項ならびに第五項を除く。）の規定が適用されないことについては、**二**㈡2と全く同じである。また、企業職員に対する、給与、服務、人事評価および研修についての人事委員会の勧告に関する規定の適用除外の趣旨は、**二**㈡3で述べたところとほぼ同じである。ただ、服務規定のうち政治的行為の制限については、一般の企業職員は単純労務職員と同じく第三六条の規定は適用されず、政治的行為は制限されないが、企業職員のうち政令で定める基準に従い地方公共団体の長が定める職にある者については第三六条が適用されるので注意を要する（地公企法三九２括弧書）。この基準を定める政令として、「地方公営企業法第三十九条第二項の規定に基づき地方公共団体の長が定める職の基準に関する政令」（昭四〇政令二七八）が制定されており、地方公営企業の主たる事務所にあっては管理者を直接に補佐する者ならびに局、部、課長およびこれらの者を直接補佐するもの、その出先機関にあっては大規模なものについては局、部、課長とこれを直接補佐する者、その他の出先機関についてはその長およびこれを直接補佐する者のそれぞれの職が基準として定められている。これらの上級企業職員は第三六条についてはその適用を受け、政治的行為の制限を受けるが、それ以外の特例については一般の企業職員と同じ取扱いを受けるものである。昭和四一年（一九六六年）の地方公営企業法の一部改正（昭四一法一二〇）以前は、上級の企業職員は職階制、給与その他の勤務条件の条例による決定および政治的行為の制限については地方公務員法の各規定の適用を受けることとされていたのであり、同法中の争議行為等の禁止、勤務条件に関する措置要求、不利益処分に関する審査請求、職員団体および労働関係法規の適用除外の各規定のみが適用されないこととなっていた。前記改正により、これらの上級職員が影響力を持つと考えられる政治的行為の制限以外は、すべて一般の企業職員と同じ取扱いをすることとされたのである。なお、政治的行為が制限される上級企業職員の範囲は、立候補が制限される地方公営企業の上級職員、すなわち本庁の課長相当職以上の者（公選法八九１⑤、同法施行令九〇３）よりも広いと考えられるので、立候補は制限されないが、政治的行為は制限される者があることに注意を要する。次に、企業職員に地方公務員法の勤務条件の措置要求に関する規定および不利益処分の審査請求に関する規定が適用されないことは二㈡４と同じである。企業職員は、単純労務職員と異なり、同法に基づく職員団体を組織することはできないものであり、もっぱら労働組合を組織することができるものである。その労働組合に関する地方公営企業等の労働関係に関する法律その他の法律の適用関係は二㈡５⑴で述べたところと同じである。ただ、事柄の性質上、団体交渉の対象としてはならないのは、「地方公営企業の管理運営事項」であり、ロック・アウトをしてはならないのは「地方公営企業」である（地公労法七但し書、一一２）。その他の特例についても二㈡６と全く同じである。なお、以上のほか、企業職員のうち、地方公共団体の規則で定める主要な職員を管理者が任免しようとするときは、地方公共団体の長の同意が必要とされている（地公企法一五1）。地方公共団体の長が地方公共団体の代表者として、地方公営企業に対し必要最少限のコントロールを加えるための一方法として、高級幹部職員の任免に関与することとされたものである。

四　警察職員に関する特例

地方公務員である警察職員については、警察行政に関する国と地方公共団体との密接な関係および警察の職務の特殊性に基づき、おおむね次のような身分取扱い上の特例が認められる。なお、地方公務員法中においても労働基本権が全面的に認められていないことは第五二条第五項に関して述べたところである。

1　服務の宣誓　　警察職員は、日本国憲法および法律を擁護し、不偏不党かつ公平中正にその職務を遂行する旨の服務の宣誓を行わなければならない（警察法三）。地方公務員法第三一条の服務の宣誓義務を警察職員についてさらに具体化した規定であり、その宣誓については条例で定めることになる。なお、警察職員が擁護すべき「法律」には、地方自治法をはじめとする法律に基づく条例が含まれる。

2　任　免　　地方公務員である都道府県警察の警視以下の警察職員（地方警察職員）の任免は、警視総監または道府県警察本部長が都道府県公安委員会の意見を聞いて行い、都道府県公安委員会は地方警察職員の懲戒または罷免に関し必要な勧告をすることができる（警察法五五３４）。地方警察職員の任用を民主的にコントロールするための措置である。なお、ここで「罷免」とは、懲戒免職および分限免職を指し、いわゆる諭旨退職など法律上の依願退職は含まれないものと解する。

3　身分取扱いに関する条例および規則　　地方警察職員の任用および給与、勤務時間その他の勤務条件、ならびに服務に関し、地方公務員法に基づいて条例または人事委員会規則で定めなければならないことは、国家公務員である警察庁の職員の例を基準として定めなければならない（警察法五六２）。国の警察職員と地方警察職員との共通性および一体性にかんがみ、両者の均衡をとることとしたものである。したがって、地方警察職員の給与条例、これに基づく初任給、昇格および昇給の基準に関する人事委員会規則をはじめ、職務専念義務の免除に関する条例、営利企業等に従事することの許可の基準に関する人事委員会規則等、勤務条件および服務に関する条例および人事委員会規則はすべて国の警察職員の例に準じなければならないことになる。「例に準ずる」とは、「例による」よりも弾力的であるが、「準ずる」よりも厳格であり、特別の事情がない限り同一とするという趣旨であろう。

４　定員（定数）　地方警察職員の定員（警察官については階級別定員を含む。）は、政令で定める基準に従って条例で定める（警察法五七２）。これは地方公務員法の特例ではなく、地方自治法の特例であり、警察職員の数を全国的に均衡をとるための措置である。なお、「政令で定める基準」は警察法施行令第七条ならびにその別表第二および第三で規定されている。

５　階　級　都道府県警察には、国家公務員である警視正以上の警察官（「地方警務官」という。）のほか、地方公務員である警察官その他所要の職員が置かれるが、そのうち、警察官については警視、警部、警部補、巡査部長および巡査の各階級が設けられる（警察法六二）。このほか、巡査の中に巡査長が設けられているが、これは職務上の呼称であり、階級ではないというべきであろう。階級が法律で設けられている趣旨は、全国的に職階の統一を図るとともに、統制ある部隊活動に資するためであるといえよう。

五　消防職員に関する特例

消防職員については、その職務の特殊性にかんがみ、おおむね次のような特例が認められる。なお、地方公務員法中においても労働基本権が全面的に制限されていることは第五二条第五項に関して述べたとおりである。

１　任　命　消防職員のうち、消防長は市町村長が任命し、その他の消防職員は市町村長の承認を得て消防長が任命する（消組法一五１）。市町村長の承認にかからしめたのは、市町村が基本的に消防、防災の責任を有し、市町村長はその代表者だからである。

２　階級、訓練、礼式および服制　常設の消防本部または消防署に置かれる消防吏員の階級ならびに訓練、礼式および服制については、消防庁の定める基準に従い、市町村の規則で定める（消組法一六２）。消防庁が基準を定めるのは、全国的な統一をはかる必要があるからである。これらのうち、階級については、消防吏員の階級の基準（昭三七消防庁告示六）により、消防総監（特別区の消防長に限る。）、消防司監（指定都市または人口七〇万人以上の市町村の消防長）、消防正監（消防吏員の数が二〇〇人以上または人口三〇万人以上の市町村の消防長）、消防監（消防吏員の数が一〇〇人以上または人口一〇万人以上の市町村の消防長）、消防司令長（上記以外の市町村の消防長）、消防司令、消防司令補、消防士長、消防副士長および消防士とされている。

以上のほか、消防職員の任用、給与、分限および懲戒、服務その他の身分取扱いは、地方公務員法の定めるところによることとされており（消組法一六1）、また、常設の消防本部または消防署の職員のほかに、一般職の地方公務員である常勤の消防団員があるが、これについても、消防団長は消防団の推薦に基づき市町村長が任命し、その他の消防団員は市町村長の承認を得て消防団長が任命すること（消組法二二）ならびに消防団員の階級、訓練、礼式および服制に関する事項は消防庁の定める基準に従い市町村の規則で定めること（消組法二三2）以外は、その任用、給与、分限および懲戒、服務その他の身分取扱いについては、地方公務員法の定めるところによるものである（消組法二三1）。

六　独法職員に関する特例

特定地方独立行政法人というのは、地域における事務および事業のうち、試験研究、大学などの設置および管理など、水道事業等の公営企業に相当する事業、社会福祉事業の経営、公共的な施設の設置および管理など（地方独法法二一）、それが実施されなければ困るが、必ずしも地方公共団体が直接実施する必要はないものがあることから、それを実施する主体となる法人（地方独立行政法人）を地方公共団体が設立した場合において、その業務が停滞することを防いだり、業務運営における中立性および公正性を特に確保する必要があるために、その役員および職員に地方公務員の身分を与える必要があるもの（大学などの設置および管理の業務などを行うものを除く。）のことであり（地方独法法二12）、そのうちの一般職の職員に地方公務員法が適用されることになっている（法三123⑥、四）ので、本書において独法職員というのは、この職員を意味するものとしている（第二条の【趣旨】二㈠参照）。

独法職員の給与は、その職務の内容と責任に応ずるものであり、かつ、職員が発揮した能率が考慮されなければならず（地方独法法五一1）、退職手当以外の給与および退職手当の支給の基準は、同一または類似の職種の国および地方公共団体の職員、他の特定地方独立法人の職員並びに民間事業の従事者の給与、当該特定地方独立行政法人の業務の実績および認可中期計画の人件費の見積りその他の事情を考慮して定めなければならない（地方独法法五一３）とされているが、これらは企業職員についてと同様の思想に基づくものである（地公企法三八２３、地公労法一七１参照）。独法職員の勤務時間、休憩、休日および休暇について定める規程は、国および地方公共団体の職員の勤務条件その他の事情を考慮したものでなければならない（地方独法法五二２）とされているが、企業職員にはこれに相当する規定はない。この違いの理由は定かではないが、特定地方独立行政法人が制度的には地方公共団体とは別個の法人格を有しながら、解散時において債務超過の場合に設立団体が責任を負うこととされている（地方独法法一〇五）ことと関係するものであろうか。

また、退職手当以外の給与および退職手当の支給の基準並びに勤務時間、休憩、休日および休暇について定める規程を定めたとき（変更したときを含む。）は、設立団体の長に届け出るとともに、公表しなければならないとされている（地方独法法五一２、五二１）が、これも、特定地方独立行政法人の公共性（設立団体が財源措置をすることとされている。地方独法法四二）と公益性を考慮したものであろうと思われる。

独法職員についての地方公務員法の適用関係は、企業職員についてのそれと実質的な違いはない（地方独法法五三１①、地公企法三九１、地公労法一七１）。政治的行為の制限についても、その制限の方法および制限される職員の範囲は、企業職員のそれとほとんど同じである（地方独法法五三２、同法施行令一三、地公企法三九２、地方公営企業法第三十九条第二項の規定に基づき地方公共団体の長が定める職の基準に関する政令）。

なお、特定地方独立法人の労働関係については、地方公営企業等の労働関係に関する法律が適用されるので、企業職員の場合と同じことになる。

（他の法律の適用除外等）

第五十八条　労働組合法（昭和二十四年法律第百七十四号）、労働関係調整法（昭和二十一年法律第二十五号）及び

最低賃金法（昭和三十四年法律第百三十七号）並びにこれらに基く命令の規定は、職員に関して適用しない。

２　労働安全衛生法（昭和四十七年法律第五十七号）第二章の規定並びに船員災害防止活動の促進に関する法律（昭和四十二年法律第六十一号）第二章及び第五章の規定並びに同章に基づく命令の規定は、地方公共団体の行う労働基準法（昭和二十二年法律第四十九号）別表第一第一号から第十号まで及び第十三号から第十五号までに掲げる事業に従事する職員以外の職員に関して適用しない。

３　労働基準法第二条、第十四条第二項及び第三項、第二十四条第一項、第三十二条の三から第三十二条の五まで、第三十八条の二第二項及び第三項、第三十八条の三、第三十八条の四、第三十九条第六項から第八項まで、第四十一条の二、第七十五条から第九十三条まで並びに第百二条の規定、労働安全衛生法第六十六条の八の四及び第九十二条の規定、船員法（昭和二十二年法律第百号）第六条中労働基準法第二条に関する部分、第三十条、第三十七条中勤務条件に関する部分、第五十三条第一項、第八十九条から第百条まで、第百二条及び第百八条中勤務条件に関する部分の規定並びに船員災害防止活動の促進に関する法律第六十二条の規定並びにこれらの規定に基づく命令の規定は、職員に関して適用しない。ただし、労働基準法第百二条の規定、労働安全衛生法第九十二条の規定、船員法第三十七条及び第百八条中勤務条件に関する部分の規定並びに船員災害防止活動の促進に関する法律第六十二条の規定並びにこれらの規定に基づく命令の規定は、地方公共団体の行う労働基準法別表第一第一号から第十号まで及び第十三号から第十五号までに掲げる事業に従事する職員に、同法第七十五条から第八十八条まで及び船員法第八十九条から第九十六条までの規定は、地方公務員災害補償法（昭和四十二年法律第百二十一号）第二条第一項に規定する者以外の職員に関しては適用する。

４　職員に関しては、労働基準法第三十二条の二第一項中「使用者は、当該事業場に、労働者の過半数で組織する労働組合がある場合においてはその労働組合、労働者の過半数で組織する労働組合がない場合においては労働者の過半数を代表する者との書面による協定により、又は」とあるのは「使用者は、」と、同法第三十四条第二項ただし書中「当該事業場に、労働者の過半数で組織する労働組合がある場合においてはその労働組合、労働者の過半数で組織する労働組合がない場合においては労働者の過半数を代表する者との書面による協定があるときは」とあるのは「条例に特別の定めがある場合は」と、同法第三十七条第三項中「使用者が、当該事業場に、労働者の過半数で組織する労働組合があるときはその労働組合、労働者の過半数で組織する労働組合がないときは労働者の過半数を代表する者との書面による協定により」とあるのは「使用者が」と、同法第三十九条第四項中「当該事業場に、労働者の過半数で組織する労働組合があるときはその労働組合、労働者の過半数で組織する労働組合がないときは労働者の過半数を代表する者との書面による協定により、次に掲げる事項を定めた場合において、第一号に掲げる労働者の範囲に属する労働者が有給休暇を時間を単位として請求したときは、前三項の規定による有給休暇の日数のうち第二号に掲げる日数については、これらの規定にかかわらず、当該協定で定めるところにより」とあるのは「前三項の規定にかかわらず、特に必要があると認められるときは、」とする。

5　労働基準法、労働安全衛生法、船員法及び船員災害防止活動の促進に関する法律の規定並びにこれらの規定に基づく命令の規定中第三項の規定により職員に関して適用されるものを適用する場合における職員の勤務条件に関する労働基準監督機関の職権は、地方公共団体の行う労働基準法別表第一第一号から第十号まで及び第十三号から第十五号までに掲げる事業に従事する職員の場合を除き、人事委員会又はその委任を受けた人事委員会の委員（人事委員会を置かない地方公共団体においては、地方公共団体の長）が行うものとする。

〔趣　旨〕

一　職員に対する労働関係法規の適用除外

近代国家における法律制度の特徴の一つは、数多くの労働関係法規が制定されていることである。近代国家においては労働者を保護し、労使関係の均衡をはかることが社会正義を実現するゆえんであると認識されるようになっており、このような観点からわが国でもさまざまな労働関係法規が実定法として制定されている。

公務員も労働者であるから、とくにその適用を除外することとしない限り、これらの労働関係法規は職員に適用されることになる。しかしながら公務員については、全体の奉仕者として公共の福祉を増進するための職務に従事するという特殊性に基づいて、別途、公務員関係の諸法令が制定されており、その限りで一般の労働関係諸法令の適用を除外せざるを得ない場合がある。また、このような公務員関係の特例の規定がない場合でも、その身分の特殊性に基づき、条理上一般の労働関係諸法令を適用除外しなければならない場合がある。

本条は、以上の見地から職員に対する労働関係諸法令の適用除外を定めることを目的とする規定である。もっとも本条第三項但し書は、文理の上では労働基準法および船員法の一部の規定を職員に適用する旨を定めているのであるが、これらの規定は本文の適用除外の規定を受けたものであり、例外の例外、すなわち、原則に戻ることを定めたものである。

二　労働基準法などを適用することの問題

職員には労働基準法、船員法、労働安全衛生法などが原則として適用されるが、これについては実際の運用上問題が少なくない。たとえば、職員を懲戒免職しようとする場合においても原則として解雇予告を行わなければならないとされていること（労基法二〇）、現業の職員に対し減給処分を行う場合、一回の額が平均賃金の一日分の半額を超え、総額が一賃金支払期の賃金の総額の一〇分の一を超えてはならないとされていること（労基法九一）など、労働基準法が適用されていない国家公務員の場合と比較して均衡のとれない取扱いとなる場合がしばしば生じる。

職員に対して労働基準法などを適用することとした趣旨は、日本国憲法第二七条第二項が「賃金、就業時間、休息その他の勤労条件に関する基準は、法律でこれを定める。」と規定しており、地方公務員法その他の公務員関係法規で労働基準を定めない限り、労働基準法を適用せざるを得なかったからであるといわれている。しかし、国家公務員の一般職については原則として労働基準法は適用除外とされており（国公法附則六、ただし、国家公務員法の一部を改正する法律（昭二三法二二二）附則第三条では、一般職に属する国家公務員については、別に法律が制定実施されるまでの間、国家公務員法の精神に抵触せず、かつ、同法に基づく法律または人事院規則で定められた事項に矛盾しない範囲内において労働基準法および船員法ならびにこれらに基づく命令の規定を準用することとしている。しかし、実質的には準用されない状態にあるといってよいであろう。）、これは人事院規則が労働基準に関する法律の役割を果たしていると考えられているからであろう。そうだとすれば、地方公務員の一般職の労働基準を条例または人事委員会規則で定めることとしてもさしつかえないのではあるまいか。条例を憲法の「法律」に含めて解釈することには問題がないとはいえないが、納税義務は法律の定めるところによるとした日本国憲法第三〇条の場合、地方税については実質的に条例で定められている部分が多くあり、罪刑法定主義を定めた同第三一条の場合、地方自治法では条例で罰則を定めることを認めており（自治法一四3）、職員の労働基準についても、地方公務員法第二四条第五項の勤務条件条例主義に基づいて、法律の委任に基づく条例でこれを定めることは可能であると解してよいように思う。

立法論としては、地方公務員法中に職員の労働基準に関する若干の基本原則を設けて詳細は条例で定めることとし、労働基準法などは適用除外とすることが適当であると考えられる。また、もし労働基準法を適用あるいは準用するものとするならば、労働基準法などの個々の規定を精査し、国家公務員の身分取扱いと均衡がとれるようその適用ないし準用関係を整備すべきであろう。なお、地方公務員法の立案の際、政府は職員に労働基準法を適用することとしたが、占領軍当局がこれに難色を示したいきさつがある。

三　非現業の職員に対する労働基準監督機関の権限の行使

労働基準法、労働安全衛生法および船員法においては、労働者の労働条件を保護するため、所定の行政機関が監督権を行使することとしている。この機関を「労働基準監督機関」と呼ぶが、労働基準監督機関は、通常は厚生労働省の出先機関である労働基準監督署または国土交通省の職員である船員労務官がこれに当たっている。

職員の場合には、その身分取扱いについて民間の勤労者と異なる点があり、また、公務の特殊性を考慮しながら労働基準の監督を行う必要があると考えられる。そこで職員のうち、民間の勤労者に職務内容が類似し、かつ、労働基準法などが原則として全面的に適用される労働基準法別表第一号から第一〇号までおよび第一三号から第一五号までに掲げる事業に従事する職員については、民間の勤労者の場合と同様に労働基準監督署、船員労務官などが労働基準監督機関となり、公務員としての特殊性が相対的に強く、かつ、労働基準法などの適用についても特例が設けられているこれ以外の職員の場合は、人事委員会または地方公共団体の長が労働基準監督機関の役割を果たすこととされている（本条5）。

国家公務員については労働基準法に基づく監督機関の規定の適用はないが（国家公務員法の一部を改正する法律（昭二三法二二二）附則三1但し書）、給与、勤務時間、休日等の基準については法律および人事院規則などで（一般職の職員の給与に関する法律ほか）、職員の保健および安全については人事院規則（人事院規則一〇―四（職員の保健及び安全保持））で詳細に規定され、これを監督する権限は人事院に与えられている（給与法二、人事院規則一〇―四　二）。人事委員会が労働基準監督機関の権限を行使することは、人事院の権限と見合ったものといえる。ただ、人事委員会の所轄に属する職員は職種によって区別されており、地方公営企業の職員および単純労務職員以外の職員はすべてその所轄の下にある（地公企法三九1、地公企労法一七1および同法附則5参照）。したがって、給与勧告、勤務条件の措置要求などは人事委員会によって処理されながら、労働基準の監督は労働基準監督署などによって行われる職員が生じることになる（土木事務所の事務職員、農業試験場の単純労務職員以外の職員など。）。これは法体系全体からみて若干混乱していると考えられ、労働基準監督機関の権限も職種によって仕分けを行い、公営企業職員および単純労務職員は労働基準監督署などの所管とし、他は人事委員会とすることが全体としての整合性を確保するゆえんであろう。なお、人事委員会は、労働基準監督署との連絡を緊密にし、均衡のとれた職権行使をすべきである（法八7参照）。

次に、人事委員会を置かない地方公共団体においては、人事委員会に代わって市町村長が労働基準監督機関の職権を行使するものとされている。地方公共団体の長は、当該地方公共団体の代表者、すなわち、地域の公益を代表する者であり、かつ、職員の実情に明るいものであることにより監督機関とされたのであろう。しかし、地方公共団体の長は同時に職員の使用者としての地位に立つものであり、実質的に使用者とその監督者の地位を兼ねることになるのであって、立法論として問題が残るといえよう。かりに使用者以外の者を労働基準監督機関とすることとした場合、労働基準監督署と公平委員会の二機関のいずれかということになろうが、前者については職種別の機能分担が望ましいことは人事委員会との関係で述べたところであり、人事委員会が労働基準監督機関とされていることにかんがみると、公平委員会の権限とすることが適当であるように思われる。公平委員会はかつて準司法的権限とこれに伴う準立法的権限しか行使していなかったのであるが、昭和四〇年（一九六五年）の改正でそれまで市町村長が行っていた職員団体の登録に関する行政権限を行使することになり（法五三）、平成一六年（二〇〇四年）の改正では人事委員会と並んで苦情処理をも行うこととされた（法八２③）のであり、また、労働基準監督署と情報、資料を交換することも認められているので（法八７）、労働基準監督機関とすることがその地位、権限の確立の上でも望ましいと考えられる。

〔解　釈〕

一　労働組合法、労働関係調整法および最低賃金法の適用除外

職員には労働組合法、労働関係調整法および最低賃金法ならびにこれらに基づく命令の規定は適用されない（本条１）。しかし、一般職の職員のうち、企業職員および単純労務職員には本条は適用されないので（地公企法三九１、地公労法一七１、同法附則５）、これらの職員は本条の「職員」には含まれないことになり、この三法の適用を受けることになる。しかし、労働組合法と労働関係調整法の適用に当たって地方公営企業等の労働関係に関する法律が特別法として優先適用されることは前条で述べたとおりである。

労働組合法が一般の職員に適用されないのは、その職務の特殊性と地方公共団体における住民の意思に基づく民主的コントロールの観点から、勤務条件の決定方式が異なるものとされたためであり、これらの職員は労働協約を前提とした労働組合ではなく、地方公務員法により当局との協議を前提とした職員団体を結成するものとされているのである。なお、警察職員および消防職員は勤務条件の決定方式に基づき労働組合法の適用を除外され、また、職務の特殊性に基づき地方公務員法の団結権も制限されているものである。また、労働関係調整法が適用除外されているのは、同法が労働組合法と相まって労働関係の公正な調整をはかり、労働争議を予防しまたは解決するための法律であるので（労調法一）、労働組合法が適用除外

される以上、あわせて適用除外とされたものである。

ところで、企業職員、単純労務職員ならびに独法職員がそれ以外の一般職の職員と一緒になって組合を結成していることがあり、この組合（「混合組合」と称される。）の法的性格が問題になることがある。このことについては、「混合組合については、構成される組合員に対して適用される法律の区別に従い、地公法上の職員団体及び労組法上の労働組合としての複合的な法的性格を有すると解するのが相当であり、地公法適用組合員と労組法適用組合員とのいずれが主たる地位を占めているかにかかわらず、労組法適用組合員に関する事項については、労組法上の労働組合に該当すると解するのが相当である。」として、労働組合法適用組合員に関する事項については不当労働行為の救済を求めることができるとした判決（大阪地裁平二八・五・一八　判例時報二三〇七号一一六頁）がある。

次に、最低賃金法は、賃金の低廉な労働者について、賃金の最低額を保障し、労働条件の改善をはかろうとするものであるが（同法一）、職員の給与は情勢適応の原則（法一四）、均衡の原則および条例主義（法二四４５）によって妥当な水準が確保されているものであることにより、また、最低賃金審議会の意見によるまでもなく、人事委員会の給与勧告（法二六）や議会の審議によることがより妥当であると考えられるので、職員については適用除外とすることとされたものである。企業職員および単純労務職員にはこれらの原則や制度の適用がないので最低賃金法も適用することになる（地公企法三九１、地公労法一七１、附則５）。

二　労働基準法、労働安全衛生法、船員法等の適用

㈠　労働基準法の適用関係

職員（企業職員および単純労務職員を除く。）に対する労働基準法の適用は、本条において次のような形をとることとされている。なお、企業職員および単純労務職員については本条の適用が除外され、労働基準法がほぼ全面的に適用されることは前条で述べたとおりである。

まず、基本的には労働基準法は職員に対して全面的に適用される（労基法一一二）。次に、労働基準法中、地方公務員制度

に適合しないと考えられる規定が特定され、すべての職員に対して適用除外される（本条3本文）。さらに現業職員および地方公務員災害補償法の適用を受けない職員に対しては、適用除外された規定の一部を再度適用することとしているのである（本条3但し書）。

以上の適用関係を具体的に述べると次のとおりである。

1　適用除外される規定　まず、職員には労使が対等で労働条件を決定する規定（労基法二）は適用されない。職員の勤務条件は、民主的コントロールの原則に基づき、地方公共団体の議会において条例で決定されるからである（法二四5）。また、契約期間の満了に関する紛争の未然の防止および行政官庁のそれに関する行政指導の権限に関する規定（労基法一四2 3）は適用されない。職員の任用は行政処分としてなされるものであり、任期付採用のように法律に直接の規定がある場合はもちろん、明文の規定がない場合にあっても、辞令に示された期間の満了によって当然に職員としての身分は消滅するので、それに関する紛争の未然の防止策や行政指導の法律の規定を適用する余地はないからである。次に、賃金の支払いに関する通貨払い、直接払いおよび全額払いの三原則を定める規定（労基法二四1）が適用されないのは、昭和四〇年（一九六五年）の地方公務員法改正によって同法中に同趣旨の規定（法二五2）が定められたためである。さらに、昭和六二年（一九八七年）の労働基準法の一部改正によって設けられた規定のうち、労使協定によるフレックス・タイムに関する規定（労基法三二の三、三二の三の二）、同じく協定による三カ月単位の変形労働時間制（労基法三二の四）、同じく協定による非定型的変形労働時間制（労基法三二の五）、事業場外のみなし労働についての労使協定に関する部分（労基法三八の二2 3）、労使協定による裁量労働に関する規定（労基法三八の三、三八の四）、労使協定による年次有給休暇の計画的付与に関する規定（労基法三九6～8）および事業場における委員会による労働時間等の規制の例外に関する規定（労基法四一の二）は適用されない。これは職員団体と当局は団体協約を締結することができない（法五五2）とされていることに対応したものである。ただし、均衡の原則（法二四4）に配慮した上、フレックス・タイムまたは裁量労働を勤務時間に関する条例で定めることは可能である。事業場外のみなし労働も本則（労基法三八の二1）は適用されるので、たとえば通常の日単位の出張の場合は、その各日につき正規の勤務時間に勤務したものとみなされる。また、業務上の災害に対する補償の規定（労基法七五～八八）および就業規則に関する規定（労基法八九～九三）が適用されないが、前者は職員には地方公務員災害補償法の適用があるので、これを適用する必要はないからであり、後者は職員の勤務条件は条例で定まるため（法二四５）、使用者と労働者の労働契約を前提とし、かつ、使用者限りの権限で定める就業規則の制度は馴染まないからである。次に、労働基準監督官が労働基準法違反の罪について刑事訴訟法上の司法警察官の職務を行う旨の規定（労基法一〇二）も適用されない。人事委員会または市町村長に部内の問題について司法警察権を行使させることは適当でなく、それぞれの本来の職権で適切に処置することができると考えられたからであろう。

２　特定の職員に限って適用除外されない規定　１で述べた適用除外規定中、労働基準監督官が司法警察官の権限を行使する旨の規定は、労基法別表第一第一号から第一〇号までおよび第一三号から第一五号までに掲げる事業に従事する職員には適用されるが、それ以外の職員には適用されない。前者の労働基準監督機関は労働基準監督官だからである（本条５）。また、地方公務員災害補償法の適用を受けない職員に対しては災害補償の規定（労基法七五～八八）が適用される。地方公務員災害補償法は、職員のうち常時勤務を要するもの、および常時勤務を要しないがその勤務形態が常時勤務を要するものとして政令で定めるものについて適用され（地公災法二１、地公災法施行令二）、それ以外の地方公務員は、とくに法律（労働基準法を除く。）で災害補償の定めのあるもの以外は、条例で補償制度を定めることとされている（地公災法六九１）。たとえば、職員のうち六カ月以内の期間を定めて任用される臨時職員（法二二の三）で一般の行政事務を補助する者には地方公務員災害補償法および労働者災害補償保険法は適用されず、条例で災害補償が行われるが、この場合、労働基準法の災害補償の規定が適用され、その条例の内容は労働基準法の基準を下回ることはできない。もっとも、この条例は地方公務員災害補償法および労働者災害補償保険法と均衡をとらなければならないものとされている（地公災法六九３）。

３　職員に適用される労働基準法の規定　職員に適用される労働基準法の主な規定は次のとおりである。

(1)　総　則　労働基準法第一章は、基本的原則や定義を定めている。同章の規定中、国籍、信条または社会的身分による差別の禁止（労基法三）および男女同一賃金の原則（労基法四）は、地方公務員法第一三条でうたわれており、ただ、「国籍」だけが問題となるが、外国人の任用が問題とされていることは同法第一九条第一項の受験資格（第一九条の〔解釈〕）に関して述べたところである。強制労働の禁止（労基法五）および中間搾取の排除（労基法六）は当然のことであり、勤務時間中における選挙権その他の公民権の行使の保障（労基法七）は地方公務員法第三五条の職務専念義務の免除に関する条例によって措置されているところである。次に、「労働者」、「使用者」および「賃金」の定義（労基法九〜一一）についてはとくに問題はない。労働基準法総則中、若干の説明を要するのは次の二点である。

ア　事業所の種類　労働基準法は、公務のために臨時の必要がある場合の時間外または休日労働（労基法三三3）、労働時間および休憩の特例（同法四〇）、労働時間などに関する適用除外（同法四一）、最低年齢の特例（同法五六2）並びに深夜業の制限の特例（同法六一4）を、同法別表第一に掲げる事業の区分に応じて定めている。また、地方公務員法第五八条は、労働基準法別表第一第一号から第一〇号までおよび第一三号から第一五号までに掲げる事業のグループとそれ以外の事業（別表に掲げられていない事業を含む。）のグループとに分けて、労働基準法別表第一の事業の区分に応じて、労働安全衛生法、船員法および船員災害防止活動の促進に関する法律並びにこれらに基づく命令の規定の適用関係を定め（同条23）、さらに、労働基準法、労働安全衛生法、船員法および船員災害防止活動の促進に関する法律並びにこれらに基づく命令の規定を職員に適用する場合の労働基準監督機関の職権を行使すべき機関を定めている（同条5）。そこで、前者のグループに属する事業を現業、そこに勤務する職員を現業職員と称し、後者のグループに属する事業を非現業、そこに勤務する職員を非現業職員と称することが一般的になっている。ただ、公立の義務教育諸学校等の教育職員の給与等に関する特別措置法が適用される教育職員には公務の臨時の必要による時間外勤務と変形労働時間の制度が認められている（前条の〔解釈〕一㈥参照）。ともあれ、地方公共団体の数多くの事務所や事業所の中には、この各号のいずれに該当するか明らかではない場合があり、また、一の庁舎内に自動車運転手の詰所が併置されている場合のように、それが独立した事務所または事業所であるか否かが必ずしも明らかではないことがある。このような場合に、労働基準法別表第一のいずれの号に該当するかを決定することを「号別決定」と呼んでいるが、異なる労働基準監督機関の下で号別決定をしなければならないときは、相互に協議をする必要がある。なお、先の自動車運転手の詰所やボイラー室のような場合は、それが明確に区別できる規模または状態にあるならばその余の部分とは異なる事務所または事業所として号別決定をすべきであろう。

イ　平均賃金　労働基準法上「平均賃金」とは、原則としてこれを算定すべき事由が発生した日以前三カ月間にその労働者に対して支払われた賃金の総額をその期間の総日数で除した金額をいうものとされている（労基法一二本文）。ここで賃金とは、賃金、給料、手当、賞与その他名称のいかんを問わず労働の対償として使用者が労働者に支払うすべてのものをいうのであるが（労基法一一）、平均賃金を計算する「賃金の総額」には臨時に支払われた賃金および三カ月を超える期間ごとに支払われる賃金ならびに所定の通貨以外の賃金は含まれない（労基法一二４５）。この結果、職員に支給される期末手当、勤勉手当などは算入されないことになる。この平均賃金は解雇予告手当の計算の基礎（労基法二〇）、休業手当の計算の基礎（労基法二六）、年次有給休暇中に支払われる賃金の計算基礎（労基法三九９）、現業職員に対する減給処分の制限の計算基礎（労基法九一）などに用いられるほか、労働基準法に基づいて災害補償が行われる職員の場合は補償基礎額の計算上重要な役割を果たすものである。なお、時間外勤務などの割増賃金を計算する場合には平均賃金によらず、別の計算方法によるが、これについては第二五条の時間外勤務手当の〔**解釈**〕四(二)を参照されたい。

(2)　労働契約　労働基準法はその第二章に「労働契約」と題して、労働基準法の基準に達しない労働契約の無効（労基法一三）、労働契約の期間（労基法一四）、労働契約の締結に際し労働条件を明示すべきこと（労基法一五）、労働契約の不履行に対する違約金または賠償予定の禁止（労基法一六）、前借金の相殺の禁止および強制貯金の禁止（労基法一七、一八）、労働者が退職した場合の一定の事項についての使用証明を交付すべき旨の規定（労基法二二）などを置いているが、次の三点については若干説明が必要である。

ア　解雇制限　労働者が業務上負傷し、または疾病にかかり療養のために休業する期間およびその後三〇日間、ならびに産前産後の女子が労働基準法第六五条の規定によって休業する期間およびその後三〇日間はその労働者を解雇してはならない（労基法一九１本文）。ただし、労働基準法第八一条の打切補償を支払う場合または天災事変その他やむを得ない事由のために事業の継続が不可能となった場合で行政官庁（人事委員会、市町村長、労働基準監督署長等。なお後記三参照）の認定を得た場合はこれを解雇することができる（労基法一九１但し書、２）。この規定は、任命権者の任命権を制約する規定であり、前記の期間中は本人が任意に退職する場合は別として、分限免職または懲戒免職のいずれも行うことができない。より具体的には、まず、公務災害によって著しく長期にわたって療養するような場合にはそれがいかに長期にわたっても原則として分限免職処分をすることができない。しかし、労働基準法の災害補償の適用を受ける職員であるときは、同法第八一条の打切補償を行うことにより解雇することができる。地方公務員災害補償法の適用を受ける職員の場合は同条の適用はないが、同法に基づき、公務傷病の療養開始後三年を経過した日に傷病補償年金を受けている場合、または同日後にその年金を受けることとなった場合には、分限免職処分を行うことが可能である（地公災法二八の三）。次に、これらの期間中の者が服務義務に違反したため、懲戒免職処分をしようとするときは、行政官庁の認定を受けてから懲戒免職処分を行うことになろう。懲戒処分をこのような認定にかからしめることは立法論として不適当と考えられるが、現状では「天災事変」ではないが「その他やむを得ない事由」に該当するものとして認定を受けることになるものであり、行政官庁は任命権者の疎明によってすみやかに認定しなければならないものと解するが、労働基準監督署長は、免職事由の存否に争いがある場合にこの認定を行うことはないのが現実のようである。

イ　解雇予告　使用者が労働者を解雇しようとするときは、少なくともその三〇日前に予告しなければならず、三〇日前に予告しない場合は三〇日分以上の平均賃金（「予告手当」という。）を支払わなければならないものとされる。ただし、天災事変その他やむを得ない事由のために事業の継続が不可能となった場合または労働者の責に帰すべき事由がある場合で行政官庁の認定を受けた場合は直ちに解雇することができるものである（労基法二〇）。この規定は使用者が労働者を一方的に解雇しようとする場合に適用されるものであるから、職員の依願退職には適用されない。しかし、分限免職または懲戒免職をしようとするときは適用される。分限免職の場合は退職手当が支給され、その額が平均賃金の三〇日分に満たないときはその差額が特別の退職手当として支給されるので、退職手当が支給されれば直ちに免職することができる（最高裁昭三五・三・一一　判例時報二一八号六頁）。職員を懲戒免職にするときは、退職手当の全部または一部が支給されないことがあるので、本人の責に帰すべき事由がある場合として行政官庁の認定を求めて直ちに処分を行うことになるが、行政官庁はその事由が疎明されたときは直ちに認定を行うべきである。認定を得られない場合は、支給される退職手当の額が予告手当の額に満たないときは、その差額に相当する金額を退職手当として支払って（退手法九）免職にすることもやむを得ないであろう。失職の場合は自動的な離職であり、使用者の発意によるものではないので、解雇予告制度の適用はないものと解する。また、解雇予告制度は、日日雇用の者、二カ月以内の期間を定めて雇用される者、季節的業務に四カ月以内の期間を定めて雇用される者および試の使用期間中の者については適用されない（労基法二一）。したがって、二カ月以内の期間を定めて任用された会計年度任用職員（法二二の二１２）、臨時職員（法二二の三１４）や条件付採用期間中の職員の免職についてはこの制度は適用されない。

ウ　金品の返還　労働者が死亡または退職した場合、権利者（遺族、本人等）の請求があったときは七日以内に賃金を支払い、企業内預金など労働者の権利に属する金品を返還しなければならない（労基法二三１）。職員が死亡または退職した場合にはこの規定の適用があり、また、退職はその事由を問わないものであって依願退職、分限免職または懲戒免職のいずれの場合も七日以内に未払いの給与などを支給すべきものである。失職もこの規定の適用に関しては退職の一種として取り扱うべきものである。

⑶　賃　金　労働基準法の賃金の規定のうち、出来高払制の賃金の保障（労基法二七）は職員に適用する余地はなく、また労働者が使用者の責に帰すべき事由により休業する場合に平均賃金の一〇〇分の六〇以上の手当を支給しなければならないこと（労基法二六）については休職給または公務災害補償の給付によって措置されており、実際に適用される場合はないであろう。若干説明を要するのは次の三点である。

ア　通貨払い、直接払いおよび全額払いの原則　一般の職員についてはこれらの原則を定めた労働基準法第二四条第一項の規定は適用されず、地方公務員法第二五条第二項の同趣旨の規定が適用されるが、企業職員および単純労務職員についてはこの労働基準法の規定が適用される。この三原則のうち、法令若しくは労働協約に特別の定めがあるときまたは職員の同意を得て一定の方法によるときは通貨払いの、法令または当該事業場の過半数の労働者を組織する労働組合（このような労働組合がないときは当該事業場の労働者の過半数の代表者）との書面協定でとくに定めたときは全額払いの、それぞれ特例が認められる（労基法二四1、労基法施行則七の二）。ここで「法令」の中には地方公共団体の条例が含まれるものであり、全額払いの特例を定める書面協定を「二四協定」と呼ぶ。直接払いの原則については一切特例は認められない（一般の職員については条例で特例を定めることができる。）。

イ　一定期日払いの原則　賃金は毎月一回以上、一定の期日を定めて支払わなければならないが、臨時の賃金、賞与などはこの限りでない（労基法二四2、労基法施行則八）。この規定は、すべての職員に適用されるが、今日では毎月一回給与を支給することが普通であり、とくに問題はない。なお、時間外勤務手当や特殊勤務手当も賃金であるから、毎月一回以上支給しなければならず、数カ月分をまとめて支給するようなことは許されない。

ウ　非常時払い　使用者は、労働者が出産、疾病、災害その他非常の場合の費用に充てるために請求をした場合には、賃金の所定の支払い期日前であっても既往の労働に対する賃金を支払わなければならない（労基法二五）。今日では、共済組合や互助会の給付、労働金庫その他の金融機関の融資などの途があり、この規定を活用する必要性はあまりないと思われるが、職員から請求があったときは、当局はこれを支給する義務を負うものである。

(4)　労働時間、休憩、休日および年次有給休暇　労働時間、休憩、休日および年次有給休暇に関する労働基準法の規定は原則的に職員に適用される。その概要は次のとおりである。

ア　労働時間の原則　労働時間は一日八時間、一週間四〇時間以内でなければならない（労基法三二）。就業規則などにより一カ月以内の一定の期間を平均して一週間の労働時間が四〇時間を超えない定めをした場合は、特定の日に八時間を超え、または特定の週に四〇時間を超えてもさしつかえない（労基法三二の二1、本条4）。これを「変形八時間制」という。

イ　労働時間の特例　災害その他避けることのできない事由により臨時の必要があるときは、使用者は行政官庁の許可を得て、労働時間を延長し、休日に労働させることができる。行政官庁の許可を得るいとまがないときは事後にすみやかに届け出なければならない（労基法三三1）。なお、非現業の官公署に勤務する職員（労基法別表第一第一二号の事業に従事するものを含む。）については、公務のため臨時の必要があるときは、勤務時間を延長し、休日に勤務させることができるものであり（労基法三三3、義務教育職員給与等特別措置法五）、災害等の場合も行政官庁の許可を得る必要はない。

ウ　休　憩　労働時間が六時間を超える場合は最少限四五分、八時間を超える場合は最少限一時間の休憩を与えなければならず、それは労働時間の途中に、一斉に与え、自由に利用させることを原則とする（労基法三四）。しかし、バス、電車等の運送事業、保健衛生の事業、非現業の官公署などについては一斉に与えることを要しない（労基法四〇、労基法施行則三一）。病院で看護師に交替で休憩をとらせ、市役所、町役場の窓口を交替制により勤務させることも可能である。また、電車、バスの運転手などで長距離の乗務をするもの、これには該当しないが乗務員で停車時間、待合せ時間などの手待ち時間の合計が休憩時間に相当するものについては休憩時間を与えないことができる（労基法四〇、労基法施行則三二）。さらに、警察官、消防吏員、常勤の消防団員、養護施設などで児童と起居を共にし、労働基準監督機関の許可を受けた者には、休憩時間自由使用の原則は適用されず、所定の場所で休憩するよう拘束することができる（労基法四〇、労基法施行則三三）。なお、労働基準法第三四条により一斉に休暇を与えなければならない場合であっても、企業職員または単純労務職員以外の職員については条例で定めることによってその特例を定めることができる（労基法三四2、本条4）。

エ　休　日　使用者は、労働者に対し毎週少なくとも一回、または四週間を通じ四日以上の休日を与えなければならない（労基法三五）。一般の職員の場合は日曜日および土曜日がこれに当たり、警察官、消防吏員など交替制の勤務の場合は四週八休を前提として勤務日が割り当てられる。なお、国民の祝日、年末年始の休日および地方公共団体の休日は労働基準法上の休日ではない。

オ　時間外勤務の協定　使用者は、当該事業場の過半数の労働者を代表する労働組合（このような労働組合がない場合は当該事業場の労働者の過半数の代表者）と書面で協定をし、行政官庁に届け出たときは、時間外または休日に労働者を労働させることができる（労基法三六）。この書面協定を「三六協定」と呼ぶ。災害などの場合、または非現業官公署の職員について公務上臨時の必要が生じたときは、イで述べたところにより、三六協定がなくとも時間外、または休日に勤務させることができる。

なお、この三六協定に関しては、平成三一年（二〇一九年）四月一日から施行された働き方改革を推進するための関係法律の整備に関する法律（平成三〇年法律七一号）によって、労働基準法第三六条に第二項から第七項として次の規定が追加されている。

② 前項の協定においては、次に掲げる事項を定めるものとする。
一 この条の規定により労働時間を延長し、又は休日に労働させることができることとされる労働者の範囲
二 対象期間（この条の規定により労働時間を延長し、又は休日に労働させることができる期間をいい、一年間に限るものとする。第四号及び第六項第三号において同じ。）
三 労働時間を延長し、又は休日に労働させることができる場合
四 対象期間における一日、一箇月及び一年のそれぞれの期間について労働時間を延長して労働させることができる時間又は労働させることができる休日の日数
五 労働時間の延長及び休日の労働を適正なものとするために必要な事項として厚生労働省令で定める事項
③ 前項第四号の労働時間を延長して労働させることができる時間は、当該事業場の業務量、時間外労働の動向その他の事情を考慮して通常予見される時間外労働の範囲内において、限度時間を超えない時間に限る。
④ 前項の限度時間は、一箇月について四五時間及び一年について三六〇時間（第三二条の四第一項第二号の対象期間として三箇月を超える期間を定めて同条の規定により労働させる場合にあつては、一箇月について四二時間及び一年について三二〇時間）とする。
⑤ 第一項の協定においては、第二項各号に掲げるもののほか、当該事業場における通常予見することのできない業務量

の大幅な増加等に伴い臨時的に第三項の限度時間を超えて労働させる必要がある場合において、一箇月について労働時間を延長して労働させ、及び休日において労働させることができる時間（第二項第四号に関して協定した時間を含め百時間未満の範囲内に限る。）並びに一年について労働時間を延長して労働させることができる時間（同号に関して協定した時間を含め七二〇時間を超えない範囲内に限る。）を定めることができる。この場合において、第一項の協定に、併せて第二項第二号の対象期間において労働時間を延長して労働させる時間が一箇月について四五時間（第三二条の四第一項第二号の対象期間として三箇月を超える期間を定めて同条の規定により労働させる場合にあつては、一箇月について四二時間）を超えることができる月数（一年について六箇月以内に限る。）を定めなければならない。

⑥　使用者は、第一項の協定で定めるところによつて労働時間を延長して労働させ、又は休日において労働させる場合であつても、次の各号に掲げる時間について、当該各号に定める要件を満たすものとしなければならない。

一　坑内労働その他厚生労働省令で定める健康上特に有害な業務について、一日について労働時間を延長して労働させた時間　二時間を超えないこと。

二　一箇月について労働時間を延長して労働させ、及び休日において労働させた時間　一〇〇時間未満であること。

三　対象期間の初日から一箇月ごとに区分した各期間に当該各期間の直前の一箇月、二箇月、三箇月、四箇月及び五箇月の期間を加えたそれぞれの期間における労働時間を延長して労働させ、及び休日において労働させた時間の一箇月当たりの平均時間　八〇時間を超えないこと。

カ　時間外勤務などに対する割増賃金　労働者を法定労働時間外を超えてまたは休日に勤務させた場合には二五パーセント以上五〇パーセント以下の範囲内で政令で定める率以上で計算した割増賃金を支払わなければならず、当該延長して労働させた時間が一カ月について六〇時間を超えたときは、その超えた時間について通常の労働時間の賃金の計算額の五割以上の率で計算した割増賃金を支払わなければならないが（労基法三七1）、この割増賃金の支払いに代えて通常の労働時間の賃金が支払われる休暇（同法が定める年次有給休暇を除く。）を労働基準法施行規則第一九条の二第一項および二項で定めるところにより与えることを定めた場合において、当該労働者が当該休暇を取得したときは、当該労働者の一カ月について六〇時間を超える時間のうち当該取得した休暇に対応するものとして同条三項で定める時間の労働について、前記の割増賃金を支払うことを要しない（同法三七3）。また、午後一〇時から午前五時までの間の労働については二五パーセント以上の率で計算した割増賃金を支払わなければならない（労基法三七4、労基法施行則一九、二〇）。なおこの割増賃金の基礎となる賃金には、家族手当（扶養手当）、通勤手当、別居手当（単身赴任手当）、子女教育手当（職員には支給されていない。）、住宅手当、臨時に支払われた賃金および一カ月を超える期間ごとに支払われる賃金は算入されない（労基法三七5、労基法施行則二一）。

キ　年次有給休暇　使用者は、六カ月間継続勤務し、全労働日の八割以上出勤した労働者に対し、継続し、または分割した一〇労働日の有給休暇を与えなければならず、一年六カ月以上勤務した労働者に対しては、六カ月を超える継続勤務年数一年につき一労働日を、二年六カ月を超える勤続年数一年につき二労働日を、それぞれ加算した年次有給休暇を与えなければならない。ただし、二〇日を超える日数を与えることを要しない（労基法三九1 2）。また、使用者は、年次有給休暇を労働者の請求する時季に与えなければならないが、その時季に与えることが事業の正常な運営を妨げる場合には他の時季にこれを与えることができる（労基法三九5）。この労働者の請求が判例上「指定権」とされていること、使用者の変更権が「時季変更権」と称されていることなどについては、第二四条の〔**解釈**〕**五**(二)4(1)で述べたところである。

なお、平成三一年（二〇一九年）四月一日から施行された働き方改革を推進するための関係法律の整備に関する法律（平成三〇年法律七一号）によって労働基準法第三九条に第七項及び第八項として次の規定が追加されている。

⑦　使用者は、第一項から第三項までの規定による有給休暇（これらの規定により使用者が与えなければならない有給休暇の日数が一〇労働日以上である労働者に係るものに限る。以下この項及び次項において同じ。）の日数のうち五日については、基準日（継続勤務した期間を六箇月経過日から一年ごとに区分した各期間（最後に一年未満の期間を生じたときは、当該期間）の初日をいう。以下この項において同じ。）から一年以内の期間に、労働者ごとにその時季を定めることにより与えなければならない。ただし、第一項から第三項までの規定による有給休暇を当該有給休暇に係る基準

日より前の日から与えることとしたときは、厚生労働省令で定めるところにより、労働者ごとにその時季を定めることにより与えなければならない。

⑧　前項の規定にかかわらず、第五項又は第六項の規定により第一項から第三項までの規定による有給休暇を与えた場合においては、当該与えた有給休暇の日数（当該日数が五日を超える場合には、五日とする。）分については、時季を定めることにより与えることを要しない。

ク　労働時間等に関する労働基準法の規定が適用除外される者　　労働基準法の労働時間、休憩および休日に関する規定（女性および年少者に関するものを含む。）は、農業、畜産、水産等の事業に従事する者、監督もしくは管理の地位にある者または機密の事務を取り扱う者および監視または断続的労働に従事する者で行政官庁の許可を得たものについては適用されない（労基法四一）。これらの者については職務の内容からして労働時間を規制することが不適当であると考えられたからである。地方公共団体の場合、管理職手当の支給を受ける者は管理監督者に該当するものであり、守衛や宿日直勤務は監視または断続的労働に該当するといえよう。

(5)　女性および年少者　　女性および年少者については、その肉体的条件が成年男子と異なるところから、労働基準法では特別の保護規定を置いている。しかし、ここで年少者とは満一八歳未満の者であり、現在、地方公共団体では高等学校卒業程度以上の者が新規採用の対象となっているので、年少者である職員は極めて例外的な存在である。したがって、女性労働者の保護規定が実際には重要であり、その特則の要点をまとめると次のとおりである。

ア　女性の労働時間および休日　　非現業の官公署（労基法別表第一第一一号および第一二号の事業を行うものを除く。）の女性職員は、公務のため臨時の必要があるときは、いつでも正規の勤務時間を超えて、または休日に勤務させることができる（労基法三三3）。それ以外の事業所の女性職員は、三六協定に基づいて正規の勤務時間外に勤務させることができる（労基法三六）。

イ　災害時などの特例　　災害その他避けることができない事由により臨時の必要があるときは、前記(4)ア、イの時間外勤務時間数の制限、休日勤務の制限および深夜業の規制にかかわりなく勤務を命じることができる（労基法三三1）。

ウ　妊産婦の特例　妊産婦（妊娠中および産後一年を経過しない女性）である職員を重量物を取り扱う業務、有害ガスを発散する場所における業務その他妊産婦の妊娠、出産、哺育などに有害な業務に就かせてはならず（労基法六四の三１）、また、妊産婦である職員から請求があったときは、災害などによる場合、公務上の臨時の必要がある場合、または三六協定に基づく場合のいずれの場合であっても時間外勤務、休日勤務または深夜勤務を命じることはできない（労基法六六２３）。なお、妊娠中の女性が請求した場合には、他の軽易な業務に転換させなければならない（労基法六五３）。さらに、妊産婦以外の女性についても一定の重量物を取り扱う業務および一定の有害ガスを発散する場所における業務に就かせてはならないこととされている（女性労働基準規則三）。

エ　産前産後の休業、育児時間等　六週間（多胎妊娠の場合は一四週間）以内に出産する予定の女性職員から請求があった場合および産後八週間を経過しない女性職員を就業させてはならない（労基法六五１２）。また、生後満一年に達しない生児を育てる女性は休憩時間のほか、一日二回少なくとも各三〇分間の育児時間を請求することができ、使用者はこの時間中、その女性を使用してはならない（労基法六七）。

オ　生理日の休暇　生理日の就業がいちじるしく困難な女性職員が休暇を請求したときは、その者を生理日に就業させてはならない（労基法六八）。

㈡　労働安全衛生法の適用関係

労働安全衛生法は、昭和四七年（一九七二年）に労働基準法中の安全衛生に関する規定が分離独立し、さらに詳細な規制を行うために制定されたものであるが、同法の職員に対する適用については、まず、前条で述べたように、企業職員および単純労務職員ならびに独法職員の場合は本条が適用されず、同法が全面的に適用される。これらの職員以外の職員については、本条第二項により、同法第二章の労働災害防止計画に関する規定は適用されないこととなる。非現業の職員については任命権者または人事委員会が責任をもって安全衛生の企画を行うべきものとされたためである。次に、同法第九二条の労働基準監督官が同法違反の罪について司法警察職員の職務を行う旨の規定は、非現業の職員には適用されない（本条３本文および但し書）。非現業の職員については労働基準監督官は監督機関ではないからである。

このように労働安全衛生法は職種によって若干異なるが、おおむね職員に適用されるものである。同法は、労働災害の防止のための危害防止基準の確立、責任体制の明確化、健康管理などについて詳細に規定しており、とくに危険または健康障害を防止するための措置ならびに機械などおよび危険物および有害物に関する規制については、事項別に詳しい規定が設けられているが（同法第四章および第五章）、その他とくに留意すべき点は次のとおりである。

1　安全衛生管理体制　事業者は、一定の業種または事業規模に応じて、総括安全衛生管理者、安全管理者、衛生管理者、産業医などを置かなければならない（労安法一〇～一六）。また、同様に一定の事項を調査審議し、意見を述べさせるために安全委員会、衛生委員会または安全衛生委員会を設置しなければならない（労安法一七～一九）。地方公共団体の事業場においても、たとえば、常時五〇人以上の者を使用する自動車整備事業、清掃事業においては安全委員会を設けなければならず（労安法施行令八①）、また、常時五〇人以上の者を使用する事業場はすべて衛生委員会を設けなければならない（労安法施行令九）。

2　安全衛生教育　事業者は、労働者を雇い入れ、またはその作業内容を変更したときは、安全および衛生のために必要な事項について教育を行わなければならない（労安法五九１２、労安則三五）。

3　健康管理　事業者は作業環境の測定を行い（労安法六五）、定期的な健康診断を行うなど（労安法六六）、労働者の健康管理に留意しなければならないが、とくに、伝染性の疾病にかかった者、労働のため病勢が著しく増悪するおそれのある心臓、腎臓、肺等の疾病にかかった者等についてはその就業を禁止しなければならず、これに違反した者には六カ月以下の拘禁刑または五〇万円以下の罰金という罰則があることに注意しなければならない（労安法六八、一一九①、一二二、労安則六一）。

(三)　船員法の適用関係

船員である職員については船員法が原則として適用される。船員法は、船上の労働の特殊性にかんがみ制定された法律であり、その特殊性は官民を問わないものである以上、船員たる職員についても適用されることとなるものである。しかし、公務員制度と必ずしも適合しない規定は適用除外されるものであり（本条3本文）、その内容は次のとおりである。

まず、船員については労働基準法の総則の規定の大部分とこれに関する罰則の規定が適用されるが（船員法六）、労働基準法第二条の労使対等の原則は、先に述べた理由により、船員である職員にも適用されない。次に外国の港にあるときなどについて争議行為を制限する規定（船員法三〇）は、職員には争議権がないので適用されず、船長が雇入契約を行政官庁に対して届出をする規定（船員法三七）は、勤務条件は条例主義によっているので、勤務条件以外の事項、すなわち任用、退職についてのみ届出すれば足りるものであり、また、船員の給与について全額払い、通貨払いおよび直接払いを定めた規定（船員法五三1）も地方公務員災害補償法第二五条第二項にその旨の規定があるので適用されない。さらに、災害補償の規定（船員法八九〜九六）は地方公務員災害補償法の適用があり、同法中、船員に関する特例規定も定められているので適用されず、就業規則に関する規定（船員法九七〜一〇〇）も職員の勤務条件は法令によって定められているので適用されない。また、行政官庁が労働紛争についてあっせんできる旨の規定（船員法一〇二）および船員法もしくは労働基準法違反につき船員労務官が司法警察職員の職務を行う旨の規定（船員法一〇八）は、職員の勤務条件に関する監督機関は人事委員会または市町村長であるので、勤務条件に関する限り適用されない。

しかしながら、以上の適用除外規定中、雇入契約の成立等の届出の規定（船員法三七）および船員労務官が司法警察職員の職務を行う規定（船員法一〇八）のうち勤務条件にかかる部分は、現業の職員については適用される（本条3但し書）。現業の船員については船員労務官が監督官庁となるからであろう。また、地方公務員災害補償法第六九条に基づき条例で災害補償制度が定められる船員である職員については船員法の災害補償の規定（船員法八九〜九六）が適用される（本条3但し書）。

以上のほか、船員法は全般的に職員に適用されるのであるが、職員に関係し、多少特徴のある事項をあげると、船員に対しては一定の規律があり、これに反した場合は上陸禁止または戒告の懲戒を受けること（船員法二一〜二三）、雇入契約（任用）は、船舶の沈没などにより自動的に終了し（船員法三九）、船員が職務に不適任である場合など一定の場合には船舶所有者はこれを解除することができ（船員法四〇）、船舶が国籍を失ったときなど一定の場合には船員はこれを解除することができること（船員法四一）などがある。業務上の災害等の場合の解雇制限、解雇予告手当などは労働基準法の場合とほぼ同じであるが（船員法四四の二、四四の三）、そのほか、船舶の沈没などにより雇入契約が終了したときは給料の二カ月間の失業手当を支給しなければならないこと（船員法四五）、雇入契約が解除された一定の場合には給料の一カ月分の雇止手当を支給しなければならないこと（船員法四六）、雇入港までの送還について船舶所有者は送還の費用を負担し送還手当を支給しなければならないこと（船員法四七～四九）なども船員に独特の規定である。給料などについても多少特色ある規定があるが、労働基準法と大差はない。労働時間や休日については、労働時間を一日当たり八時間、一年以内の範囲内で国土交通省令で定める基準労働時間について一週間当たり平均四〇時間以内とし、基準労働期間について一週間一日以上の休日とその補償休日について定めるなど、船舶の特殊性に基づく若干の特例がある（船員法六〇～六五の三）。有給休暇は、海上勤務の特殊性を考慮し、同一の船舶で六カ月間連続して勤務した者に対し、連続した勤務六カ月について一五日、三カ月を増すごとに五日を加えるなど（船員法七四～七九の二）、かなり特色がみられる。なお、妊娠中の女性は、原則として船内で使用してはならない（船員法八七）。

(四)　船員災害防止活動の促進に関する法律の適用関係

船員災害防止活動の促進に関する法律第二章および第五章並びに第六二条の規定は、非現業の職員には適用されない（本条23）。同法は船員災害防止計画の作成などについて定めたもので、船員である職員について原則として適用されるものであるが、非現業職員は職場の環境が異なるので適用されないのである。ただし、企業職員と単純労務職員である船員には適用される。

三　労働基準監督機関

(一)　労働基準監督機関の種類

労働基準法、労働安全衛生法、船員法および船員災害防止活動の促進に関する法律の規定ならびにこれらの規定に基づく命令の規定中、職員に適用されるものにかかる労働基準監督機関の職権は、労働基準法別表第一条第一号から第一〇号までおよび第一三号から第一五号までの事業に従事する職員についてはそれぞれの法律で定める労働基準監督機関が行使するが、それ以外の職員については人事委員会を置く地方公共団体では人事委員会またはその委任を受けた委員、それ以外の地方公共団体ではその長がそれぞれ行使する（本条５）。

まず、具体的な労働基準監督機関の種類であるが、職員の職種に応じて次の四種類に分けられる。

(1)　人事委員会またはその委任を受けた人事委員会の委員　人事委員会を設置した地方公共団体の労働基準法別表第一第一号から第一〇号までおよび第一三号から第一五号までの事業に従事する職員以外の職員に関する労働基準を監督する。地方公務員法第七条で述べたように、人事委員会は、現在、都道府県、政令指定都市、和歌山市および都の特別区（共同設置）に設けられている。人事委員会は合議体の執行機関であるので、補助機関である事務局長に事務を委任することはできるが（法八３）、個々の委員に事務の委任をすることは原則としてできないものであり、審査請求の審査を行う場合（法五〇２）と本条第五項の労働基準監督機関の職権を行使する場合に限って個別の委員に委任することができるものである。本条は、第八条第三項の特別規定として、人事委員会の委員に限って委任を認めたものであるから、この権限を事務局長に委任することはできない（行実昭二七・七・一五　地自公発第二六二号）。この委任には限定はないので、当該職権の全部を委任することも、または一部を委任することも可能であり、また、一人の委員に委任することも複数の委員に権限を分散して委任することも可能であると解する。また、受任者は人事委員会の委員であれば足り、特別の資格要件を要しない（行実昭二七・四・二　地自公発第九五号）。この委任は公法上の委任であるから、委任された範囲で当該権限は人事委員会の権限ではなくなり、受任者の権限としてその名において執行することになる。なお、いかなる場合も事務局職員をして補助執行させることができることはいうまでもない（行実昭二七・七・一五　地自公発第二六二号）。次に、労働基準法別表第一第一一号の事業は「郵便、信書便又は電気通信の事業」であるが、郵便は地方公共団体が行うことはできないものであり（平成一一年法律第八七号による改正前の自治法二10④）、信書便および電気通信についても該当例は稀であろう。第一二号は「教育、研究又は調査の事業」であり、公立学校や各種の公立研究所、調査機関等、該当事例は多い。この別表に列記されていない事業を行う事業所は、都道府県庁、市役所、町村役場、都道府県の総合事務所などにおけるものが典型的な例である。

(2)　地方公共団体の長　人事委員会を設置している地方公共団体以外の地方公共団体における労働基準法別表第一第一号から第一〇号までおよび第一三号から第一五号までの事業に従事する職員以外の職員の労働基準監督機関は当該地方公共団体の長である。人事委員会を設置していない地方公共団体は、政令指定都市を除く市（和歌山市を除く。）と町村であり、ここでは市町村長が公益の代表者たる資格で労働基準監督機関となる。市町村立学校の教育職員に対する監督機関も地方公共団体の長である（行実昭二六・一二・三　地自公発第五三五号）。また、地方公共団体の組合は公平委員会を設置すべきもので、人事委員会の設置は認められないので（法七）、その組合の長である管理者が労働基準監督機関となる。都道府県や政令指定都市が加入する組合についても同様である。さらに、市町村や地方公共団体の組合が、その公平委員会の事務を他の地方公共団体と共同で処理し、また他の地方公共団体の人事委員会に委託している場合であっても、その共同処理や委託とかかわりなく、それぞれの地方公共団体の長が労働基準監督機関の職権を行わなければならない。職権行使の対象となる労働基準法別表第一第一一号および第一二号の意義は(1)で述べたところと同じである。

(3)　労働基準監督署長　(1)および(2)で述べた人事委員会または地方公共団体の長が労働基準を監督する職員以外の職員で、後に(4)で述べる船員以外のものについては、労働基準監督署長が労働基準法に基づく許可、認定等の事項を司り（労基法九九3）、同法違反の罪について司法警察官の職務を行う（労基法一〇二）。公営企業の職員および単純労務職員についても本条の適用はないので（地公企法三九1、地公労法一七1、同法附則5）、船員以外のものについては労働基準監督署長が労働基準監督機関となる。

(4)　船員労務官　船員に関し、船員法および労働基準法の施行に関する事項は船員労務官が掌り（船員法一〇五）、これらの法律違反の罪については船員労務官が司法警察官の職務を行う（船員法一〇八）。

職員に対する労働基準監督機関は、職員の種類に応じて以上に述べたとおりであるが、これらの各機関が職権を行使するについて、労働基準監督署は厚生労働大臣の管理に属し、都道府県労働局長の直接の指揮監督を受けるものであり（労基法九七1、九九3）、船員労務官は主務大臣である国土交通大臣の命によって職を行うものであり（船員法一〇五）、その指揮監督を受ける。人事委員会、その委任を受けた人事委員会の委員または地方公共団体の長が労働基準監督機関の権限を行うについて、これらの機関の権限は、地方公務員法の規定によってそれぞれの機関の固有の権限として与えられたものであり、自治事務であると考えられる。したがって、これらの機関が労働基準監督機関の権限を行使するについては、特定の主務大臣またはそれに属する行政機関の指揮監督を受けるものでなく、次条により、総務省の技術的な助言を受けるものであるといえよう。

㈡　監督の内容

前述の労働基準監督機関が行使する労働基準に関する権限は、労働基準法、労働安全衛生法および船員法の規定ならびにこれらの規定に基づく命令の規定中、職員の勤務条件にかかる職権であるが、その主なものは次のとおりである。

1　労働基準法

(1)　使用者による労働者の貯蓄金の管理　使用者が労働者の委託を受けてその貯蓄金を管理しようとするときは、当該事業場の労働者の過半数で組織する労働組合（そのような労働組合がないときは労働者の過半数の代表者）と書面で協定し、その届出を受けること、および労働者が貯蓄金の返還を請求した場合において使用者がこれを怠ったときに使用者に対し貯蓄金の管理の中止を命令すること（労基法一八256）。

(2)　天災等による解雇　天災事変その他やむを得ない事由により、業務上災害で療養中または産前産後の期間中の労働者を解雇する場合にその認定を行うこと（労基法一九）。

(3)　解雇予告手当　天災事変その他やむを得ない事由または本人の責に帰すべき事由により予告手当を支払わず労働者を解雇する場合にその認定を行うこと（労基法二〇13）。

(4)　時間外または休日の労働　災害その他避けることのできない事由により、臨時の必要がある場合に、非現業の官公署以外の事業所の職員を時間外または休日に勤務させるについて事前の許可または事後の届出の受理をすること、若しくは事後の届出の場合に必要に応じて休憩または休日を与えることを命じること（労基法三三12）。

(5)　時間外または休日労働の協定　使用者が非現業の官公署以外の事業所の職員について、時間外または休日に労働させようとする場合の当該事業場の過半数の職員で構成する労働組合（そのような労働組合がないときはその職員の過半数の代表者）との書面による協定（三六協定）の届出を受理すること（労基法三六）。

(6)　労働時間等の規定の適用除外　監視または断続的労働に従事する者として、労働基準法の労働時間、休憩および休日に関する規定の適用除外の許可をすること（労基法四一③）。

(7)　寄宿舎　使用者が寄宿舎規則を作成しまたは変更した場合に届出を受理すること（労基法九五）、ならびに寄宿舎が安全および衛生の基準に反する場合に使用の停止、変更等を命じること（労基法九六の三）。

(8)　報告の聴取等　労働基準法の施行に関し、使用者または労働者から必要な報告を求め、出頭を命じること（労基法一〇四の二）。なお、この求めに応じなかった場合には罰則の適用がある（労基法一二〇⑤）。

２　労働安全衛生法

(1)　安全管理者および衛生管理者　労働災害を防止するため必要があるときに、事業者に対し安全管理者または衛生管理者の増員または解任を命じること（労安法一一２、一二２）。

(2)　ボイラー等の設置　ボイラーその他危険な作業を必要とする機械を設置し、変更する等の場合に、機械などの検査を行い、検査証の交付等を行うこと（労安法三八３、三九２３）。

(3)　建設物、機械等の設置等　一定の業種および規模の事業場で、建設物、機械等の設置、移転、変更等の計画の届出を受理し、届出が法令に違反する場合にその変更を命ずること（労安法八八）。

(4)　立入検査等　労働安全衛生法を施行するため必要があるときは、事業場に立入り、関係者に質問をし、帳簿を検査する等の措置を行うこと（労安法九一）、および一定の法律違反がある場合に作業の停止、機械等の使用の停止等を命じること（労安法九八、九九）、ならびに必要に応じて関係者から報告を求め、出頭を命ずること（労安法一〇〇）。

３　船員法

(1)　貯蓄金の管理　船舶所有者が船員の委託を受けて貯蓄金を管理しようとする場合におけるその使用する船員の過半数で組織する労働組合（このような労働組合がない場合には船員の過半数の代表者）との書面協定の届出を受理すること（船員法三四２）。

(2)　雇入契約　船員の雇入契約の届出を受理し、確認すること（船員法三七、三八）。

(3)　天災等による解雇　天災事変その他やむを得ない事由のために業務上災害で療養中または産前産後の期間中の船員を解雇する場合にその認定を行うこと（船員法四四の二）。

(4)　解雇予告手当　天災事変その他やむを得ない事由または本人の責に帰すべき事由により予告手当を支払わずに予備船員を解雇しようとする場合にその認定を行うこと（船員法四四の三）。

(5)　有給休暇　船舶の工事のため有給休暇の付与を延期することについて許可をすること（船員法七四１但し書）。

(6)　健康証明書　船内労働に適する旨の健康証明書を発行する医師を指定すること（船員法八三１）。

(7)　報告の聴取等　船員法等に基づく命令に反する船舶所有者または船員に対し必要な処分を行い（船員法一〇一）、労働関係に関する紛争（労働関係調整法第六条の労働争議を除く。）のあっせんを行い（船員法一〇二）、船員法等に基づく命令の遵守に関し注意を喚起し、勧告を行うこと（船員法一〇六）。また、必要があるときは臨検を行い、関係者の出頭を命じ、報告を求め、帳簿書類を提出させること（船員法一〇七）。

（人事行政の運営等の状況の公表）

第五十八条の二　任命権者は、次条に規定するもののほか、条例で定めるところにより、毎年、地方公共団体の長に対し、職員（臨時的に任用された職員及び非常勤職員（短時間勤務の職を占める職員及び第二十二条の二第一項第二号に掲げる職員を除く。）を除く。）の任用、人事評価、給与、勤務時間その他の勤務条件、休業、分限及び懲戒、服務、退職管理、研修並びに福祉及び利益の保護等人事行政の運営の状況を報告しなければならない。

２　人事委員会又は公平委員会は、条例で定めるところにより、毎年、地方公共団体の長に対し、業務の状況を報告しなければならない。

3　地方公共団体の長は、前二項の規定による報告を受けたときは、条例で定めるところにより、毎年、第一項の規定による報告を取りまとめ、その概要及び前項の規定による報告を公表しなければならない。

〔趣　旨〕

本条は、第三項で定める職員の任用、人事評価、給与、勤務時間その他の勤務条件、休業、分限および懲戒、服務、退職管理、研修、福祉並びに利益の保護など人事行政の運営の状況ならびに人事委員会または公平委員会の業務の状況の公表に最大の意味があり、第一項および第二項はそのための資料を収集する手段を定めるものである。それぞれの任命権者は、独立して権限を行使するものであり、長の指揮監督下にあるわけではないが、長は、各執行機関を通じて当該地方公共団体の組織および運営の合理化を図り、その相互の間の権衡を保持するため、必要あると認めるときは、各執行機関（原則としてその長が任命権者である。）の組織、職員の定数および身分の取扱いについて必要な勧告をすることができ（自治法一八〇の四1）、各執行機関は、部課などの新設、出先機関別の職員定数の配置基準、職員の採用および昇任の基準、昇給の基準、手当および旅費の支給の基準、休職の基準、定年による退職の特例および再任用の基準、職務専念義務の免除の基準ならびに営利企業等の従事の許可の基準について規程を定めたり、変更しようとする場合は、長に協議しなければならないとされている（自治法一八〇の四2、自治法施行令一三二）。この長の勧告や長との協議は、地方公共団体の組織内部に複数の執行機関が存在することによる不都合を防ぐためのものであるが、本条は、これとは別に、住民に人事行政の運営の状況を一括して公表するという観点から、各執行機関に対して、必要な情報を長に提供することを義務づけたものである。人事委員会および公平委員会は、任命権者であると同時に、中立の専門機関としての権限を有するものであり、後者の立場においては、長から勧告を受けることも、協議をすることもないのであり、本条第二項は、人事行政に関する公表をするための便宜のためだけに設けられたものであり、これによって、長が人事委員会または公平委員会に対して何らかの権限を有することになるわけではない。

ところで、年度毎に議会が議決する歳入歳出予算の事項別明細書の給与費明細書においては、職員の給料および職員手当について、それぞれの総額の増減額の明細のほか、職員一人当たり給与、初任給、級別職員数、昇給、期末・勤勉手当、定年退職および応募認定退職に係る退職手当、地域手当、特殊勤務手当、その他の手当が記載されることとされており（自治法施行則一五の二、別記）、毎年二回以上長が行う歳入歳出予算の執行状況などに関する公表（自治法二四三の三1）においても、職員の給与の状況がかなり詳しく説明されるようになってきている。これらの制度がもっぱら予算の観点からのものであるのに対して、本条による制度は、人事行政全般にわたる運営の状況を公表しようとするものである。前者が予算民主主義の立場によるものであるのに対して、後者は勤務条件条例主義に代表される人事行政に対する住民の意思の反映を目指すものであるということができる。

〔解　釈〕

本条第一項の任命権者というのは、個別の組織法において定められている任命権者のことであり、詳しくは第六条の〔解釈〕一で述べたところである。報告の対象となる職員から除外される「臨時的に任用された職員」というのは、地方公務員法第二二条の三に基づく臨時的任用職員のことであり、「非常勤職員（短時間勤務の職を占める職員及び第二十二条の二第一項第二号に掲げる職員を除く。）」というのは、定年前再任用短時間勤務職員および任期付短時間勤務職員並びに会計年度フルタイム職員を除くということであるから、会計年度パートタイム職員は含まれることになる。なお、非常勤職員の具体的な意味については、第三条の〔趣旨〕二㈠1および2を参照されたい。

本条第一項によって人事行政の運営の状況として任命権者が報告すべき事項は、任用、人事評価、給与、勤務時間その他の勤務条件、休業、分限および懲戒、服務、退職管理、研修ならびに福祉および利益の保護に関することであるが、いずれも地方公務員法に該当する規定があるので、それぞれの意味については、該当条文の〔解釈〕を参照されたい。なお、本条第一項はこれらの事項に加えて「等」としているが、この「等」には、個々に列記されている事項以外であっても、住民に公表すべき人事行政上の出来事が生じたときは、それをも報告の対象に加えるべきことを意味するものであろう。

本条第二項によって人事委員会または公平委員会が長に報告すべき業務の状況は、それぞれが所管する事務（法八、九）のすべてを含むものであるが、これは、長が指揮監督を行うためのものではなく、住民に公表するためのものであるから、具体的な範囲はその観点から定められるべきものである。

本条第三項は、長は、各任命権者から受けた報告を取りまとめて、その概要を作成しなければならないことと、その概要および人事委員会または公平委員会からの報告を公表しなければならないことを定めている。各任命権者からの報告は、長によって、一旦編集されるが、人事委員会または公平委員会からの報告はそのままであるのは、人事委員会または公平委員会が長から独立した機関であることによるものである。

各任命権者および人事委員会または公平委員会からの報告ならびに長による公表は、条例で定めるところにより、毎年行われるものであるが、この条例においては、それぞれの報告および公表の時期を定めるとともに、各任命権者および人事委員会または公平委員会の報告事項と公表の方法が定められることになる。これについては、総務省から条例案が示されている（通知平一六・八・一　総行公第五五号　別添五）が、そこでは、各任命権者の報告事項として、職員の任免および職員数に関する状況、職員の給与の状況、職員の勤務時間その他の勤務条件の状況、職員の分限および懲戒処分の状況、職員の服務の状況、職員の研修および人事評価の状況、職員の福祉および利益の保護の状況並びにその他知事が必要と認める事項が、人事委員会が報告すべき事項として、職員の競争試験および選考の状況、給与、勤務時間その他の勤務条件に関する報告および勧告の状況、勤務条件に関する措置の要求の状況並びに不利益処分に関する審査請求の状況が掲げられており、市町村においてもこれに準ずることになるものと思われる。また、公表の方法については、広報への掲載、公衆の見やすい場所への掲示、閲覧所を設置、インターネットの利用が挙げられている。

（等級等ごとの職員の数の公表）

第五十八条の三　任命権者は、第二十五条第四項に規定する等級及び職員の職の属する職制上の段階ごとに、職員の数を、毎年、地方公共団体の長に報告しなければならない。

2　地方公共団体の長は、毎年、前項の規定による報告を取りまとめ、公表しなければならない。

本条は、給料表の等級（その意味については第二五条の〔**趣旨**〕三および〔**解釈**〕三(一)イ参照）および職制上の段階（その意味については法二五の二の〔**趣旨**〕参照）ごとに、そこに属する職員の数を毎年公表することを地方公共団体の長に義務付けている。前条が地方公共団体の長は毎年給与の状況を公表しなければならないとしているにもかかわらず、このような義務が法定されたことの意味は分かりにくいが、平成二六年（二〇一四年）法律第三四号による改正によって、給料表では、職員の職務の複雑、困難及び責任の度に基づく等級ごとに明確な給料額の幅を条例で定め、等級別基準職務表では、給料表における等級ごとに分類する際に基準となるべき職務の内容を条例で定めるものとした（法二五3①②、4、5）趣旨をより徹底するために、その運用の結果の公表の内容を条例で定めることに委ねることなく、法律に直接規定したものであろう。なお、本条第一項と第二項の関係は、前条第一項と第三項の関係（前条の〔**趣旨**〕参照）と同じである。

（総務省の協力及び技術的助言）

第五十九条　総務省は、地方公共団体の人事行政がこの法律によつて確立される地方公務員制度の原則に沿つて運営されるように協力し、及び技術的助言をすることができる。

〔**趣　旨**〕

一　国と地方公共団体の関係

日本国憲法はその第八章で地方自治について規定しているが、旧大日本帝国憲法においては地方自治に関する定めはなく、このことは現行の憲法の下で地方自治がとくに重視されていることを示すものといってよいであろう。地方自治は、団体自治（分権）と住民自治（自治）の二つを要素とするものといわれており、前者は地方公共団体の自主性と自律性を尊重することによって実現されるものである。

地方自治を重視する現行憲法の下では、地方公共団体の自主性、自律性を最大限に尊重することを国政上の基本原則としており、国と地方公共団体の関係は戦前と戦後を比較すると著しい相違を示している。すなわち、旧制度の下においては、都道府県は地方公共団体とはいいながら、官選の知事が統轄する半官半治の団体であり、市町村は完全自治体ではあったが、国や国の官吏である都道府県知事の強力な指揮監督を受け、市町村長の行政行為が国によって取り消されたり、議会が解散させられたり、国が市町村の予算を編成したり（強制予算）する権限が認められていたのである。現行制度、すなわち、現在の地方公共団体の組織および運営の基本原則を定める地方自治法の下では、国の地方公共団体に対する権力的関与は一切排除されている。

しかしながら、地方公共団体は国と全く無縁の存在でもなければ、国から独立した団体でもない。地方自治体の権限の由来については国権に由来するという説と地域自体に内在するという説とがあり、諸外国の歴史にはそのいずれの例も実在するが、わが国の場合には、地方公共団体の権能は国権を分与されたものと見ることが妥当であろう。また、国も地方公共団体も国民または住民の福祉を増進するという共通の目的を有する団体であり、この目的を実現するため相互に協力すべき立場にあるといわなければならない。

要するに地方公共団体は国権を分与された国の有機的一構成分子であり、相互に密接な関係を有するものであるから、国は地方公共団体の行政の運営に無関係ではあり得ないし、また、無関心ではあり得ない。国は憲法の地方自治の本旨に基づき、地方公共団体の自主性と自律性とを最大限に尊重しながら、必要最小限の関与を行うことになるものである。

二　地方公共団体の人事行政に対する国の関与

地方公共団体の人事行政は、その組織管理、事務管理、財務管理などと並んで内部管理行政であり、地方公共団体の自主性と自律性がもっとも発揮されなければならない分野である。したがって、地方公共団体の人事行政に対する国の関与は他の行政分野以上に最小限のものでなければならないといえよう。

地方公共団体の人事行政に対する国の関与の仕方は、以上述べた基本原則を踏まえながら、結局は国の立法政策として定められるものであるが、現在のところ次のような方法がとられている。

その第一は、法律による規制ないしは基準の確立である。地方公務員法は、地方公共団体の人事行政の根本基準を確立することを目的とする法律であり（法二）、その他の人事行政に関する特例法も国として最低限必要と考えられる地方公共団体の人事行政に関する全国的、統一的規範である。アメリカ合衆国のように、それぞれの地方公共団体が独自の地方公務員制度をもつ場合もあるが、わが国の場合には、国民の同一意識が強く、あらゆる問題について全国的な均衡を図ることが求められているため、一方で地方公共団体の人事行政の自主性と自律性を確保しながらも、他方で法律による均衡の保持を図ることとしているといえよう。

第二は、地方公共団体の人事行政の全体に対する行政措置による国の関与である。法律で認められる一般的な関与権であり、第三で述べる個別の事項に関し法律で認められた関与権とは異なるものである。地方公共団体の人事行政の全体が適切に運用されることは、そのことを通じて地域住民の福祉の増進に寄与するものであり、このような観点から国が地方公共団体の人事行政の全般について指導、助言などの関与を行うものである。本条もこの趣旨に基づくものであるが、このような人事行政全体に対する国の関与は、地方公共団体の自主性を尊重する見地から最小限かつ非権力的なものにとどめられるべきであり（自治法二四五の三参照）、戦前認められていた国の地方公務員に対する懲戒権などを認めるべきではないし、また、関与の仕方も、技術的な助言や勧告というやり方が適当であって（自治法二四五の四参照）、後見的な関与を行うべきではないと考えられる。総体として、国が地方公共団体の人事行政に関与する方法としては、こうした全般的な助言や指導によることがもっとも望ましいといえよう。換言すれば、国は情報や専門的知識に基づいて指導を行うことが、地方自治を尊重する上で妥当なやり方であり、許認可権や取消権、停止権の行使、あるいは法律による画一的な規制はできるだけ避けることとすべきであろう。

第三は、地方公共団体の人事行政の個別の事項に対する国の関与である。地方公共団体の自主性を確保するためには、一般的にはこのようなやり方は望ましくないが、政策上の判断により、あるいは旧来の監督行政の残滓もあるのであろうか、若干このような例がある。たとえば、保健所の所長に特別の資格要件を定めていること（地域保健法施行令四）などがあり、このように法令に根拠はないが、農業改良普及員に対する人件費補助などのように、補助金行政によって地方公共団体の人事行政に関与する場合もある。他の行政分野においても同様であるが、国の地方公共団体に対する個別の関与の仕方としては、法律に基づくもの、補助金を通じるもの、単なる行政指導によるもの等さまざまなものがあり、全体として国の過剰介入の傾向が見受けられるが、人事行政についてはとくにその関与を排除する必要があり、今後、個々の制度について点検し是正しなければならないであろう。

〔解　釈〕

総務省の協力および技術的助言

総務省は、地方公共団体の人事行政が本法の基本原則に従って運営されるよう協力し、また技術的な助言を行うことができるものである（本条）。この協力および助言は「総務省」が行うものとされ、「総務大臣」が行うものとされていない。通常、国の権限は、大臣、各庁の長等、行政官庁の権限として表現されるが、本条では行政組織の権能として表現されているのである。しかし、これにはとくに他意はないものと考えられ、「総務省」としたのは行政官庁の後見的ないしは上級官庁としての監督、関与ではないことを示すものと考えられよう。総務省の助言、勧告は、具体的には大臣の名においてなされることはもとより、総務省の組織を構成する事務次官、局長、部長、課長などの名においてなされることもあり得るものである。

次に、総務省が行う協力、助言は、「地方公共団体の人事行政」についてであり、普通地方公共団体はもとより、一部事務組合、特別区、事業団等の特別地方公共団体も含むものである。また、「人事行政」とは人事機関に関する事項をはじめ、地方公務員の任用、給与、勤務時間その他の勤務条件、分限、懲戒、服務、研修、人事評価、退職管理、福祉および利益の保護、職員団体など、その採用から退職後の身分取扱いの一切に及ぶものである。また、職員の定数は地方自治法などに基づいて条例で定められ、職員団体等に対する法人格の付与に関する法律による職員団体などに対する法人格の付与も地方公務員法以外の法律に基づく人事行政であるが、前者は任用および退職の観点から、後者は認証機関である人事委員会または公平委員会の事務の問題として、本条に基づき協力、助言を行うことができるものと解される。しかし、職員の福祉である地方公務員共済組合および地方公務員災害補償基金の事務については、これらは広義の人事行政に属するものであるが、「地方公共団体」の人事行政ではないので、本条によって助言などをすることはできないものであり、それぞれの法律に総務大臣の監督規定が定められている（地共済法一四四の二七、一四四の二八、地公災法二〇、二一）。また、本条の協力、助言は「地方公共団体の人事行政」について行うものであるから、知事、市町村長などに限られるものでなく、警察職員の人事行政を管理する警察本部長や教育職員の人事行政を管理する教育委員会などの任命権者に対しても協力と助言をすることができるものである。さらに地方公営企業の職員および単純労務職員についても、本条は適用除外されていないので（地公企法三九１、地公労法一七１、附則５）、本条に基づく協力と助言があり得るものである。ところで特別職の人事行政について本条による助言、協力があり得るであろうか。本法の規定は、法律に特別の定めがある場合にのみ特別職の地方公務員に適用されるものであり（法四２）、本条は地方公共団体の人事行政が「この法律によつて確立される地方公務員制度の原則に沿つて運営されるように」協力、助言を行うものであり、本法では一般職の人事行政の基本原則について規定しているのであるから、特別職の報酬に関する助言などは、本条ではなく、地方自治法の規定に基づいて行うことになろう。ただし、特別職である人事委員会および公平委員会の委員の身分取扱いについては本法中に規定されており、本条に基づく助言を行うことがあり得る。

「この法律によつて確立される地方公務員制度の原則」とは、地方公務員法で規定する人事行政の根本基準であり、これに基づいて人事行政を運営することによって、地方公共団体の行政の民主性と能率性を確保し、地方自治の本旨を実現すること（法一）も同法の原則である。そしてこの原則に「沿つて運営する」とは、具体的には本法の各条項を忠実に遵守することであるが、とくに平等取扱いの原則（法一三）、情勢適応の原則（法一四）、能力主義（法一五）、人事評価（法二三）、給与に関する職務給の原則および均衡の原則（法二四1４）、勤務条件条例主義（法二四５）、分限および懲戒についての公正な取扱い（法二七1）、全体の奉仕者として職務に精励する義務（法三〇）、退職管理（法三八の二）、職員の福祉および利益の公正適切な保護（法四一）などの諸原則が人事行政の運用に当たって具体的に実現されなければならないのであり、総務省としてはこれらの諸原則が実現されるよう協力し、助言を行うことになるものである。なお、「この法律」には、本法だけでなく、本法の特例法（法五七）も含まれるものと解される。

次に、「協力」とは総務省が地方公共団体と平等の立場に立ってあらゆる援助を与えることであり、「技術的助言」とは総務省が専門的、客観的な立場で適時適切な指針を示すことである。「技術的」とされたのは、地方自治法第二四五条の四の場合も同じであるが、助言の専門性と客観性を強調するものであると同時に、それが特定の政治的立場ないし政策判断あるいは主観的な要素によって左右されてはならないことを明らかにする趣旨であるといえよう。

ところで総務省が行う協力および助言にはさまざまな方法があるが、その主なものは次のとおりである。

1　通知、通達　法令の制定、改廃に伴いその施行に関する通知（施行通知）をはじめ、綱紀粛正に関する通達、選挙に際しての政治的行為の制限について注意を喚起する通達、給与の適正化に関する通達など、時宜に応じて発せられるものである。

2　条例、規則の案など　1の通知、通達によって示達されるが、地方公務員法に基づいて条例、人事委員会または公平委員会の規則などで定めるべき事項について数多くの案や例が定められている。給与条例など案や例が定められていない事項もあるが、大部分の事項については案や例が定められており、それぞれの条文ごとに本書中に掲げてある。

3　行政実例　地方公共団体からの本法の解釈または運用にかかる照会に対し、文書（電文を含む。）をもって回答したものである。行政実例は、判例と同様に個々の事案に対する判断であるが、同様の事例については先例となり、地方公共団体の人事行政の指針となるものである。本法制定以来、きわめて多数の行政実例が示されており、そのうち重要なものについては本書中の関係箇所に発年月日と文書番号を略示してある。

４　会　議　地方公共団体の人事行政について適切な助言を行うことを目的として、随時、都道府県の総務部長、人事課長、地方課長等、あるいは人事委員会の関係者等の会議を開催し、連絡調整をはかることとしている。

５　研　修　自治大学校および消防大学校における都道府県および市町村職員の恒常的な研修教育をはじめ、随時、これらの職員の短期間の研修会を主催し、あるいは地方公共団体が主催する研修会に職員を派遣する等の協力を行っている。

６　その他　先の行政実例によるほか、地方公共団体の職員の面接、電話などによる質疑に回答を行い、地方公共団体から収集して整理した資料、情報その他の文書を配布し、地方公共団体の人事行政の参考に供することとしている。また、地方公共団体の求めに応じ、人事行政にかかる調査を行い、その結果に基づいて助言を行う場合もある。

以上のように、総務省が行う技術的な助言と協力にはさまざまな方法があるが、しばしば問題となるのは、地方公共団体における労使関係、とくに労使間の紛争や給与問題について助言を行う場合である。地方公共団体における労働問題も、地方公務員法に所要の規定があり、人事行政の一環である以上、本条の助言の対象となるものである。ただ、個別の労働問題に不当な干渉、介入を行うべきでないことは当然であり、事柄の性質上、当事者からそのような誤解を受けがちな問題であるだけに、冷静かつ客観的な助言を行うよう留意すべきであろう。また、労働問題に限らず、総務省が行う助言は一般的なものが多いが、個別の問題についても、たとえ当該事案が労働問題や給与の問題であっても、それが地方公共団体の人事行政の運営において本法の趣旨を実現するために資するものである限りは、総務省が助言を行い、適切な協力を行うことは可能であり、本条は個別の問題に総務省が関与することを禁止するものではないといってよい。

第五章　罰　則

注…点線の左側と囲み部分は、令和四年六月一七日から起算して三年を超えない範囲内において政令で定める日（新刑法の施行日）から施行となる。

（罰則）

第六十条　次の各号のいずれかに該当する者は、一年以下の禁錮〔拘禁刑〕又は五十万円以下の罰金に処する。

一　第十三条の規定に違反して差別をした者

二　第三十四条第一項又は第二項の規定（第九条の二第十二項において準用する場合を含む。）に違反して秘密を漏らした者

三　第五十条第三項の規定による人事委員会又は公平委員会の指示に故意に従わなかつた者

四　離職後二年を経過するまでの間に、離職前五年間に在職していた地方公共団体の執行機関の組織等に属する役職員又はこれに類する者として人事委員会規則で定めるものに対し、契約等事務であつて離職前五年間の職務に属するものに関し、職務上不正な行為をするように、又は相当の行為をしないように要求し、又は依頼した再就職者

五　地方自治法第百五十八条第一項に規定する普通地方公共団体の長の直近下位の内部組織の長又はこれに準ず

る職であつて人事委員会規則で定めるものに離職した日の五年前の日より前に就いていた者であつて、離職後二年を経過するまでの間に、当該職に就いていた時に在職していた地方公共団体の執行機関の組織等に属する役職員又はこれに類する者として人事委員会規則で定めるものに対し、契約等事務であつて離職した日の五年前の日より前の職務（当該職に就いていたときの職務に限る。）に属するものに関し、職務上不正な行為をするように、又は相当の行為をしないように要求し、又は依頼した再就職者

六　在職していた地方公共団体の執行機関の組織等に属する役職員又はこれに類する者として人事委員会規則で定めるものに対し、当該地方公共団体若しくは当該特定地方独立行政法人と営利企業等（再就職者が現にその地位に就いているものに限る。）若しくはその子法人との間の契約であつて当該地方公共団体若しくは当該特定地方独立行政法人においてその締結について自らが決定したもの又は当該地方公共団体若しくは当該特定地方独立行政法人による当該営利企業等若しくはその子法人に対する行政手続法第二条第二号に規定する処分であつて自らが決定したものに関し、職務上不正な行為をするように、又は相当の行為をしないように要求し、又は依頼した再就職者

七　国家行政組織法第二十一条第一項に規定する部長又は課長の職に相当する職として人事委員会規則で定めるものに離職した日の五年前の日より前に就いていた者であつて、離職後二年を経過するまでの間に、当該職に就いていた時に在職していた地方公共団体の執行機関の組織等に属する役職員又はこれに類する者として人事委員会規則で定めるものに対し、契約等事務であつて離職した日の五年前の日より前の職務（当該職に就いていたときの職務に限る。）に属するものに関し、職務上不正な行為をするように、又は相当の行為をしないように要求し、又は依頼した再就職者（第三十八条の二第八項の規定に基づき条例を定めている地方公共団体の再就職者に限る。）

八　第四号から前号までに掲げる再就職者から要求又は依頼（地方独立行政法人法第五十条の二において準用す

る第四号から前号までに掲げる要求又は依頼を含む。）を受けた職員であつて、当該要求又は依頼を受けたことを理由として、職務上不正な行為をし、又は相当の行為をしなかつた者

第六十一条　次の各号のいずれかに該当する者は、三年以下の禁錮（拘禁刑）又は百万円以下の罰金に処する。

一　第五十条第一項に規定する権限の行使に関し、第八条第六項の規定により人事委員会若しくは公平委員会から証人として喚問を受け、正当な理由がなくてこれに応ぜず、若しくは虚偽の陳述をした者又は同項の規定により人事委員会若しくは公平委員会から書類若しくはその写の提出を求められ、正当な理由がなくてこれに応ぜず、若しくは虚偽の事項を記載した書類若しくはその写を提出した者

二　第十五条の規定に違反して任用した者

三　第十八条の三（第二十一条の四第四項において準用する場合を含む。）の規定に違反して受験を阻害し、又は情報を提供した者

四　何人たるを問わず、第三十七条第一項前段に規定する違法な行為の遂行を共謀し、唆し、若しくはあおり、又はこれらの行為を企てた者

五　第四十六条の規定による勤務条件に関する措置の要求の申出を故意に妨げた者

第六十二条　第六十条第二号又は前条第一号から第三号まで若しくは第五号に掲げる行為を企て、命じ、故意にこれを容認し、そそのかし、又はそのほう助をした者は、それぞれ各本条の刑に処する。

第六十二条の二　何人たるを問わず、第三十七条第一項前段に規定する違法な行為の遂行を共謀し、唆し、若しくはあおり、又はこれらの行為を企てた者は、三年以下の禁錮又は百万円以下の罰金に処する。

（削る）　**（注）本条全文が削られる。**

第六十三条　次の各号のいずれかに該当する者は、三年以下の禁錮〔拘禁刑〕に処する。ただし、刑法（明治四十年法律第四十五号）に正条があるときは、刑法による。

一　職務上不正な行為（当該職務上不正な行為が、営利企業等に対し、他の役職員をその離職後に、若しくは役職員であつた者を、当該営利企業等若しくはその子法人の地位に就かせることを目的として、当該役職員若しくは役職員であつた者に関する情報を提供し、若しくは当該地位に関する情報の提供を依頼し、若しくは当該役職員若しくは役職員であつた者を当該地位に就かせることを要求し、若しくは依頼する行為、又は営利企業等に対し、離職後に当該営利企業等若しくはその子法人の地位に就くことを目的として、自己に関する情報を提供し、若しくは当該地位に関する情報の提供を依頼し、若しくは当該地位に就くことを要求し、若しくは約束する行為である場合における当該職務上不正な行為を除く。次号において同じ。）をすること若しくはしたこと、又は相当の行為をしないこと若しくはしなかつたことに関し、営利企業等に対し、離職後に当該営利企業等若しくはその子法人の地位に就くこと、又は他の役職員をその離職後に、若しくは役職員であつた者を、当該営利企業等若しくはその子法人の地位に就かせることを要求し、又は約束した職員

二　職務に関し、他の役職員に職務上不正な行為をするように、又は相当の行為をしないように要求し、依頼し、若しくは唆すこと、又は要求し、依頼し、若しくは唆したことに関し、営利企業等に対し、離職後に当該営利企業等若しくはその子法人の地位に就くこと、又は他の役職員をその離職後に、若しくは役職員であつた者を、当該営利企業等若しくはその子法人の地位に就かせることを要求し、又は約束した職員

三　前号（地方独立行政法人法第五十条の二において準用する場合を含む。）の不正な行為をするように、又は相当の行為をしないように要求し、依頼し、又は唆した行為の相手方であつて、同号（同条において準用する場合を含む。）の要求又は約束があつたことの情を知つて職務上不正な行為をし、又は相当の行為をしなかつた職員

第六十四条　第三十八条の二第一項、第四項又は第五項の規定（同条第八項の規定に基づく条例が定められているときは、当該条例の規定を含む。）に違反して、役職員又はこれらの規定に規定する役職員に類する者として人事委員会規則で定めるものに対し、契約等事務に関し、職務上の行為をするように、又はしないように要求し、又は依頼した者（不正な行為をするように、又は相当の行為をしないように要求し、又は依頼した者を除く。）は、十万円以下の過料に処する。

第六十五条　第三十八条の六第二項の条例には、これに違反した者に対し、十万円以下の過料を科する旨の規定を設けることができる。

〔趣　旨〕

地方公務員法は、地方公共団体の職員をはじめ、人事行政の関係者がなすべきこと（当為）を定めた規定を中心とする法律である。いうまでもなく法律は国権の最高機関が定めた規範であり、すべての国民がこれを遵守しなければならないものであるが、もし、これに違反する者がある場合には、その是正ないしは応報の措置を講じ、法の権威を確保しなければならない。

地方公務員法違反に対する是正または応報の措置は必ずしも一様ではない。同法に違反し、あるいはその趣旨に照らして不適当な行為があった場合であっても、地方公共団体の長の総合調整権（自治法一八〇の四）、議会の審議（条例、予算等議案の審議を通じて行う場合のほか、検査および監査の請求（自治法九八）、議会の調査（自治法一〇〇）などの方法による。）、監査委員の監査（自治法一九九）、人事委員会の人事行政に関する勧告と給与の支払いの監理（法八1④⑧）など、当該地方公共団体の内部組織によって自律的に是正がはかられることがまず期待される。また、地方公共団体の住民が直接請求である監査の請求（自治法七五）または財務に関する住民監査請求および住民訴訟（自治法二四二、二四二の二）によって自主的に解決することも地方自治の本旨に即した是正措置であるといえよう。さらに、前条で述べた国の助言によって是正がはかられることもあり得る。また、政治的行為の制限に違反する行為を行うよう第三者が働きかけた場合（法三六(3)）のように、当該第三者の行為を是正し、あるいは何らかの応報を加える法律上の措置はなく、健全な社会良識による批判をまつだけの場合もある。

次に、職員が地方公務員法または同法の特例を定める法律の服務規定に違反した場合には、公務の秩序を維持するために、行政罰としての懲戒処分に付せられることは同法第二七条および第二九条において述べたところであり、これは行政上の強制的措置によって、法律の適正な実施を確保しようとするものである。

以上のように自主的、自律的なチェックによって法律違反の是正を図る方法とともに、法律違反に対する国家のもっとも強硬な措置としては刑罰の適用がある。地方公務員法が適正に実施されるか否かは、公務の能率、ひいては地域住民の福祉の消長にかかわる問題であり、とくに、第三者が地方公務員法の適正な実施を妨げる場合には刑罰を以て臨むほかないので、一定の本法違反については罰則を科することが定められているのである。

しかしながら、刑罰を科することは国民にとってきわめて重大なことであり、日本国憲法においても、第三一条ないし第四〇条の詳細な規定を置いて刑罰の適用をできる限り慎重に行うこととしている。したがって、地方公務員法でその違反について刑罰を科することとする場合も、法益の侵害がきわめて重大でやむを得ない場合に限られるべきであり、また、他の刑罰規定と均衡のとれたものでなければならないといえよう（たとえば、刑法上、事後収賄は一年以上の有期拘禁刑（刑法一九七の三）、単純収賄は五年以下の拘禁刑（同法一九七）とされており、公務員関係の犯罪の一つの目安となろう。）。なお、拘禁刑と従前の懲役および禁錮の関係については、第一六条の〔解釈〕二で述べた。

ところで、平成二八年法律第三四号による改正後の地方公務員法は、職員の再就職に関して、離職の前または後における一定の行為を制限しているが、その中には職場における服務規律の範疇を超えて公益を保護するという意味を有するものがあり、その制限を実効あらしめるために、同法に第六〇条第四号から第八号、第六一条第三号、第六三条から第六五条が追加され、そのうちの第六〇条第四号から第八号、第六三条は独法役員に準用されている（地方独法法五〇の二）。

〔解　釈〕

地方公務員法違反により、一年以下の拘禁刑または五〇万円以下の罰金に処せられるのは次の各場合である（法六〇各号）。

一　一年以下の拘禁刑または五〇万円以下の罰金に処せられる場合

1　地方公務員法第一三条の平等取扱いの原則の規定に違反して差別を行った者　地方公務員法第一三条は、憲法第一四条の規定をうけて、すべて国民は地方公務員法の適用について平等に取り扱われなければならず、人種、信条、性別、社会的身分、門地あるいは政治的所属関係など（法第一六条第四号の破壊活動を主張する政党等に所属することにより欠格条項に該当する場合を除く。）によって差別してはならないことを定めている。同法第一三条の解釈については同条を参照されたいが、実際に問題となりうるのは性別による差別、政治的所属関係による差別であろう。前者については、任用の資格を男または女に限ることが合理的な根拠に基づくものであるかどうか、昇任に男女の差がある場合に果たして能力の実証に基づくものであるかどうかなどが問題となろう。また、この違反に問われることがあるのは主として人事委員会の委員、任命権者、これらの補助職員などである。なお、職員には労働基準法が適用されるが、同法第三条の規定に違反して、労働者の国籍、信条または社会的身分を理由として賃金、労働時間その他の労働条件について差別的取扱いをした使用者は、六カ月以下の拘禁刑または三〇万円以下の罰金に処せられる（労基法一一九①）。労働基準法第三条に違反した任命権者等は、本条違反と観念的に競合するものと解されるので、重きに従って処罰される（刑法五四1）。なお、労働基準法には、性別による差別の禁止が定められておらず、性別による差別の禁止を定める雇用の分野における男女の均等な機会及び待遇の確保等に関する法律第五条（地方公務員には適用されない。同法三二）違反には罰則が定められていない。

2　地方公務員法第三四条第一項または第二項の規定に違反して職務に関する秘密を漏らした者（法第九条の二第一二項の規定により法第三四条が準用される人事委員会または公平委員会の委員で職務に関する秘密を漏らした者を含む。）　守秘義務の内容は第三四条の〔解釈〕で述べたところであるが、ここで職務に関する秘密とは、正確には「職務上知り得た秘密」（法三四1）および「職務上の秘密」（法三四2）であり、現職の職員だけでなく退職後においても守秘義務が課せられている。現職の職員が守秘義務に違反したときは、本条の刑罰の適用を受けるほか、懲戒処分の対象になるものである。また、税務職員のように、守秘義務違反について持引の刑罰規定があるときは（地方税法二二）、本条と観念的に競合して、重きに従って処断されるものと解される（刑法五四１）。

３　地方公務員法第五〇条第三項の規定により不利益処分に関する審査請求の審査の結果に基づいて人事委員会または公平委員会が行った不当な取扱いの是正のための指示に故意に従わなかった者　不利益処分に関する審査請求は、職員の身分を保障するきわめて重要な権利であるので、その審査が適切に行われるよう証人喚問や書類提出などについてもその違反者に刑罰を科するとともに（法六一①）、審査の結果に基づく指示に従わなかった者に対しても刑罰を科するものとしてその実効を期することとしている。処罰の対象となるのは、任命権者、その補助職員である給与事務担当者などである。なお、「故意に」従わなかった者が罰せられるのであって、過失により従わなかった者や不能を命じた指示に従わなかった者は処罰の対象たり得ない。前記の１および２ならびに二の１から４までについても「故意に」とは規定されていないが、いずれも故意犯、すなわち犯意をもって違反をした場合に限って処罰の対象となるものと解される（刑法三八１）。

４　離職後二年を経過するまでの間に、離職前五年間に在職していた地方公共団体の執行機関の組織等に属する役職員又はこれに類する者として人事委員会規則で定めるものに対し、契約等事務であって離職前五年間の職務に属するものに関し、職務上不正な行為をするように、又は相当の行為をしないように要求し、又は依頼した再就職者　これは、地方公務員法第三八条の二第一項による制限に対応するものであるが、同項が禁止するのは「職務上の行為をするように、又はしないように要求し、又は依頼」することであるのに対して、本項が対象とするのは、「職務上不正な行為をするように、又は相当の行為をしないように要求し、又は依頼」したことである。不正な行為の例としては、許可または認可の基準（行服法五参照）を満たしていないにもかかわらず許可または認可をすることや法律上の根拠のない（限度を超えた）行政指導をすることが、相当な行為の例としては、許可または認可の基準に従って許可または認可をすることや法律上義務づけられている行政指導をすることが考えられる。なお、役職員および契約等事務の意味は、地方公務員法第三八条の二第一項で定義されているとおりである。

５　地方自治法第一五八条第一項に規定する普通地方公共団体の長の直近下位の内部組織の長又はこれに準ずる職であって人事委員会規則で定めるものに離職した日の五年前の日より前に就いていた者であって、離職後二年を経過するまでの間に、当該職に就いていた時に在職していた地方公共団体の執行機関の組織等に属する役職員又はこれに類する者として人事委員会規則で定めるものに対し、契約等事務であって離職した日の五年前の日より前の職務（当該職に就いていたときの職務に限る。）に属するものに関し、職務上不正な行為をするように、又は相当の行為をしないように要求し、又は依頼した再就職者

これは、地方公務員法第三八条の二第四項による制限に対応するものであるが、同項が禁止するのは「職務上の行為をするように、又はしないように要求し、又は依頼」することであるのに対して、本項が対象とするのは、「職務上不正な行為をするように、又は相当の行為をしないように要求し、又は依頼」したことである。不正な行為および相当な行為に該当する行為の例は前記４の場合と同じであり、それ以外については、地方公務員法第三八条の二の〔解釈〕三で述べた。

６　在職していた地方公共団体の執行機関の組織等に属する役職員又はこれに類する者として人事委員会規則で定めるものに対し、当該地方公共団体若しくは当該特定地方独立行政法人と営利企業等（再就職者が現にその地位に就いているものに限る。）若しくはその子法人との間の契約であって当該地方公共団体若しくは当該特定地方独立行政法人においてその締結について自らが決定したもの又は当該地方公共団体若しくは当該特定地方独立行政法人による当該営利企業等若しくはその子法人に対する行政手続法第二条第二号に規定する処分であって自らが決定したものに関し、職務上不正な行為をするように、又は相当の行為をしないように要求し、又は依頼した再就職者　これは、地方公務員法第三八条の二第五項による制限に対応するものであるが、同項が禁止するのは「職務上の行為をするように、又はしないように要求し、又は依頼」することであるのに対して、本項が対象とするのは、「職務上不正な行為をするように、又は相当の行為をしないように要求し、又は依頼」したことである。不正な行為および相当な行為に該当する行為の例は前記４の場合と同じであり、それ以外については、地方公務員法第三八条の二の〔解釈〕三で述べた。

７　国家行政組織法第二一条第一項に規定する部長又は課長の職に相当する職として人事委員会規則で定めるものに離職

した日の五年前の日より前に就いていた者であって、離職後二年を経過するまでの間に、当該職に就いていた時に在職していた地方公共団体の執行機関の組織等に属する役職員又はこれに類する者として人事委員会規則で定めるものに対し、契約等事務であって離職した日の五年前の日より前の職務（当該職に就いていたときの職務に限る。）に属するものに関し、職務上不正な行為をするように、又は相当の行為をしないように要求し、又は依頼した再就職者（第三八条の二第八項の規定に基づき条例を定めている地方公共団体の再就職者に限る。）　これは、地方公務員法第三八条の二第八項による制限に対応するものであるが、同項が禁止するのは「職務上の行為をするように、又はしないように要求し、又は依頼」することであるのに対して、本項が対象とするのは、「職務上不正な行為をするように、又は相当の行為をしないように要求し、又は依頼」したことである。不正な行為および相当の行為に該当する行為の例は前記４の場合と同じであり、それ以外については、地方公務員法第三八条の二の〔解釈〕三で述べた。

８　前記４から７までに掲げる再就職者から要求又は依頼（地方独立行政法人法第五〇条の二において準用する第四号から前号までに掲げる要求又は依頼を含む。）を受けた職員であって、当該要求又は依頼を受けたことを理由として、職務上不正な行為をし、又は相当の行為をしなかった者　地方公務員法第三八条の二が制限するのは再就職をしようとする職員または再就職者の行為であるのに対して、本項が罰則の対象とするのは再就職者から要求又は依頼を受けた職員の行為であり、不正な行為および相当な行為に該当する行為の例は前記４の場合と同じである。

二　三年以下の拘禁刑または一〇〇万円以下の罰金に処せられる場合

地方公務員法違反により、三年以下の拘禁刑または一〇〇万円以下の罰金に処せられるのは次の各場合である（法六一各号）。

１　不利益処分に関する審査請求の審査のために、地方公務員法第八条第六項の規定により、人事委員会または公平委員会から証人として喚問を受け、正当な理由がなくてこれに応ぜず、もしくは虚偽の陳述をした者、および同項の規定により、人事委員会または公平委員会から書類もしくはその写の提出を求められ、正当な理由がなくこれに応ぜず、もしくは虚偽の事項を記載した書類もしくはその写を提出した者　地方公務員法第八条第六項は、人事委員会または公平委員会の権限の行使全般について証人の喚問および書類等の提出を求める権限を認めている。しかし、この喚問および提出要求権のうち、不利益処分の審査請求の審査のために行う喚問および提出要求に従わなかった者についてのみ刑罰を科することとしているのである。人事委員会または公平委員会から証人喚問を受け、書類などの提出を求められた者は、これに協力しなければならないことは当然であるが、不利益処分の審査請求は職員の身分を保障するためのもっとも重要な制度であるので、その審査に当たって真実を発見することの保障を刑罰によって担保しているのである。なお、不利益処分の審査請求の審査の事務の一部を人事委員会の委員もしくは事務局長または公平委員会の委員に委任することができ（法五〇２）、これらの者の名において証人喚問や書類などの提出要求をすることができるが、これに従わなかった者も本号の規定によって刑罰に処せられるものである。これら受任者は、人事委員会または公平委員会の権限を代行しているものであり、これら受任者の命令に反することは、即これら委員会の命令に反することになるからである。証人喚問も書類などの提出要求も「正当な理由がなく」これに応じなかった場合に処罰されるのであり、証人が病気であったり、書類を紛失したようなときはこれに応じなくとも正当な理由があることになる。なお、守秘義務（法三四）に基づき、任命権者の許可がなかったため証言を拒絶したときは「虚偽の陳述をした」ことにはならない。

２　受験成績、勤務成績その他の能力の実証に基づかないで任用した者　　成績主義の原則（法一五）は、近代的公務員制度の基本原則の一つであり、これを確保するためにその違反に対し刑罰を科することとしたものである。情実による任用、競争試験または選考を行わない任用、競争試験や選考の成績を無視した任用などはその典型である。「任用」のすべてについて成績主義の原則に従わなければならないのであるから、採用だけでなく、昇任、降任（分限処分）および転任のいずれについても成績主義に反したときは、そのような任用を行った任命権者またはその補助職員は理論上処罰の対象になる。しかし、実際に問題となるのは採用および昇任であろう。また、臨時的任用（法二二の三１４）も任用の一種ではあるが、臨時的任用職員には成績主義の原則の全面的適用はないと考えられるので（法二二の三５参照）、その任用に関する限り、条理上本号の罰則は適用されないと解される。

３　試験機関に属する者その他職員で、受験を阻害し、または受験に不当な影響を与える目的をもって特別もしくは秘密の情報を提供した者　試験の公正を確保するための刑罰規定である。ここで「試験」とは競争試験のことであり、選考は含まれない。「試験機関」とは、人事委員会または競争試験を実施する公平委員会および任命権者（法一八）およびこれに属する者であり、競争試験の実施について人事委員会から委任を受けた当該地方公共団体の他の機関およびこれに属する者を含む。試験機関以外の「その他職員」とは、試験機関から情報を得た他の職員をいうものであろう。また、「提供」とは、直接受験者に対して行うことが普通であろうが、受験者から依頼を受けた他の職員等に対するもの、不特定多数の者に公表することも含まれると解する。なお、ここで罰則の対象となるのは「情報の提供」であり、受験の阻害自体は対象でないと解すべきことについては、第一八条の三の〔**解釈**〕を参照されたい。

４　職員の争議行為等の遂行を共謀し、そそのかし、もしくはあおり、またはこれらの行為を企てた者　職員が争議行為等の実行行為を行ってはならないこと、および何人もその計画、助長などの行為を行ってはならないことは、第三七条で述べたところである。そして争議行為等の意義および計画、助長などの行為の内容である共謀、そそのかし、あおりなどの意義も同条に関して述べたところである。また、争議行為等を実行した職員は懲戒処分の対象となるが、刑罰の適用はなく、計画、助長などの行為についてのみ刑罰の対象となるものである。これは争議行為等を計画の段階で未然に防止すること、外部からの違法行為の慫慂をより悪質なものとして厳重に防止することを趣旨とするものである。争議行為等に関する計画、助長などの行為に刑罰を科すること、すなわち、本条第四号の合憲性がしばしば問題とされるが、本号は日本国憲法第二一条（集会、結社、言論等の自由）、同第二八条（労働基本権）などに違反しないとするのが最高裁判所の判例である（最高裁昭五一・五・二一判決（判例時報八一四号七三頁）ほか）。

本号の適用について文理上問題となるのは、地方公務員法第三七条第一項後段は「このような違法な行為を企て」ることを禁止しており、実行行為の企画を禁じていることが明白であるが、本条第四号は争議行為の遂行を共謀し、そそのかし、もしくはあおり、「又はこれらの行為を企て」ることを禁止している。この「企て」は文理どおりに解すると、共謀、そそのかし、またはあおることの企画で、争議行為等の実行行為の企画ではない。両者の間で同じ「企てる」ことの内容が異なることになり、実行行為の企画は懲戒処分の対象で刑罰の適用はなく、共謀、教唆および煽動の企画は刑罰の対象であるが懲戒処分の対象ではないということになるわけである。立法政策的には両者の「企て」の内容が一致していることが望ましいと考えられるが、懲戒および刑罰にかかる規定であり、文理どおり解釈すべきものであろう（最高裁平元・一二・一八判決（判例時報一三三二号二四頁）は、争議行為のための組合役員の会議などは「あおりの企て」に該当するとしている。）。

なお、本号は、独立した刑罰規定であり、計画、助長などの行為自体を罰することとしており、懲戒処分が行われたかどうか、あるいは実際に争議行為等が実行されたかどうかを問わないものである（最高裁昭二九・四・二七判決　判例時報二五号一三頁）。換言すれば、本号の刑罰は従犯に対するものでなく、計画、助長等の行為そのものが犯罪構成要件となるものである。また、企業職員および単純労務職員の争議行為の実行行為およびその計画、助長の行為については刑罰の適用はない（これらの職員には本号の適用除外は定められていないが、本法第三七条の適用除外により、自動的に適用除外とされる。）。

５　勤務条件に関する措置要求の申出を故意に妨げた者　勤務条件に関する措置要求（法四六）は、情勢適応の原則（法一四）、勤務条件条例主義（法二四５）、給料に関する人事委員会の勧告（法二六）および職員団体の交渉（法五五）と並んで職員の勤務条件保障制度の一環である。とくに勤務条件に関する措置要求は個々の職員の具体的な権利の行使であるので、この権利の行使を妨げた者に対し、刑罰を科すこととして職員の具体的な勤務条件を保障することとしているのである。職員が勤務条件に関する措置要求をしようとする場合に威圧を加えたり、合理的な理由なく申出の便宜、たとえば、職務専念義務の免除または年次有給休暇を与えなかったような場合は本号に該当すると考えられる。なお、本号との均衡という観点からして不利益処分の審査請求を故意に妨げた者に対する処罰規定が設けられなかった趣旨は明らかではない。

三　計画、助長行為等に対する処罰

前記一の２ならびに二の１、２、３および５に掲げる行為を企て、命じ、故意にこれを容認し、そそのかし、またはそのほう助をした者は、それぞれの各号に対するのと同じ刑罰に処せられる（法六二）。

まず、一の2は職員または人事委員会もしくは公平委員会の委員が守秘義務に違反する場合であるが、これに対する企画、助長等の行為が一年以下の拘禁刑または五〇万円以下の罰金に処せられる。二の1は不利益処分の審査請求の審査の証人喚問に応じなかったこと等であり、二の2は能力の実証に基づかない任用を行った場合、二の3は競争試験を阻害するため特別の情報をもらす等の場合であり、さらに二の5は勤務条件に関する措置要求の申出を故意に妨げた場合である。これらの行為を計画、助長するなどの行為は三年以下の拘禁刑または一〇〇万円以下の罰金に処せられる。地方公務員法第六一条第四号は、それ自体、計画、助長等の罪であるから第六二条の対象から除外されていることは当然であるが、同法第六〇条第一号の平等取扱い原則違反および同第三号の審査請求審査における委員会の指示に対する不服従の計画、助長などを処罰しない理由は明らかではない。

次に、これらの行為を「企て」とは単独または共同で計画を立案、作成することであり、「命じ」とは指示、命令をすることである。この命令は、職務上の命令（法三二）に限られるものでなく、職位や社会的地位を利用して圧力をかけるような場合も含むものと解される。「故意にこれを容認し」とは、これらの違法な行為が行われていることを知り、かつ、これを制止しうる立場にある者が、なんら制止するための行為をしなかったことをいうものである。権限ある上司がこれらの違法行為を黙認するようなことが典型的な例であり、上司が制止の命令を発したにもかかわらず、これに従わなかったような場合は容認したことにはならないが、違法行為が行われることを知りながら、注意を促す程度にとどまり、進んで適切な職務命令を発しなかった上司は「容認」したことに該当する場合があるであろう。同僚や部下が当該職員の違法行為を知ったときは、これを制止する具体的な権限がないので、たとえ懲戒処分の上申や刑事罰の告発をしなかったとしても、容認したことにはならないであろう。次に、「そそのかし」とは、いわゆる教唆であり、違法行為を行う決意をあらたに生じさせるに足る行為（最高裁昭二九・四・二七判決　判例時報二五号一三頁）をいうものである。また、「ほう助」とはこれらの違法行為が実行されるについて有形、無形の援助を行うことであり、資金の援助、労力や資材の提供、違法行為の証拠の隠匿などの行為がこれに該当する。以上の各行為のうち、ほう助以外の行為はそれを行うこと自体が独立した犯罪構成要件であり、その結果として違法行為が行われたか否かを問わず処罰の対象となるものである。ほう助は、典型的な従犯であって（刑法六二1）、違法行為が実行された場合にあわせて処罰の対象となる。ただ、従犯の刑は正犯の刑に照らして減軽することが原則であるが（刑法六三）、地方公務員法第六二条はほう助をした者も「各本条の刑に処する」ので、同条は刑法の特例を定めたものといえよう。

四　三年以下の拘禁刑に処せられる場合

平成二六年法律三四号による改正によって、国家公務員法に倣った職員の再就職に関する規制が定められたが、国家公務員についてとは異なり、離職前の職員による再就職者を受け入れることの依頼および在職中の求職の禁止は服務上の義務とされていない（法三八の二の【解釈】参照）が、地方公務員法第六三条は、再就職に関して、職務上不正な行為をすることもしくはしたこと、または相当の行為をしないこともしくはしなかった場合については、その悪質さに鑑みて三年以下の拘禁刑に処することとしている。このような行為をした職員は、同条違反を理由とする懲戒処分を受けることはないが、第二九条第一項第三号の「全体の奉仕者たるにふさわしくない非行のあつた場合」に該当し、または同法第三三条が定める信用失墜行為の禁止に違反し、同法第二九条第一項第一号に該当するとして懲戒処分を受けることがある。なお、地方公務員法第六三条の各号以外の部分のただし書が「刑法に正条があるときは、刑法による」としているのは、同条と刑法の規定が重複して適用される場合は、刑法によって処断する（併合罪または観念的競合とはしない）ということである。

1　三年以下の拘禁刑に処される場合の一は、「職務上不正な行為（当該職務上不正な行為が、営利企業等に対し、他の役職員をその離職後に、若しくは役職員であつた者を、当該営利企業等若しくはその子法人の地位に就かせることを目的として、当該役職員若しくは役職員であつた者に関する情報を提供し、若しくは当該地位に関する情報の提供を依頼し、若しくは当該役職員若しくは役職員であつた者を当該地位に就かせることを要求し、若しくは依頼する行為、又は営利企業等に対し、離職後に当該営利企業等若しくはその子法人の地位に就くことを目的として、自己に関する情報を提供し、若しくは当該地位に関する情報の提供を依頼し、若しくは当該地位に就くことを要求し、若しくは約束する行為である場合における当該職務上不正な行為を除く。2号において同じ。）をすること若しくはしたこと、又は相当の行為をしないこと若しくくはしなかったことに関し、営利企業等に対し、離職後に当該営利企業等若しくはその子法人の地位に就くこと、又は他の役職員をその離職後に、若しくは役職員であつた者を、当該営利企業等若しくはその子法人の地位に就かせることを要求し、又は約束した職員」に該当する場合である。「不正な行為」および「相当の行為」の意味は、地方公務員法第六〇条などの〔解釈〕一4で述べたところであり、「営利企業等」、「子法人」および「役職員」については同法第三八条の二第一項で定義されている。なお、ここでは括弧書きで「職務上不正な行為」に該当しないものを定めているが、これは、地方公務員法自体には離職前の職員による再就職者を受け入れることの依頼および在職中の求職の禁止が服務上の義務とされていないものの、同法第三八条の六が「地方公共団体は、国家公務員法中退職管理に関する規定の趣旨及び当該地方公共団体の職員の離職後の就職の状況を勘案し、退職管理の適正を確保するために必要と認められる措置を講ずるものとする。」としており、この条例で離職前の職員による再就職者を受け入れることの依頼および在職中の求職の禁止を定めた場合に、その禁止の対象となる行為が「職務上不正な行為」に該当すると解され、この罰則が適用されることになるのを避けるためである。

2　三年以下の拘禁刑に処される場合の二は、「職務に関し、他の役職員に職務上不正な行為をするように、又は相当の行為をしないように要求し、依頼し、若しくは唆すこと、又は要求し、依頼し、若しくは唆したことに関し、営利企業等に対し、離職後に当該営利企業等若しくはその子法人の地位に就くこと、又は他の役職員をその離職後に、若しくは役職員であつた者を、当該営利企業等若しくはその子法人の地位に就かせることを要求し、又は約束した職員」に該当する場合である。「営利企業等」、「子法人」および「役職員」については地方公務員法第三八条の二第一項で定義されており、「唆す」は同法第六二条の「そそのかし」と同じ意味であり（同条の〔解釈〕三参照）、「不正な行為」および「相当の行為」の意味は、地方公務員法第六〇条の〔解釈〕一4で述べた。

3　三年以下の拘禁刑に処される場合の三は、地方公務員法第六三条第二号の規定によって処罰の対象となる要求、依頼、または唆しが、「営利企業等に対し、離職後に当該営利企業等若しくはその子法人の地位に就くこと、又は他の役職員をその離職後に、若しくは役職員であった者を、当該営利企業等若しくはその子法人の地位に就かせることの要求又は約束があったこと」によるものであることを知りながら、「職務上不正な行為をし、又は相当の行為をしなかつた職員」に該当する場合である。「不正な行為」および「相当の行為」の意味は、地方公務員法第六〇条などの〔**解釈**〕一４で述べたところであり、「営利企業等」、「子法人」および「役職員」については同法第三八条の二第一項で定義されている。

五　一〇万円以下の過料に処せられる場合

地方公務員法第六四条は、「第三十八条の二第一項、第四項又は第五項の規定（同条第八項の規定に基づく条例が定められているときは、当該条例の規定を含む。）に違反して、役職員又はこれらの規定に規定する役職員に類する者として人事委員会規則で定めるものに対し、契約等事務に関し、職務上の行為をするように、又はしないように要求し、又は依頼した者（不正な行為をするように、又は相当の行為をしないように要求し、又は依頼した者を除く。）は、十万円以下の過料に処する。」と定めている。同法三八条の二第一項、第四項および第五項は、いずれも再就職者の在職者に対する一定の働きかけを禁止するものである（それぞれの条項の意味については、それぞれの該当箇所参照）が、再就職者に対しては人事上の措置をとることができないことから、「契約等事務に関し、職務上の行為をするように、又はしないように要求し、又は依頼した者」に対しては刑事罰をもって臨むこととされたものである。ただ、その者が「不正な行為をするように、又は相当の行為をしないように要求し、又は依頼した者」に該当する場合は、同法第六〇条第四号から第七号に該当し、一年以下の拘禁刑または五〇万円以下の罰金に処せられることとされているので、同法第六四条は適用されないこととされている。

地方公務員法第六五条は、「第三十八条の六第二項の条例には、これに違反した者に対し、十万円以下の過料を科する旨の規定を設けることができる。」としている。地方自治法第一四条第三項は、「普通地方公共団体は、法令に特別の定めがあるものを除くほか、その条例中に、条例に違反した者に対し、二年以下の拘禁刑、百万円以下の罰金、拘留、科料若しくは没収の刑又は五万円以下の過料を科する旨の規定を設けることができる。」としており、地方公務員法第六五条は、過料の上限を一〇万円とすることに意味がある。なお、地方公務員法第三八条の六第二項の条例の意味については同条の解説を参照されたい。

地方公務員法附則および同法改正経過

附　則（昭二五・一二・一三　法律第二六一号、地方公務員法制定に伴うもの）

（施行期日）

1　この法律の規定中、第十五条及び第十七条から第二十三条までの規定並びに第六十一条第二号及び第三号の罰則並びに第六十二条中第六十一条第二号及び第三号に関する部分は、都道府県及び地方自治法第百五十五条第二項の市にあつてはこの法律公布の日から起算して二年を経過した日から、その他の地方公共団体にあつてはこの法律公布の日から起算して二年六月を経過した日からそれぞれ施行し、第二十七条から第二十九条まで及び第四十六条から第五十一条までの規定並びに第六十条第三号、第六十一条第一号及び同条第五号の罰則並びに第六十二条中第六十一条第一号及び第五号に関する部分は、この法律公布の日から起算して八月を経過した日から施行し、その他の規定は、この法律公布の日から起算して二月を経過した日から施行する。

法律の附則は、それぞれの法律の施行に伴う所要の措置、たとえば、施行期日や既成の制度の経過措置などを定めるものであり、通常は一定の期間の経過とともにその実質的意義を失うものである。したがって、一般的にはこれを現在の時点で解釈する必要はないものであるが、附則の規定中には今日なお実質的効力を有しているものが若干あり、また、改正法の附則はいかなる改正がいつから施行されたかを明らかにするもので、当該法律の変遷を物語るものである。以下、今日においても実効を有する附則の規定および地方公務員法（以下「本法」という。）の推移を明らかにする規定についてのみ若干の解釈、解説を加えておくこととする。

本項は、地方公務員法制定後の各条文の施行期日を定めたものである。本法の制定により、旧来の地方公務員制度は大きな変革をとげることとされたので、これを一挙に実施することは困難であったため、実現可能の規定から三つのグループに分けて順次施行することとされた。

㈠　第一のグループは、総則、人事機関、欠格条項、勤務条件、服務、研修、勤務成績の評定、厚生福利制度、公務災害補償制度および職員団体に関する諸規定であり、本法の大部分の規定であるが、これらの条文は公布の日から二カ月後、すなわち、昭和二六年二月一三日から施行された。これらの規定のうち、若干のものについてはさらに経過規定が設けられた。すなわち、都道府県および政令指定都市（当時五大市）の人事委員会の設置については附則第二項、職員団体の登録および法人格の取得については附則第一一項から第一七項までにそれぞれ経過規定があり、主要なものについては後述することとする。また、これらの規定のうち、厚生福利制度と公務災害補償制度については、昭和三七年の地方公務員等共済組合法および昭和四二年の地方公務員災害補償法の制定によってその後抜本的に改正されている。

㈡　第二のグループは、分限、懲戒、勤務条件に関する措置要求および不利益処分の不服申立ての各規定であり、これらの規定は人事委員会および公平委員会の設置をまって施行することが適当であるとされたため、その設置期限に合わせ、公布の日から八カ月後、すなわち、昭和二六年八月一三日から施行された。

㈢　第三のグループは、任用および職階制に関する規定で、当時、国家公務員についても任用および職階制の実施について時間をかけて準備しつつある状態にあったことにかんがみ、地方公務員についても比較的長い時間をかけて準備することとされた。すなわち、都道府県および政令指定都市にあっては公布の日から一年六カ月後、昭和二七年六月一三日から、その他の地方公共団体にあっては公布の日から二年後、昭和二七年一二月一三日から施行することとされていた。しかし、昭和二七年の本法改正でその施行期日はさらにそれぞれ六カ月ずつ延期されたので、本法の規定がすべて施行されたのは、昭和二八年六月一三日以降である。また、職階制の規定は施行されたものの実施されていないことは第二三条で述べたとおりである。

（人事委員会又は公平委員会の設置期限）

2　都道府県及び地方自治法第百五十五条第二項の市の人事委員会は、この法律公布の日から起算して六月以内に、公平委員会は、この法律公布の日から起算して八月以内に設置しなければならない。

（人事委員会の委員の基礎的研修）

3　都道府県及び地方自治法第百五十五条第二項の市の人事委員会の最初に選任される委員は、この法律公布の日から起算して七月以内に地方自治庁が人事院の協力を得て行う人事行政に関する基礎的研修を受けるものとする。

（人事委員会の事務職員の技術的研修）

4　都道府県及び地方自治法第百五十五条第二項の市の人事委員会の最初に任命される事務局長及びその事務局の主要な事務職員で当該人事委員会の指定するものは、この法律公布の日から起算して八月以内に地方自治庁が人事院の協力を得て行う人事行政に関する技術的研修を受けるものとする。

（経過規定）

5　最初に選任される人事委員会又は公平委員会の委員の任期は、第九条の二第十項本文の規定にかかわらず、一人は四年、一人は三年、一人は二年とする。この場合において、各委員の任期は、地方公共団体の長がくじで定める。

人事委員会または公平委員会の委員を初めて選任するときは、その任期は一人は四年、一人は三年、他の一人は二年とする。それぞれの委員がどの任期を充てられるかは当該地方公共団体の長がくじで定める。このように任期に差を設けたのは、委員が一時期に交替することによって委員会の事務の運営が一変することを避ける趣旨である。

この規定は、初めて人事委員会または公平委員会が設置された場合の規定であり、本法施行後に委員会が各地方公共団体に設置されたときに全面的に適用されたものであるが、今日でも町村合併等により新しく地方公共団体が設置された場合、公平委員会を設置していた市が政令指定都市となり新たに人事委員会を設置した場合、公平委員会の事務を人事委員会に委託していた地方公共団体がその委託を廃して新たに委員会を設置した場合、新たに一部事務組合が設置された場合など、人事委員会または公平委員会が設置される場合には依然として適用されるものである。

それぞれの委員の任期の相違は、地方公共団体の長が「くじ」で定めるものであるが、委員の選任については議会の同意が必要であり（現行法九の二②）、三人の委員について議会の同意を得た後にくじで任期を定めることが原則であろうが、あらかじめくじで任期を定めた委員の候補について、それぞれの任期を明示して議会の同意を求めることも可能であろう。また、補欠の委員の任期は前任者の残任期間であるが（現行法九の二⑩）、前任者の任期満了後に選任された委員の任期は四年であり、任期満了後の委員の選任が遅延すると一年ごとの委員の交替のサイクルが狂うことになる。任期満了前にあらかじめ議会の同意を得ておくなどの配慮が必要である。なお、委員の全員が辞任したときは、新たに選任される委員の任期はそれぞれ前任者の残任期間であるとされており（行実昭三八・五・一一　公務員課決定）、この場合には従前のどの委員の後任であるかを明示して議会の同意を得ることになろう。

6　職員の任免、給与、分限、懲戒、服務その他身分取扱に関する事項については、この法律中の各相当規定がそれぞれの地方公共団体に適用されるまでの間は、当該地方公共団体については、なお、従前の例による。

昭和二二年五月三日、日本国憲法とともに地方自治法が施行され、従来、地方公共団体の組織および運営を定めていた東京都制、道府県制、市制および町村制の各法律は廃止された（自治法附則二）。これにより、それまで都道府県および市町村

の職員の身分取扱いの基本を定めていた根拠法規が消滅するとともに、従来、半官半治の団体であった都道府県が完全自治体となり、知事以下、官吏であったその一部の職員は原則として地方公務員に身分を切り換えられることとなった。地方自治法では地方公務員の身分取扱いに関する法律を別途制定することを予定しており、その法律が制定されるまでの間は、都道府県の吏員の身分取扱いについては、政令で特別の定めをするほか、従前の都道府県の官吏または待遇官吏に関する各相当規定を準用し（自治法附則五）、それ以外の地方公務員の身分取扱いについては、従前の規定に準じて政令で定めることとされていた（自治法附則九）。そして、詳細は省略するが、これらの政令の定めとしては、地方自治法施行規程第一六条から第五九条までの規定が設けられ、これらの規定によって地方公務員の身分取扱いがなされていたのである。

本法が施行されることによって、一般職の職員には本法が適用されたため、前記の地方自治法の附則および地方自治法施行規程の関係規定の適用はなくなったのであるが、特別職の吏員である都道府県の副知事、出納長、市町村の助役、収入役、選挙管理委員、監査委員等については、現在なお、地方自治法附則第五条または第九条および地方自治法施行規程の関係規定が適用されているのである。

本項は、本法の制定後、第一項で述べたところにより職員の身分取扱いに関する規定がそれぞれの地方公共団体に適用されるまでの間は、なお、従前の例によって身分取扱いがなされることを定めているが、その従前の例とは、本法制定当時はおおむね次のとおりであった。

㈠　都道府県の一般職員

人事機関としては、地方自治法および都道府県職員委員会に関する政令に基づいて都道府県職員委員会が設けられており、この委員会が、都道府県職員の任用銓級の選考の事務、分限に関する事務、懲戒の審査および議決に関する事務等を掌っていた。任用は地方自治法および同施行規程により、官吏任用銓級令が準用され、給与は地方自治法施行規程により官吏の例によることとされていた。その分限および懲戒は、地方自治法施行規程により、官吏分限令および官吏懲戒令が準用され、服務については、東京都職員服務紀律または道府県職員服務紀律の例によることとされていた。なお、団結権については政令二〇一号に抵触しない限りで労働組合法に基づく労働組合を組織することが認められていた。

(二)　市町村の一般職員

人事機関として地方自治法および同施行規程により市町村吏員懲戒審査委員会があり、市町村職員の懲戒審査を行っていた。任用については法令上の規定はなく、それぞれの市町村が適宜の定めをしており、給与は地方自治法施行規程によって官吏の例によって条例で定めることとされていた。分限および懲戒についても法令上別段の定めはなく、各市町村が適宜定めていたのであり、服務は市町村職員服務紀律の例によることとされていた。団結権については、都道府県の職員の場合と同じである。

(三)　教職員

人事機関、任用、分限および懲戒、服務ならびに団結権については都道府県の一般職員と同じであり、給与は教育公務員特別法施行令により、国立学校の教育公務員の例によることとされていた。

7　昭和二十三年七月二十二日附内閣総理大臣宛連合国最高司令官書簡に基く臨時措置に関する政令（昭和二十三年政令第二百一号）は、職員に関してはその効力を失う。

8　前項の政令がその効力を失う前にした同令第二条第一項の規定に違反する行為に対する罰則の適用については、なお、従前の例による。

昭和二一年三月一日に施行された旧労働組合法では、警察職員および消防職員には団結権が認められていなかったが、その他の職員は労働組合を結成し、団体交渉を行うことが認められていた。また、同年一〇月一三日に施行された労働関係調整法第三八条では、警察職員、消防職員および非現業の職員の争議行為は禁止されていたが、現業の職員が争議行為を行うことは禁止されていなかった。

しかし、昭和二二年から昭和二三年にかけて官公労の労働運動が激化し、当時の占領軍はこれに対処するため、マッカーサー書簡による指示を政府に対して行い、政府はこれに基づき、昭和二三年七月三一日、いわゆる「政令二〇一号」を公布した。この政令二〇一号により、他の法律の規定にかかわらず、すべての公務員は国または地方公共団体に対し、同盟罷業、怠業的行為等を裏づけとする団体交渉権を有しないものとされたのである。

この政令二〇一号は、国家公務員については昭和二三年の国家公務員法改正（昭二三・一二・三法二二二）で同法中に同趣旨の規定が定められたことにより一般職の国家公務員について効力を失うこととなり（同改正法附則八）、地方公務員については本法第三七条が昭和二六年二月一三日に施行され、同日以降、一般職の地方公務員については、この附則第七項の規定により効力を失うこととなった。また、地方公営企業職員および単純労務職員については、昭和二七年一〇月一日に地方公営企業労働関係法が施行され、同法第一一条でこれらの職員の争議行為が禁止されたため、同日以降、政令二〇一号は適用されないこととなった（地公労法附則2）。

なお、政令二〇一号がそれぞれの職員について効力を失う前に、同令第二条第一項の規定に違反する争議行為を行った場合には、同令に基づいて罰則が適用されるものである（法附則8、地公労法附則3）。

9　第十六条第三号の懲戒免職の処分には、当該地方公共団体において、地方公務員に関する従前の規定によりなされた懲戒免職の処分を含むものとする。

10　地方公務員に関する従前の規定により休職を命ぜられた者又は懲戒手続中の者若しくは懲戒処分を受けた者の休職又は懲戒に関しては、なお、従前の例による。

11　この法律公布の日から起算して六月を経過するまでの間は、第五十三条第一項中「人事委員会（人事委員会を置かない地方公共団体においては、地方公共団体の長とする。以下本節中同じ。）」及び「人事委員会」とあるのは「当該地方公共団体の長」と、同条第四項から第六項までのうち「人事委員会」とあるのは「当該地方公共団体の長」と、それぞれ読み替えるものとする。

12　この法律公布の日から起算して六月を経過するまでの間は、第五十四条第一項但書中「人事委員会」とあるのは「当該地方公共団体の長」と読み替えるものとする。

13　第五十八条第一項の規定施行の際現に存する労働組合でその主たる構成員が職員であるものは、この法律公布の日から起算して四月以内に第五十三条第一項の規定による登録の申請をしなければならない。この場合において、地方公共団体の長は、申請を受理した日から一月以内に第五十三条第一項の規定による登録をした旨又はしない旨の通知をしなければならない。

14　第五十八条第一項の規定施行の際現に存する労働組合でその主たる構成員が職員であるもののうち、前項の規定による登録の申請をしないものの取扱については、この法律公布の日から起算して四月を経過するまでの間、同項の規定による登録の申請をしたものの取扱については、同項の規定により登録をした旨又はしない旨の通知を受けるまでの間は、第五十八条第一項の規定にかかわらず、なお、従前の例による。

15　第五十八条第一項の規定施行の際現に存する法人である労働組合でその主たる構成員が職員であるものが第五十三条第一項の規定により登録されたときは、第五十四条第一項の法人である職員団体として設立されたものとみなす。

16　第五十八条第一項の規定施行の際現に存する労働組合で、附則第十三項の規定による登録の申請をしないものは、この法律公布の日から起算して四月を経過した日において、同項の規定による登録の申請をしたもののうち登録をしない旨の通知を受けたものは、この法律公布の日から起算して五月を経過した日において、それぞれ解散するものとする。

17　前二項の場合において必要な事項は、政令で定める。

本法施行前においては、職員は労働組合法に基づいて労働組合を結成していた。そして本法第五八条第一項の施行により労働組合法は職員に対して適用されないこととなったため、本来であれば職員を主たる構成員とする労働組合は解散しなければならないことになるわけである。しかし、従来の職員の労働組合を本法に基づく職員団体に円滑に移行させることが適切であり、とくに法人格を有する労働組合の場合は、解散の手続をとることにより財産の処分などで甚大な影響を受けるのを避けることができる。

このような趣旨に基づき、本法公布の日から起算して四カ月以内、すなわち、本法第五八条第一項の規定が施行された日から二カ月以内に登録の申請をさせ、その申請を受理した日から一カ月以内に登録を行うか否かを決定することとした（法附則13）。そしてその登録の申請がないときには本法公布の日から起算して四カ月間、登録の申請があったときは登録をした旨またはしない旨の通知を受けるまでの間はそれぞれ労働組合として存続しうることとされた（法附則14）。また、本法施行の際に法人である職員の労働組合が、本法第五三条第一項の規定によって登録されたときは、本法第五四条第一項の法人である職員団体として設立されたものとみなされた（法附則15）。さらに、全く登録の申請をしない職員の労働組合は本法公布の日から起算して四カ月を経過した日に、登録の申請をしたが登録をしない旨の通知を受けた職員の労働組合は本法公布の日から五カ月を経過した日に、それぞれ解散することとされていた（法附則16）。

これらの規定で問題となるのは、本法施行の際に存在した職員の労働組合は、職員が「主たる構成員」であれば足り、若干の職員以外の者が加入していても労働組合として認められたことはもとより、法人格を取得することも可能であった。ところが、本法制定当時の職員団体は、昭和四〇年の本法改正後の職員団体と異なり、登録を受ける場合はもとより、非登録の職員団体であっても、「当該地方公共団体の職員のみ」によって組織されるものでなければならないとされていた。そこで、本法附則のこれらの経過規定により、若干の職員以外の者が加入している労働組合をそのまま職員団体として認め、さらに登録を行い法人格を与えることも認められたのか否かが問題となる。既得権尊重という観点からすれば積極に解することもできようが、本来であれば労働組合は解散すべきものであったのであり、また、経過規定に基づく職員団体と本法制定後に設立される職員団体の間に実質的な不均衡を認めるべきではない。したがって、この問題については消極に解すべきであり、当該地方公共団体の職員以外の者が加入していた労働組合は、それぞれの経過期間中に当該地方公共団体の職員のみによって組織されるよう組織、規約等の改正を行わなければならなかったものであると解する。所定の経過期間が認められたのは、その間に組合大会等、必要な手続を進める余裕を与えた趣旨であると考えられる。

18　第五十八条第一項及び第二項の規定施行前にしたこれらの規定に規定する法令の規定に違反する行為に対する罰則の適用については、これらの規定にかかわらず、なお、従前の例による。

19　この法律公布の日から起算して六月を経過するまでの間は、第五十八条第三項中「人事委員会又はその委任を受けた人事委員会の委員（人事委員会を置かない地方公共団体においては、地方公共団体の長）」とあるのは「地方公共団体の長」と読み替えるものとする。

（職員が職員団体の役員として専ら従事することができる期間の特例）

20　第五十五条の二の規定の適用については、職員の労働関係の実態にかんがみ、労働関係の適正化を促進し、もつて公務の能率的な運営に資するため、当分の間、同条第三項中「五年」とあるのは、「七年以下の範囲内で人事委員会規則又は公平委員会規則で定める期間」とする。

本法制定当時は、第二〇項および第二一項として、地方公営企業職員および単純労務職員の身分取扱いの特例が次のとおり定められていた。

20　地方財政法（昭和二十三年法律第百九号）第六条に規定する公営企業に従事する職員の身分取扱については、別に公営企業の組織、会計経理及び職員の身分取扱に関して規定する法律が制定実施されるまでの間は、なお、従前の例による。

21　第五十七条に規定する単純な労務に雇用される職員の身分取扱については、その職員に関して、同条の規定に基き、この法律に対する特例を定める法律が制定実施されるまでの間は、なお、従前の例による。

以上の規定により、企業職員と単純労務職員の身分取扱いは本法制定後も従前の例により、とくにその労働関係は労働組合法、労働関係調整法が適用されるほか、政令二〇一号が適用されていたのであるが、昭和二七年に地方公営企業法および地方公営企業労働関係法が制定され、いずれも同年一〇月一日から施行された結果、これらの職員の身分取扱いは両法の定める特例によるほか本法によって行われることとなり、前記の両項は削除された。なお、この際、旧第二一項に基づいて定められていた「単純な労務に雇用される一般職に属する地方公務員の範囲を定める政令」（昭二六・二・一五政令二五）も自動的に失効した。

ところが、昭和四〇年の本法改正により、新たに附則第二〇項として次の規定が設けられ、いわゆる地方事務官等については、国家公務員法に基づく職員団体を組織することができるほか、新たに本法に基づく職員団体も組織することができることとされた。

（地方自治法附則第八条に規定する職員）

20　地方自治法附則第八条に規定する職員については、当分の間、当該職員を第五十二条第一項に規定する職員とみなして、第三章第九節の規定を適用する。

ここで地方事務官等と称している職員は、地方自治法附則第八条の規定により、「政令で定める事務に従事する都道府県の職員」であり、これらの職員は「当分の間、なお、これを官吏とする。」とされていたが、このように都道府県の職員でありながら国家公務員とされているのは、戦後、地方自治法の制定に伴い、それまで都道府県に勤務していた国家公務員が原則として地方公務員に身分を切り換えられた中にあって、国の各省の中には所属の職員を従来のとおり国家公務員として直轄することを主張するものがあり、また、国と地方の事務配分が過渡期であったこともあり、将来調整することを前提として「当分の間」官吏とされていた。しかし、平成一一年七月の地方分権の推進を図るための関係法律の整備等に関する法律によって地方事務官制度が廃止され、同項も削られたのである。

なお現行の附則二〇項（職員が職員団体の役員として専ら従事することができる期間の特例）の意味と経緯については、第五五条の二について述べたところである。

（特別職に属する地方公務員に関する特例）

21　第三条第三項各号に掲げる職のほか、地方公共団体が、緊急失業対策法を廃止する法律（平成七年法律第五十四号）の施行の際現に失業者であつて同法の施行の日前二月間に十日以上同法による廃止前の緊急失業対策法（昭和二十四年法律第八十九号）第二条第一項の失業対策事業に使用されたもの及び総務省令で定めるこれに準ずる失業者（以下「旧失業対策事業従事者」という。）に就業の機会を与えることを主たる目的として平成十三年三月三十一日までの間に実施する事業のため、旧失業対策事業従事者のうち、公共職業安定所から失業者として紹介を受けて雇用した者で技術者、技能者、監督者及び行政事務を担当する者以外のものの職は、特別職とする。

本法制定当初から第三条第三項第六号に、失業対策事業として地方公共団体が雇用した者が特別職として列記されていた（国の場合は、国家公務員法第二条第三項第一八号（現一七号））。第二次大戦後、経済の荒廃により、大量の失業者が発生し、その救済のために昭和二四年に緊急失業対策法（法律第八九号）が制定されて、国および地方公共団体が雇用を行うこととされたのである。しかし、その後の経済の発展に伴い、雇用情勢はいちじるしく改善され、また、新たな失業対策事業への流入を抑制する措置もとられたため、その就労者は激減し、かつ、高齢化した。このような状況にかんがみ、平成七年に緊急失業対策法を廃止する法律（法律第五四号）が制定されて平成八年四月一日から施行された。ただし、なお、若干の就労者も残されているため、平成八年二月および三月の間に一〇日以上失業対策事業およびこれに準じる事業に就労した者にかぎり、平成一二年度末までは従前と同様の就労が認められ、その就労者は本法の特別職とする経過規定を定めたのが本項である。

失業対策事業の就労者は、国や地方公共団体に雇用されているとはいうものの、就労に対する賃金の給付によって生活を支援することが本来の目的で、雇用はそのための形式に過ぎなかったから、たとえ寺引職であっても公務員の範囲に含めること自体が適切ではなかった。その意味で、本法第三条第三項第六号が削られたことは公務員法制上、結果として妥当な改善がなされたといってよい。

本項で定める経過期間中の失業対策事業の就労者は、本法第三条第三項の特別職に含まれるが、従前同様に、当該事業の技術者、技能者、監督者および行政事務を担当する者は一般職とされる。これらの職員は、一括して「管理監督組織」に属する者と呼ばれてきたが、具体的には作業全般の管理、指導等の責任を負う監督員、監督員などの指揮監督の下に就労者の作業の指揮監督等を行う副監督員、技術的な指揮監督の責任を負う技術者、賃金の支払いや現場からの報告等を行う事務員および事務員の事務処理を補助する事務補助員がこれに該当する（職業安定局長通知昭三一・九・一一　職発第七一三号）。なお、管理監督組織以外に組織上不明確な監督的職員を設けることは認められない（労働省失業対策部長通知昭三一・九・一九　職失発第四〇号）。

附　則（昭二七・六・一〇　法律第一七五号）

1　この法律は、公布の日から施行する。

2　改正後の地方公務員法第七条第三項の規定により公平委員会を置くものとされた地方公共団体がこの法律施行の際現に置いている人事委員会は、この法律施行の日から六月以内に限り、存続させることができる。

3　人事委員会を置く地方公共団体においては、地方公務員法第十五条及び第十七条から第二十二条までの規定が施行されるまでの間においても、人事委員会は、任命権者の委託を受け、職員の採用試験を行うことができる。

4　前項の採用試験の実施に関し必要な事項は、地方公務員法第十五条の規定の精神に則り、人事委員会規則で定める。

昭和二六年九月八日、日米平和条約が調印されたが、これに前後して占領政策の見直しが行われ、同年八月一四日には、政令改正諮問のための委員会が「行政制度の改革に関する答申」を行ったのをはじめ、行政制度の各般にわたり、その能率化および合理化のための検討が行われた。地方公共団体の管理運営についても、地方自治法の一部改正（昭二七・八・一五法三〇六）により、執行機関の簡素合理化等が行われたほか、本法についてもその一部が改正されて人事委員会および公平委員会制度の改善がはかられ、あわせて公務災害補償制度についても所要の改善が行われた。その要点は次のとおりである。

㈠　制定当初の本法では、都道府県および当時の地方自治法第一五五条第二項の市（当時の五大市）は人事委員会を必ず置かなければならず、その他の市は単独または共同で任意に人事委員会を設置することができ、さらに人事委員会を置かない地方公共団体は単独または共同で公平委員会を置かなければならないこととされていた。

本改正により、五大市以外の市を人口段階で区別し、一五万人以上の市は人事委員会または公平委員会のいずれかを設置するものとし、人口一五万人未満の市は公平委員会のみを設置することとされた。また、公平委員会を置く地方公共団体は、これを共同設置することが認められていたのであるが、さらに、その事務を人事委員会に委託することも認められることとなった（法七）。団体規模による行財政能力の差を考慮し、委員会制度の合理化をはかったものである。

㈡　次に、改正前の本法では、人事委員会および公平委員会の委員は、すべての地方公共団体の地方公務員との兼職が禁止されていたが、本改正により、議会の議員については引き続きすべての地方公共団体を通じて兼職が禁止されるが、その他の地方公務員については当該地方公共団体の職についてのみ兼職が禁止されることとなった。委員は特別職であり、人材を確保するためにも兼職禁止を緩和したのである。また、改正前には委員には、常勤、非常勤をとわず、本法の服務の規定が全面的に適用されていたのであるが、非常勤の特別職にこれらの規定のすべてを適用することには無理があり、常勤の委員は従来同様とされたが、非常勤の委員については職務専念義務および営利企業等の従事制限の規定は適用しないこととされた。さらに、改正前は人事委員会の委員長だけが事務局長の職を兼ねることができたが、委員長以外の委員もそれを兼ねることができることとされた（法一二⑵）。

(三)　改正前の本法では、職員の公務災害補償を実施すべき旨のみが規定されていたが、本改正により、公務災害補償について異議がある者は、都道府県の職員はもとより、市町村の職員であっても都道府県の人事委員会に審査の請求をすることができるものとされた（法四五）。公務災害補償の手続規定を整備するとともに、審査機関の合理的一元化をはかったものである。なお、この審査の請求は、昭和三七年の行政不服審査法の制定に伴い、その一環とされ、さらに昭和四二年の地方公務員災害補償法の制定により、本法第四五条は、同法の根拠規定となった。

以上のほか、本改正では、その当時未施行であった任用および職階制の規定の施行期日をさらに六カ月延期することとした（都道府県および五大市については公布の日から一年六カ月後を二年後に、その他の地方公共団体は二年後を二年六カ月後とした。）。職階制の実施にはさらに時日を要すると考えられたからである。しかし、人事委員会が職員の採用試験を行うことは可能であり、また、望ましいと考えられたので、任命権者が委託をしたときは任用の規定の施行前であっても人事委員会が採用試験を行うことができることとされている（改正法附則３４）。

自治庁設置法の施行に伴う関係法律の整理に関する法律（昭二七・七・三一　法律第二六二号）

（省　略）

昭和二七年八月一日、全国選挙管理委員会、地方財政委員会および地方自治庁が統合されて自治庁が発足したが、これに伴い、自治庁設置法の施行に伴う関係法律の整理に関する法律が制定され、本法第五九条中の「地方自治庁」の文言が「自治庁」に改められた。

地方公営企業労働関係法（昭二七・七・三一　法律第二八九号）

（省　略）

地方公営企業法とともに、地方公営企業労働関係法が制定されたことにより、それまで従前の例によることとされていた企業職員および単純労務職員の身分取扱いが、これらの法律によるほか、本法に基づいて行われることとなった。そして本法制定に伴う附則の第二〇項の解釈で述べたように、地方公営企業労働関係法の附則で、これらの職員の身分取扱いは従前の例によることを定めていた本法制定当初の附則第二〇項および第二一項は削除され、また、政令二〇一号もこれらの職員に適用されないこととされた。

教育公務員特例法の一部を改正する法律（昭二九・六・三　法律第一五六号）

（省　略）

教育公務員特例法の一部改正により、公立学校の教育公務員の政治的行為の制限は本法ではなく、同法によって国立学校の教育公務員の例によることとされた（同法二一の三（現一八））。これに伴い、本法第二九条第一項第一号中の「この法律」が「この法律若しくは第五十七条に規定する特例を定めた法律」に改められ、特例法違反も懲戒処分の事由となることが明らかにされたほか、それまで公立学校の職員の政治的行為を制限する区域を原則としてその学校の設置者たる地方公共団体の区域に限ることとしていた本法第三六条第二項但し書中の文言が削られ、また、同項中の公立学校の定義が第五七条中に移された。

（省　略）

警察法の施行に伴う関係法令の整理に関する法律（昭二九・六・八　法律第一六三号）

昭和二二年に制定された旧警察法（昭二二法一九六）の全面改正により、従来の市町村警察と国家地方警察が都道府県警察に一本化されたことに伴い、本法第六条中の地方公務員である警察職員の任命権者が、公安委員会（特別区公安委員会を含む。）および市町村の警察長（特別区が連合して維持する警察の警察長を含む。）から警視総監および道府県警察本部長に改められた。

附　則（昭二九・六・二二　法律第一九二号）

1　この法律は、公布の日から施行する。但し、附則第三項中都道府県警察の職員に係る部分は、昭和二十九年七月一日から施行する。

2　この法律（前項但書に係る部分を除く。）の施行前に行われた地方公務員法第四十九条第二項に規定する処分に対する審査の請求については、改正後の同法第四十九条第二項中「その処分を受けた日から十五日以内に、」とあるのは、「地方公務員法の一部を改正する法律（昭和二十九年法律第百九十二号。附則第一項但書に係る部分を除く。）の施行の日から十五日以内に、」と読み替えるものとする。

3　地方公共団体は、条例で定める定員をこえることとなる員数の職員については、昭和二十九年度及び昭和三十年度（地方公務員たる都道府県警察の職員については、昭和二十九年度から昭和三十二年度までの間）において、国家公務員の例に準じて条例で定めるところにより、職員にその意に反して臨時待命を命じ、又は職員の申出に基いて臨時待命を承認することができる。

4　恩給法（大正十二年法律第四十八号）第四十条ノ二の規定は、恩給法の規定の準用を受ける職員の前項の規定に基く臨時待命の期間については適用しない。

昭和二九年は、前述の警察法の全面改正をはじめ、地方制度の合理化や見直しが各方面にわたって行われた年である。たとえば、従来の地方財政平衡交付金が地方交付税に改められ、地方税についても道府県民税、たばこ消費税および不動産取得税が創設されるなどかなり大幅な改正があり、地方自治法においても前年の第一次地方制度調査会の答申を受けて市の人口要件を五万人以上とするなどの改正が行われた。地方公務員法についても、若干の手直しと行政改革の一環である臨時待命のための措置がとられた。その要点は次のとおりである。

㈠　従来、職員は採用されたとき、および昇任したときのいずれの場合も六カ月間は条件附任用とされたが、本改正により、採用についてのみ条件附任用制度が適用されることとなった（法二二）。

㈡　改正前は、職員が不利益処分を受けたときは、期限の定めなしに処分説明書の交付を請求することができたが、本改正により、処分を受けた日から一五日以内に請求しなければならないこととされ（法四九）、行政処分の早期安定をはかることとした。なお、この規定は、昭和三七年の行政不服審査法の制定に伴う本法の改正により、不服申立て期間は説明書交付の日ではなく処分の日から起算されることになり（法四九の三）、意味を失った。

㈢　一般の職員については昭和二九年度および昭和三〇年度、警察職員については昭和二九年度から昭和三一年度までの間、臨時待命制度が実施されることとされた（改正法附則３４）。臨時待命制度は公務員の定数削減のために国家公務員および地方公務員を通じて実施されたものであり、その意に反して臨時待命を命じられたものが、復職することなく待命期間を経過したときには、自動的に退職するものとされていた。

地方自治法の一部を改正する法律の施行に伴う関係法律の整理に関する法律（昭三一・六・一二　法律第一四八号）

（省　略）

従前の地方自治法第二五二条第二項の市（大都市）の制度および特別市制度が廃止され、政令指定都市制度（自治法二五二の一九）が創設されたことに伴い、本法第七条および第三六条第二項中の大都市および特別市の字句を政令指定都市に改めたものである。

最低賃金法（昭三四・四・一五　法律第一三七号）

（省　略）

最低賃金法の制定に伴い、勤務条件が法令で保障されている企業職員および単純労務職員以外の職員には同法を適用しないこととするため、本法第五八条を改めたものである。

炭鉱離職者臨時措置法（昭三四・一二・一八　法律第一九九号）

（省　略）

炭鉱離職者臨時措置法の制定に伴い、炭鉱離職者緊急就労事業のために地方公共団体が雇用した者は、地方公共団体の失業対策事業に就労する者と同じく、特別職とされた（法三3⑥）。

自治庁設置法の一部を改正する法律（昭三五・六・三〇　法律第一一三号）

（省　略）

自治庁が自治省となったことに伴い、本法第五九条の助言、協力規定中の「自治庁」が「自治省」に改められた。

船員法の一部を改正する法律（昭三七・五・一二　法律第一三〇号）

（省　略）

船員法の改正により、船員の災害補償の事由に「業務上の行方不明」が加えられたことに対応し、船員である職員の公務災害補償事由として「公務上の行方不明」を追加した（法四五1）。なお、この内容は、昭和四二年の地方公務員災害補償法に引き継がれている。

地方自治法の一部を改正する法律（昭三七・五・一五　法律第一三三号）

（省　略）

前述の昭和三一年の地方自治法の一部を改正する法律の施行に伴う関係法律の整理に関する法律により、本法中の「地方自治法第一五五条第二項の市および特別市」が「地方自治法第二五二条の一九第一項の指定都市」に改められたが、その際本法第七条第二項の文言に整理洩れがあったため、この改正法の附則で整理された。

行政事件訴訟法の施行に伴う関係法律の整理等に関する法律（昭三七・五・一六　法律第一四〇号）

（省　略）

行政事件訴訟法は、従前の行政事件訴訟特例法（昭二三法八一）に代わる法律として制定され、行政訴訟の手続の整備がなされたが、旧特例法ではいわゆる訴願前置が建前とされていたのに対し、新行政事件訴訟法では原則として訴願を前置することなく出訴できるものとされた。しかし、職員に対する不利益処分については、専門機関である人事委員会または公平委員会がまず審査を行うことが適当であるとされ、従前どおり訴願前置を維持することとし、そのための行政事件訴訟法に対する特例規定が本法中に規定された（法五一の二）。

地方公務員共済組合法（昭三七・九・八　法律第一五二号）

（省　略）

現行の地方公務員等共済組合法の制定前は、本法第四三条で、職員の公務外の死亡、傷病等に関する共済制度ならびに退職年金および退職一時金の制度はすみやかに実施されなければならない旨が定められていた。同法の制定により、職員の共済制度が整備されたため、本法第四三条は同法の根拠規定となった。

行政不服審査法の施行に伴う関係法律の整理等に関する法律（昭三七・九・一五　法律第一六一号）

（省　略）

行政不服審査法は、旧訴願法（明二三法一〇五）をはじめとする従前の行政救済制度が必ずしも十分整備されたものではなかったため、近代的でかつ簡易迅速な統一的行政救済制度として制定されたものである。同法の制定に伴い、本法における不利益処分に対する不服申立ても同法に基づく行政不服審査の一環をなすものとして位置づけられることとなった。また、これに関連して本法の不服申立てについて若干の手直しが行われた。これらの要点は次のとおりである。

㈠　不利益処分に際して交付される処分説明書は、行政不服審査法における「教示」としての性格を持つこととされた。したがって、処分説明書には一定期間内に人事委員会または公平委員会に不服申立てをすることができる旨を記載しなければばならないこととされた（法四九）。

(二)　不利益処分の不服申立てのほか、職員に対する処分については行政不服審査法に基づく不服申立てをすることはできないこととされた（法四九の二）。

(三)　不利益処分の不服申立ては、本改正前は処分説明書の交付の日を起算日とし、その日から三〇日以内にしなければならないものとされていたが、本改正後は処分のあったことを知った日の翌日から起算して六〇日以内、または処分のあった日の翌日から起算して一年以内にしなければならないこととされた（法四九の三）。

(四)　不服申立てに対する最終判断以外は、その審理の事務を人事委員会の委員もしくは事務局長または公平委員会の委員に委任することができることとされた（法五〇2）。この改正は、行政不服審査法の制定に必然的に関連するものではないが、不服申立ての審理の便宜をはかり、これを促進するためにあわせて改正が行われたものである。

地方自治法の一部を改正する法律（昭三八・六・八　法律第九九号）

（省　略）

本改正により、特別地方公共団体として地方開発事業団の制度が設けられたこと、および代表監査委員が設けられたことに伴い、特別職として地方開発事業団の理事長、理事および監事を追加し（法三3・1の2）、監査委員事務局の任命権者を監査委員から代表監査委員（監査委員の定数が一人の場合は監査委員）に改めた（法六1）。

労働災害防止団体等に関する法律（昭三九・六・二九　法律第一一八号）

（省　略）

労働災害防止団体等に関する法律の制定に伴い、本法第五八条第二項に、同法および同法に基づく命令の規定は労働基準法第八条第一号から第一〇号までおよび第一三号から第一五号（現行別表第一）までの事業以外の事業に従事する職員（非現業職員）には適用しない旨定められた。なお、この適用除外規定は、昭和四七年の労働安全衛生法の制定の際に、労働災害防止団体等に関する法律が労働災害防止団体法に名称が改められ、また、同法中に非現業職員に対する適用除外規定が設けられたため本法第五八条第二項から削除整理された。

附　則（昭四〇・五・一八　法律第七一号）

（施行期日）

第一条　この法律は、公布の日から起算して九十日をこえない範囲内で政令で定める日から施行する。ただし、第八条の改正規定、第五十二条から第五十五条までの改正規定、第五十五条の次に一条を加える改正規定及び附則に一項を加える改正規定並びに次条、附則第三条及び附則第五条から附則第八条までの規定は、政令で定める日から施行する。

（経過規定）

第二条　この法律の施行（前条ただし書の規定による施行をいう。以下この条において同じ。）の際現に存する改正前の地方公務員法（以下「旧法」という。）第五十三条第一項の規定により登録を受けた職員団体は、この法律の施行の日から起算して三月以内に、改正後の地方公務員法（以下「新法」という。）第五十三条の規定による登録の申請をすることができる。この場合において、人事委員会又は公平委員会は、申請を受理した日から起算して三十日以内に、新法第五十三条第一項の規定による登録をした旨又はしない旨の通知をしなければならない。

2　この法律の施行の際現に存する旧法第五十三条第一項の規定により登録を受けた職員団体で前項の規定による登録の申請をしないものの取扱いについては、この法律の施行の日から起算して三月を経過するまでの間、同項の規定による登録の申請をしたものの取扱いについては、同項の規定により登録をした旨又はしない旨の通知を受けるまでの間は、なお従前の例による。ただし、新法第五十五条の規定の適用があるものとする。

3　旧法の規定に基づく法人たる職員団体で第一項の規定による登録をした旨の通知を受けたもののうち、その通知を受ける前に新法の規定に基づく法人となる旨を人事委員会又は公平委員会に申し出たものは、その通知を受けた時に新法の規定に基づく法人となり、同一性をもつて存続するものとする。

4　前項の規定により新法の規定に基づく法人たる職員団体として存続するものを除き、旧法の規定に基づく法人たる職員団体でこの法律の施行の際現に存するものは、第一項の規定による登録の申請をしなかつたものにあつては、この法律の施行の日から起算して三月を経過した日において、同項の規定による登録の申請をしたものにあつては、同項の規定による登録をした旨又はしない旨の通知を受けた時において、それぞれ解散するものとし、その解散及び清算については、なお従前の例による。

5　この法律の施行の日から起算して二年間は、新法第五十五条の二第一項の規定は適用せず、職員は、なお従前の例により、登録を受けた職員団体の役員として当該職員団体の業務にもつぱら従事することができる。

結社の自由を保障するＩＬＯ八七号条約の批准に伴う関係国内法改正の一環として、本法についても改正が行われたが、その要点は次のとおりである。

㈠　職員の給与の支払いに関する通貨払い、直接払いおよび全額払いの三原則は、本改正前は労働基準法または船員法の規定によっていたが、改正後は本法中にこの三原則が定められた（法二五2）。なお、企業職員および単純労務職員に関するこれらの三原則は、引き続き労働基準法または船員法によることとされている。

㈡　職員団体の定義に関する規定が設けられ、一の地方公共団体の区域を超える職員団体の結成が認められるとともに、職員団体に若干の非職員が加入することが認められた（法五二1、五三4）。

㈢　管理職員等と一般の職員とは、同一の職員団体を組織することはできないこととされ、管理職員等の範囲は、人事委員会または公平委員会が規則で定めることとされた（法五二3但し書、4）。

㈣　職員団体の登録要件が緩和され、役員の選挙は、組合員全員ではなく、投票者の過半数で決すれば足りることとされるとともに、登録職員団体の構成員として、分限または懲戒により免職されてから一定期間内の者、その期間内に争訟を提起した者および現に役員である者は非職員であってもこれに含めてさしつかえないこととされた（法五三4ただし書）。

㈤　職員団体の役員には、登録、非登録を問わず、非職員が就任できることとされた（ＩＬＯ八七号条約の役員選出自由の原則に基づく当然解釈）。

㈥　人事委員会を置かない地方公共団体における職員団体の登録機関は、改正前は市町村長等その長であったが、公平委員会に改められた（法五三1）。

㈦　登録職員団体が職員団体でなくなったとき、または登録要件を欠くに至ったときは、従来と同様に登録の取消しを行うことができるほか、六〇日以内の期間を限って登録の効力の停止を行うこともできることとされた（法五三6）。

㈧　法人である職員団体については、改正前は民法における公益法人に関する規定が全面的に適用されていたのであるが、これらの規定のうち、行政官庁の権力的関与に関する規定を適用除外することとされた（法五四）。これは、ＩＬＯ八七号条約の趣旨に基づき、労働団体に対する行政的関与を排するための措置である。

㈨　改正前は、職員団体と地方公共団体の交渉の条件または事情は条例で定めることとされていたが、本改正により交渉のルールが本法中に明記されることとなった（法五五）。これは不正常な交渉がしばしば行われていた実情にかんがみ措置されたものである。

㈩　改正前は、条例に基づく職務専念義務の免除により在籍専従が認められていたが、本改正により、在籍専従の条件、期間、効果等が本法中に定められることとなった（法五五の二1〜5）。

⑾　在籍専従職員以外の職員の組合活動は、条例で定める場合以外は、給与を受けながら行ってはならないことが法定さ

れた（法五五の二⑥）。

㈡　地方事務官等は、従来と同様に国家公務員法に基づく職員団体を組織することができるほか、改正後は当分の間は本法に基づく職員団体も組織することができることとされた（法附則20）。

㈢　単純労務職員は、従来と同様に地方公営企業労働関係法に基づく労働組合を組織することができるほか、あらたに、本法に基づく職員団体を組織することもできることとされた（改正法附則四）。

以上のような本法の改正のほか、地方公営企業労働関係法についても、在籍専従制度、管理職員等の範囲の決定、苦情処理共同調整会議の設置、単純労務職員に対する本法の適用関係等について同時に所要の改正が行われた。

ところで、本改正の施行については、国会における修正で一部の改正規定は政令で定める日まで施行が延期された。これは同時に行われた国家公務員法の一部改正で内閣総理大臣の諮問機関として公務員の労働関係の基本問題を審議する公務員制度審議会が設置され、この審議会で検討した上で施行延期された改正規定の是非を決定しようとする含みがあったためである。本法の改正規定の施行順序は、まず、㈠の給与支給の三原則に関する規定、㈢の単純労務職員が職員団体を組織することを認める規定等が昭和四〇年八月一五日から施行された（昭四〇政令二七五により、改正法附則第一条本文に基づく改正規定が施行された。）。その他の改正規定は、公務員制度審議会において昭和四〇年一一月一日から昭和四一年六月一三日までの間、一七回にわたって審議された結果、ＩＬＯ八七号条約がわが国に対して効力を生じる昭和四一年六月一四日から㈩の在籍専従制度に関する規定を除いて施行することを認める旨の答申がなされ、その答申どおり施行された（昭四一政令一八八により、改正法附則第一条但し書の規定が在籍専従に関するものを除いて施行された。）。さらに施行延期された在籍専従制度の規定は、公務員制度審議会がこれについて答申をすることとされた期限である昭和四一年一二月一三日までに答申がなされなかったので、同月一四日から施行され、二年の猶予期間を置いて昭和四三年一二月一四日以降適用されることとなった。

（省　略）

地方公営企業法の一部を改正する法律（昭四一・七・五　法律第一二〇号）

地方公営企業の自主性を強化し、その経営を健全化するため、地方公営企業法の大幅な改正が行われたが、地方公務員制度に関係する要点は次のとおりである。

㈠　従来は一般職であった地方公営企業の管理者が特別職とされ、また、あらたに設けられた企業団（地方公営企業の事務を共同処理する一部事務組合）の企業長も特別職とされ、いずれも本法第三条第三項に一の三号として追加された。なお、本法中、第三〇条から第三七条まで、および第三八条第一項の服務の規定は管理者に、同第三四条の規定は企業長に、それぞれ準用されている（地公企法七の二11、三九の二4）。

㈡　地方公営企業の職員の給与は、職員が発揮した能率を十分に考慮するとともに、同一または類似の職種の国、地方公共団体の職員および民間企業の従事者の給与と地方公営企業の経営状況を考慮して定めるべきことが明らかにされた（地公企法三八3）。一般の職員と同様に均衡の原則に基づくべきことに加えて、能率給であるべきこと、および企業の経営状態を考慮すべきことが強調されることとなったのである。

㈢　本改正前は、地方公営企業の職員のうち、政令で定める基準に従い地方公共団体の長が定める職にある上級の職員については、他の一般の企業職員とは別に、本法の給与に関する規定、政治的行為の制限に関する規定、人事委員会の職権に関する規定等が適用されていたが、この改正により、上級職員にはこれらのうち本法第三六条の政治的行為の制限に関する規定のみが適用されることとなった（地公企法三九2）。企業職員の身分取扱いは、できる限り一体として行うことが適当であると判断されたためであろう。

船員災害防止協会等に関する法律（昭四二・七・一五　法律第六一号）

（省　略）

船員災害防止協会等に関する法律およびこれに基づく命令の規定を、非現業職員について適用しないこととするため、本法第五八条第二項が改正された。

地方公務員災害補償法（昭四二・八・一　法律第一二一号）

（省　略）

地方公務員災害補償法制定前は、職員の公務災害補償については、労働基準法、労働者災害補償保険法、船員法、条例等がそれぞれに適用され、統一的な制度はなく、本法においては第四五条で職員の公務災害は補償されなければならないこと、および公務災害補償に関する不服申立てのみが規定されていた。地方公務員災害補償法の制定によって、統一的な制度が整備されたことに伴い、同条は地方公務員災害補償法の根拠規定に改められた。

国家公務員法等の一部を改正する法律（昭四六・一二・一一　法律第一一七号）

（省　略）

昭和四六年一〇月一一日の第三次公務員制度審議会の答申に基づき、在籍専従期間の限度を三年から五年に改めた（法五五の二3、地公労法六3）。

労働安全衛生法（昭四七・六・八　法律第五七号）

（省　略）

従来、労働基準法中に規定されていた労働安全衛生に関する事項が、労働安全衛生法として独立し、詳細な規定が整備されたことに伴い、同法第二章の労働災害防止計画に関する規定を非現業職員に適用しないこととする等の整備をするため、本法第五八条第二項から第四項までの規定の改正を行った。労働基準法を職員に適用することに種々問題があるのと同様に、労働安全衛生法の適用についてもこれを一律に適用することには若干の問題がある。国家公務員について同法が適用されていないことにもかんがみ（国公法附則一六）、将来検討する余地があろう。

附　則（昭五二・一一・八　法律第七八号）

この法律は、公布の日から施行する。

昭和四九年の法律第七一号で地方自治法の一部が改正され、東京都の特別区の区長の公選が復活するとともに、都の職員をして特別区の事務を処理させる「配属職員制度」が廃止され、また、若干の事務事業が都から特別区に移譲された。これにより、特別区は一挙に多数の職員を管理することになり、また、従来、人事委員会の所轄の下にあった配属職員は特別区の公平委員会の所轄するところとなった。このような事情にかんがみ、特別区は任意に人事委員会を置くことができるよう本法第七条第二項および第三項が改正された。なお、この改正に基づき、特別区は共同して一部事務組合による人事委員会を設置した。

国家公務員法及び地方公務員法の一部を改正する法律（昭五三・六・二一　法律第七九号）

附　則

1　この法律は、公布の日から施行する。
2　この法律の施行の日前になされた国家公務員法第百八条の三第六項（裁判所職員臨時措置法（昭和二十六年法律第二百九十九号）において準用する場合を含む。）又は地方公務員法第五十三条第六項の規定による登録の取消しの効力については、なお従前の例による。

昭和四八年九月に第三次公務員制度審議会が公務員の労働関係の基本に関する事項について答申を行ったが、同答申では、今後さらに検討すべきもの（交渉不調の場合の調整、国家公務員法の刑罰規定および消防職員の団結権）、運用上措置すべきもの（交渉の促進等）ならびに法制度を整備すべきものについてそれぞれ意見を述べており、後者については、全国的な職員の労働団体に法人格を付与すべきこと、管理職の範囲を規定上明確にすること、および職員団体の登録の取消しは取消訴訟の出訴期間中またはその訴訟が裁判所に係属している間は効力を生じないものとすることが内容とされていた。

全国的な労働団体等に法人格を付与することについては、別途、職員団体等に対する法人格の付与に関する法律（昭五三法八〇）が制定された。同時に国家公務員法および地方公務員法の一部が改正され、本法では管理職の範囲に関する第五二条第三項但し書の規定が整備され、職員団体の登録の取消しについては第五三条に第七項が追加された。

民法及び民法施行法の一部を改正する法律（昭五四・一二・二〇　法律第六八号）

（省　略）

民法の改正により、聾者、唖者および盲者は準禁治産者ではないものとされたため（民法一一）、これらの者は本法第一六条の欠格条項（本法第二八条第四項の失職条項も同じ。）に該当しないこととなった。また、民法および非訟事件手続法の改正により、民法法人に対する監督が強化されたが（民法三四の二、六七2等）、法人格を有する職員団体等に対する行政官庁の権力的関与を排除するため、これらの監督規定の準用を適用除外することとし、規定の整備を行った（法五四、法人格付与法一二）。

附　則（昭五六・一一・二〇　法律第九二号）

（施行期日）

第一条　この法律は、昭和六十年三月三十一日から施行する。ただし、次条の規定は、公布の日から施行する。

（必要な準備措置）

第二条　この法律による改正後の地方公務員法（以下「新法」という。）の規定による職員の定年に関する制度の円滑な実施を確保するため、任命権者（地方公務員法第六条第一項に規定する任命権者をいう。以下同じ。）は、長期的な人事管理の計画的推進その他必要な準備を行うものとし、地方公共団体の長は、任命権者の行う準備に関し必要な連絡、調整その他の措置を講ずるものとする。

（経過措置）

第三条　職員（新法第二十八条の二第四項に規定する職員を除く。以下同じ。）で同条第二項及び第三項の規定に基づく条例の施行の日（以下「条例施行日」という。）の前日までにこれらの規定に基づく定年として当該条例で定められた年齢に達しているものは、条例施行日に退職する。

第四条　新法第二十八条の三の規定は、前条の規定により職員が退職すべきこととなる場合について準用する。この場合において、新法第二十八条の三第一項中「前条第一項」とあるのは「地方公務員法の一部を改正する法律

（昭和五十六年法律第九十二号。以下「昭和五十六年法律第九十二号」という。）附則第三条」と、「、同項」とあるのは「、同条」と、「その職員に係る同項の規定に基づく条例で定める日」とあるのは「昭和五十六年法律第九十二号附則第三条に規定する条例施行日」と、同条第二項ただし書中「その職員に係る前条第一項の規定に基づく条例で定める日」とあるのは「昭和五十六年法律第九十二号附則第三条に規定する条例施行日」と読み替えるものとする。

第五条　新法第二十八条の四の規定は、附則第三条の規定により職員が退職した場合又は前条において準用する新法第二十八条の三の規定により職員が勤務した後退職した場合について準用する。この場合において、新法第二十八条の四第一項中「第二十八条の二第一項」とあるのは「地方公務員法の一部を改正する法律（昭和五十六年法律第九十二号。以下「昭和五十六年法律第九十二号」という。）附則第三条」と、「前条」とあるのは「昭和五十六年法律第九十二号附則第四条において準用する前条」と、同条第三項中「その者に係る第二十八条の二第一項の規定に基づく条例で定める日」とあるのは「その者が第二十八条の二第一項及び第三項の規定に基づく定年として条例で定められた年齢に達した日」と読み替えるものとする。

（地方教育行政の組織及び運営に関する法律の一部改正）

第六条　（省　略）

地方公務員に定年制を導入するため本法の改正が行われ、あらたに第二八条の二から第二八条の四までの規定が設けられた。そしてその実施に関し、次のような経過措置等が改正法の附則で定められている。

㈠　定年制の施行は、昭和六〇年三月三一日からとされている（改正法附則一）。㈡で述べるように定年制の実施に当たっては準備措置が必要であり、また、それは人事管理上も職員の身分保障の上でも大きな変革をもたらすものであるので、一定の猶予期間を置くこととしたものである。なお、国家公務員の定年制も同じ日から実施することとされている。また、施行日が年度末の三月三一日とされているのは、新規学卒者の採用が毎年四月一日に行われるのが通例であること、あるいは給与改訂が毎年四月一日から行われていることとの関連で当該年度の退職者は少なくとも三月三一日までに退職することが適切であり、さらに改正法附則第三条で改正法施行のときにすでに定年に達している者はその施行とともに退職するとされているため、その期日を年度末とすることが適当とされたからである。

(二)　任命権者は、定年制が施行されるまでの間に、定年制の円滑な実施を確保するため、長期的な人事管理の計画的推進その他必要な準備を行うものとされている（改正法附則二）。必要な準備としては、次のような措置をすることが考えられる。

(1)　定年制実施のための条例の制定公布
(2)　現行勧奨退職制度との調整（勧奨年齢の逐次引上げまたは引下げ等）
(3)　職員の採用、昇任、退職等に関する長期計画の策定

これらの準備措置については、地方公共団体の長が任命権者間の必要な連絡、調整等の措置をとることも定められているが、これは地方自治法第一八〇条の四の人事に関する長の総合調整権と同趣旨のものである。定年制の重要性にかんがみあえて同趣旨の規定が明定されたものであろう。なお、人事委員会は、必要に応じこの準備措置についてその権限を行使しうることは当然である。

(三)　定年制の適用対象となる職員で昭和六〇年三月三〇日までにすでに定年制条例で定める定年に達している者は、定年制施行の日である昭和六〇年三月三一日に退職することになる（改正法附則三）。法律に基づく強制的退職（失職）であり、改正法附則第三条中「条例施行日」とは昭和六〇年三月三一日を指すものである。本法第二八条の二の規定は、昭和六〇年三月三一日以降に定年に達する者についてのみ適用され、その前に当該年齢に達している者には適用されない。しかし、そのまま放置することは定年制を設けた趣旨に反するので、これらの職員を定年制の実施とともに一斉に退職させることとしたものである。この退職は、失職と同じ性質のものであるが、辞令を交付することが適当であり、その退職手当は定年退職の場合と同じ取扱いとするよう条例で定めることが適当である。

㈣　前述の㈢、すなわち改正法附則第三条の規定により昭和六〇年三月三一日をもって退職することとなる職員については、本法第二八条の三を準用してその定年を延長することができる（改正法附則四）。また、この職員および上述の定年延長がなされた職員が退職したときは、本法第二八条の四の規定を準用して再任用することができる（改正法附則五）。この定年の延長および再任用の条件は、それぞれ第二八条の三、第二八条の四の場合と同じである。ただし、再延長することができるのは昭和六〇年三月三一日の翌日から三年以内に限られ、再任用は本法第二八条の二で定められた本来の定年退職の日の翌日から起算して三年以内に限られる。このような特例は改正法附則第三条の規定によって退職する高齢者についても、公務上の必要または、本人の事情等に基づいて若干その退職を弾力的に取り扱うことが適当であるとされたために認められたものであるが、定年制が定められた趣旨にかんがみ、その特例はそれぞれ定年制施行の日および本来の定年による退職の日から三年間に限定されたのである。

船員災害防止協会等に関する法律の一部を改正する法律（昭五七・五・一　法律第四〇号）

（省　略）

船員災害防止協会等に関する法律が船員災害防止活動の促進に関する法律に改められたことに伴い、本法第五八条の非現業職員に対する労働関係法の適用除外規定が整理された。

障害に関する用語の整理に関する法律（昭五七・七・一六　法律第六六号）

（省　略）

いわゆる差別用語である「廃疾」を「障害」に改めることとされ、本法第四三条第一項および第四五条第一項の字句が改められた。

地方公務員等共済組合法等の一部を改正する法律（昭六〇・一二・二七　法律第一〇八号）

（省　略）

公的年金一元化をめざす地方公務員等共済組合法の改正に伴い、本法第四三条第二項および第三項中の「退職一時金」の字句が削られた。また、この地方公務員等共済組合法の改正に伴い、地方公務員の年金は、同法に基づくものと国民年金法に基づく年金の二本立てとなり、年金額の計算方法も退職前の一定期間を基礎としたものから標準報酬に基づくこととされるなど、実体的に大きな変更が行われた。

労働基準法の一部を改正する法律（昭六二・九・二六　法律第九九号）

（省　略）

労働基準法の改正により、あらたに労使の協定によるフレックス・タイム制、三カ月を単位とする変形労働時間制、裁量労働制、計画的年次有給休暇制などがとり入れられたが、一般の職員の場合は、これらは必要に応じて条例で定めるべきものとされ、これらの規定を適用除外するための本法第五八条第三項の規定の整備が行われた。

地方自治法の一部を改正する法律（平三・四・二　法律第二四号）

（省　略）

地方自治法の改正に際して地方公営企業労働関係法の附則が改正され、新しい第四項で企業職員の在籍専従期間の限度である本則の五年を、当分の間、七年以下の範囲内で労働協約で定める期間とすることが規定され、旧第四項が第五項となったことに伴い、旧第四項を引用していた本法第五五条の二第三項の字句が改められた。

行政事務に関する国と地方の関係等の整理及び合理化に関する法律（平三・五・二一　法律第七九号）

（省　略）

標記の法律で、民法に法人に関する主務官庁の権限の委任の規定が設けられた。本法第五四条では、法人たる職員団体に民法の法人に関する規定を準用しているが、この権限委任の規定を準用する必要はないので、同条中の適用除外規定中に追加したものである。

石炭鉱業の構造調整の推進等の石炭対策の総合的な実施のための関係法律の整備等に関する法律（平四・三・三一　法律第二三号）

（省　略）

日本のエネルギー転換のために制定された炭鉱離職者臨時措置法（昭三四法一九九）が改正され、炭鉱離職者の緊急就労の措置が計画的な雇用安定措置に改められたことに伴い、旧措置によって地方公共団体に就労していた者を特別職としていた本法第三条第三項第六号中から当該就労者を削ることとされた。

行政手続法の施行に伴う関係法律の整備に関する法律（平五・一一・一二　法律第八九号）

（省　略）

行政庁が処分等を行う場合の手続に関する一般法として行政手続法が制定されたが、職員の身分取扱いにかかる処分等については、一般の国民とは異なる公務員制度内部の問題としてその適用は除外されている（同法三１⑨）。しかし、職員が組織する職員団体に対する処分については同法が適用されるため、それに伴う職員団体の登録の効力の停止およびその取消しを規定する本法第五三条の規定の整備が行われた。なお、別途、職員団体等に対する法人格の付与に関する法律に基づく職員団体等の認証の取消しについても同様の改正が行われた。

緊急失業対策法を廃止する法律（平七・三・三一　法律第五四号）

（省　略）

緊急失業対策法（昭二四法八九）が、その社会的役割を終えて廃止されたことに伴い、同法に基づいて地方公共団体の公共事業に就労する者を特別職の地方公務員としていた本法第三条第三項第六号の規定が削られた。なお、平成一二年度末（平成一三年三月三十一日）までは、経過的に同事業を行うことがあることとされたため、その限りで当該事業の就労者を特別職の地方公務員とすることが本法制定当初の附則第二一項に規定された。

附　則（平九・三・二八　法律第八号）

この法律は、平成九年四月一日から施行する。

職員団体の役員としてもっぱら従事することができる期間について、企業職員や単純労務職員の労働組合のそれと同じ扱いにするために、当分の間、本法五五条の二第三項中、「五年」とあるのを「七年以下の範囲内で人事委員会規則又は公平委員会規則で定める期間」と読み替えるとする規定が地方公務員法附則二〇項として加えられ、これに伴い従来の附則二〇項が二一項と、二一項が二二項とされた。

地方自治法の一部を改正する法律（平九・六・四　法律第六七号）

（省　略）

監査委員制度の改正により、町村の監査委員の定数が二人とされたことに伴い、本法第六条第一項中、監査委員が一人の場合について定めた部分が削除され、あわせて、字句の整理がなされた。

労働基準法の一部を改正する法律（平一〇・九・三〇　法律第一一二号）

（省　略）

労働時間、労働契約などの広範な見直しを内容とする労働基準法の改正が行われたが、職員については、勤務条件条例主義や公務の特殊性に照らして同法をそのまま適用することが適当ではないことから、同法が定める裁量労働や紛争の解決の援助に関する規定の適用除外を定めるための本法第三八条第二項の改正、および一カ月単位変形労働時間制や一斉休憩の規定を読み替えて適用することとするために本法第五八条に第四項を加え、従来の第四項を第五項とするほか、字句の整理がなされた。なお、従来の第四項においては労働基準法第八条の削除に伴う引用条文の整備も行われている。

地方分権の推進を図るための関係法律の整備等に関する法律（平一一・七・一六　法律第八七号）

（省　略）

地方分権の推進を図るための関係法律の整備等に関する法律により地方事務官制度が廃止されたので、職員団体への加入について特例を定めた本法附則第二一項が削られ、従来の第二二項が第二一項とされた。また、従前の地方自治法施行規程第六九条第二号の事務（社会保険関係事務）に従事する職員は平成一二年四月一日から七年間に限り都道府県の職員団体に加入でき、在籍専従の許可を得ることができること、この職員の構成する独自の共済組合を設立すること、社会保険事務の処理体制と職員のあり方について検討を行うこととされている。なお、民法の改正により同法に法人の主務官庁の権限に属する事務の委任についての第八三条の四が追加されたことに応じて、本法第五四条における民法の引用条文に同条が加えられた。

附　則（平一一・七・二二　法律第一〇七号）

（施行期日）

第一条　この法律は、平成十三年四月一日から施行する。ただし、次の各号に掲げる規定は、当該各号に定める日から施行する。

一　次条の規定　公布の日

二　第一条中地方公務員法第二十九条の改正規定（同条第一項の次に二項を加える部分（同条第三項に係る部分を除く。）に限る。）及び附則第三条第一項の規定　公布の日から起算して三月を超えない範囲内において政令で定める日〔平成一一年九月政令二八九号により、平成一一・一〇・一から施行〕

（実施のための準備）

第二条　第一条の規定による改正後の地方公務員法（以下「新法」という。）第二十八条の四から第二十八条の六までの規定の円滑な実施を確保するため、任命権者（地方公務員法第六条第一項に規定する任命権者をいう。以下同じ。）は、長期的な人事管理の計画的推進その他必要な準備を行うものとし、地方公共団体の長は、任命権者の行う準備に関し必要な連絡、調整その他の措置を講ずるものとする。

（懲戒処分に関する経過措置）

第三条　新法第二十九条第二項の規定は、同項に規定する退職が附則第一条第二号の政令で定める日以後である職員について適用する。この場合において、同日前に同項に規定する先の退職がある職員については、当該先の退職の前の職員としての在職期間は、同項に規定する要請に応じた退職前の在職期間には含まれないものとする。

2　新法第二十九条第三項の規定は、同項の定年退職者等となった日がこの法律の施行の日（以下「施行日」という。）以後である職員について適用する。この場合において、附則第一条第二号の政令で定める日前に新法第二十九条第二項に規定する退職又は先の退職がある職員については、これらの退職の前の職員としての在職期間は、同条第三項の定年退職者等となった日までの引き続く職員としての在職期間には含まれないものとする。

（改正前の地方公務員法の規定により再任用された職員に関する経過措置）

第四条　施行日前に第一条の規定による改正前の地方公務員法第二十八条の四第一項の規定により採用され、同項の任期又は同条第二項の規定により更新された任期の末日が施行日以後である職員に係る任用（任期の更新を除く。）については、なお従前の例による。

（特定警察職員等への適用期日）

第五条　地方公務員等共済組合法（昭和三十七年法律第百五十二号）附則第二十五条の二第一項第一号に規定する特定警察職員等（次条において「特定警察職員等」という。）である者については、施行日から平成十九年四月一日までの間において条例で定める日から、新法第二十八条の四から第二十八条の六までの規定を適用する。

（任期の末日に関する特例）

第六条　平成二十五年三月三十一日（特定警察職員等である職員にあっては、平成三十一年三月三十一日）までの間における新法第二十八条の四第三項（新法第二十八条の五第二項及び第二十八条の六第三項において準用する場合を含む。）の条例で定める年齢に関しては、国の職員につき定められている任期の末日に関する特例を基準として、条例で特例を定めるものとする。

高齢社会に対応するため、職員の定年退職者等の再任用について、条例で定める年齢までの在職を可能にするとともに短時間勤務の制度を設けるために、本法第二八条の二から同条の四までを改正し、第二八条の四の次に二条が追加された。

また、懲戒制度の一層の適正化を図るため、退職した職員が再び職員として採用された場合において当該退職および採用が一定の条件に該当するものであるときは、退職前の在職期間中の懲戒事由に対して処分を行うことができるとするため、本法第二九条第一項の字句の整理を行い、従前の第二項を第四項としたうえで、第二項および第三項が追加された。

民法の一部を改正する法律の施行に伴う関係法律の整備等に関する法律（平一一・一二・八　法律第一五一号）

（省　略）

民法の改正により禁治産および準禁治産の制度が後見および保佐の制度に改められることに伴い、本法第九条、第一六条

が改正されるとともに字句の整備が行われた。

中央省庁等改革関係法施行法（平一一・一二・二二　法律第一六〇号）

（省　略）

中央省庁改革の一環として、自治省が総務省に統合されたことに伴い、自治省を総務省と、自治省令を総務省令とする改正がなされた。

地方公務員等共済組合法等の一部を改正する法律（平一二・三・三一　法律第二二号）

（省　略）

地方公務員等共済組合法の中で「特定警察職員等」の定義をしている条項が変更されたことに伴い、地方公務員法等の一部を改正する法律（平成一一年法律一〇七号）の附則第五条における引用条文の整備がなされた。

個別労働関係紛争の解決の促進に関する法律（平一三・七・一一　法律第一一二号）

（省　略）

個別労働関係紛争の解決の促進に関する法律の制定に際して、労働基準法第一〇五条の三が削除されたことに伴い、同法の適用除外を定める本法第五八条第三項から同条が削除された。

労働基準法の一部を改正する法律（平一五・七・四　法律第一〇四号）

（省　略）

本法第五八条第三項が改正され、労働基準法の一部改正によって追加された期間の定めのある労働契約について厚生労働大臣が基準を定めることができるとする同法一四条二項、行政官庁が指導及び助言をすることができるとする同条三項及び解雇を無効とする場合の基準を定める同法一八条の二を地方公務員に適用しないこととされた。

地方独立行政法人法の施行に伴う関係法律の整備等に関する法律（平一五・七・一六　法律第一一九号）

（省　略）

特定地方独立行政法人の職員を地方公務員として扱うこととされたことに伴い、地方公務員法の目的として第一条に「特定地方独立行政法人の事務及び事業の確実な実施」を追加し、同法第三条以下における地方公務員という用語が「地方公共団体及び特定地方独立行政法人（地方独立行政法人法（平成一五年法律第一一八号）第二条第二項に規定する特定地方独立行政法人をいう。以下同じ。）のすべての公務員」を意味するものとされ、特定地方独立行政法人の役員の職が特別職の職とされ、人事委員会または公平委員会が人事行政に関する協定を結ぶ相手方に特定地方独立行政法人が加えられ、懲戒処分の特例の対象となる特別職地方公務員等に特定地方独立行政法人の職員が含まれるものとされ、政治的目的をもってする特定地方独立行政法人の事務所や施設等への文書または図画の掲示その他特定地方独立行政法人の事務所、施設、資材または資金の利用が禁止され、政治的行為の制限が特定地方独立行政法人の業務の公正な運営を確保するためであることが明らかにされたほか、地方公営企業法の名称が地方公営企業等の労働関係に関する法律と改められたことに伴う引用法律名の改正その他字句の整理がなされた。

破産法の施行に伴う関係法律の整備等に関する法律（平一六・六・二　法律第七六号）

（省　略）

破産法の改正により破産開始の決定の手続きが明定されたことを受けて民法七七条の一部が改正され、その準用の際の読替を定める本法五四条後段が改正された。

行政事件訴訟法の一部を改正する法律（平一六・六・九　法律第八四号）

（省　略）

行政事件訴訟法の改正によって、処分の取消の訴えおよび裁決の取消の訴えが当該処分または裁決をした行政庁の所属する国または公共団体を被告として提起されるべきものとされたことに伴い、第八条の二が挿入され、人事委員会または公平委員会の処分または裁決に係る地方公共団体を被告とする訴訟について、人事委員会または公平委員会が当該地方公共団体を代表することとされた。

地方公務員法及び地方公共団体の一般職の任期付職員の採用に関する法律の一部を改正する法律（平一六・六・九　法律第八五号）

附　則

（施行期日）

第一条　この法律は、公布の日から起算して三月を超えない範囲内において政令で定める日〔平成一六・八・一〕から施行する。ただし、次の各号に掲げる規定は、当該各号に定める日から施行する。

一　第一条中地方公務員法第九条の改正規定（「職」の下に「（執行機関の附属機関の委員その他の構成員の職を除く。）」を加え、同条第十三項を削る部分に限る。）、同法第十一条の改正規定及び同法第十二条の改正規定（同法第九項を削る部分にかぎる。）　公布の日

二　第一条中地方公務員法第八条の改正規定、同法第十四条に一項を加える改正規定、同法第三十九条の改正規定、同法第五十八条の次に一条を加える改正規定及び同法第六十一条の改正規定並びに附則第三条中地方公営企業法（昭和二十七年法律第二百九十二号）第三十九条第一項の改正規定（「第二十六条」を「第二十六条の三」に改める部分を除く。）並びに附則第八条中地方独立行政法人法（平成十五年法律第百十八号）第五十三条第一項の改正規定（「第二十六条」を「第二十六条の三」に改める部分を除く。）及び同条第三項の改正規定

平成十七年四月一日

第二条から第六条　（省略）

（地方公共団体の一般職の任期付研究員の採用等に関する法律の一部改正）

第七条　地方公共団体の一般職の任期付研究員の採用等に関する法律（平成十二年法律第五十一号）の一部を次のように改正する。

第三条第二項中「人事委員会」を「人事委員会（地方公務員法第九条第一項の規定により同項に規定する事務を行うこととされた公平委員会を含む。以下同じ。）」に改める。

（地方独立行政法人法の一部改正）

第八条　（省略）

一　地方分権の進展等に対応して地方公共団体の公務の能率的かつ適正な運営を推進するため、任期付採用の拡大等の任用および勤務形態の多様化、計画的な人材の育成、人事行政運営における公正性および透明性の確保、人事委員会および公平委員会の機能の充実等を図るための措置を講ずる必要から所用の改正がなされた。その要点は次の通りである。

㈠　人事委員会および公平委員会の機能の充実

(1)　人事委員会および公平委員会の事務として、職員の苦情の処理を追加すること（法八1⑪2③）

(2)　給与勤務時間その他の勤務条件に関し講ずべき措置について、人事委員会による議会および長に対する勧告を明記するなど、人事委員会および公平委員会の事務に関する所用の規定の整備を行うこと（法八）

(3)　公平委員会を置く地方公共団体は、条例で定めるところにより、公平委員会が職員の競争試験および選考並びにこれらに関する事務を行うこととすることができるものとすること（法九）

(4)　人事委員会または公平委員会は、当該地方公共団体の執行機関の附属機関の委員その他の構成員の職を兼ねることができるものとすること（法九の二9）

(5)　人事委員会または公平委員会は、会議を開かなければ公務の運営または職員の福祉若しくは利益の保護に著しい支障が生ずると認められる十分な理由があるときは、二人の委員が出席すれば会議を開くことができるものとすること（法一一2）

(6)　競争試験等を行うこととされた公平委員会を置く地方公共団体は、当該公平委員会に事務局を置き、事務局に事務

局長その他の事務職員を置くことができるものとすること（法一二⑹）

㈡　修学部分休業および高齢者部分休業

⑴　任命権者は、職員（臨時的に任用される職員その他の法律により任期を定めて任用される職員および非常勤職員を除く。⑶において同じ。）が申請した場合において、公務の運営に支障がなく、かつ、当該職員の公務に関する能力の向上に資すると認めるときは、条例で定めるところにより、当該職員が、大学その他の条例で定める教育施設における修学のため、二年を超えない範囲内において条例で定める期間中、一週間の勤務時間の一部について勤務しないこと（以下「修学部分休業」という。）を承認することができるものとすること（法二六の二1）

⑵　⑴による承認の失効について規定するほか、勤務しない場合の給与の減額その他の修学部分休業に関し必要な事項は条例で定めるものとすること（法二六の二2～4）

⑶　任命権者は、職員が申請した場合において、公務の運営に支障がないと認められるときは、条例で定めるところにより、当該職員が、当該職員に係る定年退職日から最長五年を超えない範囲において条例で定める期間さかのぼった日からその定年退職日までの期間中、一週間の勤務時間の一部について勤務しないこと（以下「高齢者部分休業」という。）を承認することができるものとすること（法二六の三1）

⑷　⑶による承認の失効について規定するほか、勤務しない場合の給与の減額その他の高齢者部分休業に関して必要な事項は条例で定めるものとすること（法二六の三2）

㈢　研修に関する基本的な方針の策定

地方公共団体は、研修の目標、研修に関する計画の指針となるべき事項その他研修に関する基本的な方針を定めるものとすること（法三九3）

㈣　人事行政の運営等の状況の公表

⑴　任命権者は、条例で定めるところにより、毎年、地方公共団体の長に対し、職員（臨時的に任用された職員および非常勤

職員（本法第二八条の五第一項に規定する短時間勤務の職を占める職員を除く。）を除く。）の任用、給与、勤務時間その他の勤務条件、分限および懲戒、服務、研修および勤務成績の評定ならびに福祉および利益の保護など人事行政の運営の状況を報告しなければならないものとすること（法五八の二1）

(2)　人事委員会または公平委員会は、条例で定めるところにより、毎年、地方公共団体の長に対し、業務の状況を報告しなければならないものとすること（法五八の二2）

(3)　地方公共団体の長は、条例で定めるところにより、毎年、(1)による報告を取りまとめ、その概要および(2)による報告を公表しなければならないものとすること（法五八の二3）

二　なお、この地方公務員法の改正に合わせて、地方公共団体の一般職の任期付職員の採用に関する法律の一部改正も行われているが、その要点は次の通りである。

(一)　趣　旨

新たな任期付採用および任期付短時間勤務職員制度を導入することに伴い、専門的な知識経験または優れた見識を有すること以外の要件によっても、一般職の職員の任期を定めた採用を行うことができることを示すこと（任期付職員採用法二）。但し、公務の中立性の確保や職員の長期育成を基礎とする公務の能率性の追求などの観点から、任期の定めのない常勤職員を中心として公務の運営を行うという基本的考え方に変更はないものであること。

(二)　定　義

「短時間勤務職員」とは、地方公務員法第二八条の五第一項に規定する短時間勤務の職、すなわち、「当該職を占める職員の一週間当たりの通常の勤務時間が、常時勤務を要する職でその職務が当該短時間勤務の職と同種のものを占める職員の一週間当たりの通常の勤務時間に比し短い時間であるもの」を占める職員をいうものとすること（任期付職員採用法二2）

㈢　職員の任期を定めた採用

(1)　任命権者は、職員を一定の期間内に終了することが見込まれる業務または一定の期間内に限り業務量の増加が見込まれる業務に期間を限って従事させることが公務の能率的運営を確保するために必要である場合には、条例で定めるところにより、職員を任期を定めて採用することができるものとすること（任期付職員採用法四1）

(2)　任命権者は、法律により任期を定めて任用される職員以外の職員を(1)の業務に係る職に任用する場合において、職員を当該業務以外の業務に期間を限って従事させることが公務の能率的運営を確保するために必要であるときは、条例で定めるところにより、職員を任期を定めて採用することができるものとすること（任期付職員採用法四2）

㈣　短時間勤務職員の任期を定めた採用

(1)　任命権者は、短時間勤務職員を㈢の(1)の業務に従事させることが公務の能率的運営を確保するために必要である場合には、条例で定めるところにより、短時間勤務職員を任期を定めて採用することができるものとすること（任期付職員採用法五1）

(2)　任命権者は、住民に対して職員により直接提供されるサービスについて、その提供時間を延長し、若しくは繁忙時における提供体制を充実し、またはその延長した提供時間若しくは充実した提供体制を維持する必要がある場合において、短時間勤務職員を当該サービスに係る業務に従事させることが公務の能率的運営を確保するために必要であるときは、条例で定めるところにより、短時間勤務職員を任期を定めて採用することができるものとすること（任期付職員採用法五2）

(3)　任命権者は、職員が修学部分休業、高齢者部分休業、介護休暇または育児のための部分休業の承認などを受けて勤務しない時間について短時間勤務職員を当該職員（修学部分休業等の承認等を受けた職員を指す。）の業務に従事させることが当該業務を処理するため適当であると認める場合には、条例で定めるところにより、短時間勤務職員を任期を定めて採用することができるものとすること（任期付職員採用法五3）

㈤　任　期

⑴　㈢若しくは㈣により採用される職員または短時間勤務職員の任期は、三年を超えない範囲内で任命権者が定めるものとするものであること（任期付職員採用法六２）

⑵　任命権者は、㈢若しくは㈣により任期を定めて採用された職員または短時間勤務職員の任期が三年に満たない場合にあっては、採用した日から三年を超えない範囲内において、その任期を更新することができるものとすること（任期付職員採用法七２）

⑶　任期は三年が原則であるが、特に三年を超える任期を定める必要がある場合として条例で定める場合にあっては、五年とすることができること。なお、その場合、任命権者は、㈢若しくは㈣により任期を定めて採用された職員または短時間勤務職員の任期が五年に満たないときは、採用した日から五年を超えない範囲内においてその任期を更新することができるものであること（任期付職員採用法六２、七２）

㈥　任用の制限

任命権者は、㈢の⑴により任期を定めて採用された職員を一定の期間内に終了することが見込まれる他の業務に係る職に任命する場合その他㈢若しくは㈣により任期を定めて採用された職員または短時間勤務職員を任期を定めて採用した趣旨に反しない場合に限り、それらの職員を、その任期中、他の職に任用することができるものとすること（任期付職員採用法八２）

㈦　その他

短時間勤務職員の採用について地方公務員法第二二条第一項の規定による条件附採用の適用があるものとすることその他の所要の規定の整備を行うこと（任期付職員採用法九１など）

労働組合法の一部を改正する法律（平一六・一一・一七　法律第一四〇号）

（省　略）

地方労働委員会が都道府県労働委員会と改められ、公益委員のうち二人以内を常勤とすることができるとされたことに伴い、字句の整理がなされるとともに、常勤の委員の職を特別職とする改正がなされた（法三3）。

民法の一部を改正する法律（平一六・一二・一　法律第一四七号）

（省　略）

民法の法人に関する規定の改正に伴い、職員団体の法人化に関する規定（法五四）の整備がなされた。

一般社団法人及び一般財団法人に関する法律及び公益社団法人及び公益財団法人の認定等に関する法律の施行に伴う関係法律の整備等に関する法律（平一八・六・二　法律第五〇号）

（省　略）

法人制度の抜本的な改正を内容とする一般社団法人及び一般財団法人に関する法律（平成一八年六月二日法律第四八号）及び公益社団法人及び公益財団法人の認定等に関する法律（平成一八年六月二日法律第四九号）の制定に伴い、職員団体の法人格の取得が職員団体等に対する法人格の付与に関する法律の定めるところに一本化され、登録職員団体の法人格取得について定めた地方公務員法第五四条が削除された。

附　則（平一九・五・一六　法律第四六号）

（施行期日）

第一条　この法律は、公布の日から起算して三月を超えない範囲内において政令で定める日（平一九・八・一）から施行する。

職員の休業の種類が自己啓発等休業、育児休業および大学院就学休業であること並びに育児休業および大学院就学休業については地方公務員法とは別の法律で定めることを明らかにするとともに（法二六条の四）、自己啓発等休業についての規定を新設した（法二六条の五）。

労働契約法（平一九・一二・五　法律第一二八号）

（省　略）

労働契約法の制定に伴い、解雇権の濫用による解雇を無効とする労働基準法第一八条の二の規定が削除されたので、職員に対する当該規定の適用除外を定めていた地方公務員法第五八条第二項から当該規定が削除された。なお、当該規定と同旨の規定が労働契約法にあるが、同法は地方公務員に適用されないこととなっている（現行労働契約法二二1）。

労働基準法の一部を改正する法律（平二〇・一二・一二　法律第八九号）

（省　略）

労働基準法の改正により、第三七条第一項ただし書において一ケ月について六〇時間を超えた時間外労働について、通常の労働時間の賃金の五割以上の率で計算した割増賃金を支払わなければならないとされる一方、同条第三項において労働組合等との協定によって定めた代替休暇を取得したときはその支払を要しないとされたこと、第三九条に第四項として、労働組合等との協定による時間を単位とする有給休暇についての定めが追加されたことを受けて、本法第五八条第三項において、職員には労働基準法第三七条第三項を適用しないこととし、本法第五八条第四項において、労働基準法第三九条第四項を読み替えて、使用者の判断で時間休を与えることができることとし、同項の追加により従前の同条第五項が第六項となったことに伴う本法第五八条第三項の改正を行うとともに、同条の見出しを「他の法律の適用除外」から「他の法律の適用除外等」に改めた（法五八4 5）。

一般職の職員の給与に関する法律等の一部を改正する法律（平二一・一一・三〇　法律第八六号）

（省　略）

前年の労働基準法の改正の際には、改正後の同法第三七条第三項は職員に適用しないこととされていたが、それを職員にも適用することとしたうえで、使用者が代替休暇を定めるものとする同項の読み替えが定められた（法五八4）。

地方自治法の一部を改正する法律（平二三・五・二　法律第三五号）

（省　略）

地方開発事業団の制度が廃止されたことに伴い、地方開発事業団の理事長、理事及び監事の職を特別職とする本法第三条第三項第一号の二が削られ、第一号の三が第一号の二とされた（法三3）。

地域の自主性及び自立性を高めるための改革の推進を図るための関係法律の整備に関する法律（平二三・五・二　法律第三七号）

（省　略）

職階制についての人事委員会の調査研究・計画の立案、議会及び長への提出について定めた本法第二五条第四項を削ったほか、同条中の語句の整理を行った（法二五）。

子ども・子育て支援法及び就学前の子どもに関する教育、保育等の総合的な提供の推進に関する法律の一部を改正する法律の施行に伴う関係法律の整備等に関する法律（平二四・八・二二　法律第六七号）

（省　略）

公立の幼保連携型認定こども園の教職員について本法の特例を定めることとしたほか、教育公務員特例法と本法第五七条との整合を図るための字句の整理を行った（法五七）。

地域の自主性及び自立性を高めるための改革の推進を図るための関係法律の整備に関する法律（平二五・六・一四　法律第四四号）

（省　略）

地域の自主性及び自立性を高めるという趣旨から、本法第二六条の三第一項中の高齢者部分休業を申請することができる年齢の下限に係る部分および本法第二六条の五第一項中の自己啓発休業の最長期間に係る部分が改正され、それぞれについて条例で定めることとされた。

地方公務員法の一部を改正する法律（平二五・一一・二二　法律第七九号）

附　則

（施行期日）

第一条　この法律は、公布の日から起算して三月を超えない範囲内において政令で定める日（平成二六年二月二一日）から施行する。

第二条から第五条　（省略）

配偶者同行休業の制度を設けるものであり、配偶者同行休業の承認、期間の延長、承認の失効・取り消し、配偶者同行休業に伴う任期付採用および臨時的任用について定めた。

地方公務員法及び地方独立行政法人法の一部を改正する法律（平二六・五・一四　法律第三四号）

附　則

（施行期日）

第一条　この法律は、公布の日から起算して二年を超えない範囲内において政令で定める日（平成二八年四月一日）から施行する。ただし、第二条中地方独立行政法人法第五十四条及び第百三十条第二号の改正規定並びに次条及び附則第六条の規定は、公布の日から施行する。

（準備行為）

第二条　第一条の規定による改正後の地方公務員法（以下「新法」という。）第十五条の二第一項第五号に規定する標準職務遂行能力及び同号の標準的な職並びに新法第二十三条の二第二項に規定する人事評価の基準及び方法に関する事項その他人事評価に関し必要な事項を定めるに当たって必要な手続その他の行為は、この法律の施行の日（以下「施行日」という。）前においても、新法第十五条の二並びに第二十三条の二第二項及び第三項の規定の例により行うことができる。

2　この法律の公布の日から施行日の前日までの間においては、第二条の規定による改正後の地方独立行政法人法第五十四条第三項中「地方公務員法第三章第六節の二及び第五章（第五十条の二）」とあるのは、「地方公務員法及び地方独立行政法人法の一部を改正する法律（平成二十六年法律第三十四号）第一条の規定による改正後の地方公務員法第三章第六節の二及び第五章（地方公務員法及び地方独立行政法人法の一部を改正する法律第二条の規定による改正後の第五十条の二」とする。

（地方公務員法の一部改正に伴う経過措置）

第三条　第一条の規定による改正前の地方公務員法（以下この条において「旧法」という。）第四十条第一項の規定により施行日前の直近の勤務成績の評定が行われた日から起算して一年を経過する日までの間は、新法第三章第三節の規定にかかわらず、任命権者は、なお従前の例により、勤務成績の評定を行うことができる。

2　任命権者が、職員をその職員が現に任命されている職の置かれる機関（地方自治法（昭和二十二年法律第六十七号）第百五十五条第一項に規定する支庁、地方事務所、支所及び出張所、同法第百五十六条第一項に規定する行政機関、同法第二百二条の四第三項に規定する地域自治区の事務所、同法第二百四十四条第一項に規定する公の施設並びに同法第二百五十二条の二十第一項に規定する区の事務所及びその出張所をいう。以下この項において同じ。）と規模の異なる他の機関であって所管区域の単位及び種類を同じくするものに置かれる職であって当該任命されている職より一段階上位又は一段階下位の職制上の段階に属するものに任命する場合において、当該任命が従前の例によれば昇任又は降任に該当しないときは、当分の間、新法第十五条の二第一項の規定にかかわらず、これを同項第四号に規定する転任とみなす。

3　施行日前に旧法第二十一条第一項の規定により作成された採用候補者名簿であってこの法律の施行の際現に効力を有するものについては、新法第二十一条第一項の規定により作成された採用候補者名簿とみなす。

4　施行日前に旧法第二十一条第一項の規定により作成された昇任候補者名簿であってこの法律の施行の際現に効力を有するものについては、新法第二十一条の四第四項において読み替えて準用する新法第二十一条第一項の規定により作成された昇任候補者名簿とみなす。

5　施行日前に旧法によって行われた不利益処分に関する説明書の交付、不服申立て及び審査については、なお従前の例による。

（処分等の効力）

第四条　この法律の施行前にこの法律による改正前のそれぞれの法律（これに基づく命令を含む。）の規定によってした又はすべき処分、手続、通知その他の行為であって、この法律による改正後のそれぞれの法律（これに基づく命令を含む。以下この条において「新法令」という。）の規定に相当の規定があるものは、法令に別段の定めのあるものを除き、新法令の相当の規定によってした又はすべき処分、手続、通知その他の行為とみなす。

（罰則に関する経過措置）

第五条　この法律の施行前にした行為に対する罰則の適用については、なお従前の例による。

（その他の経過措置）

第六条　この附則に規定するもののほか、この法律の施行に関し必要な経過措置（罰則に関する経過措置を含む。）は、政令で定める。

任用の根本基準として、職員の任用は、地方公務員法の定めるところにより、受験成績、人事評価その他の能力の実証に基づいて行わなければならないことを定めたうえで、次の事項などについての規定を整備するとともに、職階制についての規定を廃止した。

1　採用、昇任、降任、転任および標準職務遂行能力の定義
2　採用の方法、採用試験の目的および方法、採用候補者名簿の作成並びに選考による採用など
3　昇任の方法、昇任試験または選考の実施並びに降任及び転任の方法など
4　人事評価
①　職員の人事評価は、公正に行われなければならず、任命権者は、人事評価を任用、給与、分限その他の人事管理の基礎として活用すること
②　職員の執務については、その任命権者は、定期的に人事評価を行わなければならないこと。
③　任命権者は、人事評価の結果に応じた措置を講じなければならないこと
④　人事委員会は、人事評価の実施に関し、任命権者に勧告することができること
5　地方公共団体の職員の給与に関する条例には、給料表などのほか、等級別基準職務表を規定すること
6　職員が、人事評価又は勤務の状況を示す事実に照らして、勤務実績がよくない場合は、その意に反して、降任し、又は免職することができること
7　再就職者による職務上の行為の依頼などの規制、規制違反行為の疑いに係る任命権者の報告および調査など、規制違反行為の疑いに係る任命権者の報告及び任命権者による調査など、地方公共団体は退職管理の適正を確保するために必要と認められる措置を講ずること
8　等級および職員の職の属する職制上の段階ごとの職員の数の公表など
9　再就職規制に違反した者に対する罰則

10　特定地方独立行政法人の役員に対する地方公務員法の退職管理に関する規定の準用および職員に対する同法の任用、人事評価及び退職管理などに関する規定の適用

地方自治法の一部を改正する法律（平二六・五・三〇　法律第四二号）

（省　略）

政令指定都市に総合区を設置することができるとされたことに伴い、地方公務員法及び地方独立行政法人法の一部を改正する法律（平成二六年法律第三四号）の附則第三条第二項中「公の施設並びに」を「公の施設、」に改め、「その出張所」の下に「並びに同法第二百五十二条の二十の二第一項に規定する総合区の事務所及びその出張所」が加えられた。

行政不服審査法の施行に伴う関係法律の整備等に関する法律（平二六・六・一三　法律第六九号）

（省　略）

行政不服審査法の全面改正に合わせて、不利益処分に対する異議申立と審査請求の区分を廃し、すべての不服申立てを審査請求に統一した。

地方公務員法及び地方自治法の一部を改正する法律（平二九・五・一七　法律第二九号）

附　則

（施行期日）

第一条　この法律は、平成三十二年四月一日から施行する。ただし、次条及び附則第四条の規定は、公布の日から施行す

る。

（施行のために必要な準備等）

第二条　第一条の規定による改正後の地方公務員法（次項及び附則第十七条において「新地方公務員法」という。）の規定による地方公務員（地方公務員法第二条に規定する地方公務員をいう。同項において同じ。）の任用、服務その他の人事行政に関する制度及び第二条の規定による改正後の地方自治法（同項において「新地方自治法」という。）の規定による給与に関する制度の適正かつ円滑な実施を確保するため、任命権者（地方公務員法第六条第一項に規定する任命権者をいう。以下この項において同じ。）は、人事管理の計画的推進その他の必要な準備を行うものとし、地方公共団体の長は、任命権者の行う準備に関し必要な連絡、調整その他の措置を講ずるものとする。

2　総務大臣は、新地方公務員法の規定による地方公務員の任用、服務その他の人事行政に関する制度及び新地方自治法の規定による給与に関する制度の適正かつ円滑な実施を確保するため、地方公共団体に対して必要な資料の提出を求めることその他の方法により前項の準備及び措置の実施状況を把握した上で、必要があると認めるときは、当該準備及び措置について技術的な助言又は勧告をするものとする。

（臨時的任用に関する経過措置）

第三条　この法律の施行の日前に第一条の規定による改正前の地方公務員法（附則第十七条において「旧地方公務員法」という。）第二十二条第二項若しくは第五項の規定により行われた臨時的任用の期間又は同条第二項若しくは第五項の規定により更新された臨時的任用の期間の末日がこの法律の施行の日以後である職員（地方公務員法第四条第一項に規定する職員をいう。附則第十七条において同じ。）に係る当該臨時的任用（常時勤務を要する職に欠員を生じた場合に行われたものに限る。）については、なお従前の例による。

（政令への委任）

第四条　前二条及び附則第十七条に定めるもののほか、この法律の施行に関し必要な経過措置は、政令で定める。

第五条から第十六条　（省略）

（構造改革特別区域法の一部改正に伴う経過措置）

第十七条　旧地方公務員法第二十二条第二項又は第五項の規定に基づき臨時的任用をされ、かつ、この法律の施行の際現に前条の規定による改正前の構造改革特別区域法第二十四条第二項又は第五項の規定に基づき引き続き任用されている職員については、旧地方公務員法第二十二条第二項又は第五項の規定に基づき採用された日に新地方公務員法第二十二条の三第一項又は第四項の規定に基づき採用され、かつ、前条の規定による改正後の構造改革特別区域法（次項において「新構造改革特別区域法」という。）第二十四条第二項又は第五項の規定に基づき引き続き任用されている職員とみなして、同条の規定を適用する。

2　この法律の施行の際現に旧地方公務員法第二十二条第二項又は第五項の規定に基づき常時勤務を要する職に臨時的任用をされている職員については、同条第二項又は第五項の規定に基づき採用された日に新地方公務員法第二十二条の三第一項又は第四項の規定に基づき採用された職員とみなして、新構造改革特別区域法第二十四条の規定を適用する。

第十八条から第二十二条　（省略）

地方公共団体における行政需要の多様化等に対応し、公務の能率的かつ適正な運営を推進するため、地方公務員の臨時・非常勤職員（一般職・特別職・臨時的任用の3類型）について、特別職の任用及び臨時的任用の適正を確保し、並びに一般職の会計年度任用職員の任用等に関する制度の明確化を図るとともに、会計年度任用職員に対する給付について規定を整備するものであり、その要点は次のとおりである。

1　特別職の任用及び臨時的任用の厳格化

①　特別職の範囲が「専門的な知識経験等に基づき、助言、調査等を行う者」に限定されることを明文化する。

②　「臨時的任用」を行うことができる場合が「常勤職員に欠員を生じた場合」に限られることを明文化する。

２　一般職の非常勤職員の任用等に関する制度の明確化
　一般職の非常勤職員である「会計年度任用職員」に関する規定を設け、その採用方法や任期等を明確化する。
３　会計年度任用職員に対する期末手当の支給
　会計年度任用職員について、期末手当の支給が可能となるよう、職員に対する給付に関する地方自治法その他関係法律の規定を整備する。

働き方改革を推進するための関係法律の整備に関する法律（平三〇・七・六　法律第七一号）

（省　略）

労働基準法の改正により「使用者による年次有給休暇の時季指定」（同法第三九条第七項、第八項参照）及び「高度プロフェッショナル制度」（同法第四一条の二参照）が導入されたことに伴い、本法第五八条第三項において、これらの規定及び高度プロフェッショナル制度に関連する労働安全衛生法六六条の八の四は職員に関して適用しないこととされた。

成年被後見人等の権利の制限に係る措置の適正化等を図るための関係法律の整備に関する法律（令元・六・一四　法律第三七号）

（省　略）

成年被後見人又は被保佐人に該当することを欠格事由とする本法第一六条第一号を削り、第二号を第一号とし、第三号を第二号とし、同条第四号中「犯し」を「犯し、」に改め、同号を同条第三号とし、同条第五号を同条第四号としたうえで、第一六条第一号を引用する第九条の二第三項、同条第八項、第一三条、第二八条第四項から同号を削るための所用の改正をしたほか、第九条の二第二項、同条第三項、同条第五項、同条第七項、同条第十項、同条第十二項、第十三条及び第二十八条第二項から第四項について字句の整理をした。

地方公務員法の一部を改正する法律（令三・六・一一　法律第六三号）

附　則

（施行期日）

第一条　この法律は、令和五年四月一日から施行する。ただし、次条の規定は、公布の日から施行する。

（実施のための準備等）

第二条　この法律による改正後の地方公務員法（以下「新地方公務員法」という。）の規定による職員（地方公務員法第三条に規定する一般職に属する職員をいう。以下同じ。）の任用、分限その他の人事行政に関する制度の適正かつ円滑な実施を確保するため、任命権者（同法第六条第一項に規定する任命権者及びその委任を受けた者をいう。以下この項及び第三項並びに次条から附則第八条までにおいて同じ。）は、長期的な人事管理の計画的推進その他必要な準備を行うものとし、地方公共団体の長は、任命権者の行う準備に関し必要な連絡、調整その他の措置を講ずるものとする。

2　総務大臣は、新地方公務員法の規定による職員の任用、分限その他の人事行政に関する制度の適正かつ円滑な実施を確保するため、地方公共団体に対して必要な資料の提出を求めることその他の方法により前項の準備及び措置の実施状況を把握した上で、必要があると認めるときは、当該準備及び措置について技術的な助言又は勧告をするものとする。

3　任命権者は、この法律の施行の日（以下「施行日」という。）の前日までの間に、施行日から令和六年三月三十一日までの間に条例で定める年齢に達する職員（当該職員が占める職に係るこの法律による改正前の地方公務員法（以下「旧地方公務員法」という。）第二十八条の二第二項の規定に基づく定年が当該条例で定める年齢である職員に限る。）に対し、新地方公務員法附則第二十三項の規定の例により、当該職員が当該条例で定める年齢に達する日以後に適用される任用及び給与に関する措置の内容その他の必要な情報を提供するものとするとともに、同日の翌日以後における勤務の意思を確認するよう努めるものとする。

4　前項の条例で定める年齢は、国の職員につき定められている国家公務員法等の一部を改正する法律（令和三年法律第六十一号。次条及び附則第四条第四項において「令和三年国家公務員法等改正法」という。）附則第三条第三項に規定する年齢を基準として定めるものとする。

（定年前再任用短時間勤務職員等に関する経過措置）

第三条　新地方公務員法第二十二条の四及び第二十二条の五の規定は、施行日以後に退職した新地方公務員法第二十二条の四第一項に規定する条例年齢以上退職者について適用する。

2　前項に定めるもののほか、施行日から令和十四年三月三十一日までの間における新地方公務員法第二十二条の四及び第二十二条の五の規定の適用に関し必要な経過措置は、令和三年国家公務員法等改正法附則第三条第三項の規定を基準として、条例で定めるものとする。

3　平成十一年十月一日前に新地方公務員法第二十九条第三項に規定する退職又は先の退職がある新地方公務員法第二十二条の四第三項に規定する定年前再任用短時間勤務職員（以下「定年前再任用短時間勤務職員」という。）について、新地方公務員法第二十九条第三項の規定を適用する場合には、同項に規定する引き続く職員としての在職期間には、同日前の当該退職又は先の退職の前の職員としての在職期間を含まないものとする。

4　次条第一項若しくは第三項又は附則第六条第一項若しくは第三項の規定により採用された職員（次条第三項第四号に掲げる者に該当して採用された職員を除く。）として在職していた期間がある定年前再任用短時間勤務職員に対する新地方公務員法第二十九条第三項の規定の適用については、同項中「又は」とあるのは、「又は地方公務員法の一部を改正する法律（令和三年法律第六十三号）附則第四条第一項若しくは第三項若しくは附則第六条第一項若しくは第三項の規定によりかつて採用されて職員として在職していた期間若しくは」とする。

5　施行日前に旧地方公務員法第二十八条の三第一項又は第二項の規定により勤務することとされ、かつ、旧地方公務員法勤務延長期限（同条第一項の期限又は同条第二項の規定により延長された期限をいう。以下この項及び次項において同じ。）が施行日以後に到来する職員（次項において「旧地方公務員法勤務延長職員」という。）に係る当該旧地方公務員法勤務延長期限までの間における同条第一項又は第二項の規定による勤務については、新地方公務員法第二十八条の七の規定にかかわらず、なお従前の例による。

6　任命権者は、旧地方公務員法勤務延長職員について、旧地方公務員法勤務延長期限又はこの項の規定により延長された期限が到来する場合において、新地方公務員法第二十八条の七第一項各号に掲げる事由があると認めるときは、条例で定めるところにより、これらの期限の翌日から起算して一年を超えない範囲内で期限を延長することができる。ただし、当該期限は、当該旧地方公務員法勤務延長職員に係る旧地方公務員法第二十八条の二第一項に規定する定年退職日の翌日から起算して三年を超えることができない。

7　新地方公務員法第二十八条の二第一項の規定は、施行日において第五項の規定により同条第一項に規定する管理監督職を占めたまま引き続き勤務している職員には適用しない。

8　前三項に定めるもののほか、施行日から令和十四年三月三十一日までの間における新地方公務員法第二十八条の七第一項若しくは第二項の規定又は第五項若しくは第六項の規定による勤務に関し必要な経過措置は、令和二年国家公務員法等改正法附則第三条第九項の規定を基準として、条例で定めるものとする。

9　第五項から前項までに定めるもののほか、第五項又は第六項の規定による勤務に関し必要な事項は、条例で定める。

（定年退職者等の再任用に関する経過措置）

第四条　任命権者は、当該任命権者の属する地方公共団体における次に掲げる者のうち、条例で定める年齢（第四項において「特定年齢」という。）に達する日以後における最初の三月三十一日（以下「特定年齢到達年度の末日」という。）までの間にある者であって、当該者を採用しようとする常時勤務を要する職に係る旧地方公務員法第二十八条の二第二項及び第三項の規定に基づく定年（施行日以後に設置された職その他の条例で定める職にあっては、条例で定める年齢）に達している者を、条例で定めるところにより、従前の勤務実績その他の人事委員会規則（地方公務員法第九条第二項に規定する競争試験等を行う公平委員会（以下この項及び次条第二項において「競争試験等を行う公平委員会」という。）を置く地方公共団体においては公平委員会規則、人事委員会及び競争試験等を行う公平委員会を置かない地方公共団体においては地方公共団体の規則。以下同じ。）で定める情報に基づく選考により、一年を超えない範囲内で任期を定め、当該常時勤務を要する職に採用することができる。

一　施行日前に旧地方公務員法第二十八条の二第一項の規定により退職した者

二　旧地方公務員法第二十八条の三第一項若しくは第二項又は前条第五項若しくは第六項の規定により勤務した後退職した者

三　施行日前に退職した者（前二号に掲げる者を除く。）のうち、勤続期間その他の事情を考慮して前二号に掲げる者に準ずる者として条例で定める者

2　令和十四年三月三十一日までの間、任命権者は、当該任命権者の属する地方公共団体における次に掲げる者のうち、特定年齢到達年度の末日までの間にある者であって、当該者を採用しようとする常時勤務を要する職に係る新地方公務員法定年（新地方公務員法第二十八条の六第二項及び第三項の規定に基づく定年をいう。次条第三項及び第四項において同じ。）に達している者を、条例で定めるところにより、従前の勤務実績その他の人事委員会規則で定める情報に基づく選考により、一年を超えない範囲内で任期を定め、当該常時勤務を要する職に採用することができる。

一　施行日以後に新地方公務員法第二十八条の六第一項の規定により退職した者

二　施行日以後に新地方公務員法第二十八条の七第一項又は第二項の規定により勤務した後退職した者

三　施行日以後に新地方公務員法第二十二条の四第一項の規定により採用された者のうち、同条第三項に規定する任期が満了したことにより退職した者

四　施行日以後に新地方公務員法第二十二条の五第一項又は第二項の規定により採用された者のうち、同条第三項において準用する新地方公務員法第二十二条の四第三項に規定する任期が満了したことにより退職した者

五　施行日以後に退職した者（前各号に掲げる者を除く。）のうち、勤続期間その他の事情を考慮して前各号に掲げる者に準ずる者として条例で定める者

3　前二項の任期又はこの項の規定により更新された任期は、条例で定めるところにより、一年を超えない範囲内で更新することができる。ただし、当該任期の末日は、前二項の規定により採用する者又はこの項の規定により任期を更新する者の特定年齢到達年度の末日以前でなければならない。

4　特定年齢は、国の職員につき定められている令和三年国家公務員法等改正法附則第四条第一項に規定する年齢を基準として定めるものとする。

5　第一項及び第二項の規定による採用については、新地方公務員法第二十二条の規定は、適用しない。

第五条　地方公共団体の組合を組織する地方公共団体の任命権者は、前条第一項の規定によるほか、当該地方公共団体の組合における同項各号に掲げる者のうち、特定年齢到達年度の末日までの間にある者であって、当該者を採用しようとする常時勤務を要する職に係る旧地方公務員法第二十八条の二第二項及び第三項の規定に基づく定年（施行日以後に設置された職その他の条例で定める職にあっては、条例で定める年齢）に達している者を、条例で定めるところにより、従前の勤務実績その他の人事委員会規則で定める情報に基づく選考により、一年を超えない範囲内で任期を定め、当該常時勤務を要する職に採用することができる。

2　地方公共団体の組合の任命権者は、前条第一項の規定によるほか、当該地方公共団体の組合を組織する地方公共団体における同項各号に掲げる者のうち、特定年齢到達年度の末日までの間にある者であって、当該者を採用しようとする常時勤務を要する職に係る旧地方公務員法第二十八条の二第二項及び第三項の規定に基づく定年（施行日以後に設置された職その他の条例で定める職にあっては、条例で定める年齢）に達している者を、条例で定めるところにより、従前の勤務実

績その他の地方公共団体の組合の規則（競争試験等を行う公平委員会を置く地方公共団体の組合においては、公平委員会規則。第四項及び附則第七条において同じ。）で定める情報に基づく選考により、一年を超えない範囲内で任期を定め、当該常時勤務を要する職に採用することができる。

3　令和十四年三月三十一日までの間、地方公共団体の組合を組織する地方公共団体の組合の任命権者は、前条第二項の規定によるほか、当該地方公共団体の組合における同項各号に掲げる者のうち、特定年齢到達年度の末日までの間にある者であって、当該者を採用しようとする常時勤務を要する職に係る新地方公務員法定年に達している者を、条例で定めるところにより、従前の勤務実績その他の人事委員会規則で定める情報に基づく選考により、一年を超えない範囲内で任期を定め、当該常時勤務を要する職に採用することができる。

4　令和十四年三月三十一日までの間、地方公共団体の組合の任命権者は、前条第二項の規定によるほか、当該地方公共団体の組合を組織する地方公共団体における同項各号に掲げる者のうち、特定年齢到達年度の末日までの間にある者であって、当該者を採用しようとする常時勤務を要する職に係る新地方公務員法定年に達している者を、条例で定めるところにより、従前の勤務実績その他の地方公共団体の組合の規則で定める情報に基づく選考により、一年を超えない範囲内で任期を定め、当該常時勤務を要する職に採用することができる。

5　前各項の場合においては、前条第三項及び第五項の規定を準用する。

第六条　任命権者は、新地方公務員法第二十二条の四第四項の規定にかかわらず、当該任命権者の属する地方公共団体における附則第四条第一項各号に掲げる者のうち、特定年齢到達年度の末日までの間にある者であって、当該者を採用しようとする短時間勤務の職（新地方公務員法第二十二条の四第一項に規定する短時間勤務の職をいう。附則第八条第二項を除き、以下同じ。）に係る旧地方公務員法定年相当年齢（短時間勤務の職を占める職員が、常時勤務を要する職でその職務が当該短時間勤務の職と同種の職を占めているものとした場合における旧地方公務員法第二十八条の二第二項及び第三項の規定に基づく定年（施行日以後に設置された職その他の条例で定める職にあっては、条例で定める年齢）をいう。次条第一項及び第二項において同じ。）に達している者を、条例で定めるところにより、従前の勤務実績その他の人事委員会規則で定める情報に基づく選考により、一年を超えない範囲内で任期を定め、当該短時間勤務の職に採用することができる。

2　令和十四年三月三十一日までの間、任命権者は、新地方公務員法第二十二条の四第四項の規定にかかわらず、当該任命権者の属する地方公共団体における附則第四条第二項各号に掲げる者のうち、特定年齢到達年度の末日までの間にある者であって、当該者を採用しようとする短時間勤務の職に係る新地方公務員法定年相当年齢が当該短時間勤務の職と同種の職を占めている職員が、常時勤務を要する職でその職務が当該短時間勤務の職と同種の職を占めているものとした場合における新地方公務員法第二十八条の六第二項及び第三項の規定に基づく定年をいう。次条第三項及び第四項において同じ。）に達している者（新地方公務員法第二十二条の四第一項の規定により当該短時間勤務の職に採用することができる者を除く。）を、条例で定めるところにより、従前の勤務実績その他の人事委員会規則で定める情報に基づく選考により、一年を超えない範囲内で任期を定め、当該短時間勤務の職に採用することができる。

3　前二項の場合においては、附則第四条第三項及び第五項の規定を準用する。

第七条　地方公共団体の組合を組織する地方公共団体の任命権者は、前条第一項の規定によるほか、新地方公務員法第二十二条の五第三項において準用する新地方公務員法第二十二条の四第四項の規定にかかわらず、当該地方公共団体の組合における附則第四条第一項各号に掲げる者のうち、特定年齢到達年度の末日までの間にある者であって、当該者を採用しようとする短時間勤務の職に係る旧地方公務員法定年相当年齢に達している者を、条例で定めるところにより、従前の勤務実績その他の人事委員会規則で定める情報に基づく選考により、一年を超えない範囲内で任期を定め、当該短時間勤務の職に採用することができる。

2　地方公共団体の組合の任命権者は、前条第一項の規定によるほか、新地方公務員法第二十二条の五第三項において準用する新地方公務員法第二十二条の四第四項の規定にかかわらず、当該地方公共団体の組合を組織する地方公共団体におる附則第四条第一項各号に掲げる者のうち、特定年齢到達年度の末日までの間にある者であって、当該者を採用しようとする短時間勤務の職に係る旧地方公務員法定年相当年齢に達している者を、条例で定めるところにより、従前の勤務実績その他の地方公共団体の組合の規則で定める情報に基づく選考により、一年を超えない範囲内で任期を定め、当該短時間勤務の職に採用することができる。

3　令和十四年三月三十一日までの間、地方公共団体の組合を組織する地方公共団体の任命権者は、前条第二項の規定によるほか、新地方公務員法第二十二条の五第三項において準用する新地方公務員法第二十二条の四第四項の規定にかかわらず、当該地方公共団体の組合における附則第四条第二項各号に掲げる者のうち、特定年齢到達年度の末日までの間にある者であって、当該者を採用しようとする短時間勤務の職に係る新地方公務員法定年相当年齢に達している者（新地方公務員法第二十二条の五第一項の規定により当該短時間勤務の職に採用することができる者を除く。）を、条例で定めるところにより、従前の勤務実績その他の人事委員会規則で定める情報に基づく選考により、一年を超えない範囲内で任期を定め、当該短時間勤務の職に採用することができる。

4　令和十四年三月三十一日までの間、地方公共団体の組合の任命権者は、前条第二項の規定によるほか、新地方公務員法第二十二条の五第三項において準用する新地方公務員法第二十二条の四第四項の規定にかかわらず、当該地方公共団体の組合を組織する地方公共団体における附則第四条第二項各号に掲げる者のうち、特定年齢到達年度の末日までの間にある者であって、当該者を採用しようとする短時間勤務の職に係る新地方公務員法定年相当年齢に達している者（新地方公務員法第二十二条の五第二項の規定により当該短時間勤務の職に採用することができる者を除く。）を、条例で定めるところにより、従前の勤務実績その他の地方公共団体の組合の規則で定める情報に基づく選考により、一年を超えない範囲内で任期を定め、当該短時間勤務の職に採用することができる。

5　前各項の場合においては、附則第四条第三項及び第五項の規定を準用する。

第八条　施行日前に旧地方公務員法第二十八条の四第一項、第二十八条の五第一項又は第二十八条の六第一項若しくは第二項の規定により採用された職員（以下この項及び次項において「旧地方公務員法再任用職員」という。）のうち、この法律の施行の際現に常時勤務を要する職を占める職員は、施行日に、附則第四条第一項の規定（旧地方公務員法第二十八条の六第一項又は第二項の規定により採用された職員のうち地方公共団体の組合を組織する地方公共団体の任命権者により採用された職員にあっては附則第五条第一項の規定、旧地方公務員法第二十八条の六第一項又は第二項の規定により採用された職員のうち地方公共団体の組合の任命権者により採用された職員にあっては附則第五条第二項の規定）により採用されたものとみなす。この場合において、当該採用されたものとみなされる職員の任期は、附則第四条第一項並びに第五条第一項及び第二項の規定にかかわらず、施行日における旧地方公務員法再任用職員としての任期の残任期間と同一の期間とする。

2　旧地方公務員法再任用職員のうち、この法律の施行の際現に旧地方公務員法第二十八条の五第一項に規定する短時間勤務の職を占める職員は、施行日に、附則第六条第一項の規定（旧地方公務員法第二十八条の六第一項又は第二項の規定により採用された職員のうち地方公共団体の組合を組織する地方公共団体の任命権者により採用された職員にあっては前条第一項の規定、旧地方公務員法第二十八条の六第一項又は第二項の規定により採用された職員のうち地方公共団体の組合の任命権者により採用された職員にあっては前条第二項の規定）により採用されたものとみなす。この場合において、当該採用されたものとみなされる職員の任期は、附則第六条第一項並びに前条第一項及び第二項の規定にかかわらず、施行日における旧地方公務員法再任用職員としての任期の残任期間と同一の期間とする。

3　任命権者は、附則第四条第一項、第五条第一項若しくは第二項若しくは第六条第一項又は前条第一項若しくは第二項の規定により採用した職員のうち当該職員を昇任し、降任し、又は転任しようとする常時勤務を要する職に係る旧地方公務員法第二十八条の二第二項及び第三項の規定に基づく定年（施行日以後に設置された職その他の条例で定める職にあっては、条例で定める年齢）に達した職員以外の職員及び附則第四条第二項、第五条第三項若しくは第四項若しくは第六条第二項又は前条第三項若しくは第四項の規定により採用した職員のうち当該職員を昇任し、降任し、又は転任しようとする常時勤務を要する職に係る新地方公務員法第二十八条の六第二項及び第三項の規定に基づく定年に達した職員以外の職員を、当該常時勤務を要する職に昇任し、降任し、又は転任することができない。

4　附則第四条から前条までの規定が適用される場合における新地方公務員法第二十二条の四第四項の規定の適用については、同項中「経過していない定年前再任用短時間勤務職員」とあるのは、「経過していない定年前再任用短時間勤務職員、地方公務員法の一部を改正する法律（令和三年法律第六十三号。以下この項において「令和三年地方公務員法改正法」という。）附則第四条第一項、第五条第一項若しくは第二項、第六条第一項又は第七条第一項若しくは第二項の規定により採用した職員のうち当該職員を昇任し、降任し、又は転任しようとする短時間勤務の職に係る旧地方公務員法定年相当年齢（短時間勤務の職を占める職員が、常時勤務を要する職でその職務が当該短時間勤務の職と同種の職を占めているものとした場合における令和三年地方公務員法改正法による改正前の第二十八条の二第二項及び第三項の規定に基づく定年（令和三年地方公務員法改正法の施行の日以後に設置された職その他の条例で定める職にあつては、条例で定める年齢）をいう。）に達している職員及び令和三年地方公務員法改正法附則第四条第二項、第五条第三項若しくは第四項、第六条第二項又は第七条第三項若しくは第四項の規定により採用した職員のうち当該職員を昇任し、降任し、又は転任しようとする短時間勤務の職に係る新地方公務員法定年相当年齢（短時間勤務の職を占める職員が、常時勤務を要する職でその職務が当該短時間勤務の職と同種の職を占めているものとした場合における第二十八条の六第二項及び第三項の規定に基づく定年をいう。）に達している職員」とする。

5　任命権者は、基準日（附則第四条から前条までの規定が適用される間における各年の四月一日（施行日を除く。）をいう。以下この項において同じ。）から基準日の翌年の三月三十一日までの間、基準日における新地方公務員法定年（新地方公務員法第二十八条の六第二項及び第三項の規定に基づく定年（短時間勤務の職にあっては、当該短時間勤務の職を占める職員が、常時勤務を要する職でその職務が当該短時間勤務の職と同種の職を占めているものとした場合における同条第二項及び第三項の規定に基づく定年）をいう。以下この項において同じ。）が基準日の前日における新地方公務員法定年を超える職及びこれに相当する基準日以後に設置された職その他の条例で定める職（以下この項において「新地方公務員法定年引上げ職」という。）に、附則第四条第二項各号に掲げる者のうち基準日の前日において同日における当該新地方公務員法定年引上げ職に係る新地方公務員法定年に達している者（当該条例で定める職にあっては、条例で定める者）を、同項、附則第五条第三項若しくは第四項若しくは第六条第二項又は前条第三項若しくは第四項の規定により採用しようとする場合には、当該者は当該者を採用しようとする新地方公務員法定年引上げ職に係る新地方公務員法定年に達しているものとみなして、これらの規定を適用し、新地方公務員法定年引上げ職に、附則第四条第二項、第五条第三項若しくは第四項若しくは第六条第二項又は前条第三項若しくは第四項の規定により採用された職員のうち基準日の前日において同日における当該新地方公務員法定年引上げ職に係る新地方公務員法定年に達している職員（当該条例で定める職にあっては、条例で定める職員）を、昇任し、降任し、又は転任しようとする場合には、当該職員は当該職員を昇任し、降任し、又は転任しようとする新地方公務員法定年引上げ職に係る新地方公務員法定年に達しているものとみなして、第三項の規定及び前項の規定により読み替えて適用する新地方公務員法第二十二条の四第四項の規定を適用する。

6　附則第四条第一項若しくは第二項又は第六条第一項若しくは第二項の規定により採用された職員（附則第四条第二項第四号に掲げる者に該当して採用された職員を除く。次項において同じ。）は、定年前再任用短時間勤務職員とみなして、新地方公務員法第二十九条第三項の規定を適用する。この場合において、同項中「(第二十二条の四第一項の規定により採用された職員に限る。以下この項において同じ。）」が、条例年齢以上退職者」とあるのは「が、地方公務員法の一部を改正する法律（令和三年法律第六十三号。以下この項において「令和三年地方公務員法改正法」という。）附則第四条第一項各号若しくは第二項第一号、第二号若しくは第五号に掲げる者となつた日若しくは同項第三号に掲げる者に該当する場合における条例年齢以上退職者」と、「又は」とあるのは「又は令和三年地方公務員法改正法による改正前の第二十八条の四第一項若しくは第二十八条の五第一項の規定によりかつて採用されて職員として在職していた期間、令和三年地方公務員法改正法附則第四条第一項若しくは第二項若しくは第六条第一項若しくは第二項の規定によりかつて採用されて職員として在職していた期間若しくは」とする。

7　平成十一年十月一日前に新地方公務員法第二十九条第二項に規定する退職又は先の退職がある附則第四条第一項若しくは第二項又は第六条第一項若しくは第二項の規定により採用された職員について、前項の規定により定年前再任用短時間勤務職員とみなして新地方公務員法第二十九条第三項の規定を適用する場合には、同項に規定する引き続く職員としての在職期間には、同日前の当該退職又は先の退職の前の職員としての在職期間を含まないものとする。

第九条　大学（教育公務員特例法（昭和二十四年法律第一号）第二条第一項に規定する公立学校であるものに限る。）の同条第二項に規定する教員への採用についての附則第四条から第七条までの規定の適用については、附則第四条第一項及び第二項中「任期を定め」とあるのは「教授会の議に基づき学長が定める任期をもって」と、同条第三項（附則第五条第五項、第六条第三項及び第七条第五項において準用する場合を含む。）中「範囲内で」とあるのは「範囲内で教授会の議に基づき学長が定める期間をもって」と、附則第五条第一項から第四項まで、第六条第一項及び第二項並びに第七条第一項から第四項までの規定中「任期を定め」とあるのは「教授会の議に基づき学長が定める任期をもって」とする。

2　暫定再任用職員（附則第四条第一項若しくは第二項、第五条第一項から第四項まで、第六条第一項若しくは第二項又は第七条第一項から第四項までの規定により採用された職員をいう。第七項において同じ。）に対する附則第十四条の規定による改正後のへき地教育振興法（昭和二十九年法律第百四十三号）第五条の二第一項の規定の適用については、同項中「第二項」とあるのは、「第二項、地方公務員法の一部を改正する法律（令和三年法律第六十三号）附則第四条第一項若しくは第二項、第五条第一項から第四項まで、第六条第一項若しくは第二項若しくは第七条第一項から第四項まで」とする。

3　地方教育行政の組織及び運営に関する法律（昭和三十一年法律第百六十二号）第三十七条第一項に規定する県費負担教職員に対する附則第四条及び第六条の規定の適用については、附則第四条第一項及び第二項並びに第六条第一項及び第二項中「当該任命権者の属する地方公共団体」とあるのは「市町村」と、「採用しようとする」とあるのは「採用しようとする当該市町村を包括する都道府県の区域内の市町村の一とする。

4　附則第四条第一項若しくは第二項又は第六条第一項若しくは第二項の規定により採用された職員に対する附則第十五条の規定による改正後の地方教育行政の組織及び運営に関する法律第四十七条の二第一項の規定の適用については、同項中「養護助教諭」とあるのは「養護助教諭（地方公務員法の一部を改正する法律（令和三年法律第六十三号）附則第四条第一項若しくは第二項又は第六条第一項若しくは第二項の規定により採用された者（以下この項において「暫定再任用職員」という。）を除く。）」と、「講師（同法」とあるのは「講師（暫定再任用職員及び地方公務員法」とする。

5　地方独立行政法人法（平成十五年法律第百十八号）第二条第二項に規定する特定地方独立行政法人の職員に対する附則第二条から第四条まで及び第六条並びに前条の規定の適用については、次の表の上欄に掲げるこれらの規定中同表の中欄に掲げる字句は、それぞれ同表の下欄に掲げる字句とする。〔「次の表」略〕

6　設立団体が二以上である場合における前項の規定の適用については、前項の表附則第二条第三項の項中「設立団体（地方独立行政法人法第六条第三項に規定する設立団体をいう。以下同じ。）」とあるのは「地方独立行政法人法第百二十三条第四項の規定によりその条例を特定地方独立行政法人の職員に対して適用する旨が定款に定められた地方公共団体（以下「条例適用設立団体」という。）」と、「設立団体の条例」とあるのは「条例適用設立団体の条例」と、同表附則第二条第四項及び第三条第二項の項、附則第三条第八項及び第九項の項、附則第四条第一項の項、附則第四条第二項の項、附則第四条第三項の項、附則第六条第一項及び第二項の項及び附則第八条第三項から第五項までの項中「設立団体」とあるのは「条例適用設立団体」とする。

7　附則第四条から前条まで及び前各項に定めるもののほか、暫定再任用職員の任用その他暫定再任用職員に関し必要な事項は、条例で定める。

（その他の経過措置の政令への委任）

第十条　附則第三条から前条までに定めるもののほか、この法律の施行に関し必要な経過措置は、政令で定める。

（検討）

第十一条　政府は、国家公務員に係る管理監督職勤務上限年齢による降任等又は定年前再任用短時間勤務職員に関連する制度についての検討の状況に鑑み、必要があると認めるときは、地方公務員に係るこれらの制度について検討を行い、その結果に基づいて所要の措置を講ずるものとする。

第十二条から第十九条　略（これらの条文の内容は、地方自治法、市町村立学校職員給与負担法、土地収用法、地方公営企業法、高等学校の定時制教育及び通信教育振興法、警察法、女子教職員の出産に際しての補助教職員の確保に関する法律、農業、水産、工業又は商船に係る産業教育に従事する公立の高等学校の教員及び実習助手に対する産業教育手当の支給に関する法律、公立義務教育諸学校の学級編制及び教職員定数の標準に関する法律、公立高等学校の適正配置及び教職員定数の標準等に関する法律、公立の義務教育諸学校等の教育職員の給与等に関する特別措置法、育児休業、介護休業等育児又は家族介護を行う労働者の福祉に関する法律、教育公務員特例法、へき地教育振興法、地方教育行政の組織及び運営に関する法律、地方公務員の育児休業等に関する法律、地方公共団体の一般職の任期付職員の採用に関する法律、地方独立行政法人法および被用者年金制度の一元化等を図るための厚生年金保険法等の一部を改正する法律（平二四法六三）における関係箇所の改正である。）

強制労働の廃止に関する条約（第一〇五号）の締結のための関係法律の整備に関する法律（令三・六・一六　法律第七五号）

（省　略）

地方公務員法第六一条第一項第四号を「削除」とし、第六二条の二として従前の同号と同じ規定を定める改正がなされた。

刑法等の一部を改正する法律の施行に伴う関係法律の整理等に関する法律（令四・六・一七　法律第六八号）

（省　略）

刑法において懲役および禁錮が拘禁刑に統一されることに伴い、地方公務員法第一六条第一号中の「禁錮」を「拘禁刑」に、第六〇条、六一条および第六三条中の「懲役」を「拘禁刑」に改めるほか、第六一条第四号を次のように改め、第六二条の二を削る改正がなされた（令和三年六月一六日法律第七五号による改正前に戻されたことになる。）。

「四　何人たるを問わず、第三十七条第一項前段に規定する違法な行為の遂行を共謀し、唆し、若しくはあおり、又はこれらの行為を企てた者」

自治法施行令

自治法施行則

自治法施行規程

市町村立学校職員給与負担法

指定都市又は中核市の指定があつた場合における必要事項を定める政令

児童福祉法

就学前の子どもに関する教育、保育等の総合的な提供の推進に関する法律

住民基本台帳法

漁業法

勤務時間法

勤労者財産形成促進法

特別職の職員の給与に関する法律

国の利害に関係のある訴訟についての法務大臣の権限等に関する法律

警察官職務執行法

警察法

警察法施行令

刑訴法

刑法

行手法

教特法

教特法施行令

行服法

法　令　索　引

［※法令名は、凡例にあるものは略称にて表記。
※例）○△法６①Ⅱ＝○△法第６条１項２号］

り

れ

ろ

わ

と

な

に

ね

の

は

ひ

そ

た

ち

つ

て

す

せ

く

け

こ

事 項 索 引

橋本　勇（はしもと　いさむ）

略歴　昭和43年国家公務員上級試験および司法試験合格
昭和44年東京大学法学部卒業、自治省入省
自治省公務員第一課主査、山梨県地方課長
自治省振興課長補佐、公営企業第二課長補佐
在連合王国（イギリス）日本国大使館一等書記官
自治大学校教授等を経て、昭和61年から弁護士

著書　「地方自治のあゆみ」（良書普及会）
「地方公務員法講義」（ぎょうせい）
「自治体財務の実務と理論」（ぎょうせい）
「新地方自治法講座４（住民参政制度）」共著（ぎょうせい）
「新地方自治法講座５（住民訴訟・自治体争訟）」共著（ぎょうせい）
「自治体契約ゼミナール」共編著（ぎょうせい）
「債権管理・回収の手引き」共編著（第一法規）
「自治体行政のための民法」（学陽書房）

新版 逐条地方公務員法〈第６次改訂版〉

平成14年３月10日　初　版　発　行
平成18年２月28日　第１次改訂版発行
平成21年３月20日　第２次改訂版発行
平成26年１月24日　第３次改訂版発行
平成28年５月20日　第４次改訂版発行
令和２年９月30日　第５次改訂版発行
令和５年11月24日　第６次改訂版発行

著　者　橋本（はしもと）　勇（いさむ）
発行者　佐久間　重　嘉

学陽書房　東京都千代田区飯田橋1-9-3
〔営業〕電話（03）3261-1111
〔編集〕電話（03）3261-1112
http://www.gakuyo.co.jp/

東光整版印刷／東京美術紙工製本
ISBN 978-4-313-07316-6　C2032

自治体行政のための民法

——債権法と相続法の改正を踏まえて

橋本　勇　著

定価＝6380円（10％税込）

2020年施行の民法の大改正債権法の改正に対応。その後の成年年齢を18歳に引き下げ、女の婚姻年齢を18歳に引き上げる改正や相続法の改正までを反映。債権法の改正ポイントだけでなく、改正前の内容を適用する経過措置も丁寧にフォロー